# LE NUMÉRO 1 DEPUIS 56 ANS

# LE GUIDE DE L'AUTO<sup>MC</sup>

## 2022

 LES ÉDITIONS DE L'HOMME

**Rédacteur en chef**
Julien Amado

**Directrice artistique**
Marie-Odile Thellen

**Coordination de production**
Mario Paquin

**Journalistes**
Julien Amado, Jacques Bienvenue, Michel Deslauriers, Louis-Philippe Dubé,
Luc Gagné, Marc-André Gauthier, Gabriel Gélinas, Germain Goyer,
Jean-François Guay, Charles Jolicœur, Antoine Joubert, Marc Lachapelle,
Daniel Melançon, Frédéric Mercier, Alain Morin, Guillaume Rivard

**Fiches techniques**
Benoit Lavigne, Nicolas Tardif

**Correction**
Hélène Paraire, Karina Veilleux

**Graphistes**
Antoine Bournival, Pierre Côté, Brigit Lévesque,
Juan-Diego Sanchez-Arbieto, Marie-France Séguin

**Page couverture**
Graphiste: Marie-Odile Thellen
Photo: General Motors

**Photographe matchs comparatifs**
Guillaume Fournier

**Représentation publicitaire**
Robert Collard, Richard Dupuis

**Coordination aux ventes**
Marie-Odile Thellen

**Directeur principal**
Jean-Nicolas Gagné

**DISTRIBUTEUR EXCLUSIF:**

**Pour le Canada et les États-Unis:**
MESSAGERIES ADP inc.*
Téléphone: 450 640-1237
Internet: www.messageries-adp.com
*filiale du Groupe Sogides inc.,
 filiale de Québecor Média inc.

08-21

Imprimé au Canada

© 2021, Les Éditions de l'Homme,
division du Groupe Sogides inc.,
filiale de Québecor Média inc.
(Montréal, Québec)

Suivez-nous sur le Web
GUIDEAUTOWEB.COM
EDITIONS-HOMME.COM
EDITIONS-JOUR.COM
EDITIONS-PETITHOMME.COM
EDITIONS-LAGRIFFE.COM
RECTOVERSO-EDITEUR.COM
QUEBEC-LIVRES.COM
EDITIONS-LASEMAINE.COM

Tous droits réservés

Dépôt légal: 2021
Bibliothèque et Archives nationales du Québec

ISBN 978-2-7619-5861-5

### Julien Amado

Julien débute sa carrière en Europe comme journaliste moto en 2007. Reconverti dans l'automobile à son arrivée au Québec, Julien a d'abord collaboré à la version québécoise d'Autoblog. Il a ensuite été responsable du contenu automobile chez *Protégez-Vous* avant d'aboutir dans l'équipe du *Guide de l'auto*.

### Jacques Bienvenue

Figure dominante du sport automobile des années 60 et 70, Jacques a également été chroniqueur automobile du *Journal de Montréal* et du *Journal de Québec* durant plus de 50 ans. Il participe également à l'émission *Virage*.

### Michel Deslauriers

Michel a amorcé sa carrière de journaliste automobile en 2004. Il a été rédacteur en chef d'Auto123.com, et est membre de l'AJAC depuis 2007. Il s'est joint à l'équipe du *Guide de l'auto* en 2015.

### Louis-Philippe Dubé

Autrefois programmeur de systèmes d'injection sur dynamomètre et propriétaire d'atelier automobile, Louis-Philippe est dorénavant journaliste et membre de l'AJAC. Il partage quotidiennement ses connaissances dans plusieurs médias francophones et anglophones.

### Luc Gagné

Passionné par l'automobile dès son plus jeune âge, Luc a consacré 40 ans à scruter, analyser et commenter l'actualité de cet univers pour des médias imprimés et électroniques comme *Le Monde de l'Auto*, *AutoMag*, *Autofocus.com*, *Auto-Vtélé.com* et *Prestige*.

### Marc-André Gauthier

Diplômé en administration et en journalisme, Marc-André est fasciné par l'automobile. Aussi intéressé par l'histoire et l'économie, il aime faire des détours dans ses textes au profit de la connaissance générale du lecteur.

### Gabriel Gélinas

Chroniqueur automobile depuis 1991, Gabriel était instructeur-chef à l'école de pilotage Jim Russell. Membre du jury des *World Car of the Year Awards* et du *North American Car, Truck and Utility Vehicle of the Year Awards*. Il commente l'actualité automobile dans plusieurs médias canadiens.

### Germain Goyer

Germain partage sa passion de l'auto avec les lecteurs du *Guide de l'auto* ainsi qu'avec les auditeurs de QUB Radio, où il co-anime l'émission hebdomadaire du *Guide de l'auto*. Il contribue aussi au rayonnement de l'entreprise familiale, Autos-Suggestions.

### Jean-François Guay

Avocat de formation, Jean-François a débuté sa carrière de chroniqueur automobile en 1983. Reconnu pour sa vaste expertise, il réalise des essais routiers et commente l'actualité dans les médias.

### Charles Jolicœur

Charles est cofondateur de Netmedia360, qui compte aujourd'hui huit sites dédiés à l'auto. Il lança son premier site, EcoloAuto.com, alors qu'il terminait sa maîtrise en comptabilité en 2011.

### Antoine Joubert

Il mangeait des voitures avant même de pouvoir prononcer le mot « auto »! Antoine partage sa passion sur toutes les plateformes du *Guide de l'auto*. Vous pouvez aussi l'entendre sur QUB Radio et le voir à la télévision dans le cadre de ses chroniques à l'émission *Salut Bonjour*.

### Marc Lachapelle

Depuis ses débuts au *Guide de l'auto* en 1982, Marc a collaboré à de nombreux médias et récolté plusieurs prix et trophées. Il est membre du jury des prix nord-américains depuis leur création et mesure les données de performance exclusives du Guide.

### Daniel Melançon

Montréalais d'origine, Daniel a animé *Le Guide de l'auto* à la télévision pendant neuf ans. On peut aussi le voir régulièrement dans des capsules vidéo sur le site web du *Guide de l'auto*. Parallèlement, il anime *Golf Mag* sur TVA Sports.

### Frédéric Mercier

Diplômé en communications de l'Université Laval, Frédéric a entamé sa carrière de journaliste automobile en 2014. Il s'est joint à l'équipe du *Guide de l'auto* en 2018 et y agit maintenant à titre de chef de contenu.

### Guillaume Rivard

Ayant obtenu son baccalauréat en journalisme en 2003, Guillaume a débuté à la pige pour différents médias. Il s'est joint à l'équipe du *Guide de l'auto* en 2019, toujours aussi soucieux de renseigner les consommateurs en processus d'achat d'un véhicule.

# Il y a de l'électricité dans l'air.

## Voici la toute première IONIQ 5.

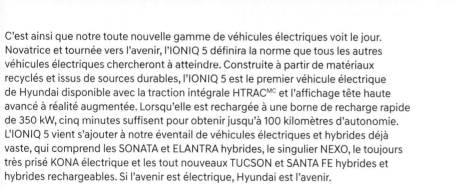

C'est ainsi que notre toute nouvelle gamme de véhicules électriques voit le jour. Novatrice et tournée vers l'avenir, l'IONIQ 5 définira la norme que tous les autres véhicules électriques chercheront à atteindre. Construite à partir de matériaux recyclés et issus de sources durables, l'IONIQ 5 est le premier véhicule électrique de Hyundai disponible avec la traction intégrale HTRAC<sup>MC</sup> et l'affichage tête haute avancé à réalité augmentée. Lorsqu'elle est rechargée à une borne de recharge rapide de 350 kW, cinq minutes suffisent pour obtenir jusqu'à 100 kilomètres d'autonomie. L'IONIQ 5 vient s'ajouter à notre éventail de véhicules électriques et hybrides déjà vaste, qui comprend les SONATA et ELANTRA hybrides, le singulier NEXO, le toujours très prisé KONA électrique et les tout nouveaux TUCSON et SANTA FE hybrides et hybrides rechargeables. Si l'avenir est électrique, Hyundai est l'avenir.

hyundaicanada.com

© Archives personnelles de Gaétan Giroux

# REMERCIEMENTS

Tina Allison (Royal Automotive Agency) – Lindsay Archibald (Mercedes-Benz Canada) – Francis Beaudet (Integrated Automotive Experience) – Marc Belcourt (BMW Canada) – Susan Bernardo (Kia Canada) – Philippe-André Bisson (GM Canada) – Hugues Bissonnette (Polestar Canada) – Chéryl Blas (Décarie Motors) – François Boisvert (CCAM) – Umberto Bonfa (Ferrari Québec) – John Bordignon (Honda Canada) – Erin Bronner (Bentley USA) – Sinead Brown (Mercedes-Benz Canada) – Michelle Burnham (GM Canada) – Alex Coley (Subaru Canada) – Lindsay Collins (GM Canada) – Denis Dessureault (CCAM) – Lucas Dias (Volvo Canada) – Matt Drennan-Scace (Ford Canada) – Kristi Ferguson (Porsche Canada) – Daniela Ferro (Stellantis Canada) – Claudianne Godin (Nissan Canada) – LouAnn Gosselin (Stellantis Canada) – Terry Grant (BMW Laval) – Carole Guindon (Mazda Canada) – Rania Guirguis (Mazda Canada) – Lawrence Hamilton (Hyundai Canada) – Mohga Hassib (Hyundai Canada) – Christine Hollander (Ford Canada) – Bradley Horn (Stellantis Canada) – Rachel Jaskula (Infiniti Canada) – Megan Joakim (Ford Canada) – Tamar Kantarjian (CCAM) – Ekaterina Kukharchuk (Integrated Automotive Experience) – Franck Kirchhoff (Circuit Mécaglisse) – Sébastien Lajoie (Subaru Canada) – Romaric Lartilleux (Toyota Canada) – Sandra Lemaitre (Mazda Canada) – Michelle Lee-Gracey (Mitsubishi Canada) – Julie Lychak (Subaru Canada) – Yves Madore (Ressources naturelles Canada) – Didier Marsaud (Nissan Canada) – Jennifer McCarthy (Hyundai Canada) – Leeja Murphy (Agence Pink) – Natalie Nankil (GM Canada) – Cort Nielsen (Audi Canada) – Rosemarie Pao (Ford Canada) – Jacques Parent (Mazda Canada) – Jarred Pellat (Genesis Canada) – Danielle Petruccelli (Toyota Canada) – Bianca Pettinaro (Genesis Canada) – Sarah Pimental (Subaru Canada) – Barbara Pitblado (BMW Canada) – Daniel Ponzini (Porsche Canada) – Chuck Reimer (Mazda Canada) – Raphaël Rochette (Zone Franche) – Nirali Raval (Toyota Canada) – Don Romano (Hyundai Canada) – Litsa Rorris (Mercedes-Benz Canada) – Corey Royal (Royal Automotive Agency) – Noa Salomon (BMW Canada) – Jory Syed (Lamborghini North America) – Jennifer Szmilo (Kia Canada) – Gerry Spahn (Rolls-Royce North America) – Steve Spence (Services Spenco) – Patrick St-Pierre (Porsche Canada) – Jean-François Taylor (BMW Canada) – Melanie Testani (Toyota Canada) – Thomas Tetzlaff (Volkswagen Canada) – Morgan Theys (Extension PR) – Daniel Tomasso (Subaru Canada) – Éric Tremblay (Audi Park Avenue) – Frédéric Tremblay (Kia Canada) – Jordan Wasylyk (Stellantis Canada) – Laurance Yap (Pfaff Automotive)

# D'HIER À AUJOURD'HUI

Si vous suivez l'actualité automobile de manière assidue, il ne vous a pas échappé que certains constructeurs jouent la carte de la nostalgie avec leurs nouveaux modèles. Dans les périodes d'incertitude comme celle que nous traversons, s'inspirer du « bon vieux temps » permet de rappeler des souvenirs à ceux qui ont connu des modèles mythiques, et aux jeunes générations de découvrir des engins qui ont marqué l'histoire de l'automobile.

C'est particulièrement flagrant dans le *Guide de l'auto 2022,* où l'un des modèles les plus marquants est aussi celui qui se trouve sur la couverture. De retour dans une version 100 % électrique, le Hummer EV est la parfaite illustration du mariage d'un nom d'hier avec une technologie d'aujourd'hui.

Il ne faut pas oublier non plus le retour du nom Wagoneer chez Jeep, l'un des premiers VUS de luxe qui se distinguait, notamment, par ses panneaux de bois caractéristiques. Le nouveau modèle ne pourra pas en être doté, mais il y a de fortes chances pour qu'un grand nombre d'entreprises spécialisées dans la modification automobile y remédient ! Enfin, Nissan fait aussi appel à son passé avec sa nouvelle sportive Z, une interprétation modernisée de la célèbre 240Z qui était encore vendue sous la bannière Datsun à sa sortie. Une voiture qui mise sur des plaisirs simples, avec un moteur sans hybridation associé à une transmission manuelle.

Comme vous allez le constater, un grand nombre de nouveautés 100 % électriques font aussi leur apparition. Des véhicules relativement abordables, comme les Chevrolet Bolt (EV et EUV), la Hyundai IONIQ 5 et la Kia EV6. Mais aussi des bolides plus luxueux comme les BMX i4 et iX, la Mercedes-Benz EQS et les Audi Q4 e-tron et e-tron GT. Sans oublier les incontournables utilitaires sport avec l'arrivée, entre autres, du Volkswagen ID.4 et du Volvo XC40 Recharge. Deux modèles que nous avons opposés au Ford Mustang Mach-E et au Tesla Model Y dans un match comparatif.

Nous avons également réalisé deux autres confrontations. Pour la première, nous avons réuni six VUS sous-compacts, qui se sont affrontés au cœur de l'hiver, sur des routes enneigées et glacées. Et pour contenter les amateurs de sensations fortes, le dernier match comparatif regroupe trois voitures sport sur la route et sur la piste. Face à la redoutable Corvette C8, nous avons retenu la Porsche 911 ainsi que la Lexus RC F dans sa version Track Edition, la plus aboutie.

D'hier à aujourd'hui, nous avons également voulu rendre hommage au pilote québécois Gilles Villeneuve, qui nous a quittés il y a 40 ans. Pilote spectaculaire et atypique, il est parvenu à se hisser au pinacle de la course automobile à la seule force de sa détermination hors du commun. Grâce à des témoignages de ses proches et des photos inédites, vous allez en apprendre davantage sur ses jeunes années passées à Berthier, avant qu'il ne marque durablement l'histoire de la Formule 1.

Bonne lecture !
**L'équipe du *Guide de l'auto***

CONCEPTS ET MODÈLES
À VENIR

# AUDI **A6 e-tron CONCEPT**

**CONCEPT**

**B**ien qu'il s'agisse pour le moment d'un concept, la Audi A6 e-tron muera en une voiture de production en 2022. Tout comme le Concept, la A6 e-tron que l'on retrouvera chez les concessionnaires sera construite sur une toute nouvelle plateforme baptisée PPE, pour *Premium Platform Electric*, qui servira de base aux futures créations électriques d'Audi, de Porsche et de Bentley, toutes ces marques appartenant à Volkswagen. Grâce à sa batterie de 100 kWh, l'A6 e-tron – oui, on le sait, en français ça sonne bizarre – cette A6 e-tron, disions-nous, pourra parcourir 700 km sur une seule charge, selon les normes européennes qui voient toujours le verre bien plein alors qu'il est parfois à moitié vide. Le rouage intégral est de mise, même si la version de base, qui pourrait ne pas venir en Amérique, sera une propulsion (roues arrière motrices). Quoi qu'il en soit, le Concept, tout comme la voiture de production, est mû par deux moteurs, un à l'avant et un à l'arrière, d'une puissance totale de 469 chevaux et d'un couple de 590 lb-pi. Avouez que cette voiture a de la gueule !

# BRIGHTDROP **EV600**

**MODÈLE À VENIR**

**M**iroir de la société actuelle, le marché de la livraison de colis est en pleine expansion et une étude démontre qu'en 2025, il s'agira, aux États-Unis, d'un marché de... 850 milliards de dollars. Flairant la bonne affaire, General Motors a lancé, en janvier 2021, la marque BrightDrop destinée au marché du camion de livraison 100 % électrique. En même temps, elle a commercialisé le EP1, un petit caisson motorisé pouvant transporter une charge pesant jusqu'à 91 kg ou ne dépassant pas un volume de 651 litres. Vers la fin de 2021, la seconde création de BrightDrop, le EV600, sera dévoilée. Il s'agit d'un camion de livraison pouvant transporter jusqu'à 16 990 litres de marchandise. Bien que GM ne mentionne pas la capacité de la batterie, elle affirme que l'autonomie sera d'environ 400 km. Ce camion bénéficiera du rouage intégral et des toutes dernières technologies en matière d'aides à la conduite, de sécurité et de connectivité. Les véhicules BrigthDrop ne s'adressent pas au grand public... quoique plusieurs les imaginent sans doute transformés en roulotte mobile !

# CROSSTREK 2021

## NÉE POUR L'AVENTURE

Ce que vous trouverez sous le capot est aussi exaltant que ce que vous hisserez sur le toit. Avec le nouveau moteur Subaru BOXER<sup>MD</sup> de 2,5 L en option, la traction intégrale symétrique à prise constante et une généreuse garde au sol, l'aventure se vit au quotidien au volant de la nouvelle Crosstrek 2021 de Subaru.

**AVEC SYSTÈME EYESIGHT<sup>MD</sup>
ET PHARES SPÉCIFIQUES**

**MEILLEURE VALEUR RÉSIDUELLE PARMI LES
VÉHICULES UTILITAIRES SOUS-COMPACTS**

**NOMMÉE MEILLEUR UTILITAIRE
COMPACT 2021 AU CANADA**

# CANOO **MPDV** ET PICKUP **TRUCK**

PICKUP TRUCK

MPDV

**C**anoo, une *start-up* de la Californie, ne fabrique pas de canots. Elle a plutôt créé une camionnette, un VUS et un véhicule de livraison au style absolument craquant. Platement nommés Pickup Truck, MPDV (*Multi Purpose Delivery Vehicle*) et Lifestyle Vehicle, un VUS plus conventionnel… si le mot conventionnel peut s'appliquer dans le cas de Canoo. Ces trois véhicules reposent sur la même architecture qui comprend le châssis et les batteries. Évidemment, ils sont 100 % électriques. Vous ne voudriez tout de même pas voir ces jolies binettes polluer à qui mieux mieux ! Lorsqu'ils arriveront sur le marché quelque part en 2023, ces futuristes camions seront offerts avec un ou deux moteurs (deux roues motrices ou AWD). Dans ce dernier cas, on parle de 600 chevaux et d'un couple de 550 lb-pi. L'autonomie serait de plus de 320 km. Viendront-ils au Canada ? Si oui, à quel prix ? La réponse bientôt sur notre site www.guideautoweb.com.

# FERRARI **296 GTB**

**D**ans la planète automobile, Ferrari s'est toujours élevée au-dessus du lot malgré quelques périodes creuses. La plus récente création de Maranello risque toutefois d'amener Ferrari encore un peu plus loin. Sa motorisation hybride rechargeable composée d'un V6 biturbo de 3 litres déballe 654 chevaux. Un rapide calcul nous donne un impressionnant rapport de 218 chevaux par litre. Le moteur électrique ajoute 167 chevaux pour une puissance totale de 819 chevaux à 8 000 tr/min. La batterie de 7,45 kWh assure une autonomie d'environ 25 km. C'est bien peu mais, si vous voulez notre avis, ce n'est absolument pas important ! Avec un poids d'à peine 1 470 kg, le 0 à 100 km/h est consumé en 2,9 secondes seulement. Sur le volant, le eManettino permet de choisir entre les modes eDrive, Hybrid et Performance. On retrouve aussi un nouveau mode, Qualify, rappelant les temps canons obtenus lors de séances de qualifications en Formule 1. Ce chef-d'œuvre débarquera chez les concessionnaires européens au début 2022. Son prix n'a pas encore été dévoilé mais n'espérez rien sous les 450 000 $…

# DÉFIEZ LE STATU QUO

LEXUS
**ES**

## LA **LEXUS ES 2022** REDESSINÉE

———

Il y a ceux qui suivent un chemin bien tracé, et ceux qui créent leur propre chemin. Depuis une technologie évoluée et une dynamique de conduite qui vous permettent de rester en plein contrôle jusqu'à une esthétique raffinée qui fait tourner les têtes à chaque sortie, la Lexus ES redessinée vous aide à dominer votre propre parcours.

# GEELY **VISION STARBURST**

**A**vant de se porter acquéreur de Volvo, à peu près personne n'avait entendu parler de Geely. Pourtant, il s'agit d'un *holding* chinois très important. En 2018, Geely a vendu plus de 1,5 million de véhicules. Signe du sérieux de l'entreprise, elle donne à Volvo (et à Lotus, son autre « bébé ») les moyens de ses ambitions sans trop interférer dans ses opérations. En plus des nombreuses marques qu'elle possède, Geely commercialise aussi des véhicules sous son propre nom. En juin 2021, à Shanghai, elle a présenté son Vision Starburst, un concept qui, selon le communiqué de presse, représente la nouvelle orientation du design de Geely, sobrement appelé « Expanding Cosmos » ou, si vous préférez, le Cosmos en expansion. Rien de moins. Il faut cependant avouer que le style du concept est plutôt réussi. L'habitacle est parsemé de lumières ambiantes qui changent au gré du style de conduite ou lorsque la voiture fait marche arrière. La carrosserie aussi contient sa part de lumières et Geely avance même que ces lumières extérieures donneront au pilote une impression de vitesse. C'est bien beau mais on a hâte de voir ça en vrai. Geely n'a donné aucune, comme dans zéro, information technique.

# GENESIS **X CONCEPT**

**G**enesis, la marque de luxe de Hyundai, est en train de redéfinir le marché des voitures de luxe comme l'ont un jour fait Acura et Lexus. Le design des Genesis y est sans doute pour beaucoup dans ce regain de vie et cette Genesis X Concept ne fait pas exception à la règle, selon l'humble, mais toujours pertinent, avis de l'auteur de ces lignes. Ce coupé sport affiche des lignes très fluides mais ce sont surtout les phares, qui s'étirent en deux bandes horizontales de chaque côté, qui attirent l'attention. Ces phares s'allongent même au-delà des arches des roues avant. Les feux arrière reprennent le même design. La porte donnant accès à la prise pour la recharge est dissimulée entre l'arche de la roue avant gauche et la portière. De son côté, l'habitacle et le tableau de bord très enveloppant sont recouverts de matériaux recyclés et recyclables. Comme c'est souvent le cas avec les concepts, Genesis n'a donné aucune information technique, sinon que le X Concept sera 100 % électrique. Mais ça, ce n'est pas vraiment une surprise ! Ce concept n'a pratiquement aucune chance d'être produit un jour, du moins dans sa forme actuelle. Dommage.

# HENNESSEY **VENOM F5**

**EN PRODUCTION**

Hennessey est un petit constructeur et préparateur automobile du Texas. Il est surtout connu pour ses créations quelquefois outrancières comme, par exemple, son Ford F-150 Velociraptor à six roues. Il modifie aussi allègrement des Mustang, des Corvette, des Ram ou des Jeep. Hennessey va même plus loin en commercialisant sa propre voiture, la Venom F5. Ici aussi, on nage dans l'excès. Son V8 central arrière biturbo de 6,6 litres développe la bagatelle de 1 817 chevaux et un couple de 1 193 lb-pi. Dans une voiture de 1 360 kg, inutile de mentionner que les performances sont ahurissantes. Et impossibles à exploiter sur les routes publiques. La vitesse maximale est estimée à 500 km/h! Seulement 24 Venom F5 ont été construites et toutes auraient trouvé preneur, à quelque 2,1 millions de dollars l'unité, US évidemment. En passant, F5 réfère à la plus dévastatrice des tornades. Un nom qui lui va plutôt bien, compte tenu de la quantité de rejets polluants que son moteur va déverser à chaque accélération…

# HYPERION **XP-1**

**MODÈLE À VENIR**

Sous des dehors pour le moins spectaculaires, l'Hyperion XP-1 cache une technologie… pour le moins spectaculaire! Tout d'abord, précisons que Hyperion est une compagnie californienne qui a débuté ses opérations en 2011. Le travail menant à la XP-1 a débuté en 2016 mais ce n'est qu'en août 2020 que la supervoiture a été montrée au public pour la première fois. Cette voiture peut atteindre 221 mph (356 km/h) et accélérer de 0 à 60 mph (96 km/h) en 2,2 secondes. La voiture est propulsée, le mot est faible, par quatre moteurs électriques – un par roue – alimentés par une pile à combustible (hydrogène) suffisamment grosse pour assurer une autonomie de plus de 1 635 km. Excusez du peu. Fier promoteur de la motorisation à l'hydrogène, Hyperion prévoit établir un réseau de stations de recharge, à la manière de Tesla. Sauf qu'il y aurait moins de stations étant donné l'autonomie plus élevée et le temps de recharge d'à peine 5 minutes. La XP-1 devrait être commercialisée en 2022 et seulement 300 unités seront produites. Le prix n'a pas été dévoilé mais il y a fort à parier qu'il sera de nature à éloigner le petit peuple…

# L'huile usagée
## peut être re-raffinée presque indéfiniment

# Ne brisez pas le cycle
Ramenez votre huile usagée dans l'un de nos points de dépôt

**SOGHU**
SOCIÉTÉ DE GESTION DES HUILES USAGÉES

**1-877-987-6448**
**www.soghu.com**

# HYUNDAI **PONY CONCEPT**

**S**i, dans les années 80, on nous avait dit qu'un jour très lointain la risible Pony de Hyundai reviendrait dans l'actualité, l'auteur de ces lignes aurait été le premier à proposer à son interlocuteur de bien vouloir aller paître. Et le plus loin possible. Comme tout peut arriver dans le domaine de l'automobile, la Hyundai Pony est revenue cette année sous forme conceptuelle. Baptisée Heritage Series PONY, cette voiture n'est pas juste une interprétation moderne de l'ancêtre qui connut un vif succès au Québec il y a une quarantaine d'années. Les ingénieurs et designers de Hyundai ont pris une Pony de la première génération, l'ont désassemblée puis l'ont reconstruite en remplaçant son moteur à essence par un électrique. Toutes les lumières extérieures sont à DEL et leur design s'inspire de celles de la IONIQ 5. Les rétroviseurs, placés loin sur les ailes avant façon asiatique, sont en fait des caméras. Le tableau de bord est tout aussi rétro moderne. Devant le conducteur, on s'étonne de retrouver un odomètre constitué de tubes Nixie. Malheureusement, Hyundai n'a aucunement l'intention de produire cette PONY fort spéciale.

# HYUNDAI **TIGER UNCREWED**

**I**l arrive rarement qu'un concept ait un but davantage humanitaire que marketing. C'est le cas du Hyundai TIGER Uncrewed Concept. Cette bizarrerie lunaire aux allures extra-terrestres est, à sa manière, un extra-terrestre! Le TIGER (*Transforming Intelligent Ground Excursion Robot*) est parfaitement autonome. Construit avec l'aide de Boston Dynamics, dont Hyundai possède 80 % des parts, le TIGER a les dimensions d'un bagage de cabine. Cependant, la version définitive, qui devrait être dévoilée en 2023 ou 2024, sera trois ou quatre fois plus imposante. Elle pourra se rendre en terrain difficile comme, par exemple, lors d'un effondrement ou dans une mine après un coup de grisou, pour aller porter des médicaments ou de la nourriture aux infortunés. Bien entendu, le TIGER sera équipé de caméras qui relaieront de très importantes informations aux secouristes. Les quatre roues, chacune possédant son propre moteur, sont reliées à des suspensions articulées à cinq bras et permettent au TIGER de tourner sur 360 degrés ou d'escalader des obstacles très abrupts et irréguliers.

# JEEPSTER **BEACH CONCEPT**

CONCEPT

Durant les années 60 et 70, la marque Kaiser, propriétaire de Jeep, avait eu la bonne idée de créer le Jeepster Commando. Basé sur le Willys-Overland Jeepster de la fin des années 40, le Commando qui a vu le jour en 1966 avait pour mission de ravir quelques ventes au nouveau et déjà très populaire Ford Bronco. Si le Jeepster ne connut jamais le succès du cheval intrépide de Ford, il a conservé nombre d'admirateurs malgré le temps qui passe. Ou peut-être grâce au temps qui passe! Comme c'est devenu la tradition, Jeep a profité du Moab Easter Safari tenu plus tôt cette année pour dévoiler ce Jeepster Beach Concept. Ce mignon Jeep a commencé sa vie en tant que Jeepster Commando 1968. Les ingénieurs et designers actuels de Jeep lui ont toutefois donné le châssis et la mécanique d'un Wrangler Rubicon, rien de moins. Il s'agit d'un 4 cylindres turbo de 2 litres développant 340 chevaux et un couple de 369 lb-pi. Une boîte automatique à 8 rapports et un boîtier de transfert au ratio de 4:1 gèrent la puissance et le couple. Aucune information ne nous permet de croire que ce joli Jeepster moderne sera un jour commercialisé. Snif.

# KIA **SPORTAGE**

MODÈLE À VENIR

La quatrième génération du Kia Sportage a déjà plusieurs années derrière la calandre puisqu'elle a débuté en 2016. Imaginez, six ans, sept si l'on prend en considération que le futur Sportage n'arrivera en Amérique que pour l'année-modèle 2023. C'est une éternité dans le domaine de l'automobile. Une longue éternité, même. L'attente, toutefois, pourrait bien en valoir la peine. Le style du futur Sportage est différent et, ma foi, plutôt réussi même s'il est moins original que celui de son cousin et rival, le Hyundai Tucson. Sous le capot du Kia, on retrouvera un 4 cylindres turbo 1,6 litre développant 177 chevaux, marié à une boîte automatique à double embrayage à 7 rapports. Kia, pingre d'informations, ne fait pas mention d'une version à rouage intégral (AWD) mais il est évident qu'il y en aura! Kia ne se prononce pas, non plus, sur une future motorisation hybride et/ou hybride rechargeable, mais si l'on regarde du côté du cousin, on y découvre une version dotée d'une batterie de 1,49 kWh pour l'hybride et de 13,8 kWh pour l'hybride rechargeable. Est-ce qu'on la retrouvera dans le Sportage? Suivez ce dossier sur www.guideautoweb.com

# L'**EV6**.
## Le futur est inspirant.

Voici l'EV6, le premier véhicule électrique dédié de Kia. Avec son design audacieux, sa capacité de chargement ultra rapide et une très grande autonomie estimée à 480 km*, le futur s'annonce inspirant.

Du mouvement vient l'inspiration

EV6 GT-line

# LEXUS **LF-Z ELECTRIFIED CONCEPT**

**CONCEPT**

Si Toyota et sa branche de luxe Lexus ont été de fervents ambassadeurs de la voiture hybride et hybride rechargeable, le passage au tout électrique s'est effectué beaucoup plus lentement. Voilà que depuis un an ou deux, les ions s'accélèrent. Au mois de mars 2021, Lexus a dévoilé le concept LF-Z Electrified (pour l'originalité du nom, on repassera... au moins ça ne laisse place à aucune interprétation). L'œil le moindrement avisé remarquera que l'immense grille en forme de sablier propre aux produits Lexus est beaucoup plus discrète. Côté technique, on sait que la batterie lithium-ion de 90 kWh sera responsable d'une autonomie de près de 600 km selon les normes européennes, toujours optimistes. La puissance des deux moteurs, inconnue, est transmise aux quatre roues via le système Direct-4 qui permet de faire varier le couple à l'infini entre chacune des roues. Le LF-Z Electrified montre la direction que prendra Lexus pour sa gamme de véhicules électriques. D'ailleurs, d'ici 2025 (demain, dans le domaine de l'automobile), Lexus dévoilera ou renouvellera pas moins de dix modèles 100 % électriques, hybrides rechargeables ou à hydrogène.

# LINCOLN **ZEPHYR REFLECTION**

**CONCEPT**

Si, dans les années 30 jusqu'aux années 70, Lincoln représentait l'image de la réussite sociale et financière, ce n'est plus le cas. Il manque souvent à Lincoln ce petit quelque chose qui attirerait le consommateur prêt à débourser une jolie somme. Et c'est par la Chine que Lincoln semble, pour une fois, présenter une voiture d'avenir. Il faut dire que le marché chinois est très lucratif pour les constructeurs de voitures de luxe. D'ailleurs, Lincoln et Buick doivent leur survie uniquement à cet important marché. Il est donc un peu normal que Lincoln chouchoute les Chinois en leur présentant une automobile, aux lignes aussi élégantes que dynamiques. Le nom Zephyr est aussi fort approprié. Dans les années 30, la Lincoln Zephyr avait pratiquement réinventé la voiture de luxe américaine. Il y a bien eu une Zephyr il y a quelques années mais elle était si insipide... Au moment d'écrire ces lignes, Lincoln n'avait dévoilé aucune information technique mais il est déjà certain que cette jolie Lincoln sera construite en Chine... et qu'elle ne viendra pas en Amérique. Une belle occasion ratée.

# LION **C**

Photo : Martin Alarie / Journal de Montréal

**N**on, *le Guide de l'auto* n'est pas devenu le Guide de l'autobus. Et, bien franchement, on aime mieux conduire des Porsche que des autobus. Mais quand une compagnie québécoise fabrique un produit avec des roues et un moteur, que ce produit a une bonne longueur d'avance sur ses concurrents et qu'il représente l'avenir, on ne va pas passer à côté! Cette entreprise innovante, c'est Lion Électrique de St-Jérôme. Après avoir tâté le marché de l'autobus à moteur diesel, elle a fabriqué un minibus à motorisation électrique pour transport adapté. Au fil des années, plusieurs modèles d'autobus et de camions de service (transport, à nacelle, collecte, etc) électrifiés se sont ajoutés à l'offre de Lion Électrique. L'autobus sur la photo est un modèle LionC. Cet autobus peut transporter jusqu'à 77 personnes. Trois choix de batteries s'offrent à l'acheteur, 126, 168 et 210 kWh pour une autonomie de 160, 200 et 250 km respectivement. Le moteur développe 335 chevaux et un couple de 1 800 lb-pi. Au moment où vous lisez ces lignes, La Compagnie Électrique Lion est en train de construire une usine de fabrication de batteries dotée d'un centre d'innovation à Mirabel.

# LOTUS **EMIRA**

**L**e monde de l'automobile vit de grands bouleversements comme une transition accélérée vers la voiture électrique et la conduite autonome pour ne nommer que ces deux-là. Dans ce contexte, lancer une nouvelle voiture dotée d'une motorisation à essence représente un risque... calculé que Lotus est prêt à prendre. Pour la dernière fois. Cette dernière fois s'appelle Emira. Successeur de la très réussie Evora GT, l'Emira gardera le même empattement de 2 575 mm puisqu'elle utilisera le châssis, quoique modifié, de cette dernière. L'acheteur, du moins en Europe, aura le choix entre deux moteurs, soit un 4 cylindres turbocompressé provenant de Mercedes-AMG et un V6 3,5 litres Toyota, sans doute le même qui officiait dans l'Evora. La puissance annoncée par Lotus sera de 360 ou de 400 chevaux, selon que l'on opte pour le 4 cylindres ou le V6. Trois boîtes seront au menu, une manuelle, une automatique régulière et une automatique à double embrayage. Le tableau de bord a aussi connu un méchant changement et s'avérera plus convivial que celui de l'Evora. Remarquez qu'il aurait été difficile de faire pire... L'Emira sera en vente au début de 2022.

# MERCEDES-BENZ **EQA**

Les Mercedes-Benz les plus désirables se retrouvent sous la marque AMG. Il s'agit de véritables machines de guerre, capables de performances extrêmes dans un déferlement de décibels accompagné d'une consommation d'essence ahurissante. À l'autre extrémité du spectre automobile, on retrouve désormais la marque EQ qui présente les véhicules tout électriques de Mercedes-Benz. En attendant la EQC qui débarquera bientôt sur notre continent, Mercedes nous titille en présentant le EQA, basé sur le VUS compact GLA. Le premier modèle qui sera disponible, le EQA 250, sera offert, en Europe à tout le moins, en modèle traction (roues avant motrices). Les EQA 300 et EQA 350 seront des quatre roues motrices grâce à leur moteur électrique additionnel à l'arrière. Peu importe le nombre de roues motrices, la batterie lithium-ion demeurera la même. Ses 66,5 kWh seront responsables d'une autonomie de 320 à 400 km... selon les normes européennes qui voient la vie en rose. Le EQA 250 est mû par un moteur électrique de 188 chevaux et un couple 277 lb-pi tandis que les 300 et 350 le sont par une écurie de 268 chevaux. Le EQA viendra-t-il ici? On se le souhaite!

# MINI **VISION URBANAUT**

Chez BMW et ses filiales MINI et Rolls-Royce, les voitures concept préfigurant le futur (remarquez que c'est un peu ça le but d'un concept!) font partie d'une gamme baptisée Vision. Il y a eu, entre autres, la BMW Vision Next 100 qui avait fait la page couverture du *Guide de l'auto 2017* et la Rolls-Royce Vision Next 100. Cette année, c'est au tour de MINI d'avoir droit à son concept Vision, l'Urbanaut. Qui n'existe pas. Il s'agit simplement d'une voiture digitale de l'aveu même de BMW qui a eu recours à la réalité augmentée pour la création de cette voiture virtuelle. Quelques poussières plus longue qu'une MINI Countryman, l'Urbanaut Concept veut redéfinir la «mini minivan» du futur. On ne sait rien de sa mécanique, sauf qu'elle sera entièrement électrique – le contraire nous aurait surpris – et que la voiture bénéficiera de la conduite autonome. Le pare-brise se soulève pour donner l'impression aux passagers d'être sur un balcon et la section arrière se veut plus confortable, dixit le communiqué de presse. Les différents textiles que l'on retrouve dans l'habitacle proviennent de fibres naturelles et sont recyclables. Les graphiques lumineux à l'avant, à l'arrière et sur les roues peuvent être modifiés à souhait.

# OPEL **MANTA GSE ELEKTROMOD**

**D**epuis que l'électricité s'est invitée dans le marché automobile, de plus en plus de constructeurs s'amusent à réinventer leurs classiques. En 1970, par exemple, Opel dévoilait un très joli coupé, la Manta A. Qui, d'ailleurs, fut distribué au compte-goutte en Amérique par Buick. Il fut remplacé en 1975 par la Manta B, B sans doute pour Beaucoup moins joli... mais ça demeure une question éminemment personnelle. Toujours est-il que la marque allemande a choisi une Manta A d'origine qui avait besoin d'une restauration et l'a amenée dans le XXIe siècle. Et, au lieu de parler d'un *restomod*, Opel, maintenant dans le giron de Stellantis, parle d'ElektroMOD! Sous le capot noir de la Mantra GSe, on retrouve un moteur électrique de 147 chevaux. Fait inusité, Opel a choisi de conserver la boîte de vitesses manuelle à 4 rapports, du rarement vu avec un moteur électrique! Le pilote peut passer les rapports lui-même ou simplement engager le quatrième rapport et laisser la boîte faire le boulot. La batterie lithium-ion de 31 kWh autorise une autonomie d'environ 200 km, ce qui est très peu selon les standards actuels.

# RENAULT **5 PROTOTYPE**

**D**urant les années 70, le Québec s'était entiché de la petite Renault 5 qui offrait des performances ma foi étonnantes et un confort tout aussi surprenant. Voilà que Renault vient de présenter une nouvelle 5. Cette version esthétiquement très réussie reprend les lignes générales de la sous-compacte originale tout en respectant les normes actuelles. Cette petite voiture parfaitement électrique s'inscrit dans un plan stratégique de Renault, baptisé Renaulution. Ce plan ambitieux vise, entre autres, l'électrification de la gamme Renault. En effet, 14 nouveaux modèles seront lancés d'ici 2025 dont sept seront 100 % électriques. La nouvelle 5, qui est passablement moins petite que son aïeule, est la première de ces voitures à voir le jour et elle sera éventuellement mise en production. Renault a été très chiche au sujet des données techniques mais on sait que la prise pour la recharge se situe sur le capot là où, à l'époque, il y avait la prise d'air.

**EN PRODUCTION**

**D**ans le domaine des supervoitures, on parle de celles qui coûtent à l'unité plus que ce que le commun des mortels ne gagnera jamais dans toute sa vie, Rimac est un très petit joueur. Sa Nevera est mue par quatre moteurs électriques qui développent, attachez votre tuque avec de la broche, 1,4 mégawatt ou, si vous préférez, 1 877 chevaux et un couple de 1 741 lb-pi. Pour fournir de l'énergie à une telle écurie, on oublie les piles AA. On y va plutôt avec une batterie de 120 kWh. Selon Rimac, le 0-100 km/h serait l'affaire de 1,97 seconde, en route pour une vitesse de pointe de 412 km/h. Les immenses Michelin Pilot Sport 4S pourront-ils résister à la poussée phénoménale des moteurs ? La Nevera partage sa plate-forme avec la Pininfarina Battista, une autre voiture destinée aux pas pauvres. Les premières des 250 Nevera qui seront produites devraient être livrées quelque part au cours de l'année 2021. Cinquante unités auraient déjà trouvé preneur. À 2 400 000 $ US chacune. Rimac vient de former une nouvelle entité avec la non moins réputée marque Bugatti à qui il manquait, justement, une motorisation électrique, question de pouvoir suivre la parade. Façon de parler, évidemment.

# TOYOTA **bZ4X CONCEPT**

**CONCEPT**

**S**i Toyota a été l'un des pionniers de la motorisation hybride (l'assemblage de la Prius a commencé à la fin de 1997) et a toujours persévéré dans cette voie, elle a de plus en plus de difficulté à justifier l'absence de voitures entièrement électriques dans sa gamme. Qu'à cela ne tienne, Toyota a récemment dévoilé son premier véhicule 100 % électrique, le bZ4X Concept. D'ailleurs toutes les créations de Toyota misant sur une batterie uniquement seront vendues sous une nouvelle marque, bZ (pour beyond Zero ou, si vous préférez, au-delà de zéro). Développé conjointement avec Subaru, le bZ4X repose sur la plate-forme e-TNGA, utilisée pour la première fois. Toyota s'est faite très économe de données techniques, se contentant de préciser que la taille du bZ4X serait à peu près celle d'un RAV4 et qu'il s'agirait d'un véhicule à quatre roues motrices. On peut donc assumer sans trop de craintes de se tromper qu'il y aura un moteur à l'avant et un autre à l'arrière. Toyota a aussi profité de l'occasion pour annoncer qu'elle introduira pas moins de 15 véhicules parfaitement électriques d'ici 2025.

# TOYOTA **C+POD**

De côté, on pourrait croire qu'il s'agit d'une smart légèrement redessinée. De face, à une demie smart tant elle est étroite. Cette (très) citadine voiture, c'est la Toyota C+pod. Et non, il ne s'agit pas d'un concept. Plusieurs C+pod roulent déjà au Japon, là où les mini voitures sont reines. Là-bas, cette bibitte à batterie fait partie de la catégorie des *kei cars* qui sont moins taxés que les véhicules plus imposants. La C+pod puise son énergie d'une batterie de 9,06 kWh (le « ,06 » est important). Elle est mue par un moteur de 9,2 kW (le « ,2 » est tout aussi important...) pour un couple de 56 Nm, environ 12 chevaux et 41 lb-pi respectivement, ce qui nous semble peu même pour une voiture pesant moins de 700 kg. L'autonomie maximale de 150 km est sans doute suffisante pour une utilisation urbaine. Cette mignonne souris roule sur des roues de 13 pouces. Dans son communiqué de presse, Toyota mentionne qu'il y a amplement d'espace pour les deux occupants de la C+pod... Souhaitons-leur de ne pas être très enrobés...

# VOLKSWAGEN **ID. BUZZ**

Lorsque Volkswagen a présenté son ID. Buzz Concept au Salon de Détroit 2017, tout le monde est tombé sous le charme de cette interprétation moderne du Type 2, aussi appelé Microbus ou Bus tout simplement. VW s'apprête à mettre cette adorable fourgonnette sur le marché européen. Elle débarquera au Canada peu après, sans doute en 2023 en tant que modèle 2024. Malheureusement, Volkswagen n'a pas daigné nous faire parvenir une photo officielle. Alors que ce modèle 100 % électrique sera offert en Europe en configuration passagers (comme sur les photos) et utilitaire, seule la première version sera disponible ici. Si la rumeur se confirme, deux motorisations seront proposées. De base, les roues motrices du ID. Buzz seront situées à l'arrière et le moteur développera aux alentours de 200 chevaux. Une version à rouage intégral développera plus ou moins 300 chevaux. Dire que nous avons hâte de conduire ce Bus moderne serait un euphémisme! Souhaitons aussi qu'il ait conservé la fraîcheur du concept.

EN PRODUCTION

**S**ans doute pour se défaire de son image de mauvais garçon qui pollue avec ses moteurs diesel, Volkswagen présente régulièrement des concepts de véhicules 100 % électriques. Tous élaborés sur la plate-forme MEB (Modular Electrification Toolkit) et portant le préfix ID, pour *Intelligent Design*, ils préfigurent le futur proche de la marque allemande. Certains de ces concepts deviennent des modèles de production, dont la ID.6. D'abord prévue pour le marché asiatique où elle sera assemblée, il semblerait que les plans de Volkswagen aient récemment changé et qu'elle pourrait venir en Amérique en 2023. Ce VUS intermédiaire à trois rangées de sièges, plus grand que le nouveau ID.4, sera mû par les roues arrière ou par les quatre roues, selon le choix de l'acheteur. Deux batteries seront proposées (mais pas en même temps…), une de 58 kWh et une autre de 77 kWh. Est-ce que ces deux batteries traverseront le Pacifique ? L'autonomie maximale se situerait aux alentours de 585 km, selon les normes européennes. En Asie, on retrouvera deux versions, Crozz et X, aux allures différentes mais autrement similaires.

# VOLVO **CONCEPT RECHARGE**

CONCEPT

**V**olvo, comme la plupart des autres, saute à pieds joints dans l'aventure électrique. D'ailleurs, les hybrides rechargeables et les modèles tout électriques seront regroupés sous une nouvelle bannière baptisée Recharge. Vous trouverez incidemment des informations sur les Volvo XC40 Recharge et C40 Recharge dans la section des essais. La voiture qui nous intéresse ici est le Concept Recharge qui, ironiquement, a été présenté après les modèles susmentionnés. Bien qu'il ne s'agisse que d'une création virtuelle, ce Concept Recharge montre le futur du design Volvo; Des porte-à-faux à peu près inexistants, un capot court surplombant des phares fort beaux (c'est une question de goût remarquez) et une partie arrière verticale rappelant celle de la défunte C30. Volvo ne parle pas de conduite autonome comme tel mais cela fait visiblement partie de ses plans. L'habitacle est vaste, aéré serait plus juste. Sur le tableau de bord dénudé trône un immense écran de 15 pouces, obligatoire de nos jours semble-t-il. D'ici 2025, Volvo prétend pouvoir diminuer le temps de recharge de moitié et, vers la fin de la décennie, offrir aux alentours de 1 000 km d'autonomie.

EN PAGE
COUVERTURE

# DE GROS V8
## À ÉLECTRIQUE

**Q**uand vient le temps d'élire le véhicule qui sera mis en vedette sur notre page couverture, l'équipe éditoriale du *Guide de l'auto* tente de trouver le modèle qui représente le mieux les tendances actuelles de l'industrie automobile. Depuis le début de la présente décennie, le marché est guidé par deux tendances assez contradictoires: l'engouement pour les gros véhicules et la course vers l'électrification. Le GMC Hummer EV réunit ces deux caractéristiques d'une main de maître.

On le croyait mort et enterré, mais le nom Hummer est bel et bien de retour! Et cette fois, General Motors a l'intention de faire les choses différemment. Jusqu'à sa disparition, la division Hummer n'avait pas une réputation particulièrement enviable. Au contraire, les gros camions qui portaient son écusson étaient devenus une sorte de bouc émissaire des problèmes environnementaux, pointés du doigt pour leur consommation démesurée et leur gabarit excessif. Ajoutez à cela une crise financière majeure et une hausse du prix de l'essence, et vous avez tous les ingrédients qui expliquent pourquoi GM a lancé la serviette avec la marque Hummer, dont le dernier modèle est sorti de l'usine en mai 2010.

Douze ans plus tard, bien des choses ont changé. Malgré une conscience environnementale qui ne se dément pas, les véhicules utilitaires ont plus que jamais la cote. Sauf que l'électrification du parc automobile est déjà bien enclenchée, et tout porte à croire que les meilleurs jours du moteur à explosion sont derrière lui. On peut donc circuler en VUS sans consommer une goutte de carburant. Dans ce contexte, General Motors prend le pari un peu risqué de ramener un nom controversé à l'avant-plan. Risqué parce que Hummer a encore une consonance négative aux yeux de certains. Or, cette transition vers l'électrique se veut une véritable déclaration de la part du constructeur, qui prouve que même ses modèles les plus iconiques ne sont pas à l'abri de l'électrification.

Le Hummer, symbole d'opulence et de gros moteur, devient donc un véhicule « vert » commercialisé sous la bannière GMC. On le déclinera sous forme de VUS et de camionnette, dont les premiers exemplaires sont attendus sur nos routes vers la fin de l'année 2022. Il s'agit là d'un virage à 180 degrés qui démontre bien l'engagement du constructeur envers l'électrification. Rappelons que GM a déjà annoncé son intention de commercialiser 30 modèles entièrement électriques dans le monde d'ici 2025. À quand une Camaro et une Corvette électrique ?

## UN KIA ÉLECTRIQUE AVEC DES INFLUENCES QUÉBÉCOISES

En quatrième de couverture, l'équipe du *Guide de l'auto* a choisi de mettre en vedette la Kia EV6, nouveau véhicule 100 % électrique très attendu sur nos routes. L'EV6 représente un nouveau jalon dans la course vers l'électrification chez Kia. Avec son autonomie maximale annoncée à 480 kilomètres et sa version GT produisant 577 chevaux, ce modèle a pris le monde automobile par surprise lors de son dévoilement !

L'EV6 se démarque aussi par une présentation visuelle épatante. Cette œuvre est signée par le Montréalais d'origine libanaise Karim Habib, maintenant à la tête du département du design de Kia. Diplômé en génie mécanique à l'Université McGill, Habib a travaillé chez BMW et Infiniti avant d'aboutir chez le constructeur coréen.

Avec l'EV6, Karim Habib et son équipe ont voulu appliquer le concept des « opposés réunis », une idéologie chère à la marque.

Le véhicule électrique marie ainsi habilement les formes rondes et carrées avec une carrosserie à la fois musclée et fluide. Si la partie avant semble très adoucie avec ses phares élancés, l'arrière frappe l'imaginaire avec un hayon coupé au couteau et une bande de lumières à DEL qui traverse le véhicule sur toute sa largeur.

À bord, la Kia EV6 propose une nouvelle présentation beaucoup plus haut de gamme que celle à laquelle Kia nous a habitués. Deux écrans de 12,3 pouces chacun sont juxtaposés de façon horizontale, ce qui donne lieu à une présentation entièrement numérique.

En dedans comme en dehors, l'EV6 représente un énorme pas en avant pour la marque Kia. Et on est bien heureux de savoir qu'il y a un peu du Québec là-dedans !

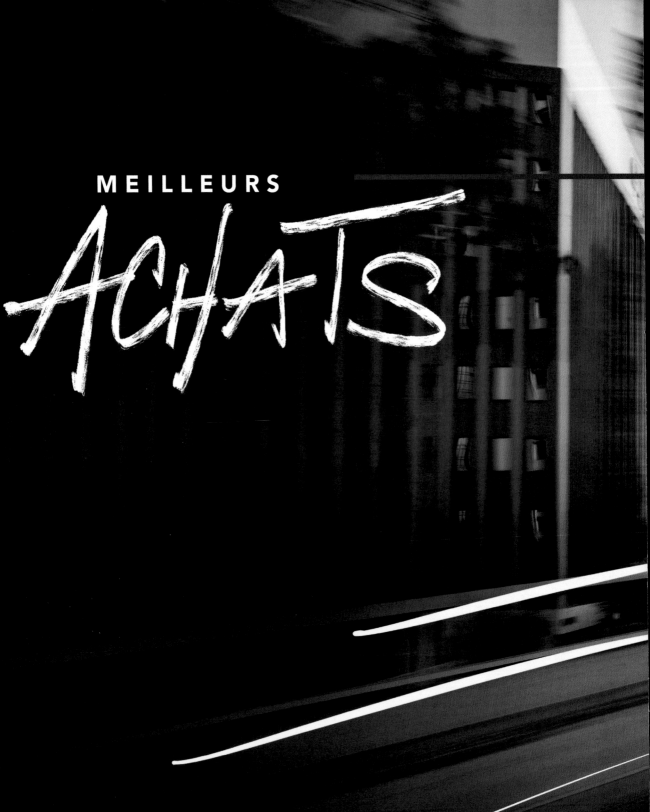

MEILLEURS
ACHATS

# E X P L I C A T I O N
# MEILLEURS ACHATS

Comme c'est le cas chaque année, l'équipe du *Guide de l'auto* établit sa liste des meilleurs achats de l'année, une tâche ardue nécessitant des heures de discussions – parfois enflammées – afin de dresser un classement final. Cette année, nous avons ajouté la catégorie des VUS électriques afin de mieux aider les consommateurs à prendre une décision d'achat éclairée.

Chaque véhicule est jugé selon cinq critères : **consommation, fiabilité prévue, sécurité, agrément de conduite et appréciation générale.** Les trois premiers sont purement objectifs. Tous les modèles sont évalués par rapport à leurs concurrents dans une même catégorie. Toutes ces notes permettent d'aboutir à la cote du *Guide*, qui classe les véhicules du meilleur au moins bon. Lorsqu'il y a une égalité, l'équipe du *Guide de l'auto* peut décider de laisser deux véhicules à égalité, ou bien de déterminer un gagnant. Les véhicules « non évalués » sont trop récents pour avoir été conduits par les journalistes du *Guide de l'auto*. Ils ne sont donc pas inclus dans le classement.

## CONSOMMATION    15%

Nous avons établi la moyenne de consommation pour toute la gamme d'un modèle, selon les données de Ressources naturelles Canada. Dans le cas des véhicules 100 % électriques, ils ne consomment pas d'essence, mais de l'électricité. Nous nous sommes donc basés sur la consommation en Le/100 km (litres équivalents/100 km). Par exemple, le Hyundai Kona électrique consomme 2,0 Le/100 km. Les données de consommation équivalente, comme celles de la consommation d'essence, proviennent de Ressources naturelles Canada.

## FIABILITÉ PRÉVUE    15%

Elle est calculée à partir de données statistiques recueillies par diverses institutions spécialisées en la matière, et ajustée en fonction des conditions particulières du Québec. D'année en année, certaines notes changent dramatiquement, tandis que d'autres sont plus constantes. La chute soudaine et importante d'un modèle reflète souvent, par exemple, l'introduction d'une nouvelle technologie et/ou d'une nouvelle mécanique qui s'avère problématique sur les premiers modèles vendus. Généralement, le constructeur corrige le tir sur les modèles suivants, nous rappelant qu'il est toujours risqué d'être parmi les premiers à adopter une nouvelle technologie.

## SÉCURITÉ    10%

Elle représente la capacité d'un véhicule à protéger ses occupants, lors d'un impact, à l'aide de coussins gonflables et de la solidité de son châssis, pour 50 % de la note, et les technologies d'aide à la conduite, comme le freinage autonome avec détection des piétons, la direction des angles morts, etc., pour 30 %. Le dernier 20 % de cette note concerne la nature du véhicule, soit sa motricité (traction, propulsion, quatre roues motrices, etc.), ainsi que la visibilité dont le conducteur dispose derrière le volant.

## AGRÉMENT DE CONDUITE    20%

Même si cette donnée est difficilement quantifiable, nous croyons avoir trouvé la bonne recette. En faisant abstraction du prix, de la consommation, de la fiabilité et de la sécurité, chaque auteur du *Guide* vote pour le plaisir ressenti au volant de chaque voiture.

## APPRÉCIATION GÉNÉRALE    40%

Une voiture sport équipée d'un moteur puissant peut bien être des plus agréables à conduire, mais vivre avec elle au quotidien est une autre histoire... À l'inverse, une voiture peut être moins excitante à conduire, mais représenter un excellent choix rationnel. Il peut donc arriver qu'une voiture obtienne un 9/10 pour l'agrément de conduite et un 5/10 pour l'appréciation générale. Ou le contraire.

## SOUS-COMPACTES  1<sup>er</sup> KIA **RIO**

**EN LICE :** Mitsubishi Mirage

## 2<sup>e</sup> NISSAN **VERSA**

## 3<sup>e</sup> CHEVROLET **SPARK**

## COMPACTES  1<sup>er</sup> HONDA **CIVIC**

**EN LICE :** Honda Insight,
Hyundai Elantra, Kia Forte,
Nissan Sentra, Subaru Impreza,
Volkswagen Jetta

## 2<sup>e</sup> MAZDA**3**

## 3<sup>e</sup> TOYOTA **COROLLA**

## INTERMÉDIAIRES     **1er** TOYOTA **CAMRY**

**2e** SUBARU **LEGACY**

**3e** HONDA **ACCORD**

**EN LICE :** Chevrolet Malibu, Hyundai Sonata, Kia K5, Nissan Altima, Volkswagen Passat

## GRANDES BERLINES     **1er** LEXUS **ES**

**2e** KIA **STINGER**

**3e** DODGE **CHARGER**

**EN LICE :** Chrysler 300, Nissan Maxima

## MULTISEGMENTS URBAINS     **1er** NISSAN **KICKS**

**2e** MAZDA **CX-3**

**3e** KIA **SOUL**

**EN LICE :** Chevrolet Trax, Buick Encore, Hyundai Venue, Toyota C-HR

## VUS SOUS-COMPACTS — 1er SUBARU **CROSSTREK**

2e MAZDA **CX-30***

3e KIA **SELTOS***

**EN LICE :** Chevrolet Traiblazer,
Ford EcoSport, Fiat 500X, Honda HR-V, Hyundai Kona, Jeep Renegade,
Kia Niro, Mitsubishi Eclipse Cross, Mitsubishi RVR, Nissan Qashqai,
Toyota Corolla Cross, Volkswagen Taos
*Classement différent du match comparatif du fait de la fiabilité prévue des deux véhicules.

## VUS COMPACTS — 1er TOYOTA **RAV4**

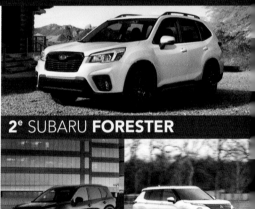

2e SUBARU **FORESTER**

3e NISSAN **ROGUE**/MITSUBISHI **OUTLANDER**

**EN LICE :** Chevrolet Equinox, Ford Escape, GMC Terrain, Honda CR-V, Hyundai Tucson,
Jeep Compass, Jeep Cherokee, Kia Sportage, Mazda CX-5, Volkswagen Tiguan

## VUS INTERMÉDIAIRES — 1er SUBARU **OUTBACK**

2e HONDA **PASSPORT**

3e TOYOTA **VENZA**

**EN LICE :** Chevrolet Blazer, GMC Acadia, Hyundai Santa Fe, Jeep Grand Cherokee,
Jeep Wrangler, Kia Sorento, Nissan Murano, Toyota 4Runner
**Non évalué :** Ford Bronco

## VUS INTERMÉDIAIRES À 3 RANGÉES DE SIÈGES — 1<sup>er</sup> KIA **TELLURIDE**

**EN LICE :** Chevrolet Traverse, Dodge Durango, Jeep Grand Cherokee L, Ford Explorer, Mazda CX-9, Subaru Ascent, Toyota Highlander, Volkswagen Atlas
**Non évalué :** Nissan Pathfinder

### 2<sup>e</sup> HYUNDAI **PALISADE**

### 3<sup>e</sup> HONDA **PILOT**

## VUS GRAND FORMAT — 1<sup>er</sup> CHEVROLET **SUBURBAN**/CHEVROLET **TAHOE**/GMC **YUKON**

**EN LICE :** Nissan Armada
**Non évalué :** Jeep Wagoneer

### 2<sup>e</sup> FORD **EXPEDITION**

### 3<sup>e</sup> TOYOTA **SEQUOIA**

## FOURGONNETTES — 1ᵉʳ TOYOTA **SIENNA**

**2ᵉ** CHRYSLER **PACIFICA/GRAND CARAVAN**

**3ᵉ** KIA **CARNIVAL**

**EN LICE :** Ford Transit Connect, Honda Odyssey

## CAMIONNETTES COMPACTES ET INTERMÉDIAIRES — 1ᵉʳ HONDA **RIDGELINE**

**2ᵉ** JEEP **GLADIATOR**

**3ᵉ** CHEVROLET **COLORADO**/GMC **CANYON**

**EN LICE :** Ford Ranger, Hyundai Santa Cruz, Toyota Tacoma
**Non évalués :** Ford Maverick, Nissan Frontier

## CAMIONNETTES PLEINE GRANDEUR — 1ᵉʳ FORD **F-150**

**2ᵉ** CHEVROLET **SILVERADO**/GMC **SIERRA**

**3ᵉ** RAM **1500**

**EN LICE :** RAM 1500 Classic
**Non évalué :** Toyota Tundra

## VOITURES ÉLECTRIQUES  1er CHEVROLET **BOLT EV/EUV**

**EN LICE :** Hyundai Kona électrique, Kia Niro EV, Kia Soul EV, Mini Cooper SE, Nissan LEAF
**Non évalués :** Hyundai IONIQ 5, Kia EV6, Mazda MX-30

### 2e TESLA **MODEL 3**

### 3e POLESTAR **2**

## VUS ÉLECTRIQUES  1er FORD **MUSTANG MACH-E**

**EN LICE :** Volvo C40 Recharge, XC40 Recharge
**Non évalué :** Nissan Ariya

### 2e TESLA **MODEL Y**

### 3e VOLKSWAGEN **ID.4**

## ÉLECTRIQUES DE LUXE — 1ᵉʳ PORSCHE **TAYCAN**

**EN LICE :** Jaguar I-Pace, Tesla Model X
**Non évalués :** Audi e-tron GT, Audi Q4 e-tron, BMW i4, BMW iX, Genesis G80, Mercedes-Benz EQS, Tesla Cybertruck, Tesla Roadster

### 2ᵉ TESLA **MODEL S**

### 3ᵉ AUDI **E-TRON**

## SOUS-COMPACTES DE LUXE — 1ᵉʳ MERCEDES-BENZ **CLASSE A**

**EN LICE :** Acura ILX, Cadillac CT4, Mercedes-Benz CLA, Mini Cooper
*Classement projeté

### 2ᵉ AUDI **A3***

### 3ᵉ BMW **SÉRIE 2**

## COMPACTES DE LUXE    1<sup>er</sup> AUDI **A4 / A5**

**EN LICE :** Acura TLX, Alfa Romeo Giulia, Cadillac CT5, Infiniti Q50/Q60, Lexus IS, Lexus RC, Volvo S60/V60
**Non évaluée :** Mercedes-Benz Classe C

### 2<sup>e</sup> BMW **SÉRIE 3 / SÉRIE 4**

### 3<sup>e</sup> GENESIS **G70**

## INTERMÉDIAIRES DE LUXE    1<sup>er</sup> AUDI **A6 / A7**

**EN LICE :** Genesis G80, Maserati Ghibli, Mercedes-Benz CLS, Volvo S90

### 2<sup>e</sup> BMW **SÉRIE 5**

### 3<sup>e</sup> MERCEDES-BENZ **CLASSE E**

## GRANDES BERLINES DE LUXE

# 1er PORSCHE **PANAMERA**

**EN LICE :** Genesis G90, Karma GS-6, Lexus LS, Maserati Quattroporte, Tesla Model S
**Non évaluée :** Mercedes-Benz Classe S

### 2e BMW **SÉRIE 7**

### 3e AUDI **A8**

## VUS SOUS-COMPACTS DE LUXE

# 1er AUDI **Q3**

**EN LICE :** Buick Encore GX, Cadillac XT4, Jaguar E-Pace, Lexus UX, Mercedes-Benz GLA, Mercedes-Benz GLB, Mini Countryman

### 2e VOLVO **XC40**

### 3e BMW **X1 / X2**

## VUS COMPACTS DE LUXE — 1<sup>er</sup> GENESIS **GV70**

**EN LICE :** Alfa Romeo Stelvio, BMW X3, BMW X4, Buick Envision, Cadillac XT5, Infiniti QX50, Infiniti QX55, Jaguar F-Pace, Land Rover Discovery Sport, Land Rover Range Rover Evoque, Land Rover Range Rover Velar, Lincoln Corsair, Mercedes-Benz GLC, Volvo XC60
**Non évalué :** Lexus NX

### 2<sup>e</sup> AUDI **Q5**     3<sup>e</sup> ACURA **RDX**

## VUS INTERMÉDIAIRES DE LUXE — 1<sup>er</sup> ACURA **MDX**

**EN LICE :** BMW X5, BMW X6, Buick Enclave, Cadillac XT6, Genesis GV80, Land Rover Defender, Land Rover Discovery, Land Rover Range Rover Sport, Lexus GX, Lexus RX, Lincoln Aviator, Lincoln Nautilus, Maserati Levante, Mercedes-Benz GLE, Tesla Model X, Volvo XC90
**Non évalué :** Infiniti QX60

### 2<sup>e</sup> AUDI **Q7/Q8**     3<sup>e</sup> PORSCHE **CAYENNE**

## VUS PLEINE GRANDEUR DE LUXE — 1er CADILLAC **ESCALADE**

**EN LICE :** Infiniti QX80, Land Rover Range Rover, Lexus LX, Mercedes-Benz GLS
**Non évalué :** Jeep Grand Wagoneer

### 2e BMW **X7**

### 3e LINCOLN **NAVIGATOR**

## COMPACTES SPORTIVES — 1er HONDA **CIVIC TYPE R***

**EN LICE :** Mini JCW 3 portes, Mini JCW Cabriolet, Mini JCW Clubman
**Non évalués :** Hyundai Elantra N, Volkswagen Golf GTI, Volkswagen Golf R
*Modèle 2021

### 2e HYUNDAI **VELOSTER N**

### 3e SUBARU **WRX/STI***

## SPORTIVES — 1<sup>er</sup> FORD **MUSTANG**

**EN LICE :** Chevrolet Camaro, Dodge Challenger, Subaru BRZ, Toyota 86
**Non évaluée :** Nissan Z

### 2<sup>e</sup> MAZDA **MX-5**

### 3<sup>e</sup> TOYOTA **GR SUPRA**

## SPORTIVES DE LUXE — 1<sup>er</sup> CHEVROLET **CORVETTE**

**EN LICE :** Audi TT, BMW Série 8, BMW Z4, Jaguar F-Type, Lexus LC, Lexus RC F, Mercedes-Benz AMG-GT 4 portes, Nissan GT-R, Polestar 1
**Non évaluée :** Mercedes-Benz SL

### 2<sup>e</sup> PORSCHE **911**

### 3<sup>e</sup> PORSCHE **718**

# D E S I G N
## DE L'ANNÉE

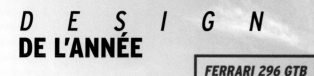

**FERRARI 296 GTB**

Depuis sa fondation en 1947, le constructeur italien Ferrari a construit certains des plus beaux véhicules de l'Histoire de l'automobile. Pensez à la 355 Berlinetta, à la F40 ou bien sûr à la sublime 250 GTO. Le plus récent ajout à cette longue lignée est la 296 GTB, une superbe voiture adoptant non seulement une silhouette aguichante, mais aussi une motorisation hybride rechargeable. Cette belle italienne est ainsi équipée d'un V6 biturbo jumelé à un moteur électrique, pour une puissance totale de 819 chevaux. Elle peut passer de 0 à 100 km/h en 2,9 secondes, mais aussi parcourir une distance estimée à 25 km sans brûler une goutte d'essence.

Malgré ces chiffres épatants, c'est surtout le design absolument magnifique de cette nouvelle Ferrari qui a charmé notre équipe. On y voit définitivement une inspiration de la SF90 Stradale, mais on sent aussi que Ferrari a voulu lui insuffler une touche un peu plus classique, avec une devanture qui n'est pas sans rappeler la F8 Tributo. Bref, les designers de Ferrari réalisent ici un nouveau coup de maître et nous prouvent que peu importe sa motorisation, une Ferrari demeure une Ferrari!

**FORD INTELLIGENT BACKUP POWER**

# T E C H N O L O G I E
## DE L'ANNÉE

L'un des modèles les plus attendus en 2022 est sans l'ombre d'un doute le Ford F-150 Lightning, cette variante 100% électrique de la camionnette la plus populaire au pays. Parmi toutes les innovations intégrées à bord de ce modèle, la technologie Intelligent Backup Power a particulièrement retenu l'attention de notre équipe. Celle-ci permet au véhicule d'alimenter une maison en énergie, advenant une panne électrique. Le F-150 Lightning peut ainsi fournir jusqu'à 9,6 kW d'énergie, ce qui est suffisant pour subvenir aux besoins d'une maison moyenne pendant trois jours. Ça aurait pris ça pendant la crise du verglas!

Ford a également annoncé son intention de commercialiser une technologie parallèle baptisée Intelligent Power, qui fonctionnerait de la même façon, mais sur une base quotidienne. Le véhicule Ford qui en est équipé pourrait alors livrer son énergie à la maison pendant la journée lorsqu'il n'est pas utilisé, ce qui permettrait de ne pas avoir besoin d'une source externe d'énergie lors des heures de pointe, où les prix à la consommation sont plus élevés dans certaines régions. Voilà une nouvelle raison de se laisser tenter par un modèle électrique!

MATCHS

COMPARATIFS

# CES VOITURES QUI SE PRENNENT POUR DES CAMIONS

MAZDA
**CX-30**

KIA
**SELTOS**

HYUNDAI
**KONA**

La catégorie des VUS sous-compacts continue de prendre de l'ampleur année après année. Voilà un segment en forte croissance, mais également très jeune, si l'on considère qu'il y a dix ans, une poignée de constructeurs se le partageaient. C'est donc dans un contexte hivernal que nous avons choisi de mettre à l'épreuve six des plus importants véhicules de ce segment. Tous des VUS millésimés 2021, mais pratiquement inchangés pour 2022, à l'exception du Hyundai Kona qui a droit à un remodelage un peu plus sérieux.

AUTEUR : ANTOINE JOUBERT
PHOTOGRAPHE : GUILLAUME FOURNIER

CHEVROLET
**TRAILBLAZER**

SUBARU
**CROSSTREK**

MITSUBISHI
*RVR*

C e n'est un secret pour personne, les acheteurs délaissent massivement l'automobile pour faire place aux utilitaires. Dans ce cas-ci, des mini-VUS ou encore des voitures qui se déguisent en camion. Des véhicules soi-disant plus polyvalents, bien adaptés à nos conditions climatiques et qui procurent ce sentiment de sécurité si cher à l'automobiliste d'aujourd'hui. La popularité de ce segment est d'ailleurs telle que certains constructeurs y proposent différentes motorisations, incluant même parfois des modèles 100 % électriques ou de haute performance. C'est notamment le cas de Hyundai qui, en 2022, pousse l'audace avec un Kona N de 275 chevaux, lequel s'ajoute à une gamme comportant déjà un modèle électrique.

Réaliser un match comparatif en hiver comporte son lot d'avantages. Parce que les conditions reflètent une réalité rarement illustrée dans ce genre d'exercice, mais aussi parce qu'il nous est possible de mettre à l'épreuve différents éléments pour lesquels les automobilistes accordent une grande importance. Par exemple, le chauffage (incluant les sièges et le volant), le dégivrage, le démarrage à froid, l'insonorisation, la consommation d'essence et bien sûr, le rendement du rouage intégral.

Par chance, Dame Nature a accepté de participer avec vigueur à ce match comparatif, nous proposant deux jours de conditions extrêmes. Le premier matin sur le circuit de Mécaglisse, soigneusement préparé par notre fidèle comparse Franck Kirchhoff, une série d'exercices nous attendait. Sur neige tapée, nous avons réalisé des tests de freinage, de démarrage en pente, d'accélération et de maniabilité (slalom), le tout sur un circuit permettant de reproduire divers types de situations. Au cours de la journée, la neige est venue pimenter les exercices, accentuant les glisses et les distances de freinage. Puis, au second jour nous attendaient neige, gadoue et vents forts sur les belles routes de Lanaudière, nous permettant du même coup de découvrir de splendides paysages.

Chose certaine, ces essais ont été concluants et très instructifs. Et bien que nous ayons eu une idée approximative du positionnement des joueurs avant même d'en prendre le volant, certains nous ont réservé plusieurs surprises. Des bonnes, comme des mauvaises.

## INTÉGRALEMENT DIFFÉRENTS

Adéquatement chaussés, nos véhicules d'essai étaient parés à affronter les pires conditions. Or, certains se sont mieux comportés que d'autres dans la neige ou sur des surfaces glissantes. Nos essais sur la piste et sur la route nous ont évidemment permis de le constater. Sans surprise, Subaru est sorti grand gagnant à ce chapitre, profitant d'un rouage intégral à prise constante avec fonction X-Mode, permettant ainsi d'améliorer les capacités du rouage. Il faut aussi attribuer à Subaru l'avantage de la meilleure garde au sol, avec des angles d'attaque et de sortie supérieurs à la moyenne.

Chez Mazda, les performances du rouage intégral sont également épatantes. Le transfert de couple se fait rapidement et sans souffrance, pour une traction toujours optimisée. Hélas, il est impossible de désactiver l'antipatinage, un sérieux irritant lorsque vous êtes par exemple prisonnier d'un banc de neige. Même chose en ce qui concerne le contrôle dynamique de stabilité, alors qu'il est pourtant possible de le désactiver sur la Mazda3, sa petite sœur.

Avec un dispositif qu'il faut engager au moyen d'un bouton, Mitsubishi propose un rouage intégral qui se défend encore très bien. Solide et efficace, il répond sans délai aux exigences du conducteur. Tout le contraire de celui offert par le Trailblazer, le pire de ce match. Non seulement ce dernier doit être engagé manuellement chaque fois qu'on démarre le véhicule, mais le transfert de couple vers l'arrière est si lent qu'il nous rappelle la triste époque du système Versatrak que GM proposait sur les fourgonnettes Venture/Montana et les utilitaires Rendezvous/Aztek au début des années 2000. Le Trailblazer nous a aussi gratifiés d'un sérieux cognement au différentiel lorsque l'on exploite plus ardemment la mécanique.

Notre grande déception provient toutefois du système proposé par notre duo coréen. Un rouage intégral réactif, dont le délai de transfert de couple s'avère raisonnable. Or, tout comme les transmissions, il est clair que les différentiels ont ici souffert plus que la moyenne. Après quelques mauvais traitements, l'embrayage des transmissions ne mordait plus adéquatement, l'odeur causée par son glissement nous ayant forcés à prendre des pauses. On peut ainsi douter de la robustesse de ce système à long terme, plus que chez la concurrence.

Photo : Antoine Joubert

# 6ᵉ

## MITSUBISHI **RVR**

| | |
|---|---|
| POINTAGE | **370,7 points** |
| PRIX VERSION DE BASE | **23 195 $** |
| PRIX VERSION ESSAYÉE | **31 248 $** |

# 12 ANS...

Aussi bien l'admettre, certains essayeurs ne donnaient pas cher de la peau du RVR avant même le début de ce match. Un véhicule techniquement dépassé et qui n'a eu droit en douze ans qu'à quelques retouches esthétiques et à l'ajout d'accessoires. Cela dit, c'est un véhicule à succès qui constitue pour le constructeur un produit d'importance, et qui, au chapitre des ventes, fait beaucoup mieux que l'Eclipse Cross, pourtant plus moderne. C'est donc en le mettant à l'épreuve que nous allions comprendre un peu plus la raison de ce succès.

D'abord, bien que les concurrents aient le dessus au chapitre de l'esthétisme, le RVR fait encore bonne impression au sein de l'équipe. Un design mieux réussi que celui de l'Eclipse Cross, beaucoup plus polarisant et qui, grâce aux retouches apportées en 2020, lui permet de demeurer dans le coup. L'équipe allait être cependant moins tendre à l'égard de l'habitacle, où les signes de vieillesse sont évidents. Finition bâclée, instrumentation archaïque, écran central dépassé, tous les mots étaient bons pour taper sur le clou. Il faut dire que déjà à son arrivée en 2011, le RVR ne révolutionnait pas le genre.

Bien que vétuste, l'habitacle gagne des points en matière de polyvalence. Par sa généreuse habitabilité, mais aussi par un confort acceptable. Hélas, celui-ci est gâché par un niveau sonore épouvantablement élevé, qui aurait « fait péter » l'aiguille du sonomètre si l'équipe s'en était dotée. À plusieurs reprises, les essayeurs ont noté l'élasticité désagréable de la transmission à variation continue (CVT) ainsi qu'un effet de couple déplaisant. Néanmoins, ils ont été étonnés par la vivacité et l'instantanéité à l'accélération, le couple du moteur de 2,4 litres étant également surprenant. Puis, lors des essais dynamiques, l'expérience au volant était finalement moins mauvaise qu'anticipée, l'absence de contraintes électroniques ayant été à son avantage.

En quelques mots: un véhicule techniquement archaïque, bruyant et plutôt gourmand, mais qui a fait ses preuves et qui offre l'avantage d'une garantie imbattable.

# CHEVROLET **TRAILBLAZER**

## MONUMENTAL ÉCHEC

| POINTAGE | 414,0 points |
|---|---|
| PRIX VERSION DE BASE | 23 898 $ |
| PRIX VERSION ESSAYÉE | 35 578 $ |

De façon générale, l'équipe a initialement été charmée par le Trailblazer. Avec sa belle gueule, son format idéal et son équipement complet, il avait de bonnes chances de se positionner dans le peloton de tête. Du moins, jusqu'à ce que l'on prenne la route à son volant.

Évidemment, l'équipe était au fait de sa motorisation. Un moteur à 3 cylindres turbocompressé qui aura effectivement eu l'avantage d'être l'un des plus frugaux. Heureusement ! Hélas, le rendement de cette mécanique jumelée à une boîte automatique à la constante recherche du bon rapport allait soulever colère et incompréhension. Comme entendu lors de l'essai, « je ne pensais pas qu'un véhicule pouvait être à la fois aussi séduisant et aussi mauvais ». Il faut dire qu'en pareilles circonstances, le moteur donnait littéralement l'impression d'avoir une « grippe d'homme », au moment où le rouage intégral dévoilait toute son inefficacité. Nous n'osions donc pas imaginer ce qu'aurait été le résultat avec l'essai d'une version de base, équipée d'un moteur de 1,2 litre et d'une boîte CVT...

Maintenant, et bien que plusieurs aient noté la présence d'un accoudoir central particulièrement encombrant, tous n'avaient que de bons mots pour la présentation générale de l'habitacle. Vaste, lumineux, efficacement modulable. Sans compter cette longue liste d'équipements, qui allait cependant expliquer la facture la plus élevée du groupe... Voilà ce qui lui aura fait très mal. Un prix nettement supérieur à la moyenne, pour une mécanique sans éclat et moins puissante que la concurrence.

Chevrolet a évité la dernière place en raison du style, de l'habitacle et du confort général de son véhicule, évidemment plus moderne que son rival nippon. Tous ont souligné l'efficacité du système multimédia, un élément avec lequel GM se démarque depuis plusieurs années. Malgré cela, la plupart des essayeurs allaient personnellement préférer le RVR au Trailblazer. Certains évoquaient comme raison la tranquillité d'esprit, d'autres la dépréciation. Mais dans la plupart des cas, on mentionnait ne pas pouvoir composer au quotidien avec une mécanique et un rouage intégral aussi incompétents.

En quelques mots : intéressant à première vue et esthétiquement charmant, mais doté d'une mécanique qui fera sans doute faire demi-tour à la majorité des acheteurs.

# 4e

## HYUNDAI **KONA**

| POINTAGE | 450,4 points |
|---|---|
| PRIX VERSION DE BASE | 21 999 $ |
| PRIX VERSION ESSAYÉE | 32 299 $ |

# BATTU PAR SON JEUNE FRÈRE

Bien que le Kona subisse quelques retouches pour 2022, il nous était impossible de ne pas l'inclure dans ce match. D'abord, parce qu'il s'agit du VUS le plus vendu de sa catégorie, mais aussi parce que depuis son arrivée, la popularité de ce segment a littéralement explosé. Le Kona peut donc être considéré comme un « influenceur » au sein de la catégorie, ayant probablement forcé plusieurs adversaires à réagir.

Livré en version Ultimate, le Kona allait bien sûr impressionner par son niveau de luxe, supérieur à celui des RVR et Crosstrek. Cela dit, nous savions que l'habitabilité allait jouer contre lui, le Seltos étant beaucoup plus spacieux pour un équipement et une facture directement comparables. Un tantinet plus compact que la moyenne, le Kona a étonné par sa maniabilité et son équilibre d'ensemble. La livraison de la puissance issue de son moteur turbo a également surpris deux essayeurs qui n'étaient jusque-là montés qu'à bord d'une version équipée du moteur de base.

Affichant un mordant remarquable dans la neige, notamment grâce à ses pneus Nokian Hakkapeliitta 9, le Kona a cependant montré des signes de faiblesse au chapitre de la transmission. Quelques à-coups perçus ici et là, sur piste comme sur route, comme s'il y avait confusion avec la motorisation. Consolons-nous en mentionnant que les essayeurs ont tous constaté une grande solidité de construction. Comme avec le Crosstrek et le CX-30, aucun craquement ou bruit de caisse, ce qui est impressionnant considérant le contexte dans lequel les véhicules ont été mis à l'épreuve.

L'équipe allait de façon générale avoir de bons mots pour le Kona, qui aurait sans doute pu se rapprocher un peu plus du trône en sa cuvée 2022. Il faut dire qu'avec un petit gain de puissance, une planche de bord modernisée et un style plus harmonieux, le Kona aurait assurément décroché des points supplémentaires.

En quelques mots : un produit ultracompétitif, sympathique et amusant à conduire, mais qui perd de précieux points à cause de son manque d'espace et de polyvalence.

MAZDA **CX-30**

# LE PLUS RAFFINÉ

| POINTAGE | 466,7 points |
| PRIX VERSION DE BASE | 24 700 $ |
| PRIX VERSION ESSAYÉE | 33 850 $ |

En compilant les votes, Mazda allait contre toute attente se retrouver troisième, derrière le Kia Seltos. Pourtant, tous lui prédisaient la seconde place, voire la première. Parce que la quasi-totalité des essayeurs avait déjà pu se retrouver à son volant dans le passé, et tous l'adoraient. Or, le contexte dans lequel l'équipe s'est retrouvée allait permettre de lui découvrir quelques lacunes, à commencer par cette piètre visibilité qui lui a coûté de précieux points. Il faut dire qu'à moins de cinq points d'écart du Seltos (sur 600 points), le CX-30 n'allait pas mal paraître.

Il se démarque clairement des autres par sa finition digne d'un véhicule de luxe. En outre, il est vendu 1 700 $ de moins que le Trailblazer ! L'équipe a été subjuguée par la richesse de l'équipement et la grande qualité des matériaux. «Un des rares véhicules réellement passionnants de ce segment», affirmait un des essayeurs. Certains le comparaient même – et avec raison – aux petits VUS de luxe comme l'Audi Q3 ou le Mercedes-Benz GLA.

Sur la route, le CX-30 se distingue encore des autres. Maniable, agile, nerveux et doté d'une transmission conventionnelle à six rapports qui répond toujours promptement, il a décroché la palme d'or de l'agrément de conduite. Hélas, on lui reproche encore une fois ce sentiment d'étroitesse de l'habitacle, en partie causé par une trop faible surface vitrée. L'impossibilité de désactiver l'antipatinage de même que l'hypersensibilité des systèmes d'assistance à la conduite constituent aussi d'inutiles irritants, mais Mazda considère que la sécurité prime sur tout. Enfin, le système multimédia allait être jugé comme l'un des pires. Inutilement complexe, et avec un écran éloigné et non tactile (en mouvement).

Heureusement que les irritants allaient être amenuisés par le plaisir de conduire, un look audacieux et original ainsi que par la qualité de construction qui a été notée par l'ensemble de l'équipe. Puis, comme le mentionnait un essayeur, pour 800 $ de plus que le Trailblazer essayé, on peut accéder à la version Turbo du CX-30 (250 chevaux).

En quelques mots : le CX-30 est un coup de cœur pour l'ensemble des essayeurs, mais un véhicule qui force à faire d'importants compromis.

# 2e

KIA **SELTOS**

| | |
|---|---|
| POINTAGE | **471,5 points** |
| PRIX VERSION DE BASE | **23 095 $** |
| PRIX VERSION ESSAYÉE | **32 945 $** |

# NOUVELLE ÉTOILE

Nouvelle coqueluche du segment, le Kia Seltos est sans conteste une réussite. « Le bon produit au bon moment », titrait notre collègue Julien Amado dans le *Guide de l'auto 2021*. Et il avait entièrement raison. Il faut dire que son allure contemporaine, son format polyvalent et la richesse de son équipement allaient séduire bon nombre d'acheteurs en quête d'un véhicule plus abordable qu'un Sportage, mais plus pratique qu'un Soul.

Joliment tourné, le Seltos SX élimine d'emblée tous les irritants que l'on peut retrouver sur le CX-30 et le Kona. Plus d'espace, de confort, avec un aménagement intérieur finement étudié afin d'offrir la meilleure ergonomie qui soit. Le système d'infodivertissement plus moderne que celui du Kona essayé (un modèle 2021) est aussi à son avantage, encore plus par rapport à celui de Mazda qui a fait l'unanimité contre lui.

Bien construit, le Seltos ne déçoit pas au niveau de la puissance, adoptant bien sûr la même motorisation que du côté de Hyundai. Les commentaires négatifs au sujet de la boîte séquentielle à double embrayage étaient cependant plus nombreux que du côté de Hyundai, peut-être par simple concours de circonstances. Or, lors des discussions, nous en arrivions à la conclusion qu'une bonne boîte automatique conventionnelle aurait été à l'avantage du Seltos (comme du Kona), considérant également les coûts d'entretien (ou de réparation) beaucoup plus onéreux.

À plusieurs reprises, les essayeurs ont finalement estimé que le Seltos offrait le meilleur rapport équipement/prix. Un véhicule qui, pour 3 000 $ de moins que le Chevrolet Trailblazer, propose plus d'équipements et un habitacle des plus polyvalents. Avec en prime, bien sûr, cette garantie de base de cinq ans si chère aux véhicules coréens.

En quelques mots : un véhicule parfaitement adapté au marché et qui surpasse celui qui lui a fourni ses gènes, le Hyundai Kona.

SUBARU **CROSSTREK**

# PRÊT POUR LA TEMPÊTE DU SIÈCLE !

| POINTAGE | 503,5 points |
| --- | --- |
| PRIX VERSION DE BASE | 23 795 $ |
| PRIX VERSION ESSAYÉE | 29 995 $ |

Pour les fins d'essais, Subaru nous a proposé une version Outdoor, le premier pas pour l'accès au moteur de 2,5 litres. N'étant pas aussi luxueux que certains rivaux, le VUS de Subaru possède l'avantage du plus bas prix affiché. Cela dit, tous étaient d'accord pour affirmer que rien n'y manquait. Oh certes, pas de sièges ventilés, de toit ouvrant ou de jantes surdimensionnées, mais là s'arrêtaient les «inconvénients» qui, dans le contexte, n'en étaient pas. Et puis, l'équipe a apprécié la présentation plus aventurière de cette version qui demeure certainement la plus intéressante de la gamme.

La présentation intérieure n'a pas la richesse de celle du CX-30. Toutefois, les commentaires positifs concernant la position de conduite, l'aménagement et ce sentiment d'invincibilité au moment de boucler la ceinture ont été soulignés par l'ensemble des essayeurs. Même notre essayeur invité Daniel Melançon s'est dit épaté par ce véhicule, étant pour lui dans une classe à part.

Évidemment, les essais réalisés sur deux jours ont mis en lumière toute l'étendue de son talent. D'abord, voilà un VUS capable de procurer de belles sensations de conduite, profitant d'une excellente direction, d'un châssis très solide, et qui – en matière de suspension – nous fait oublier les lacunes de sa petite sœur, l'Impreza. Dans la neige comme sur la route, le Crosstrek se contrôle au doigt et à l'œil avec une surprenante facilité, et un système de freinage efficace.

Quel serait donc le point faible du Crosstrek ? Sa consommation d'essence. Une surprise d'autant plus intrigante, que ce modèle possède la plus basse moyenne de consommation de carburant sur papier (8 L/100 km). Dans la vraie vie, cela correspond à une consommation plus élevée d'environ 15 % par rapport à Mazda, pour une mécanique de cylindrée et de puissance équivalente.

En quelques mots: un véhicule en tout point adapté aux besoins des automobilistes québécois et qui mérite sans conteste la première position.

# CONCLUSION

**Manifestement, le grand perdant de ce match demeure Chevrolet, qui tente ici d'augmenter maladroitement sa profitabilité en remplaçant les défuntes Cruze et Sonic par un véhicule trop cher et peu convaincant. On pourrait d'ailleurs en dire de même des deux autres constructeurs nord-américains, qui proposent le Ford EcoSport et le Jeep Renegade, sur base de Fiat. Dans les deux cas, il s'agit d'un échec monumental.**

Maintenant, de nouveaux joueurs très sérieux débarquent cette année. Des véhicules qui ont la possibilité de venir brouiller les cartes ou de changer l'ordre établi. Il faut d'ailleurs s'attendre à un succès monstre de la part de ces nouveaux véhicules qui, sans l'ombre d'un doute, viendront voler des parts de marché aux berlines compactes de ces mêmes constructeurs. Une question de temps avant que ne disparaisse la Volkswagen Jetta après l'arrivée du Taos ? Rien n'est impossible.

En attendant, retenez que parmi les véhicules en lice, Subaru avait une longueur d'avance considérable, et ce, malgré cette ombre d'une consommation élevée au tableau. Est-ce que la version hybride serait alors la solution parfaite ? Certainement pas, puisque cette dernière ne devient intéressante que pour l'acheteur qui envisage une version Limited et qui accepte de faire une croix sur une partie du volume de chargement. Pour une plus faible consommation, l'option du moteur 2 litres serait donc à privilégier, une mécanique moins puissante, mais qui permet d'abaisser la moyenne d'au moins 15 %.

# TABLEAU DE PRIX

| | SUBARU **CROSSTREK** | KIO **SELTOS** | MAZDA **CX-30** | HYUNDAI **KONA** | CHEVROLET **TRAILBLAZER** | MITSUBISHI **RVR** |
|---|---|---|---|---|---|---|
| **Prix du modèle essayé*** | 29 995 $ | 32 945 $ | 33 850 $ | 32 299 $ | 35 578 $ | 31 248 $ |
| **Transport et préparation** | 1 800 $ | 1 795 $ | 1 895 $ | 1 825 $ | 1 800 $ | 1 900 $ |
| **Mensualités Financement 60 mois** | 655 $ | 704 $ | 719 $ | 678 $ | 723 $ | 629 $ |
| **Taux*** | 2,49 % | 2,99 % | 1,95 % | 0,49 % | 0,00 % | 0,00 % |
| **Location 48 mois** | 441 $ | 450 $ | 514 $ | 486 $ | 549 $ | 532 $ |
| **Taux*** | 2,49 % | 2,99 % | 3,45 % | 2,99 % | 3,49 % | 1,99 % |
| **Allocation km** | 20 000 km/an | 20 000 km/an | 20 000 km/an | 20 000 km/an | 20 000 km/an | 20 000 km/an |

*Prix et paiements relevés en mai 2021.

### REMERCIEMENTS

Nous tenons à remercier chaleureusement Franck Kirchhoff, Président du Circuit Mécaglisse à Notre-Dame-de-la-Merci pour la préparation de la piste et son aide au cours de notre journée d'essai sur la piste.

## MERCI POUR TOUT !

### FIABILITÉ SUR 10 ANS, QUEL MODÈLE ACHETER ?

Vous l'aurez constaté, le Mitsubishi RVR termine sa course bon dernier. Et pour cause, sa conception est vétuste et sa technologie hyperconservatrice. Cela dit, le RVR est un monument de fiabilité qui conserve une bonne valeur sur le marché, et dont le coût de revient à long terme est plus que raisonnable. L'équipe du *Guide de l'auto* souhaite donc apporter une nuance au résultat de ce match, puisqu'elle recommande nettement l'achat de ce modèle pour le long terme plutôt que certains autres joueurs. En fait, pour l'acheteur qui désire un véhicule sans tracas pour le long terme, nous privilégions d'abord le Subaru Crosstrek, le Mazda CX-30 et le Mitsubishi RVR. Trois véhicules qui ont mécaniquement fait leurs preuves et que nous recommandons les yeux fermés.

À l'opposé, il nous est difficile de recommander l'achat des Hyundai Kona et Kia Seltos pour une période dépassant les termes de la garantie. Les problèmes relatifs aux moteurs 2 litres (cognement) et 1,6 litre turbo (bris du turbocompresseur) sont fréquents, et il en va de même pour la transmission à variation continue IVT (qui équipe aussi le Kona en 2022). Même la boîte DCT (séquentielle à double embrayage) a connu son lot de problèmes, ce à quoi nous ajoutons les risques reliés à la faible endurance du différentiel, comme constaté lors de notre essai. Quant au Chevrolet Trailblazer, il est pour l'heure difficile de se prononcer sur sa fiabilité mécanique, bien que le bilan soit jusqu'à maintenant positif.

| | SUBARU **CROSSTREK OUTDOOR** | KIA **SELTOS SX** | MAZDA **CX-30 GT** |
|---|---|---|---|
| **RANG** | 1 | 2 | 3 |
| Prix de base | 23 795$ | 23 095$ | 24 700$ |
| Prix modèle essayé | 29 995$ | 32 945$ | 33 850$ |
| Lieu de fabrication | Ota-Shi, Japon | Kwangju, Corée du Sud | Salamanca, Mexique |
| Garantie (ans/km) | 3/60 000 - 5/100 000 | 5/100 000 | 3/illimité - 5/illimité |
| **DIMENSIONS** | | | |
| Long. / larg. / haut. / emp. (mm) | 4 485 / 1 820 / 1 615 / 2 665 | 4 370 / 1 800 / 1 630 / 2 630 | 4 395 / 2 040* / 1 580 / 2 652 |
| Poids (kg) | 1 485 | 1 505 | 1 523 |
| Places | 5 | 5 | 5 |
| Réservoir (litres) | 63 | 50 | 48 |
| Coffre min. - max. (litres) | 588 - 1 565 | 752 - 1 778 | 572 - 1 280 |
| **GROUPE MOTOPROPULSEUR** | | | |
| Moteur | H4 2,5 litres | 4L 1,6 litre | 4L 2,5 litres |
| Alimentation | Atmosphérique | Turbocompressé | Atmosphérique |
| Puissance (hp @ tr/min.) | 182 @ 5 800 | 175 @ 6 000 | 186 @ 6 000 |
| Couple (lb-pi @ tr/min.) | 176 @ 4 400 | 195 entre 1 500 et 4 500 | 186 @ 4 000 |
| Boîte de vitesses / rapports | CVT | DCT / 7 rapports | A6 |
| Rouage | Intégral | Intégral | Intégral |
| **CHÂSSIS** | | | |
| Suspension avant | Ind., jambes de force | Ind., jambes de force | Ind., jambes de force |
| Suspension arrière | Ind., double triangulation | Ind., multibras | Ind., poutre de torsion |
| Freins (type x qté) | Disques x 4 | Disques x 4 | Disques x 4 |
| Pneus | 225/60R17 | 235/45R18 | 215/55R18 |
| **PERFORMANCES** | | | |
| Cons. (ville / route / comb. L/100 km) | 8,8 / 7,0 / 8,0 | 9,4 / 7,9 / 8,7 | 9,9 / 7,7 / 8,9 |
| Capacité remorque (lb) | 1 500 | Non recommandé | Non recommandé |

* Avec rétroviseurs

| | HYUNDAI<br>**KONA ULTIMATE 1.6T** | CHEVROLET<br>**TRAILBLAZER RS AWD** | MITSUBISHI<br>**RVR LIM. ED. AWC** |
|---|---|---|---|
| **RANG** | **4** | **5** | **6** |
| **Prix de base** | 21 999 $ | 23 898 $ | 23 195 $ |
| **Prix modèle essayé** | 32 299 $ | 35 578 $ | 31 248 $ |
| **Lieu de fabrication** | Ulsan, Corée du Sud | Bupyeong, Corée du Sud | Normal, États-Unis |
| **Garantie** (ans/km) | 5/100 000 | 3/60 000 - 5/100 000 | 5/100 000 - 10/160 000 |
| **DIMENSIONS** | | | |
| **Long. / larg. / haut. / emp.** (mm) | 4 165 / 1 800 / 1 565 / 2 600 | 4 412 / 1 808 / 1 669 / 2 639 | 4 365 / 1 810 / 1 645 / 2 670 |
| **Poids** (kg) | 1 477 | 1 491 | 1 495 |
| **Places** | 5 | 5 | 5 |
| **Réservoir** (litres) | 50 | 50 | 60 |
| **Coffre min. - max.** (litres) | 544 - 1 296 | 716 - 1 540 | 569 - 1 402 |
| **GROUPE MOTOPROPULSEUR** | | | |
| **Moteur** | 4L 1,6 litre | 3L 1,3 litre | 4L 2,4 litres |
| **Alimentation** | Turbocompressé | Turbocompressé | Atmosphérique |
| **Puissance** (hp @ tr/min.) | 175 @ 5 500 | 155 @ 5 600 | 168 @ 6 000 |
| **Couple** (lb-pi @ tr/min.) | 195 entre 1 500 et 4 500 | 174 entre 1 600 et 4 000 | 167 @ 4 100 |
| **Boîte de vitesses / rapports** | DCT / 7 rapports | A9 | CVT |
| **Rouage** | Intégral | Intégral | Intégral |
| **CHÂSSIS** | | | |
| **Suspension avant** | Ind., jambes de force | Ind., jambes de force | Ind., jambes de force |
| **Suspension arrière** | Ind., multibras | Semi-ind., poutre de torsion | Ind., multibras |
| **Freins** (type x qté) | Disques x 4 | Disques x 4 | Disques x 4 |
| **Pneus** | 235/45R18 | 225/55R18 | 225/55R18 |
| **PERFORMANCES** | | | |
| **Cons.** (ville / route / comb. L/100 km) | 9,0 / 8,0 / 8,6 | 8,9 / 7,8 / 8,4 | 10,3 / 8,3 / 9,4 |
| **Capacité remorque** (lb) | Non recommandé | 1 000 | Non recommandé |

Photo : Antoine Joubert

| | | SUBARU CROSSTREK OUTDOOR | KIA SELTOS SX | MAZDA CX-30 GT | HYUNDAI KONA ULTIMATE 1.6T | CHEVROLET TRAILBLAZER RS AWD | MITSUBISHI RVR LIM. ED. AWC |
|---|---|---|---|---|---|---|---|
| **RANG** | | **1** | **2** | **3** | **4** | **5** | **6** |
| **CARROSSERIE** | | | | | | | |
| Design (silhouette, proportions, originalité, style, attrait visuel pur) | /25 | 21,7 | 21,3 | **22,7** | 18,8 | 21,3 | 17,2 |
| Finition (qualité de peinture, écarts, assemblage) | /25 | **22,0** | 20,6 | 21,5 | 20,1 | 20,6 | 16,9 |
| *TOTAL* | **/50** | 43,7 | 41,9 | **44,2** | 38,9 | 41,9 | 34,1 |
| **HABITACLE** | | | | | | | |
| Design (originalité, style, attrait visuel pur) | /10 | **8,8** | **8,8** | 7,9 | 8,4 | 8,6 | 5,5 |
| Finition (qualité des matériaux, textures, couleurs, surfaces) | /10 | 8,2 | 8,0 | **8,4** | 7,3 | 6,8 | 4,8 |
| Silence de roulement (sur chaussée lisse ou raboteuse, bruit de vent) | /10 | 8,1 | 7,6 | **8,4** | 7,0 | 7,1 | 4,6 |
| Position de conduite (volant, réglages, repose-pied, visibilité) | /10 | **9,2** | 8,3 | 7,8 | 8,3 | 6,6 | 7,2 |
| Ergonomie (facilité d'atteindre les commandes, douceur, précision) | /10 | **8,8** | 8,4 | 6,7 | 8,2 | 7,6 | 7,2 |
| Espace avant (accès, confort, espace) | /10 | 8,6 | **8,8** | 5,2 | 7,0 | 7,8 | 8,6 |
| Espace arrière (accès, confort, espace) | /10 | 8,5 | **8,8** | 5,8 | 6,3 | 7,7 | 8,2 |
| Équipement (accessoires, innovations, gadgets) | /10 | 8,0 | **8,9** | 8,6 | 8,3 | 8,8 | 6,4 |
| Rangements (accès, nombre, taille, commodité, efficacité) | /10 | 8,8 | **9,2** | 6,6 | 7,8 | 8,0 | 7,3 |
| Coffre (accès, volume, commodité, modularité, polyvalence) | /10 | 7,9 | **8,6** | 6,1 | 6,4 | 8,3 | 7,8 |
| *TOTAL* | **/100** | 84,9 | **85,4** | 71,5 | 75,0 | 77,3 | 67,6 |
| **TECHNOLOGIE** | | | | | | | |
| Système audio (qualité sonore, réglages, caractéristiques) | /10 | 8,0 | 8,0 | **8,8** | 7,5 | 8,6 | 6,1 |
| Système multimédia (ergonomie, fonctionnalités, écran tactile, navigation) | /50 | 41,5 | 42,2 | 36,6 | 40,9 | **44,6** | 28,4 |
| Systèmes de sécurité électroniques (tolérance d'intervention, efficacité) | /40 | **36,5** | 29,8 | 28,4 | 32,3 | 31,1 | 20,6 |
| *TOTAL* | **/100** | **78,0** | 72,0 | 65,0 | 73,2 | 75,7 | 49,0 |
| **CONDUITE** | | | | | | | |
| Moteur (rendement, puissance, couple à bas régime, réponse, agrément) | /25 | **21,8** | 18,3 | 21,0 | 18,7 | 16,3 | 17,0 |
| Transmission (précision, rapidité, étagement, douceur, embrayage) | /25 | 19,7 | 16,9 | **20,3** | 16,6 | 16,8 | 15,8 |
| Rouage intégral (réaction initiale, distribution du couple, efficacité générale) | /25 | **21,3** | 17,5 | 19,0 | 17,7 | 12,2 | 18,8 |
| Tenue de route (équilibre, agilité, adhérence, facilité, marge de sécurité) | /15 | 12,1 | 11,9 | **12,7** | 12,2 | 9,8 | 8,9 |
| Direction (précision, *feedback*, résistance aux secousses, braquage) | /15 | 12,4 | 11,8 | **13,0** | 11,8 | 10,7 | 8,8 |
| Freins (sensation, modulation, constance, performances, résistance) | /15 | **11,9** | 10,2 | 10,8 | 10,8 | 11,0 | 8,3 |
| Qualité de roulement (suspension, solidité structurelle) | /15 | **13,0** | 10,5 | 11,7 | 10,2 | 7,7 | 6,6 |
| *TOTAL* | **/135** | **112,2** | 97,1 | 108,5 | 98,0 | 84,5 | 84,2 |
| **PERFORMANCES MESURÉES** | | | | | | | |
| Accélération | /10 | 8,7 | 8,6 | 8,7 | **9,0** | 6,0 | 6,6 |
| Reprises | /10 | 8,5 | 8,5 | 8,7 | **8,8** | 6,6 | 6,2 |
| Freinage | /10 | **7,5** | 6,0 | 6,5 | 6,5 | 7,0 | 6,0 |
| Consommation de carburant | /60 | 45,0 | 54,0 | 54,0 | **55,0** | 51,0 | 48,0 |
| *TOTAL* | **/90** | 69,7 | 77,1 | **77,9** | 79,3 | 70,6 | 66,8 |
| **PRÉFÉRENCES DES ESSAYEURS** | | | | | | | |
| Appréciation globale (choix personnel) | /125 | **115,0** | 98,0 | 99,6 | 86,0 | 64,0 | 69,0 |
| *TOTAL* | **/125** | **115,0** | 98,0 | 99,6 | 86,0 | 64,0 | 69,0 |
| **POINTAGE FINAL** | **/600** | **503,5** | 471,5 | 466,7 | 450,4 | 414,0 | 370,7 |

DANIEL
**MELANÇON**
Animateur

GERMAIN
**GOYER**
Journaliste automobile

LOUIS-PHILIPPE
**DUBÉ**
Journaliste automobile

BENOIT
**LAVIGNE**
Coordonnateur technique

MARC-ANDRÉ
**GAUTHIER**
Journaliste automobile

NICOLAS
**TARDIF**
Coordonnateur
technique

ANTOINE
**JOUBERT**
Journaliste automobile

JULIEN
**AMADO**
Journaliste automobi

| SUBARU **CROSSTREK OUTDOOR** | KIA **SELTOS SX** | MAZDA **CX-30 GT** | HYUNDAI **KONA ULTIMATE 1.6T** | CHEVROLET **TRAILBLAZER RS AWD** | MITSUBISHI **RVR LIM. ED. AWC** |
|---|---|---|---|---|---|

## CONSOMMATION OBSERVÉE (EN L/100 KM)

| 9,4 | 8,3 | 8,3 | **8,2** | 8,5 | 9,0 |
|---|---|---|---|---|---|

## CAPACITÉ DE **REMORQUAGE** (EN LB)

| **1 500** | NON RECOMMANDÉ | NON RECOMMANDÉ | NON RECOMMANDÉ | 1 000 | NON RECOMMANDÉ |
|---|---|---|---|---|---|

## VOLUME DU **COFFRE** (EN LITRES)

| 588 | **752** | 572 | 544 | 716 | 569 |
|---|---|---|---|---|---|

| 1 565 | **1 778** | 1 280 | 1 296 | 1 540 | 1 402 |
|---|---|---|---|---|---|

# DES ÉLECTRONS
## *À QUATRE ROUES*
## *MOTRICES*

VOLVO
**XC40**
**RECHARGE**

FORD
**MUSTANG**
**MACH-E**

On compte désormais plus de 100 000 véhicules électriques sur les routes du Québec. Ce chiffre ne cesse de progresser, et tout indique que l'ascension ne fait que commencer. Après les voitures, c'est maintenant au tour des véhicules utilitaires compacts de s'électrifier. L'autonomie à la hausse et les prix à la baisse permettent aux constructeurs d'offrir des véhicules plus compétitifs que jamais. Et plus que n'importe où ailleurs au Canada, le Québec est particulièrement friand de ces nouveaux modèles. L'équipe du *Guide de l'auto* a réuni quatre concurrents qui ne se feront pas de cadeaux. Lequel saura tirer son épingle de ce jeu encore tout neuf?

AUTEUR: FRÉDÉRIC MERCIER
PHOTOGRAPHE: GUILLAUME FOURNIER

VOLKSWAGEN
**ID.4**

TESLA
**MODEL Y**

Les VUS compacts font fureur auprès des consommateurs nord-américains. Leur position de conduite élevée et leur rouage intégral donnent un fort sentiment de sécurité tandis que l'espace généreux à bord permet une polyvalence indéniable.

À une époque où l'électrification des transports est sur toutes les lèvres, ce n'était qu'une question de temps avant que les constructeurs développent des modèles électriques répondant aux critères qui font le succès des petits VUS. Fidèle à son habitude, c'est Tesla qui a lancé le bal avec le Model Y, dont les premiers exemplaires sont arrivés sur nos routes à l'automne 2020. Rapidement, d'autres marques ont pris la balle au bond et ont brillamment répliqué. Au cours des derniers mois, on a ainsi pu voir arriver trois modèles fort prometteurs : le Ford Mustang Mach-E, le Volkswagen ID.4 et le Volvo XC40 Recharge.

L'équipe du *Guide de l'auto* les a réunis dans le cadre d'un match comparatif qui s'est déroulé dans les régions des Laurentides et de Lanaudière, sur une distance d'environ 350 kilomètres. Tout au long de ce parcours mélangeant la conduite en ville et sur la route, nous avons analysé le comportement routier de chacun des modèles, mais aussi la consommation d'énergie et l'efficacité de la recharge. Vers la fin du trajet, un arrêt à une station de recharge rapide du Circuit électrique nous a permis de calculer le gain d'énergie pour chaque véhicule sur une période de 45 minutes. Seule la Tesla a été chargée à une station Superchargeur opérée par le constructeur, puisque nous considérons que l'accès à ces bornes représente l'un des avantages d'opter pour ce produit.

Les quatre véhicules essayés ont chacun démontré des forces et des faiblesses. Certains nous ont surpris par leur comportement routier et la qualité de leur assemblage, alors que d'autres sont plus évolués au niveau technologique. Sans plus attendre, place aux résultats !

## ÉLECTRIQUES,
## MAIS AUSSI POLYVALENTS

Les quatre modèles mis à l'essai dans le cadre de ce match comparatif partagent tous une caractéristique commune: la disponibilité d'un système à quatre roues motrices.

Ça peut sembler banal, mais il s'agit là d'une petite révolution dans le monde des véhicules électriques, Jusqu'ici, la majorité des modèles populaires (Chevrolet Bolt EV, Nissan Leaf, Hyundai Kona électrique), n'offrait pas la possibilité de profiter du rouage intégral. Dans un marché comme celui du Québec, il s'agissait là d'un handicap certain. L'arrivée de modèles plus abordables à quatre roues motrices représente donc un nouveau pas vers la démocratisation des véhicules électriques. Venant de série avec le Tesla Model Y et le Volvo XC40 Recharge, le rouage intégral est une option dans le catalogue du Mustang Mach-E et du ID.4.

Tous dotés d'un hayon et d'un espace de chargement assez généreux, ces quatre véhicules peuvent accueillir confortablement quatre personnes et leurs bagages. Peut-être même cinq... si ceux assis à l'arrière acceptent de s'entasser!

# 4ᵉ

## VOLVO **XC40 RECHARGE**

| POINTAGE | 369,2 points |
|---|---|
| PRIX VERSION ESSAYÉE | 71 200 $ |
| SUBVENTION ADMISSIBLE | aucune |

# COULÉ PAR SON AUTONOMIE

Des quatre véhicules essayés dans le cadre de ce match comparatif, le Volvo XC40 est le seul qui n'a pas été conçu uniquement pour une motorisation électrique. La version Recharge est construite à partir de la même plate-forme modulaire qui sert aussi au XC40 traditionnel.

Qu'à cela ne tienne, le XC40 Recharge a su nous impressionner à plusieurs égards. Sa principale qualité est sans aucun doute son comportement routier. Fort d'une puissance de 402 chevaux et d'un couple de 486 lb-pi, le petit VUS accomplit de jolies prouesses en accélération. Nous avons aussi apprécié la direction précise et communicative.

Parmi les autres points forts, notons le système d'infodivertissement développé par Google. Sans même passer par une application comme Android Auto ou Apple CarPlay, il suffit de dire «OK Google» pour accéder à un assistant vocal de grande qualité. Le système de navigation intégré est donc celui de Google Maps et on peut facilement se connecter à son compte Spotify sans utiliser les données de son téléphone. L'utilisation s'est avérée d'une facilité désarmante.

Malheureusement, le XC40 Recharge a perdu plusieurs points en raison de sa faible efficacité énergétique. Malgré une batterie plutôt généreuse de 78 kWh, le Volvo affiche une autonomie limitée à 335 kilomètres, de loin la plus basse des quatre modèles essayés. Le XC40 Recharge a été le plus énergivore du lot avec une consommation moyenne de 22,4 kWh/100 km. Au moment de la recharge, le XC40 s'est toutefois repris avec un gain de 37 kWh en 45 minutes (borne de 50 kW), surpassant le Ford et le Volkswagen.

Enfin, impossible de ne pas prendre en considération la facture salée qui vient avec ce véhicule. Avec un prix de départ de 64 950 $, le XC40 Recharge n'est admissible à aucune subvention gouvernementale. Qui plus est, la disponibilité de ce produit risque d'être très limitée. Le Volvo XC40 Recharge n'est pas un mauvais véhicule, mais il doit s'avouer vaincu devant les trois autres modèles de ce match comparatif.

# VOLKSWAGEN **ID.4**

## L'AUBAINE DE L'ANNÉE

| POINTAGE | 372,3 points |
|---|---|
| PRIX VERSION ESSAYÉE | 52 995 $ |
| SUBVENTION ADMISSIBLE | 13 000 $ |

Le principal argument du Volkswagen ID.4, c'est son prix. Vendu à partir de 44 995 $, c'est le véhicule le plus abordable de ce match comparatif, et de loin. Ça devient encore plus intéressant quand on sait que toutes les versions sont éligibles aux pleines subventions gouvernementales, totalisant 13 000 $. D'un point de vue financier, l'ID.4 s'avère donc le choix logique.

Ce nouveau venu chez Volkswagen tient aussi ses promesses en matière d'autonomie, sa batterie de 82 kWh lui permettant de rouler 400 kilomètres en une charge. Sa consommation enregistrée de 17,4 kWh/100 km nous l'a bien prouvé lors de notre journée d'essai. Pour ce qui est de la recharge, une session de 45 minutes sur une borne de 50 kW du Circuit électrique nous a permis de gagner 35,33 kWh.

Il convient de préciser que notre modèle était doté d'un rouage à deux roues motrices, avec l'ensemble optionnel *Statement* qui ajoutait un surplus de 8 000 $ à la facture. Malgré nos demandes répétées à Volkswagen, nous n'avons pas été en mesure de mettre la main sur une version à rouage intégral. Avec un surplus de seulement 5 000 $ à l'achat, les quatre roues motrices seront majoritairement choisies par les consommateurs québécois, pas de doute là-dessus.

En plus de meilleures capacités hivernales, la mouture à quatre roues motrices améliore les performances au volant, puisque l'on y trouve deux moteurs au lieu d'un. Néanmoins, la puissance de 300 chevaux demeure nettement inférieure à celle des trois autres modèles inclus dans ce match. Cela dit, l'ID.4 témoigne d'une certaine agilité qui fait la réputation des produits Volkswagen. À bord, la présentation est sobre et minimaliste. Les boutons physiques sont très rares et tout est centralisé à partir d'un système d'infodivertissement qui nous a déçu par sa complexité et sa lenteur d'exécution.

Le Volkswagen ID.4 nous a donc laissés sur notre appétit à certains égards et ne réussit pas vraiment à s'imposer en matière de comportement routier et de présentation générale. Malgré tout, son prix alléchant et son autonomie généreuse en font un véhicule qui mérite fortement d'être considéré.

# 2e

| | |
|---|---|
| POINTAGE | **378,3 points** |
| PRIX VERSION ESSAYÉE | **80 590 $** |
| SUBVENTION ADMISSIBLE | **aucune** |

## TESLA **MODEL Y**

# POUR LE MEILLEUR ET POUR LE PIRE

Le Tesla Model Y, c'est le meilleur et le pire qui se rencontrent. D'un côté, impossible de ne pas tomber sous le charme de l'intégration technologique de ce véhicule, qui semble être 10 ans en avance sur tous ses rivaux. Toutes les commandes passent par l'immense écran tactile de 15 pouces qui trône au centre du tableau de bord. Même l'ouverture du coffre à gants n'y échappe pas!

Le modèle que nous avions à l'essai était équipé de la technologie *Autopilote*, un système de conduite semi-autonome qui impressionne par son efficacité. Précisons toutefois qu'en mai 2021, Tesla a remplacé l'*Autopilote* par le *Tesla Vision*, qui utilise des radars au lieu des caméras. Nous n'avons malheureusement pas pu mettre ce nouveau système à l'essai.

En matière d'efficacité énergétique, le Model Y a dominé ce match comparatif avec une moyenne de consommation de 17 kWh/100 km. Et quand vient le temps d'effectuer une recharge sur la route, l'excellent réseau de bornes Superchargeur vient à la rescousse, avec une facilité d'utilisation déconcertante et une rapidité d'exécution qui surpasse celle du Circuit électrique. En 45 minutes, le véhicule a gagné 49 kWh. Ceci dit, l'autonomie annoncée de 525 kilomètres nous semble très, très optimiste. Lors de notre essai, les performances en ce sens se sont avérées similaires à celles des Volkswagen ID.4 et Ford Mustang Mach-E, soit environ 400 kilomètres.

Malgré ses qualités indéniables, le Tesla Model Y a aussi quelques faiblesses, dont la piètre qualité de sa peinture. Le véhicule mis à l'essai ne comptait que 16 000 kilomètres au compteur, et on pouvait déjà apercevoir quelques écaillements dans le bas des portières... En outre, nous avons noté quelques irrégularités dans les écarts de panneaux de carrosserie, ainsi que quelques craquements en provenance du hayon.

Le Model Y était le véhicule le plus cher de ce match comparatif, avec une facture d'environ 80 000 $.

# FORD MUSTANG MACH-E

## L'ÉTALON NOUVEAU GENRE

| | |
|---|---|
| POINTAGE | **389,9 points** |
| PRIX VERSION ESSAYÉE | **72 395 $** |
| SUBVENTION ADMISSIBLE | **8 000 $** |

Ford a joué d'audace en utilisant le légendaire nom Mustang pour baptiser son nouveau véhicule utilitaire électrique. Les puristes auront beau crier au scandale, force est d'admettre que la stratégie marketing a porté ses fruits et qu'il a beaucoup fait jaser, ce Mustang Mach-E!

Au-delà de son joli design, ce véhicule nous a grandement impressionné par son comportement routier inspiré. Des quatre modèles mis à l'essai, c'est celui qui a obtenu la meilleure note de nos essayeurs au chapitre de la conduite. Sa direction engageante et ses accélérations soutenues en font un modèle que l'on prend plaisir à conduire... presque autant qu'une vraie Mustang!

La qualité de sa finition et son intégration technologique évoluée ont également fait partie des points forts soulignés par notre équipe. L'immense écran tactile de 15,5 pouces disposé à la verticale est doté d'une excellente résolution et représente la seule réponse digne de ce nom à la technologie proposée chez Tesla.

De plus, le véhicule est offert dans une large gamme de versions qui saura plaire à différents types de consommateurs. Disponible à partir de 50 495 $, le Mach-E est éligible à une subvention de 8 000 $ de la part du Gouvernement du Québec. Or, la version Premium AWD que nous avons mise à l'essai se détaillait à plus de 70 000 $, ce qui la rendait inéligible à cette aide gouvernementale. Il faut dire que nous avions droit à la batterie optionnelle de 88 kWh, une option facturée 7 000 $ par rapport à la batterie ordinaire de 68 kWh. Cela octroyait à notre Mach-E une autonomie annoncée à 435 km qui s'est avérée très proche de la réalité. La consommation mesurée lors de notre journée d'essai a été de 18 kWh/100 km.

On se serait toutefois passé de certains gadgets qui risquent de très mal vieillir. Les portières, par exemple, s'ouvrent à la pression d'un bouton plutôt qu'avec une poignée traditionnelle. Tout fonctionnait très bien en juin, mais on s'en reparlera en janvier après un épisode de verglas... Il convient aussi de spécifier que la fiabilité de ce modèle demeure encore à prouver.

# CONCLUSION

**Rarement a-t-on vu un match comparatif aussi serré au *Guide de l'auto* ! La différence de pointage entre le premier et le dernier rang n'est que de 20,7 points sur une possibilité de 500. Voilà qui en dit long sur la compétence des quatre modèles mis à l'essai ici.**

Bon dernier, le Volvo XC40 Recharge ne manque cependant pas d'arguments pour se faire valoir. Sa puissance de 402 chevaux et son comportement nerveux ont fait sourire notre équipe, mais le véhicule a perdu beaucoup de points en raison de sa faible autonomie. Les essayeurs ont également noté son prix salé, de même que sa disponibilité qui s'annonce très limitée.

Même s'il termine troisième, le Volkswagen ID.4 est promis à un brillant avenir. Le véhicule ne démontre pas le même caractère que ses trois opposants sur la route, mais il faut souligner que son prix est ajusté en conséquence. Offert à moins de 45 000 $ et éligible aux pleines subventions de 13 000 $, l'ID.4 semble destiné à un fort succès commercial. Ceux qui le choisiront auront entre les mains un produit très intéressant, mais dont le comportement routier et l'intégration technologique sont quelque peu en retrait par rapport aux autres modèles évalués dans le cadre de ce match.

Enfin, ce sont deux modèles américains qui occupent les deux premières marches du podium. La lutte a été serrée entre le Tesla Model Y et le Ford Mustang Mach-E. Malgré ses technologies épatantes et son excellente efficacité énergétique, le Tesla a été déclassé en raison de sa piètre qualité d'assemblage. Le prix a aussi été pris en considération, puisqu'il s'agissait du plus cher parmi les quatre véhicules à l'essai. C'est donc le Ford Mustang Mach-E qui remporte les honneurs. Unanimement, les membres de notre équipe ont dit avoir apprécié le comportement routier de ce modèle et avoir été grandement impressionnés par la présentation intérieure et la qualité générale de l'assemblage.

Il y a donc un nouveau roi dans le créneau des véhicules électriques ! Et il porte un nom qui nous rappelle de jolis souvenirs...

# TURO

### REMERCIEMENTS

*Le Guide de l'auto* tient à remercier le service d'autopartage Turo pour sa participation à ce match comparatif. Comme Tesla ne possède pas de flotte de véhicules dédiés aux médias, le Model Y mis à l'essai était celui d'un automobiliste québécois membre de Turo, que nous avons emprunté le temps d'une semaine.

## MERCI

### UNE CATÉGORIE EN PLEINE ÉBULLITION

Les véhicules utilitaires électriques sont encore peu nombreux sur nos routes, mais cela risque de changer assez rapidement! Plusieurs nouveaux modèles s'apprêtent à faire leur apparition chez les concessionnaires, et leur arrivée pourrait venir chambouler l'ordre établi.

Parmi les véhicules très attendus, le Nissan Ariya semble promis à un bel avenir. Idem pour les Hyundai IONIQ 5 et Kia EV6, deux jumeaux non identiques qui offriront le rouage intégral en option.

| | FORD **MUSTANG MACH-E PREMIUM AWD** | TESLA **MODEL Y LONGUE AUTONOMIE** |
|---|---|---|
| **RANG** | 1 | 2 |
| **Prix de base** | 50 495$ | 69 990$ |
| **Prix modèle essayé** | 72 395$ | 80 590$ |
| **Lieu de fabrication** | Cuatitlan Izcalli, Mexique | Fremont, US |
| **Garantie de base** (ans/km) | 3/60 000 | 4/80 000 |
| **Garantie batterie** (ans/km) | 8/160 000 | 8/192 000 |
| **DIMENSIONS** | | |
| **Long. / larg. / haut. / emp.** (mm) | 4 713 / 1 881 / 1 625 / 2 984 | 4 751 / 2 129 / 1 624 / 2 890 |
| **Poids** (kg) | 2 182 | 2 003 |
| **Places** | 5 | 5-7 |
| **Coffre min. - max.** (litres) | 841 - 1 690 | n.d. - 1 919 |
| **GROUPE MOTOPROPULSEUR** | | |
| **Boîte de vitesses / rapports** | Rapport fixe | Rapport fixe |
| **Rouage** | Intégral | Intégral |
| **Puissance** (hp) | 346 | 384 |
| **Couple** (lb-pi) | 428 | 376 |
| **BATTERIE** | | |
| **Type** | Li-ion | Li-ion |
| **Capacité** (kWh) | 68 / 88 (optionnel) | 75 |
| **Recharge heures** (240V / DC) | n.d. / 10,7 / 0,8 | n.d. / 10,0 / n.d. |
| **Cons.** (ville / rte / comb. Le/100 km) | 2,4 / 2,8 / 2,6 | 1,8 / 2,0 / 1,9 |
| **Autonomie électrique km** (RNC) | 435 | 525 |
| **CHÂSSIS** | | |
| **Suspension avant** | Ind., jambes de force | Ind., double triangulation |
| **Suspension arrière** | Ind. multibras | Ind. multibras |
| **Freins** (type x qté) | Disques x 4 | Disques x 4 |
| **Dimension pneus** | P225/55R19 | P255/45R19 |
| **Pneus** | Michelin Primacy A/S | Continental Pro Contact |
| **Capacité de remorquage** (lb) | non recommandé | non recommandé |
| **PERFORMANCE MESURÉE** **Température extérieure de 30°C** | | |
| **Consommation énergétique** (kWh/100 km) | 18 | 17 |
| **0-100 km/h** | 5,94 sec. | 5,02 sec. |
| **80-120 km/h** | 3,90 sec. | 2,75 sec. |
| **100-0 km/h** | 40,94 m | 38,39 m |

| | VOLKSWAGEN ID.4 PRO | VOLVO XC40 RECHARGE |
|---|---|---|
| **RANG** | **3** | **4** |
| Prix de base | 44 995 $ | 64 950 $ |
| Prix modèle essayé | 52 995 $ | 71 200 $ |
| Lieu de fabrication | Zwickau, Allemagne | Gand, Belgique |
| Garantie de base (ans/km) | 4/80 000 | 4/80 000 |
| Garantie batterie (ans/km) | 8/160 000 | 8/160 000 |
| **DIMENSIONS** | | |
| Long. / larg. / haut. / emp. (mm) | 4 584 / 1 852 / 1 637 / 2 766 | 4 425 / 2 034 / 1 652 / 2 702 |
| Poids (kg) | 2 068 | 2 150 |
| Places | 5 | 5 |
| Coffre min. - max. (litres) | 858 - 1 818 | 413 - 1337 |
| **GROUPE MOTOPROPULSEUR** | | |
| Boîte de vitesses / rapports | Rapport fixe | Rapport fixe |
| Rouage | Propulsion | Intégral |
| Puissance (hp) | 201 | 402 |
| Couple (lb-pi) | 229 | 486 |
| **BATTERIE** | | |
| Type | Li-ion | Li-ion |
| Capacité (kWh) | 82 | 78 |
| Recharge heures (120 / 240V / DC) | n.d. / 7,5 / 0,6 | n.d / 7,5 / 0,7 |
| Cons. (ville / rte / comb. Le/100 km) | 2,3 / 2,6 / 2,4 | 2,8 / 3,3 / 3,0 |
| Autonomie électrique km (RNC) | 400 | 335 |
| **CHÂSSIS** | | |
| Suspension avant | Ind., jambes de force | Ind., jambes de force |
| Suspension arrière | Ind. multibras | Ind. multibras |
| Freins (type x qté) | Disques x 2, Tambours x 2 | Disques x 4 |
| Dimension pneus | P235/55R19 - P255/50R19 | P235/45R20 - P255/40R20 |
| Pneus | Bridgestone Alenza Sport A/S | Pirelli Scorpion Zero |
| Capacité de remorquage (lb) | 2 700 | 2 000 |
| **PERFORMANCE MESURÉE** | **Température extérieure de 30ºC** | |
| Consommation énergétique (kWh/100 km) | 17,4 | 22,4 |
| 0-100 km/h | 8,27 sec. | n.d. |
| 80-120 km/h | 6,15 sec. | n.d. |
| 100-0 km/h | 41,27 m | n.d. |

| | | FORD MUSTANG MACH-E | TESLA MODEL Y | VOLKSWAGEN ID.4 | VOLVO XC40 RECHARGE |
|---|---|---|---|---|---|
| **RANG** | | **1** | **2** | **3** | **4** |
| **CARROSSERIE** | | | | | |
| **Design** (silhouette, proportions, originalité, style, attrait visuel pur) | /25 | **19,8** | 17,5 | 19,0 | 19,3 |
| **Finition** (qualité de peinture, écarts, assemblage) | /25 | 19,8 | 12,5 | 16,9 | **21,8** |
| *TOTAL* | **/50** | 39,6 | 30,0 | 35,9 | **41,1** |
| **HABITACLE** | | | | | |
| **Design** (originalité, style, attrait visuel pur) | /10 | 7,5 | **8,0** | 7,8 | 7,4 |
| **Finition** (qualité des matériaux, textures, couleurs, surfaces) | /10 | **8,0** | 6,0 | 7,4 | **8,0** |
| **Silence de roulement** (sur chaussée lisse ou raboteuse, bruit de vent) | /10 | **8,1** | 6,6 | 6,8 | 8,0 |
| **Position de conduite** (volant, réglages, repose-pied, visibilité) | /10 | **8,2** | 7,4 | 7,6 | 7,5 |
| **Ergonomie** (facilité d'atteindre les commandes, douceur, précision) | /10 | **8,0** | 7,0 | 7,0 | 7,1 |
| **Espace avant** (accès, confort, espace) | /10 | **8,5** | 8,0 | 7,6 | 7,3 |
| **Espace arrière** (accès, confort, espace) | /10 | 7,4 | 7,9 | **8,5** | 6,8 |
| **Équipement** (accessoires, innovations, gadgets) | /10 | 8,3 | **8,8** | 7,0 | 7,0 |
| **Rangements** (accès, nombre, taille, commodité, efficacité) | /10 | **8,3** | **8,3** | 7,4 | 6,8 |
| **Coffre** (accès, volume, commodité, modularité, polyvalence) | /10 | 8,1 | **8,4** | 7,8 | 6,9 |
| *TOTAL* | **/100** | **80,4** | 76,4 | 74,9 | 72,8 |
| **TECHNOLOGIE** | | | | | |
| **Système audio** (qualité sonore, réglages, caractéristiques) | /15 | **12,5** | 11,6 | 11,2 | 12,0 |
| **Système multimédia** (ergonomie, fonctionnalités, écran tactile, navigation) | /20 | **17,8** | 16,4 | 12,3 | 14,3 |
| **Systèmes de sécurité électroniques** (tolérance d'intervention, efficacité) | /15 | 11,3 | **14,0** | 10,6 | 11,4 |
| *TOTAL* | **/50** | 41,6 | **42,0** | 34,1 | 37,7 |
| **CONDUITE** | | | | | |
| **Moteur** (rendement, puissance, couple à bas régime, réponse, agrément) | /20 | 16,3 | 17,0 | 13,8 | **17,5** |
| **Tenue de route** (équilibre, agilité, adhérence, facilité, marge de sécurité) | /20 | **16,5** | 16,3 | 15,8 | 16,0 |
| **Direction** (précision, *feedback*, résistance aux secousses, braquage) | /20 | **15,0** | 14,8 | **15,0** | **15,0** |
| **Freins** (sensation, modulation, constance, performances, résistance) | /20 | 15,3 | **15,6** | 14,4 | 15,3 |
| **Qualité de roulement** (suspension, solidité structurelle) | /20 | **16,8** | 13,3 | 14,5 | 15,5 |
| *TOTAL* | **/100** | **79,9** | 77,0 | 73,5 | 79,3 |
| **PERFORMANCES MESURÉES** | | | | | |
| **Accélération** | /15 | 12,3 | 13,3 | 10,8 | **13,8** |
| **Reprises** | /15 | 11,3 | 12,3 | 9,8 | **13,5** |
| **Autonomie électrique** | /35 | 23,0 | **26,0** | 25,0 | 20,0 |
| **Temps de recharge** | /35 | 25,0 | **32,0** | 25,0 | 27,0 |
| *TOTAL* | **/100** | 71,6 | **83,6** | 70,6 | 74,3 |
| **FINANCES** | | | | | |
| **Prix d'achat/financement** | /25 | 17,3 | 14,3 | **23,3** | 12,0 |
| **Garantie** | /25 | 17,0 | **20,0** | **20,0** | **20,0** |
| *TOTAL* | **/50** | 34,3 | 34,3 | **43,3** | 32,0 |
| **PRÉFÉRENCES DES ESSAYEURS** | | | | | |
| **Appréciation globale** (choix personnel) | **/50** | **42,5** | 35,0 | 40,0 | 32,0 |
| **POINTAGE FINAL** | **/500** | **389,9** | 378,3 | 372,3 | 369,2 |

NICOLAS
**TARDIF**
Coordonnateur
technique

GERMAIN
**GOYER**
Journaliste automobile

BENOIT
**LAVIGNE**
Coordonnateur technique

MARC-ANDRÉ
**GAUTHIER**
Journaliste automobile

ANTOINE
**JOUBERT**
Journaliste automobile

FRÉDÉRIC
**MERCIER**
Journaliste automobile

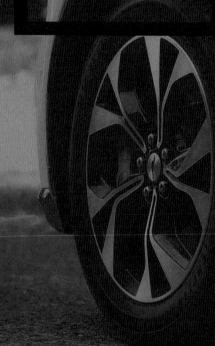

| FORD **MUSTANG MACH-E PREMIUM AWD** | TESLA **MODEL Y LONGUE AUTONOMIE** | VOLKSWAGEN **ID.4 PRO** | VOLVO **XC40 RECHARGE** |
|---|---|---|---|

## CAPACITÉ DE **LA BATTERIE** (EN KWH)

| **88** KWH | **75** KWH | **82** KWH | **78** KWH |
|---|---|---|---|

## **AUTONOMIE ÉLECTRIQUE** ANNONCÉE (EN KM)

| **435** KM | **525** KM | **400** KM | **335** KM |
|---|---|---|---|

## **CONSOMMATION ÉNERGÉTIQUE** OBSERVÉE (AUX 100 KM)

| **18** KWH | **17** KWH | **17,4** KWH | **22,4** KWH |
|---|---|---|---|

## **RECHARGE OBSERVÉE** APRÈS 45 MINUTES (BORNE DE 50 KW)

| **30,76** KWH | **49** KWH | **35,33** KWH | **37,04** KWH |
|---|---|---|---|

*Le Tesla Model Y a été chargé sur une borne Superchargeur de 72 kW

## **SUBVENTION** GOUVERNEMENTALE (JUILLET 2021)

| **8 000** $ | **0** $ | **13 000** $ | **0** $ |
|---|---|---|---|

# DEUX LÉGENDES FACE AU SOLEIL LEVANT

CHEVROLET
**CORVETTE**

On ne présente plus la Porsche 911 et la Chevrolet Corvette, deux emblèmes de puissance et de sportivité, qui se toisent depuis bientôt 60 ans. Tandis que l'Allemande évolue pas à pas, l'Américaine fait sa révolution en déplaçant son V8 derrière le conducteur. Face à elles, nous avons ajouté une alternative japonaise, la Lexus RC F, vêtue de sa tenue de combat « Track Edition ».

AUTEUR : JULIEN AMADO
PHOTOGRAPHE : GUILLAUME FOURNIER
MESURES DE PERFORMANCE : MARC LACHAPELLE

LEXUS **RC F**

PORSCHE **911**

**L**orsqu'il est question de sportivité, la Porsche 911 fait figure de référence. Véritable couteau suisse sur quatre roues, elle est capable de vous emmener à l'épicerie comme au circuit. Peaufinée de génération en génération, la reine des Porsche propose toujours ce mélange de haute performance et de raffinement. Deux des ingrédients qui la rendent aussi polyvalente qu'attachante. Finalement, son plus gros défaut demeure son prix, plutôt élevé, et qui grimpe de façon exponentielle dès que l'on commence à cocher des options dans le configurateur...

C'est d'ailleurs ce qui a été fait avec notre modèle d'essai, une 911 Targa 4 richement équipée. Il serait trop long et fastidieux de détailler tout ce qui a été ajouté, mais sachez que l'auto est livrée avec la boîte à double embrayage PDK, les ensembles Sport et Premium ainsi que des jantes optionnelles (20 pouces à l'avant, 21 à l'arrière). Une Carrera S PDK, disposant de 443 chevaux aurait été plus «équitable» au chapitre de la puissance, malheureusement ce modèle n'était pas disponible lors de notre essai.

De son côté, Chevrolet propose un rapport prix/performances tout simplement imbattable avec la C8. Un tarif raisonnable (tout étant relatif...) avec la ligne et les performances d'une voiture exotique. En effet, bien que plusieurs options alourdissent la facture de notre modèle d'essai (ensemble Z51, suspensions magnétiques, jantes optionnelles, rehausseur de train avant, etc.), on se retrouve avec un véhicule très performant et abondamment équipé pour environ 105 000 $, contre 167 000 $ pour la Targa 4!

Quant à la Lexus RC F, elle reçoit un gros V8 de 5 litres à l'avant, un rouage à propulsion et quatre vraies places utilisables, ce qui n'est pas vraiment le cas de la 911. La Corvette ne s'encombre pas de ces considérations puisqu'elle n'a que deux places. Vendu 35 000 $, l'ensemble Track Edition de Lexus intègre beaucoup d'éléments en carbone (capot, toit, aileron, etc.), des jantes spécifiques, des freins en carbone-céramique, un échappement en titane et un intérieur rouge. Plus légère de 55 kg comparée à une RC F normale, notre version d'essai allège également le portefeuille de son propriétaire puisqu'elle coûte un peu plus de 122 000 $!

Pour départager nos trois prétendantes, nous avons décidé de les confronter sur la route et sur circuit. De longues étapes autoroutières et des routes secondaires limitées à 80 et 90 km/h, telles qu'on les rencontre dans un usage quotidien. Mais aussi des recoins plus sinueux dans les Laurentides, un terrain de jeu parfait pour déterminer quelle auto offre le meilleur compromis entre plaisir de conduite et efficacité. Enfin, nous avons piloté les trois voitures sur le circuit ICAR, pour juger de leur comportement lorsqu'elles sont poussées au maximum.

# 3ᵉ

| POINTAGE | 427,5 points |
|---|---|
| PRIX VERSION DE BASE | 88 060 $ |
| PRIX VERSION ESSAYÉE | 122 672 $ |

## LEXUS **RC F**

# LA « TRÈS » CHÈRE LEXUS

Sur papier, avec son gros V8 et son kimono en matériaux composites, le coupé japonais possède de sérieux arguments à faire valoir. La fibre de carbone apparente et l'aileron planté sur le coffre ne plairont pas à tous, mais ces attributs ont au moins le mérite de différencier clairement la version Track Edition.

Dans l'habitacle, dont la couleur est spécifique, on retrouve de superbes sièges, les plus confortables du groupe. Les insertions rouges, belles et douces au toucher, ajoutent de la sportivité dans un intérieur qui ressemble beaucoup trop à celui d'une RC de base. Cette Lexus vitaminée conserve aussi le système multimédia à pavé tactile, au design daté et à l'ergonomie plus que discutable...

Grâce à son moteur à l'avant, l'auto peut recevoir deux occupants à l'arrière plutôt confortablement, à condition que les personnes assises à l'avant ne soient pas trop grandes. La Lexus demeure la meilleure autoroutière et la plus polyvalente des modèles essayés. Des bruits de roulement se font entendre à haute vitesse, mais un peu moins fortement que chez ses concurrentes.

C'est en conduite sportive que la RC F déçoit. Un peu creux à bas régime, son V8 monte graduellement pour littéralement exploser entre 5 000 et 7 000 tr/min. Un bloc au caractère bien trempé, mais qui malmène sérieusement les trains roulants. Insuffisamment freinés en détente, les amortisseurs occasionnent des mouvements de caisse importants, tandis que la force du V8 fait osciller le train arrière. Sur les routes tortueuses des Laurentides, on conduit la Corvette d'un doigt tandis que la Lexus réclame de la poigne et une attention de tous les instants.

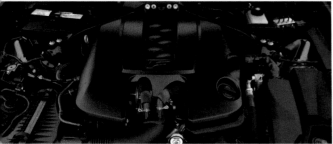

Là où la Lexus perd le plus de points, c'est quand on s'attarde sur son prix. Une RC F de base coûte déjà cher, mais l'option Track Edition (35 000 $) la rend totalement inabordable. Surtout que la dépréciation d'une RC F Track Edition sera bien plus importante que celle d'une Corvette ou d'une 911, deux autos qui conservent une excellente valeur sur le marché de l'occasion.

# PORSCHE 911

## POLYVALENCE ET RAFFINEMENT

| POINTAGE | 584,9 points |
|---|---|
| PRIX VERSION DE BASE | 116 500 $ |
| PRIX VERSION ESSAYÉE | 166 880 $ |

Face aux lignes exubérantes de la Stingray, la 911 joue la carte du classicisme. Au lieu des arêtes saillantes de la Corvette, Porsche propose un design tout en rondeurs, aussi lisse qu'un galet. Élégante et racée, l'auto conserve une filiation évidente avec les premières 911. Et ce n'est pas ce modèle Targa qui dira le contraire, ses arches spécifiques ne dénaturant pas ses lignes sensuelles. À l'usage, son toit souple est par ailleurs un régal à utiliser. Il suffit d'une pression sur un bouton et d'attendre une vingtaine de secondes pour pouvoir rouler au grand air. Tout le contraire de la Corvette, qui impose un démontage manuel du toit, plus long et fastidieux.

On retrouve sans surprise un habitacle superbement fini, avec des matériaux de qualité, des assemblages millimétrés et une réalisation sans reproche. Confortable et polyvalente, la 911 type 992 conserve cette capacité à vous conduire quotidiennement, mais aussi à vous catapulter à la moindre sollicitation de l'accélérateur. Et mis à part une suspension un peu ferme et des bruits de roulement importants à vitesse d'autoroute, il n'y a pas grand-chose à lui reprocher.

Moins puissante et plus lourde que la Corvette, notre Targa 4 partait avec un handicap sur papier. Cela s'est vu sur circuit (voir page 98), mais pas du tout sur la route. Coupleux sur une grande plage de régime, le *flat-6* ne rechigne pas à dépasser les 7 000 tr/min dans une sonorité réjouissante. Et une fois rendue sur un parcours plus montagneux, la 911 fait une nouvelle fois étalage de son talent.

Direction précise, excellente stabilité en virage, rouage intégral qui délivre sa puissance de manière transparente, on virevolte d'une courbe à l'autre avec facilité. Toutefois, son amortissement n'égale pas les éléments magnétiques de la Corvette lorsque le revêtement se dégrade. Dans ces conditions, la fermeté du roulement rend la 911 un peu plus pointue à conduire.

# 1re

| POINTAGE | 589,0 points |
| --- | --- |
| PRIX VERSION DE BASE | 71 748 $ |
| PRIX VERSION ESSAYÉE | 104 598 $ |

## CHEVROLET **CORVETTE**

# HAUTE PERFORMANCE À RABAIS

Ressemblant à s'y méprendre à une voiture exotique, nous n'avons reçu que des commentaires élogieux avec la Corvette. Même avec la Lexus et la Porsche stationnées à côté, il n'y en avait que pour elle! Cela dit, en mettre plein les yeux ne suffit pas, encore faut-il se montrer à la hauteur.

Son habitacle enveloppant est totalement centré vers le conducteur. Les commandes principales sont bien disposées et le système multimédia, similaire à celui des autres produits GM, fonctionne à merveille. En revanche, la ligne de boutons qui court le long de la console centrale n'est vraiment pas intuitive. Globalement, la qualité de finition s'est améliorée, mais demeure inférieure à celle d'une Porsche 911, une référence sur ce point.

Sur la route, la nouvelle architecture à moteur central arrière change radicalement le comportement dynamique. À part sa visibilité latérale et arrière exécrable, la Corvette se montre plutôt docile et obéissante au quotidien. Dommage que l'insonorisation ait été négligée par GM. Bruyante dès 70 km/h, l'auto devient vite fatigante à haute vitesse. Les sièges sport optionnels, fermes et étroits, vous inciteront aussi à écourter les longues étapes autoroutières.

On retrouve le sourire sur les routes sinueuses. C'est quand les virages se succèdent que la Corvette vous montre l'étendue de son potentiel. Direction précise et tranchante, train avant rivé au sol, très bonne stabilité dans les grandes courbes, ses capacités dynamiques sont insondables sur une route ouverte à la circulation. D'autant plus que l'amortissement magnétique, réactif et diablement efficace, augmente sensiblement les capacités dynamiques sans nuire au confort. Sans oublier le V8, dont la hargne et la sonorité à haut régime sont absolument réjouissantes. Mais le plus incroyable, c'est cette impression de facilité ressentie par le conducteur. C'est peut-être ça, la plus grande force de la Corvette: vous faire croire que vous êtes un meilleur conducteur que vous ne l'êtes vraiment.

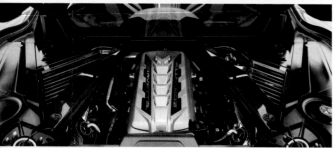

# CONCLUSION

Comme vous pouvez le constater dans nos tableaux de notation, la Corvette et la 911 sont au coude à coude. Dynamiquement, il est impossible de les départager tant leur niveau de performance et d'efficacité est élevé. La Porsche affiche une conduite un peu plus raffinée, et la qualité de son habitacle surpasse nettement ce que propose Chevrolet. Mais à quel prix ! Avec la somme nécessaire pour acheter une Porsche 911 de base, on peut se payer une Corvette Z51 avec toutes les options de performance possibles. Pour atteindre un niveau équivalent chez Porsche, il faut opter pour une Carrera S et cocher plusieurs options, ce qui aboutit à un surcoût d'environ 50 000 $.

C'est ce qui a fait la différence pour établir notre classement final. Si la Corvette se retrouve sur la plus haute marche, c'est tout simplement parce qu'aucune voiture sur le marché ne propose une conduite aussi exaltante à ce prix. Et il n'est pas nécessaire d'acheter un modèle équipé au maximum pour se faire plaisir. Une Corvette de base avec les suspensions magnétiques, seul accessoire indispensable à notre avis, vous apportera déjà énormément de plaisir pour un prix très raisonnable (73 000 $ environ). Il n'y a que les sièges sport que nous vous déconseillons, à cause de leur étroitesse et de leur fermeté.

Bien que moins efficace que la Corvette et la 911, la Lexus possède une vraie personnalité ainsi qu'un moteur vivant et plaisant à conduire. Mais elle est la seule à disposer d'une boîte de vitesses automatique conventionnelle, moins rapide que les modèles à double embrayage de Chevrolet et Porsche. Il faut aussi demeurer attentif quand on la conduit de manière plus enthousiaste, surtout à cause des ruades de son train arrière. Il est également difficile de passer sous silence son système multimédia d'un autre âge et sa technologie moins récente. Et à plus de 120 000 $, le compte n'y est tout simplement pas.

## QUE VALENT-ELLES SUR LA PISTE ?

Impossible d'organiser un match de sportives sans les mettre à l'épreuve sur un circuit. C'est sur la piste d'ICAR que nous avons évalué la Corvette, la 911 et la RC F Track Edition.

Et une surprise de taille nous attendait. Alors que les produits Toyota et Lexus sont généralement montrés du doigt pour leur platitude, la RC F Track Edition nous a gratifiés d'un caractère bien trempé et de généreuses dérobades en provenance de son train arrière. Fort en couple, le V8 crache ses livres-pied vigoureusement, tandis que les pneus, les plus étroits du groupe, peinent à transmettre toute cette énergie au sol. Une instabilité des roues postérieures renforcée par des mouvements de caisse importants, qui persistent même quand on sélectionne le mode de conduite le plus sportif. Pour pousser une RC F à la limite, il faut beaucoup de métier... et une bonne dose d'humilité! Le fait que le V8 soit monté à l'avant pénalise également les entrées de virage, le train avant finissant par saturer quand on entre en courbe à la même vitesse que la 911 ou la Corvette. Cela dit, la Lexus ne s'en sort pas si mal quand on considère que le circuit ICAR, sinueux et nécessitant une bonne agilité, ne l'avantageait vraiment pas.

À l'opposé, on retrouve la Porsche 911, qu'on a l'impression de connaître par cœur dès les premiers mètres. Moins puissante que ses deux rivales du jour, la Targa 4 compense habilement ce déficit grâce à son rouage intégral très efficace. Pas la moindre incartade du train arrière et toute la puissance passée au sol à la remise des gaz, ce qui lui fait gagner un temps certain. Mention spéciale à ses freins, puissants et endurants, qui acceptent les pires traitements sans jamais s'évanouir. Très équilibrée et naturelle, la 911 procure beaucoup de plaisir à son pilote sur circuit. Face au chronomètre, la Porsche a été distancée d'environ une seconde par la Corvette. Mais cet écart serait comblé sans peine au volant d'une Carrera S plus puissante et dépourvue du toit Targa, qui alourdit notre modèle d'essai de 150 kg.

Plus rapide que ses concurrentes du jour, la Corvette propose une conduite homogène et efficace. Et bien que son train arrière devienne un peu baladeur à la sortie des virages lents, les capacités dynamiques de l'auto sont épatantes. Bonne stabilité à haute vitesse, train avant incisif, direction tranchante, on se régale au volant de la Chevrolet. Notre seul bémol concerne les freins, qui perdent de leur efficacité rapidement quand on pousse la voiture au maximum. Le petit circuit ICAR, avec trois gros freinages et aucun temps mort ne lui a pas facilité pas la tâche, mais on ne s'attendait pas à voir fléchir les éléments Brembo optionnels montés sur la Z51.

## L'AVIS DU PILOTE

Pour participer à cet essai routier, nous avons fait appel à Michel Sallenbach, qui a déjà collaboré à plusieurs matchs comparatifs avec le *Guide de l'auto*. Multiple champion canadien de CTCC en catégorie Touring et participant à des courses d'endurance en Europe et en Amérique du Nord, c'était l'homme idéal pour pousser nos trois sportives dans leurs derniers retranchements.

« Chaque voiture possède sa propre personnalité. La Lexus est la plus lente, mais aussi la plus remuante! C'est la plus lourde du groupe, et cela se ressent à la conduite. Cependant, je dois dire que son train avant m'a quand même surpris, je m'attendais à moins bien vu le poids de l'auto. Son moteur est très performant, mais la puissance arrive plutôt brutalement sur le train arrière. Avec le contrôle de traction désactivé il faudrait faire preuve de beaucoup de doigté, d'autant plus que les rails de sécurité sont proches à ICAR... À l'autre bout du classement, la Corvette est très équilibrée et performante, on sent immédiatement que c'est la plus rapide. J'ai aimé son moteur performant et sa très bonne répartition des masses avec le moteur central arrière. La Corvette a énormément de potentiel, mais l'endurance des freins m'a déçu. Après quatre tours rapides j'ai tiré tout droit! Parmi les trois autos, c'est la 911 que je préfère. Son équilibre est remarquable, elle est facile à conduire rapidement et son rouage intégral fonctionne très bien. C'est aussi la seule auto de l'essai dont les freins n'ont jamais faibli, ce qui n'est pas négligeable quand on pilote sur circuit. »

**L'ACADÉMIE** DU GUIDE DE L'AUTO

**REMERCIEMENTS**

Un grand merci à toute l'équipe de l'*Académie du Guide de l'auto* ainsi qu'au Complexe ICAR pour leur aide précieuse dans la réalisation de ce match comparatif.

## MERCI POUR TOUT!

| | CHEVROLET<br>**CORVETTE STINGRAY Z51** | PORSCHE<br>**911 TARGA 4** | LEXUS<br>**RC F TRACK EDITION** |
|---|---|---|---|
| **RANG** | 1 | 2 | 3 |
| Prix modèle de base | 71 748 $ | 116 500 $ | 88 060 $ |
| Prix modèle essayé | 104 598 $ | 166 880 $ | 122 672 $ |
| Lieu de fabrication | Bowling Green, États-Unis | Zuffenhausen, Allemagne | Aichi, Japon |
| Garantie (ans/km) | 3/60 000 - 5/100 000 | 4/80 000 | 4/80 000 - 6/110 000 |
| **DIMENSIONS** | | | |
| Long. / larg. / haut. / emp. (mm) | 4 630 / 1 933 / 1 234 / 2 723 | 4 519 / 1 852 / 1 297 / 2 450 | 4 705 / 1 845 / 1 390 / 2 730 |
| Voie av. / ar. (mm) | 1 648 / 1 585 | 1 542 - 1 571 | 1 554 - 1 559 |
| Poids (kg) | 1 527 (à vide) | 1 665 (à vide) | 1 715 (à vide) |
| Places | 2 | 4 | 4 |
| Réservoir (litres) | 70 | 67 | 66 |
| Coffre (litres) | 357 | 132 | 286 |
| **GROUPE MOTOPROPULSEUR** | | | |
| Moteur | V8 6,2 litres | H6 3 litres | V8 5 litres |
| Alimentation | Atmosphérique | Turbocompressé | Atmosphérique |
| Puissance (hp @ tr/min.) | 490 @ 6 450<br>(495 avec Z51 ou échappement performance) | 379 @ 6 500 | 472 @ 7 100 |
| Couple (lb-pi @ tr/min.) | 465 @ 5 150<br>(470 avec Z51 ou échappement performance) | 332 de 1 950 à 5 000 | 395 de 4 800 à 5 600 |
| Carburant (type) | Super | Super | Super |
| Boîte de vitesses / rapports | Double embrayage / 8 rapports | Double embrayage / 8 rapports | Automatique / 8 rapports |
| Rouage | Propulsion | Intégrale | Propulsion |
| **CHÂSSIS** | | | |
| Suspension avant | Ind. bras inégaux | Ind., jambes de force | Ind., double triangulation |
| Suspension arrière | Ind. bras inégaux | Ind. multibras | Ind. multibras |
| Freins (type x qté) | Disques x 4 | Disques x 4 | Disques x 4 |
| Dimension pneus | 245/35ZR19 - 305/30ZR20 | 245/35ZR20 - 305/30ZR21 | 255/35R19 - 275/35R19 |
| Pneus | Michelin Pilot Sport 4S | Pirelli PZero NA1 | Michelin Pilot Sport 4S |
| Diamètre de braquage (m) | 11,6 (11,1 suspension magnétique) | 11,2 | 11,4 |
| **PERFORMANCES MESURÉES** | Réalisées sur un asphalte sec, température extérieure de 15 ºC | | |
| Cons. (ville / route / comb. L/100 km) | 15,4 / 8,7 / 12,4 | 13,1 / 9,8 / 11,6 | 14,4 / 9,6 / 12,2 |
| Cons. observée (route uniquement) | 11 L/100 km | 10,8 L/100 km | 12,1 L/100 km |
| Meilleur tour (Circuit ICAR) | 00:53,76 | 00:54,74 | 00:57,70 |
| 0-100 km/h | 3,51 sec. | 3,82 sec. | 4,53 sec. |
| Quart de mille (temps/vitesse atteinte) | 11,60 sec. / 198 km/h | 12,10 sec. / 186 km/h | 12,69 sec. / 185 km/h |
| Reprises 80-120 km/h | 2,20 sec. | 2,95 sec. | 2,70 sec. |
| 100 km/h à 0 (en mètres) | 34,31 m | 33,60 m | 35,94 m |

| RANG | | 1 | 2 | 3 |
|---|---|---|---|---|
| **CARROSSERIE** | | | | |
| **Design** (silhouette, proportions, originalité, style, attrait visuel pur) | /25 | 18,0 | **20,0** | 15,0 |
| **Finition** (qualité de peinture, écarts, assemblage) | /25 | 18,0 | **23,0** | 20,0 |
| TOTAL | **/50** | 36,0 | **43,0** | 35,0 |
| **HABITACLE** | | | | |
| **Design** (originalité, style, attrait visuel pur) | /10 | 7,0 | **8,0** | 5,0 |
| **Finition** (qualité des matériaux, textures, couleurs, surfaces) | /10 | 7,0 | **10,0** | 8,0 |
| **Silence de roulement** (sur chaussée lisse ou raboteuse, bruit de vent) | /10 | 4,0 | 5,0 | **6,0** |
| **Position de conduite** (volant, réglages, repose-pied, visibilité) | /20 | 16,0 | **18,0** | 17,0 |
| **Ergonomie** (facilité d'atteindre les commandes, douceur, précision) | /10 | **8,0** | **8,0** | 6,0 |
| **Espace avant** (accès, confort, espace) | /10 | 7,0 | 8,0 | **9,0** |
| **Espace arrière** (accès, confort, espace)* | /10 | X | 3,0 | **8,0** |
| **Équipement** (accessoires, innovations, gadgets) | /10 | **9,0** | 8,0 | 6,0 |
| **Rangements** (accès, nombre, taille, commodité, efficacité) | /10 | 6,0 | **8,0** | 7,0 |
| **Coffre** (accès, volume, commodité, modularité, polyvalence) | /10 | **8,0** | 4,0 | 6,0 |
| TOTAL | **/110** | 72,0 | **77,0** | 70,0 |
| **TECHNOLOGIE** | | | | |
| **Système audio** (qualité sonore, réglages, caractéristiques) | /10 | **9,0** | 8,0 | 6,0 |
| **Système multimédia** (ergonomie, fonctionnalités, écran tactile, navigation) | /50 | **45,0** | 30,0 | 22,0 |
| **Systèmes de sécurité électroniques** (tolérance d'intervention, efficacité) | /40 | **30,0** | **30,0** | 20,0 |
| TOTAL | **/100** | **84,0** | 68,0 | 48,0 |
| **CONDUITE** | | | | |
| **Moteur** (rendement, puissance, couple à bas régime, réponse, agrément) | /50 | **45,0** | **45,0** | 30,0 |
| **Transmission** (précision, rapidité, étagement, douceur, embrayage) | /40 | **35,0** | **35,0** | 15,0 |
| **Tenue de route** (équilibre, agilité, adhérence, facilité, marge de sécurité) | /50 | **48,0** | 45,0 | 25,0 |
| **Direction** (précision, *feedback*, résistance aux secousses, braquage) | /40 | **38,0** | 36,0 | 30,0 |
| **Freins** (sensation, modulation, constance, performances, résistance) | /40 | 35,0 | **38,0** | 35,0 |
| **Qualité de roulement** (suspension, solidité structurelle) | /20 | **19,0** | 17,0 | 14,0 |
| **Efficacité sur circuit** (vitesse pure, facilité de pilotage, comportement à la limite) | /20 | **18,0** | 16,0 | 12,0 |
| TOTAL | **/260** | **238,0** | 232,0 | 161,0 |
| **PERFORMANCES MESURÉES** | | | | |
| **Accélération** | /20 | **18,0** | 17,0 | 13,0 |
| **Reprises** | /20 | **18,0** | 14,0 | 16,0 |
| **Freinage** | /20 | 16,0 | **18,0** | 14,0 |
| **Consommation de carburant** | /20 | 15,0 | **17,0** | 13,0 |
| TOTAL | **/80** | **67,0** | 66,0 | 56,0 |
| **PRÉFÉRENCES DES ESSAYEURS** | | | | |
| **Appréciation globale** (choix personnel) | /100 | 92,0 | **98,9** | 57,5 |
| **POINTAGE FINAL** | **/700** | **589,0** | 584,9 | 427,5 |

*Par souci d'équité, l'espace arrière est indiqué mais pas comptabilisé pour ne pas désavantager la Corvette.

**MICHEL SALLENBACH**
Pilote automobile

**JULIEN AMADO**
Journaliste automobile

**LOUIS-PHILIPPE DUBÉ**
Journaliste automobile

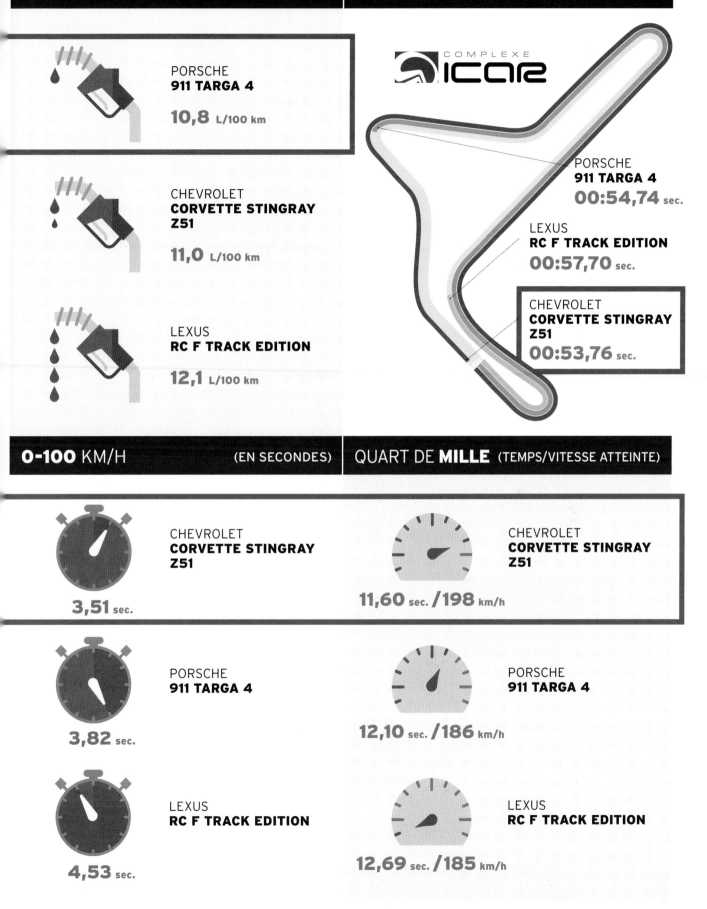

## CONSOMMATION OBSERVÉE (L/100 KM)

PORSCHE
**911 TARGA 4**
**10,8** L/100 km

CHEVROLET
**CORVETTE STINGRAY Z51**
**11,0** L/100 km

LEXUS
**RC F TRACK EDITION**
**12,1** L/100 km

## MEILLEUR TOUR (EN SECONDES)

COMPLEXE
ICAR

PORSCHE
**911 TARGA 4**
**00:54,74** sec.

LEXUS
**RC F TRACK EDITION**
**00:57,70** sec.

CHEVROLET
**CORVETTE STINGRAY Z51**
**00:53,76** sec.

## 0-100 KM/H (EN SECONDES)

CHEVROLET
**CORVETTE STINGRAY Z51**
**3,51** sec.

PORSCHE
**911 TARGA 4**
**3,82** sec.

LEXUS
**RC F TRACK EDITION**
**4,53** sec.

## QUART DE MILLE (TEMPS/VITESSE ATTEINTE)

CHEVROLET
**CORVETTE STINGRAY Z51**
**11,60** sec. **/198** km/h

PORSCHE
**911 TARGA 4**
**12,10** sec. **/186** km/h

LEXUS
**RC F TRACK EDITION**
**12,69** sec. **/185** km/h

# DOSSIER GILLES
# VILLENEUVE

## Salut

# LES ANNÉES BERTHIER

**R**ares sont les Québécois partis de rien qui ont réussi à connaître un rayonnement international. Parmi les plus célèbres, on peut citer Louis Cyr ou George St-Pierre, sans oublier l'incontournable Céline Dion. Mais avant elle, un jeune homme a forcé son destin pour se rendre jusqu'en Formule 1. Associé à la mythique écurie Ferrari, Gilles Villeneuve a largement dépassé les frontières de son sport et demeure une véritable icône en Italie. Quarante ans après sa disparition, nous avons voulu revenir au commencement, lorsque le « petit gars de Berthier » y habitait encore.

PAR JULIEN AMADO

PHOTOS: COLLECTION MUSÉE GILLES VILLENEUVE, LUCIE ST-JACQUES, GAÉTAN GIROUX, ARCHIVES PERSONNELLES DE NORMAND COUPAL, ARCHIVES DE LA VILLE DE MONTRÉAL, FERRARI, FORD ET JULIEN AMADO.

© Collection musée Gilles Villeneuve

1   © Adobe stock

2   © Škoda

**1, 2 -** LA PREMIÈRE VOITURE DE GILLES VILLENEUVE ÉTAIT UNE MGA 1600 MK1 DE COULEUR ROUGE. IL S'OFFRIRA ENSUITE UNE ŠKODA BEIGE, PROBABLEMENT UNE OCTAVIA SIMILAIRE À CELLE-CI.

**3 -** HENRI COUPAL, ONCLE DE GILLES VILLENEUVE, ÉTAIT MÉCANICIEN ET PILOTE. IL POSE DEVANT LE SALLY ANN, UN MODÈLE DE COURSE MOTORISÉ PAR UN 12 CYLINDRES D'AVION QUI POUVAIT DÉPASSER LES 150 KM/H. EST-CE L'INFLUENCE DE SON ONCLE QUI A DONNÉ LA PIQÛRE À GILLES? LUI SEUL POURRAIT LE DIRE. CE QUI EST CERTAIN EN TOUT CAS, C'EST QU'EN PLUS DES VOITURES ET DES MOTONEIGES, LE PILOTE QUÉBÉCOIS AURA AUSSI UNE TENDRESSE PARTICULIÈRE POUR LES EMBARCATIONS PERFORMANTES. EN PLUS DU MODÈLE À MOTEUR 427 FORD QU'IL UTILISAIT AU QUÉBEC, GILLES S'EST ÉGALEMENT OFFERT UN ABBATE LORSQU'IL VIVAIT EN EUROPE, UN BATEAU SURPUISSANT QU'IL MALMENAIT DANS LES EAUX DE LA MÉDITERRANÉE.

© Archives de la Ville de Montréal, Cote

Comme pour beaucoup d'événements historiques marquants, chaque Québécois se souvient avec précision de ce qu'il faisait lorsqu'il a appris la mort de Gilles Villeneuve, le samedi 8 mai 1982. L'accident, survenu alors que le pilote québécois était au sommet de sa gloire, a évidemment contribué à construire sa légende. Mais si ses exploits en Formule 1 ont été abondamment évoqués, ses jeunes années sont moins documentées. C'est la raison pour laquelle *Le Guide de l'auto* s'est entretenu avec ceux qui ont côtoyé Gilles Villeneuve lorsqu'il était encore un Québécois parmi d'autres.

## LA PIQÛRE

Né le 18 janvier 1950 à Saint-Jean-Sur-Richelieu, Gilles Villeneuve passe ses premières années dans les environs de Chambly. Son père, Seville Villeneuve, était accordeur de pianos et se déplaçait de maison en maison pour son travail. Georgette Coupal, sa mère, était couturière. La famille déménage à Berthier alors que Gilles a 8 ans. Les années avançant, il développe rapidement une passion dévorante pour tout ce qui possède un moteur. Son père, connu pour avoir le pied plutôt pesant, lui a logiquement transmis sa passion pour la vitesse. Mais son oncle Henri Coupal, mécanicien et pilote de bateau (voir photo 3) a certainement contribué à lui donner la piqûre. À l'adolescence, plutôt discret et introverti, l'aîné des Villeneuve découvre la course automobile et la mécanique dans des magazines spécialisés. C'est aussi grâce à ces publications qu'il apprend l'anglais. Mais contrairement à ce que l'on pourrait penser, il ne partageait pas encore cela avec son frère Jacques : «Gilles et moi, on avait chacun notre groupe d'amis, on n'était pas très proches quand on était jeunes, à cause de la différence d'âge, on a trois ans d'écart. C'est quelques années plus tard que l'on s'est vraiment rapprochés, explique-t-il. Il faut dire que le caractère de Gilles ressemblait à celui de ma mère, alors que moi je suis comme mon père, je parle beaucoup», ajoute Jacques Villeneuve. Réservé, mais très enthousiaste derrière un volant, Gilles conduit une camionnette appartenant à son père Seville, alors qu'il n'a pas encore le permis de conduire. Adoptant déjà une conduite intrépide, ses premiers pas sur la route coûteront cher à son père, qui venait de s'offrir une Pontiac Grande Parisienne 1966 flambant neuve. Après avoir emprunté la voiture sans le dire à son père, Gilles a perdu le contrôle de la grande berline sous la pluie. Elle sera complètement détruite.

## LE TEMPS DES MINOUNES

À cause de ses moyens limités, les premières autos de Gilles sont plus proches de la vieille guimbarde que de la sportive de luxe. Sa première voiture est une décapotable anglaise, une MGA 1600 MK1 rouge. «Je n'ai jamais vu cette voiture rouler, mais après la MG rouge, il en a acheté une deuxième qui était noire», se remémore Joann Villeneuve, veuve de Gilles. «Il n'y avait rien qui marchait dans ces autos-là, seconde Gaétan Giroux, un ami proche de Gilles Villeneuve. Je ne sais plus si c'était avec la rouge ou la noire, mais la direction était cassée et Gilles avait mis des *vice grips* (des pinces-étaux) pour faire tourner les roues. Et comme ça se desserrait avec le temps, il les enlevait en roulant, serrait la vis un peu plus fort et les remontait pour pouvoir conduire». Une autre fois, Gilles a de nouveau eu un problème de direction, mais pas à cause du volant : «Dans le coin de Saint-Gabriel, à trente kilomètres de Berthier, la *tie rod end* (biellette de direction) de la MG tombait à terre. Mais au lieu d'appeler le *towing*, il a repris la route, à 40 ou 50 km/h. Et dès que la roue se mettait croche, il descendait du *char*, remettait la roue droite à la main et reprenait la route. Ça te donne une idée de l'état de l'auto», ajoute Gaétan Giroux dans un éclat de rire.

Plutôt éclectique dans ses choix, Villeneuve s'offre ensuite une voiture tchèque, une Škoda. Aucun des intervenants que nous avons contactés ne se souvient du modèle, mais nous pensons qu'il s'agissait d'une Octavia. Ils se rappellent seulement qu'elle avait deux portes, était beige et que Gilles avait peint un numéro (le 13) sur les portières. Bien qu'elle ne soit plus de première fraîcheur, c'est grâce à cette voiture que Gilles va bonifier son coup de volant… et se faire remarquer sur les routes de Lanaudière. «Entre Berthier et Joliette, il y avait un virage à l'entrée du village de Saint-Thomas. Gilles roulait tellement vite avec cette auto, qu'il la faisait virer sur deux roues, explique son ami Gaétan Giroux. Il y a même des gens qui sortaient de leur maison pour le voir passer à cet endroit. Aujourd'hui, avec la télévision et dans les films, on voit plein de vidéos de cascades de même, mais dans le temps, le monde capotait de voir ça. Et puis un jour, il m'a raconté qu'il conduisait tellement vite qu'il avait failli virer sur le toit !». Menée à ce train d'enfer, la Škoda finira au rebut, suite à un contrôle de police. «Un jour, le *starter* ne marchait plus et il avait demandé à ses chums de le pousser pour pouvoir démarrer. Les policiers sont arrivés et ont regardé l'auto de plus près. C'était à la sortie de Berthier, là où se trouve l'autoroute 40 aujourd'hui. Clignotants, échappement, essuie-glaces, il n'y avait plus rien qui marchait. Les policiers lui ont donné un ticket et lui ont dit que l'auto devait être envoyée à la *scrap*. C'est comme ça que ça s'est fini pour la Škoda», conclut Gaétan Giroux.

Usant les minounes les unes après les autres, Gilles multipliera les autos à bas prix durant cette période. «Quand vous n'avez pas beaucoup d'argent, vous achetez des voitures quelques centaines de dollars et quand elles ne fonctionnent plus vous en changez. Après les MG et la Škoda, Gilles a aussi acheté une Morris, une Anglia et une vieille Ford 1957», précise Joann Villeneuve. C'est avec cette dernière qu'il aura un gros accident. «Son Ford était tout pourri. Ce jour-là, Gilles était avec son ami Normand Savignac et ils ont fait un face-à-face avec un vieux monsieur qui avait une Chrysler 1965 flambant neuve. Ils ont été chanceux, ça avait tapé fort et ils auraient pu mourir», ajoute Gaétan Giroux.

## GILLES, UN «GARS DE FORD»

Généralement associé à Ferrari dans l'imaginaire collectif, Gilles Villeneuve a toujours eu un faible pour les modèles à l'ovale bleu. La première voiture performante qu'il s'offre est une Mustang 1967, orange avec le capot noir mat. Elle était motorisée par un V8 de 289 pouces cubes, associé à une boîte manuelle à 4 rapports. C'est au moment de cet achat qu'il se lie d'amitié avec Gaétan Giroux: «J'ai parti mon garage avec ma femme en 1969, et je vendais aussi de l'essence. Seville, son père venait souvent *gazer* chez moi, tout comme Gilles. Mais en plus de la mécanique de base, je *boostais* aussi les moteurs. C'est à ce moment-là que l'on est vraiment devenus amis».

Alors que ses premières voitures étaient réparées tant bien que mal, la Mustang marque une rupture pour Gilles. Elle était en bien meilleur état que les précédentes, et son propriétaire en prenait grand soin. C'est avec cette auto qu'il se lance dans des courses d'accélération, à Sanair, Napierville ou Lavaltrie. «Gilles gagnait des trophées dans sa catégorie. Son moteur était très bien préparé, il avait poli les conduits d'admission et il nettoyait les soupapes très régulièrement pour éviter les dépôts de carbone. Rien qu'avec ça, il avait gagné 5-6 chevaux. Et avec tous les petits détails mis bout à bout, son auto marchait très bien. Il voulait tellement que tout soit parfait qu'il venait régler son allumage toutes les semaines au garage. Il me disait toujours "le réglage d'avance c'est 30°, sinon le moteur n'est pas optimisé"», explique Gaétan Giroux.

© Archives personnelles Gaétan Giroux

## DU 289 AU 427

Entièrement originale au début, la Mustang va être passablement modifiée pour améliorer les performances. Dans un premier temps, le pilote québécois élargit les passages de roue, pour y loger une monte pneumatique majorée, mais conserve le V8 de 289 pouces cubes. Grâce à l'image de Gaétan Giroux serrant la main de Gilles Villeneuve que vous pouvez retrouver dans ce dossier, on peut déchiffrer un temps de 14,60 secondes inscrit sur la vitre du conducteur. Sachant que nos confrères de *Road and Track* ont chronométré une Mustang 390 à boîte automatique en 15,2 secondes en 1967, le quart de mille réalisé par Villeneuve avec sa Mustang 289 modifiée était plutôt rapide! «Une des grandes forces de Gilles, c'était le passage des vitesses. On voyait à peine son pied bouger quand il appuyait sur l'embrayage», ajoute Gaétan Giroux. Souhaitant obtenir plus de performances de son auto, Villeneuve opte finalement pour un gros V8 de 427 pouces cubes. Un choix technique qui rendra la voiture plus délicate à conduire, mais aussi beaucoup plus rapide. «Gilles a travaillé des nuits entières au garage pour réussir à monter ce moteur, se remémore Gaétan Giroux. Mais il fallait modifier les fausses ailes et les suspensions à l'avant, à cause du carter d'huile qui était plus gros sur le moteur 427. Après avoir travaillé presque deux jours sans s'arrêter, je l'ai retrouvé endormi sous la voiture! Il voulait à tout prix terminer le montage de son moteur avant la fin de semaine, parce qu'il devait retrouver Joann.»

Quelques mois plus tard, les futurs époux n'étaient pas d'accord sur la voiture qui serait utilisée pour leur mariage. «Joann préférait une limousine, mais Gilles ne voulait rien savoir, il voulait absolument une Mustang. Je venais d'acheter ma Boss 429 1971 et il m'a demandé si j'étais d'accord pour que l'on utilise mon auto. J'ai dit oui», explique Gaétan Giroux. «À la sortie de l'église, les mariés se sont assis à l'arrière, mais c'était compliqué parce qu'il n'y a pas beaucoup de place, surtout pour Joann avec sa robe. Au moment de partir, Gilles m'a dit "Giroux, fais-moi un *start* devant l'église avec de la boucane." Je ne l'ai pas fait, mais c'était bien lui ça», ajoute-t-il amusé. Le mariage a lieu le 17 octobre 1970, une journée qui a marqué l'histoire québécoise, mais pour une autre raison. «Je me souviens très bien de leur mariage parce que c'est la journée où Pierre Laporte a été retrouvé mort dans le coffre d'une voiture. On était tous chez les parents de Gilles et à un moment donné, ils ont reçu un coup de téléphone qui nous a annoncé la nouvelle», se souvient Monsieur Giroux.

C'est aussi au volant d'une Ford, une Capri V6, qu'il participera à son premier stage de pilotage sur circuit (voir encadré page 114). Quelques années plus tard, alors qu'il pilote en Formule Atlantique, il s'offrira une autre Mustang. Une Boss 351 de 1971 dont nous allons reparler plus loin. Sans oublier les camionnettes qui ont servi à tracter des remorques ou des roulottes, ainsi que les modèles dédiés au hors route, une autre discipline qui le passionnait (voir encadré page 117).

## LA MOTONEIGE

Après que son père Seville ait acheté une motoneige, Gilles commence les courses grâce au concessionnaire Skiroule de Berthier en 1969. « La première année, il était déjà plus rapide que les pilotes de l'usine Skiroule avec une motoneige de concessionnaire », explique Gaétan Giroux. L'année suivante, il devient pilote officiel Skiroule, puis pilotera pour Motoski, Alouette, avant de retourner chez Skiroule, dont la commandite lui permettra de financer ses courses en Formule Atlantique. Vainqueur de très nombreuses courses au Canada et aux États-Unis, le point d'orgue de sa carrière hivernale sera le Championnat du monde 1974, disputé à Eagle River au Wisconsin. Et comme avec sa Ford Mustang, c'est aussi son souci du détail qui lui permettra de disposer d'une machine toujours parfaitement réglée. « J'ai travaillé avec lui en 1975-76, sa dernière saison en motoneige, il pouvait s'attarder des heures sur le *dyno* en modifiant les poids dans l'embrayage pour que le moteur prenne bien ses tours. Il n'était pas rare qu'il continue ses réglages jusqu'à 2 heures du matin », explique Daniel Campagna, mécanicien de Gilles chez Skiroule et qui donnera naissance au célèbre T-Rex quelques années plus tard. « Le réglage des motoneiges n'était pas aussi pointu que ceux d'une Formule Atlantique. On pouvait jouer sur la transmission, le nombre de crampons, l'angle d'attaque de la chenille, la longueur des lames à l'avant et c'est à peu près tout. C'était vraiment le pilote qui faisait la différence, et Gilles était vraiment intrépide. Quand on entendait le moteur de certains concurrents baisser un peu en régime, Gilles passait toujours à fond », ajoute Monsieur Campagna. Dans des conditions délicates (neige, glace, poudrerie), avec une piste qui peut changer à chaque tour, Gilles s'accommodait très bien d'une visibilité quasi nulle. « Je me souviens que Gilles comptait dans sa tête le temps passé entre deux virages lorsqu'il faisait beau. S'il neigeait le lendemain, il recomptait entre chaque virage pour accélérer, freiner et tourner sans perdre de temps », se remémore Daniel Campagna.

© Collection musée Gilles Villeneuve

1 - GILLES POSE AVEC SON AMI GAÉTAN GIROUX APRÈS AVOIR REMPORTÉ UNE COURSE D'ACCÉLÉRATION AVEC SA MUSTANG 1967. SUR LA VITRE DU CONDUCTEUR, ON PEUT LIRE SON MEILLEUR TEMPS : 14,60 SECONDES, CE QUI ÉTAIT PLUTÔT RAPIDE AVEC UNE MUSTANG 1967 À MOTEUR 289.

2 - GILLES A REMPORTÉ DE NOMBREUX TROPHÉES DURANT SA CARRIÈRE EN MOTONEIGE, ENTRE 1969 ET 1976.

3 - LES PREMIÈRES MOTONEIGES DE GILLES POSSÉDAIENT ENCORE DES MOTEURS À REFROIDISSEMENT À AIR. AVEC SA DERNIÈRE MOTONEIGE SKIROULE (CI-CONTRE), LE BLOC ADOPTE UN REFROISISSEMENT LIQUIDE.

4 - GILLES A UTILISÉ DES MOTONEIGES SKIROULE DURANT L'HIVER 1975-1976, SA DERNIÈRE SAISON AVANT DE S'ADONNER EXCLUSIVEMENT À LA COURSE AUTOMOBILE.

© Lucie St-Jacques

1 - LA MAGNUM MKIII DE GILLES SE TROUVE DANS UN SUPERBE ÉTAT DE CONSERVATION. LORS DE NOTRE VISITE, LE MOTEUR EST PARTI À LA PREMIÈRE SOLLICITATION!

2 - LES PNEUS PORTENT ENCORE L'ÉCRITURE DE GILLES AVEC LA PRESSION PRÉCONISÉE: 32 PSI, SOIT 2,2 BAR.

3 - GILLES AU VOLANT DE SA PREMIÈRE MONOPLACE. SON CASQUE N'ARBORAIT PAS ENCORE LA CÉLÈBRE DÉCORATION ORANGE ET BLEUE EN 1973.

4 - DÉTAIL AMUSANT, LE RÉCUPÉRATEUR D'HUILE N'EST PAS UN CONTENANT SPÉCIFIQUE MAIS… UNE PINTE DE LAIT!

5 - LE POSTE DE PILOTAGE DE LA MAGNUM DE GILLES. LE BOUTON DE DÉMARRAGE DU MOTEUR SE TROUVE À GAUCHE DU LEVIER DE VITESSES.

6 - JEAN-PIERRE ST-JACQUES EN COMPAGNIE DE LA PREMIÈRE VOITURE DE COURSE DE GILLES, FABRIQUÉE PAR SES SOINS IL Y A BIENTÔT 50 ANS.

## MAGNUM MKIII: LA PREMIÈRE VOITURE DE COURSE

Pour se lancer en Formule Ford, Gilles Villeneuve s'offre une Magnum, sa première voiture de course. Construite à cinq exemplaires, dont quatre existent encore aujourd'hui, la monoplace que vous avez sous les yeux est la MKIII, le modèle piloté par Gilles il y a bientôt 50 ans. L'homme qui lui a vendu cette voiture est aussi celui qui l'a conçue. Il s'agit de Jean-Pierre St-Jacques. «Pour construire la voiture, je me suis inspiré des Caldwell D-9 qui roulaient à la fin des années 1960. Le châssis était un modèle tubulaire en acier, d'inspiration Caldwel que j'ai modifié. Et les triangles de suspension, le réservoir d'essence, la carrosserie en fibre de verre, tout était fait par moi ou mon père qui me donnait aussi un coup de main». Les moyeux de roues avant et le système de freinage viennent d'une Triumph Spitfire, les essieux arrière d'une Chevrolet Corvair, et le récupérateur d'huile est… une pinte de lait! Pour motoriser la Magnum, c'est évidemment un 4 cylindres Ford qui est retenu. «À l'origine, les moteurs étaient montés dans des Ford Cortina qui avaient été accidentées dans un bateau conteneur. Une fois arrivées au Canada, plusieurs autos étaient endommagées mais les moteurs étaient bons. Dans la voiture de Gilles, le moteur 1,6 litre Kent avait été modifié par le préparateur américain Doug Fraser. Il développait 98 chevaux lorsqu'il a été passé au *dyno*, pour un poids total d'environ 1 250 lb (560 kg). L'échappement de la voiture de Gilles avait aussi été optimisé, il était différent de celui de la voiture que je pilotais en 1972», ajoute Monsieur St-Jacques. Pour compléter ce groupe motopropulseur, le 4 cylindres reçoit un carter d'embrayage de Volkswagen Beetle, ainsi qu'une boîte Hewland à 4 rapports. Utilisée durant la saison 1973 par Gilles, l'auto n'a eu que deux autres propriétaires depuis, ce qui explique son superbe état de conservation. Mis à part quelques pièces mineures et le bloc moteur (*short block*) remplacé par un modèle similaire, l'auto demeure telle qu'elle était lorsque Gilles courait avec. La carrosserie en porte encore quelques stigmates, tout comme le soubassement, dont les rayures témoignent de la conduite enthousiaste de Gilles. Lors de notre venue, Jean-Pierre St-Jacques a redémarré la Magnum MKIII, son moteur est parti à la première sollicitation. Un bruit rauque et sourd a envahi le garage, ce qui a rappelé de bons souvenirs à son concepteur: «quand je démarre le moteur, je suis transporté cinquante ans en arrière, c'est comme si Gilles me parlait», conclut-il avec émotion.

## L'ARRIVÉE GAGNANTE EN FORMULE FORD

Souhaitant courir en Formule Ford, Gilles Villeneuve prend contact avec Jean-Pierre St-Jacques, pilote dans cette catégorie et concepteur des monoplaces Magnum (voir encadré page 111). «Un de mes amis qui travaillait chez Skiroule, m'a dit qu'un de leurs pilotes cherchait à courir en Formule Ford. C'est lui qui m'a mis en contact avec Gilles, se souvient Monsieur St-Jacques. La première fois que je l'ai rencontré, c'était à Sanair au printemps 1972, je pense d'ailleurs que ma Magnum est la première voiture de course qui ait roulé sur le circuit routier. À la fin de l'année 1972, Gilles m'a acheté une voiture et tout mon stock parce que j'arrêtais la course à la fin de la saison. Je lui ai tout vendu pour 3 000 ou 3 500 $, je ne me souviens plus». Une somme qui équivaut à 18 500 à 21 500 $ aujourd'hui. Après avoir fait un premier stage avec sa voiture personnelle (voir encadré page 114) puis un second à l'école de pilotage Jim Russel, Gilles participe à sa première saison complète en sport automobile en 1973, au volant de sa Magnum MKIII. Les sources ne sont pas assez précises pour pouvoir l'affirmer, mais Gilles aurait gagné sept ou neuf courses sur les dix qui étaient inscrites au calendrier, avec le titre de champion du Québec à la clé. «Gilles avait un style de pilotage très généreux, il était dur avec le matériel. En Formule Ford, il était souvent en travers, bloquait les roues, passait sur les vibreurs, dans l'herbe, il était tout le temps le pied au fond», explique Jean-Pierre St-Jacques. En dépit des ruades imposées à sa monoplace, Villeneuve ne sera jamais trahi par sa mécanique. «La Magnum n'était peut-être pas la Formule Ford la plus rapide cette année-là, mais elle était très solide. Gilles a terminé toutes les courses, en a gagné la majorité et il n'a jamais abandonné à cause d'une casse mécanique» ajoute-t-il avec fierté.

© Lucie St-Jacques

© Lucie St-Jacques

© Lucie St-Jacques

© Lucie St-Jacques

# LA «BIBITTE», LA MOTONEIGE MONOPLACE

Beaucoup plus rudimentaires que les motoneiges de course actuelles, les véhicules étrennés par les pilotes conservaient une ergonomie similaire à celle des modèles vendus dans le commerce. Gilles, qui venait de compléter sa première saison de Formule Ford, eut l'idée de mélanger monoplace et motoneige. Bien qu'il n'ait jamais obtenu de diplôme d'usinage, de soudure ou de mécanique, sa capacité à emmagasiner de nouvelles informations était impressionnante. «Gilles apprenait très vite, ce n'était pas un ingénieur, mais quelqu'un de très ingénieux, explique Jean-Pierre St-Jacques. Tu lui expliquais les choses une fois c'était bien, deux fois c'était trop». Pour construire sa monoplace des neiges, il dessine puis fabrique un châssis tubulaire en acier, similaire à celui d'une voiture de course. Contrairement aux motoneiges qui ont leur moteur placé à l'avant avec le réservoir d'essence entre les jambes du pilote, Gilles passe tout à l'arrière et adopte une position avec les jambes allongées. Il innove aussi dans la conception des trains avant et arrière. Alors que les motoneiges contemporaines étaient dotées de ressorts à lames à l'avant, cette motoneige pas comme les autres hérite d'une épure de suspension dérivée de l'automobile, avec des amortisseurs et des triangles. «C'était une bonne idée, et tout le monde a laissé tomber les ressorts à lames après que Gilles ait gagné avec ce système. Et presque 50 ans plus tard, les motoneiges de course actuelles ont toutes un système plus moderne bien sûr, mais encore inspiré de celui que Gilles avait imaginé», précise son frère Jacques Villeneuve. À l'arrière, on retrouve une architecture à double pont, avec deux chenilles, ce qui améliore la motricité. Le problème, c'est que dans les virages, il faut désactiver un des deux ponts pour faire pivoter l'engin. «Gilles avait mis au point un système avec des embrayages qui

se désaccouplaient quand il tournait le volant à gauche ou à droite. C'est lui qui avait dessiné les plans et fabriqué ce système», ajoute Jean-Pierre St-Jacques. Très basse, avec son pilote presque invisible dans le cockpit et ses quatre points d'appui au sol, cette motoneige a été surnommée la «bibitte». Plus lourde que la concurrence, elle compensait ce défaut par une adhérence et une motricité supérieures. Cela dit, cette prouesse technique ne sera pas suffisante pour révolutionner les courses de motoneige. «Gilles utilisait des embrayages de Volkswagen Beetle pour entraîner chaque pont, c'était bien conçu mais trop lourd. Quelques années plus tard, j'ai aussi essayé de monter des systèmes différents, comme une boîte de vitesses de moto par exemple. Mais quand c'est bien réglé, une transmission à variation continue reste plus efficace pour une motoneige de course. Quand on courait ensemble, je me souviens que sa «bibitte» brisait souvent, il a gagné une ou deux courses avec, pas plus. C'est surtout avec des motoneiges traditionnelles qu'il a gagné la majorité de ses courses», conclut Jacques Villeneuve. Au total, Gilles aurait fabriqué trois «bibittes». Cela dit, aucune personne que nous avons interrogée ne se souvient si elles étaient toutes capables de rouler. À la fin de la saison hivernale, Gilles aurait décidé d'enterrer ses créations, mais les raisons invoquées divergent. On nous a dit qu'il l'aurait fait pour que son concept ne soit pas copié, ou alors parce qu'il en avait terminé avec sa motoneige monoplace et qu'il souhaitait passer à autre chose. En tout cas, s'il a enterré une partie de ses créations, au moins un exemplaire ne l'a pas été, puisqu'il a refait surface dans une grange des environs de Berthierville en 2015. Nous n'avons malheureusement pas réussi à retrouver sa trace lorsque nous avons entrepris nos recherches pour ce reportage.

| MOTONEIGE NORMALE | BIBITTE |
|---|---|
| 1 - Moteur et échappements | 1 - Moteur |
| 2 - Suspension avant (ressorts à lames) | 2 - Échappements |
| 3 - Guidon | 3 - Embrayage de Volkswagen Beetle (X2) |
| 4 - Chenille (X1) | 4 - Entrées d'air (X2) |
| 5 - Selle | 5 - Chenilles (X2) |
| | 6 - Siège bacquet |
| | 7 - Volant |
| | 8 - Suspension à double triangulation |

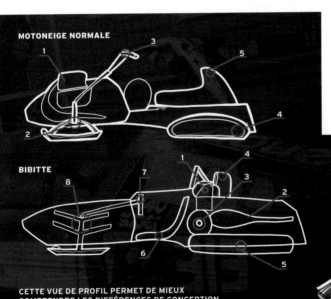

**MOTONEIGE NORMALE**

**BIBITTE**

CETTE VUE DE PROFIL PERMET DE MIEUX COMPRENDRE LES DIFFÉRENCES DE CONCEPTION ENTRE UNE MOTONEIGE NORMALE ET SA «BIBITTE».

1 - L'AUTOBUS AMÉNAGÉ ET LES MOTONEIGES DE GILLES EN 1974. ON DISTINGUE LA «BIBITTE» DONT LA PARTIE ARRIÈRE EST RECOUVERTE D'UNE BÂCHE NOIRE.

2 - GILLES EN ACTION AU VOLANT DE LA MOTONEIGE MONOPLACE, SORTIE TOUT DROIT DE SON IMAGINATION.

3 - GILLES VILLENEUVE ET JEAN-PIERRE ST-JACQUES LORS DE LEUR PREMIÈRE RENCONTRE, AU PRINTEMPS 1972 À SANAIR.

4 - GILLES SUR LA GRILLE DE DÉPART DU CIRCUIT DE MOSPORT EN 1973.

© Illustration
Antoine Bournival

## LE PREMIER STAGE DE PILOTAGE

Contrairement à ce qui a souvent été écrit, le premier stage de pilotage de Gilles Villeneuve n'a pas eu lieu à Mont-Tremblant à l'école Jim Russel, mais sur le circuit de Deux-Montagnes, mieux connu sous le nom d'Autodrome Saint-Eustache. C'est Marc Cantin, un homme à la carrière éclectique qui s'est présenté en tant qu'instructeur au printemps 1973. «Gilles est arrivé au volant de sa Ford Capri V6, avec des pneus Dunlop SP36 flambant neufs. Normalement, j'aurais dû commencer par un tour de la piste à pied et lui faire un cours théorique, mais il était pilote de motoneige, il avait déjà vu neiger. Donc je m'installe à côté de lui, et on prend la piste directement. Je me souviens que Gilles demandait le maximum à sa mécanique, il poussait son moteur à fond, freinait très tard, faisait beaucoup déraper la voiture, mais ses lignes de course étaient étranges. En motoneige, on change souvent de trajectoire pour trouver une meilleure adhérence. Gilles faisait la même chose sur la piste, ce qui n'est pas efficace pour rouler vite sur l'asphalte. On s'arrête quelques minutes, et je lui explique les spécificités du pilotage sur circuit, les bonnes trajectoires à prendre, etc. Il était très attentif et me répondait tout le temps "oui monsieur, oui monsieur"», se rappelle-t-il amusé. Une fois les conseils de son instructeur assimilés, Gilles va tendre davantage ses lignes de course et diminuer nettement ses temps au tour. Mais ce qui a le plus étonné Marc Cantin, c'est le discours tenu par Gilles lors du dîner : «on va manger un hamburger steak ensemble à quelques pas du circuit. Il m'explique qu'il va courir en Formule Ford, que ce ne sont pas des autos très puissantes et qu'il n'aura aucune difficulté à l'emporter. Puis il ajoute "l'année suivante je vais aller en Formule Atlantique, mais ça va être plus difficile, je pense qu'il va me falloir trois ans pour dominer. Ensuite, j'aimerais aller en F2 ou en F1". Il faut se rappeler qu'au moment où il me dit ça, on est en 1973, et il n'a encore jamais pris le départ d'une seule course de monoplace! Et le plus incroyable, c'est que son plan de carrière s'est réalisé exactement comme il l'avait prévu. Il a remporté le titre en 1976 et a commencé la F1 l'année suivante», se souvient Marc Cantin. À la fin de la journée, le doute n'est plus possible, le jeune homme qu'il a évalué n'est pas un pilote parmi d'autres. «J'ai appelé Roger Peart, mon supérieur, et je lui ai dit qu'on tenait un vrai talent, un de ceux qui étaient capables d'aller en F1» conclut Monsieur Cantin. Lui non plus ne s'est pas trompé. En juillet 1977, exactement quatre ans après leur rencontre, Gilles Villeneuve prendra le départ de son premier Grand Prix de Formule 1 sur le circuit de Silvertone.

Grand Prix du Canada
Labatt
J'ai la fièvre Villeneuve
28, 29, 30 sept. 1979

1 - GILLES TRAVAILLE SUR SA MARCH DE FORMULE ATLANTIQUE À BERTHIER, EN 1975. UNE PARTIE DE LA DÉCORATION DE CETTE VOITURE A ÉTÉ PEINTE PAR SON ONCLE HENRI.

2 - PREMIÈRE ANNÉE DIFFICILE EN FORMULE ATLANTIQUE AVEC CETTE GROSSE SORTIE DE PISTE À MOSPORT. IL RESSORTIRA DE LA VOITURE AVEC UNE JAMBE FRACTURÉE.

3 - GILLES À L'ATTAQUE AU VOLANT DE SA FERRARI 312 T4, LA MONOPLACE QUI LUI PERMETTRA DE DEVENIR VICE-CHAMPION DU MONDE EN 1979.

APRÈS LA FAILLITE DE SKIROULE EN 1976, GILLES A COURU AVEC UNE VOITURE BLANCHE ORNÉE D'UNE FLEUR DE LYS BLEUE, SYMBOLE DU QUÉBEC.

## L'APPRENTISSAGE DIFFICILE
## DE L'ATLANTIQUE ET L'ARRIVÉE EN F1

Lors de son premier stage de pilotage, Gilles Villeneuve avait expliqué à son instructeur Marc Cantin que la marche entre la Formule Ford et la Formule Atlantique serait haute (voir encadré ci-contre). Il ne s'était pas trompé. En 1974, il intègre Écurie Canada, une équipe performante et capable de jouer les premiers rôles. Mais sa saison sera difficile, avec une fracture à la jambe et une lointaine seizième place au classement final. En 1975, moins bien pourvu sur le plan financier, Gilles retourne au combat avec des moyens logistiques et humains plus limités. Après un début de saison compliqué, il s'impose dans des conditions dantesques à Gimli. Mettant à profit son expérience de la motoneige, il domine la course de la tête et des épaules. C'est le déclic qu'il lui fallait. La suite de sa saison est solide, avec une cinquième place au classement final. Il réintègre Écurie Canada pour la saison 1976, qu'il domine sans partage. Enchaînant les victoires, il s'impose aussi au Grand Prix de Trois-Rivières, le tournant de sa carrière. Faisant corps avec sa March qu'il fait glisser habilement entre les rails, Gilles domine James Hunt à voiture égale. Un exploit d'autant plus remarqué que le pilote britannique sera sacré champion du monde de F1 cette année-là. En 1977, il partage sa saison entre Formule 1 et Formule Atlantique, avec trois courses dans l'élite mondiale, sa première avec McLaren, les deux suivantes avec Ferrari. En Amérique du Nord, il rafle un dernier titre en Formule Atlantique, plus difficilement que le premier. C'est à partir de l'année 1978 qu'il réalise sa première saison complète avec la Scuderia Ferrari et remporte sa première victoire chez lui, au Grand Prix du Canada. La suite de l'histoire, vous la connaissez...

1 © Gaétan Giroux

2 © Collection musée Gilles Villeneuve

3 © Ferrarri

© Collection musée Gilles VIlleneuve

## RETOUR À BERTHIER

Désormais pilote de Formule 1 à plein temps, Gilles retourne épisodiquement à Berthier retrouver sa famille et ses amis. À l'occasion du Grand Prix du Canada ou lorsque le calendrier de la F1 le permet. Et quand il n'est pas dans la boue ou le sable avec son F-250 (voir encadré ci-contre), il roule à toute vitesse avec sa Mustang. «Gilles avait acheté un moteur NASCAR, un vrai moteur de course pour le monter dans sa Boss 351. Il roulait avec sur la route, et on allait aussi courser ensemble. Son moteur était plus petit que le mien, j'avais un 429 et lui un 360, mais son moteur pouvait monter jusqu'à 8 000 tr/min!» se souvient Gaétan Giroux. Sur les routes proches de Berthier, les deux amis cravachent leurs Mustang dans des courses d'accélération improvisées. «Nos deux autos faisaient environ 600 chevaux, donc c'était très serré. Un jour, on a coursé ensemble alors qu'un dix roues arrivait en face, aucun de nous deux ne voulait lâcher, et ça a été limite... On ne pourrait plus faire ça aujourd'hui. Gilles se faisait aussi souvent arrêter, mais dès que les policiers le reconnaissaient, ils le laissaient repartir en lui disant "soyez prudent Monsieur Villeneuve"», ajoute-t-il le sourire aux lèvres.

© Gaétan Giroux

© Gaétan Giroux

© Ford

© Gaétan Giroux

© Gaétan Giroux

© Gaétan Giroux

© Gaétan Giroux

## UN FORD F-250 POUR ALLER JOUER DANS LA BOUE

Passionné par tous les véhicules pourvu qu'ils soient dotés d'un moteur, Villeneuve a développé une véritable passion pour la conduite hors route. «Gilles adorait la *trail*, j'avais un camion moi aussi, et on partait rouler ensemble, souvent pendant le temps du Grand Prix. Gilles a d'abord acheté un Bronco, mais on n'a roulé qu'une fois avec, il l'a vite envoyé en Europe», explique Gaétan Giroux. Le pilote québécois monte ensuite en gamme et s'offre un plus gros camion, un Ford F-250 1976. Mais, comme toujours, le véhicule ne reste pas original bien longtemps. Extérieurement, Villeneuve ajoute un arceau surmonté de quatre projecteurs, une batterie supplémentaire logée dans la boîte et un treuil. «Il avait aussi barré le différentiel à l'avant, mais surtout monté un moteur 428 de Mustang. Il devait faire 300 chevaux, c'était pas mal le double du moteur original. Mais le reste du système 4x4 n'était pas supposé encaisser cette puissance-là», précise-t-il. Un montage qui occasionnera plusieurs bris des différents organes de transmission. Souhaitant fiabiliser son camion, Gilles fait alors appel à son ami Jean-Pierre St-Jacques: «Les essieux d'origine brisaient souvent, ce qui contrariait Gilles. Il m'a demandé de lui usiner de nouvelles pièces plus résistantes. J'ai pris les mesures, fabriqué de nouvelles pièces et j'ai envoyé le tout à Gaétan Giroux, qui les a remontées sur le camion de Gilles. Et après avoir monté mes essieux à l'avant, ils n'ont plus jamais brisé», ajoute-t-il. Il faut dire que comme sur la route ou sur la piste, Gilles ne s'économisait pas au volant de son F-250. «Il roulait en fou dans les *trails*, il voulait passer même là où c'était impossible. Quelques fois ça marchait, d'autres fois il cassait. Je me souviens d'une sortie où il a tellement insisté pour passer qu'il y avait de la boue jusqu'en haut des portes! Un autre jour, l'arbre de transmission était tombé à terre. On l'a mis dans la boîte et je l'ai tracté avec mon camion. Sur le chemin du retour en descente, il se mettait à ma hauteur et me criait "Giroux, je vais te dépasser". Une année, il a même invité le pilote de F1 Patrick Tambay à venir rouler avec nous. Ça faisait même pas 10 minutes qu'on était partis que Gilles roulait déjà à fond, c'est là que je lui ai dit "Gilles, tu vas *fucker* le chien". Patrick Tambay est parti à rire, parce que ça ne se dit pas en France. Pendant la journée, il n'arrêtait pas de répéter à Gilles "ne *fuck* pas le chien"», conclut Gaétan Giroux en riant. Resté en Europe, nous n'avons pas réussi à retrouver la trace du Ford Bronco exporté par Gilles. En revanche, son Ford F-250 survitaminé existe toujours. Utilisé pour la dernière fois à l'automne 1981, il est resté remisé durant plusieurs années. Récupéré par l'équipe du musée Gilles Villeneuve en 1994, il a juste été nettoyé avant d'être exposé… avec les essieux renforcés usinés par Jean-Pierre St-Jacques!

1 - RESTER PRIS DANS L'EAU N'ENTAMAIT PAS LA BONNE HUMEUR DE GILLES.

2 - GAÉTAN GIROUX TOUT SOURIRE LORS DE NOTRE VISITE. IL PORTE LA VESTE ET LA CASQUETTE OFFERTES PAR GILLES AU GRAND PRIX DU CANADA 1978.

## TOUJOURS LE MÊME HOMME

Toutes les personnes que nous avons interrogées et qui ont connu Gilles avant et après la F1 sont unanimes : il est toujours resté le même. « Le lendemain de sa victoire à Montréal en 1978, Gilles arrive à mon garage et un client le reconnaît. Le monsieur me dit "c'est Gilles Villeneuve, tu vas quand même pas le laisser faire le plein tout seul." Je sors et je crie à Gilles, "veux-tu que je vienne *tinker* ?" Il m'a envoyé la main en voulant dire "laisse faire Giroux" », explique-t-il amusé. « Quand il était en Formule 1, c'était un des pilotes les plus rapides du monde, mais quand il rentrait à Berthier, c'était un gars normal. Il venait au garage et me disait "Viens Giroux, on va se prendre deux *hot doyes* et un Coke, que je te parle un peu de Formule 1" », se remémore-t-il.

Même sentiment du côté de Jean-Pierre St-Jacques, qui n'a vu aucune différence après que Gilles soit devenu un des pilotes de l'élite mondiale. « C'était un gars simple. Quand on l'a connu ma femme et moi, personne ne savait qui était Gilles Villeneuve. Mais son attitude envers nous n'a jamais changé. Il nous a aussi invités chez lui à Monaco en 1980. Il m'a fait visiter les installations de Ferrari, et même l'endroit où l'équipe travaillait sur les moteurs turbo qui devaient équiper les Ferrari de F1 l'année suivante. C'était très rare que quelqu'un qui ne travaillait pas chez Ferrari puisse voir cet endroit. Et pour moi, ça reste un souvenir inoubliable », ajoute Jean-Pierre St-Jacques. « Gilles c'était un gars un peu renfermé. Il n'avait pas beaucoup d'amis, mais c'étaient de vrais amis », conclut Gaétan Giroux.

1 - À QUELQUES PAS DE L'USINE FERRARI, LA RUE QUI MÈNE À LA PISTE D'ESSAI DE FIORANO S'APPELLE LA VIA GILLES VILLENEUVE. À SON EXTRÉMITÉ, TRÔNE UN BUSTE EN BRONZE À L'EFFIGIE DU PILOTE QUÉBÉCOIS.

2 - LE MONUMENT RENDANT HOMMAGE À GILLES SUR LE CIRCUIT D'IMOLA, OÙ IL A DISPUTÉ SA DERNIÈRE COURSE EN FORMULE 1.

## SALUT GILLES

«La dernière fois que je l'ai vu, c'était environ un mois avant sa mort. Il était venu au Québec pour quelques jours, pour une publicité je crois. Il va pour sortir, se retourne avec un grand sourire, et il m'envoie la main en me disant "Salut Giroux à la prochaine!"». Gilles c'était un gars correct, mais qui ne montrait pas beaucoup ses émotions. Il ne m'avait jamais dit au revoir de cette manière avant, comme s'il avait pressenti quelque chose. Ça va bientôt faire 40 ans qu'il est mort, mais je me souviens de ce moment comme si c'était hier», murmure Gaétan Giroux, en laissant échapper quelques larmes. Fauché en pleine gloire alors qu'il était au sommet de son art, Gilles Villeneuve demeure un pilote à part en Italie. Les *tifosi*, qui l'ont adulé lorsqu'il pilotait pour Ferrari, ne l'ont pas oublié. Quarante ans plus tard, on retrouve encore des inscriptions «Forza Gilles» (*Allez Gilles* en italien) peintes sur des murs dans la région de Modène. Dans le fief de la Scuderia, un buste à son effigie trône à l'entrée de la piste d'essais de Fiorano. Sans oublier la rue qui mène à ce même tracé, qui s'appelle la Via Gilles Villeneuve. Une centaine de kilomètres plus à l'ouest, le circuit d'Imola, théâtre de sa dernière course, lui rend également hommage puisqu'un des virages s'appelle la Variante Villeneuve. De l'autre côté du grillage, se trouve un monument qui honore aussi sa mémoire. Au sol, on peut lire

l'inscription «Salut Gilles», écrite de la même manière que sur la ligne de départ du circuit Gilles Villeneuve à Montréal. Mais comment expliquer cet amour pour le pilote québécois? «Gilles était spectaculaire, et sa manière de piloter plaisait beaucoup aux Italiens. Il faut aussi se souvenir que nous vivions sur les circuits, nous n'avions pas un style de vie jet set, ce qui le rapprochait de ses mécaniciens. Je pense que ce sont les principales raisons qui expliquent pourquoi il a gardé un statut à part parmi les pilotes Ferrari», explique Joann Villeneuve.

À l'occasion d'une visite à Maranello, nous avons effectivement pu constater à quel point Gilles demeure un pilote spécial en Italie. En 2019, le musée Ferrari célébrait les 90 ans du constructeur au cheval cabré. Alberto Ascari, Juan Manuel Fangio, Mike Hawthorne, Phil Hill, Niki Lauda, Michael Schumacher ou encore Kimi Raikkönen, toutes les voitures exposées ce jour-là étaient celles d'un pilote champion du monde. Toutes sauf une, la Ferrari 312 T4, victorieuse en 1979 aux mains de Jody Scheckter. Pourtant, c'est bel et bien la voiture de Gilles, frappée du numéro 12, qui trône au milieu de la pièce. Un choix qui en dit long sur l'aura que conserve Gilles chez Ferrari, quarante ans après nous avoir quittés.

## REMERCIEMENTS

Un immense merci à Gaétan Giroux, Nicole Giroux-Adam, Jean-Pierre St-Jacques, Lucie St-Jacques, Joann Villeneuve, Jacques Villeneuve, Normand Coupal, Daniel Campagna et Marc Cantin pour nous avoir replongés dans les jeunes années de Gilles. Nous tenons également à remercier Alain Bellehumeur, ainsi que toute l'équipe du musée Gilles Villeneuve pour leur aide précieuse dans la réalisation de ce dossier.

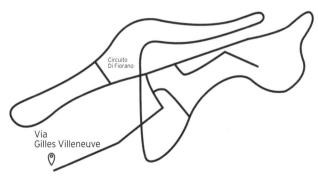

Circuito Di Fiorano

Via Gilles Villeneuve

# ESSAIS

## LES VENTES CANADIENNES ET QUÉBÉCOISES

Les chiffres de vente couvrent la période du 1er janvier au 31 décembre 2020 inclusivement, au Canada comme au Québec. Les pourcentages représentent l'augmentation ou la baisse des ventes par rapport à la même période en 2019 (si le véhicule était en vente à ce moment). La majorité des véhicules évalués cette année ont vu leurs ventes baisser, principalement à cause de la fermeture des concessionnaires et des mesures de confinement appliquées durant une partie de l'année 2020.

## SYMBOLES

Le meilleur achat de chaque catégorie est représenté par un pictogramme. Les modèles à motorisation hybride (incluant les hybrides rechargeables), électrique ou diesel, sont identifiés par ces symboles.

## TRANSPORT ET PRÉPARATION

Ce montant inclus les frais de transport et de préparation. D'autres frais afférents peuvent s'appliquer.

## GARANTIES

Couverture de base et groupe motopropulseur, respectivement inscrites en années/kilomètres, selon la première éventualité.

## MENSUALITÉS

Les mensualités de location sont basées sur un terme de 48 mois avec un kilométrage accordé de 20 000 km, alors que les mensualités de financement à l'achat sont basées sur un terme de 60 mois. Mise de fonds de 0 $ dans tous les cas. Ces mensualités n'incluent pas les rabais en argent accordés par les constructeurs automobiles.

Les frais de transport et de préparation, les frais administratifs (si disponibles) et les taxes de vente au Québec (TPS et TVQ) sont inclus. Dans le cas de véhicules électrifiés éligibles aux rabais des gouvernements provincial et fédéral, le montant des rabais applicables a été calculé dans la mensualité.

Ces mensualités ont été relevées sur les sites des constructeurs automobiles en juin 2021 ou, dans le cas du financement à l'achat, estimées avec un taux d'intérêt de 4,9 %. Ces montants sont à titre indicatif seulement et peuvent varier d'une période de l'année à l'autre.

Exceptions : location de 36 mois pour la Nissan GT-R et certains modèles Mercedes-Benz (AMG GT coupé 4 portes, Classe G et GLS).

Location de 45 mois chez Mercedes-Benz (sauf modèles mentionnés précédemment). Location avec 18 000 kilomètres chez Chrysler, Dodge, Jeep, Ram et Mercedes-Benz.

## COTE DU GUIDE DE L'AUTO

Cette cote est liée à la fiabilité, à la sécurité, à la consommation, à l'appréciation générale, à l'agrément de conduite, et à la valeur de revente du véhicule. Cette cote sert aussi à déterminer les gagnants de chaque catégorie.

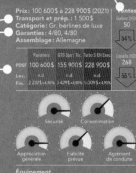

### Une gamme pléthorique

Gabriel Gélinas

Vingt et une variantes. Voilà l'étendue de la gamme de la Panamera qui est devenue aussi pléthorique que celle de la mythique 911 chez Porsche. À la base de la pyramide, on retrouve la simple Panamera à moteur V6 biturbo, dont le prix de départ dépasse 100 000 $, alors que la Panamera Turbo S E-Hybrid Sport Turismo à motorisation hybride rechargeable trône au sommet avec son prix de près de 230 000 $. Vous voulez une Panamera ? Très bien, mais laquelle ?

Il faut le reconnaître, Porsche est passé maître dans l'art de faire une segmentation très fine entre les différentes déclinaisons de ses modèles, et la Panamera en est un excellent exemple. Ici, l'échelle de prix passe du simple à plus du double, tout en épousant la courbe de puissance qui passe de 325 à 690 chevaux. La Panamera est disponible en trois types de carrosserie, berline à hayon, version Executive à empattement allongé et en variante Sport Turismo de type familial, la plus réussie côté style, et dont la configuration ajoute un peu de polyvalence par rapport à la berline.

**ÉLECTRIFICATION AU PROGRAMME**

Avec leur motorisation hybride, composée d'un V8 biturbo de 4 litres et d'un moteur électrique intégré à la boîte de vitesses à double embrayage (8 rapports), les Panamera Turbo S E-Hybrid sont des monstres de puissance et de couple. Aussi, comme ces variantes sont dotées d'un rouage intégral, elles répondent immédiatement lorsque l'on enfonce l'accélérateur avec une poussée aussi linéaire que soutenue. Comptez à peine plus de 3 secondes pour passer de 0 à 100 km/h. La batterie qui alimente le moteur électrique, d'une capacité de 17,9 kWh, permet une autonomie officielle de 27 km en mode électrique. La voiture est même capable d'atteindre 130 km/h sans que le moteur thermique se mette en marche, à condition de ne pas accélérer trop fortement.

Parmi les variantes électrifiées, juste une coche en dessous en fait de performance, on retrouve également les 4S E-Hybrid, dont le moteur thermique est un V6 biturbo de 2,9 litres, secondé par le moteur électrique. Ce groupe motopropulseur livre une puissance combinée de 552 chevaux ainsi qu'un couple de 553 lb-pi. Qu'il s'agisse de la 4S E-Hybrid ou de la Turbo S E-Hybrid, on éprouve toujours une belle surprise par rapport à la dualité dont font preuve ces versions électrifiées. Ces autos sont capables

---

**Fiche technique (encart)**

Prix : 100 600 $ à 228 900 $ (2021)
Transport et prép. : 1 500 $
Catégorie : Gr. berlines de luxe
Garanties : 4/80, 4/80
Assemblage : Allemagne

Ventes
Québec 2020 : 50 (54 %)
Canada 2020 : 268 (55 %)

| | Panamera | GTS Sport Tur. | Turbo S EH Exec |
|---|---|---|---|
| PDSF | 100 600 $ | 155 900 $ | 228 900 $ |
| Loc. | | | |
| Fin. | 2 232 $ +4,9 % | 3 429 $ +4,9 % | 5 009 $ +4,9 % |

Sécurité / Consommation
Appréciation générale / Fiabilité prévue / Agrément de conduite

Équipement

Sécurité

Concurrents
Audi A8, Audi e-tron GT, BMW Série 7, Genesis G90, Karma GS-6/Revero, Lexus LS, Maserati Quattroporte, Mercedes-Benz Classe S, Porsche Taycan, Tesla Model S

Nouveau en 2022
Ajout de la fonctionnalité Android Auto.

---

## EXPLICATION DES PICTOGRAMMES

| | |
|---|---|
| Livré de série | Non disponible |
| Optionnel | Information non communiquée |

---

## POIDS DU VÉHICULE

En ordre de marche, selon les données du constructeur. La capacité de remorquage est la capacité maximale prescrite par le constructeur. Vérifiez auprès du concessionnaire.

## CONFIGURATION DES MOTEURS À ESSENCE OU DIESEL

(**x** L – **x** nombre de cylindres en ligne, V**x** – **x** nombre de cylindres en V, H**x** – **x** nombre de cylindres à plat ou W12 – douze cylindres en W), suivi par la cylindrée (2,0 litres, 3,5 litres, etc.), puis par le type d'alimentation (atmosphérique, turbocompressé, surcompressé). La puissance est exprimée en chevaux-vapeur (ch) et le couple en livres-pied (lb-pi).

## BOÎTE DE VITESSES

A**x** - Automatique **x** rapports, M**x** – Manuelle **x** rapports, CVT – À rapports continuellement variables.

## MESURES DE PERFORMANCE

Proviennent des mesures des journalistes du *Guide de l'auto* (m). Dans certains cas, les mesures proviennent des constructeurs (c) ou elles sont estimées (est).

## DONNÉES DE CONSOMMATION

Proviennent du Guide de consommation de carburant de Ressources naturelles Canada (RNC) ou du constructeur.

## PUISSANCE DES MOTEURS ÉLECTRIQUES

Est exprimée en chevaux (ch) et en kilowatts (kW). On y retrouve aussi le type de batterie, son énergie en kilowattheure (kWh). Pour les hybrides rechargeables nous ajoutons le temps de charge et l'autonomie en mode électrique seulement, telle qu'annoncée par RNC ou par le constructeur.

## LORSQUE L'ESPACE N'EST PAS SUFFISANT

Nous devons abréger les données de certains moteurs (configuration, cylindrée, puissance en chevaux, couple en livres-pied, boîte, accélération 0 à 100 km/h et consommation ville/route).

de circuler avec aisance sans consommer de carburant lors de la conduite en ville, pour ensuite se déchaîner avec des accélérations stupéfiantes lors des entrées sur l'autoroute.

Du côté des moteurs thermiques, les Turbo S comptent sur un V8 biturbo de 620 chevaux, ce qui permet à ces variantes de s'intercaler entre les déclinaisons électrifiées au registre des performances. Les versions les plus intéressantes, cependant, restent les GTS et 4S, dont les moteurs développent respectivement 473 et 434 chevaux, ce qui est amplement suffisant dans notre contexte nord-américain.

**UNE EXCELLENTE DYNAMIQUE**

Dans tous les cas, les liaisons au sol sont assurées par une suspension à double triangulation à l'avant et de type multibras à l'arrière. La Panamera de base est dotée de ressorts et d'amortisseurs classiques, mais les variantes plus équipées adoptent une suspension pneumatique adaptative qui fait un excellent travail sur nos routes dégradées, surtout lorsque les calibrations les plus souples sont sélectionnées. Aussi, le système *Porsche Dynamic Chassis Control* (PDCC) ajoute une autre dimension à la dynamique des Panamera en agissant sur les barres antiroulis actives et la répartition vectorielle du couple. Sans oublier la direction active aux quatre roues, qui rend la voiture plus maniable à basse vitesse et augmente la stabilité lors des transitions latérales à haute vitesse, comme lors d'une manœuvre de dépassement par exemple.

Peu importe la variante, la Panamera est dotée d'un très grand écran tactile à haute définition et d'une console centrale qui présente des commandes tactiles à ressenti haptique. C'est hautement efficace comme disposition, mais comme les sous-menus sont très détaillés, il faut prendre un certain temps pour se familiariser avec l'éventail de choix qui s'offre à nous, et se munir d'un chiffon en microfibre pour effacer les traces de doigts. Précisons également que la Panamera est maintenant compatible avec Android Auto depuis cette année, Apple CarPlay étant déjà au programme depuis longtemps.

Par sa configuration à quatre portes, la Panamera est une Porsche qui offre une polyvalence accrue par rapport à la 911 Carrera, mais dont la dynamique et les performances sont un peu en retrait par rapport à l'icône de Stuttgart.

**Données principales**

| | |
|---|---|
| Emp. / lon. / lar. / haut. | **Panamera** - 2 950 / 5 049 / 1 937 / 1 423 mm |
| | **Executive** - 3 100 / 5 199 / 1 937 / 1 428 mm |
| | **Sport Turismo** - 2 950 / 5 049 / 1 937 / 1 428 mm |
| Coffre / réservoir | **Berline** - 403 à 1 463 litres / 75 à 90 litres |
| | **Sport Turismo** - 487 à 1 384 litres / 75 à 90 litres |
| Nombre de passagers | 4 à 5 |
| Suspension av. / arr. | ind., double triangulation / ind., multibras |
| Pneus avant / arrière | P265/45R19 / P295/40R19 |
| Poids / Capacité de remorquage | 1 860 à 2 445 kg / non recommandé |

**Composantes mécaniques**

| **4S** | |
|---|---|
| Cylindrée, alim. | V6 2,9 litres turbo |
| Puissance / Couple | 434 ch / 405 lb-pi |
| Tr. base (opt) / Rouage base (opt) | A8 / Int |
| 0-100 / 80-120 / V. max | 4,1 s (c) / n.d. / 295 km/h (c) |
| Type / ville / route / CO₂ | Sup / 12,8 / 9,6 / 276 g/km |
| **GTS** | |
| Cylindrée, alim. | V8 4,0 litres turbo |
| Puissance / Couple | 473 ch / 457 lb-pi |
| Tr. base (opt) / Rouage base (opt) | A8 / Int |
| 0-100 / 80-120 / V. max | 3,9 s (c) / n.d. / 300 km/h (c) |
| Type / ville / route / CO₂ | Sup / 15,7 / 11,2 / 323 g/km |
| **TURBO S E-HYBRID** | |
| Cylindrée, alim. | V8 4,0 litres turbo |
| Puissance / Couple | 563 ch / 568 lb-pi |
| Tr. base (opt) / Rouage base (opt) | A8 / Int |
| 0-100 / 80-120 / V. max | 3,2 s (c) / n.d. / 315 km/h (c) |
| Type / ville / route / CO₂ | Sup / 13,2 / 10,8 / 171 g/km |
| Puissance combinée | 690 ch |
| **MOTEUR ÉLECTRIQUE** | |
| Puissance / Couple | 134 ch (100 kW) / 195 lb-pi |
| Type de batterie / Énergie | Lithium-ion (Li-ion) / 17,9 kWh |
| Temps de charge (240V) / Autonomie | 3,0 h / 27 km |

**PANAMERA, PANAMERA 4**
V6 2,9 L - 325 ch/331 lb-pi - A8 - 0-100: 5,4 s (c) - 13,1/9,8 L/100 km

**4 E-HYBRID**
455 ch / 516 lb-pi - A8 - 0-100: 4,4 s (c) - 11,4/10,0 L/100 km - 31 km

**4S E-HYBRID**
552 ch / 553 lb-pi - A8 - 0-100: 3,6 s (m)

**TURBO S**
V8 4,0 L - 620 ch/604 lb-pi - A8 - 0-100: 3,1 s (c) - 15,3/11,2 L/100 km

PORSCHE | PANAMERA

+ Gamme très étendue •
Performances de haut niveau •
Bonne fiabilité

– Places arrière serrées •
Tarif des options •
Poids élevé

guideautoweb.com/porsche/panamera/

PORSCHE | 589

Dans le but d'alléger les différents textes du *Guide de l'auto*,
seul le masculin est utilisé et englobe le féminin.

## ÉQUIPEMENTS

 Intégration Apple CarPlay

 Intégration Android Auto

Borne d'accès WiFi (abonnement en sus après la période d'essai)

Poste de recharge sans fil (pour téléphones compatibles)

Sièges chauffants (avant et arrière)

Volant chauffant

 Affichage tête haute

## SÉCURITÉ

 Système de caméras à 360 degrés

Freinage d'urgence automatique

 Régulateur de vitesse adaptatif

Surveillance des angles morts

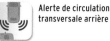 Alerte de circulation transversale arrière

 Avertissement précollision frontale

 Système de maintien dans la voie

## Informations

**Prix :** 30 805 $ à 36 205 $ (2021)
**Transport et prép. :** 2 375 $
**Catégorie :** Sous-compactes luxe
**Garanties :** 4/80, 5/100
**Assemblage :** États-Unis

**Ventes**
Québec 2020
176
⬇ 59 %

Canada 2020
735
⬇ 60 %

| | ILX | Premium A-Spec | Tech A-Spec |
|---|---|---|---|
| **PDSF** | 30 805 $ | 34 805 $ | 36 205 $ |
| **Loc.** | 533 $ • 2,99 % | 602 $ • 2,99 % | 624 $ • 2,99 % |
| **Fin.** | 689 $ • 2,99 % | 772 $ • 2,99 % | 800 $ • 2,99 % |

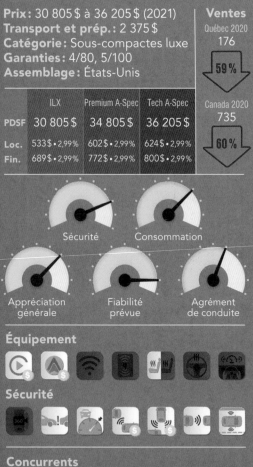

Sécurité — Consommation
Appréciation générale — Fiabilité prévue — Agrément de conduite

**Équipement**

**Sécurité**

**Concurrents**

Audi A3, BMW Série 2, Cadillac CT4, Mercedes-Benz CLA/Classe A

**Nouveau en 2022**
Refonte majeure du modèle attendue prochainement.

# Une nouvelle vocation à l'horizon

Marc-André Gauthier

L'histoire de l'Acura ILX est des plus intéressantes. Cette petite auto a vu le jour, certains s'en souviendront, en tant que version de luxe de la Honda Civic. En fait, ce n'est que récemment que la ILX est devenue une auto à part entière, même si elle demeure assez proche de la Civic en matière d'ADN.

Ainsi, cette « Civic haut de gamme » a longtemps été réservée au marché canadien, mais depuis quelques années, on peut se procurer une ILX aux États-Unis. Heureusement, parce que la marque de luxe de Honda n'a presque plus de modèles dans son catalogue. À part la ILX, on a la TLX, et les VUS RDX et MDX. Sans oublier la NSX, mais ses ventes demeurent anecdotiques...

C'est bien tout ça, mais la ILX commence vraiment à dater, et pour cause, elle possède des composantes technologiques et mécaniques qu'elle est désormais seule à utiliser. Vous devinerez donc qu'elle est mûre pour une refonte ! Or, 2022 devrait être l'année où on annonce justement ce que le futur lui réserve. Selon les rumeurs, elle devrait être transformée en une « voiture compacte sportive », sans que l'on sache réellement ce que cela veut dire. En attendant, la ILX actuelle vaut tout de même le coup d'œil si vous êtes à la recherche d'une voiture compacte de luxe.

### BELLE À L'EXTÉRIEUR, MAIS À L'INTÉRIEUR...

La dernière modification majeure apportée à la ILX était son style. On voulait qu'elle s'harmonise mieux avec le reste de la gamme d'Acura et c'est désormais chose faite. Elle arbore fièrement la grille en diamant, ainsi que les phares typiques d'Acura. Si la carrosserie a reçu un peu d'amour, l'habitacle, lui, n'a pas eu cette chance. Monter dans la ILX revient à faire une sorte de voyage dans le temps. On y retrouve ce qui était à la mode il y a dix ans. On se sent revenir en arrière, juste quand on voit la manière dont la planche de bord est dessinée, ne servant qu'à mettre en évidence le gros élément central que sont les deux écrans du système d'infodivertissement d'Acura.

Une interface au fonctionnement daté, cela dit, elle n'est pas si difficile à utiliser lorsque l'on est habitué. Les graphiques, particulièrement ceux de la carte de navigation, sont outrageusement dépassés, mais heureusement, on peut recourir à Apple CarPlay et Android Auto, ce qui ramène soudainement l'expérience au XXIe siècle.

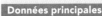

Sinon, la ILX est relativement confortable à l'avant, Acura sachant faire de bons sièges, mais à l'arrière, l'espace est limité. De toute façon, personne n'achète une bagnole de cette taille en espérant avoir de la place pour toute la famille.

## UNE MÉCANIQUE ÉTONNAMMENT EFFICACE

La ILX débute à un peu plus de 30 000 $, et la version la plus dispendieuse coûte 6 500 $ supplémentaires. Pour ce prix, on a un ensemble esthétique A-Spec plutôt joli, incluant des bas de caisse revus et des roues différentes, un système de navigation à reconnaissance vocale, une chaîne audio évoluée et des essuie-glaces avec détecteur de pluie.

Mécaniquement, toutes les versions sont identiques. Ainsi, le seul moteur offert dans la ILX est un 4 cylindres de 2,4 litres atmosphérique. Vous le reconnaissez peut-être, c'est le même qui était dans la Civic d'il y a deux générations ! Baptisé K24, il troquait les révolutions à haut régime contre plus de couple à bas régime, avec 201 chevaux et un couple de 180 lb-pi. La puissance est envoyée aux roues avant à l'aide d'une transmission à double embrayage comptant 8 rapports, la même que dans l'ancienne TLX de base.

Donc oui, c'est une mécanique qui date, mais elle est encore efficace. Elle n'offre pas le couple et la souplesse des petites cylindrées turbocompressées que l'on retrouve dans les autres voitures de luxe similaires, mais si on le pousse à fond, le K24 se comporte bien. La transmission est rapide à s'exécuter... quand elle se décide à le faire. En effet, la boîte se montre hésitante dans certaines situations. La voiture a une bonne tenue de route, et même avec les grosses roues de la version A-Spec, elle demeure relativement confortable, même sur nos chaussées défoncées.

La question est de savoir à quelle automobile il faut la comparer. Avec un prix de 30 805 $ à 36 205 $, elle est pas mal moins dispendieuse qu'une Mercedes-Benz Classe A ou encore une BMW Série 2. Mais encore là, les voitures allemandes dans ce segment sont disponibles avec le rouage intégral, ce qui n'est pas le cas chez Acura. La ILX actuelle compte donc sur une formule un peu dépassée, mais pour le prix, elle est plutôt unique, et selon vos besoins, elle pourrait être intéressante si vous êtes prêt à vivre avec son habitacle désuet.

### Données principales

| | |
|---|---|
| Emp. / lon. / lar. / haut. | 2 670 / 4 628 / 1 794 / 1 412 mm |
| Coffre / réservoir | 348 à 350 litres / 50 litres |
| Nombre de passagers | 5 |
| Suspension av. / arr. | ind., jambes force / ind., multibras |
| Pneus avant / arrière | P215/45R17 / P215/45R17 |
| Poids / Capacité de remorquage | 1 407 à 1 430 kg / non recommandé |

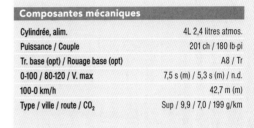

### Composantes mécaniques

| | |
|---|---|
| Cylindrée, alim. | 4L 2,4 litres atmos. |
| Puissance / Couple | 201 ch / 180 lb-pi |
| Tr. base (opt) / Rouage base (opt) | A8 / Tr |
| 0-100 / 80-120 / V. max | 7,5 s (m) / 5,3 s (m) / n.d. |
| 100-0 km/h | 42,7 m (m) |
| Type / ville / route / CO$_2$ | Sup / 9,9 / 7,0 / 199 g/km |

➕ Style qui plaît • Moteur toujours intéressant • Prix accessible

Pas de rouage intégral • Transmission hésitante par moment • Intérieur et système multimédia datés

Photos : Marc-André Gauthier

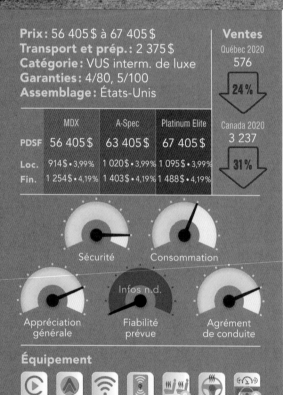

**Prix:** 56 405 $ à 67 405 $
**Transport et prép.:** 2 375 $
**Catégorie:** VUS interm. de luxe
**Garanties:** 4/80, 5/100
**Assemblage:** États-Unis

**Ventes**
Québec 2020
576
⬇ 24 %

Canada 2020
3 237
⬇ 31 %

|  | MDX | A-Spec | Platinum Elite |
|---|---|---|---|
| **PDSF** | 56 405 $ | 63 405 $ | 67 405 $ |
| **Loc.** | 914 $ • 3,99 % | 1 020 $ • 3,99 % | 1 095 $ • 3,99 % |
| **Fin.** | 1 254 $ • 4,19 % | 1 403 $ • 4,19 % | 1 488 $ • 4,19 % |

Sécurité   Consommation

Appréciation générale   Fiabilité prévue (Infos n.d.)   Agrément de conduite

**Équipement**

**Sécurité**

**Concurrents**

Audi Q7, BMW X5, Buick Enclave, Cadillac XT6, Infiniti QX60, Land Rover Discovery/Range Rover Sport, Lexus GX/RX, Lincoln Aviator/Nautilus, Maserati Levante, M-B GLE, Porsche Cayenne, Tesla Model X, Volvo XC90

**Nouveau en 2022**

Modèle entièrement redessiné, arrivée prochaine de la version Type S.

# Si LDT était une voiture

Antoine Joubert

**O**n peut critiquer Acura sur plusieurs aspects, ne serait-ce qu'au sujet de son image de marque. Or, à la lumière d'un essai récemment effectué avec le MDX, assurément, cette fois, on vise en plein dans le mile. Il s'agit d'un véhicule de tous les talents, nous mentionnait un nouveau propriétaire, heureux de constater le confort, le raffinement et les performances de sa nouvelle monture, projetant également, et avec raison, un coût de possession à long terme beaucoup plus faible que son précédent VUS allemand. Comme il se plaisait à le dire, le Laurent Duvernay-Tardif des VUS...

Certes, Acura avait étiré la sauce trop longtemps avec son précédent modèle, qui commençait sérieusement à dater. Présentation morne, habitacle dépassé et technologie graphique d'une autre époque faisaient partie des éléments qu'on lui reprochait. Sans compter que le rendement de sa boîte automatique décevait considérablement. Les stratèges de la marque sont donc retournés à la table à dessin avec en tête cette idée de créer un véhicule encore plus polyvalent, mais maintenant capable de constituer un choix aussi passionnel que rationnel.

**PLUS DE TONUS**

Comme s'il s'était soudainement mis à l'entraînement, le MDX nous revient aujourd'hui avec une forme beaucoup plus musculaire, nous faisant oublier l'impression de fourgonnette de luxe du précédent modèle. Le museau plus massif, la ceinture de caisse en relief et les larges épaules lui donnent en fait le tonus nécessaire pour se mesurer plus efficacement à cette très forte compétition, incluant le nouveau QX60 d'Infiniti, à ne pas sous-estimer.

À bord, la présentation, beaucoup plus moderne, s'apparente bien sûr à celle de la berline TLX. On se débarrasse finalement des deux écrans superposés pour n'en accueillir qu'un seul, devant hélas être opéré via un pavé tactile sensible et loin d'être intuitif! Cela dit, de nombreuses améliorations ont été apportées en fait d'ergonomie et de confort, toujours dans l'optique d'offrir une polyvalence accrue. Les places arrière sont plus facilement accessibles. La banquette centrale, divisée en trois sections, remplace efficacement ces deux sièges capitaine, de plus en plus populaires dans le segment, alors que les places avant proposent un confort royal. Difficile également de passer sous silence l'excellente position de conduite ainsi

que la présentation beaucoup plus riche du poste de conduite, faisant oublier le côté générique du précédent modèle.

Malgré un poids augmenté d'environ 100 kg, l'impression de conduire un véhicule drôlement plus léger se fait sentir. Il faut dire que l'ensemble des suspensions ont été retravaillées afin d'améliorer la maniabilité comme le comportement routier. Voilà qui constitue sans doute une des plus belles surprises de ce modèle. En effet, en plus d'une conduite plus enivrante, les performances routières ont de quoi surprendre. Parmi les points à souligner, notons un vecteur de couple qui permet d'améliorer la stabilité et la tenue de route en virage, un centre de gravité abaissé, un roulis nettement moins prononcé que par le passé, une insonorisation accrue ainsi que le rendement plus efficace de cette nouvelle transmission automatique à 10 rapports. Ajoutons également le fait que le MDX s'avère désormais plus confortable, le système d'amortissement adaptatif y jouant un grand rôle.

## TYPE S

Déjà, avec les divers modes de conduite, le nouveau MDX est en mesure d'offrir une conduite à la carte, proposant au choix un confort ouaté ou une conduite plus acérée. Avec l'arrivée de la version Type S prévue d'ici la fin de l'année, on rehausse assurément les performances d'un cran. En fait, la puissance passe alors de 290 à 355 chevaux grâce à l'adoption de ce nouveau V6 turbocompressé de 3 litres, lequel fait équipe avec une boîte spécialement programmée pour la performance.

Jantes de 21 pouces, suspension recalibrée et freins Brembo haute performance font aussi partie de l'équation afin d'obtenir des aptitudes routières qui risquent soudainement de faire mal paraître certains rivaux allemands, vendus au-delà des 100 000 $. On estime d'ailleurs à environ 80 000 $ le prix d'entrée du MDX Type S, 10 000 $ de plus que celui d'un modèle Platinum Elite.

Tout compte fait, il est évident que la version A-Spec, d'habillage sportif, représentera la plus grande partie des ventes de ce véhicule. On a affaire à un VUS qui vient remettre les pendules à l'heure, et certainement jouer les trouble-fêtes du côté de la concurrence européenne, tout en se distançant de son rival de toujours, le Lexus RX. Que reprocherait-on au MDX ? Bien sûr, l'absence d'une version hybride ou partiellement électrifiée, mais aussi l'impossibilité d'obtenir l'ensemble des technologies du modèle Platinum Elite sous l'habillage A-Spec, esthétiquement plus attrayant.

### Données principales

| | |
|---|---|
| Emp. / lon. / lar. / haut. | 2 890 / 5 039 / 2 000 / 1 724 mm |
| Coffre / réservoir | 462 à 2 022 litres / 70 litres |
| Nombre de passagers | 7 |
| Suspension av. / arr. | ind., bras inégaux / ind., multibras |
| Pneus avant / arrière | P255/50R20 / P255/50R20 |
| Poids / Capacité de remorquage | 2 036 kg / 2 268 kg (5 000 lb) |

### Composantes mécaniques

**MDX, TECH, A-SPEC PLATINUM ELITE**

| | |
|---|---|
| Cylindrée, alim. | V6 3,5 litres atmos. |
| Puissance / Couple | 290 ch / 267 lb-pi |
| Tr. base (opt) / Rouage base (opt) | A10 / Int |
| 0-100 / 80-120 / V. max | 7,8 s (m) / 5,8 s (m) / n.d. |
| 100-0 km/h | n.d. |
| Type / ville / route / $CO_2$ | Sup / 12,6 / 9,4 / n.d. |

**TYPE S**

| | |
|---|---|
| Cylindrée, alim. | V6 3,0 litres turbo |
| Puissance / Couple | 355 ch / 354 lb-pi |
| Tr. base (opt) / Rouage base (opt) | A10 / Int |
| 0-100 / 80-120 / V. max | n.d. / n.d. / n.d. |
| 100-0 km/h | n.d. |
| Type / ville / route / $CO_2$ | Sup / n.d. / n.d. / n.d. |

**+** Agrément de conduite en hausse • Comportement routier remarquable • Présentation et habitacle plus modernes • Arrivée prochaine de la version Type S

Système multimédia inutilement complexe • Absence d'une version Platinum Elite A-Spec • Aucune version hybride ou partiellement électrifiée

Photos : Acura, Marc Lachapelle

HYBRIDE

**Prix :** 189 900 $ à 232 800 (2021)
**Transport et prép. :** 3 295 $
**Catégorie :** Exotiques
**Garanties :** 4/80, 5/100
**Assemblage :** États-Unis

**Ventes**
Québec 2020
5
▼ 16 %

Canada 2020
23
▲ 4 %

| | NSX | Fibre de carbone | Tout équipée |
|---|---|---|---|
| **PDSF** | 189 900 $ | 210 700 $ | 232 800 $ |
| **Loc.** | n.d. | n.d. | n.d. |
| **Fin.** | 4 185 $ • 4,90 % | 4 635 $ • 4,90 % | 5 113 $ • 4,90 % |

Sécurité      Consommation

Appréciation générale      Fiabilité prévue      Agrément de conduite

**Équipement**

**Sécurité**

**Concurrents**

Aston Martin DB11/Vantage, Audi R8, Chevrolet Corvette, Ferrari F8 Tributo/Roma, Lamborghini Huracán, Nissan GT-R, Polestar 1, Porsche 911, Tesla Roadster

**Nouveau en 2022**

Dernière année du modèle. Ajout d'une variante Type S plus performante.

# La techno parade

Gabriel Gélinas

C'est en 1989 qu'Acura a lancé sur le marché une première sportive. Une auto à la fois atypique et innovante avec sa structure réalisée en aluminium, son moteur V6 monté en position centrale, et ses éléments de suspension forgés du même matériau. Appelée NSX pour *New Sports eXperimental*, cette voiture avait été mise au point par le pilote de Formule 1 Ayrton Senna qui avait participé à la sélection des calibrations finales des liaisons au sol. Il a cependant fallu attendre plus de 10 ans avant que le modèle de deuxième génération se pointe en conservant l'appellation NSX qui, cette fois-ci, signifie plutôt *New Sports eXperience*.

Si l'expérience est nouvelle, c'est en raison du fait que la NSX actuelle adopte à la fois l'hybridation et la turbocompression, alors que la première était animée par un V6 atmosphérique. Avec sa motorisation hybride composée d'un V6 biturbo et de trois moteurs électriques, la NSX abrite une technologie de pointe. Le premier des trois moteurs est logé entre le bloc thermique et la boîte de vitesses à double embrayage qui compte 9 rapports. Les deux autres entraînent chacune des roues avant, ce qui permet une répartition vectorielle du couple sur ce train en faisant tourner la roue avant extérieure plus rapidement que celle de l'intérieur. Un choix technique qui assure une plus grande agilité et combat le sous-virage. Cette chaîne de traction signifie également que la NSX est munie d'un rouage intégral.

**RAPIDE MAIS LOURDE**

Lors des essais menés sur deux circuits différents, la NSX s'est montrée très rapide, avec des accélérations impressionnantes, tout en faisant preuve d'une belle agilité en entrée de virage. Toutefois, sa masse élevée la rend moins joueuse que plusieurs rivales plus légères. La NSX affiche plus de 1 700 kg à la pesée, même si elle est construite sur une structure en aluminium, et que les autres matériaux utilisés dans sa fabrication comprennent de la fibre de carbone et d'autres composites. Aussi, le système de contrôle électronique de la stabilité intervient très rapidement, même lorsque le mode de conduite *Track*, le plus permissif, est sélectionné. Sur circuit, il vaut mieux le désactiver complètement pour exploiter pleinement toute la dynamique de la voiture. La NSX est dotée d'un *Quiet Mode* qui permet de démarrer et de circuler sous l'impulsion des moteurs électriques seulement,

à faible allure dans un silence complet sur une très courte distance, la capacité de la batterie n'étant que de 1,3 kWh.

Elle se conduit avec une facilité déconcertante dans la circulation dense parce que la visibilité vers l'avant et sur les côtés est excellente, et que la direction électromécanique est à pas variable. De plus, l'effort au volant dépend du mode de conduite sélectionné et, en conduite urbaine, la NSX est aussi à l'aise et agile qu'une Honda Civic. Même le freinage est très linéaire, malgré le fait qu'il s'agit ici d'un système électro-hydraulique, grâce à un simulateur de pression raccordé à la pédale.

### UNE NOUVELLE VARIANTE TYPE S

L'année-modèle 2022 représente le chant du cygne de la NSX, qui prendra ensuite une retraite bien méritée. Pour souligner l'occasion, Acura a confirmé qu'une variante Type S de la NSX allait être vendue en quantité très limitée. Produite à seulement 350 exemplaires à travers le monde (seulement 15 au Canada), cette NSX survitaminée offrira plus de puissance, des accélérations plus rapides, une tenue de route plus précise et une expérience davantage axée sur le côté émotionnel de la conduite. Voilà qui promet !

Il s'agit d'une belle façon de clore la carrière de ce modèle hybride de performance, mais aussi d'asseoir la notoriété de l'appellation Type S, qui fait un retour chez la marque Acura pour désigner les versions de performance de certains modèles. Outre la NSX, on peut également retrouver des variantes Type S avec les modèles TLX et MDX. Il ne fait aucun doute que cette nouvelle version concoctée pour la NSX sera la plus démentielle d'entre toutes.

En attendant, force est d'admettre que la NSX fait preuve d'une belle dualité. Elle est facile d'approche, mais elle peut aussi se montrer très rapide lorsque l'on exploite pleinement tout son potentiel. Cela étant dit, on a toujours l'impression de conduire une voiture qui fait preuve d'une efficacité très clinique, et que la connexion entre le conducteur et la NSX est plus cérébrale que viscérale. Dans ce créneau où la passion compte pour beaucoup, la NSX déçoit par rapport à ses rivales directes dont le caractère peut s'exprimer plus librement.

## Données principales

| | |
|---|---|
| Emp. / lon. / lar. / haut. | 2 630 / 4 472 / 2 217 / 1 215 mm |
| Coffre / réservoir | 110 litres / 59 litres |
| Nombre de passagers | 2 |
| Suspension av. / arr. | ind., double triangulation / ind., multibras |
| Pneus avant / arrière | P245/35ZR19 / P305/30ZR20 |
| Poids / Capacité de remorquage | 1 759 kg / non recommandé |

## Composantes mécaniques

| | |
|---|---|
| Cylindrée, alim. | V6 3,5 litres turbo |
| Puissance / Couple | 500 ch / 406 lb-pi |
| Tr. base (opt) / Rouage base (opt) | A9 / Int |
| 0-100 / 80-120 / V. max | 3,6 s (m) / 2,5 s (m) / 308 km/h (c) |
| 100-0 km/h | 35,8 m (m) |
| Type / ville / route / $CO_2$ | Sup / 11,1 / 10,8 / 256 g/km |
| Puissance combinée | 573 ch / 476 lb-pi |
| **MOTEURS ÉLECTRIQUES** | |
| Puissance / Couple | **Avant -** 36 ch (27 kW) / 54 lb-pi |
| | **Avant -** 36 ch (27 kW) / 54 lb-pi |
| | **Arrière -** 47 ch (35 kW) / 109 lb-pi |
| Type de batterie | Lithium-ion (Li-ion) |
| Énergie | 1,3 kWh |

**+** Technologie de pointe • Performances très élevées • Équipement complet

Poids élevé • Interface trop semblable à Honda • Plus rationnelle que passionnelle

**Prix:** 44 505 $ à 55 505 $ (2021)
**Transport et prép.:** 2 375 $
**Catégorie:** VUS compacts luxe
**Garanties:** 4/80, 5/100
**Assemblage:** États-Unis

**Ventes**
Québec 2020
**1 568**
⬇ 16 %

Canada 2020
**7 563**
⬇ 22 %

| | RDX | A-Spec | Platinum Elite |
|---|---|---|---|
| **PDSF** | 44 505 $ | 51 305 $ | 55 505 $ |
| **Loc.** | 722 $ • 2,99 % | 854 $ • 2,99 % | 956 $ • 2,99 % |
| **Fin.** | 972 $ • 2,99 % | 1 112 $ • 2,99 % | 1 199 $ • 2,99 % |

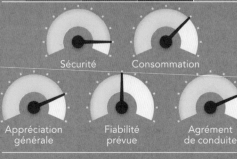

Sécurité     Consommation

Appréciation générale    Fiabilité prévue    Agrément de conduite

### Équipement

### Sécurité

### Concurrents

Alfa Stelvio, Audi Q5, BMW X3/X4, Buick Envision, Cadillac XT5, Genesis GV70, Infiniti QX50/QX55, Jaguar F-PACE, Rover Discovery Sport/Evoque/Velar, Lexus NX, Lincoln Corsair, Mercedes GLC, Porsche Macan, Volvo XC60

### Nouveau en 2022

Aucun changement majeur annoncé au moment de mettre sous presse.

# La meilleure riposte aux Allemands

Michel Deslauriers

**L**orsqu'il est question de véhicules utilitaires de luxe compacts, on entend invariablement parler des trois modèles allemands, soit l'Audi Q5, les BMW X3/X4 et le Mercedes-Benz GLC, maintenant tous disponibles en version VUS conventionnel et en coupé. Avec son style et son caractère sportif, l'adversaire le plus coriace de ces trois modèles est sans contredit l'Acura RDX.

Il faut préciser que les variantes de performance des Audi, BMW et Mercedes-Benz sont drôlement populaires au Québec et au Canada, et l'on ne retrouve pas leur équivalent chez Acura, du moins pour l'instant. Même si le RDX n'est proposé qu'avec un seul choix de motorisation, il concurrence savamment les déclinaisons plus abordables de ses rivaux allemands.

### SPORTIF SANS L'ÊTRE TROP

L'Acura RDX mise sur un moteur turbocompressé de 2 litres produisant 272 chevaux, une puissance légèrement supérieure à ce que l'on retrouve dans les multisegments mentionnés ci-haut. Ces étalons, livrés aux quatre roues par l'entremise d'une boîte à 10 rapports, offrent à la fois des changements de rapports rapides et permettent au RDX d'afficher une consommation raisonnable.

Le mode Sport activé, l'Acura s'avère fougueux et agile, les montées en régime étant accompagnées de bruits de moteur simulés. On aime ou on déteste, néanmoins ce type de trame sonore artificielle se répand dans de plus en plus de nouveaux véhicules, et l'on finit par s'y habituer.

La suspension et la direction du RDX favorisent le plaisir de conduite, bien que les amortisseurs soient un tantinet trop rigides et que les roues de 20 pouces ainsi que les pneus à profil bas du RDX A-Spec gâchent un peu la qualité de roulement. N'oublions pas qu'outre les marques allemandes, l'Acura doit également se frotter à d'autres adversaires qui misent davantage sur le confort plutôt que sur la tenue de route, notamment le Lincoln Corsair, le Cadillac XT5, l'Infiniti QX50 et le Volvo XC60. Le RDX représente donc un bel équilibre entre ces deux extrêmes. Quant au rouage intégral SH-AWD, il peut non seulement répartir la puissance entre les deux essieux — jusqu'à 90 % aux roues avant ou jusqu'à 70 % aux roues arrière — mais aussi entre les roues arrière, apportant une adhérence en conditions hivernales comme lors de la conduite sportive.

## LA VERSION A-SPEC POUR SE DÉMARQUER

Acura a réussi à créer une signature visuelle unique avec sa calandre pentagonale, ornée d'un logo surdimensionné qui semble filer à toute vitesse dans l'espace grâce au design de la grille. Les lignes de la carrosserie ne font pas nécessairement ressortir le RDX du lot des VUS de luxe, mais dans l'ensemble, on propose un style dynamique et moderne. On aime bien la version A-Spec pour son allure plus affûtée, profitant d'une finition sans chrome, de pare-chocs d'apparence plus sportive et de jantes noires. D'ailleurs, il s'agit de la seule déclinaison pouvant être peinte du bleu vif ou du rouge. Tard en 2020, Acura a lancé le RDX PMC Edition, assemblé à la main et arborant une peinture Orange ardent nacré, assortie de surpiqûres orange dans l'habitacle.

Sans être un chef-d'œuvre stylistique, la planche de bord du RDX s'avère moderne, les sièges sont à la fois jolis et confortables, et le tout est fabriqué avec des matériaux de grande qualité. Les déclinaisons plus abordables sont garnies de similicuir, la A-Spec reçoit un mélange de cuir et d'alcantara alors que les versions plus cossues présentent des sièges en cuir perforé, la Platinum Elite profitant même de boiseries véritables. Bien qu'il ne soit pas le plus volumineux de sa catégorie, l'espace pour les passagers avant et arrière ne manque pas. Si l'on compte le bac de rangement sous le plancher, l'aire de chargement figure parmi les plus grandes du segment.

Le talon d'Achille de l'Acura RDX reste son système multimédia, dont l'interface de commande à deux pavés tactiles nécessite un doigté stable et précis alors que le conducteur doit souvent jeter un coup d'œil à l'écran afin de s'assurer de choisir la bonne commande. C'est complexe et surtout, distrayant, d'autant plus que le système a connu des problèmes de fiabilité à son lancement, qui semblent avoir été réglés depuis. Au moins, on peut régler la climatisation à l'aide de bons vieux boutons physiques.

Cette troisième génération du RDX demeure une réussite tant en matière de comportement routier qu'en fait de confort de l'habitacle, sans oublier sa grande polyvalence et sa finition bien ficelée. Il est sportif sans être désagréable au quotidien, ce que plusieurs consommateurs de VUS apprécieront. Si seulement son système multimédia était plus convivial, mais peut-être qu'à la longue, on finit par s'y habituer. À quand une version Type S?

### Données principales

| | |
|---|---|
| Emp. / lon. / lar. / haut. | 2 750 / 4 744 / 1 900 / 1 668 mm |
| Coffre / réservoir | 835 à 2 260 litres / 65 litres |
| Nombre de passagers | 5 |
| Suspension av. / arr. | ind., jambes force / ind., multibras |
| Pneus avant / arrière | P235/55R19 / P235/55R19 |
| Poids / Capacité de remorquage | 1 844 kg / 680 kg (1 500 lb) |

### Composantes mécaniques

| | |
|---|---|
| Cylindrée, alim. | 4L 2,0 litres turbo |
| Puissance / Couple | 272 ch / 280 lb-pi |
| Tr. base (opt) / Rouage base (opt) | A10 / Int |
| 0-100 / 80-120 / V. max | 7,0 s (m) / 5,5 s (m) / n.d. |
| 100-0 km/h | 40,5 m (m) |
| Type / ville / route / $CO_2$ | Sup / 11,0 / 8,6 / 232 g/km |
| A-Spec - Sup / 11,3 / 9,1 / 242 g/km |

+ Bon comportement routier • Belle finition de l'habitacle • Rouage intégral SH-AWD efficace

− Système multimédia complexe et distrayant • Roulement ferme (surtout A-Spec) • Visibilité vers l'arrière difficile

Photos Acura

**Prix :** 44 105 $ à 59 500 $ (2021)
**Transport et prép. :** 2 375 $
**Catégorie :** Intermédiaires
**Garanties :** 4/80, 5/100
**Assemblage :** États-Unis

**Ventes**

Québec 2020
611

⬇ **21 %**

Canada 2020
2 704

⬇ **19 %**

|  | TLX | A-Spec | Type S |
|---|---|---|---|
| **PDSF** | 44 105 $ | 49 905 $ | 59 500 $ |
| **Loc.** | 706 $ • 2,99 % | 783 $ • 2,99 % | 1 031 $ • 4,99 % |
| **Fin.** | 940 $ • 1,99 % | 1 047 $ • 1,99 % | 1 320 $ • 1,99 % |

Infos n.d.

Sécurité — Consommation

Appréciation générale — Fiabilité prévue — Agrément de conduite

**Équipement**

**Sécurité**

**Concurrents**

Alfa Romeo Giulia, Audi A4/A5, BMW Série 3,
Cadillac CT5, Genesis G70, Infiniti Q50,
Kia Stinger, Lexus ES, Lexus IS,
Mercedes-Benz Classe C, Volvo S60

**Nouveau en 2022**
Aucun changement majeur annoncé
au moment de mettre sous presse.

# Deux formules pour atteindre le sommet

Luc Gagné

**C**hez Acura, ça bouge. Le renouvellement réussi des modèles de grande diffusion importants (MDX, RDX et TLX), la résurrection de la Type S et le délestage du bois mort (RLX) semblent avoir sorti la marque au compas d'un angle mort.

C'est l'impression que l'on retient en conduisant la TLX. Arrivée chez les concessionnaires en septembre 2020, ce modèle de seconde génération a redoré le blason plutôt terne de la version antérieure. Et c'est grâce à sa carrosserie aux dimensions plus généreuses, à son comportement routier apte à rivaliser avec les allemandes populaires et à son dessin finement repensé incorporant l'imposante calandre polygonale ornée d'un écusson surdimensionné et les phares à quadruples DEL propres à la marque.

La carrosserie habille une plateforme plus résistante à la torsion et une répartition des masses améliorée (57/43 plutôt que 60/40), ce qui ne peut que bénéficier au comportement routier. Cette modernisation semble d'ailleurs avoir porté fruit. Dès son arrivée sur le marché canadien, la nouvelle TLX a répliqué au triumvirat germanique (Classe C, Série 3 et A4), qui domine son créneau depuis des lustres.

### LE MOTEUR DE SÉRIE QU'IL FALLAIT
Le 4 cylindres turbo de 2 litres qui équipe les versions de grande diffusion (TLX, TLX Tech, TLX A-Spec et TLX Platinum Élite) est en grande partie à l'origine de ce succès. Fort de ses 272 chevaux, ce moteur que partage l'utilitaire RDX utilise une boîte de vitesses automatique à 10 rapports particulièrement efficace. Il livre ses 280 lb-pi de couple à bas régime et procure une accélération linéaire qui nous mène à 100 km/h en 6 secondes. Les reprises sont vigoureuses et en sélectionnant le mode Sport du système de gestion de la motorisation, le mode manuel de l'automatique procure des rétrogradations significatives, chose rare avec une boîte ayant autant de rapports.

La transmission intégrale SH-AWD de série sera avantageuse sous la pluie comme dans la neige. Elle plaira aussi aux amateurs de conduite sportive puisqu'en conditions normales, elle privilégie les roues arrière en leur transmettant 70 % du couple. Côté consommation, la moyenne de 9,8 L/100 km est moins reluisante. Elle égale celle du V6 de puissance comparable qu'avait

l'ancien modèle. On n'achètera donc pas la TLX pour réaliser des records de consommation, mais plutôt pour sa vivacité inspirante.

## LE MOTEUR QU'IL MANQUAIT

Pour amplifier ce trait de la personnalité et faire saliver les acheteurs du créneau, les stratèges d'Acura ont ressorti le nom Type S des boules à mites. Il réapparaît maintenant sur le coffre d'une petite bombe. Il s'agit d'un modèle de diffusion limitée qui souhaite rivaliser avec les Mercedes-AMG C 43, BMW M340i et Audi S4.

La Type S se distingue d'abord par son V6 turbo de 355 chevaux et 354 lb-pi qui retranche environ une seconde au 0 à 100 km/h. Il est jumelé à une variante plus robuste de la boîte automatique et à une transmission intégrale à vectorisation de couple. Sa suspension raffermie dispose de barres antiroulis de plus gros diamètre et des amortisseurs adaptatifs de la TLX Platinum Élite, la plus luxueuse de la gamme. À cela s'ajoutent des renforts donnant une rigidité supplémentaire au châssis, des disques de freins avant surdimensionnés doublés d'étriers fixes à quatre pistons de Brembo, des roues en alliage de 20 pouces (une première pour la TLX) chaussées de Pirelli P-Zero et un mode Sport+ plus pointu pour le système de gestion de la motorisation.

Des sièges garnis de cuir et d'Ultrasuède avec un emblème Type S sur les appuie-têtes des baquets (très moulants) rehaussent l'intérieur bien équipé. Dans cet environnement somptueux, les mélomanes se délecteront de la chaîne audio ELS Studio 3D à 17 haut-parleurs empruntée aux TLX A-Spec et Platinum Élite. Naturellement, la Type S sera le joujou de quelques chanceux prêts à débourser davantage et à s'accommoder d'un roulement plus ferme. L'attrayante A-Spec sera l'option abordable pour celui qui recherche un tempérament sportif à meilleur compte. À l'instar des autres TLX, son habitacle est feutré, sa direction, précise, sa suspension, bien calibrée, ses freins, puissants, et son moteur de 2 litres, vif à souhait.

L'acheteur d'une TLX doit cependant s'habituer à un pavé tactile trop petit et très sensible pour commander à distance les fonctions du système d'infodivertissement. Il faut aussi s'accommoder de places arrière peu accueillantes pour des adultes, d'une visibilité réduite vers l'arrière et d'un coffre dont l'ouverture est courte et le seuil, élevé. Ce qui prouve que rien n'est parfait en ce bas monde...

**+** Conduite emballante • Motorisation au point (2 litres) • Excellents sièges baquets

**—** Pavé tactile à revoir • Visibilité arrière limitée • Ouverture du coffre peu pratique • Manque d'espace pour les jambes à l'arrière

### Données principales

| | |
|---|---|
| Emp. / lon. / lar. / haut. | 2 870 / 4 942 / 1 910 / 1 432 mm |
| Coffre / réservoir | 382 litres / 60 litres |
| Nombre de passagers | 5 |
| Suspension av. / arr. | ind., bras inégaux / ind., multibras |
| Pneus avant / arrière | **Base** - P235/50R18 / P235/50R18 |
| | **Tech/A Spec/Plat.** - P255/40R19 / P255/40R19 |
| | **Type S** - P255/35R20 / P255/35R20 |
| Poids / Capacité de remorquage | 1 781 à 1 905 kg / non recommandé |

### Composantes mécaniques

**BASE, TECH, A-SPEC, PLATINUM ÉLITE**

| | |
|---|---|
| Cylindrée, alim. | 4L 2,0 litres turbo |
| Puissance / Couple | 272 ch / 280 lb-pi |
| Tr. base (opt) / Rouage base (opt) | A10 / Int |
| 0-100 / 80-120 / V. max | 6,0 s (m) / 5,5 s (m) / n.d. |
| Type / ville / route / $CO_2$ | Sup / 11,2 / 8,0 / 231 g/km |

**TYPE S**

| | |
|---|---|
| Cylindrée, alim. | V6 3,0 litres turbo |
| Puissance / Couple | 355 ch / 354 lb-pi |
| Tr. base (opt) / Rouage base (opt) | A10 / Int |
| 0-100 / 80-120 / V. max | 5,0 s (est) / n.d. / n.d. |
| Type / ville / route / $CO_2$ | Sup / 12,3 / 9,8 / 230 g/km (est) |

Photos: Acura

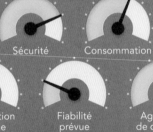

**Prix :** 53 190 $ à 94 090 $ (2021)
**Transport et prép. :** 1 995 $
**Catégorie :** Compactes de luxe
**Garanties :** 4/80, 4/80
**Assemblage :** Italie

**Ventes**
Québec 2020
**50**
↓ 1 %
Canada 2020
**188**
↓ 22 %

| | Sprint | Ti Sport | Quadrifoglio |
|---|---|---|---|
| PDSF | 53 190 $ | 59 395 $ | 94 090 $ |
| Loc. | 889 $ • 2,99 % | 964 $ • 2,99 % | 1 419 $ • 3,99 % |
| Fin. | 1 156 $ • 3,49 % | 1 308 $ • 3,49 % | 2 026 $ • 3,49 % |

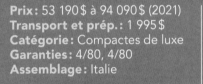

Sécurité  Consommation

Appréciation générale  Fiabilité prévue  Agrément de conduite

## Équipement

## Sécurité

## Concurrents
Acura TLX, Audi A4/A5, BMW Série 3,
Cadillac CT5, Genesis G70, Infiniti Q50,
Lexus IS, Mercedes-Benz Classe C,
Tesla Model 3, Volvo S60

## Nouveau en 2022
Gamme simplifiée, rouage intégral de série
(sauf Quadrifoglio), nouvelles couleurs
de carrosserie, déclinaison de base
renommée Sprint.

# Le caractère recherché

Michel Deslauriers

**P**our ceux qui ne veulent pas imiter leurs voisins en s'achetant une BMW Série 3, une Audi A4 ou une Mercedes-Benz Classe C, il y a des options. Parmi elles se trouve l'Alfa Romeo Giulia, une berline sportive italienne se démarquant par son design, son caractère et son comportement routier dynamique.

Malgré ses qualités et sa beauté, la Giulia ne menace aucunement la concurrence allemande au chapitre des ventes. Il faut dire que le nombre de concessionnaires au Québec se compte sur les doigts d'une seule main, et les voitures italiennes en général ne jouissent pas d'une réputation enviable en ce qui a trait à la fiabilité. C'est peut-être cela qui refroidit les ardeurs des consommateurs avertis. Pour se montrer plus intéressante, la Giulia a profité de plusieurs changements pour le millésime 2021, arrivés sur le marché juste avant le temps des Fêtes de 2020.

### SIMPLIFICATION DE LA GAMME
D'abord, le nombre de déclinaisons a chuté de treize à seulement quatre, certaines d'entre elles étant devenues des groupes d'options. Sur ce point, on n'a pas simplifié les choses tant que ça, à l'exception de la Giulia Quadrifoglio au sommet de la gamme qui demeure une voiture à propulsion, les autres obtiennent le rouage intégral de série.

La version de base se nomme maintenant Giulia Sprint, l'équipement de l'ancienne version Lusso est livrable sur la Giulia Ti, tandis que les caractéristiques de l'ancienne édition Carbone sont livrables sur la Giulia Ti Sport. Il faut souligner la grande sélection de couleurs de carrosserie, dont quatre lancées en 2021, et jusqu'à dix agencements de couleurs dans l'habitacle.

La berline ne déborde pas d'équipements de série, mais comprend tout de même les freins de marque Brembo, les sièges avant et le volant chauffants, la sellerie en cuir, le climatiseur automatique bizone et le freinage d'urgence autonome. On doit toutefois payer un supplément pour obtenir la surveillance des angles morts, l'alerte de sortie de voie, le régulateur de vitesse adaptatif et les feux de route automatiques, et ce, dans toutes les déclinaisons.

Chacune d'elles abrite le quatre cylindres turbo de 2 litres du groupe Stellantis, produisant ici 280 chevaux. Un moteur énergique, jumelé à une boîte automatique à 8 rapports efficace, permettant à la berline de franchir

les 100 km/h en un peu moins de six secondes. Et de consommer raisonnablement aussi, avec une cote mixte ville/route de 9,2 L/100 km : certaines rivales font mieux, d'autres font pire.

## LA BERLINE PORTE-BONHEUR

Comme toute voiture moderne, on a droit à un système de modes de conduite, et celui d'Alfa Romeo s'appelle DNA afin de souligner que le comportement routier est bien imbibé dans ses gènes : D pour *Dynamic*, le réglage pour la conduite sportive, N pour *Natural*, ou la conduite relaxe et confortable au quotidien, et A pour *Advanced Efficiency*, maximisant l'économie de carburant, mais également l'adhérence lorsque la chaussée est glissante.

Pour des performances à couper le souffle, il existe la Giulia Quadrifoglio au sommet de la gamme. Son V6 biturbo de 2,9 litres produit 505 chevaux ainsi qu'un couple massif de 443 lb-pi, permettant un 0 à 100 km/h mesuré à 4,3 secondes et une vitesse de pointe de 307 km/h. Le système de modes de conduite DNA Pro ajoute le réglage *Race* qui, une fois activé, fait chanter — ou plutôt rugir — l'échappement bimode.

Évidemment, le comportement routier de la Giulia Quadrifoglio est tout aussi sportif, grâce entre autres à des amortisseurs à fermeté variable, alors que la voiture s'immobilise en un clin d'œil, profitant de freins Brembo avec disques de 360 mm à l'avant et 350 mm à l'arrière. Une bête parfaite pour partir à la chasse des BMW M3, Audi RS 5 Sportback et Mercedes-AMG C 63 S, sans oublier la Cadillac CT5-V Blackwing. Cependant, il faut comprendre qu'en activant le mode *Race* pour apprécier pleinement de la fougue de la Quadrifoglio, le programme de stabilité électronique se désactive et on perd alors ce filet de sécurité. De toute façon, sur les routes publiques, il vaut mieux ne pas pousser cette machine à sa limite, comme ses concurrentes d'ailleurs.

Bref, lorsqu'il est question de s'acheter une berline compacte sportive de luxe, on peut suivre le troupeau et choisir un modèle allemand, ou oser se procurer une Alfa Romeo. Si sa réputation de fiabilité est peu enviable, c'est le contraire en ce qui a trait à la satisfaction de ses propriétaires, si l'on se fie à la réputée firme étasunienne *Consumer Reports*.

### Données principales

| Emp. / lon. / lar. / haut. | |
|---|---|
| GIULIA TI - | 2 820 / 4 643 / 1 860 / 1 450 mm |
| QUADRIFOGLIO - | 2 820 / 4 639 / 1 874 / 1 426 mm |
| Coffre / réservoir | 480 litres / 58 litres |
| Nombre de passagers | 5 |
| Suspension av. / arr. | ind., bras inégaux / ind., multibras |
| Pneus avant / arrière GIULIA TI - | P225/40R19 / P225/40R19 |
| QUADRIFOGLIO - | P245/35R20 / P285/30R20 |
| Poids / Capacité de remorquage | 1 643 à 1 733 kg / non recommandé |

### Composantes mécaniques

**SPRINT TI, GIULIA TI, SPORT TI**

| | |
|---|---|
| Cylindrée, alim. | 4L 2,0 litres turbo |
| Puissance / Couple | 280 ch / 306 lb-pi |
| Tr. base (opt) / Rouage base (opt) | A8 / Int |
| 0-100 / 80-120 / V. max | 5,8 s (m) / 4,7 s (m) / 240 km/h (c) |
| 100-0 km/h | 42,1 m (m) |
| Type / ville / route / $CO_2$ | Ord / 10,5 / 7,7 / 217 g/km |

**QUADRIFOGLIO**

| | |
|---|---|
| Cylindrée, alim. | V6 2,9 litres turbo |
| Puissance / Couple | 505 ch / 443 lb-pi |
| Tr. base (opt) / Rouage base (opt) | A8 / Prop |
| 0-100 / 80-120 / V. max | 4,3 s (m) / 3,4 s (m) / 307 km/h (c) |
| 100-0 km/h | 34,3 m (m) |
| Type / ville / route / $CO_2$ | Sup / 13,5 / 9,3 / 271 g/km |

➕ Du caractère en masse •
Version Quadrifoglio
très performante •
Design séduisant

➖ Nombre de
concessionnaires très limité •
Beaucoup d'options •
Fiabilité perfectible

Photos : Alfa Romeo

## Son absence étonne

Marc-André Gauthier

**Prix:** 55 290$ à 99 690$ (2021)
**Transport et prép.:** 1 995$
**Catégorie:** VUS compacts luxe
**Garanties:** 4/80, 4/80
**Assemblage:** Italie

**Ventes**

Québec 2020
141
▲ 8%

Canada 2020
488
▲ 6%

|  | Sprint | Ti Sport | Quadrifoglio |
|---|---|---|---|
| PDSF | 55 290$ | 62 990$ | 99 690$ |
| Loc. | 897$ • 2,99% | 974$ • 2,99% | 1 507$ • 3,99% |
| Fin. | 1 200$ • 3,49% | 1 361$ • 3,49% | 2 151$ • 3,49% |

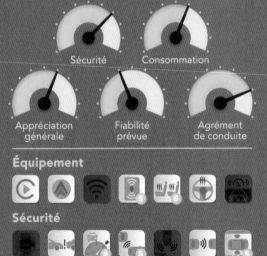

Sécurité · Consommation

Appréciation générale · Fiabilité prévue · Agrément de conduite

**Équipement**

**Sécurité**

**Concurrents**

Acura RDX, Audi Q5, BMW X3/X4,
Buick Envision, Cadillac XT5, Infiniti QX50/QX55,
Jaguar F-PACE, Land Rover Discovery Sport/
Evoque/Velar, Lexus NX, Lincoln Corsair,
M-Benz GLC, Porsche Macan, Volvo XC60

**Nouveau en 2022**

Aucun changement majeur annoncé
au moment de mettre sous presse.

Certains amateurs de performances se plaisent à dire que l'on n'est pas un vrai «amateur» de voitures tant et aussi longtemps que l'on n'a pas possédé une Alfa Romeo. C'est un peu exagéré, on s'entend, mais il est vrai que ces voitures italiennes ont toutes quelque chose de spécial. Quand nous avons appris que la marque revenait en Amérique du Nord, c'est avec joie que la «communauté» accueillait la nouvelle. Alfa Romeo a d'abord introduit une sportive, la 4C, et ensuite la Giulia, une rivale de la BMW Série 3 qui se distingue par sa conduite dynamique et agréable.

Malheureusement pour Alfa Romeo, la Giulia, celle qui devait démocratiser la marque, n'a pas eu le succès espéré. Le constructeur a donc misé sur un VUS compact, le Stelvio, pour mousser les ventes. Est-ce que ce rival des BMW X3 et Audi Q5 de ce monde allait réussir là où la Giulia a échoué? Pas vraiment. Il a eu un certain succès, néanmoins il se vend très peu et demeure dans les bas-fonds des palmarès, et ça, c'est difficile à expliquer.

### TOUT SIMPLEMENT MAGNIFIQUE

Si le Stelvio était une œuvre musicale, on dirait qu'il frappe fort dès les premières notes, comme la suite symphonique Schéhérazade du grand compositeur russe Rimsky-Korsakov. Imaginez, silence total, et puis, quelques notes poussées fortement par les cuivres. Ici, vous comprendrez que l'on parle de son style. Parce qu'il est beau, le Stelvio. Il ne ressemble à rien, étant unique et italien à souhait.

Ce style d'enfer est transposé dans son habitacle. Adieu la froideur germanique, et bonjour à la chaleur du design italien. Ainsi, on propose des lignes qui incorporent un bel écran multimédia large, sans pour autant lui donner toute la place.

Le tableau de bord, lui, se compose de cadrans normaux. Mais on retrouve, entre le compte-tours et l'indicateur de vitesse un écran qui permet d'afficher de l'information relative à l'état du véhicule. Cependant, c'est le volant qui vole la vedette. Quel style! On le croirait sorti d'une voiture de course, dominé qu'il est par de grandes palettes de sélection de vitesse en métal. Et quelle prise en main! On a véritablement l'impression d'être aux commandes!

Les sièges avant offrent un maintien plutôt sportif. S'ils changent en fonction de la version choisie, dans tous les cas, on a énormément de support latéral, parfait pour prendre les courbes, sans toutefois compromettre le confort. Malheureusement, les places arrière sont assez limitées pour un VUS, dans la mesure où elles conviennent à des enfants, mais vos adolescents s'y sentiront rapidement à l'étroit.

## MÉCANIQUES ET COMPORTEMENT RAFFINÉS

Le Stelvio est disponible avec deux moteurs différents. Les versions « normales » viennent avec un 4 cylindres de 2 litres turbocompressé, le même qui niche dans le Jeep Wrangler... Mais, il est ici ajusté pour produire 280 chevaux et 306 lb-pi de couple. Il envoie sa puissance aux quatre roues à l'aide d'une transmission automatique à 8 rapports fabriquée par la compagnie ZF. Si cette transmission a mauvaise réputation, elle est ici dans sa meilleure itération. Elle passe les rapports rapidement, et selon les modes de conduite, réalise des performances sans reproche. Même en mode manuel, elle surprend. Pour les amateurs de performances, le Stelvio est disponible en version Quadrifoglio, le « AMG » d'Alfa Romeo. Étiqueté à plus de 100 000 $ (transport et préparation inclus), il abrite l'un des moteurs les plus passionnants du marché, un V6 biturbo de 2,9 litres, dérivé d'une mécanique Ferrari.

Dire qu'il est performant est un euphémisme : il développe 505 chevaux et 443 lb-pi de couple ! Mais les chiffres ne disent pas tout. C'est la manière dont cette puissance est délivrée aux quatre roues qui impressionne. On est collé à notre siège, bercé par un son qui nous fait regretter l'avènement de la voiture électrique.

Cela dit, la véritable magie se fait au niveau de la direction et de la tenue de route. La précision du Stelvio, pour un VUS, est chirurgicale, et son châssis affûté en fait l'un des meilleurs de son segment. Derrière le volant, sa conduite se rapproche plus d'une auto sport que d'un véhicule utilitaire. Et ça, ce n'est pas réservé qu'à la version Quadrifoglio. Même les moutures de base ont cette conduite engageante, mais attention aux mauvaises chaussées, puisque la suspension est relativement ferme.

Difficile, donc, d'expliquer pourquoi personne ne pense au Stelvio quand c'est le temps de se procurer un VUS compact de luxe. Est-ce les problèmes de fiabilité de la marque qui sont à blâmer ? Cette dernière a-t-elle de la difficulté à se tailler une place dans un marché dominé par les Allemands ? Espérons, pour ceux qui aiment la conduite, que les personnes chargées du marketing chez Alfa Romeo trouvent la réponse.

### Données principales

| Emp. / lon. / lar. / haut. | |
|---|---|
| Stelvio - | 2 818 / 4 688 / 1 903 / 1 677 mm |
| Quadrifoglio - | 2 818 / 4 702 / 1 955 / 1 685 mm |
| Coffre / réservoir | 525 à 1 600 litres / 64 litres |
| Nombre de passagers | 5 |
| Suspension av. / arr. | ind., bras inégaux / ind., multibras |
| Pneus avant / arrière | P235/60R18 / P235/60R18 |
| Poids / Capacité de remorquage | 1 818 kg à 1 956 kg |

### Composantes mécaniques

**SPRINT AWD, TI AWD, TI SPORT AWD**

| | |
|---|---|
| Cylindrée, alim. | 4L 2,0 litres turbo |
| Puissance / Couple | 280 ch / 306 lb-pi |
| Tr. base (opt) / Rouage base (opt) | A8 / Int |
| 0-100 / 80-120 / V. max | 5,8 s (m) / 5,4 s (m) / 232 km/h (c) |
| 100-0 km/h | 38,0 m (est) |
| Type / ville / route / CO$_2$ | Ord / 10,8 / 8,3 / 226 g/km |

**QUADRIFOGLIO AWD**

| | |
|---|---|
| Cylindrée, alim. | V6 2,9 litres turbo |
| Puissance / Couple | 505 ch / 443 lb-pi |
| Tr. base (opt) / Rouage base (opt) | A8 / Int |
| 0-100 / 80-120 / V. max | 4,1 s (m) / 3,2 s (m) / 283 km/h (c) |
| 100-0 km/h | 36,1 m (m) |
| Type / ville / route / CO$_2$ | Sup / 13,9 / 10,3 / 288 g/km |

+ Look magnifique • Conduite inédite pour un VUS de luxe • Mécaniques de pointe

− Places arrière trop petites • Suspensions fermes, même sur les versions de base • Fiabilité aléatoire

Photos : Marc-André Gauthier, Antoine Bournival

**Prix:** 236 400$ à 285 000$ (estimé)
**Transport et prép.:** 3 980$
**Catégorie:** Exotiques
**Garanties:** 3/ill, 3/ill
**Assemblage:** Royaume-Uni

**Ventes**
Québec 2020
n.d.

|  | V8 Coupé | V8 Volante | AMR Coupé | |
|---|---|---|---|---|
| **PDSF** | 236 400$ | 255 000$ | 285 000$ | Canada 2020 n.d. |
| **Loc.** | n.d. | n.d. | n.d. | |
| **Fin.** | 5 203$ • 4,90% | 5 606$ • 4,90% | 6 255$ • 4,90% | |

Sécurité    Consommation

Appréciation
générale    Infos n.d.    Fiabilité
prévue    Agrément
de conduite

## Équipement

## Sécurité

## Concurrents

Acura NSX, Audi R8, Bentley Continental,
Ferrari Roma, Lamborghini Huracán,
Mercedes-Benz SL, Porsche 911

## Nouveau en 2022

Aucun changement majeur annoncé
au moment de mettre sous presse.

# D'une rare élégance

Gabriel Gélinas

**A**u début de 2020, Aston Martin était en graves difficultés financières et avait sérieusement besoin d'une infusion de capital. En allongeant plus de 300 millions de dollars, le groupe dirigé par le milliardaire canadien Lawrence Stroll est venu à la rescousse, Stroll lui-même devenant alors chef de la direction. Les changements n'ont pas tardé, tandis que l'écurie de F1 Racing Point, contrôlée par Stroll, devenait Aston Martin Racing, l'ambition de Stroll étant de faire d'Aston Martin la Ferrari britannique.

Aston Martin jouit d'une renommée internationale qui dépasse largement la faible diffusion de ses modèles. Aston Martin, c'est la voiture de James Bond, et c'est aussi une histoire qui s'écrit depuis 1913, avec plusieurs victoires aux 24 Heures du Mans comme faits d'armes. Bref, il y a un capital intéressant à exploiter côté marketing, et c'est justement la grande force de Lawrence Stroll. Le lancement du VUS DBX est un jalon très important pour la marque, mais Aston Martin sera toujours l'emblème des sportives et des GT.

Avec les DBS et Vantage, la DB11 s'inscrit dans cette lignée avec ses variantes Coupé et Volante, toutes deux animées par un V8 biturbo venant de la division AMG de Mercedes-Benz. Sans oublier la DB11 AMR, mue par un V12 turbocompressé développé et construit par la marque britannique.

### UNE GUEULE D'ENFER

Le design de la carrosserie est l'une des grandes forces d'Aston Martin et la DB11 en est un bon exemple. Même si cette voiture a été lancée au Salon de l'auto de Genève en 2016, ses formes demeurent actuelles. La DB11 fait preuve d'un cachet «haute couture» avec un élément de carrosserie intégré aux ailes avant, ou encore «l'Aeroblade» déployé sur le couvercle du coffre. Les très belles jantes en alliage de 20 pouces sont chaussées de pneus Bridgestone Potenza marqués de l'inscription S007. Un clin d'œil à l'agent secret James Bond qui a souvent roulé au volant de bolides Aston Martin.

La marque anglaise est consciente que ses acheteurs veulent s'afficher au volant d'une voiture particulière. C'est pourquoi Aston Martin offre plus de cinquante couleurs de carrosserie en plus de proposer divers choix pour la couleur des étriers de frein, des ceintures de sécurité et des tapis. On ajoute à cela le programme de personnalisation *Q by Aston Martin*, ainsi nommé en hommage au personnage qui fabrique les innombrables gadgets

de James Bond. En y mettant le prix, il est possible de rouler à bord d'une DB11 unique au monde.

Si la carrosserie n'a pas pris une ride depuis 2016, on ne peut pas en dire autant de l'habitacle, dont le système d'infodivertissement appartient à une lointaine époque. La DB11 est dépourvue des fonctionnalités Apple CarPlay et Android Auto, lesquelles combleraient l'écart avec ses rivales plus actuelles. Les sièges avant sont très confortables, mais les places arrière ne sont que symboliques et le volume du coffre n'est que de 280 litres, ce qui force à voyager léger.

### DES LIAISONS AU SOL BIEN CALIBRÉES
Au volant de la DB11 sur les routes du Québec, on est frappé par le comportement routier de cette GT qui s'accommode fort bien des inégalités de la chaussée. En fait, on s'aperçoit rapidement que les liaisons au sol adoptent des calibrations plutôt souples, ce qui aide au confort de roulement.

Étonnamment, la DB11 fait quand même preuve d'une belle adhérence en virage. Il est également possible de passer à des calibrations plus fermes en appuyant sur un bouton de commande localisé sur la branche gauche du volant, alors que le bouton de droite permet de paramétrer la réponse de la motorisation.

Le V8 biturbo AMG convient parfaitement à la DB11. Fort de 503 chevaux et de 498 lb-pi de couple, ce moteur permet à la DB11 de faire le sprint jusqu'à 100 km/h en un peu moins de quatre secondes avec une sonorité exceptionnelle en prime. Et si vous voulez plus, les 630 chevaux déballés par le V12 de la version AMR devraient suffire!

Le lien avec Mercedes-AMG est d'une importance capitale pour l'avenir d'Aston Martin qui est, somme toute, un petit constructeur ne disposant pas des ressources techniques et financières du géant allemand. Ce lien crucial explique aussi pourquoi Aston Martin a recruté Tobias Moers, ex-président de la division AMG, comme chef de sa direction. Moers a une connaissance intime de la technologie, actuelle et à venir, développée par la division de performance de Mercedes-Benz. Aucun doute, Aston Martin est entre bonnes mains!

**Données principales**

| | | |
|---|---|---|
| Emp. / lon. / lar. / haut. | **Coupé -** | 2 805 / 4 750 / 1 950 / 1 290 mm |
| | **Volante -** | 2 805 / 4 750 / 1 950 / 1 300 mm |
| Coffre / réservoir | | 280 litres / 80 litres |
| Nombre de passagers | | 2+2 |
| Suspension av. / arr. | | ind., double triangulation / ind., multibras |
| Pneus avant / arrière | | P255/40ZR20 / P295/35ZR20 |
| Poids / Capacité de remorquage | **Coupé -** | 1 760 kg / non recommandé |
| | **Volante -** | 1 870 kg / non recommandé |

**Composantes mécaniques**

**COUPÉ/VOLANTE**

| | |
|---|---|
| Cylindrée, alim. | V8 4,0 litres turbo |
| Puissance / Couple | 503 ch / 498 lb-pi |
| Tr. base (opt) / Rouage base (opt) | A8 / Prop |
| 0-100 / 80-120 / V. max | 3,9 s (c) / n.d. / 300 km/h (c) |
| Type / ville / route / $CO_2$ | Sup / 13,0 / 9,8 / 271 g/km |

**AMR**

| | |
|---|---|
| Cylindrée, alim. | V12 5,2 litres turbo |
| Puissance / Couple | 630 ch / 516 lb-pi |
| Tr. base (opt) / Rouage base (opt) | A8 / Prop |
| 0-100 / 80-120 / V. max | 3,7 s (c) / n.d. / 334 km/h (c) |
| Type / ville / route / $CO_2$ | Sup / 15,5 / 10,6 / 312 g/km |

+ Style réussi et intemporel • Performances relevées • Très bon niveau de confort • Qualité de finition

− Prix élevé • Système multimédia désuet • Entretien coûteux • Valeur de revente

Photos : Aston Martin

| | Prix : 388 000 $ à 410 000 $ (estimé) | **Ventes** |
|---|---|---|
| | Transport et prép. : 3 980 $ | Québec 2020 |
| | Catégorie : Exotiques | n.d. |
| | Garanties : 3/ill, 3/ill | |
| | Assemblage : Royaume-Uni | |

| | Coupé | Volante | Canada 2020 |
|---|---|---|---|
| **PDSF** | 388 000 $ | 410 000 $ | n.d. |
| **Loc.** | n.d. | n.d. | |
| **Fin.** | 8 485 $ • 4,90 % | 8 961 $ • 4,90 % | |

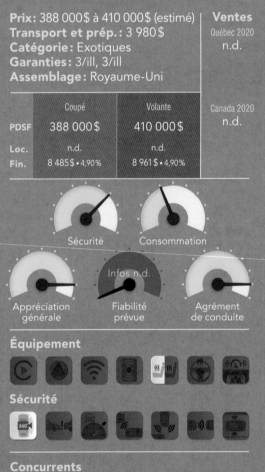

Sécurité — Consommation

Infos n.d.

Appréciation générale — Fiabilité prévue — Agrément de conduite

**Équipement**

**Sécurité**

**Concurrents**
Ferrari 812 Superfast, Lamborghini Aventador, McLaren 720S

**Nouveau en 2022**
Aucun changement majeur, édition spéciale à venir.

# L'idylle de James Bond

Jean-François Guay

L'histoire d'amour entre Aston Martin et James Bond se poursuit dans le 25e opus de la série intitulé *Mourir peut attendre* (*No Time to die*). Ce film met en vedette cinq voitures emblématiques d'Aston Martin : la DB5, la V8, la dernière Super GT et la DBS Superleggera, sans oublier la prochaine hypercar à moteur central baptisée Valhalla. Pour sa part, la DBS en sera à sa quatrième aventure avec l'agent 007, tout juste derrière l'amour de sa vie, la légendaire DB5, qui compte au moins sept apparitions à ses côtés, au grand écran.

Trois générations de DBS se sont succédées de 1967 à aujourd'hui. La première a roulé sa bosse de 1967 à 1972. Puis, après une longue sabbatique, elle a repris du service en 2007 jusqu'en 2012. Finalement, le modèle actuel a été dévoilé en 2019. À noter que la deuxième et la troisième génération de la DBS ont joué à la chaise musicale avec la célèbre Vanquish. En effet, cette dernière a été produite de 2001 à 2007 et de 2012 à 2018. De son côté, la Vanquish a été la vedette d'un seul film de James Bond, *Meurs un autre jour*, en 2002. À l'époque, la Vanquish marquait une réconciliation entre Aston Martin et James Bond à la suite d'une rupture pendant laquelle il avait flirté avec BMW (Z3, 750iL et Z8) pendant trois épisodes de la saga.

### UNE CALANDRE UNIQUE
À l'instar de la Vanquish, la DBS Superleggera règne au sommet de la gamme en étant la voiture la plus puissante et la plus chère du constructeur britannique. De plus, la carrosserie tout en muscles affiche la calandre la plus expressive de la marque, qui ne laisse planer aucun doute sur son caractère brutal. En comparaison, les lignes de ses sœurs DB11 et Vantage sont plus fluides avec une calandre plutôt effacée. Pourtant, la marque de commerce d'Aston Martin n'est-elle pas le design distinctif de sa calandre ? Les designers auraient peut-être avantage à retourner à leur table à dessin pour éviter de dénaturer le style classique et l'héritage de cette marque centenaire, et ce, afin de mieux se distinguer de Ferrari et Lamborghini.

Pour faire un clin d'œil à ses rivales de Maranello et Sant'Agata, la DBS utilise le qualificatif Superleggera, qui signifie « super léger » en italien. Cela dit, cette voiture grand tourisme est loin d'être légère. Proposée sous la forme d'un coupé et d'un cabriolet, la DBS Superleggera pèse de 1 845 à 1 863 kg alors que la Ferrari 812 Superfast et la Lamborghini Aventador

affichent respectivement 1 630 et 1 575 kg sur la balance (selon la déclinaison et l'équipement). Il va sans dire que la DBS Superleggera n'est pas en mesure de coller au pare-chocs arrière de ces *macchina da corsa* sur une piste de Formule 1. Et encore moins de suivre le postérieur de sa compatriote McLaren 720S, dont la masse se situe à 1 419 kg.

## UN MOTEUR FANTASMAGORIQUE

Le surplus de poids de la DBS Superlegerra est dû en partie à son V12 biturbo de 5,2 litres fait à la main, une espèce en voie de disparition. Boulonnée à l'avant sous un long capot sculpté, cette pièce d'orfèvrerie à la sonorité inimitable produit une puissance de 715 chevaux à 6 500 tr/min et un couple de 664 lb-pi à 1 800 tr/min. Pour mettre à profit la souplesse de ce moteur, on a arrimé celui-ci à une boîte automatique ZF programmable à huit rapports. Du reste, cette Aston Martin ne souffre d'aucun complexe d'infériorité en passant de 0 à 100 km/h en 3,4 secondes avec une vitesse de pointe de 340 km/h.

Somme toute, les adjectifs Superfast ou Superveloce pour « super rapide » siéraient mieux à la DBS, mais ces noms sont déjà utilisés par Ferrari et Lamborghini. En contrepartie, l'épithète Super Elegante pour « super élégante » lui irait comme un gant quand on prend place dans l'habitacle.

À l'instar de la carrosserie, l'aménagement intérieur adopte un style traditionnel. Néanmoins, on retrouve tout de même des technologies embarquées, comme un écran TFT de 12 pouces pour l'instrumentation et un écran de 8 pouces pour l'infodivertissement. Pour naviguer dans les différents menus, le système fonctionne par commande vocale ou pavé tactile.

Certes, le décor ne s'avère pas aussi chic et moderne que celui de la Bentley Continental GT, mais la texture des matériaux est aussi qualitative. D'ailleurs, le confort déclasse celui de ses rivales italiennes et l'on peut parier que sa silhouette se démodera moins rapidement. Sceptique ? Comparez une Ferrari 575 M ou une Lamborghini Murciélago du début des années 2000 à une Vanquish de la même époque et vous serez confondu...

### Données principales

| Emp. / lon. / lar. / haut. | **Coupé** - 2 805 / 4 712 / 1 968 / 1 280 mm |
|---|---|
| | **Volante** - 2 805 / 4 712 / 1 968 / 1 295 mm |
| Coffre / réservoir | n.d. / 78 litres |
| Nombre de passagers | 2+2 |
| Suspension av. / arr. | ind., double triangulation / ind., multibras |
| Pneus avant / arrière | P265/35R21 / P305/30R21 |
| Poids / Capacité de remorquage | **Coupé** - 1 845 kg / non recommandé |
| | **Volante** - 1 863 kg / non recommandé |

### Composantes mécaniques

| Cylindrée, alim. | V12 5,2 litres turbo |
|---|---|
| Puissance / Couple | 715 ch / 664 lb-pi |
| Tr. base (opt) / Rouage base (opt) | A8 / Prop |
| 0-100 / 80-120 / V. max | 3,4 s (c) / 2,0 s (c) / 340 km/h (c) |
| Type / ville / route / $CO_2$ | Sup / 16,4 / 10,7 / 324 g/km |

**+** Silhouette indémodable • Moteur V12 unique • Habitacle 2+2 • Options de personnalisation

**—** Consommation élevée • Direction lourde en ville • Habitacle un peu kitch • Prix astronomique

Photos : Aston Martin

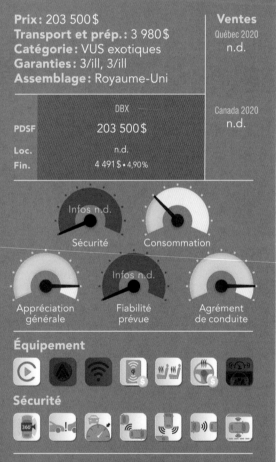

**Prix :** 203 500 $
**Transport et prép. :** 3 980 $
**Catégorie :** VUS exotiques
**Garanties :** 3/ill, 3/ill
**Assemblage :** Royaume-Uni

**Ventes**
Québec 2020
n.d.

|  | DBX | Canada 2020 |
|---|---|---|
| **PDSF** | 203 500 $ | n.d. |
| **Loc.** | n.d. |  |
| **Fin.** | 4 491 $ • 4,90% |  |

Infos n.d.
Sécurité · Consommation

Appréciation générale · Fiabilité prévue · Agrément de conduite · Infos n.d.

## Équipement

## Sécurité

## Concurrents

Bentley Bentayga, Lamborghini Urus, Mercedes-Benz Classe G, Rolls-Royce Cullinan

## Nouveau en 2022

Roues de 23 pouces disponibles, nouveaux sièges Sports Plus, recharge sans fil intégrée au système multimédia.

# Un sauveur flamboyant

Marc Lachapelle

**Q**ue les amoureux d'Aston Martin se rassurent. Cette noble marque britannique plus que centenaire est restée parfaitement fidèle à ses principes et valeurs en créant son tout premier utilitaire sport. En premier lieu, le svelte DBX est sans doute le plus élégant et original des VUS de luxe, y compris à l'intérieur. Il est également l'un des moins lourds et probablement le plus agile de tous. Il lui reste à gagner en puissance et à se doter d'une interface multimédia et de commandes plus modernes, tout en confirmant sa qualité et sa fiabilité. Les paris sont ouverts.

Le DBX est déjà exotique par sa carrosserie tout en aluminium et en matériaux composites qui enveloppe une structure faite de caissons et moulages d'aluminium collés, comme sa sœur, la Vantage. Sa silhouette est purement Aston Martin, marquée par un profil aux lignes fluides qui le fait paraître plutôt compact alors qu'il est plus long qu'un Range Rover de près de 4 cm. La partie avant évoque celles des légendaires DB4 et DB5 par la rondeur de ses ailes et des phares oblongs qui bordent une calandre Aston Martin classique à lames chromées, cintrée vers le haut.

À l'arrière, l'arête fortement relevée du hayon rappelle l'aileron de la Vantage actuelle tandis que les grandes jantes d'alliage de 22 pouces emplissent bien les passages de roue sous des ailes bien galbées. Chose certaine, les têtes se tournent et les pouces se lèvent abondamment sur son passage. La calandre unique et le nom Aston Martin sur le hayon, tout en majuscules et surplombé de l'écusson ailé, y sont assurément pour quelque chose aussi.

### CABINE CHIC ET PRATIQUE

L'accès aux places avant est facile et les sièges, partagés avec la DB11, sont confortables et bien sculptés. La position de conduite est sans faille, repose-pied inclus. La visibilité vers l'avant et les côtés est excellente grâce à des montants étroits et des rétroviseurs bien détachés. Le coup d'œil de trois quarts arrière est plus opaque à cause de montants larges et d'une ceinture de caisse haute. L'accès arrière est sans histoire et les places extérieures, très correctes. La soute à bagages est vaste et l'on double son volume en repliant le dossier arrière en sections 40/20/40.

Tableau de bord et volant sont résolument classiques et drapés de cuir fin, comme l'habitacle entier, ou presque. Le DBX mis à l'essai affichait un

pavillon tapissé d'un Alcantara remarquablement fin. Un écran numérique de 12,3 pouces, logé dans la nacelle du conducteur, présente un tableau de données niché entre deux cadrans ronds. Deux de ces éléments ont des affichages permutables et les anneaux des cadrans virent au rouge lorsque le mode Sport+ est sélectionné.

L'écran central de 10,25 pouces est clair, mais pas tactile puisque l'interface obtenue du partenaire Mercedes a précédé la MBUX actuelle. On le parcourt à l'aide d'une molette et d'une paire de touches sur la console. Vivement une mise à niveau ! Le DBX hérite aussi d'une molette au volant au lieu de touches à la console pour choisir un des six modes de conduite. Qu'on change aussi les boutons de la boîte automatique, alignés au sommet de la planche de bord, parce qu'ils sont trop éloignés et qu'il faut regarder pour viser le bon.

## AGILE ET FÉROCE À VOLONTÉ

Le DBX est animé par un V8 biturbo AMG de 4 litres qui produit 542 chevaux et le propulse à 100 km/h en 5,02 secondes, sans mode départ-canon. Il mérite nettement plus de muscle. On se console, cependant, avec la sonorité furieuse et rauque de l'échappement optionnel en pleine accélération, en mode Sport+.

Le différentiel central peut transmettre de 53 à 100 % du couple au différentiel autobloquant électronique arrière qui le répartit, à son tour, entre les deux roues qu'il contrôle. La suspension pneumatique soulève le DBX de 2 cm en mode Terrain et de 2,5 cm additionnels en Terrain+. Elle l'abaisse de 5 cm pour faciliter l'accès et s'ajuste au mode de conduite activé, comme le système antiroulis électronique ZF. Le roulement est bien filtré sur chaussée bosselée et fissurée. Le train avant est merveilleusement linéaire, la tenue de cap, nette, et la direction, précise et tactile, quel que soit le rythme.

Passez au mode Sport+, qui raffermit tout et désactive l'antidérapage, et le DBX devient aussitôt joyeusement féroce. Il s'accroche en courbe avec un roulis minime ou nul, sans le moindre sous-virage jusqu'à la toute limite de ses larges pneus. Il pivote alors et survire ensuite à l'accélérateur, de manière entièrement prévisible et diablement efficace. Si tel est votre bon plaisir.

Bien belle bête que cet Aston Martin DBX, dont les manières sont excellentes en conduite mesurée, peu importe la surface, et carrément réjouissantes si on insiste un peu. Il mérite assurément les mutations qu'on lui promet.

| **+** | **−** |
|---|---|
| Silhouette splendide et unique • Habitacle confortable et opulent • Tenue de route exceptionnelle • Mécanique féroce en mode Sport + | Interface multimédia plutôt archaïque • Sélecteurs de modes et de vitesses fastidieux • Freinage trop sec en amorce |

| Données principales | |
|---|---|
| Emp. / lon. / lar. / haut. | 3 060 / 5 039 / 1 998 / 1 680 mm |
| Coffre / réservoir | 632 litres / 85 litres |
| Nombre de passagers | 5 |
| Suspension av. / arr. | ind., pneumatique, double triangulation / ind., pneumatique, multibras |
| Pneus avant / arrière | P285/40R22 / P325/35R22 |
| Poids / Capacité de remorquage | 2 245 kg / 2 700 kg (5 950 lb) |

| Composantes mécaniques | |
|---|---|
| Cylindrée, alim. | V8 4,0 litres turbo |
| Puissance / Couple | 542 ch / 516 lb-pi |
| Tr. base (opt) / Rouage base (opt) | A9 / Int |
| 0-100 / 80-120 / V. max | 5,0 s (m) / 3,2 s (m) / 291 km/h (c) |
| 100-0 km/h | 35,7 m (m) |
| Type / ville / route / $CO_2$ | Sup / 17,1 / 12,8 / 357 g/km |

# ASTON MARTIN **VANTAGE**

★★★☆ COTE DU **GUIDE**

**Prix:** 175 945 $ à 222 000 $ (estimé)
**Transport et prép.:** 3 980 $
**Catégorie:** Exotiques
**Garanties:** 3/ill, 3/ill
**Assemblage:** Royaume-Uni

| | Coupé | Roadster | AMR |
|---|---|---|---|
| **PDSF** | 175 945 $ | 183 000 $ | 222 000 $ |
| **Loc.** | n.d. | n.d. | n.d. |
| **Fin.** | 3 895 $ • 4,90% | 4 048 $ • 4,90% | 4 892 $ • 4,90% |

**Ventes**
Québec 2020
n.d.

Canada 2020
n.d.

Sécurité · Consommation

Appréciation générale · Fiabilité prévue · Infos n.d. · Agrément de conduite

**Équipement**

**Sécurité**

**Concurrents**
Acura NSX, Audi R8, Chevrolet Corvette, Ferrari F8, McLaren GT, Porsche 911, Tesla Roadster

**Nouveau en 2022**
Versions F1 Edition, plus puissantes et raffinées

# Formule gagnante

Marc Lachapelle

**L**e retour de la noble marque Aston Martin en Formule 1, six décennies après un bref premier passage, se fait dans les meilleures conditions possibles. Appuyée sur des ressources financières et techniques sérieuses, l'équipe a d'excellentes chances de réussir, entraînant du même coup les voitures de série dans son sillage, sur une courbe ascendante. Et la série Vantage, qui vient de fêter ses 70 ans, est la première à en profiter de manière tout à fait concrète sous les traits des nouveaux modèles Vantage F1 Edition.

Quels que soient les premiers résultats en piste de l'équipe de F1, nouvellement baptisée Aston Martin Cognizant, on sent que la confiance, les moyens et le savoir-faire y sont déjà. C'est pareil pour la division automobile, pour des raisons très semblables. L'arrivée du milliardaire canadien (et québécois) Lawrence Stroll et ses partenaires comme investisseurs et son accession au titre de président du conseil pour Aston Martin Lagonda étaient providentielles, à plus d'un égard. Entre autres parce qu'il est convaincu, de toute évidence, que la course peut contribuer au succès des voitures (et du VUS) de la marque, et vice-versa.

**UNE RECRUE DE GRAND CALIBRE**
Un des premiers gestes officiels de Stroll le prouve d'ailleurs avec éloquence. Il a effectivement su convaincre le brillant ingénieur et gestionnaire Tobias Moers, qui dirigeait depuis plusieurs années la légendaire division de performance AMG chez Mercedes-Benz, d'accepter le poste de grand patron chez Aston Martin Lagonda. Il faut savoir que le doyen des constructeurs automobiles détient une participation croissante dans le groupe britannique et lui fournit diverses composantes depuis belle lurette.

Il n'est certainement pas anodin de noter qu'un des premiers projets réalisés par Moers fut de piloter la transformation de la Vantage en voiture de tête officielle pour les Grands Prix de Formule 1. Le résultat fut assez probant pour que le nouveau patron décide aussitôt d'en tirer de nouveaux modèles de série, les Vantage F1 Edition, qui seront déclinées en versions coupé et décapotable. La quasi-totalité des modifications apportées pour la conduite sur les circuits a d'ailleurs été reprise sur ces versions inédites, dont les premiers exemplaires sont promis pour l'automne 2021.

## DES LAMES MIEUX AIGUISÉES

Le choix de la Vantage pour ce rôle important en F1 allait de soi. Construite sur une version raccourcie de la structure en aluminium qui sous-tend les DB11, elle est effectivement la plus légère, la plus agile et la plus sportive des Aston Martin. Si, bien sûr, on fait abstraction des hypersportives One-77, Valkyrie, Vulcan et semblables, fabriquées en très petit nombre et vendues pour quelques millions chacune.

Il était crucial que la Vantage puisse tenir un rythme plus soutenu sur les circuits pour permettre aux F1 qui la suivent de maintenir leurs pneus en température. Parlons d'abord moteur, puisque les Vantage sont animées par un groupe Mercedes-AMG, comme les monoplaces de l'équipe Aston Martin F1. La puissance du V8 biturbo de 4 litres passe ainsi de 503 à 527 chevaux. La boîte automatique à 8 rapports a été modifiée pour des passages plus rapides et précis. Les chronos de 3,6 secondes pour le coupé et 3,7 secondes pour le roadster, de 0 à 100 km/h, sont respectables.

Pour affiner la direction et favoriser l'agilité, la partie avant du châssis a été renforcée, les amortisseurs retouchés et les ressorts raffermis. Les pneus plus bas et larges, de taille 255/35ZR21 à l'avant et 295/30ZR21 à l'arrière, sont montés sur les premières jantes de 21 pouces pour des Vantage. Une grande lame et des ailettes à l'avant, des canaux sous la voiture et un grand aileron arrière produisent une déportance additionnelle de 200 kg pour mieux plaquer ces F1 Edition à la chaussée.

## ROBES SUR MESURE

Les Vantage F1 Edition se distinguent également de leurs sœurs par les lamelles de leur calandre, des moulures en fibre de carbone, deux paires d'embouts d'échappement et trois couleurs de carrosserie lustrées ou mates. Y compris le vert unique que portent les F1 de l'équipe et la voiture de tête. Pour l'habitacle, on choisit entre une sellerie et des garnitures en cuir noir ou en alcantara gris, avec des bandes et des surpiqûres vert lime, noires, grises ou rouges.

Pour que ses Vantage F1 Edition puissent défier encore mieux leurs rivales les plus sérieuses, Tobias Moers devrait convaincre ses partenaires allemands de partager les trucs et recettes qui font grimper la puissance du même excellent V8 de 4 litres à 550, 577 et 720 chevaux sous le capot de certaines de leurs autos sport. Mercedes-Benz partage bien ses groupes propulseurs avec d'autres équipes en F1, après tout. Parions que toutes les Vantage seront bientôt plus puissantes, de toute manière. Notoriété F1 oblige.

### Données principales

| | | |
|---|---|---|
| Emp. / lon. / lar. / haut. | | 2 704 / 4 465 / 1 942 / 1 273 mm |
| | **F1 Edition** - 2 704 / 4 490 / 1 942 / 1 274 mm | |
| Coffre / réservoir | **Coupé** - 350 litres / 73 litres | |
| | **Roadster** - 200 litres / 73 litres | |
| Nombre de passagers | | 2 |
| Suspension av. / arr. | ind., double triangulation / ind., multibras | |
| Pneus avant / arrière | P255/40R20 / P295/35R20 | |
| Poids / Capacité de remorquage | **Coupé** - 1 568 kg / non recommandé | |
| | **Roadster** - 1 628 kg / non recommandé | |

### Composantes mécaniques

**VANTAGE**

| | |
|---|---|
| Cylindrée, alim. | V8 4,0 litres turbo |
| Puissance / Couple | 503 ch / 505 lb-pi |
| Tr. base (opt) / Rouage base (opt) | A8 / Prop |
| 0-100 / 80-120 / V. max | 3,6 s (c) / n.d. / 314 km/h (c) |
| Type / ville / route / CO2 | Sup / 13,1 / 9,6 / 270 g/km |

**F1 EDITION**

| | |
|---|---|
| Cylindrée, alim. | V8 4,0 litres turbo |
| Puissance / Couple | 527 ch / 505 lb-pi |
| Tr. base (opt) / Rouage base (opt) | A8 / Prop |
| 0-100 / 80-120 / V. max | 3,6 s (c) / n.d. / 314 km/h (c) |
| Type / ville / route / CO2 | Sup / 13,5 / 9,7 / 277 g/km |

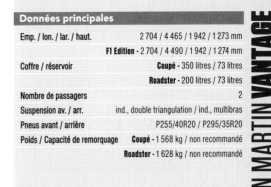

+ Silhouettes spectaculaires • Performances et comportement • Caractère toujours unique • Sonorité en accélération

− Prix substantiel avec options • Certaines commandes banales • Visibilité arrière limitée • Habitacle peu spacieux

Photos : Aston Martin

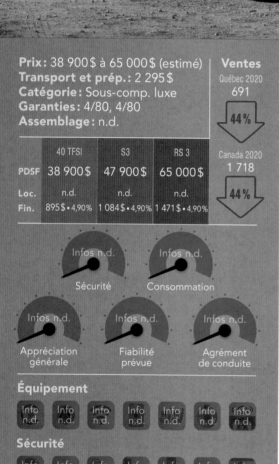

**Prix:** 38 900 $ à 65 000 $ (estimé)
**Transport et prép.:** 2 295 $
**Catégorie:** Sous-comp. luxe
**Garanties:** 4/80, 4/80
**Assemblage:** n.d.

**Ventes**
Québec 2020
**691**
⬇ 44 %

Canada 2020
**1 718**
⬇ 44 %

| | 40 TFSI | S3 | RS 3 |
|---|---|---|---|
| **PDSF** | 38 900 $ | 47 900 $ | 65 000 $ |
| **Loc.** | n.d. | n.d. | n.d. |
| **Fin.** | 895 $ • 4,90 % | 1 084 $ • 4,90 % | 1 471 $ • 4,90 % |

Infos n.d. — Sécurité
Infos n.d. — Consommation
Infos n.d. — Appréciation générale
Infos n.d. — Fiabilité prévue
Infos n.d. — Agrément de conduite

**Équipement**
Info n.d. Info n.d. Info n.d. Info n.d. Info n.d. Info n.d. Info n.d.

**Sécurité**
Info n.d. Info n.d. Info n.d. Info n.d. Info n.d. Info n.d. Info n.d.

**Concurrents**
Acura ILX, BMW Série 2, Cadillac CT4,
Mercedes-Benz CLA/Classe A,
MINI 3 Portes/5 Portes

**Nouveau en 2022**
Arrivée de la RS 3 en cours d'année 2022.

# Pour tous les goûts

Gabriel Gélinas

Lancée en cours d'année 2021, l'Audi A3 de quatrième génération a depuis été rejointe par la variante S3 plus typée. De son côté, la délirante RS 3 est en approche pour 2022 avec son fabuleux moteur cinq cylindres et son nouveau dispositif *Torque Splitter* qui permet, entre autres, de faire dériver à souhait la petite compacte sport. Présent sur plusieurs marchés internationaux en configuration *Sportback* à cinq portes, le trio composé des A3, S3 et RS 3 ne sera toutefois disponible qu'en configuration de berline conventionnelle pour le Canada.

Élaborée sur la plateforme MQB partagée avec la Volkswagen Golf de huitième génération, l'A3 présente un look nettement plus affirmé que celui du modèle antérieur avec sa calandre *Singleframe* et la découpe de ses flancs. On remarque également que l'emblème de la marque figure sur la partie inférieure des portes arrière. Son habitacle fait la part belle aux écrans qui sont au nombre de deux, le cockpit virtuel paramétrable faisant partie de la dotation de série. Pour la première fois, la motorisation de l'A3 est dotée d'un système d'hybridation légère avec système électrique de 48 volts, lequel permet à la voiture de rouler en roue libre à vitesse de croisière afin de bonifier la consommation de carburant sur autoroute.

**UNE COCHE AU-DESSUS**
Plus sportive, la S3 présente une caisse abaissée de 15 mm par rapport à l'A3, et elle se démarque, entre autres, par la présence d'insertions en aluminium dans sa calandre ainsi que par ses quatre tuyères d'échappement. Grâce à une pression de suralimentation portée à 1,8 bar et à l'ajout d'un échangeur de chaleur, le moteur quatre cylindres turbocompressé de 2 litres développe 306 chevaux et 295 lb-pi de couple.

Cela rend la S3 capable d'abattre le 0 à 100 km/h en 4,8 secondes. La direction électromécanique de la S3 est progressive, ce qui signifie que l'assistance varie en fonction de la vitesse. Aussi, le système de contrôle électronique de stabilité commande le freinage sélectif des roues de façon à bonifier l'agilité en conduite sportive.

**LA TOTALE**
La RS 3 trône au sommet de la pyramide et se démarque de la S3 par ses sorties d'air verticales à la jonction des ailes avant et des portières, ainsi

que ses bas de caisse de couleur noire et ses jantes en alliage RS de 19 pouces à cinq rayons en forme de Y. Son moteur atypique à 5 cylindres en ligne turbocompressé développe toujours 394 chevaux, comme sur le modèle antérieur, mais le couple est porté à 369 lb-pi, ce qui chiffre le 0 à 100 km/h à 3,8 secondes seulement. La caisse de la RS 3 est abaissée de 10 mm par rapport à la S3, et les liaisons au sol sont assurées par une suspension de type McPherson avec éléments renforcés à l'avant. La suspension arrière, de type multibras, a été modifiée afin d'ajouter le nouveau dispositif *Torque Splitter*, l'as dans la manche de cette nouvelle RS 3.

En clair, ce dispositif s'avère essentiellement un différentiel qui répartit le couple moteur entre chacune des roues arrière de manière entièrement variable, et la RS 3 est le premier modèle de la marque à en être équipé. Contrairement au différentiel arrière à embrayage multidisque du modèle antérieur qui était positionné sur l'arbre d'entrée, ce nouveau différentiel sport arrière utilise un embrayage multidisque contrôlé électroniquement sur chaque arbre de sortie de roues. La sélection du mode de conduite RS Performance fait en sorte que ce tout récent différentiel sport augmente le couple vers la roue arrière extérieure, ce qui réduit considérablement la tendance au sous-virage.

Dans les virages à gauche, il transmet le couple à la roue arrière droite, dans les virages à droite, à la roue arrière gauche, et en ligne droite, aux deux roues. Le résultat : la stabilité en virages rapides est augmentée de même que l'agilité dans les virages plus lents. Comme la répartition du couple est gérée électroniquement, cela fait également en sorte que les ingénieurs ont pu créer un mode *RS Torque Rear*. Ce dernier permet d'envoyer tout le couple à la seule roue extérieure en virages, transformant ainsi la RS 3 en véritable machine de *drift* simplement en appuyant sur une touche. Frissons garantis.

La planche de bord de la RS 3 est réalisée en carbone, et le volant sport à trois branches avec partie inférieure à l'horizontale confère un style *cockpit* à l'habitacle. Plusieurs couleurs de carrosserie sont au programme, dont deux nouvelles. Le vert Kyalami inauguré sur la TT RS et le gris Kemora, déjà vu sur la R8. Voilà donc une gamme complète offrant trois caractères distincts qui est proposée par l'A3, et notre seul regret est que la configuration *Sportback* à cinq portes ne soit toujours pas disponible au Canada.

## Données principales

| | |
|---|---|
| Emp. / lon. / lar. / haut. | 2 636 / 4 495 / 1 816 / 1 425 mm |
| Coffre / réservoir | **A3** - 390 litres / 55 litres |
| | **S3** - 325 litres / 55 litres |
| Nombre de passagers | 5 |
| Suspension av. / arr. | ind., jambes force / ind., multibras |
| Pneus avant / arrière | P225/40R18 / P225/40R18 |
| Poids / Capacité de remorquage | 1 540 kg / non recommandé |

## Composantes mécaniques

**40 TFSI**

| | |
|---|---|
| Cylindrée, alim. | 4L 2,0 litres turbo |
| Puissance / Couple | 201 ch / 221 lb-pi |
| Tr. base (opt) / Rouage base (opt) | A7 / Int |
| 0-100 / 80-120 / V. max | 6,8 s (est) / n.d. / 209 km/h (est) |
| Type / ville / route / CO$_2$ | Sup / 8,9 / 6,8 / 185 g/km (est) |

**S3**

| | |
|---|---|
| Cylindrée, alim. | 4L 2,0 litres turbo |
| Puissance / Couple | 306 ch / 295 lb-pi |
| Tr. base (opt) / Rouage base (opt) | A7 / Int |
| 0-100 / 80-120 / V. max | 4,8 s (c) / n.d. / 250 km/h (c) |
| Type / ville / route / CO$_2$ | Sup / 9,9 / 7,8 / 207 g/km (est) |

**RS 3**

| | |
|---|---|
| Cylindrée, alim. | 5L 2,5 litres turbo |
| Puissance / Couple | 394 ch / 369 lb-pi |
| Tr. base (opt) / Rouage base (opt) | A7 / Int |
| 0-100 / 80-120 / V. max | 3,8 s (c) / n.d. / 290 km/h (c) |
| Type / ville / route / CO$_2$ | Sup / 11,8 / 8,2 / 235 g/km (est) |

**+** Rouage intégral performant • Qualité d'assemblage et de finition • Performances délirantes (RS 3)

**−** Prix élevés • Tarif des options • Version *Sportback* non disponible au Canada

Photos: Audi

AUDI A4

MEILLEUR ACHAT DE SA CATÉGORIE

**Prix :** 43 100 $ à 87 400 $ (2021)
**Transport et prép. :** 2 295 $
**Catégorie :** Compactes de luxe
**Garanties :** 4/80, 4/80
**Assemblage :** Allemagne

**Ventes\***
Québec 2020
**770**
⬇ 41 %

Canada 2020
**2 230**
⬇ 43 %

| | A4 Komfort 40 | Allroad Technik | RS 5 Sportback |
|---|---|---|---|
| **PDSF** | 43 100 $ | 58 200 $ | 87 400 $ |
| **Loc.** | 708 $ • 2,98 % | 948 $ • 2,98 % | 1 469 $ • 3,98 % |
| **Fin.** | 905 $ • 1,48 % | 1 221 $ • 1,98 % | 1 873 $ • 2,98 % |

Sécurité    Consommation

Appréciation générale    Fiabilité prévue    Agrément de conduite

**Équipement**

**Sécurité**

**Concurrents**

Acura TLX, Alfa Romeo Giulia,
BMW Série 3/Série 4, Cadillac CT5,
Genesis G70, Infiniti Q50/Q60, Lexus IS/RC,
Mercedes-Benz Classe C, Polestar 2,
Tesla Model 3, Volvo S60/V60

**Nouveau en 2022**

Aucun changement majeur annoncé
au moment de mettre sous presse.

# Encore plus talentueuses

Antoine Joubert

En 2020, l'A4 était pratiquement deux fois moins populaire que ses rivales chez BMW et Mercedes-Benz. Les ventes en chute libre de cette berline s'expliquent, bien sûr, par l'intérêt grandissant pour les VUS, mais aussi pour l'A5 Sportback, sa jumelle, en quelque sorte. Cette dernière, plus polyvalente, parce que dotée d'un hayon, séduit par une robe peut-être un peu moins classique.

À équipement égal, il faudra toutefois allonger près de 5 000 $ supplémentaires afin de mettre la main sur une A5 Sportback, ce qui est, entre vous et moi, très cher payé pour un hayon. Or, les ventes d'A5 / S5 / RS 5, plus élevées que celles des modèles A4 / S4, nous prouvent que les gens sont prêts à débourser pour un coup de cœur ou un véhicule exclusif, qui le devient de moins en moins.

**UNE GRANDE FAMILLE**

Berline, berline à hayon, familiale, coupé et cabriolets sont disponibles en différentes déclinaisons avec un choix total de quatre motorisations, de quoi satisfaire les désirs de tous, à l'exception de ceux en quête d'une hybride ou d'une électrique. Voilà un territoire sur lequel les A4 et A5 ne s'aventurent pas encore, bien que BMW et Mercedes-Benz y soient présents.

Le recarrossage partiel effectué en 2021 a fait le plus grand bien. Même dans sa version Komfort régulière, l'A4 a bonne mine et ne semble avoir pris aucune ride. Elle n'a évidemment pas la fougue et le muscle d'une RS 5 aux ailes élargies et aux échappements gonflés, sans pour autant faire pâle figure aux côtés de ses plus proches rivales.

Vous craignez de manquer d'espace avec l'A4 et préférez la polyvalence de l'A5 Sportback ? Voilà qui se comprend, considérant son volume de coffre de 30 % supérieur doublé de l'avantage d'un hayon et de sa grande ouverture. Or, si ce n'est toujours pas assez, peut-être voudriez-vous considérer l'Allroad, seule déclinaison familiale de la gamme. Il s'agit d'une voiture sensationnelle, extrêmement bien adaptée à nos conditions routières en raison de sa suspension rehaussée, et dont le volume de chargement est deux fois plus important que celui de la berline, étant nez à nez avec celui du Q5.

## DU MOTEUR!

Tous offerts de série avec le rouage intégral Quattro, les véhicules de la gamme A4 / A5 proposent un choix de deux motorisations. D'abord, un 2 litres turbocompressé de 201 chevaux, unique à l'A4 Komfort, permettant d'abaisser le prix à environ 43 000 $. Vous serez toutefois beaucoup plus impressionné par la seconde déclinaison de ce moteur, qui passe à 261 chevaux, ce qui permet de rejoindre la compétition en matière de puissance. Cette mécanique est si nerveuse et agréable qu'elle pourrait vous faire hésiter à faire le saut vers un modèle S4 / S5. Bien sûr, ces modèles sont nettement plus performants et proposent une expérience de conduite plus exotique, néanmoins vous n'aurez jamais le sentiment de manquer de puissance avec le plus puissant des 2 litres.

Passez à la S4 / S5 et vous aurez ainsi droit à l'une des plus belles mécaniques jamais créées par Audi. Vous obtenez un V6 biturbo dont la puissance est linéaire et qui demeure tout aussi agréable en utilisation quotidienne que lorsque vous enclenchez le mode Dynamic, histoire de lâcher votre fou. Maintenant, ne faites pas l'erreur de mettre à l'essai une RS 5, si votre laisser-aller n'est pas clairement défini. En fait, la puissance est telle qu'elle devient addictive, au même titre que la sonorité. Sans compter que ces modèles vous permettront de vivre une expérience de conduite tout simplement hors de l'ordinaire. Le rouage intégral, la transmission, les éléments suspenseurs doublés d'intelligence électronique viennent transformer le véhicule en un athlète olympique, qui vous sert des prestations avec une grande facilité. Cette voiture est également exempte de craquements structuraux, la concurrence allemande ne pouvant pas en dire autant.

Affichant une finition irréprochable, l'habitacle de ces Audi offre l'avantage d'un environnement à la fois contemporain et d'une rare élégance. Depuis l'an dernier, l'adoption d'un nouveau système multimédia hautement convivial rend l'expérience encore plus agréable. Au centre se trouve donc un écran tactile de 10,1 pouces, extrêmement bien conçu et dont la qualité graphique comme la rapidité d'exécution se font quotidiennement apprécier.

Qu'importe le modèle sur lequel vous jetez votre dévolu, sachez que vous aurez droit à une voiture de grande qualité, et dont la fiabilité s'est aussi améliorée. Et si, en terminant, vous ciblez un modèle cabriolet, sachez alors qu'il démontre une plus grande rigidité structurelle que celle des Mercedes-Benz.

**+** Agrément de conduite remarquable • Nouveau moteur 2 litres performant (45 TFSI) • Nouveau système multimédia réussi

**−** Facture qui grimpe rapidement • Espace quelconque à l'arrière • À quand la RS 4 Avant au Canada?

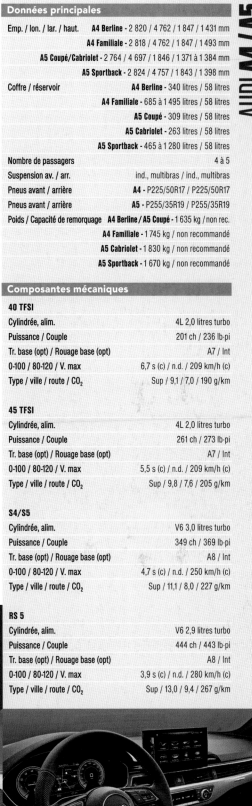

**AUDI A5**

### Données principales

| Emp. / lon. / lar. / haut. | A4 Berline - 2 820 / 4 762 / 1 847 / 1 431 mm |
| | A4 Familiale - 2 818 / 4 762 / 1 847 / 1 493 mm |
| | A5 Coupé/Cabriolet - 2 764 / 4 697 / 1 846 / 1 371 à 1 384 mm |
| | A5 Sportback - 2 824 / 4 757 / 1 843 / 1 398 mm |
| Coffre / réservoir | A4 Berline - 340 litres / 58 litres |
| | A4 Familiale - 685 à 1 495 litres / 58 litres |
| | A5 Coupé - 309 litres / 58 litres |
| | A5 Cabriolet - 263 litres / 58 litres |
| | A5 Sportback - 465 à 1 280 litres / 58 litres |
| Nombre de passagers | 4 à 5 |
| Suspension av. / arr. | ind., multibras / ind., multibras |
| Pneus avant / arrière | A4 - P225/50R17 / P225/50R17 |
| Pneus avant / arrière | A5 - P255/35R19 / P255/35R19 |
| Poids / Capacité de remorquage | A4 Berline / A5 Coupé - 1 635 kg / non rec. |
| | A4 Familiale - 1 745 kg / non recommandé |
| | A5 Cabriolet - 1 830 kg / non recommandé |
| | A5 Sportback - 1 670 kg / non recommandé |

### Composantes mécaniques

**40 TFSI**

| | |
|---|---|
| Cylindrée, alim. | 4L 2,0 litres turbo |
| Puissance / Couple | 201 ch / 236 lb-pi |
| Tr. base (opt) / Rouage base (opt) | A7 / Int |
| 0-100 / 80-120 / V. max | 6,7 s (c) / n.d. / 209 km/h (c) |
| Type / ville / route / $CO_2$ | Sup / 9,1 / 7,0 / 190 g/km |

**45 TFSI**

| | |
|---|---|
| Cylindrée, alim. | 4L 2,0 litres turbo |
| Puissance / Couple | 261 ch / 273 lb-pi |
| Tr. base (opt) / Rouage base (opt) | A7 / Int |
| 0-100 / 80-120 / V. max | 5,5 s (c) / n.d. / 209 km/h (c) |
| Type / ville / route / $CO_2$ | Sup / 9,8 / 7,6 / 205 g/km |

**S4/S5**

| | |
|---|---|
| Cylindrée, alim. | V6 3,0 litres turbo |
| Puissance / Couple | 349 ch / 369 lb-pi |
| Tr. base (opt) / Rouage base (opt) | A8 / Int |
| 0-100 / 80-120 / V. max | 4,7 s (c) / n.d. / 250 km/h (c) |
| Type / ville / route / $CO_2$ | Sup / 11,1 / 8,0 / 227 g/km |

**RS 5**

| | |
|---|---|
| Cylindrée, alim. | V6 2,9 litres turbo |
| Puissance / Couple | 444 ch / 443 lb-pi |
| Tr. base (opt) / Rouage base (opt) | A8 / Int |
| 0-100 / 80-120 / V. max | 3,9 s (c) / n.d. / 280 km/h (c) |
| Type / ville / route / $CO_2$ | Sup / 13,0 / 9,4 / 267 g/km |

AUDI A6

MEILLEUR ACHAT DE SA CATÉGORIE

HYBRIDE

**Prix :** 63 200 $ à 126 400 $ (2021)
**Transport et prép. :** 2 295 $
**Catégorie :** Intermédiaires de luxe
**Garanties :** 4/80, 4/80
**Assemblage :** Allemagne

**Ventes\***
Québec 2020
132
↓ 19 %

Canada 2020
527
↓ 23 %

|  | A6 45 Progressiv | Allroad Technik | RS 7 Sportback |
|---|---|---|---|
| **PDSF** | 63 200 $ | 83 400 $ | 126 400 $ |
| **Loc.** | 1 081 $ • 2,98 % | 1 407 $ • 2,98 % | 2 188 $ • 3,98 % |
| **Fin.** | 1 322 $ • 1,98 % | 1 729 $ • 1,98 % | 2 693 $ • 3,48 % |

Sécurité  Consommation

Appréciation générale  Fiabilité prévue  Agrément de conduite

**Équipement**

**Sécurité**

**Concurrents**
BMW Série 5, Genesis G80, Jaguar XF, Maserati Ghibli, Mercedes-Benz Classe E, Mercedes-Benz CLS, Volvo S90

**Nouveau en 2022**
Aucun changement majeur annoncé au moment de mettre sous presse.

# Une recette, plusieurs saveurs

Charles Jolicœur

L es Audi A6 et A7 ont été redessinées en 2018 et continuent cette année leur petit bout de chemin, offrant un habitacle luxueux, une conduite à la fois sportive et agréable et un style toujours en mesure de faire tourner les têtes. Il n'existe pas moins de huit modèles au total divisés entre les gammes A6 et A7, question de combler tous les besoins possibles.

La même recette est appliquée à chacune de ces versions, ce qui veut dire que l'on retrouve globalement la même personnalité et le même comportement routier, que l'on choisisse une A6 ou une A7. Il existe cependant plusieurs versions allant du modèle d'entrée de gamme aux sportives S et RS en passant par la nouvelle A7 TSFI e hybride enfichable. L'acheteur n'a qu'à choisir sa saveur préférée.

**POLYVALENCE ET CONFORT AU RENDEZ-VOUS**
Autant l'Audi A6 que l'A7 se démarquent tout d'abord par leur polyvalence. En version berline, l'A6 offre plus d'espace pour les jambes à l'arrière qu'une Classe E de Mercedes-Benz ou une Série 5 de BMW. La familiale A6 Avant dispose d'un plus grand coffre que la Classe E familiale tout en étant plus spacieuse à l'intérieur. Entre les deux se glisse l'A7 qui, avec son hayon dissimulé à l'arrière, cache une certaine polyvalence. En termes simples, les gens à la recherche d'une voiture de luxe capable de suivre un style de vie actif seront comblés avec la gamme A6/A7.

Derrière le volant, nous retrouvons un tableau de bord élégant dont la console centrale est dotée de deux écrans superposés d'où se contrôle la majorité des fonctions du véhicule. Combiné à l'écran d'instrumentation entièrement numérique de série, cet ensemble confère aux A6 et A7 une allure très haut de gamme. Il y a d'ailleurs très peu de différences entre l'habitacle de ces deux intermédiaires et celui de l'A8, beaucoup plus onéreuse. Le système multimédia est assez intuitif et simple à utiliser, la seule exception étant quelques commandes comme celles des modes de conduite *Audi Drive Select* qui exigent parfois quelques essais avant de s'activer.

Le moteur de base dans l'Audi A6 est un 4 cylindres de 2 litres turbo développant 261 chevaux et 273 lb-pi de couple. Un V6 de 3 litres générant 335 chevaux et 369 lb-pi de couple est livrable en option dans l'A6 berline. Il est monté de série dans la version Allroad et dans l'A7. Les performances

\*Ventes combinées des Audi A6 et A7

sont au rendez-vous, mais ce qui étonne le plus avec ces motorisations, c'est leur efficacité. Un système hybride léger permet d'abaisser la consommation globale, et atteindre une moyenne de moins de 10 L/100 km est assez facile même avec le V6. L'équilibre des A6 et A7 est leur principal argument de vente. On ne manque jamais de puissance et la tenue de route cache bien la taille et le poids des véhicules. Le confort de la suspension et le silence de l'habitacle assurent également une balade plaisante.

En ce qui concerne l'hybride rechargeable de la gamme A7, sachez qu'elle propose 362 chevaux et un 0 à 100 km/h en 5,8 secondes. L'autonomie 100 % électrique s'élève à 29 km grâce à une batterie de 14,1 kWh. Les deux modèles sont aussi offerts en versions S6 et S7. Les performances sont là avec 444 chevaux sous le pied droit tandis que la tenue de route passe à un autre niveau. La subtilité des modèles est également un atout pour ceux qui préfèrent passer sous le radar.

### LES BOMBES RS

Impossible de parler des Audi A6 et A7 sans parler des nouvelles versions RS apparues l'an dernier. Commençons par la RS 6 Avant, une licorne trop longtemps réservée exclusivement au marché européen. Alimentée par un V8 de 4 litres turbocompressé crachant 591 chevaux, la RS 6 Avant livre des accélérations phénoménales sans aucune hésitation. Son rouage quattro favorise la répartition de l'abondante puissance vers les roues arrière afin de donner à la RS 6 Avant une agilité accrue malgré son poids. Cette vivacité est accentuée lorsque l'on opte pour l'ensemble Dynamic qui ajoute la direction aux roues arrière.

Les performances sont au rendez-vous, c'est certain, mais ce qui surprend le plus avec la RS 6 Avant, c'est son confort. Même avec les jantes de 22 pouces optionnelles, cette voiture ne fatigue jamais le conducteur, contrairement à une Mercedes-Benz E 63 AMG, par exemple. Le seul élément qui pourrait chicoter un acheteur intéressé par la RS 6 Avant, c'est la sonorité un peu timide de l'échappement. À ce niveau, le V8 de la E 63 fait beaucoup plus sentir sa présence.

Tout ce qui a été dit précédemment s'applique aussi à la RS 7. Le comportement et les performances sont à peu près identiques, la seule différence étant que la RS 7 est en réalité la plus généreuse des deux en termes de coffre. L'espace aux places arrière est cependant à l'avantage de la RS 6 Avant, surtout pour la tête. Bref, les versions RS 6 Avant et RS 7 sont uniques sur le marché.

| + Confort dans toutes les versions • Style époustouflant (RS) • Bonne polyvalence • Habitacle luxueux | − Disponibilité limitée (A7 TSFI e et RS) • Hésitation de certaines fonctions du système multimédia • Dégagement pour la tête à l'arrière (A7) |
| --- | --- |

**AUDI A7**

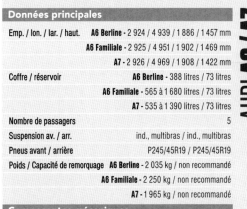

**AUDI A6 / A7**

### Données principales

| Emp. / lon. / lar. / haut. | A6 Berline - 2 924 / 4 939 / 1 886 / 1 457 mm |
| --- | --- |
| | A6 Familiale - 2 925 / 4 951 / 1 902 / 1 469 mm |
| | A7 - 2 926 / 4 969 / 1 908 / 1 422 mm |
| Coffre / réservoir | A6 Berline - 388 litres / 73 litres |
| | A6 Familiale - 565 à 1 680 litres / 73 litres |
| | A7 - 535 à 1 390 litres / 73 litres |
| Nombre de passagers | 5 |
| Suspension av. / arr. | ind., multibras / ind., multibras |
| Pneus avant / arrière | P245/45R19 / P245/45R19 |
| Poids / Capacité de remorquage | A6 Berline - 2 035 kg / non recommandé |
| | A6 Familiale - 2 250 kg / non recommandé |
| | A7 - 1 965 kg / non recommandé |

### Composantes mécaniques

**55 TFSI E**

| | |
| --- | --- |
| Cylindrée, alim. | 4L 2,0 litres turbo |
| Puissance / Couple | 261 ch / 273 lb-pi |
| Tr. base (opt) / Rouage base (opt) | A7 / Int |
| 0-100 / 80-120 / V. max | 5,8 s (c) / n.d. / 250 km/h (c) |
| Type / ville / route / $CO_2$ | Sup / 9,5 / 7,5 / 78 g/km |
| Puissance combinée | 362 ch / 369 lb-pi |

**MOTEUR ÉLECTRIQUE**

| | |
| --- | --- |
| Puissance / Couple | 141 ch / 258 lb-pi |
| Batterie / Autonomie | Lithium-ion 14,1 kWh / 29 km |

**55 TFSI**

| | |
| --- | --- |
| Cylindrée, alim. | V6 3,0 litres turbo |
| Puissance / Couple | 335 ch / 369 lb-pi |
| Tr. base (opt) / Rouage base (opt) | A7 / Int |
| 0-100 / 80-120 / V. max | 5,1 s (c) / n.d. / 250 km/h |
| Type / ville / route / $CO_2$ | Sup / 11,1 / 7,8 / 224 g/km |

**S6/S7**

| | |
| --- | --- |
| Cylindrée, alim. | V6 2,9 litres turbo |
| Puissance / Couple | 444 ch / 443 lb-pi |
| Tr. base (opt) / Rouage base (opt) | A8 / Int |
| 0-100 / 80-120 / V. max | 4,5 s (c) / n.d. / 250 km/h |
| Type / ville / route / $CO_2$ | Sup / 12,8 / 8,5 / 254 g/km |

**RS 6 AVANT/RS 7**

| | |
| --- | --- |
| Cylindrée, alim. | V8 4,0 litres turbo |
| Puissance / Couple | 591 ch / 590 lb-pi |
| Tr. base (opt) / Rouage base (opt) | A8 / Int |
| 0-100 / 80-120 / V. max | 3,6 s (c) / n.d. / 280 km/h |
| Type / ville / route / $CO_2$ | Sup / 16,0 / 10,5 / 315 g/km |

**45 TFSI**

4L 2,0 l - 261 ch/273 lb-pi - A7 - 0-100: 6,0 s (c) - 10,2/7,4 L/100 km

Photos : Audi

HYBRIDE

# Porte-étendard dans l'ombre

Antoine Joubert

**Prix:** 99 900 $ à 153 200 $ (2021)
**Transport et prép.:** 2 295 $
**Catégorie:** Gr. berlines de luxe
**Garanties:** 4/80, 4/80
**Assemblage:** Allemagne

**Ventes**
Québec 2020
31

↑ 34 %

Canada 2020
127

↓ 7 %

| | 55 TFSI | 60 TFSI | S8 |
|---|---|---|---|
| PDSF | 99 900 $ | 124 900 $ | 153 200 $ |
| Loc. | 1 797 $ • 3,48 % | 2 231 $ • 3,48 % | 2 655 $ • 3,48 % |
| Fin. | 2 061 $ • 1,98 % | 2 564 $ • 1,98 % | 3 134 $ • 1,98 % |

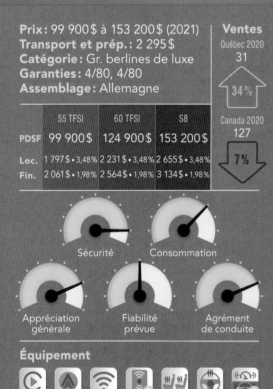

Sécurité — Consommation
Appréciation générale — Fiabilité prévue — Agrément de conduite

**Équipement**

**Sécurité**

**Concurrents**
BMW Série 7, Genesis G90, Karma GS-6/Revero,
Lexus LS, Maserati Quattroporte,
Mercedes-Benz Classe S, Porsche Panamera,
Tesla Model S

**Nouveau en 2022**
Aucun changement majeur annoncé
au moment de mettre sous presse.

À l'ère où les acheteurs se tournent plus que jamais vers les VUS ou les électriques de luxe, le segment des grandes berlines devient symbolique en fait de volume. Chez Porsche, par exemple, la transition vers la Taycan fut telle que les ventes de la Panamera ont baissé de 56 % en un an. Et chose certaine, l'histoire se répétera pour l'A8 et même l'A7, qui doivent désormais rivaliser avec l'extraordinaire e-tron GT.

Porte-étendard de la gamme Audi depuis son introduction, en 1995, l'A8 devient aujourd'hui un objet rare et malheureusement très peu convoité. Remarquez, ce pachyderme de la famille ne fait pas dans l'extravagance comme certains modèles, demeurant très classique dans son approche esthétique. Rivale des BMW de Série 7 et Mercedes-Benz de Classe S, l'A8 reste néanmoins une vitrine technologique qui en met plein la vue si, bien sûr, on prend le temps de s'y attarder.

### D'ABORD, UNE ROUTIÈRE
C'est au volant d'une S8 d'un peu plus de 170 000 $ que nous avons pu expérimenter l'ensemble des technologies proposées par Audi. Sans aucun doute, une des plus belles merveilles de celle-ci demeure la suspension pneumatique qui, automatiquement, facilite l'accès à bord ou la sortie par un rehaussement très rapide. Sur route, et même si vous sélectionnez le mode Confort+, l'impression de rouler sur des rails est constante. Et pour cause, un ajustement continu du niveau de la caisse via l'amortissement pneumatique, ce qui élimine une grande partie d'un possible roulis en virage. Naturellement, le confort est exceptionnel, et ce, même si vous sélectionnez un mode de conduite plus agressif.

Étonnamment maniable, cette grande berline bénéficie non seulement d'un excellent système de rouage intégral avec vecteur de couple arrière, mais aussi des quatre roues directionnelles, facilitant tout type de mouvement. Cela dit, son puissant V8 de 563 chevaux reste l'élément phare qui surprend chaque fois par ses réactions, la voiture étant à ce point silencieuse qu'on imagine difficilement un tel degré de puissance.

Petit point décevant, Audi ne propose désormais plus sa S8 avec empattement régulier, comme avec les précédentes générations. Pour celui qui recherche une grande berline sport plus maniable, l'incontournable devient donc la

Porsche Panamera. Comprenez bien sûr que la S8 demeure impressionnante dans son comportement, mais certainement plus encombrante que par le passé. Maintenant, parce que l'acheteur de ce genre de berline ne recherche pas nécessairement un niveau de performance ultime, Audi y va d'un choix de trois autres motorisations. D'abord, un V6 (335 chevaux) et un V8 (453 chevaux) chacun doublé d'une hybridation légère avec système électrique de 48 volts, de même qu'une version hybride rechargeable baptisée TFSI e. Cette dernière, bien qu'elle ne soit pas aussi verte dans son approche que l'e-tron GT, permet d'obtenir environ 29 km d'autonomie électrique avant de passer au mode hybride. Combinant le V6 turbocompressé à la motorisation électrique, elle affiche pratiquement la même puissance que le V8, pour une consommation considérablement réduite.

Côté confort, l'A8 vous gâte sans limites. Notamment grâce à ses éléments suspenseurs, ses sièges et son haut niveau d'insonorisation. Et elle le fait également en vous facilitant la vie à bord, malgré la quantité innombrable de gadgets et fonctions offerts via les trois principaux écrans s'y trouvant. Trois principaux? Effectivement, puisqu'en plus du bloc d'instruments numériques et des deux écrans tactiles, on peut en outre obtenir deux tablettes amovibles pour les passagers arrière, lesquelles incorporent plusieurs fonctions aussi retrouvées à l'avant, ainsi qu'un menu Android avec accès à Google. Pour le conducteur, bien que les deux écrans centraux soient fardés de fonctions, les commandes restent simples et intuitives, ce qui est très appréciable, surtout en comparaison avec la Classe S de Mercedes-Benz, chez qui l'adaptation technologique se fait plus difficilement.

## HAUTE COUTURE ALLEMANDE

Vous pourriez être séduit par la beauté des cuirs d'une Maserati Quattroporte ou par l'environnement plus sportif d'une Porsche Panamera. Cela dit, Audi propose ici un environnement ultra moderne, que je ne qualifierais pas de sobre, mais plutôt d'épuré, encore une fois, malgré tout ce qui s'y trouve.

La richesse des matériaux, la pureté du design et la grande beauté des agencements de couleurs font de cet habitacle l'un des plus exceptionnels du segment. Un qualificatif qu'on attribuerait en fin de compte à la voiture elle-même, traditionnelle d'approche, mais aussi passionnante à conduire que technologiquement impressionnante. Quant à la facture, elle est de concert avec celle de la compétition, c'est-à-dire très élevée.

**+** Comportement routier exemplaire • Poste de conduite techno et ergonomique • Puissance exaltante (S8) • Présentation sublime de l'habitacle

**–** S8 à empattement long seulement • Autonomie électrique décevante (TFSI e) • Prix et dépréciation

### Données principales

| | |
|---|---|
| Emp. / lon. / lar. / haut. | 3 128 / 5 302 / 1 945 / 1 488 mm |
| Coffre / réservoir | **A8 -** 354 litres / 82 litres |
| | **A8 TFSI e -** 295 litres / 65 litres |
| Nombre de passagers | 5 |
| Suspension av. / arr. | ind., pneumatique, multibras / ind., pneumatique, multibras |
| Pneus avant / arrière | P255/45R19 / P255/45R19 |
| Poids / Capacité de remorquage | 2 165 kg / non recommandé |

### Composantes mécaniques

**55 TFSI**

| | |
|---|---|
| Cylindrée, alim. | V6 3,0 litres turbo |
| Puissance / Couple | 335 ch / 369 lb-pi |
| Tr. base (opt) / Rouage base (opt) | A8 / Int |
| 0-100 / 80-120 / V. max | 5,8 s (c) / n.d. / 209 km/h (c) |
| Type / ville / route / $CO_2$ | Sup / 13,5 / 8,9 / 267 g/km |

**60 TFSI**

| | |
|---|---|
| Cylindrée, alim. | V8 4,0 litres turbo |
| Puissance / Couple | 453 ch / 487 lb-pi |
| Tr. base (opt) / Rouage base (opt) | A8 / Int |
| 0-100 / 80-120 / V. max | 4,6 s (c) / n.d. / 250 km/h (c) |
| Type / ville / route / $CO_2$ | Sup / 15,4 / 10,4 / 308 g/km |

**60 TFSI e**

| | |
|---|---|
| Cylindrée, alim. | V6 3,0 litres turbo |
| Puissance / Couple | 335 ch / 369 lb-pi |
| Tr. base (opt) / Rouage base (opt) | A8 / Int |
| 0-100 / 80-120 / V. max | 4,9 s (c) / n.d. / 250 km/h (c) |
| Type / ville / route / $CO_2$ | Sup / 11,3 / 9,1 / 132 g/km |
| Puissance combinée | 443 ch / 516 lb-pi |
| **MOTEUR ÉLECTRIQUE** | |
| Puissance / Couple | 141 ch (105 kW) / 258 lb-pi |
| Type de batterie | Lithium-ion (Li-ion) |
| Énergie | 14,1 kWh |
| Temps de charge (240V) | 2,4 h |
| Autonomie | 29 km |

**S8**

| | |
|---|---|
| Cylindrée, alim. | V8 4,0 litres turbo |
| Puissance / Couple | 563 ch / 590 lb-pi |
| Tr. base (opt) / Rouage base (opt) | A8 / Int |
| 0-100 / 80-120 / V. max | 3,9 s (c) / n.d. / 250 km/h (c) |
| Type / ville / route / $CO_2$ | Sup / 17,6 / 10,7 / 339 g/km |

Photos: Audi

**VOITURE ÉLECTRIQUE**

**Prix :** 129 900 $ à 179 900 $
**Transport et prép. :** 2 295 $
**Catégorie :** Sportives de luxe
**Garanties :** 4/80, 4/80
**Assemblage :** Allemagne

**Ventes**
Québec 2020
n.d.

| | e-tron GT | RS e-tron GT |
|---|---|---|
| **PDSF** | 129 900 $ | 179 900 $ |
| **Loc.** | n.d. | n.d. |
| **Fin.** | 2 862 $ • 4,90 % | 3 944 $ • 4,90 % |

Canada 2020
n.d.

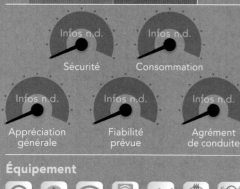

Infos n.d. — Sécurité
Infos n.d. — Consommation
Infos n.d. — Appréciation générale
Infos n.d. — Fiabilité prévue
Infos n.d. — Agrément de conduite

**Équipement**

**Sécurité**

**Concurrents**
Porsche Taycan, Tesla Model S

**Nouveau en 2022**
Nouveau modèle.

# Un design plus réussi que la Taycan

Gabriel Gélinas

**L**a e-tron GT quattro et la RS e-tron GT sont les deux berlines aux allures de coupé à motorisation électrique développées par Audi sur la plate-forme J1 partagée avec Porsche et servant de base aux différentes variantes de la Taycan. Comme dans le cas des modèles à motorisation thermique traditionnelle, les plates-formes sont elles aussi partagées dans le domaine de la mobilité électrique, et le duo Taycan/e-tron GT en est un bon exemple.

Pour Audi, le défi était de taille. Comment faire en sorte que la e-tron GT se démarque de sa cousine germanique, laquelle a été saluée par un concert d'éloges doublé d'un succès commercial sans précédent dès son arrivée ? D'autant plus lorsque ces deux modèles ont autant d'éléments techniques en commun ? La réponse est passée par le design, autant par celui de la carrosserie que celui de l'habitacle.

La e-tron GT respecte en tous points les proportions classiques d'une voiture de Grand Tourisme avec des voies avant et arrière très larges, des porte-à-faux très courts, ainsi qu'une ligne de toit abaissée de 7 cm par rapport à une Audi A7 à moteur thermique. Afin de souligner qu'il s'agit d'une voiture à motorisation électrique, la calandre est inversée par rapport aux modèles animés par des moteurs à combustion. La e-tron GT est également dotée de découpes verticales pratiquées dans la partie avant visant à canaliser l'air servant à refroidir les deux moteurs électriques entraînant les trains avant et arrière. Pour assurer une aérodynamique efficace, l'aileron arrière mobile se déploie selon trois angles différents, et le style est particulièrement réussi avec des lignes nettement plus évoluées que celles de la Taycan.

### HABITACLE *MONOPOSTO*

Les fidèles de la marque Audi ne seront pas dépaysés en montant à bord de la e-tron GT, dont l'habitacle assure une filiation avec les autres modèles du constructeur. Toutefois, le design est ici résolument orienté vers le conducteur avec ce que les designers qualifient de concept *Monoposto*, la console centrale étant orientée vers la gauche. La dotation de série comprend le cockpit virtuel avec écran paramétrable, ainsi qu'un second écran tactile de 10,1 pouces et un volant multifonction à base horizontale.

On constate aussi que la e-tron GT est dépourvue d'un levier de vitesses ordinaire remplacé par un sélecteur de rapports sur la console centrale. Comme toujours chez Audi, l'habitacle de la e-tron GT témoigne d'un souci évident du détail et d'une qualité d'assemblage inégalée. La e-tron GT innove également dans la mesure où c'est la première Audi qui peut être commandée avec un habitacle sans cuirs, puisque les sièges peuvent être recouverts de cuirs artificiels ainsi que de nouveaux matériaux — réalisés à partir de fibres recyclées — appelés Kaskade et Dinamica.

## DES PERFORMANCES CANON

Sur le plan de la performance pure, les e-tron GT quattro et RS e-tron GT s'insèrent entre la Porsche Taycan 4S et les Taycan Turbo et Turbo S, afin de respecter la hiérarchie des marques. Les niveaux de puissance et de couple sont tout de même stupéfiants, assez pour expédier le 0 à 100 km/h en 4,1 secondes dans le cas de la e-tron GT quattro, et en 3,3 secondes avec la RS e-tron GT. Ces performances exaltées, voire furieuses, sont dues à l'instantanéité de la livraison du couple des moteurs électriques, de même qu'à la boîte à deux vitesses, laquelle est partagée avec la Taycan. L'autonomie des e-tron GT et e-tron GT RS s'élève respectivement à 383 et 373 km. La batterie dispose d'une capacité de 93 kWh dont 85 sont utilisables. De plus, le système électrique de 800 volts autorise la recharge ultrarapide. Cependant, à l'heure actuelle, le réseau Electrify Canada, déployé au pays par Volkswagen, est très loin d'être aussi étendu que le réseau de Superchargeurs de Tesla. Un élément qui donne un certain avantage à la marque américaine qui a fait figure de pionnière en matière de mobilité électrique.

Le poids est élevé, mais la dynamique se trouve bonifiée par l'adoption de la suspension pneumatique à trois chambres, élaborée par Porsche pour la Taycan, laquelle adopte ici des calibrations plus souples en mode Confort, lesquelles rendent la e-tron GT quattro plus confortable au quotidien. En outre, les e-tron GT quattro et RS e-tron GT sont dotées d'une sonorité de synthèse, créée spécifiquement pour ces voitures à motorisation électrique, afin d'octroyer un facteur plus émotionnel à l'expérience de conduite.

Avec la e-tron GT, Audi ajoute à son offre en mobilité électrique, mais la marque aux quatre anneaux n'en restera pas là, puisqu'une autre plate-forme, appelée PPE et également partagée avec Porsche, permettra de développer des berlines et des VUS à motorisation électrique de toutes tailles et catégories.

### Données principales

| | |
|---|---|
| Emp. / lon. / lar. / haut. | 2 898 / 4 989 / 1 960 / 1 413 mm |
| Coffre | 405 litres (85 Av.) |
| Nombre de passagers | 4 |
| Suspension av. / arr. | ind., pneumatique, double triangulation / ind., pneumatique, multibras |
| Pneus avant / arrière | P245/45R20 / P285/40R20 |
| Poids / Capacité de remorquage | 2 295 kg / non recommandé |

### Composantes mécaniques

**QUATTRO**

| | |
|---|---|
| Puissance / Couple combinés | 469 ch (350 kW) / 465 lb-pi |
| Avec le mode Boost - | 522 ch (390 kW) / 472 lb-pi |
| Tr. base (opt) / Rouage base (opt) | A2 / Int |
| 0-100 / 80-120 / V. max | 4,1 s (c) / 2,3 s (est) / 245 km/h (c) |
| Consommation équivalente | 2,9 Le/100 km |

**MOTEURS ÉLECTRIQUES**

| | |
|---|---|
| Puissance | Arr - 429 ch (320 kW) |
| | Av - 235 ch (175 kW) |
| Type de batterie / Énergie | Lithium-ion (Li-ion) / 93,0 kWh |
| Temps de charge (240V) | 10,0 h |
| Autonomie | 383 km |

**QUATTRO RS**

| | |
|---|---|
| Puissance / Couple combinés | 590 ch (440 kW) / 612 lb-pi |
| Avec le mode Boost - | 637 ch (475 kW) / n.d. |
| Tr. base (opt) / Rouage base (opt) | A2 / Int |
| 0-100 / 80-120 / V. max | 3,3 s (c) / 2,0 s (est) / 250 km/h (c) |
| Consommation équivalente | 2,9 Le/100 km |

**MOTEURS ÉLECTRIQUES**

| | |
|---|---|
| Puissance / Couple | Arr - 450 ch (336 kW) |
| | Av - 235 ch (175 kW) |
| Type de batterie / Énergie | Lithium-ion (Li-ion) / 93,0 kWh |
| Temps de charge (240V) | 10,0 h |
| Autonomie | 373 km |

➕ Design très réussi • Version RS performante • Qualité de finition et d'assemblage

➖ Prix élevé • Tarif des options • Poids important

Photos : Audi

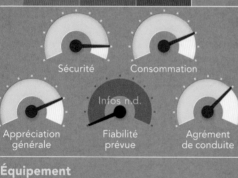

| | Prix : 85 600 $ à 96 500 $ (2021) |
|---|---|

**Prix :** 85 600 $ à 96 500 $ (2021)
**Transport et prép. :** 2 295 $
**Catégorie :** VUS interm. de luxe
**Garanties :** 4/80, 4/80
**Assemblage :** Belgique

**Ventes**
Québec 2020
**188**

⬆ **42 %**

Canada 2020
**548**

⬆ **11 %**

| | Progressiv | Technik | Sportback Technik |
|---|---|---|---|
| PDSF | 85 600 $ | 93 250 $ | 96 500 $ |
| Loc. | 1 521 $ • 3,98 % | 1 692 $ • 3,98 % | 1 727 $ • 3,98 % |
| Fin. | 1 773 $ • 1,98 % | 1 927 $ • 1,98 % | 1 992 $ • 1,98 % |

Sécurité    Consommation

Appréciation générale    Infos n.d. Fiabilité prévue    Agrément de conduite

**Équipement**

**Sécurité**

**Concurrents**
Jaguar I-PACE, Tesla Model X

**Nouveau en 2022**
Versions S et S Sportback de 429 ou
496 chevaux, groupe noir S line avec jantes
de 21 ou 22 pouces.

# Avec ou sans épices

Marc Lachapelle

**A**udi a joué de prudence en créant son premier modèle électrique. En le construisant d'abord sur une version de l'architecture MLB Evo qui sous-tendait déjà ses utilitaires sport Q7 et Q8, pour lui dessiner ensuite une carrosserie aux lignes très convenues et un habitacle tout ce qu'il y a de normal. Dans une catégorie bouillonnante, ce pionnier est d'ailleurs passé quasiment inaperçu, sauf pour son nom qui fait sourire, au mieux, là où l'on parle français. Or, maintenant qu'elle a du renfort dans le camp électrique, chez Audi, la série e-tron sort enfin ses griffes.

Contrairement aux rivales californiennes nommées Tesla et à un Jaguar I-PACE qui ont fait la manchette abondamment, l'Audi e-tron est entré en scène dans la plus grande discrétion il y a maintenant trois ans. Il s'agissait pourtant du premier véhicule entièrement électrique à emprunter une plate-forme que partagent certains des utilitaires sport les plus puissants et spectaculaires de la planète. Du Bentley Bentayga au Lamborghini Urus, en passant par la famille entière des Porsche Cayenne, il y a là de quoi se distraire à volonté.

### LA TYRANNIE DES CHIFFRES

D'emblée, l'autonomie promise du e-tron n'est pas spectaculaire. En cause, encore, l'approche conservatrice des ingénieurs d'Ingolstadt puisqu'il dispose d'une batterie lithium-ion dont la capacité de 95 kWh est même supérieure à celle de la batterie optionnelle des Porsche Taycan. Le hic, c'est que la portion utilisable était limitée à l'origine à 83,6 kWh pour préserver la longévité de la batterie. Elle a été relevée à 86,5 kWh par la suite. La cote d'autonomie RNC actuelle du e-tron 55 quattro se chiffre à 357 km et celle du e-tron Sportback 55 quattro, à 351 km.

Les performances sont moyennes aussi, pour ce segment. Poussé par les 355 chevaux de ses deux moteurs électriques, le e-tron est censé boucler le sprint de 0 à 100 km/h en 6,6 secondes ou alors en 5,7 secondes lorsque le mode Sport éperonne 402 chevaux, en surpuissance pour quelques secondes. Or, le Jaguar I-PACE exécute le même exercice en 4,6 secondes dûment mesurées, avec une puissance de 394 chevaux. Il faut dire qu'avec ses 2 590 kg, le Audi e-tron est plus lourd de 420 kg. C'est la rançon qu'impose une structure conventionnelle dont la solidité lui vaut, en retour, un confort et un silence de roulement exceptionnels.

Les vertus habituelles des Audi ont d'ailleurs fini par prévaloir sur la vérité crue des chiffres. Les ventes du e-tron ont effectivement grimpé de 42 % l'an dernier, au Québec, alors que celles de tous les autres grands utilitaires de luxe déclinaient. Elles ont également progressé à plus de deux fois le rythme des véhicules électriques. La version Sportback et la ligne doucement arrondie de son toit sont de plus en plus préférées à l'original, avec son hayon classique et sa silhouette anguleuse.

## MÉTAMORPHOSE RÉJOUISSANTE

On se glisse à bord du e-tron, littéralement. Son habitacle est accueillant, convivial, et ses sièges avant, impeccablement sculptés. Le tableau de bord numérique, les commandes et l'interface multimédia sont résolument modernes et superbement finis. Commandes et menus deviennent clairs et efficaces après une courte adaptation. Les places arrière sont excellentes, même si l'empattement est plus court de 6,7 cm que celui des Q7 et Q8, qui partagent la même structure. La soute à bagages est de bonne taille et l'on peut l'allonger en repliant le dossier arrière découpé en sections 40/20/40.

Et si les Audi e-tron ont été rigoureusement sages jusqu'à maintenant, les nouveaux e-tron S et e-tron Sportback S vont se charger désormais de mettre du piquant dans la sauce. Les deux sont campés sur des roues de 20 pouces chaussées de pneus à flancs bas de taille 285/45 R20 (des roues de 21 ou 22 pouces sont en option).

Les e-tron S et e-tron Sportback S sont les premiers véhicules électriques de série à être dotés de trois moteurs de propulsion. Le groupe avant est une version du moteur arrière plus puissant du e-tron 55 tandis que chacune des roues arrière a son propre moteur pour assurer une variation constante et quasi instantanée du couple entre les deux. La puissance totale de 429 chevaux grimpe à 496 chevaux en phase de surpuissance lorsque le mode Sport est activé. Le chrono de 0 à 100 km/h chute alors de 5,1 à 4,5 secondes. Les freins avant sont pincés par des étriers à six pistons et les ressorts pneumatiques font varier la garde au sol de 7,6 cm, pour un comportement optimal.

L'enfant sage qu'était le premier e-tron a donc beaucoup changé, sous les traits des e-tron S et Sportback S. De quoi lui donner un coup de jeune pour côtoyer les e-tron GT et Q4 e-tron.

### Données principales

| | |
|---|---|
| Emp. / lon. / lar. / haut. | e-tron - 2 928 / 4 901 / 1 935 / 1 629 mm |
| | Sportback - 2 928 / 4 902 / 1 976 / 1 615 mm |
| Coffre | e-tron - 660 à 1 725 litres |
| | Sportback - 615 à 1 665 litres |
| Nombre de passagers | 5 |
| Suspension av. / arr. | ind., pneumatique, multibras / ind., pneumatique, multibras |
| Pneus avant / arrière | P255/50R20 / P255/50R20 |
| Poids / Capacité de remorquage | e-tron - 2 590 kg / 1 814 kg (4 000 lb) |
| | Sportback - 2 595 kg / 1 814 kg (4 000 lb) |

### Composantes mécaniques

**E-TRON 55**

| | |
|---|---|
| Puissance / Couple combiné | 355 ch (265 kW) / 414 lb-pi |
| Avec le mode Boost | 402 ch (300 kW) / 490 lb-pi |
| Tr. base (opt) / Rouage base (opt) | Rapport fixe / Int |
| 0-100 / 80-120 / V. max | 5,7 s (c) / n.d. / 200 km/h (c) |
| Consommation équivalente | 3,0 Le/100 km |
| **MOTEURS ÉLECTRIQUES** | |
| Puissance / Couple | Arr - 224 ch (165 kW) / 262 lb-pi |
| Puissance / Couple | Av - 184 ch (135 kW) / 228 lb-pi |
| Type de batterie / Énergie | Lithium-ion (Li-ion) / 95,0 kWh |
| Temps de charge (240V) | 10,0 h |
| Autonomie | e-tron - 357 km |
| | Sportback - 351 km |

**E-TRON S**

| | |
|---|---|
| Puissance / Couple combiné | 429 ch (320 kW) / 596 lb-pi |
| Avec le mode Boost | 496 ch (370 kW) / 718 lb-pi |
| Tr. base (opt) / Rouage base (opt) | Rapport fixe / Int |
| 0-100 / 80-120 / V. max | 4,5 s (c) / n.d. / 210 km/h (c) |
| **MOTEURS ÉLECTRIQUES** | |
| Puissance / Couple | Arr (x2) - 167 ch (125 kW) / 182 lb-pi |
| Puissance / Couple | Av - 188 ch (140 kW) / 232 lb-pi |
| Type de batterie / Énergie | Lithium-ion (Li-ion) / 95,0 kWh |
| Temps de charge (240V) | 10,0 h |
| Autonomie | 310 km (est) |

**+** Versions S enfin performantes • Habitacle confortable et cossu • Fabrication très soignée • Grand silence de roulement

**—** Fiabilité des composantes électroniques • Autonomie encore moyenne • Silhouette plutôt anonyme

Photos : Audi

**Prix:** 37 250 $ à 46 350 $ (2021)
**Transport et prép.:** 2 295 $
**Catégorie:** VUS sous-comp. luxe
**Garanties:** 4/80, 4/80
**Assemblage:** Hongrie

**Ventes**

Québec 2020
1 867

⬆ 56 %

Canada 2020
5 947

⬆ 59 %

| | Komfort 40 | Progressiv 45 | Technik 45 |
|---|---|---|---|
| PDSF | 37 250 $ | 42 750 $ | 46 350 $ |
| Loc. | 607 $ • 3,98 % | 687 $ • 3,98 % | 750 $ • 3,98 % |
| Fin. | 809 $ • 2,48 % | 921 $ • 2,48 % | 995 $ • 2,48 % |

Sécurité  Consommation

Appréciation générale   Fiabilité prévue   Agrément de conduite

**Équipement**

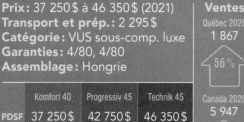

**Sécurité**

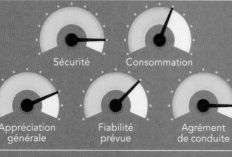

**Concurrents**
BMW X1/X2, Buick Encore GX,
Cadillac XT4, Jaguar E-PACE, Lexus UX,
Mercedes-Benz GLA/GLB,
MINI Countryman, Volvo XC40

**Nouveau en 2022**
Aucun changement majeur annoncé
au moment de mettre sous presse.

# Un look premium

Gabriel Gélinas

**A**vec son look de Q8 en format réduit, le Q3 de seconde génération est monté en grade à l'occasion de son lancement pour l'année-modèle 2020. La filiation avec les autres VUS de la marque étant assurée par la calandre *Singleframe* à lamelles verticales, ainsi que par les ailes galbées soulignant le rouage intégral. Élaboré sur la plateforme MQB du groupe Volkswagen, le Q3 de seconde génération s'avère beaucoup plus spacieux et mieux équipé que le modèle antérieur.

Comme toujours chez Audi, la qualité d'assemblage et de finition intérieure est au rendez-vous. L'habitacle du Q3 émule celui du Q8 avec un très grand écran tactile (avec commande haptique) orienté vers le conducteur, servant d'interface au système multimédia. L'allure premium est complétée par la présence d'un second écran de 10,25 pouces remplaçant le bloc d'instruments ou par le cockpit virtuel (optionnel) avec écran de 12,3 pouces. Ce dernier offre même la possibilité d'afficher la carte du système de navigation directement devant le champ de vision du conducteur.

Audi propose également un système d'éclairage d'ambiance permettant au conducteur de choisir parmi 30 teintes de couleur pour agrémenter l'habitacle. On remarque aussi au passage que ce système souligne même en rétroéclairage le logo quattro localisé sur la planche de bord du côté passager, le genre de détail qui donne vraiment une impression haut de gamme. Les fonctionnalités Apple CarPlay et Android Auto font partie de la dotation de série, et deux ports USB à l'avant assurent la connectivité, dont un est de type USB-C pour une recharge plus rapide. La banquette arrière est coulissante, ce qui permet de prioriser le dégagement pour les jambes des passagers y prenant place ou le volume de la soute, qui varie entre 671 et 1 359 litres selon la position de la banquette.

**DEUX VERSIONS D'UN SEUL MOTEUR**
Pour notre marché, le Q3 est animé par deux versions du moteur quatre cylindres turbocompressé de 2 litres développant 184 chevaux et 221 lb-pi de couple sous le capot des Q3 40 TFSI et 228 chevaux et 258 lb-pi de couple dans les cas des Q3 45 TFSI. Avec le Q3 40 TFSI, Audi propose une offre premium aux acheteurs qui seraient tentés par l'achat des versions les plus équipées de marques généralistes comme le Honda CR-V ou le Toyota RAV4, entre autres.

Mais c'est véritablement avec le Q3 45 TFSI que l'amateur de conduite trouvera son compte en raison d'un comportement plus dynamique. Le seul bémol que l'on peut exprimer au sujet du comportement du Q3 est un léger délai de réponse à la commande des gaz, surtout lors de la mise en route après un arrêt obligatoire, et c'est à peu près tout. Sur l'autoroute, la tenue de cap est très bonne et le Q3 fait preuve d'une grande stabilité ainsi que d'un très bon confort grâce à un pare-brise réalisé en verre acoustique, qui réduit le niveau sonore dans l'habitacle, ainsi qu'aux calibrations des liaisons au sol. Sur des routes secondaires plus sinueuses, le Q3 se montre très à l'aise, surtout quand il est équipé de la suspension la plus évoluée comportant des amortisseurs adaptatifs et de la direction progressive offerte en option.

## PAS POUR L'INSTANT

En Europe et sur d'autres marchés, Audi commercialise une variante à motorisation hybride rechargeable du Q3, laquelle est animée par le moteur thermique à 4 cylindres turbocompressé de 2 litres, secondé par un moteur électrique logé entre le moteur à combustion interne et la boîte de vitesses automatique à huit rapports. L'alimentation est assurée par une batterie d'une capacité de 13 kWh, et la puissance totale développée par cette motorisation se chiffre à 241 chevaux, alors que le couple est de 295 lb-pi. À l'heure actuelle, on ignore encore si cette nouvelle déclinaison sera éventuellement commercialisée au Canada, mais comme elle existe déjà ailleurs, cela demeure une possibilité pour l'avenir.

Le Q3 est également décliné en Europe en variante Sportback, avec ligne de toit fuyante vers l'arrière, toutefois la venue de cette version n'est pas au programme pour le Canada, du moins pour l'instant. Dommage, car cela permettrait à Audi de rivaliser directement avec le BMW X2 dans ce créneau. Audi produit aussi une version RS Q3 animée par le moteur cinq cylindres en ligne turbocompressé développant 394 chevaux et 354 lb-pi de couple, partagé avec les TT RS et RS 3. Mais cette variante n'est malheureusement toujours pas au programme pour l'Amérique du Nord.

En conclusion, le Q3 est un VUS de taille compacte qui affiche un look nettement haut de gamme et qui est doté d'un excellent comportement routier assurant un agrément de conduite relevé, ce qui en fait la référence de la catégorie.

### Données principales

| | |
|---|---|
| Emp. / lon. / lar. / haut. | 2 680 / 4 484 / 1 854 / 1 616 mm |
| Coffre / réservoir | 671 à 1 359 litres / 60 litres |
| Nombre de passagers | 5 |
| Suspension av. / arr. | ind., jambes force / ind., multibras |
| Pneus avant / arrière | P215/65R17 / P215/65R17 |
| Poids / Capacité de remorquage | 1 770 kg / 817 kg (1 800 lb) |

### Composantes mécaniques

**40 TFSI**

| | |
|---|---|
| Cylindrée, alim. | 4L 2,0 litres turbo |
| Puissance / Couple | 184 ch / 221 lb-pi |
| Tr. base (opt) / Rouage base (opt) | A8 / Int |
| 0-100 / 80-120 / V. max | 9,1 s (c) / 7,8 s (est) / 210 km/h (c) |
| Type / ville / route / $CO_2$ | Sup / 10,4 / 7,7 / 215 g/km |

**45 TFSI**

| | |
|---|---|
| Cylindrée, alim. | 4L 2,0 litres turbo |
| Puissance / Couple | 228 ch / 258 lb-pi |
| Tr. base (opt) / Rouage base (opt) | A8 / Int |
| 0-100 / 80-120 / V. max | 7,4 s (c) / 5,3 s (est) / 210 km/h (c) |
| Type / ville / route / $CO_2$ | Sup / 11,4 / 8,3 / 233 g/km |

**+** Design de l'habitacle • Rouage intégral performant • Qualité d'assemblage et de finition • Très bon comportement routier

**—** Prix élevé des variantes haut de gamme • Délai de réponse à la commande des gaz • Absence des versions Sportback et à motorisation hybride rechargeable

Photos : Audi

## Un nouveau joueur sur l'échiquier

Gabriel Gélinas

L e nouveau Audi Q4 e-tron est un cousin du Volkswagen ID.4, les deux véhicules étant élaborés sur la plateforme MEB dédiée aux véhicules électriques du groupe Volkswagen. Hiérarchie des marques oblige, la vocation du VUS de la marque d'Ingolstadt s'avère nettement plus haut de gamme, voilà qui explique pourquoi le Q4 e-tron ne sera disponible au pays que dans sa version la plus puissante et la plus équipée, devenant ainsi un rival direct du Tesla Model Y.

Sur d'autres marchés, on a droit au Q4 e-tron en trois déclinaisons, soit les 35 et 40 avec rouage de type propulsion, mais au Canada, seule la variante 50 est disponible, avec son rouage intégral composé de deux moteurs électriques entraînant chaque train de roues. Ces derniers sont alimentés par une batterie de grande capacité de 82 kWh, dont 77 sont utilisables. À l'instar du VUS Audi e-tron de plus grande taille qui roule déjà sur nos routes, le Q4 e-tron 50 est offert en deux styles de carrosserie, soit en VUS classique ou en configuration *Sportback* au profil fuyant.

La puissance combinée des deux moteurs électriques équivaut à 295 chevaux alors que le couple se chiffre à 339 lb-pi, ce qui assure un chrono de 6,2 secondes pour l'accélération jusqu'à 100 km/h. La capacité de remorquage annoncée s'élève à 1 200 kg, soit plus de 2 600 Lb. Selon le protocole WLTP (*World Light Vehicle Test Procedure*), plutôt optimiste, l'autonomie est de 488 kilomètres dans le cas du VUS et de 497 kilomètres pour la déclinaison Sportback, qui se démarque par son aérodynamique bonifiée grâce à sa ligne de toit et à son aileron intégré à la lunette arrière. L'autonomie réelle du Q4 e-tron devrait logiquement avoisiner les 400 km.

Sur une borne de niveau 2, le Q4 e-tron 50 accepte le courant alternatif jusqu'à 11 kW. Sur une borne de recharge rapide, Audi précise qu'il est possible d'ajouter 130 km d'autonomie en 15 minutes lorsque le véhicule est branché à une borne capable de livrer une puissance de 125 kW. Par ailleurs, le Q4 e-tron offre trois niveaux de récupération d'énergie lors de la décélération.

### COMPACT, MAIS SPACIEUX

Les dimensions extérieures du Q4 e-tron sont comparables à celles d'un Q3 alors que le volume d'espace intérieur s'approche de celui d'un Q5, le

---

**Prix :** 50 000 $ à 53 000 $ (estimé)
**Transport et prép. :** 2 295 $
**Catégorie :** VUS compacts luxe
**Garanties :** 4/80, 4/80
**Assemblage :** Allemagne

**Ventes**
Québec 2020
n.d.

|  | Q4 e-tron | Q4 e-tron Sportback |
|---|---|---|
| **PDSF** | 50 000 $ | 53 000 $ |
| **Loc.** | n.d. | n.d. |
| **Fin.** | 1 132 $ • 4,90 % | 1 197 $ • 4,90 % |

Canada 2020
n.d.

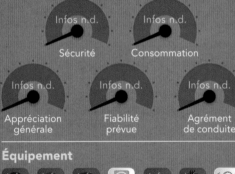

Infos n.d. — **Sécurité**
Infos n.d. — **Consommation**
Infos n.d. — **Appréciation générale**
Infos n.d. — **Fiabilité prévue**
Infos n.d. — **Agrément de conduite**

**Équipement**

Info n.d.   Info n.d.   Info n.d.   Info n.d.   Info n.d.

**Sécurité**

**Concurrents**
Ford Mustang Mach-E, Tesla Model Y, Volvo XC40 Recharge

**Nouveau en 2022**
Nouveau modèle.

VUS électrique de Audi étant pourvu d'un empattement de 2,76 mètres permettant de loger la batterie dans le plancher du véhicule. De plus, comme le Q4 e-tron est un VUS à rouage intégral à commande électronique, il est dépourvu du tunnel de transmission et des liens mécaniques que l'on retrouve sur un VUS à moteur thermique et rouage intégral conventionnel. Une disposition qui permet de libérer de l'espace dans l'habitacle. Le volume de chargement varie entre 520 litres, avec tous les sièges en place, et 1 490 litres, avec le repli des dossiers des places arrière.

Côté style, les deux configurations du Q4 e-tron respectent les codes de la marque avec des ailes musclées qui rappellent qu'il s'agit d'un véhicule à traction intégrale. Aussi, on remarque que la calandre est ici exempte d'ouvertures, en plus d'être inversée par rapport aux modèles Audi animés par des moteurs thermiques. Fait à signaler, l'acheteur pourra lui-même paramétrer le look de son véhicule en choisissant l'un des quatre modes d'illumination pour les phares de jour... à condition de piocher dans le catalogue des options.

## UN HABITACLE ÉPURÉ

Si vous êtes déjà familier avec le design intérieur de Audi, vous retrouverez rapidement vos repères à bord du Q4 e-tron, dont l'habitacle adopte un look très épuré. Le côté techno est assuré par le grand écran central de 10,1 pouces (11,6 pouces en option) servant d'interface pour le système d'infodivertissement, par le cockpit virtuel remplaçant le bloc d'instruments conventionnel, de même qu'un tout nouveau volant comportant des touches rétroéclairées à réponse haptique. Le levier de vitesses conventionnel brille par son absence puisqu'il est ici remplacé par des touches de sélection localisées sur la console centrale. Mais l'un des aspects les plus innovants du Q4 e-tron est sans contredit son dispositif de visualisation tête haute avec réalité augmentée. Il s'agit d'un système qui ajoute une nouvelle dimension lors du guidage en affichant des flèches mobiles indiquant le trajet à suivre, lesquelles apparaissent dans le champ de vision du conducteur, comme sur la toute dernière Mercedes-Benz Classe S.

Le Q4 e-tron est l'un des piliers de l'électrification chez Audi, qui compte maintenant sur quatre architectures différentes pour la construction de modèles à motorisation électrique.

### Données principales

| | |
|---|---|
| Emp. / lon. / lar. / haut. | 2 760 / 4 588 / 1 865 / 1 632 mm |
| Coffre | 520 à 1 490 litres |
| Nombre de passagers | 5 |
| Suspension av. / arr. | ind., jambes force / ind., multibras |
| Pneus avant / arrière | P235/55R19 / P255/50R19 |
| Poids / Capacité de remorquage | 2 135 kg / 1 200 kg (2 650 lb) |

### Composantes mécaniques

| | |
|---|---|
| Puissance / Couple combinés | 295 ch (220 kW) / 339 lb-pi |
| Tr. base (opt) / Rouage base (opt) | Rapport fixe / Int |
| 0-100 / 80-120 / V. max | 6,2 s (c) / n.d. / 180 km/h (c) |
| **MOTEURS ÉLECTRIQUES** | |
| Puissance / Couple | Arr - 201 ch (150 kW) / 229 lb-pi |
| | Av - 107 ch (80 kW) / 119 lb-pi |
| Énergie | 82,0 kWh |
| Temps de charge (400V) | 0,6 h |
| Autonomie | 390 km (est) |

+ Style réussi • Aérodynamique étudiée • Rouage intégral électronique • Qualité d'assemblage et de finition

− Prix élevé • Tarif des options • Poids élevé

Photos : Audi

HYBRIDE

**Prix:** 46 550 $ à 73 100 $ (2021)
**Transport et prép.:** 2 295 $
**Catégorie:** VUS compacts luxe
**Garanties:** 4/80, 4/80
**Assemblage:** Mexique

**Ventes**
Québec 2020
**2 210**
⬇ 20 %

Canada 2020
**8 049**
⬇ 25 %

|  | Komfort 45 | SQ5 Sback Technik | Technik 55 TFSI e |
|---|---|---|---|
| PDSF | 46 550 $ | 70 950 $ | 73 100 $ |
| Loc. | 718 $ • 2,98 % | 1 187 $ • 4,48 % | 1 292 $ • 3,98 % |
| Fin. | 999 $ • 2,48 % | 1 534 $ • 3,48 % | 1 521 $ • 1,98 % |

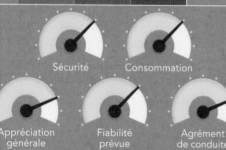

Sécurité    Consommation

Appréciation générale    Fiabilité prévue    Agrément de conduite

**Équipement**

**Sécurité**

**Concurrents**
Acura RDX, Alfa R. Stelvio, BMW X3/X4, Buick Envision, Cadillac XT5, Genesis GV70, Infin. QX50/QX55, Jaguar F-PACE, Land Rover Discovery Sport/Evoque/Velar, Lexus NX, Lincoln Corsair, Mercedes GLC, Porsche Macan, Volvo XC60

**Nouveau en 2022**
Aucun changement majeur annoncé au moment de mettre sous presse.

# Lorsque le luxe devient rationnel

Antoine Joubert

L e segment des VUS compacts de luxe compte actuellement deux fois plus de joueurs que celui des voitures compactes. Une constatation qui prouve que la demande pour ces utilitaires est en hausse, mais aussi que l'intérêt des constructeurs y est grand, profitabilité oblige. Ne soyez donc pas étonné de constater qu'Audi propose désormais une gamme plus large que jamais avec son Q5, qui demeure encore aujourd'hui au sommet des ventes de la catégorie.

C'est l'an dernier que le populaire Q5 avait droit à plusieurs retouches d'importance. Avec la refonte esthétique partielle de sa robe, la mise à jour de son poste de conduite et bien sûr, avec l'arrivée très attendue du Q5 Sportback, lequel exige un supplément d'environ 2 000 $ par rapport au Q5 équivalent.

**PARCE QU'IL LE FALLAIT**
Avec la popularité grandissante des BMW X4 et Mercedes-Benz GLC Coupé, Audi n'avait pas d'autre choix que de se lancer dans cette aventure. En somme, offrir une version esthétiquement plus sportive, au coût d'une perte d'habitabilité. Considérez-le également comme un pont entre le Q5 et le Porsche Macan, permettant du coup à l'acheteur de se distinguer. Les Q5 abondent sur nos routes, malgré un prix de départ frôlant les 50 000 $. Dans les banlieues cossues, rien n'est d'ailleurs plus commun et considéré comme un achat rationnel. Pourquoi?

D'abord, parce que le Q5 est un véhicule mature et vraiment plus fiable que la moyenne de ses rivaux. Parce que sa faible dépréciation explique un paiement de location compétitif ou un coût de revient qui, finalement, est nettement inférieur à la moyenne. Ensuite, parce qu'il s'agit par sa conception de l'un des VUS du genre les mieux adaptés à nos conditions climatiques. Cela dit, sachez qu'en craquant pour le SQ5 et ses roues de 20 ou 21 pouces, il est primordial de sélectionner l'option des jantes et pneus d'hiver (19 po), qu'Audi facture à 2 400 $.

Bien qu'on lui ait apporté maintes retouches l'an dernier, le Q5 fête ses cinq ans sous cette forme. Un long cycle dans ce segment où les joueurs se multiplient aussi rapidement qu'ils se renouvellent. D'ailleurs, bien que les BMW X3/X4 et Mercedes-Benz GLC soient ses rivaux les plus naturels

(ayant une gamme encore plus étoffée), on peut affirmer que l'Acura RDX est l'un de ses concurrents les plus compétents. N'offrant qu'une seule motorisation, Acura réussissait à talonner le Q5 au chapitre des ventes l'an dernier.

## TOUJOURS DANS LE COUP ?

Par rapport au RDX, le Q5 est plus petit et plus épuré. Il procure une impression de légèreté et de simplicité, à l'opposé de ce que propose son rival nippon. Assurément moins spacieux, sans qu'il ne s'agisse d'un réel irritant, le Q5 se démarque cependant par cette ambiance unique et si apaisante régnant à bord. Le design de son poste de conduite et le magnifique ficelage des matériaux transcendent d'ailleurs avec ce que fait la concurrence, même allemande. Évidemment, plus vous montez en gamme et plus le niveau de luxe est élevé. Ainsi, bien que la version Komfort soit abondamment équipée, il vous faut débourser davantage pour profiter d'une instrumentation numérique, de sièges ventilés ou d'un plus grand choix de teintes.

Qu'importe la version, le conducteur bénéficie d'une position de conduite exceptionnelle et d'une grande latitude au chapitre de l'ajustement du siège. Cela permet ainsi de mieux profiter d'un comportement routier à citer en exemple. Voilà donc un véhicule maniable comme une sportive, doté d'une direction rasoir et qui a l'avantage de vous communiquer dans un langage limpide chaque réaction du véhicule. De ce fait, hormis l'onéreux Porsche Macan, aucun VUS du segment ne peut vous procurer pareil agrément de conduite. De plus, sachez que les différents modes de conduite (réellement palpables) permettent d'obtenir au choix une conduite plus incisive ou réellement axée sur le confort.

Côté puissance, les 261 chevaux du moteur 2 litres suffisent amplement. Mais ne faites pas l'erreur de goûter à la verve du SQ5. Cela pourrait vous coûter 12 000 $ d'un claquement de doigts ! Quant à la version hybride rechargeable, vous serez là aussi étonné par sa puissance qui, combinée, est supérieure à celle du SQ5. Cela dit, l'expérience de conduite diffère totalement. Pas nécessairement négativement, mais on y perd certainement en matière de nervosité. L'avantage ? Une conduite 100 % électrique pendant environ 37 km, pour une consommation moyenne observée d'à peine 6 L/100 km, passé ce cap.

Alors, le Q5 est-il un bon choix ? Absolument ! À mon sens, c'est encore un des meilleurs du segment, malgré son âge. Et si en terminant, vous souhaitez vous distinguer à son volant, peut-être pourriez-vous choisir autre chose que le noir ou le blanc ?

### Données principales

| | |
|---|---|
| Emp. / lon. / lar. / haut. | **Q5** - 2 819 / 4 663 / 1 893 / 1 659 mm |
| | **Q5 Sportback** - 2 819 / 4 689 / 1 893 / 1 660 mm |
| Coffre / réservoir | **Q5** - 725 à 1 515 litres / 70 litres |
| | **55 TFSI e** - 725 à 1 515 litres / 54 litres |
| | **Q5 Sportback** - 510 à 1 480 litres / 70 litres |
| Nombre de passagers | 5 |
| Suspension av. / arr. | ind., multibras / ind., multibras |
| Pneus avant / arrière | P235/60R18 / P235/60R18 |
| Poids / Capacité de remorquage | **45 TFSI** - 1 850 kg / 2 000 kg (4 400 lb) |
| | **55 TFSI e** - 2 095 kg / 907 kg (2 000 lb) |
| | **SQ5** - 1 945 kg / 2 000 kg (4 400 lb) |

### Composantes mécaniques

**45 TFSI**

| | |
|---|---|
| Cylindrée, alim. | 4L 2,0 litres turbo |
| Puissance / Couple | 261 ch / 273 lb-pi |
| Tr. base (opt) / Rouage base (opt) | A7 / Int |
| 0-100 / 80-120 / V. max | 6,1 s (c) / n.d. / 240 km/h (c) |
| Type / ville / route / CO₂ | Sup / 10,3 / 8,4 / 220 g/km |

**55 TFSI E**

| | |
|---|---|
| Cylindrée, alim. | 4L 2,0 litres turbo |
| Puissance / Couple | 248 ch / 273 lb-pi |
| Tr. base (opt) / Rouage base (opt) | A7 / Int |
| 0-100 / 80-120 / V. max | 5,3 s (c) / n.d. / 209 km/h (c) |
| Type / ville / route / CO₂ | Sup / 9,4 / 8,8 / 92 g/km |
| Puissance combinée | 362 ch / 369 lb-pi |

**MOTEUR ÉLECTRIQUE**

| | |
|---|---|
| Puissance / Couple | 141 ch (105 kW) / 258 lb-pi |
| Type de batterie / Énergie | Lithium-ion (Li-ion) / 14,1 kWh |
| Temps de charge (240V) | 3,0 h |
| Autonomie | 37 km |

**SQ5**

| | |
|---|---|
| Cylindrée, alim. | V6 3,0 litres turbo |
| Puissance / Couple | 349 ch / 369 lb-pi |
| Tr. base (opt) / Rouage base (opt) | A8 / Int |
| 0-100 / 80-120 / V. max | 5,0 s (c) / n.d. / 250 km/h (c) |
| Type / ville / route / CO₂ | Sup / 12,5 / 9,7 / 262 g/km |

**+** Comportement routier exemplaire • Retouches esthétiques réussies • Ambiance très agréable à bord • Étonnante fiabilité

**−** Habitabilité moyenne • Prix qui grimpent rapidement • Roues de 21 pouces qui cognent dur (SQ5)

Photos : Audi

## Il persiste et signe

Marc Lachapelle

**Prix :** 67 950 $ à 104 750 $ (2021)
**Transport et prép. :** 2 295 $
**Catégorie :** VUS interm. de luxe
**Garanties :** 4/80, 4/80
**Assemblage :** Slovaquie

**Ventes**
Québec 2020
412
▼ 35 %

Canada 2020
2 249
▼ 30 %

|  | 45 Komfort | 55 Technik | SQ7 |
|---|---|---|---|
| PDSF | 67 950 $ | 83 550 $ | 104 750 $ |
| Loc. | 1 106 $ • 3,48 % | 1 420 $ • 3,48 % | 1 765 $ • 3,48 % |
| Fin. | 1 417 $ • 1,98 % | 1 732 $ • 1,98 % | 2 159 $ • 1,98 % |

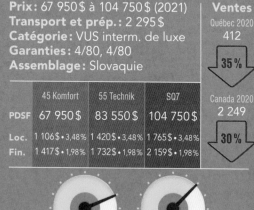

Sécurité    Consommation

Appréciation générale    Fiabilité prévue    Agrément de conduite

**Équipement**

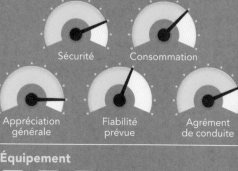

**Sécurité**

**Concurrents**

Acura MDX, BMW X5/X6, Buick Enclave, Cadill. XT6, Genesis GV80, Infin. QX60, L. Rover Discovery/ Range Rover Sport, Lexus GX/RX, Lincoln Aviator/ Nautilus, Maser. Levante, Mercedes GLE, Pors. Cayenne, Tesla Model X, Volvo XC90

**Nouveau en 2022**

Aides à la conduite bonifiées, coussins gonflables latéraux arrière de série, nouvelles jantes de 21 et 22 pouces.

---

Le Q7 s'est taillé un créneau bien à lui dans le segment férocement compétitif des utilitaires de luxe. Plus costaud et spacieux que ses rivaux intermédiaires, il offre effectivement des places en troisième rangée tout en étant moins encombrant et moins cher que les grands VUS de luxe qui en font autant. Il a même pris un coup de jeune, il y a deux ans, grâce à une silhouette rafraîchie, un habitacle modernisé et des moteurs revigorés, en plus d'être rejoint par le SQ7 et son V8 biturbo de 500 chevaux.

L'acheteur a toutefois des raisons que la raison ignore. Ce qui semble être le cas lorsque l'objet convoité est un grand utilitaire sport de luxe. Bien qu'ils aient été primés par *Le Guide de l'auto* comme meilleurs achats de leur catégorie, les ventes des Q7 et SQ7 ont décliné fortement chez nous, l'an dernier, alors que celles de rivaux germaniques plus gros et plus chers augmentaient légèrement. Contre toute logique apparente.

### VALEURS CONSTANTES

Les Q7 et SQ7 sont pourtant toujours aussi confortables, raffinés et silencieux, des traits qui les distinguent de leurs rivaux depuis le tout début. Surtout si l'on examine le rapport qualité/prix imbattable qu'ils offrent en s'intéressant d'abord au soin exemplaire qu'apporte Audi à leur fabrication et leur finition. Encore aujourd'hui, aucun constructeur ne fait mieux pour l'aspect et la qualité des matériaux employés dans la confection de l'habitacle. Avec leurs trois écrans numériques, le tableau de bord et la nacelle du conducteur des Q7 et SQ7 sont par ailleurs revenus au sommet en matière de clarté et d'ergonomie pour les commandes et l'interface multimédia. Bien qu'il faille mettre un certain effort pour repérer et déchiffrer tous les menus disponibles au premier abord, on s'y fait assez rapidement.

Les sièges avant, bien sculptés, dispensent également un mélange réussi de confort et de maintien. La banquette médiane s'avère accessible, spacieuse et accueillante. Aux places extérieures, à tout le moins. C'est moins vrai pour les sièges en troisième rangée, plutôt étriqués et difficiles d'accès. Étonnamment, la soute à bagages des Q7 et SQ7 est plus vaste que celles des grands BMW X7 et Mercedes-Benz GLS derrière la troisième rangée, même si les VUS Audi sont plus courts d'au moins 10 cm. Ceci explique peut-être cela.

## POURQUOI SE PRIVER?

Lors de la dernière métamorphose complète de cette série, sa motorisation s'est enrichie d'un 4 cylindres turbocompressé de 2 litres et 248 chevaux pour les versions Q7 45. L'intention était évidemment de profiter de l'allègement considérable qu'avait permis l'adoption de l'architecture MLB Evo qui se chiffrait à plus de 300 kg dans certains cas. Or, bien que ce soit un moteur souple et animé, il s'agit sans doute d'une fausse économie.

D'abord, parce que la différence de consommation reste minime par rapport au groupe V6 biturbo de 3 litres et 335 chevaux des modèles Q7 55. On parle ici d'un avantage de 0,7 L/100 km pour la cote RNC combinée du 4 cylindres. Ensuite, parce que le passage au V6 augmente la capacité de remorquage du Q7 de 4 400 lb à 7 700 lb. Une hausse plus qu'appréciable pour un véhicule qui a de bonnes chances d'être appelé à tracter une remorque ou une roulotte avec un habitacle et une soute bien chargés.

Le fait que le V6 jouisse d'un couple supérieur de près de 100 lb-pi y est assurément pour beaucoup. D'autant plus que le gain de poids de 80 kg affecte peu la charge utile. Le muscle additionnel du V6 abaisse également le chrono promis, pour le 0 à 100 km/h, de 7,3 à 5,9 secondes. Tout ça pour un supplément minime, avec une sonorité plus agréable en prime.

S'il vous en faut davantage, il y a bien sûr le SQ7 doté d'un V8 biturbo de 500 chevaux capable de passer de 0 à 100 km/h en 4,5 secondes. Avec presque 200 lb-pi de couple additionnels, le remorquage est une sinécure pour lui. Plusieurs de ses composantes affinent également sa conduite. D'abord, une suspension sport à ressorts pneumatiques qui fait varier la hauteur de la caisse sur 9 cm, selon les conditions. On peut même lui greffer un système antiroulis électromécanique. Le SQ7 dispose ensuite d'un essieu arrière à double embrayage multidisque qui répartit le couple à volonté entre des roues arrière directrices qui favorisent l'agilité à faible vitesse et la stabilité à vive allure, de concert avec une direction plus vive. Le tout repose sur des pneus à taille basse, montés sur des jantes de 21 pouces qui sont freinées par des disques plus grands, pincés à l'avant par des étriers à six pistons.

### Données principales

| | |
|---|---|
| Emp. / lon. / lar. / haut. | 2 995 / 5 063 / 1 970 / 1 741 mm |
| Coffre / réservoir | 402 à 1 971 litres / 85 litres |
| Nombre de passagers | 7 |
| Suspension av. / arr. | ind., multibras / ind., multibras |
| Pneus avant / arrière | P285/45R20 / P285/45R20 |
| Poids / Capacité de remorquage | **45 TFSI** - 2 175 kg / 2 000 kg (4 400 lb) |
| | **55 TFSI** - 2 255 kg / 3 493 kg (7 700 lb) |
| | **SQ7** - 2 400 kg / 3 493 kg (7 700 lb) |

### Composantes mécaniques

**45 TFSI**

| | |
|---|---|
| Cylindrée, alim. | 4L 2,0 litres turbo |
| Puissance / Couple | 248 ch / 273 lb-pi |
| Tr. base (opt) / Rouage base (opt) | A8 / Int |
| 0-100 / 80-120 / V. max | 7,3 s (est) / 5,4 s (est) / 233 km/h (c) |
| Type / ville / route / CO$_2$ | Sup / 12,0 / 9,4 / 252 g/km |

**55 TFSI**

| | |
|---|---|
| Cylindrée, alim. | V6 3,0 litres turbo |
| Puissance / Couple | 335 ch / 369 lb-pi |
| Tr. base (opt) / Rouage base (opt) | A8 / Int |
| 0-100 / 80-120 / V. max | 5,9 s (c) / 4,3 s (est) / 250 km/h (c) |
| Type / ville / route / CO$_2$ | Sup / 12,8 / 10,5 / 273 g/km |

**SQ7**

| | |
|---|---|
| Cylindrée, alim. | V8 4,0 litres turbo |
| Puissance / Couple | 500 ch / 567 lb-pi |
| Tr. base (opt) / Rouage base (opt) | A8 / Int |
| 0-100 / 80-120 / V. max | 4,5 s (c) / 3,3 s (est) / 250 km/h (c) |
| Type / ville / route / CO$_2$ | Sup / 16,0 / 11,4 / 325 g/km |

**+** Version SQ7 emballante • Comportement solide et stable • Finition et raffinement impressionnants • Écrans numériques impeccables

**—** Silhouette banale à l'arrière (Q7) • Craquements sur route bosselée • Troisième rangée difficile d'accès et inconfortable • Interface multimédia déroutante

Photos: Audi

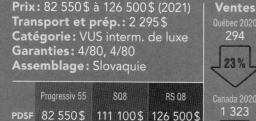

**Prix:** 82 550 $ à 126 500 $ (2021)
**Transport et prép.:** 2 295 $
**Catégorie:** VUS interm. de luxe
**Garanties:** 4/80, 4/80
**Assemblage:** Slovaquie

**Ventes**

Québec 2020
294
↓ 23 %

Canada 2020
1 323
↓ 36 %

| | Progressiv 55 | SQ8 | RS Q8 |
|---|---|---|---|
| PDSF | 82 550 $ | 111 100 $ | 126 500 $ |
| Loc. | 1 275 $ • 3,48% | 1 818 $ • 3,48% | 2 250 $ • 4,98% |
| Fin. | 1 754 $ • 2,98% | 2 344 $ • 2,98% | 2 695 $ • 3,48% |

Sécurité · Consommation

Appréciation générale · Fiabilité prévue · Agrément de conduite

## Équipement

## Sécurité

## Concurrents

Acura MDX, BMW X5/X6, Buick Enclave, Cadill. XT6, Gen. GV80, Infin. QX60, L. Rover Discovery/Range Rover Sport, Lexus GX/RX, Lincoln Aviator/Nautilus, Maser. Levante, Mercedes GLE, Pors. Cayenne, Tesla Model X, Volvo XC90

## Nouveau en 2022

Silhouette rafraîchie.

# Trois degrés d'inspiration

Marc Lachapelle

**S**ans surprise, Audi a joué sur ses forces pour ajouter à sa gamme un grand utilitaire sport de luxe coiffé d'une ligne de toit fluide comme celle d'un coupé. Le résultat fut probant. Confortable, moderne, raffiné et bien fini, le Q8 a été rejoint ensuite par les versions SQ8 et RS Q8 qui distillent leurs vertus de comportement et de performance à des niveaux de concentration supérieurs. Comme pour votre salsa ou votre café préféré, c'est essentiellement une question de goût et de gros sous.

Plus large, plus bas et plus court que le Q7, le Q8 est une machine attrayante, avec ses lignes plus tendues et sa grande calandre. Et les différences entre les trois versions demeurent subtiles. Le Q8 se reconnaît à sa grille de calandre carrelée couleur titane, avec des contours de glaces nickelés. Ses embouts d'échappement sont en forme de trapèze et il est posé sur des roues de 20 pouces.

Le SQ8 se distingue par sa calandre et ses contours de glaces noirs, ses deux paires d'échappements ronds et ses roues de 21 pouces. Le RS Q8, quant à lui, se démarque par une grille en alvéoles, de minces contours et moulures en aluminium (ou autre), des embouts d'échappement de forme ovale, des roues de 22 pouces et un aileron RS au sommet du hayon. On peut aussi choisir des moulures noires ou en fibre de carbone, des roues plus grandes et une poignée d'autres détails de finition.

## DU MUSCLE ET DU MORDANT

C'est malgré tout sous les capots et dans les passages de roue que les différences restent les plus marquées entre les trois frères. Le Q8 est animé par un V6 biturbo de 3 litres et 335 chevaux, plus sympathique que bestial, qui le propulse de 0 à 100 km/h en 6,3 secondes. Prestation convenable, sans plus. Le SQ8 promet de retrancher plus de deux secondes à ce chrono et de s'exécuter en 4,5 secondes grâce à son V8 biturbo de 4 litres et 500 chevaux. Audi affirme enfin que le RS Q8 bouclera le même exercice en 3,8 secondes, animé par une version plus poussée du même moteur, qui produit 591 chevaux. Là on parle.

Pour simplifier, le RS Q8 possède déjà les versions les plus achevées des composantes qui rehaussent les performances et le comportement. Par exemple, une suspension à ressorts pneumatiques réglable sur

une hauteur de 9 cm, huit modes de conduite, dont un pour le tout-terrain (c'est un VUS, après tout), des modes RS1 et RS2 entièrement configurables et accessibles par un bouton au volant, quatre roues directrices, de larges pneus de taille 295/40R22 et des freins plus grands. Des sièges sport plus sculptés sont installés sans frais, tandis que des pneus de taille 295/35R23 peuvent être montés en option.

On peut également lui ajouter un système antiroulis électronique et un différentiel arrière avec transfert de couple en continu, inclus au groupe Dynamique (7 300 $), et aussi d'immenses freins à disque carbone-céramique de 400 mm à l'avant et 370 mm à l'arrière, pincés par des étriers à dix pistons, pour la modique somme de 10 500 $. Aussi, un échappement sport avec des embouts noirs pour 1 200 $. La calculatrice s'emballe.

### SOBRES ET MODERNES

Le Q8 et ses variantes plus corsées partagent le même habitacle cossu, spacieux et confortable. Selon la logique du statut et du prix, le RS Q8 profite cependant d'une série de touches qui soulignent son pedigree sportif et qui soignent son exclusivité. Pour tous, les grands écrans tactiles sur la console sont magnifiques. Leurs surfaces noires laquées se couvrent toutefois rapidement d'empreintes de votre index à force d'utiliser commandes et menus.

Les sièges avant des Q8 et SQ8 sont confortables et cintrés, juste ce qu'il faut. Ceux du RS Q8, plus sculptés, peuvent même être dotés de fonctions de massage en option. Les sièges ventilés sont de série dans toutes les versions du Q8. La position de conduite est sans reproche, les places extérieures arrière, spacieuses et confortables, et l'ouverture, agréablement large sous le hayon arrière. On allonge la soute à bagages en repliant les dossiers découpés en sections 60/40.

Le Q8 impressionne par son silence et son aplomb sur autoroute, mais sa distance d'arrêt de 44 mètres en freinage à 100 km/h est décevante à cause de ses pneus à indice d'usure élevé (560). C'est une autre histoire sur route sinueuse où il s'inscrit en courbe et pivote sans le moindre sous-virage. Il doit une part de cette agilité à ses quatre roues directrices et ses frères font sûrement mieux, un ou deux crans plus haut.

Comble d'ironie, même avec toutes les options imaginables, le RS Q8 est une espèce d'aubaine, face à des Bentley Bentayga et Lamborghini Urus qui se vendent deux fois le prix, avec la même architecture et la même base mécanique.

## Données principales

| | |
|---|---|
| Emp. / lon. / lar. / haut. | **Q8** - 2 995 / 4 986 / 1 995 / 1 705 mm |
| | **SQ8** - 2 995 / 5 006 / 1 995 / 1 708 mm |
| | **RS Q8** - 2 998 / 5 012 / 1 998 / 1 694 mm |
| Coffre / réservoir | 864 à 1 719 litres / 85 litres |
| Nombre de passagers | 5 |
| Suspension av. / arr. | ind., pneumatique, multibras / ind., pneumatique, multibras |
| Pneus avant / arrière | P275/50R20 / P275/50R20 |
| Poids / Capacité de remorquage | **Q8** - 2 250 kg / 3 493 kg (7 700 lb) |
| | **SQ8** - 2 395 kg / 3 493 kg (7 700 lb) |
| | **RS Q8** - 2 490 kg / 3 493 kg (7 700 lb) |

## Composantes mécaniques

### 55 TFSI

| | |
|---|---|
| Cylindrée, alim. | V6 3,0 litres turbo |
| Puissance / Couple | 335 ch / 369 lb-pi |
| Tr. base (opt) / Rouage base (opt) | A8 / Int |
| 0-100 / 80-120 / V. max | 6,3 s (m) / 4,7 s (m) / 250 km/h (c) |
| 100-0 km/h | 44,0 m (m) |
| Type / ville / route / $CO_2$ | Sup / 12,8 / 10,5 / 273 g/km |

### SQ8

| | |
|---|---|
| Cylindrée, alim. | V8 4,0 litres turbo |
| Puissance / Couple | 500 ch / 567 lb-pi |
| Tr. base (opt) / Rouage base (opt) | A8 / Int |
| 0-100 / 80-120 / V. max | 4,5 s (est) / 3,3 s (est) / 250 km/h (c) |
| 100-0 km/h | 38,5 m (est) |
| Type / ville / route / $CO_2$ | Sup / 16,0 / 11,4 / 325 g/km |

### RS Q8

| | |
|---|---|
| Cylindrée, alim. | V8 4,0 litres turbo |
| Puissance / Couple | 591 ch / 590 lb-pi |
| Tr. base (opt) / Rouage base (opt) | A8 / Int |
| 0-100 / 80-120 / V. max | 3,8 s (c) / 3,2 s (est) / 305 km/h (c) |
| 100-0 km/h | 35,7 m (est) |
| Type / ville / route / $CO_2$ | Sup / 18,0 / 12,3 / 360 g/km |

**+** Versions SQ8 et RS Q8 inspirantes • Tenue de route solide et stable • Habitacle confortable et spacieux • Finition et assemblage sans reproche

**–** Performances moyennes pour la catégorie (Q8) • Interface et commandes parfois énigmatiques • Distances de freinage longues (Q8) • Systèmes de sécurité ahurissants

Photos : Audi

# AUDI **R8**

★★★★ COTE DU **GUIDE**

**Prix:** 167 800 $ à 236 500 $ (2021)
**Transport et prép.:** 3 095 $
**Catégorie:** Exotiques
**Garanties:** 4/80, 4/80
**Assemblage:** Allemagne

**Ventes**
Québec 2020
**26**
↑ 8 %

Canada 2020
**95**
↓ 26 %

|  | RWD Coupé | Perf. Coupé | Perf. Spyder |
|---|---|---|---|
| **PDSF** | 167 800 $ | 223 500 $ | 236 500 $ |
| **Loc.** | n.d. | n.d. | n.d. |
| **Fin.** | 3 682 $ • 4,90 % | 4 888 $ • 4,90 % | 5 169 $ • 4,90 % |

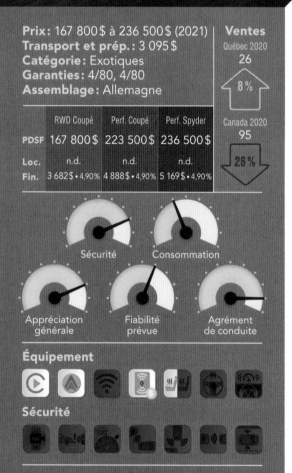

Sécurité   Consommation

Appréciation générale   Fiabilité prévue   Agrément de conduite

**Équipement**

**Sécurité**

**Concurrents**

Acura NSX, Aston Martin Vantage, Chevrolet Corvette, Ferrari F8/Portofino/ Roma, Lamborghini Huracán, McLaren GT, Nissan GT-R, Porsche 911

**Nouveau en 2022**
Aucun changement majeur annoncé au moment de mettre sous presse.

# La symphonie du V10

Gabriel Gélinas

L'Audi R8 et la Lamborghini Huracàn partagent plusieurs composantes, et sont aujourd'hui les deux seules voitures encore animées par un V10 atmosphérique. Avec ce moteur d'anthologie capable de révolutionner à 8 700 tr/min et d'exprimer sa rage par un échappement à la sonorité puissante, la R8 est un bolide avec lequel on fait le plein de sensations à la vitesse grand V. À l'heure où la tendance est à la suralimentation et à l'hybridation, la R8 fait figure de résistante en conservant son moteur atmosphérique.

Aujourd'hui, la gamme R8 est composée de coupés et de cabriolets, lesquels sont dotés de la traction intégrale quattro ou d'un rouage de type propulsion entraînant les seules roues arrière. Toutes les versions sont animées par le V10 atmosphérique qui offre trois niveaux de puissance et de couple, selon la variante choisie. La puissance est donc de 532 chevaux pour les modèles propulsion, de 562 dans le cas des variantes à quatre roues motrices, et de 602 pour les R8 V10 Performance à rouage intégral, les valeurs de couple maximal étant respectivement de 398, 406 et 413 lb-pi.

### 26 MÈTRES PAR SECONDE
À 8 700 tr/min, le mouvement de chacun des dix pistons du moteur couvre une distance équivalente à plus de 26 mètres à chaque seconde, ce qui est absolument exceptionnel, et le son de ce V10 à haut régime provoque des sensations viscérales.

Avec des montées en régime fluides et sonores accompagnées d'un feulement affirmé culminant en un véritable crescendo, c'est le nirvana, rien de moins... L'essai d'un Coupé V10 Performance sur ses terres d'origine en Allemagne, où certains tronçons d'autoroute sont sans limites de vitesse, a permis d'apprécier la puissance et la souplesse de ce moteur, mais aussi la stabilité conférée par le rouage intégral et la tenue de cap impériale de la direction. Le tout à des vitesses dépassant largement 275 km/h. Ce contexte particulier a mis en lumière l'efficacité aérodynamique de la R8, ainsi que la qualité du retour d'informations livré par le châssis, de même que l'ahurissante puissance des freins en composite de céramique qui autorisent des décélérations massives lorsque la situation l'exige.

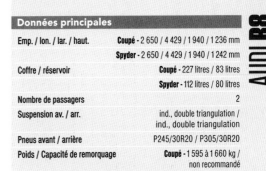

L'essai d'un Coupé à rouage propulsion sur circuit a permis de constater que cette mouture est plus incisive lors de l'entrée en virage, puisqu'elle est dépourvue du rouage intégral. Les calibrations des liaisons au sol ont été revues, ce qui rend la conduite un peu plus directe et donne un caractère plus joueur à cette variante. Toutefois, la puissance et le couple du moteur sont en retrait par rapport aux R8 équipées du rouage intégral, mais le V10 s'exprime tout aussi férocement.

Peu importe la déclinaison, la R8 abrite un habitacle de type cockpit avec un volant comportant une base horizontale et regroupant une kyrielle de commandes, notamment le bouton de démarrage en rouge et le sélecteur des modes de conduite. On y retrouve également d'autres touches servant à commander la téléphonie et la chaîne audio, ainsi que les paliers permettant de passer les rapports. La R8 étant dépourvue d'un écran central, toutes les informations sont présentées au conducteur via l'écran paramétrable du cockpit virtuel, qui remplace le traditionnel bloc d'instruments. La sélection du mode Dynamic permet d'y afficher les forces G en temps réel à gauche, le tachymètre en plein centre ainsi que les indicateurs de puissance et de couple sur le côté droit. On peut cependant exprimer un bémol dans la mesure où les rangements sont comptés dans cet habitacle, et que la R8 exige que l'on voyage léger puisque le volume de son coffre avant est plutôt limité.

### ET LA SUITE?

Le modèle actuel de la R8 est celui de deuxième génération, mais qu'en sera-t-il pour la suite des choses? Si Audi décide de produire une R8 de troisième génération, il est clair qu'elle devra se conformer aux normes environnementales toujours plus strictes à l'échelle internationale, et que l'atteinte de ces normes sera peut-être impossible pour le V10 atmosphérique qui anime le modèle actuel. Audi pourrait donc choisir d'électrifier la prochaine R8. Une motorisation hybride composée d'un moteur électrique et d'un moteur thermique, lequel pourrait être le V8 biturbo qui niche sous le capot des RS 6 Avant, RS 7 Sportback et RS Q8, est une autre possibilité.

En fin de compte, une chose est certaine. Si vous avez envie de posséder et de conduire une auto sport de haut calibre dont le moteur V10 atmosphérique émet une sonorité exceptionnelle, mieux vaut saisir l'occasion rapidement parce que la carrière de la R8, dans sa forme actuelle, touchera bientôt à sa fin.

**+** Moteur fabuleux • Gamme étendue • Tenue de route exceptionnelle

**–** Avenir incertain • Tarif des options • Volume du coffre

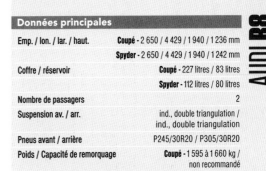

## Données principales

| Emp. / lon. / lar. / haut. | **Coupé** - 2 650 / 4 429 / 1 940 / 1 236 mm |
| | **Spyder** - 2 650 / 4 429 / 1 940 / 1 242 mm |
| Coffre / réservoir | **Coupé** - 227 litres / 83 litres |
| | **Spyder** - 112 litres / 80 litres |
| Nombre de passagers | 2 |
| Suspension av. / arr. | ind., double triangulation / ind., double triangulation |
| Pneus avant / arrière | P245/30R20 / P305/30R20 |
| Poids / Capacité de remorquage | **Coupé** - 1 595 à 1 660 kg / non recommandé |
| | **Spyder** - 1 695 à 1 750 kg / non recommandé |

## Composantes mécaniques

### V10 RWD

| Cylindrée, alim. | V10 5,2 litres atmos. |
|---|---|
| Puissance / Couple | 532 ch / 398 lb-pi |
| Tr. base (opt) / Rouage base (opt) | A7 / Prop |
| 0-100 / 80-120 / V. max | 3,7 s (c) / 2,7 s (est) / 324 km/h (c) |
| Type / ville / route / $CO_2$ | Sup / 16,7 / 10,3 / 322 g/km |

### V10 QUATTRO

| Cylindrée, alim. | V10 5,2 litres atmos. |
|---|---|
| Puissance / Couple | 562 ch / 406 lb-pi |
| Tr. base (opt) / Rouage base (opt) | A7 / Int |
| 0-100 / 80-120 / V. max | 3,5 s (c) / 2,6 s (est) / 324 km/h (c) |
| Type / ville / route / $CO_2$ | Sup / 17,9 / 12,1 / 356 g/km |

### V10 PERFORMANCE

| Cylindrée, alim. | V10 5,2 litres atmos. |
|---|---|
| Puissance / Couple | 602 ch / 413 lb-pi |
| Tr. base (opt) / Rouage base (opt) | A7 / Int |
| 0-100 / 80-120 / V. max | 3,3 s (c) / 2,4 s (est) / 331 km/h (c) |
| Type / ville / route / $CO_2$ | Sup / 17,9 / 12,1 / 356 g/km |

## Fidèle au poste

Michel Deslauriers

**I**l est clair que l'avenir de la marque aux quatre anneaux, et du groupe Volkswagen en entier, passe par l'électrification de sa gamme de modèles. Alors que les variantes e-tron commencent à débarquer en grand nombre au Canada, la petite sportive Audi TT semble avoir été jetée dans l'ombre.

Et pourtant, elle figure toujours dans la gamme du constructeur, malgré de timides changements depuis l'arrivée de l'actuelle génération pour le millésime 2016. Cette troisième mouture, comme les deux précédentes, se démarque par son design extérieur séduisant, épuré et dynamique. Comme ses rivales directes, la Porsche 718 et la BMW Z4, elle mise sur des dimensions réduites, une relative légèreté ainsi qu'un équilibre parfait des masses afin de procurer une tenue de route sublime.

### LES PETITS DÉTAILS
Alors que les berlines et les utilitaires du constructeur allemand arborent des habitacles cossus, dotés de matériaux riches et texturés, on a joué la carte de la simplicité dans l'Audi TT. Pas de boiseries, pas d'énormes écrans tactiles et pas de fonction de massage pour les sièges : ici, on a droit à un environnement sportif, sans dentelle, mais tout de même luxueux. Et la qualité des matériaux demeure sans reproche.

On se concentre sur les petits détails, comme le design en turbine des buses de ventilation, dans lesquelles on retrouve les commandes de climatisation, et les coutures en motif de diamant sur les sièges en cuir Nappa, disponibles en noir, rouge ou gris. L'affichage du conducteur, entièrement numérique, est configurable selon les préférences du conducteur et permet d'afficher la carte de navigation sur sa pleine grandeur. Et une excellente chaîne audio Bang & Olufsen à 12 haut-parleurs existe en option.

La TT, c'est une voiture pour le conducteur égoïste, qui veut bien partager avec une autre personne à l'occasion, pour faire plaisir. Il faut voyager léger avec son coffre peu spacieux, et laissons tomber les sièges arrière, quasi inutilisables dans le coupé et inexistants dans le cabriolet. En parlant de la TT Roadster, son toit souple à commande électrique s'abaisse ou se remonte même lorsque le véhicule est en mouvement à basse vitesse.

---

**Prix :** 57 800 $ à 78 200 $ (2021)
**Transport et prép. :** 2 295 $
**Catégorie :** Sportives de luxe
**Garanties :** 4/80, 4/80
**Assemblage :** Hongrie

**Ventes**
Québec 2020
**55**
▽ **38 %**

Canada 2020
**188**
▽ **45 %**

|  | 45 TSFI | 45 TFSI Roadster | TT RS |
|---|---|---|---|
| **PDSF** | 57 800 $ | 61 800 $ | 78 200 $ |
| **Loc.** | n.d. | n.d. | n.d. |
| **Fin.** | 1 301 $ • 4,90 % | 1 388 $ • 4,90 % | 1 743 $ • 4,90 % |

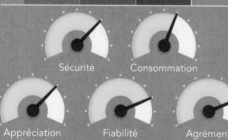

Sécurité     Consommation

Appréciation     Fiabilité     Agrément
générale     prévue     de conduite

**Équipement**

**Sécurité**

**Concurrents**
BMW Z4, Chevrolet Corvette, Jaguar F-TYPE, Lexus RC, Nissan Z, Porsche 718, Toyota GR Supra

**Nouveau en 2022**
Quelques changements des groupes d'apparence.

## TROIS NIVEAUX DE PERFORMANCES

Afin de se mesurer à sa concurrence sur tous les fronts, l'Audi TT propose trois niveaux de puissance. Le 4 cylindres turbo de 2 litres produit 228 chevaux dans le coupé TT et la TT Roadster, et 288 étalons dans le coupé TTS. Les TT de base ne sont pas aussi musclées que la Z4 munie d'une cylindrée similaire, bien que leurs performances soient tout de même amusantes.

La TTS se rapproche de la Porsche 718 Cayman de base en matière de fougue, et la TT RS demeure l'ultime bolide dans la gamme avec son 5 cylindres turbo de 2,5 litres. Ses 394 chevaux bien fringants placent parfaitement cette voiture dans les jambes de la Z4 M40i ainsi que des 718 Cayman S et Cayman GTS.

L'Audi TT, c'est aussi une tenue de route emballante et prévisible ainsi qu'une direction d'une précision chirurgicale. Les TTS et TT RS profitent d'amortisseurs magnétorhéologiques apportant un aplomb encore plus prononcé. De plus, le rouage intégral figurant de série permet à la TT d'être une sportive toutes saisons, contrairement à ses adversaires chez BMW et Porsche. À l'inverse, les roues de 20 pouces disponibles en option (de série pour les TTS et RS), entourées de pneus 255/30R20 à flancs minces, gâchent le confort de roulement.

Il faut aussi souligner que la concurrence ne se limite plus aux produits allemands. Depuis la refonte de la Chevrolet Corvette pour le millésime 2020, le bolide américain, avec son moteur central de presque 500 chevaux, est devenu un incontournable dans le segment des voitures sport, et se vend au même prix que les TTS et TT RS. Cela dit, l'Audi s'avère nettement plus écoénergétique avec sa cote mixte ville/route se situant entre 9,2 et 10 L/100 km. Même si l'on doute que la consommation de carburant soit la priorité pour les acheteurs de ce type de véhicule.

Limitée à quelques changements de groupes d'apparence pour 2022, on se demande ce que deviendra la TT dans la stratégie de déploiement des véhicules électriques chez Audi. Sera-t-elle bientôt redessinée avec une motorisation 100 % électrique, ou laissera-t-on ce charmant petit bolide disparaître au profit d'une plus grande sélection d'utilitaires ? Son sort devrait être fixé sous peu. En attendant, notre choix se porte sur les TT de base, suffisamment puissantes, bien équipées sans être trop chères, et belles à croquer.

### Données principales

| Emp. / lon. / lar. / haut. | **Coupé** - 2 505 / 4 191 / 1 832 / 1 353 mm |
| | **Roadster** - 2 505 / 4 191 / 1 832 / 1 355 mm |
| Coffre / réservoir | **Coupé** - 340 litres / 55 litres |
| | **Roadster** - 212 litres / 55 litres |
| Nombre de passagers | 2+2 (2 Roadster) |
| Suspension av. / arr. | ind., jambes force / ind., multibras |
| Pneus avant / arrière | P245/35R19 / P245/35R19 |
| Poids / Capacité de remorquage | **Coupé** - 1 450 kg / non recommandé |
| | **Roadster** - 1 540 kg / non recommandé |

### Composantes mécaniques

**45 TFSI**

| Cylindrée, alim. | 4L 2,0 litres turbo |
| --- | --- |
| Puissance / Couple | 228 ch / 258 lb-pi |
| Tr. base (opt) / Rouage base (opt) | A7 / Int |
| 0-100 / 80-120 / V. max | 5,6 s (c) / 4,5 s (est) / 209 km/h (c) |
| Type / ville / route / $CO_2$ | Sup / 10,5 / 7,9 / 218 g/km |

**TTS**

| Cylindrée, alim. | 4L 2,0 litres turbo |
| --- | --- |
| Puissance / Couple | 288 ch / 280 lb-pi |
| Tr. base (opt) / Rouage base (opt) | A7 / Int |
| 0-100 / 80-120 / V. max | 4,7 s (c) / 3,7 s (est) / 249 km/h (c) |
| Type / ville / route / $CO_2$ | Sup / 10,4 / 8,2 / 220 g/km |

**TT RS**

| Cylindrée, alim. | 5L 2,5 litres turbo |
| --- | --- |
| Puissance / Couple | 394 ch / 354 lb-pi |
| Tr. base (opt) / Rouage base (opt) | A7 / Int |
| 0-100 / 80-120 / V. max | 3,6 s (m) / 2,5 s (m) / 250 km/h (c) |
| Type / ville / route / $CO_2$ | Sup / 11,6 / 8,0 / 232 g/km |

+ Design intemporel •
Sublime tenue de route •
Performances élevées (TT RS)

− Côté pratique déficient •
Manque un peu de caractère •
Version TT RS chère

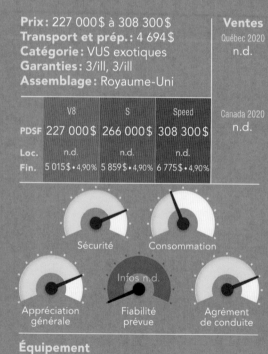

**Prix :** 227 000 $ à 308 300 $
**Transport et prép. :** 4 694 $
**Catégorie :** VUS exotiques
**Garanties :** 3/ill, 3/ill
**Assemblage :** Royaume-Uni

**Ventes**
Québec 2020
n.d.

Canada 2020
n.d.

| | V8 | S | Speed |
|---|---|---|---|
| PDSF | 227 000 $ | 266 000 $ | 308 300 $ |
| Loc. | n.d. | n.d. | n.d. |
| Fin. | 5 015 $ • 4,90 % | 5 859 $ • 4,90 % | 6 775 $ • 4,90 % |

Sécurité    Consommation

Appréciation générale    Infos n.d. Fiabilité prévue    Agrément de conduite

**Équipement**

**Sécurité**

**Concurrents**
Aston Martin DBX, Lamborghini Urus,
Mercedes-Benz Classe G, Rolls-Royce Cullinan

**Nouveau en 2022**
Motorisation hybride ajoutée
en cours d'année 2021.

# Prendre de la hauteur

Julien Amado

**L**ongtemps boudés par les constructeurs de grand luxe, les VUS ont fini par faire leur entrée chez un grand nombre de fabricants. Aston Martin DBX, Lamborghini Urus, Rolls-Royce Cullinan, et même Ferrari, qui avait pourtant juré de ne jamais en produire un, s'apprête à vendre le Purosangue. Chez Bentley, c'est au Bentayga que revient la mission de diversifier la gamme, pour venir prêter main-forte à la Flying Spur et à la Continental GT.

Quand on dit prêter main-forte, comprenez que c'est lui qui sert désormais de locomotive au chapitre des ventes. Arrivée sur notre marché en 2017, la première mouture du Bentayga a connu une importante évolution pour l'année-modèle 2021. En plus d'une refonte esthétique, d'un habitacle revu et d'une insonorisation améliorée, la modification la plus notable se trouve sous le capot.

### W12, V8 OU V6 HYBRIDE
Les acheteurs peuvent désormais opter pour une version hybride rechargeable, dotée d'un V6 à essence de 3 litres combiné à une motorisation électrique. Ces deux éléments combinés développent 443 chevaux et 516 lb-pi de couple. L'autonomie 100 % électrique est toutefois limitée à 29 km selon Ressources naturelles Canada. Cette mouture s'ajoute aux deux motorisations déjà disponibles, que l'on retrouve également dans d'autres modèles vendus par le manufacturier.

Le premier bloc est un V8 turbocompressé de 4 litres, fort de 542 chevaux et 568 lb-pi. Un moteur plus porté sur le couple à bas régime que sur les hautes révolutions et qui convient très bien pour un usage quotidien. Au sommet de la gamme, le Bentayga Speed reçoit la mécanique la plus noble, un W12 de 6 litres, disposant de 626 chevaux et de 664 lb-pi.

Selon les chiffres avancés par le constructeur britannique, la version hybride est la moins rapide à l'accélération avec un 0 à 100 km/h parcouru en 5,5 secondes. Le V8 fait descendre cette donnée à 4,5 secondes, et le W12 met tout le monde d'accord avec une demi-seconde de mieux ainsi qu'une vitesse maximale annoncée à 306 km/h. Des performances époustouflantes, surtout quand on se souvient que le véhicule dépasse les 2 500 kilos et que son aérodynamique est plus proche d'une armoire que d'une Formule 1.

Nous n'avons pas eu l'occasion de tester l'hybride, mais le V8 comme le W12 en offrent suffisamment pour une conduite de tous les jours. Si les accélérations sont un peu moins foudroyantes qu'à bord d'une Continental ou d'une Flying Spur, il vous reste suffisamment de pédale pour faire le ménage sur la voie de gauche. Comme beaucoup d'autres VUS surpuissants, on s'étonne des capacités d'accélération du Bentayga, particulièrement le modèle Speed et ses 12 cylindres. La boîte de vitesses à double embrayage (8 rapports) seconde efficacement le moteur, gratifiant le conducteur d'une bonne rapidité d'action.

Du côté de la tenue de route, on se félicite de manier une direction précise et tranchante, qui n'a rien à envier à la concurrence. Le confort des suspensions est évidemment à l'avenant, avec un amortissement bien calibré. Parvenant à composer avec le poids élevé du véhicule dans les courbes, les éléments suspenseurs ménagent également un bon confort lorsque l'asphalte se fait moins lisse. Toutefois, la conduite de ce mastodonte de luxe est un peu moins raffinée, et plus «camion-nesque» qu'une Flying Spur, qui propose une insonorisation et un confort inégalables.

## PLUS DE TECHNOLOGIES, AUTANT D'OPULENCE

Après quatre années de bons et loyaux services, l'habitacle du Bentayga était dû pour une refonte. Designers et ingénieurs se sont donc remis au travail pour contenter des acheteurs très exigeants. Si le design global demeure similaire, le système multimédia, vieillissant, a été complètement modifié et retrouve une modernité bienvenue. Les boutons ont migré sous l'écran, ce qui a permis d'augmenter la taille de ce dernier (10,9 pouces). Toutefois, on constate que le constructeur ne cède pas à la mode des immenses écrans centraux adoptés par certains concurrents.

Bentley annonce une amélioration notable de la qualité de finition, mais il est difficile de voir une grande différence, le modèle précédent étant déjà fort réussi sur ce point. Et comme toujours dans les véhicules très haut de gamme, les possibilités de personnalisation sont innombrables, la clientèle adorant conduire un véhicule unique au monde. Aluminium, bois précieux, fibre de carbone, aspect des cuirs, surpiqûres, motifs cousus, le choix des matériaux n'a pour seule limite que la profondeur de vos poches. Et il faudra qu'elles le soient, profondes, puisque le Bentayga coûte aussi cher qu'un condo.

### Données principales

| | |
|---|---|
| Emp. / lon. / lar. / haut. | 2 995 / 5 125 / 2 010 / 1 728 mm |
| Coffre / réservoir | 479 à 1 774 litres / 85 litres |
| Nombre de passagers | 4 à 7 |
| Suspension av. / arr. | ind., pneumatique, double triangulation / ind., pneumatique, multibras |
| Pneus avant / arrière | P285/45R21 / P285/45R21 |
| Poids / Capacité de remorquage | **V8** - 2 415 kg / 3 500 kg (7 720 lb) |
| | **W12** - 2 508 kg / 3 500 kg (7 720 lb) |
| | **Hybride** - 2 645 kg / n.d. |

### Composantes mécaniques

**HYBRIDE**

| | |
|---|---|
| Cylindrée, alim. | V6 3,0 litres turbo |
| Puissance / Couple | 335 ch / 332 lb-pi |
| Tr. base (opt) / Rouage base (opt) | A8 / Int |
| 0-100 / 80-120 / V. max | 5,5 s (c) / n.d. / 254 km/h (c) |
| Type / ville / route / $CO_2$ | Sup / 13,9 / 11,2 / 159 g/km |
| Puissance / Couple combiné | 443 ch / 516 lb-pi |

**MOTEUR ÉLECTRIQUE**

| | |
|---|---|
| Puissance / Couple | 126 ch (94 kW) / 258 lb-pi |
| Type de batterie / Énergie | Lithium-ion (Li-ion) / 17,3 kWh |
| Temps de charge (240V) | 3,0 h |
| Autonomie | 29 km |

**V8**

| | |
|---|---|
| Cylindrée, alim. | V8 4,0 litres turbo |
| Puissance / Couple | 542 ch / 568 lb-pi |
| Tr. base (opt) / Rouage base (opt) | A8 / Int |
| 0-100 / 80-120 / V. max | 4,5 s (c) / n.d. / 290 km/h (c) |
| Type / ville / route / $CO_2$ | Sup / 15,8 / 9,9 / 309 g/km |

**W12**

| | |
|---|---|
| Cylindrée, alim. | W12 6,0 litres turbo |
| Puissance / Couple | 626 ch / 664 lb-pi |
| Tr. base (opt) / Rouage base (opt) | A8 / Int |
| 0-100 / 80-120 / V. max | 3,9 s (c) / n.d. / 306 km/h (c) |
| Type / ville / route / $CO_2$ | Sup / 19,0 / 13,0 / 383 g/km |

**+** Performances de haut vol • Capacités dynamiques étonnantes • Très bien adapté au climat québécois

**—** Un peu plus bruyant qu'une Flying Spur ou une Continental • Conduite un peu moins raffinée que les berlines et coupés Bentley

Photos : Bentley

## En toute décontraction

Julien Amado

**Prix:** 263 600 $ à 365 900 $
**Transport et prép.:** 4 694 $
**Catégorie:** Exotiques
**Garanties:** 3/ill, 3/ill
**Assemblage:** Royaume-Uni

**Ventes**
Québec 2020
n.d.

Canada 2020
n.d.

| | V8 Coupé | V8 décapotable | Speed décap. |
|---|---|---|---|
| PDSF | 263 600 $ | 289 900 $ | 365 900 $ |
| Loc. | n.d. | n.d. | n.d. |
| Fin. | 5 808 $ • 4,90 % | 6 377 $ • 4,90 % | 8 022 $ • 4,90 % |

Sécurité  Consommation

Appréciation générale  Fiabilité prévue  Infos n.d.  Agrément de conduite

### Équipement

### Sécurité

### Concurrents
Acura NSX, Aston Martin DB11, BMW Série 8, Ferrari Roma, McLaren GT

### Nouveau en 2022
Puissance du moteur W12 portée à 650 chevaux.

**L**a Bentley Continental GT, comme son nom l'indique, fait partie des voitures de Grand Tourisme. Une auto qui respecte à la lettre l'idée que l'on se fait d'une véritable GT, à savoir un véhicule statutaire, coupé à deux portes, et qui loge un gros moteur sous son long capot.

Dans le cas de la Continental, il est possible de choisir entre deux mécaniques distinctes. Le modèle de base (tout étant relatif...) reçoit un V8 de 4 litres. Grâce à la suralimentation, la puissance et le couple culminent à 542 chevaux et 568 lb-pi de couple. Au sommet de la gamme, les acheteurs plus exigeants, mais aussi plus fortunés, peuvent opter pour un W12 de 6 litres. Disposant également d'un turbocompresseur par banc de cylindre, il délivre 650 chevaux et 664 lb-pi. Et quel que soit le moteur, une seule transmission a été retenue : une boîte automatique à double embrayage comptant 8 rapports.

**UNE AMBIANCE ROYALE**
Chez Bentley, la qualité de finition fait partie des éléments mis en avant pour séduire les acheteurs. On comprend immédiatement pourquoi en montant à bord de la Continental GT. Fervents adeptes du classicisme, les designers ont opté pour des lignes sobres, rehaussées par des touches de chrome et des commandes inspirées de l'aviation. Les luxueuses boiseries se marient parfaitement au cuir, qui enivre le conducteur par ses effluves délicats.

Un grand écran central permet de profiter d'un système multimédia plutôt intuitif, comportant toutes les fonctionnalités actuelles. Monté sur un support triangulaire, il peut s'escamoter pour laisser apparaître un thermomètre, une boussole et un chronomètre. Enfin, un dernier appui sur la même commande permet de faire pivoter ces cadrans pour ne contempler qu'un simple panneau de bois, qui épure le design du tableau de bord.

En refermant la porte, qui se verrouille en douceur, le conducteur se retrouve isolé du reste du monde, dans une ambiance relaxante, qui incite à une conduite coulée. Que ce soit le V8 ou le W12, les deux moteurs se montrent discrets à basse vitesse. Rien à voir avec une Ferrari ou une Lamborghini qui rugit à la moindre sollicitation. La Continental GT préfère leur opposer un calme et une sérénité qui conviennent très bien à ce grand coupé. Parfaitement maintenu dans des sièges au confort princier, le conducteur vit une expérience sensorielle unique. L'excellente insonorisation, combinée à des suspensions

pneumatiques très bien calibrées, permettent de bénéficier d'un confort remarquable. Des qualités qui font de la Continental GT une autoroutière magistrale. Et même sur des routes secondaires très mal revêtues, l'auto ne malmène jamais ses occupants.

Au moment d'aborder des virages, on s'étonne de sa maniabilité considérant son format. Mais n'allez pas la brusquer plus que de raison, la Continental GT n'a pas été faite pour cela et son poids élevé (plus de 2 100 kg) se fera rapidement sentir. Les freinages en appui et les coups de volant trop intenses ne vous apporteront que du sous-virage et un crissement prononcé des pneus avant. Mieux vaut revenir à un rythme plus en harmonie avec l'état d'esprit qu'elle communique à son conducteur.

### ACCÉLÉRER AVEC LA MANIÈRE

Sous le capot, la noblesse des deux moteurs est évidemment en adéquation avec les prétentions affichées par l'auto. Contrairement à d'autres constructeurs de véhicules exotiques qui font monter leur moteur à 7 500 ou 8 000 tr/min, Bentley a décidé de conserver un régime maximal relativement bas (6 500 tr/min). Cela permet d'exploiter des blocs forts en couple, au bénéfice des accélérations à bas régime.

Bien qu'ils ne se montrent jamais hargneux ou brutaux, le V8 comme le W12 vous gratifient d'accélérations et de reprises canon. Avec un 0 à 100 km/h avalé en 4 secondes avec le 8 cylindres (3,6 secondes avec le W12), vous possédez un véhicule franchement rapide. Un appui modéré sur la pédale de droite permet de s'insérer aisément dans le trafic.

Et si vous écrasez l'accélérateur jusqu'à l'épaisse moquette, l'aiguille de l'indicateur de vitesse monte si vite qu'il vous faudra rapidement relâcher la pression. Les deux moteurs donnent l'impression de disposer d'une réserve de couple quasi inépuisable. C'est encore plus vrai avec le W12, dont la force additionnelle intensifie cette sensation au volant.

En fin de compte, à part une visibilité arrière peu convaincante et des places arrière symboliques, il n'y a pas grand-chose à reprocher à cette GT performante et aboutie. On pourrait aussi évoquer son prix élevé, en particulier celui des options, qui fait rapidement grimper la facture. Mais quand on magasine une voiture de ce prix, 20 ou 30 000 $ d'options ne sont pas un frein pour finaliser son achat...

## Données principales

| Emp. / lon. / lar. / haut. | **Coupé** - 2 851 / 4 850 / 1 954 / 1 405 mm |
| --- | --- |
| | **Cabriolet** - 2 849 / 4 850 / 1 954 / 1 399 mm |
| Coffre / réservoir | **Coupé** - 358 litres / 90 litres |
| | **Cabriolet** - 235 litres / 90 litres |
| Nombre de passagers | 4 |
| Suspension av. / arr. | ind., pneumatique, double triangulation / ind., pneumatique, multibras |
| Pneus avant / arrière | P265/40R21 / P305/35R21 |
| Poids / Capacité de remorquage | **Coupé** - 2 165 kg / non recommandé |
| | **Cabriolet** - 2 335 kg / non recommandé |

## Composantes mécaniques

**V8**

| Cylindrée, alim. | V8 4,0 litres turbo |
| --- | --- |
| Puissance / Couple | 542 ch / 568 lb-pi |
| Tr. base (opt) / Rouage base (opt) | A8 / Int |
| 0-100 / 80-120 / V. max | 4,0 s (c) / n.d. / 318 km/h (c) |
| Type / ville / route / CO$_2$ | Sup / 14,9 / 9,0 / 287 g/km |

**W12**

| Cylindrée, alim. | W12 6,0 litres turbo |
| --- | --- |
| Puissance / Couple | 650 ch / 664 lb-pi |
| Tr. base (opt) / Rouage base (opt) | A8 / Int |
| 0-100 / 80-120 / V. max | 3,6 s (c) / n.d. / 335 km/h (c) |
| Type / ville / route / CO$_2$ | Sup / 19,0 / 11,6 / 364 g/km |

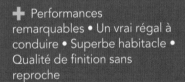

**+** Performances remarquables • Un vrai régal à conduire • Superbe habitacle • Qualité de finition sans reproche

**━** Visibilité réduite vers l'arrière • Espace quasi inexistant à l'arrière • Les options font vite monter la facture

Photos : Julien Amado, Bentley

## Cocktail époustouflant

Charles Jolicœur

**L**a Bentley Flying Spur appartient à une classe très exclusive de voitures où seuls quelques acteurs font partie de ce cercle très fermé. On ne parle plus de Mercedes-Benz ou BMW ici, mais plutôt de Rolls-Royce, Maybach... et c'est à peu près tout. La Flying Spur, jusqu'à sa refonte, représentait le modèle d'entrée de gamme de Bentley alors que la grande Mulsanne était la berline phare. Néanmoins, depuis l'an dernier, c'est la première qui a repris les commandes alors que la seconde a pris une retraite bien méritée.

Voilà un mandat difficile, surtout lorsqu'on sait que la Rolls-Royce Ghost vient tout juste d'être redessinée avec de nouvelles technologies, dont l'ajout d'un rouage intégral. Bien que la Ghost soit plus dispendieuse, quand on parle de véhicules à plus de 300 000 $, ce n'est plus une question de prix, mais plutôt de l'expérience qu'elle procure, cela s'entend. Sur ce point, la Bentley a certainement mis le paquet.

### LE LUXE ET LA TECHNOLOGIE

Prendre place derrière le volant d'une Bentley reste une expérience que seuls quelques privilégiés ont la chance de découvrir. Une fois à l'intérieur, on admire l'élégance du tableau de bord, la qualité exceptionnelle de la finition et même l'odeur unique des cuirs qui nous entourent. On se surprend même à jouer au jeu des agencements, sachant qu'il n'existe pas moins de 5 000 combinaisons d'intérieurs. On se demande à quoi ressemblerait le tableau de bord du modèle d'essai si l'on avait remplacé le bois par de la fibre de carbone ou encore de la pierre, car oui, il est possible de demander une finition en quartz ou encore en ardoise. Il s'agit de plaques de 0,1 mm d'épaisseur dont la pierre a été formée il y a plus de 200 millions d'années.

Au centre du tableau de bord se trouve un écran de 12,3 pouces (plus large que celui de la Ghost d'ailleurs) qui permet de contrôler les mille et une fonctions de la Flying Spur. Cet écran peut cependant « disparaitre » grâce à un système rotatif. D'un côté, il y a l'écran, d'un autre, trois cadrans (température, boussole et chronomètre) et finalement, du dernier, une continuation des boiseries pour se reposer de la technologie. De plus, il y a trois systèmes audio disponibles avec 650 watts, 1 500 watts et 2 200 watts. Ce dernier, développé par Naim, offre tout simplement la meilleure expérience auditive de l'industrie automobile.

---

**Prix :** 239 700 $ à 271 400 $
**Transport et prép. :** 4 694 $
**Catégorie :** Gr. berlines de luxe
**Garanties :** 3/ill, 3/ill
**Assemblage :** Royaume-Uni

**Ventes**
Québec 2020
n.d.

Canada 2020
n.d.

| | V8 | W12 |
|---|---|---|
| PDSF | 239 700 $ | 271 400 $ |
| Loc. | n.d. | n.d. |
| Fin. | 5 290 $ • 4,90 % | 5 976 $ • 4,90 % |

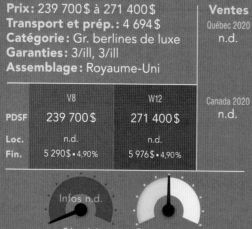

Infos n.d.
Sécurité

Consommation

Appréciation générale

Infos n.d.
Fiabilité prévue

Agrément de conduite

### Équipement

### Sécurité

### Concurrents
Mercedes-Maybach Classe S, Rolls-Royce Ghost

### Nouveau en 2022
Aucun changement majeur annoncé au moment de mettre sous presse.

À l'arrière, l'espace ne manque pas. La Flying Spur n'offre pas de version à empattement allongé, mais le modèle de base demeure suffisamment spacieux. Imaginez un peu la classe affaires dans un avion de ligne et vous aurez une bonne idée de l'espace disponible. De plus, les passagers peuvent contrôler plusieurs fonctions grâce à un écran central portatif de 5,1 pouces qui permet d'accéder à différents systèmes comme la climatisation et le système de divertissement.

Lorsque la porte se referme, on a droit à un silence total et complet. Une fois sur la route, rien ne vient déranger la quiétude à l'intérieur. Que ce soit en pleine accélération, en ville, sur l'autoroute ou à un feu rouge, la Flying Spur s'avère un havre de paix qui surpasse ce qu'offre une BMW Série 7 ou encore une Mercedes-Benz Classe S. Est-ce que le confort additionnel justifie de payer trois fois le prix des modèles nommés précédemment? À chacun de décider, mais chose certaine, à part la Ghost, aucune voiture n'offre un confort équivalent à celui de la berline de Bentley.

### V8 OU W12?

La Bentley Flying Spur est plus lourde qu'un Ford F-150. Pourtant, équipée de son gros W12 de 6 litres biturbo, elle passe de 0 à 100 km/h en moins de 4 secondes. Évidemment, le fait d'avoir 626 chevaux et 664 lb-pi de couple envoyés aux quatre roues aide grandement les accélérations et les reprises. Mais c'est la façon dont sont livrées les performances qui surprend le plus. La sensation ressemble à celle d'un Boeing 787 qui se lance sur une piste de décollage et jamais le fait de peser à fond sur la pédale droite ne vient déranger le confort des occupants.

Bentley a introduit un moteur V8 à la fin de 2020, qui développe 542 chevaux et 568 lb-pi de couple et qui permet en outre d'économiser plusieurs dizaines de milliers de dollars sur le prix d'achat. Beaucoup plus économique, il consomme environ 2 L/100 km de moins que le W12. Bien sûr, ce n'est pas le prix ou l'économie d'essence qui attirera les acheteurs de Flying Spur vers le V8, mais plutôt l'effet du poids réduit sur la tenue de route.

Le modèle à moteur 8 cylindres s'avère encore plus agile et aiguisé en virage, tandis que la sonorité du moteur est plus agressive que celle du W12. La Flying Spur à moteur V8 s'adresse à ceux qui veulent une conduite un peu plus sportive sans sacrifier les performances. Le W12, comme la Flying Spur elle-même, est destiné aux acheteurs qui ne font plus de compromis depuis longtemps.

### Données principales

| | |
|---|---|
| Emp. / lon. / lar. / haut. | 3 194 / 5 316 / 1 988 / 1 483 mm |
| Coffre / réservoir | 420 litres / 90 litres |
| Nombre de passagers | 4 à 5 |
| Suspension av. / arr. | ind., pneumatique, double triangulation / ind., pneumatique, multibras |
| Pneus avant / arrière | **V8** - P265/45R20 / P295/40R20 |
| | **W12** - P265/40R21 / P305/35R21 |
| Poids / Capacité de remorquage | **V8** - 2 330 kg / non recommandé |
| | **W12** - 2 437 kg / non recommandé |

### Composantes mécaniques

**V8**

| | |
|---|---|
| Cylindrée, alim. | V8 4,0 litres turbo |
| Puissance / Couple | 542 ch / 568 lb-pi |
| Tr. base (opt) / Rouage base (opt) | A8 / Int |
| 0-100 / 80-120 / V. max | 4,1 s (c) / n.d. / 318 km/h (c) |
| Type / ville / route / CO$_2$ | Sup / 15,5 / 11,6 / 323 g/km |

**W12**

| | |
|---|---|
| Cylindrée, alim. | W12 6,0 litres turbo |
| Puissance / Couple | 626 ch / 664 lb-pi |
| Tr. base (opt) / Rouage base (opt) | A8 / Int |
| 0-100 / 80-120 / V. max | 3,8 s (c) / n.d. / 333 km/h (c) |
| Type / ville / route / CO$_2$ | Sup / 19,2 / 12,2 / 373 g/km |

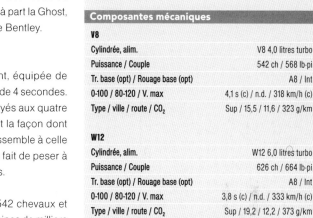

**+** Exclusivité assurée • Performances surprenantes • Intérieur très luxueux • Style à couper le souffle

Dépréciation notable • Beaucoup d'options malgré le prix

**VOITURE ÉLECTRIQUE**

**Prix:** 54 990 $ à 72 990 $
**Transport et prép.:** 2 245 $
**Catégorie:** Compactes de luxe
**Garanties:** 4/80, 4/80
**Assemblage:** Allemagne

**Ventes**
Québec 2020
n.d.

|  | eDrive40 | M50 |  |
|---|---|---|---|
| **PDSF** | 54 990 $ | 72 990 $ | Canada 2020 n.d. |
| **Loc.** | n.d. | n.d. | |
| **Fin.** | 1 244 $ • 4,90 % | 1 634 $ • 4,90 % | |

Infos n.d. — Sécurité
Infos n.d. — Consommation
Infos n.d. — Appréciation générale
Infos n.d. — Fiabilité prévue
Infos n.d. — Agrément de conduite

**Équipement**
Info n.d. Info n.d. Info n.d. Info n.d. Info n.d. Info n.d.

**Sécurité**

**Concurrents**
Polestar 2, Tesla Model 3

**Nouveau en 2022**
Nouveau modèle.

# La Model 3 de BMW

Gabriel Gélinas

**D**ans le créneau des berlines de taille compacte à motorisation électrique, la Tesla Model 3 règne sans partage, partout sur la planète. Cependant, la chasse gardée de Tesla tire à sa fin avec l'arrivée, en 2022, de la BMW i4. Cette berline est déclinée non seulement en variante eDrive40 à propulsion, mais également en version M50 à rouage intégral, laquelle devient le premier modèle de la marque bavaroise à conjuguer les désignations «i» pour électrique et «M» pour performance.

Pour BMW, la i4 marque une nouvelle approche pour la construction de déclinaisons à motorisation électrique. Alors que les i3 et i8 étaient bâties sur des structures inédites conçues spécifiquement pour produire ces modèles, la i4 est élaborée sur la plateforme CLAR, une base modulaire pouvant servir à la fois aux variantes à motorisation thermique, hybride ou électrique. Cette nouvelle philosophie accorde plus de flexibilité au constructeur qui peut ainsi réagir rapidement face à la demande exprimée sur différents marchés. Cela explique pourquoi la i4 est étroitement dérivée de la prochaine Série 4 Gran Coupé à motorisation thermique.

Côté style, la i4 respecte en tous points les codes de la marque avec des porte-à-faux très courts, des formes qui évoquent beaucoup les autres modèles, et la calandre verticale reprise de la Série 4. Cette dernière est ici obstruée afin de bonifier l'aérodynamique, les besoins de refroidissement d'une voiture électrique étant moins importants que ceux d'une voiture thermique. Pour marquer sa spécificité, la i4 affiche des bas de caisse de couleur bleue ainsi que des poignées de porte affleurantes.

### UNE NOUVELLE PRÉSENTATION INTÉRIEURE
L'habitacle de la i4 se démarque de celui de la Série 4 par l'adoption de l'écran *Curved Display*. Ce dernier est composé d'un agencement à l'horizontale de deux écrans de forme incurvée. Le premier écran de 12,3 pouces fait directement face au conducteur et affiche les informations relatives à la conduite, alors que le second écran de 14,9 pouces sert d'interface avec le système de télématique iDrive 8. Mis à part l'affichage décrit précédemment, la présentation intérieure ressemble beaucoup à celle des autres modèles de Série 3 et 4.

La BMW i4 eDrive40 est animée par un seul moteur électrique développant l'équivalent de 335 chevaux qui entraînent les roues arrière. Il est alimenté par une batterie d'une capacité de 83,9 kWh permettant une autonomie chiffrée à 475 km selon BMW. Le chrono du 0 à 100 km/h est estimé à 5,7 secondes par le constructeur. Le système électrique de la i4 permet la recharge sur une borne rapide capable de livrer jusqu'à 200 kW, ou la recharge sur une borne de niveau 2 conventionnelle. Lorsque branchée à une borne d'une puissance de 200 kW, BMW indique que le chargement de la batterie passe de 10 % à 80 % en 31 minutes.

Le constructeur bavarois précise que le moteur électrique de la i4 est de type synchrone à électroaimant, dont la construction évite le recours aux terres rares, et que la batterie contient moins de 10 % de cobalt. Avec un châssis dont les liaisons au sol sont composées de jambes de force avec amortisseurs variables à l'avant et d'un système multibras avec suspension pneumatique à l'arrière, la dynamique de la i4 devrait être à l'image des autres modèles de la gamme. Comme la plupart des véhicules électriques, la i4 est dotée de plusieurs modes de récupération d'énergie et peut même être conduite à une seule pédale, le freinage s'amorçant dès que le conducteur relâche l'accélérateur.

### LA VARIANTE M

De son côté, la i4 M50 est dotée de deux moteurs électriques, ce qui en fait une variante à rouage intégral. Et comme la puissance est équivalente à 536 chevaux en mode *Sport Boost*, cela annonce des performances semblables à celles de la dernière M4 avec un chrono de 3,9 secondes pour le 0 à 100 km/h. Toutefois, l'autonomie de cette version baisse à 385 km selon le constructeur. En conduite normale, la i4 M50 priorise le train arrière afin de bonifier l'autonomie, mais lorsque la motricité devient moins optimale ou que l'accélération latérale augmente, le moteur électrique avant s'engage pour assurer des performances plus relevées et une meilleure dynamique. La i4 M50 ajoute la suspension adaptative M avec barres antiroulis spécifiques, une direction à pas variable, des freins M, ainsi que des jantes de 19 ou 20 pouces chaussées d'une monte pneumatique plus large à l'arrière.

La i4 se pointe donc comme une concurrente sérieuse pour la Tesla Model 3, avec une qualité de fabrication et d'assemblage qui devrait lui permettre de se démarquer sérieusement de sa rivale américaine, qui fait actuellement la pluie et le beau temps dans ce créneau.

**+** Données insuffisantes  **−** Données insuffisantes

Photos : BMW

### Données principales

| | |
|---|---|
| Emp. / lon. / lar. / haut. | 2 865 / 4 782 / 1 851 / 1 447 mm |
| Coffre | 470 à 1 290 litres |
| Nombre de passagers | 5 |
| Suspension av. / arr. | ind., jambes force / ind., pneumatique, multibras |
| Pneus avant / arrière | P245/45R18 / P255/45R18 |
| Poids / Capacité de remorquage | 2 050 kg / non recommandé |

### Composantes mécaniques

**eDRIVE40**

| | |
|---|---|
| Puissance / Couple | 335 ch (250 kW) / 317 lb-pi |
| Tr. base (opt) / Rouage base (opt) | Rapport fixe / Prop |
| 0-100 / 80-120 / V. max | 5,7 s (c) / 4,1 s (est) / 190 km/h (c) |
| Type de batterie | Lithium-ion (Li-ion) |
| Énergie | 83,9 kWh |
| Temps de charge (240V / 400V) | 9,5 h / 0,5 h |
| Autonomie | 475 km (est) |

**M50**

| | |
|---|---|
| Tr. base (opt) / Rouage base (opt) | Rapport fixe / Int |
| 0-100 / 80-120 / V. max | 3,9 s (c) / 2,8 s (est) / 225 km/h (c) |
| Puissance combinée | 469 ch (350 kW) / 538 lb-pi |
| Avec le mode **Sport Boost** - 536 ch (400 kW) / 586 lb-pi | |

**MOTEURS ÉLECTRIQUES**

| | |
|---|---|
| Puissance / Couple | Av - 255 ch (190 kW) / n.d. |
| | Arr - 308 ch (230 kW) / n.d. |
| Type de batterie | Lithium-ion (Li-ion) |
| Énergie | 83,9 kWh |
| Temps de charge (240V / 400V) | 9,5 h / 0,5 h |
| Autonomie | 385 km (est) |

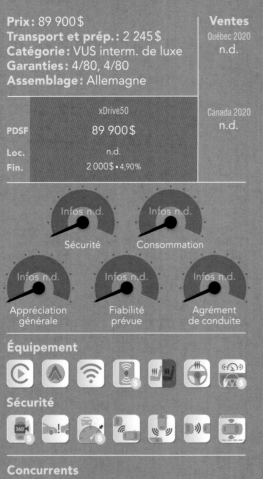

**Prix:** 89 900 $
**Transport et prép.:** 2 245 $
**Catégorie:** VUS interm. de luxe
**Garanties:** 4/80, 4/80
**Assemblage:** Allemagne

**Ventes**
Québec 2020
n.d.

| | xDrive50 | |
|---|---|---|
| PDSF | 89 900 $ | Canada 2020 |
| Loc. | n.d. | n.d. |
| Fin. | 2 000 $ • 4,90 % | |

Infos n.d. — **Sécurité**
Infos n.d. — **Consommation**
Infos n.d. — **Appréciation générale**
Infos n.d. — **Fiabilité prévue**
Infos n.d. — **Agrément de conduite**

**Équipement**

**Sécurité**

**Concurrents**
Audi e-tron, Jaguar I-PACE, Tesla Model X

**Nouveau en 2022**
Nouveau modèle.

# Un premier VUS électrique pour la marque

Gabriel Gélinas

**P**résagé par le concept Vision iNext présenté en première mondiale au Salon de l'auto de Los Angeles en 2018, le nouveau VUS iX à motorisation électrique est lancé sur le marché en 2022 et devient un concurrent direct pour les Audi e-tron, Jaguar I-Pace ainsi que le Tesla Model X.

Affichant le nouveau langage visuel de BMW, avec la calandre verticale surdimensionnée à deux naseaux, le iX présente également un amalgame des caractéristiques des VUS à motorisation thermique de la marque. En effet, il est aussi long et large qu'un X5 et aussi haut qu'un X6, alors que les jantes rappellent le X7. Les lignes de la carrosserie sont plutôt épurées, ce qui permet au iX d'afficher un excellent coefficient aérodynamique de 0,25.

On a élaboré le nouveau VUS électrique de la marque bavaroise sur une structure monocoque mélangeant l'acier, l'aluminium et le plastique renforcé de fibre de carbone. Le tout forme ce que BMW appelle la *Carbon Cage,* qui représente l'évolution de la technologie *Carbon Core* développée, il y a quelques années, pour la berline de grand luxe de Série 7.

### 516 CHEVAUX

En Europe, et sur d'autres marchés à l'international, on offrira le iX en deux variantes à rouage intégral électronique: les xDrive40 et xDrive50. Mais pour l'Amérique du Nord, seul le iX xDrive50 est au programme au moment d'écrire ces lignes. Avec ses deux moteurs électriques entraînant chacun un train de roues, le iX dispose d'une puissance totale pouvant atteindre 516 chevaux, ainsi qu'un couple maximal de 564 lb-pi. Le iX xDrive50 annonce un chrono de 4,6 secondes pour passer de 0 à 100 km/h et une autonomie évaluée à 475 km, selon le constructeur.

Le iX est alimenté par une batterie d'une capacité de 111,5 kWh contenant moins de 10 % de cobalt, et ses moteurs électriques ne comportent pas de terres rares. La recharge complète sur une borne conventionnelle de niveau 2, capable de livrer une puissance de 11 kW, prend un peu plus de 11 heures. Il est d'ailleurs possible d'ajouter 150 km d'autonomie en dix minutes ou de passer de 10 % à 80 % de charge en un peu plus d'une demi-heure lorsqu'on branche le iX à une borne rapide capable de livrer une puissance de 200 kW.

En conduite normale, seul le moteur arrière fait avancer le véhicule afin de bonifier l'efficacité et l'autonomie. Mais dès que les conditions l'exigent, le moteur avant se met en marche pour faire du iX un VUS à rouage intégral. La suspension est à doubles leviers triangulés à l'avant et à système multibras à l'arrière, alors que des barres antiroulis sont présentes sur les deux trains. On peut également opter pour une suspension pneumatique adaptative.

Le BMW iX est doté d'une direction électromécanique à pas variable, mais aussi de quatre roues directionnelles. Cette option permet d'améliorer la maniabilité à basse vitesse en braquant les roues arrière dans le sens opposé aux roues avant. Le braquage s'opère dans le même sens que les roues avant à haute vitesse, pour améliorer la stabilité.

### UNE VARIANTE M EN COURS D'ANNÉE

BMW a d'ores et déjà annoncé son intention de produire une variante plus sportive et dynamique du iX qui recevra la désignation M60 et dont la puissance sera portée à plus de 600 chevaux. Parions que les liaisons au sol, la direction et la monte pneumatique seront adaptées en conséquence. Ce iX M60 sera dévoilé en cours d'année 2022 et permettra au constructeur de doubler son offre dans ce créneau, en Amérique du Nord, et de la bonifier sur les autres marchés où le iX xDrive40 est déjà commercialisé.

En prenant place à bord, on remarque immédiatement le nouveau volant de forme hexagonale ainsi que la présentation à l'horizontale de la planche de bord, le iX étant dépourvu d'une console centrale conventionnelle. L'élément le plus frappant de ce décor futuriste reste sans contredit l'écran *Curved Display,* qui fait figure de grande dalle numérique incurvée composée, en fait, de deux écrans juxtaposés. On a accès aux fonctionnalités du système de télématique iDrive 8 au moyen de l'écran tactile via la molette rotative intégrée dans le prolongement de l'accoudoir central, ou encore par des commandes vocales et gestuelles.

Le iX de BMW s'inscrit dans la grande offensive électrique menée par plusieurs constructeurs à l'échelle mondiale, et il répond à la demande actuelle par sa configuration de VUS. Le style n'est peut-être pas consensuel, mais la technologie est assurément au rendez-vous. Reste à voir quel sera l'accueil réservé à ce tout premier VUS à motorisation électrique développé par la marque de Munich.

### Données principales

| | |
|---|---|
| Emp. / lon. / lar. / haut. | 3 000 / 4 953 / 1 965 / 1 694 mm |
| Coffre | 500 à 1 750 litres |
| Nombre de passagers | 5 |
| Suspension av. / arr. | ind., double triangulation / ind., multibras |
| Pneus avant / arrière | P235/60R20 / P235/60R20 |
| Poids / Capacité de remorquage | 2 510 kg / n.d. |

### Composantes mécaniques

| | |
|---|---|
| Puissance / Couple combiné | 516 ch (400 kW) / 564 lb-pi |
| Tr. base (opt) / Rouage base (opt) | Rapport fixe / Int |
| 0-100 / 80-120 / V. max | 4,6 s (c) / 3,5 s (est) / 200 km/h (c) |
| **MOTEURS ÉLECTRIQUES** | |
| Puissance / Couple | **Av -** 268 ch (200 kW) / 260 lb-pi |
| | **Arr -** 335 ch (250 kW) / 295 lb-pi |
| Type de batterie | Lithium-ion (Li-ion) |
| Énergie | 111,5 kWh |
| Temps de charge (240V / 400V) | 11,0 h / 0,5 h |
| Autonomie | 475 km (est) |

+ Données insuffisantes    − Données insuffisantes

Photos : BMW

BMW SÉRIE 2

## La tradition préservée

Michel Deslauriers

**Prix :** 38 990 $ à 56 900 $ (2021)
**Transport et prép. :** 2 245 $
**Catégorie :** Sous-comp. de luxe
**Garanties :** 4/80, 4/80
**Assemblage :** Allemagne

**Ventes**

Québec 2020
410

↑ 31 %

Canada 2020
1 358

↑ 12 %

| | 228i Gran Coupé | M240i Coupé |
|---|---|---|
| PDSF | 38 990 $ | 56 900 $ |
| Loc. | 563 $ • 3,99 % | 855 $ • 3,99 % |
| Fin. | 805 $ • 2,99 % | 1 176 $ • 3,99 % |

Sécurité

Consommation

Appréciation générale

Fiabilité prévue

Agrément de conduite

**Équipement**

**Sécurité**

**Concurrents**

Acura ILX, Audi A3, Cadillac CT4,
Mercedes-Benz CLA/Classe A,
MINI 3 Portes/5 Portes/Cabriolet

**Nouveau en 2022**

Nouvelle génération du coupé et du cabriolet,
ajout de la 228i Gran Coupé à traction
en cours d'année 2021.

**L**ors du millésime 2020, BMW a ajouté une troisième variante de la Série 2 à sa gamme nord-américaine, le Gran Coupé à quatre portes. Cette nouvelle venue différait toutefois du coupé et du cabriolet, étant conçue sur une plateforme à traction et à moteur transversal, alors que les autres membres de la Série 2 misaient sur la traditionnelle configuration à propulsion et à moteur longitudinal.

Les puristes de la marque ont certainement retenu leur souffle, alors que tout indiquait un changement fondamental pour le modèle d'entrée de gamme de BMW. Toutefois, en mai 2021, les premiers détails sur la nouvelle génération du coupé ont été révélés, et elle conserve son architecture à propulsion. Car même si toutes les variantes de la Série 2 sont disponibles avec une transmission intégrale, la sensation de conduite entre les deux plateformes est différente.

### LA PORTE D'ENTRÉE DE LA MARQUE

La Série 2 Gran Coupé demeure le modèle le plus abordable chez BMW, et au cours de l'année 2021, on a même ajouté une déclinaison 228i à traction à la gamme, question d'offrir une voiture sous la barre des 40 000 $. Celle-ci est équipée d'un 4 cylindres turbo de 2 litres développant 228 chevaux, marié à une boîte automatique à 8 rapports. À bord de cette variante, on boucle le 0 à 100 km/h en 6,5 secondes, tandis que la 228i xDrive retranche trois dixièmes de seconde pour atteindre la même vélocité, son rouage intégral aidant au décollage.

La M235i abrite un 4 cylindres turbo développant non seulement 301 chevaux, mais un couple généreux de 332 lb-pi. Ainsi équipée, la voiture est drôlement plus joueuse, franchissant les 100 km/h en 4,8 secondes, bien qu'elle soit un peu moins docile en conduite de tous les jours. De plus, sa consommation mixte ville/route n'augmente que de 0,4 L/100 km par rapport à la 228i xDrive, les deux véhicules nécessitant de l'essence super.

En fait, le Gran Coupé partage son architecture non pas avec les coupé et cabriolet de Série 2, mais plutôt avec les MINI Clubman et Countryman. Qu'à cela ne tienne, on profite d'une plateforme solide et bien équilibrée, procurant un comportement routier dynamique et un caractère enjoué. Disons une coche au-dessus de ceux de ses principales rivales, les Audi A3, Mercedes-Benz Classe A/CLA et Cadillac CT4, et deux coches au-dessus de ceux de l'Acura ILX.

Gran Coupé chez BMW signifie une berline avec un habitacle moins logeable. C'est le cas de cette Série 2, dans laquelle les occupants assis à l'arrière se frotteront la tête au plafond. Néanmoins, pour le reste, on peut certainement compléter le voyage sans trop se plaindre. De toute façon, la concurrence ne fait pas mieux. Les passagers à l'avant seront plus à l'aise, et profiteront d'une planche de bord de design calquée sur celle des autres modèles de BMW. Les commandes de climatisation restent faciles à utiliser, tout comme le système multimédia iDrive ainsi que sa molette multifonction.

## LA NOUVELLE GÉNÉRATION APPARAÎT

Difficile de ne pas tomber sous le charme du coupé et du cabriolet de Série 2. Avec leur architecture à propulsion et leurs puissantes motorisations dans un format sous-compact, elles apportent un grand plaisir à prix relativement abordable — pour une BMW, cela s'entend.

Au moment d'écrire ces lignes, le constructeur n'a pas dévoilé tous les détails de l'édition 2022 de ces deux variantes. Par contre, les déclinaisons 230i devraient miser sur un 4 cylindres turbo de 2 litres, avec 255 chevaux, ainsi que le rouage intégral en option. On a toutefois confirmé que les M240i xDrive seront motorisées par la plus récente version du 6 cylindres turbo en ligne de 3 litres, bon pour 382 chevaux. Dans tous les cas, la boîte automatique à 8 rapports figure de série, alors il faut dire au revoir à la boîte manuelle, qui avait disparu en 2021 de toute façon.

On souligne également un rouage xDrive plus affûté grâce à l'apport d'un différentiel arrière M à gestion électronique, une meilleure adhérence au sol avec des ajouts aérodynamiques de bas de caisse et une plus grande stabilité par l'entremise des voies avant et arrière élargies. BMW avance également que des amortisseurs plus réactifs aux imperfections de la route agrémentent le confort et une suspension adaptative M apporte une tenue de route accrue. Ça promet, d'autant plus que la Série 2 sortante était assez agile et maniable.

Et la M2 dans tout ça? Il est trop tôt pour en parler, mais on s'attend à ce qu'elle revienne en force bientôt, avec une puissance de 425 à 450 chevaux, un comportement routier divin et un prix en conséquence.

### Données principales

| | | |
|---|---|---|
| Emp. / lon. / lar. / haut. | **Gran Coupé** - 2 670 / 4 534 / 1 800 / 1 420 mm | |
| | **Coupé** - 2 740 / 4 566 / 1 838 / 1 404 mm | |
| Coffre / réservoir | **Gran Coupé** - 430 litres / 50 litres | |
| | **Coupé** - 283 litres / 52 litres | |
| Nombre de passagers | 4 (5 Gran Coupé) | |
| Suspension av. / arr. | ind., jambes force / ind., multibras | |
| Pneus avant / arrière | P225/40R18 / P225/40R18 | |
| Poids / Capacité de remorquage | **Gran Coupé** - 1 539 kg / non recommandé | |
| | **Coupé** - 1 755 kg / non recommandé | |

### Composantes mécaniques

**228i**

| | |
|---|---|
| Cylindrée, alim. | 4L 2,0 litres turbo |
| Puissance / Couple | 228 ch / 258 lb-pi |
| Tr. base (opt) / Rouage base (opt) | A8 / Tr (Int) |
| 0-100 / 80-120 / V. max | 6,2 s (c) / 4,3 s (est) / 245 km/h (c) |
| Type / ville / route / $CO_2$ | Sup / 10,2 / 7,2 / 206 g/km |

**M235i**

| | |
|---|---|
| Cylindrée, alim. | 4L 2,0 litres turbo |
| Puissance / Couple | 301 ch / 332 lb-pi |
| Tr. base (opt) / Rouage base (opt) | A8 / Int |
| 0-100 / 80-120 / V. max | 4,8 s (c) / 3,6 s (est) / 250 km/h (c) |
| Type / ville / route / $CO_2$ | Sup / 10,4 / 7,7 / 213 g/km |

**M240i**

| | |
|---|---|
| Cylindrée, alim. | 6L 3,0 litres turbo |
| Puissance / Couple | 382 ch / 369 lb-pi |
| Tr. base (opt) / Rouage base (opt) | A8 / Int |
| 0-100 / 80-120 / V. max | 4,3 s (c) / 2,9 s (est) / 250 km/h (c) |
| Type / ville / route / $CO_2$ | Sup / 10,7 / 7,9 / 224 g/km (est) |

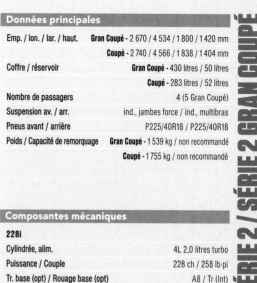

**BMW SÉRIE 2 GRAN COUPÉ**

+ Performances et tenue de route • Rouage intégral efficace • Prix d'entrée alléchant (Gran Coupé)

− Suspension ferme (versions M) • Places arrière étriquées • Retrait de la boîte manuelle

Photos : BMW

**BMW SÉRIE 2**

**BMW SÉRIE 2**

BMW M3/M4

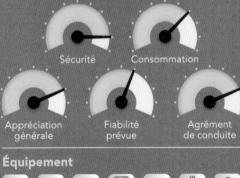

**Prix:** 44 950$ à 103 000$ (2021)
**Transport et prép.:** 2 245$
**Catégorie:** Compactes de luxe
**Garanties:** 4/80, 4/80
**Assemblage:** Mexique, Allemagne

**Ventes***
Québec 2020
**1 048**
**44 %**

Canada 2020
**4 835**
**40 %**

|  | 330e | M440i Coupé | M4 Comp. Cabrio |
|---|---|---|---|
| PDSF | 44 950$ | 64 950$ | 103 000$ |
| Loc. | n.d. | n.d. | n.d. |
| Fin. | 797$ • 1,49% | 1 342$ • 2,99% | 2 283$ • 4,90% |

Sécurité  Consommation

Appréciation générale  Fiabilité prévue  Agrément de conduite

**Équipement**

**Sécurité**

**Concurrents**

Acura TLX, Alfa Romeo Giulia, Audi A4/A5, Cadillac CT5, Genesis G70, Infiniti Q50/Q60, Lexus IS/RC, Mercedes-Benz Classe C, Polestar 2, Tesla Model 3, Volvo S60

**Nouveau en 2022**

Arrivée du rouage intégral pour les versions M3 et M4 Competition.

# Ils continuent de le faire...

Marc-André Gauthier

L a BMW Série 3 se trouve sur notre marché depuis un bon bout. La Série 4 aussi puisqu'à l'origine, on parlait d'une Série 3 coupée pour la désigner. Aujourd'hui, BMW a choisi d'en faire une voiture à part entière mais en réalité, une Série 4, c'est essentiellement une Série 3 à deux portes.

Depuis qu'elle réside sur notre marché, la Série 3 n'a jamais évolué seule! Et aujourd'hui, sa liste de rivales est longue: Acura TLX, Alfa Romeo Giulia, Audi A4, Cadillac CT5, Genesis G70, Infiniti Q50, Lexus IS, Mercedes-Benz Classe C et Volvo S60. On peut même considérer la Polestar 2 et la Tesla Model 3 comme l'une d'entre elles. Sans oublier les Audi A5, Infiniti Q60 et autres Lexus RC qui font face à la Série 4. Voilà l'un des segments où il y a le plus de compétition!

Pourtant, année après année, BMW continue de dominer la concurrence en ce qui a trait aux modèles les plus sportifs. Les ingénieurs de la marque bavaroise réussissent toujours à se garder un coup d'avance sur les autres, nonobstant les produits incroyables que peuvent représenter des véhicules comparables.

### SÉRIE 3, OU LA SPORTIVE DU QUOTIDIEN

Pour bien comprendre la Série 3, il faut commencer avec la version de base. Cela peut être difficile à suivre puisque sa désignation a souvent changé de nom à travers son histoire. Mais pour 2022, la déclinaison d'entrée de gamme est la 330i xDrive. Elle dispose d'un moteur 4 cylindres turbocompressé de 2 litres, bon pour 255 chevaux.

Pour cette version, le rouage intégral est le seul système d'entraînement disponible et on n'offre pas de boîte manuelle. La 330i peut tout de même passer de 0 à 100 km/h en 5,6 secondes (6 secondes mesurées par notre équipe). Cette variante montre également pourquoi la Série 3 est si bonne. Elle représente un parfait équilibre avec juste assez de performance pour s'amuser, tout en offrant confort, tenue de route, et une économie d'essence raisonnable.

Pour ceux qui veulent rouler électrique, il y a l'option d'une version hybride rechargeable baptisée 330e. Capable de parcourir jusqu'à 37 km en mode 100 % électrique (32 avec le rouage intégral), elle est un peu plus pimentée

*Ventes combinées des BMW Série 3 et Série 4.

avec une puissance de 288 chevaux, sans parler de sa faible consommation d'essence, avec une moyenne observée inférieure à 6,5 L/100 km. Ainsi, inutile d'aller plus loin pour avoir la pleine expérience BMW. Une 330i, ou même une 330e, rendra votre quotidien plus agréable. D'ailleurs, avec des places arrière suffisamment spacieuses pour des enfants ou des ados, elle pourrait même vous servir de voiture familiale.

Toutefois, BMW n'a pas oublié la clientèle qui recherche toujours plus de performance. Premièrement, il y a la M340i xDrive, qui reprend toutes les qualités de la Série 3, mais avec un moteur beaucoup plus performant. Il s'agit d'un 6 cylindres en ligne de 3 litres turbocompressé, dont les 382 chevaux sont acheminés aux quatre roues par la même boîte automatique à 8 rapports que l'on retrouve sur la version de base.

Puis, au sommet de la pyramide trône la M3, le classique des classiques. Cette berline redéfinit ce qu'il est possible d'exiger d'une voiture sport. Son secret : tout simplement la qualité de son ingénierie et la synergie entre ses composantes. Au cœur de tout ça, on retrouve un 6 cylindres en ligne de 3 litres biturbo dont la puissance est de 473 chevaux pour le modèle « de base » et 503 chevaux pour la variante Competition. Étrangement, la version régulière de la M3 n'est disponible qu'avec une boîte manuelle, et la Competition, qu'avec la boîte automatique à 8 rapports.

### UNE SÉRIE 4 UN PEU PLUS SPORTIVE

BMW a décidé de donner un peu plus d'amour à sa Série 4. Nous voici donc avec une voiture qui n'est plus seulement une Série 3 au style un peu plus sportif ! La Série 4, offerte avec les mêmes moteurs que ceux de la berline (à l'exception de la version hybride), offre une conduite un peu plus dynamique. Certes, elle s'avère moins confortable au quotidien, et moins pratique avec ses deux portes. Néanmoins, une M4 Competition, c'est toute une machine de guerre !

Il convient de dire un mot sur la calandre de la Série 4, disponible dans toute la gamme, et que l'on retrouve également sur la M3. Tous les goûts sont dans la nature, mais le moins que l'on puisse dire, c'est que ce nouveau design aura fait couler beaucoup d'encre. Cela dit, cette Série 4 tout comme la M3 frappent l'imaginaire, et de ce point de vue, on peut dire que c'est réussi. Au-delà de leur partie avant, la Série 3 et la Série 4 demeurent les références de leur catégorie, et vous ne vous tromperez jamais si vous en faites l'acquisition.

**+** Comportement routier impeccable • Performances des moteurs • M3 et M4 d'une précision incroyable

**—** Série 4 un peu ferme pour le quotidien • Grilles avant qui ne font pas l'unanimité (Série 4 et M3)

BMW SÉRIE 3

Photos : BMW

## Données principales

| Emp. / lon. / lar. / haut. | **Série 3** - 2 851 / 4 717 / 1 827 / 1 448 mm |
|---|---|
| | **Série 4 Coupé/Cabriolet** - 2 851 / 4 773 / 1 852 / 1 387 à 1 393 mm |
| Coffre / réservoir | **Série 3** - 480 litres / 59 litres |
| | **Série 3 300e** - 369 litres / 40 litres |
| | **Série 4 Cabriolet** - 255 litres / 59 litres |
| | **Série 4 Coupé** - 340 litres / 59 litres |
| Nombre de passagers | 4 à 5 |
| Suspension av. / arr. | ind., jambes force / ind., multibras |
| Pneus avant / arrière | P225/45R18 / P225/45R18 |
| Poids / Capacité de remorquage | **Série 3** - 1 711 kg / non recommandé |
| | **Série 4 Coupé/Cabriolet** - 1 682 à 1 777 kg / non recommandé |

## Composantes mécaniques

### 330i xDRIVE, 440i xDRIVE COUPÉ, 440i CABRIOLET

| Cylindrée, alim. | 4L 2,0 litres turbo |
|---|---|
| Puissance / Couple | 255 ch / 295 lb-pi |
| Tr. base (opt) / Rouage base (opt) | A8 / Int (Prop) |
| 0-100 / 80-120 / V. max | 6,0 s (m) / 5,1 s (m) / 250 km/h (c) |
| Type / ville / route / CO2 | Sup / 9,5 / 6,9 / 195 g/km |

### 330e, 330e xDRIVE

| Cylindrée, alim. | 4L 2,0 litres turbo |
|---|---|
| Puissance / Couple | 181 ch / 258 lb-pi |
| Tr. base (opt) / Rouage base (opt) | A8 / Prop (Int) |
| 0-100 / 80-120 / V. max | 5,9 s (c) / 5,1 s (est) / 230 km/h (c) |
| Type / ville / route / CO2 | Sup / 9,4 / 7,2 / 100 g/km |
| Puissance / Couple combiné | 288 ch / 310 lb-pi |
| **MOTEUR ÉLECTRIQUE** | |
| Puissance / Couple | 111 ch (83 kW) / 195 lb-pi |
| Type de batterie / Énergie | Lithium-ion (Li-ion) / 12,0 kWh |
| Temps de charge (240V) / Autonomie | 3,0 h / 37 km |

### M340i xDRIVE, M440i xDRIVE COUPÉ, M440i CABRIOLET

| Cylindrée, alim. | 6L 3,0 litres turbo |
|---|---|
| Puissance / Couple | 382 ch / 369 lb-pi |
| Tr. base (opt) / Rouage base (opt) | A8 / Int (Prop) |
| 0-100 / 80-120 / V. max | 4,2 s (m) / 3,7 s (m) / 250 km/h (c) |
| Type / ville / route / CO2 | Sup / 10,5 / 7,7 / 214 g/km |

### M3, M4 COUPÉ

6L 3,0 l - 473 ch/406 lb-pi - M6 - 0-100: 4,2 s (c) - 14,6/10,8 L/100 km (est)

### M3 COMPETITION, M4 COMPETITION COUPÉ

6L 3,0 l - 503 ch/479 lb-pi - A8 - 0-100 / V. max : 3,9 s (c) / 290 km/h (c) - 14,1 / 10,0 L/100 km (est)

# BMW SÉRIE 5

HYBRIDE

**Prix:** 63 500 $ à 165 900 $ (2021)
**Transport et prép.:** 2 245 $
**Catégorie:** Intermédiaires de luxe
**Garanties:** 4/80, 4/80
**Assemblage:** Allemagne

**Ventes**

Québec 2020
195

▼ 40 %

Canada 2020
872

▼ 46 %

|  | 530i xDrive | M550i xDrive | M5 CS |
|---|---|---|---|
| PDSF | 63 500 $ | 87 300 $ | 165 900 $ |
| Loc. | 942 $ • 2,99% | 1 311 $ • 2,99% | 2 794 $ • 7,99% |
| Fin. | 1 279 $ • 1,99% | 1 759 $ • 1,99% | 3 599 $ • 4,99% |

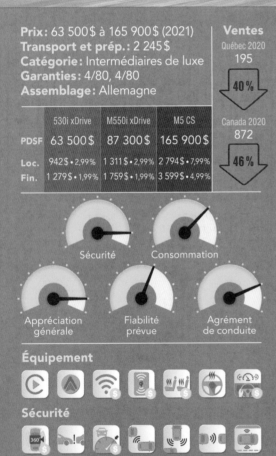

Sécurité    Consommation

Appréciation générale    Fiabilité prévue    Agrément de conduite

**Équipement**

**Sécurité**

**Concurrents**
Audi A6/A7, Genesis G80, Jaguar XF, Maserati Ghibli, Mercedes-Benz Classe E/CLS, Volvo S90

**Nouveau en 2022**
Nouvelle variante M5 CS encore plus radicale.

# De tout, pour tous

Gabriel Gélinas

C'est une gamme complète qui est proposée par la BMW de Série 5, et ce, même si les ventes de berlines de luxe sont en régression. Des motorisations à 4, 6 et 8 cylindres sont au programme, toutes jumelées au rouage intégral, et la gamme comporte même une variante à motorisation hybride rechargeable ainsi que la véritable bombe qu'est la M5. Pour l'année-modèle 2021, la Série 5 a fait l'objet d'un léger restylage, et elle poursuit donc sa route sans grands changements pour 2022, hormis l'arrivée d'une version M5 CS encore plus radicale.

Parmi l'éventail de moteurs pouvant animer la Série 5, le 4 cylindres turbocompressé de 2 litres qui équipe la 530i est dénué d'intérêt, la seule mission de cette version étant de permettre l'accès au modèle à moindre coût. La variante 530e ajoute l'hybridation avec un moteur électrique alimenté par une batterie de 12 kWh, portant la puissance à 288 chevaux, ce qui est plus acceptable. Toutefois, la faible capacité de la batterie nous a permis de parcourir à peine 20 km en mode électrique seulement. Mais comme il s'agit d'une variante hybride rechargeable, elle peut être immatriculée avec une plaque «verte» donnant accès aux voies réservées au covoiturage même si l'on est seul à bord. Pratique pour circuler plus facilement sur certains tronçons à l'heure de pointe.

**UN 6 CYLINDRES D'ANTHOLOGIE**
Pour vraiment apprécier la Série 5, la 540i est à conseiller puisqu'elle est animée par le 6 cylindres en ligne turbocompressé de 3 litres qui est d'une grande souplesse pour ce qui est de la livraison du couple, tout en faisant preuve de douceur, ses vibrations étant réduites au minimum. BMW est passé maître dans le développement du 6 cylindres en ligne, et la 540i en est un bon exemple. Pas étonnant que la grande rivale allemande Mercedes-Benz ait délaissé le V6 récemment au profit d'un nouveau moteur en ligne pour certains de ses modèles.

Avec son V8 turbocompressé de 4,4 litres, la M550i est aussi un excellent choix puisque la puissance de ce moteur atteint 523 chevaux, au prix d'une consommation conséquente. Au sommet de la pyramide se trouve la M5 Competition qui fait dans la démesure avec ses 617 chevaux. En outre, son rouage intégral peut être désactivé, la transformant en une authentique propulsion.

Son potentiel de performance est délirant, mais difficilement exploitable sur les routes publiques. Au cours d'un récent essai hivernal de cette variante, il a été possible de constater que tout ce qui la rendait aussi attirante lors de la conduite en été rendait la conduite moins agréable en hiver. En fait, c'est surtout le confort qui est pénalisé en hiver, le roulement étant très ferme même lorsque les calibrations les plus souples sont adoptées pour les liaisons au sol.

### UNE M5 CS POUR 2022

Pour l'année-modèle 2022, la division M de BMW ajoute la M5 CS produite en série limitée et dont la puissance est portée à 627 chevaux. Tout cela permet de retrancher quelques dixièmes au chrono du 0 à 100 km/h, la M5 CS ayant été allégée d'une centaine de kilos, grâce à l'adoption de composants réalisés en plastique renforcé de fibre de carbone. La M5 CS est aussi dotée d'une garde au sol abaissée de 6 mm, de ressorts plus fermes, ainsi que d'une barre antiroulis arrière plus rigide. La géométrie de la suspension avant a été revue et présente un carrossage négatif encore plus marqué, alors que le système de freinage adopte des disques en carbone-céramique.

La M5 CS peut être équipée, en option, d'une monte pneumatique mixte avec des pneus de taille 275/35R20 à l'avant et 285/35R20 à l'arrière, chaussés sur des jantes M forgées de 20 pouces de couleur bronze. Précisons également que cette nouvelle variante de la M5 affiche sa spécificité avec sa configuration à quatre places puisque son habitacle est doté de deux sièges baquets M en carbone à l'avant et deux sièges baquets individuels à l'arrière.

Règle générale, lorsqu'une déclinaison CS fait son apparition chez BMW, cela indique que la génération actuelle du modèle est en fin de carrière et qu'une toute nouvelle génération est en approche.

À ce sujet, précisons que cette prochaine génération de la Série 5, répondant au nom de code G60/G61, est actuellement en développement et devrait se pointer en cours d'année 2023. Il faut bien évidemment s'attendre à ce que cette prochaine génération de la Série 5 adopte la calandre proéminente inaugurée sur les récentes voitures de la marque, et qu'elle serve de base à une nouvelle M5 qui devrait suivre en 2024. Histoire à suivre...

| + Gamme étendue • Excellent comportement routier • Performances stupéfiantes (M5) | — Confort moyen (M5) • Tarif des options • Autonomie électrique faible (530e) |
|---|---|

## Données principales

| | |
|---|---|
| Emp. / lon. / lar. / haut. | 2 975 / 4 963 / 1 868 / 1 479 mm |
| Coffre / réservoir | **Série 5** - 530 litres / 68 litres |
| | **530e** - 411 litres / 46 litres |
| Nombre de passagers | 5 |
| Suspension av. / arr. | ind., double triangulation / ind., multibras |
| Pneus avant / arrière | P245/40R19 / P245/40R19 |
| Poids / Capacité de remorquage | 1 753 kg / non recommandé |

## Composantes mécaniques

### 530e xDRIVE

| | |
|---|---|
| Cylindrée, alim. | 4L 2,0 litres turbo |
| Puissance / Couple | 180 ch / 258 lb-pi |
| Tr. base (opt) / Rouage base (opt) | A8 / Int |
| 0-100 / 80-120 / V. max | 5,8 s (c) / 4,9 s (est) / 235 km/h (c) |
| Type / ville / route / $CO_2$ | Sup / 10,5 / 8,4 / 126 g/km |
| Puissance / Couple combiné | 288 ch / 310 lb-pi |

**MOTEUR ÉLECTRIQUE**

| | |
|---|---|
| Puissance / Couple | 111 ch (83 kW) / 184 lb-pi |
| Type de batterie / Énergie | Lithium-ion (Li-ion) / 12,0 kWh |
| Temps de charge (240V) / Autonomie | 3,0 h / 31 km |

### 540i xDRIVE

| | |
|---|---|
| Cylindrée, alim. | 6L 3,0 litres turbo |
| Puissance / Couple | 335 ch / 332 lb-pi |
| Tr. base (opt) / Rouage base (opt) | A8 / Int |
| 0-100 / 80-120 / V. max | 5,0 s (m) / 4,0 s (m) / 250 km/h (c) |
| Type / ville / route / $CO_2$ | Sup / 10,3 / 7,6 / 211 g/km |

### M5 CS

| | |
|---|---|
| Cylindrée, alim. | V8 4,4 litres turbo |
| Puissance / Couple | 627 ch / 553 lb-pi |
| Tr. base (opt) / Rouage base (opt) | A8 / Int |
| 0-100 / 80-120 / V. max | 3,0 s (c) / 2,3 s (c) / 305 km/h (c) |
| Type / ville / route / $CO_2$ | Sup / 16,0 / 11,0 / 323 g/km (est) |

### 530i xDRIVE

4L 2,0 L - 248 ch/258 lb-pi - A8 - 0-100: 6,0 s (c) - 10,1/7,5 L/100 km

### M550i xDRIVE

V8 4,4 L - 523 ch/553 lb-pi - A8 - 0-100: 3,8 s (c) - 13,5/9,5 L/100 km

### M5 COMPETITION

V8 4,4 L - 617 ch/553 lb-pi - A8 - 0-100: 3,3 s (c) - 16,0/11,0 L/100 km

**Prix:** 120 800 $ à 171 900 $
**Transport et prép.:** 2 245 $
**Catégorie:** Gr. berlines de luxe
**Garanties:** 4/80, 4/80
**Assemblage:** Allemagne

**Ventes**
Québec 2020
35
↓ 44 %

Canada 2020
189
↓ 49 %

|  | 750i xDrive | 745 Le xDrive | Alpina B7 |
|---|---|---|---|
| PDSF | 120 800 $ | 123 300 $ | 171 900 $ |
| Loc. | 2 290 $ • 7,99 % | 2 041 $ • 5,99 % | 3 289 $ • 7,99 % |
| Fin. | 2 620 $ • 4,99 % | 2 675 $ • 4,99 % | 3 729 $ • 4,99 % |

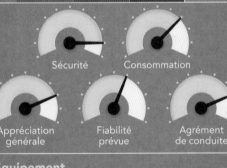

Sécurité    Consommation

Appréciation    Fiabilité    Agrément
générale       prévue       de conduite

**Équipement**

**Sécurité**

**Concurrents**

Audi A8, Genesis G90, Lexus LS,
Maserati Quattroporte, Mercedes-Benz
Classe S, Porsche Panamera, Tesla Model S

**Nouveau en 2022**

Aucun changement majeur annoncé
au moment de mettre sous presse.

# La relève arrive

Charles Jolicœur

La BMW Série 7 a reçu quelques retouches esthétiques en 2020, mais la génération actuelle de la berline phare de BMW date tout de même de 2015. Sept ans, c'est long et bien que la voiture fût très moderne à son arrivée sur le marché, l'heure de la retraite approche pour la génération actuelle du modèle. Une nouvelle Série 7 devrait arriver d'ici l'an prochain, un véhicule en mesure d'affronter à armes égales la toute nouvelle Mercedes-Benz Classe S, entièrement redessinée cette année.

Cela dit, la Série 7 n'a pas beaucoup de rides, du moins à l'extérieur, alors que la grille massive ajoutée en 2020 permet de la reconnaître immédiatement. Puisqu'elle faisait office d'inspiration visuelle pour les modèles BMW introduits dans d'autres segments depuis, on n'a pas l'impression que la Série 7 est démodée. Elle offre aussi la majorité des technologies auxquelles on s'attend d'une voiture de cette catégorie ainsi que le confort et le raffinement.

### UN HABITACLE LUXUEUX, MAIS SANS ÉCLAT

La berline haut de gamme a toute une présence sur la route, malgré les années. Les dimensions aident à ne pas passer inaperçue, la grande BMW mesurant plus de 5 mètres, avec une largeur supérieure à 2 mètres d'un bout à l'autre de ses rétroviseurs. Peu importe la déclinaison choisie, on ne se sent jamais à l'étroit dans une Série 7. Toutefois, la version à empattement allongé demeure une référence avec plus d'espace pour les jambes à l'arrière que chez plusieurs rivales, dont l'Audi A8. Si l'on coche l'option Executive Lounge Tier 2, il est possible d'avancer le siège du passager avant et d'incliner pratiquement au complet le siège arrière. Les passagers profitent d'ailleurs de fonctions généralement réservées au conducteur avec cet ensemble, incluant le contrôle complet de la climatisation, le toit ouvrant, la fonction massage et le système de navigation.

Même sans cette option, le confort reste exceptionnel dans la Série 7. La voiture absorbe les bosses et les trous sans flancher, le silence de roulement est omniprésent, tout comme le sentiment de contrôle total. La voiture semble imperturbable et le seul problème qu'on peut rencontrer derrière le volant, c'est de dépasser largement la limite de vitesse sans s'en rendre compte tellement la conduite est douce. Les premières générations de la Série 7 étaient surtout connues pour leurs performances exemplaires en dépit de leurs dimensions tandis que le confort n'était pas aussi relevé que

chez leurs rivales. Aujourd'hui, la Série 7 se retrouve sur un pied d'égalité sur ce point avec l'A8 et même la Classe S de Mercedes-Benz, du moins, la dernière génération.

L'habitacle laisse cependant à désirer compte tenu du style de la console centrale et du tableau de bord. En termes simples, il n'y a plus rien de «wow» avec l'intérieur de la Série 7, surtout quand on la compare à ce qui se fait ailleurs. On n'a qu'à penser à l'habitacle de la nouvelle Classe S pour se rendre compte rapidement que la BMW a besoin d'une refonte. Il y a d'ailleurs très peu de différences entre le design intérieur de la Série 7 et celui d'une Série 5 ou même d'une Série 3 et ça, c'est difficile à accepter quand on débourse plus de 120 000 $ pour la voiture.

## LE BŒUF EST RAPIDE

La BMW Série 7 reste imposante et lourde. Pourtant, peu importe la version, on oublie le poids dès qu'on appuie sur la pédale de droite. Un V8 de 4,4 litres développant 523 chevaux et 553 lb-pi de couple alimente le modèle d'entrée de gamme avec assez de puissance pour atteindre 100 km/h en 4 secondes. Les accélérations sont immédiates et convaincantes, tandis que la tenue de route aiguisée donne le goût de pousser la machine. BMW a réussi l'exploit de rendre un véhicule de plus de 2 tonnes agile et sportif. La direction, légère à basse vitesse, est plus ferme lorsqu'on enfile les virages et communique très bien avec le conducteur.

C'est encore plus remarquable dans la variante Alpina B7. Cette dernière, alimentée par une version encore plus féroce du V8, propose 600 chevaux et 590 lb-pi de couple. Elle atteint 100 km/h en seulement 3,6 secondes tout en laissant entendre une sonorité très agressive. Viennent ensuite les M760Li à moteur V12 dont seulement une poignée trouve preneurs annuellement. Il y a toujours 600 chevaux au programme, mais ils sont livrés plus subtilement. Il existe aussi une version hybride enfichable avec 389 chevaux et 27 km d'autonomie en mode électrique. Ce n'est pas assez pour rendre ce modèle vraiment intéressant, d'autant plus qu'il est à peu près impossible à trouver.

Si la Série 7 vous tente, le marché de l'occasion pourrait donc vous donner des options intéressantes à faible kilométrage qui offrent le même habitacle et le même confort pour plusieurs milliers de dollars de moins.

+ Performances impressionnantes • Confort suprême • Beaucoup d'espace • Agilité surprenante

– Modèle en fin de carrière • Habitacle vieillot • Dépréciation à faire peur

Photos : BMW

### Données principales

| | | |
|---|---|---|
| Emp. / lon. / lar. / haut. | **Court** - 3 070 / 5 127 / 1 902 / 1 467 mm | |
| | **Long** - 3 210 / 5 267 / 1 902 / 1 479 mm | |
| Coffre / réservoir | **Série 7** - 515 litres / 78 litres | |
| | **745Le** - 420 litres / 46 litres | |
| Nombre de passagers | 4 à 5 | |
| Suspension av. / arr. | ind., pneumatique, double triangulation / ind., pneumatique, multibras | |
| Pneus avant / arrière | P245/40R20 / P275/35R20 | |
| Poids / Capacité de remorquage | 2 045 kg / non recommandé | |

### Composantes mécaniques

**745Le xDRIVE**

| | |
|---|---|
| Cylindrée, alim. | 6L 3,0 litres turbo |
| Puissance / Couple | 280 ch / 332 lb-pi |
| Tr. base (opt) / Rouage base (opt) | A8 / Int |
| 0-100 / 80-120 / V. max | 5,1 s (c) / 3,9 s (est) / 250 km/h (c) |
| Type / ville / route / $CO_2$ | Sup / 12,2 / 9,1 / 152 g/km |
| Puissance combinée | 389 ch / 443 lb-pi |

**MOTEUR ÉLECTRIQUE**

| | |
|---|---|
| Puissance / Couple | 111 ch (83 kW) / 195 lb-pi |
| Type de batterie / Énergie | Lithium-ion (Li-ion) / 12,0 kWh |
| Temps de charge (120V / 240V) | 11,0 h / 3,0 h |
| Autonomie | 27 km |

**750i xDRIVE, 750Li xDRIVE**

| | |
|---|---|
| Cylindrée, alim. | V8 4,4 litres turbo |
| Puissance / Couple | 523 ch / 553 lb-pi |
| Tr. base (opt) / Rouage base (opt) | A8 / Int |
| 0-100 / 80-120 / V. max | 4,0 s (c) / 3,3 s (est) / 250 km/h (c) |
| Type / ville / route / $CO_2$ | Sup / 14,0 / 9,7 / 281 g/km |

**M760Li xDRIVE**

| | |
|---|---|
| Cylindrée, alim. | V12 6,0 litres turbo |
| Puissance / Couple | 600 ch / 627 lb-pi |
| Tr. base (opt) / Rouage base (opt) | A8 / Int |
| 0-100 / 80-120 / V. max | 4,0 s (m) / 3,1 s (m) / 250 km/h (c) |
| Type / ville / route / $CO_2$ | Sup / 17,8 / 11,9 / 354 g/km |

**ALPINA B7**

| | |
|---|---|
| Cylindrée, alim. | V8 4,4 litres turbo |
| Puissance / Couple | 600 ch / 590 lb-pi |
| Tr. base (opt) / Rouage base (opt) | A8 / Int |
| 0-100 / 80-120 / V. max | 3,6 s (c) / 3,1 s (est) / 330 km/h (c) |
| Type / ville / route / $CO_2$ | Sup / 14,0 / 9,7 / 281 g/km |

guideautoweb.com/bmw/7/

## L'escadrille complète

Marc Lachapelle

**L**es BMW Série 8 sont aux voitures sport ce que les chasseurs-bombardiers sont aux chasseurs tout court. Des autos grand tourisme puissantes et performantes à souhait qui savent déplacer un équipage réduit en tout luxe et confort sur de longues distances, sans s'essouffler. Plus grandes, lourdes et spacieuses que les pures sportives, elles sacrifient une part variable d'agilité à cette bonne cause. Au volant des versions M8 Competition, par contre, on se demande si elles ont renoncé à quoi que ce soit.

Le constructeur bavarois a sûrement bien fait les choses avec sa Série 8 puisque ses ventes ont explosé au Québec l'an dernier alors que le segment chutait de près du tiers. Ces grands cabriolets et ces coupés à deux ou quatre portières ont donc pris le relais de la Série 6 avec brio et relancé, du même coup, une Série 8 qui s'était éclipsée il y a plus de 20 ans.

### DESCENDANCE ALLÉGÉE ET MUSCLÉE

Le coupé M850i xDrive est une joie, si on le compare à l'engin lourd et gigantesque qui fut le premier du nom, durant les années 90. Son profil est gracieux et sa calandre lui dessine une gueule de requin qui lui va plutôt bien. L'habitacle est superbement fini et on aime le volant de petit diamètre dont la jante de cuir est cependant à la limite en épaisseur, pour des mains normales. Les cadrans virtuels sont étranges, mais l'affichage tête haute sauve la donne et les cartes de navigation de BMW sont toujours les plus belles et claires.

La solidité des Série 8 n'est pas un hasard, tellement les montants de leurs toits sont épais et larges. Celui du pare-brise bloque d'ailleurs la vue sur l'intérieur des virages puisque le rétroviseur n'en est pas suffisamment détaché. La garde au toit du coupé est très réduite sur les côtés et ses places arrière carrément ridicules. Un adulte moyen ne peut s'y asseoir sans pencher la tête. C'est mieux à l'arrière dans les versions Gran Coupé à quatre portières. L'assise des places extérieures est plutôt basse et creusée, pour libérer juste assez de garde au toit. La cinquième place est une aberration, puisque la console centrale se prolonge jusqu'à la banquette.

À bord du coupé M850i, la qualité de roulement est étonnamment fine, même lors des froids de février et sur les routes crevassées. Le diamètre de braquage est court, grâce aux roues arrière directionnelles, et l'agilité

**Prix:** 117 900 $ à 167 600 $
**Transport et prép.:** 2 245 $
**Catégorie:** Sportives de luxe
**Garanties:** 4/80, 4/80
**Assemblage:** Allemagne

**Ventes**

Québec 2020
124
▲ 188 %

Canada 2020
542
▲ 105 %

|  | M850i xD Grand C. | M8 Comp. Coupé | M8 Comp. Cab. |
|---|---|---|---|
| PDSF | 117 900 $ | 158 100 $ | 167 600 $ |
| Loc. | 2 027 $ • 7,99 % | 2 774 $ • 7,99 % | 2 941 $ • 7,99 % |
| Fin. | 2 557 $ • 5,99 % | 3 429 $ • 4,99 % | 3 636 $ • 4,99 % |

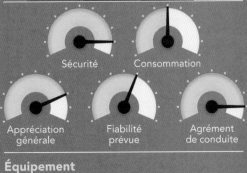

Sécurité  Consommation

Appréciation générale  Fiabilité prévue  Agrément de conduite

**Équipement**

**Sécurité**

**Concurrents**

Acura NSX, Aston Martin Vantage, Audi R8, Chevrolet Corvette, Jaguar F-TYPE, Lexus LC, McLaren GT, Polestar 1

**Nouveau en 2022**

Version Gran Coupé Alpina B8 de 612 chevaux.

en profite aussi. Les freins mordent trop sèchement en amorce et sont difficiles à moduler. Un mal très répandu, surtout dans les voitures de luxe allemandes.

Dans la M850i xDrive Gran Coupé, le roulement est ferme, dans un registre résolument sportif. Avec une structure solide, aucun souci. Et l'aplomb en virage est excellent. Le V8 biturbo de 4,4 litres et 523 chevaux est superbe et il s'entend à merveille avec une boîte automatique à 8 rapports qui rétrograde même lorsqu'on lève le pied à l'approche d'une courbe ou d'un arrêt, de connivence avec le système de navigation. Ensemble, ils propulsent ce coupé de deux tonnes de 0 à 100 km/h en seulement 3,82 secondes.

## UN FAUVE DOCILE ET FÉROCE À LA FOIS

À lire la fiche technique de la M8 Gran Coupé Competition, on s'attend à une bête de performance brusque et capricieuse. Surtout qu'elle profite d'une suspension plus ferme dont les bras arrière sont même guidés par des rotules métalliques au lieu des coussinets de caoutchouc habituels. L'angle de carrossage de ses roues est également plus prononcé, comme sur les voitures de course, pour favoriser l'agilité et augmenter l'adhérence en virage.

Son V8 biturbo de 4,4 litres produit 617 chevaux et un couple maximal de 553 lb-pi. Avec la motricité parfaite du rouage intégral, la M8 bondit de 0 à 100 km/h en 3,04 secondes et franchit le quart de mille en 11,05 secondes, à 202,7 km/h. Elle stoppe également de 100 km/h sur 32,9 mètres, une distance très courte, avec ses freins métalliques. Elle n'a pas vraiment besoin des freins en carbone-céramique à 9 500 $ en option.

Cette M8 n'a malgré tout rien de bestial. Dès les premières secondes, on s'étonne plutôt de sa douceur, de son raffinement et d'un roulement très correct, en dépit de pneus encore plus larges et bas sur leurs flancs. La direction est très vive et un peu lourde mais la tenue de cap est nette et précise. La M8 Competition doit certainement une partie de ses qualités dynamiques au fait qu'elle est plus légère — d'au moins 100 kg — que ses rivales, grâce à l'abondance d'aluminium, de fibre de carbone et autres matériaux légers qui la composent. Reste à voir combien de temps encore ces aristocrates de la route, plutôt gloutonnes et moyennement écolos, sauront résister à l'électrification galopante des voitures de luxe.

### Données principales

| Emp. / lon. / lar. / haut. | Gran Coupé - 3 027 / 5 087 / 1 932 / 1 407 mm |
| | Cabriolet - 2 827 / 4 856 / 1 902 / 1 345 mm |
| | Coupé - 2 827 / 4 856 / 1 902 / 1 346 mm |
| Coffre / réservoir | Gran Coupé - 440 litres / 68 litres |
| | Cabriolet - 280 à 350 litres / 68 litres |
| | Coupé - 420 litres / 68 litres |
| Nombre de passagers | 4 à 5 |
| Suspension av. / arr. | ind., double triangulation / ind., multibras |
| Pneus avant / arrière | P245/35R20 / P275/30R20 |
| Poids / Capacité de remorquage | Gran Coupé - 2 158 kg / non recommandé |
| | Cabriolet - 2 148 kg / non recommandé |
| | Coupé - 2 031 kg / non recommandé |

### Composantes mécaniques

**M850i**

| Cylindrée, alim. | V8 4,4 litres turbo |
| Puissance / Couple | 523 ch / 553 lb-pi |
| Tr. base (opt) / Rouage base (opt) | A8 / Int |
| 0-100 / 80-120 / V. max | 3,8 s (m) / 2,7 s (m) / 250 km/h (c) |
| 100-0 km/h | 35,1 m (est) |
| Type / ville / route / $CO_2$ | Sup / 13,5 / 9,5 / 272 g/km |

**M8 COMPETITION**

| Cylindrée, alim. | V8 4,4 litres turbo |
| Puissance / Couple | 617 ch / 553 lb-pi |
| Tr. base (opt) / Rouage base (opt) | A8 / Int |
| 0-100 / 80-120 / V. max | 3,0 s (m) / 2,6 s (m) / 306 km/h (c) |
| 100-0 km/h | 32,9 m (m) |
| Type / ville / route / $CO_2$ | Sup / 16,0 / 11,0 / 323 g/km |

**ALPINA B8 GRAN COUPÉ**

| Cylindrée, alim. | V8 4,4 litres turbo |
| Puissance / Couple | 612 ch / 590 lb-pi |
| Tr. base (opt) / Rouage base (opt) | A8 / Int |
| 0-100 / 80-120 / V. max | 3,4 s (est) / 2,7 s (est) / 324 km/h (c) |
| 100-0 km/h | 32,9 m (est) |
| Type / ville / route / $CO_2$ | Sup / 16,0 / 11,0 / 323 g/km (est) |

+ Silhouettes élégantes et racées • Performances exceptionnelles • Registre de comportement impressionnant (M8) • Interface multimédia iDrive efficace

− Visibilité limitée sur les angles et vers l'arrière • Sièges avant peu confortables (M8) • Affichage des cadrans virtuels déroutant • Freinage trop brusque en amorce

Photos: Marc Lachapelle, BMW

BMW X1

## Pour encore quelques mois

Antoine Joubert

**B** MW instaurait, en Amérique du Nord, ce nouveau créneau des utilitaires sous-compacts de luxe il y a maintenant un peu plus de dix ans. Depuis, de nombreux constructeurs ont plongé dans l'aventure, découvrant qu'il était plus facile de faire passer une voiture pour un VUS que de continuer de vendre des berlines. Avec le récent succès du Audi Q3 de nouvelle génération et avec l'arrivée de nouveaux joueurs comme les Cadillac XT4, Mercedes-Benz GLB et Volvo XC40, BMW a soudainement vu sa pointe de tarte sérieusement diminuer. 2022 sera donc la dernière année de commercialisation de l'actuel X1, qui se verra revampé l'an prochain.

Attendez-vous ainsi à ce que la carrière du X1 2022 ne soit que de courte durée puisque BMW compte frapper un grand coup avec sa troisième génération. Ce produit devrait notamment offrir une déclinaison électrifiée, comme c'est d'ailleurs le cas actuellement sur le Vieux Continent. Il faudra aussi s'attendre à ce que le X1 propose une version de performance afin de répliquer à Mercedes-AMG.

En attendant, le X1 poursuit sa route en proposant essentiellement la même formule qu'en 2021, celle d'un véhicule plus spacieux et polyvalent que le X2, qui se distingue toujours par une dynamique de conduite que seul Audi peut se vanter d'égaler, à motorisation comparable. Bien sûr, considérez également dans le lot la MINI Countryman, qui partage l'essentiel des éléments techniques des BMW X1 et X2.

### LE Q3 POUR ENNEMI

L'exercice de comparaison avec l'Audi Q3 est, bien sûr, incontournable puisqu'il s'agissait, l'an dernier, du véhicule le plus vendu (et de loin) du segment. Ce dernier débarquait d'ailleurs au moment où les locateurs de X1 de nouvelle génération étaient sur le point de retourner leur véhicule, ne souhaitant évidemment pas louer le même produit une seconde fois. Je vous laisse ainsi deviner où ils se sont massivement dirigés. C'est donc dans un environnement bien ficelé, mais assurément plus vieillissant, que le X1 vous invite. Son poste de conduite assure un sentiment d'espace intéressant, dont l'ergonomie est irréprochable, bien que la présentation n'impressionne guère. Sachez également qu'en dépit d'une habitabilité supérieure à la moyenne, le X1 n'offre pas l'espace de chargement du Q3.

**Prix :** 39 990 $ à 52 500 $ (2021)
**Transport et prép. :** 2 245 $
**Catégorie :** VUS sous-comp. luxe
**Garanties :** 4/80, 4/80
**Assemblage :** Allemagne

**Ventes\***
Québec 2020
**787**
⬇ 48 %

Canada 2020
**1 818**
⬇ 68 %

| | X1 Essential | X2 xDrive28i | X2 M235i |
|---|---|---|---|
| PDSF | 39 900 $ | 44 950 $ | 52 500 $ |
| Loc. | 522 $ • 2,99% | 733 $ • 7,99% | 866 $ • 7,99% |
| Fin. | 806 $ • 1,99% | 975 $ • 4,99% | 1 139 $ • 4,99% |

Sécurité | Consommation

Appréciation générale | Fiabilité prévue | Agrément de conduite

**Équipement**

**Sécurité**

**Concurrents**
Audi Q3, Buick Encore GX, Cadillac XT4, Jaguar E-PACE, Lexus UX, Mercedes-Benz GLA, Mercedes-Benz GLB, MINI Countryman, Volvo XC40

**Nouveau en 2022**
Ensemble M Sport de série dans le X2 xDrive28i, sièges M Sport de série (X2 M35i).

*Ventes combinées des BMW X1 et X2

Toujours doté d'une direction précise et d'une suspension très efficace, le X1 ne se laisse pas intimider sur la route. La conduite demeure vive, dynamique, et la transmission réagit efficacement lorsque la mécanique est sollicitée. En effectuant simultanément l'essai du X1 et de ses concurrents les plus sérieux, vous remarquerez cependant que le niveau sonore y est un tantinet plus élevé. Cet élément n'agace pas à première vue, néanmoins, il faudra certainement l'améliorer sur la prochaine mouture.

## X2

S'il s'avère difficile de qualifier le X1 de «VUS», que dire du X2! Ce dernier utilise les mêmes bases mécaniques et structurelles, mais son approche esthétique diffère. En somme, il s'agit d'une voiture à hayon à laquelle on aurait greffé quelques artifices décoratifs propres aux VUS, la dotant au passage d'un rouage intégral aujourd'hui incontournable. En fait, il se rapproche à ce point d'une voiture qu'il n'est que 16 mm plus haut qu'une Mitsubishi Mirage, la plus petite voiture vendue sur notre marché.

Il faut évidemment croire que la clientèle n'est pas dupe puisque le X2 ne connaît que très peu de succès. Plus cher que le X1 d'environ 2 500 $ à équipement équivalent, il est encore moins spacieux, avec moins d'espace aux places arrière que la MINI Countryman. Voici donc ce qui explique les maigres ventes de 2020, ne surpassant que celles du Jaguar E-Pace dans le segment.

Cela dit, le X2 possède une carte plutôt intéressante dans sa manche. Celle d'une version M35i à moteur de 301 chevaux, non offert avec le X1, bien qu'il le soit sur la MINI Countryman John Cooper Works. Cela permet ainsi d'obtenir des performances franchement intéressantes, dans une formule où les aptitudes routières surpassent celles du Mercedes-AMG GLA 35. Ce produit n'a pas d'équivalent du côté d'Audi, qui ne nous sert pour l'heure qu'une seule motorisation.

Vous l'aurez compris, nous favorisons cette année l'achat d'un Audi Q3, bien que le BMW X1 ne soit certainement pas à rejeter du revers de la main. Néanmoins, et en sachant que BMW est sur le point de le renouveler, il faudra que le constructeur soit plus agressif en fait de prix et de promotions afin de convaincre les futurs acquéreurs, car la facture, elle aussi, constitue un frein à son achat.

**Données principales**

| Emp. / lon. / lar. / haut. | X1 - 2 670 / 4 457 / 1 821 / 1 598 mm |
| | X2 - 2 670 / 4 374 / 1 824 / 1 526 mm |
| Coffre / réservoir | X1 - 767 à 1 662 litres / 61 litres |
| | X2 - 612 à 1 419 litres / 61 litres |
| Nombre de passagers | 5 |
| Suspension av. / arr. | ind., jambes force / ind., multibras |
| Pneus avant / arrière | P225/50R18 / P225/50R18 |
| Poids / Capacité de remorquage | X1 - 1 684 kg / non recommandé |
| | X2 - 1 658 kg / non recommandé |

**Composantes mécaniques**

**xDRIVE28i**

| Cylindrée, alim. | 4L 2,0 litres turbo |
| Puissance / Couple | 228 ch / 258 lb-pi |
| Tr. base (opt) / Rouage base (opt) | A8 / Int |
| 0-100 / 80-120 / V. max | 7,2 s (m) / 5,3 s (m) / 235 km/h (c) |
| 100-0 km/h | 44,4 m (m) |
| Type / ville / route / $CO_2$ | X1 - Sup / 10,3 / 7,7 / 213 g/km |
| | X2 - Sup / 9,8 / 7,5 / 205 g/km |

**M35i (X2)**

| Cylindrée, alim. | 4L 2,0 litres turbo |
| Puissance / Couple | 301 ch / 331 lb-pi |
| Tr. base (opt) / Rouage base (opt) | A8 / Int |
| 0-100 / 80-120 / V. max | 4,9 s (c) / 4,2 s (est) / 240 km/h (c) |
| 100-0 km/h | 41,7 s (est) |
| Type / ville / route / $CO_2$ | Sup / 10,0 / 7,7 / 209 g/km |

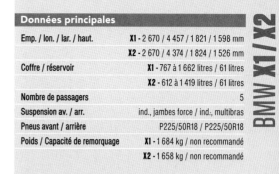

BMW X2

+ Comportement routier intéressant • Performances remarquables (M35i) • Espace et commodités (X1)

− Modèle bientôt renouvelé • Facture salée • Habitabilité réduite (X2)

Photos: BMW

BMW X1

BMW X3

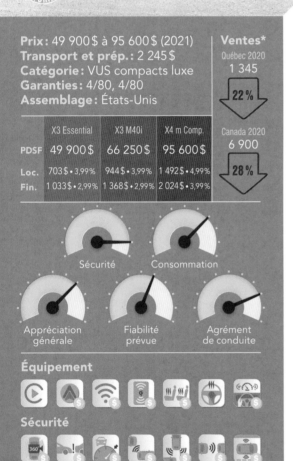

**Prix :** 49 900 $ à 95 600 $ (2021)
**Transport et prép. :** 2 245 $
**Catégorie :** VUS compacts luxe
**Garanties :** 4/80, 4/80
**Assemblage :** États-Unis

**Ventes***
Québec 2020
1 345
⬇ 22 %

Canada 2020
6 900
⬇ 28 %

| | X3 Essential | X3 M40i | X4 m Comp. |
|---|---|---|---|
| **PDSF** | 49 900 $ | 66 250 $ | 95 600 $ |
| **Loc.** | 703 $ • 3,99 % | 944 $ • 3,99 % | 1 492 $ • 4,99 % |
| **Fin.** | 1 033 $ • 2,99 % | 1 368 $ • 2,99 % | 2 024 $ • 3,99 % |

Sécurité

Consommation

Appréciation générale

Fiabilité prévue

Agrément de conduite

**Équipement**

**Sécurité**

**Concurrents**

Acura RDX, Alfa R. Stelvio, Audi Q5, Buick Envision, Cadillac XT5, Genesis GV70, Infiniti QX50/QX55, Jaguar F-PACE, L-R Discovery Sport/Evoque/Velar, Lexus NX, Lincoln Corsair, Mercedes-Benz GLC, Porsche Macan, Volvo XC60

**Nouveau en 2022**

Retouches extérieures et intérieures, système hybride de 48V (versions M40i), couple accru (X3 M et X4 M Competition).

# Vent de fraîcheur pour un duo redoutable

Guillaume Rivard

**L**a pandémie a touché BMW plus durement que d'autres marques de luxe et les ventes de son VUS compact X3 en sont un bon exemple. Le X4, de format coupé, s'en est mieux sorti, si bien que dans l'ensemble, ce duo continue de faire belle figure. L'année-modèle 2022 apporte quelques retouches et changements qui tombent à point, la génération actuelle ayant atteint la moitié de son parcours.

À l'extérieur, ce n'est rien de majeur, mais assez pour faire une différence avec les prédécesseurs. On aime les phares et les feux arrière redessinés et plus modernes, la nouvelle découpe des pare-chocs ainsi que les sorties d'échappement retravaillées, qui donnent plus de caractère aux véhicules, surtout en version de performance M Competition. De même, la calandre a été légèrement agrandie, et heureusement, sans friser l'excès comme sur les sportives M3 et M4 ou sur le tout nouveau VUS électrique iX. BMW ne lésine jamais avec les roues, dont les modèles varient ici de 19 à 21 pouces, et l'ensemble M Sport, pour rehausser davantage le style, demeure toujours une option. De nouvelles couleurs de carrosserie sont disponibles, dont le Jaune Sao Paulo.

### HABITACLE CONVIVIAL ET TECHNO

À l'intérieur, chacun des deux utilitaires compacts de BMW adopte un joli bloc central inspiré de celui de la nouvelle Série 4, toujours orienté vers le conducteur pour une utilisation conviviale. Le X3 possède un écran tactile de 10,25 ou 12,3 pouces, alors que le X4 et les versions M Competition n'offrent que le plus grand des deux. Bien que le système multimédia demeure iDrive 7 au lieu de migrer vers iDrive 8 comme les nouveaux véhicules électriques du constructeur, l'accès aux différents menus et réglages ne pose pas vraiment de problèmes, même par le sélecteur rotatif et les boutons sur la console. L'assistant personnel de BMW, qu'on peut interpeller en disant « Hey BMW », joue assez bien son rôle en général et comprend désormais mieux les commandes vocales. Apple CarPlay et Android Auto sont compatibles sans fil et n'oublions pas l'incursion d'Amazon Alexa.

Agrippant un volant redessiné, vous découvrirez une position de conduite bien pensée avec des sièges qui fournissent confort et soutien en mesures égales. À propos, la nouvelle sellerie optionnelle appelée SensaTec fera plaisir aux écolos qui ne veulent pas de cuir de source animale de même

* Ventes combinées des BMW X3 et X4

qu'à ceux qui apprécient un revêtement plus résistant aux taches et facile à nettoyer. L'éclairage ambiant a été bonifié afin de dynamiser davantage le décor.

À l'arrière, la ligne de toit fortement inclinée du X4 laisse à peine assez de dégagement pour la tête et que la minuscule vitre réduit beaucoup la visibilité. Quant à son coffre, il s'avère à peine plus gros que celui d'une berline intermédiaire ou d'un multisegment sous-compact. Ce n'est pas un véhicule familial comme le X3.

### DE VERT PÂLE À ROUGE BRÛLANT

La diversité mécanique reste une force des BMW X3 et X4 par rapport à leurs adversaires. Le 4 cylindres turbocompressé, inclus de série, répond aux besoins d'une majorité de conducteurs sans figurer parmi les plus puissants de la catégorie. L'action devient drôlement plus intéressante avec le 6 cylindres turbocompressé des X3 M40i et X4 M40i, qui réduit de beaucoup les temps d'accélération. Pour 2022, il reçoit même un système hybride léger de 48 volts, qui allège son fardeau pour diminuer la consommation d'essence tout en fournissant 11 chevaux supplémentaires au moment opportun.

Bien sûr, il y a encore le X3 xDrive30 e, un hybride rechargeable qui propose une autonomie électrique d'environ 29 km comme ses rivaux de chez Audi et Volvo. C'est toutefois moins que le tout nouveau NX 450h+ avec ses 58 km annoncés par Lexus.

Au sommet de la gamme, BMW Canada ne garde maintenant que les X3 M et X4 M avec ensemble Competition. Leur puissance de 503 chevaux est aussi délirante que leur sonorité, tandis que leur couple rajusté à 479 -pi abaisse le chrono du 0 à 100 km/h à 3,8 secondes seulement. De quoi tenir tête à leur ennemi juré, le Mercedes-AMG GLC 63 S. Seul le Tesla Model Y Performance est plus rapide... d'un dixième.

En somme, les BMW X3 et X4 2022 se modernisent de belle façon tout en continuant d'offrir beaucoup de choix. Attention aux nombreuses options qui peuvent rapidement augmenter la facture et, même s'ils sont moins amusants, ayez la sagesse de considérer également les nouveaux joueurs comme le Lexus NX récemment redessiné ou encore le Genesis GV70.

**➕ Belle diversité mécanique • Agrément de conduite supérieur • Qualité et technologie de haut niveau**

Design qui ne plaît pas à tous • Plusieurs sacrifices à faire (X4) • Gare aux options coûteuses

BMW X4

## Données principales

| Emp. / lon. / lar. / haut. | X3 - 2 864 / 4 722 / 1 891 / 1 676 mm |
| | X4 - 2 864 / 4 762 / 1 918 / 1 621 mm |
| Coffre / réservoir | X3 - 813 à 1 773 litres / 65 litres |
| | X3 xDrive30e - 770 à 1 683 litres / 50 litres |
| | X4 - 524 à 1 430 litres / 65 litres |
| Nombre de passagers | 5 |
| Suspension av. / arr. | ind., jambes force / ind., multibras |
| Pneus avant / arrière | P245/50R19 / P245/50R19 |
| Poids / Capacité de remorquage | 1 833 à 2 096 kg / 2 000 kg (4 400 lb) |

## Composantes mécaniques

### xDRIVE30e

| | |
| --- | --- |
| Cylindrée, alim. | 4L 2,0 litres turbo |
| Puissance / Couple | 180 ch / 258 lb-pi |
| Tr. base (opt) / Rouage base (opt) | A8 / Int |
| 0-100 / 80-120 / V. max | 6,1 s (c) / 4,7 s (est) / 210 km/h (c) |
| Type / ville / route / $CO_2$ | Sup / 11,0 / 8,6 / 127 g/km |
| Puissance / Couple combiné | 288 ch / 310 lb-pi |

### MOTEUR ÉLECTRIQUE

| | |
| --- | --- |
| Puissance / Couple | 107 ch (80 kW) / 77 lb-pi |
| Type de batterie / Énergie | Lithium-ion (Li-ion) / 12,0 kWh |
| Temps de charge (120V / 240V) | 6,0 h / 3,0 h |
| Autonomie | 29 km |

### xDRIVE30i

| | |
| --- | --- |
| Cylindrée, alim. | 4L 2,0 litres turbo |
| Puissance / Couple | 248 ch / 258 lb-pi |
| Tr. base (opt) / Rouage base (opt) | A8 / Int |
| 0-100 / 80-120 / V. max | 6,3 s (c) / 5,0 s (est) / 210 km/h (c) |
| Type / ville / route / $CO_2$ | Sup / 10,2 / 8,2 / 217 g/km |

### M40i

| | |
| --- | --- |
| Cylindrée, alim. | 6L 3,0 litres turbo |
| Puissance / Couple | 382 ch / 369 lb-pi |
| Tr. base (opt) / Rouage base (opt) | A8 / Int |
| 0-100 / 80-120 / V. max | 4,5 s (c) / 4,1 s (est) / 250 km/h (c) |
| Type / ville / route / $CO_2$ | Sup / 11,3 / 8,7 / 235 g/km |

### M COMPETITION

| | |
| --- | --- |
| Cylindrée, alim. | 6L 3,0 litres turbo |
| Puissance / Couple | 503 ch / 479 lb-pi |
| Tr. base (opt) / Rouage base (opt) | A8 / Int |
| 0-100 / 80-120 / V. max | 3,8 s (c) / 3,1 s (est) / 285 km/h (c) |
| Type / ville / route / $CO_2$ | Sup / 16,6 / 12,1 / 339 g/km |

BMW X5 M

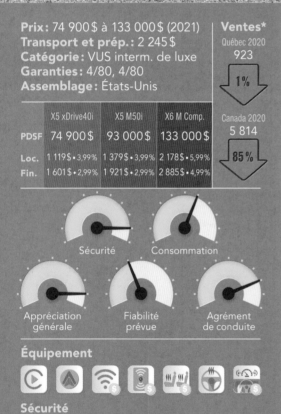

**Prix:** 74 900 $ à 133 000 $ (2021)
**Transport et prép.:** 2 245 $
**Catégorie:** VUS interm. de luxe
**Garanties:** 4/80, 4/80
**Assemblage:** États-Unis

**Ventes***
Québec 2020
923
⬇ 1 %

| | X5 xDrive40i | X5 M50i | X6 M Comp. |
|---|---|---|---|
| **PDSF** | 74 900 $ | 93 000 $ | 133 000 $ |
| **Loc.** | 1 119 $ · 3,99% | 1 379 $ · 3,99% | 2 178 $ · 5,99% |
| **Fin.** | 1 601 $ · 2,99% | 1 921 $ · 2,99% | 2 885 $ · 4,99% |

Canada 2020
5 814
⬇ 85 %

Sécurité · Consommation

Appréciation générale · Fiabilité prévue · Agrément de conduite

**Équipement**

**Sécurité**

**Concurrents**

Acura MDX, Audi Q7/Q8, Buick Enclave, Cad. XT6, Genesis GV80, Infi. QX60, L. Rover Discovery/ R. Rover Sport, Lexus GX/RX, Linc. Aviator/ Nautilus, Maser. Levante, Mercedes GLE, Pors. Cayenne, Tesla Model X, Volvo XC90

**Nouveau en 2022**

Aucun changement majeur annoncé au moment de mettre sous presse

# Au sommet de leur art

Charles Jolicœur

**R**evus et améliorés il y a deux ans, le BMW X5 et son frère à la carrosserie de coupé, le BMW X6, entament la dernière étape de leur carrière sous leur forme actuelle. Néanmoins, ils demeurent des choix qui se démarquent dans leur catégorie.

Il est fort probable que nous voyions une nouvelle génération des BMW X5 et X6 au courant de 2022, mais rien n'était confirmé au moment de mettre sous presse. Le rival de toujours, le Mercedes-Benz GLE, a été complètement redessiné récemment tandis que l'Audi Q7, un autre compétiteur direct, est plus vieux que le X5 actuel. Ce dernier ne donne jamais l'impression d'être désuet, lui qui offre l'ensemble des technologies et caractéristiques qu'on s'attend à voir dans un véhicule de cette trempe. De plus, il propose plusieurs choix de motorisations, dont une version hybride enfichable absente du GLE et du Q7.

**ÉQUILIBRE EXCEPTIONNEL**

BMW a longtemps été reconnu pour la conduite et la sportivité de ses véhicules. D'ailleurs, la première génération du BMW X5 a reçu des critiques très positives pour son agrément de conduite et la marque allemande a souvent été louangée pour avoir réussi à transférer la sportivité de ses voitures à un format utilitaire. Les BMW X5 et X6 actuels ne font pas exception et procurent beaucoup de plaisir de conduite ainsi qu'une tenue de route aiguisée à leur propriétaire. Il est facile d'oublier que l'on conduit un VUS derrière le volant des X5 et X6 tellement leur direction s'avère précise et leur stabilité, rassurante. Enfiler les virages et les sorties d'autoroute à vitesse élevée demeure un réel plaisir et jamais le véhicule ne montre de limites en conduite quotidienne. C'est vrai, peu importe la version, que ce soit les xDrive40i d'entrée de gamme ou les monstrueux modèles M. Jamais on ne sent le poids du véhicule.

Les performances sont au rendez-vous également, même dans le modèle de base alimenté par un moteur 6 cylindres de 3 litres qui développe 335 chevaux et 331 lb-pi de couple. Capable d'atteindre 100 km/h en moins de 6 secondes, il s'agit certainement du modèle de base le plus performant du segment. Vient ensuite le M50i avec son très puissant V8 de 4,4 litres de 523 chevaux et 553 lb-pi de couple. Nécessitant seulement 4,3 secondes pour atteindre 100 km/h, ce moteur est plus puissant que celui du Porsche Cayenne S ou du Mercedes-AMG GLC 53 4Matic+, sans être plus dispendieux.

*\* Ventes combinées des BMW X5 et X6*

Évidemment, les rois de la famille, les BMW X5 et X6 M Competition, ne proposent rien de moins que 617 chevaux et 553 lb-pi de couple. On atteint 100 km/h en 3,8 secondes en surprenant des Porsche 911 et des Chevrolet Corvette au passage. Ceci dit, les versions M du X5 et du X6 s'avèrent passablement plus sportives que les xDrive40i et M50i avec une tenue de route beaucoup plus aiguisée et une sonorité plus agressive. Inversement, le niveau de confort chute d'un cran dans les modèles M à un point tel qu'on peut se demander si la puissance supplémentaire, comparativement au M50i, vaut le compromis en matière de confort. Surtout sur les routes du Québec...

Car outre la variante M, les BMW X5 et X6 offrent un confort impressionnant malgré leur agilité déconcertante. Les deux véhicules restent toujours posés et stables tandis que le silence de roulement égale celui du GLE ou du Lexus RX. Il semble que BMW se soit donné comme mission d'accentuer le confort de ses modèles au cours des dernières années sans compromettre le côté sportif de la marque et les X5 et X6 en sont le plus bel exemple. Il y a quelques années, le X5 exigeait un certain compromis de ce côté. Ce n'est plus le cas aujourd'hui.

### L'HYBRIDE

Contrairement à la grande majorité de ses rivaux, BMW propose une déclinaison hybride rechargeable baptisée xDrive45e. Disponible pour environ 6 000 $ de plus que le X5 à moteur 6 cylindres, cette version électrifiée propose une puissance combinée de 389 chevaux et 443 lb-pi. Cela dit, l'élément le plus intéressant de ce modèle est son autonomie annoncée de 50 km. C'est plus que le Volvo XC90 Recharge et le Porsche Cayenne E-Hybrid, deux rivaux du X5 PHEV pourtant plus dispendieux. Au quotidien, il est difficile de surpasser 40 km sans ajuster sa conduite, mais cela demeure tout de même intéressant.

Le BMW X5 a beaucoup de qualités et assez de versions pour répondre à tous les besoins. Son défaut principal reste le prix et plus particulièrement la façon dont on a configuré les groupes d'options. En effet, le X5 vient avec trois groupes d'options variant en prix d'environ 5 000 $ à 17 000 $. Le prix du modèle grimpe rapidement lorsque bien équipé. Il n'est donc pas rare de voir chez votre concessionnaire des X5 à plus de 90 000 $ ainsi que des X6 à près de 100 000 $ et l'on parle toujours de déclinaisons avec le moteur de base. En revanche, les taux d'intérêt, les conditions de financement et de location sont assez avantageux.

+ Performances sportives • Confort intéressant • VUS polyvalent • Bonne autonomie (hybride rechargeable)

− Compromis sur le confort (X5 et X6 M) • Fiabilité parfois problématique • Prix des options

**BMW X6**

## Données principales

| | |
|---|---|
| Emp. / lon. / lar. / haut. | X5 - 2 975 / 4 936 / 2 004 / 1 744 mm |
| | X6 - 2 975 / 4 947 / 2 004 / 1 696 mm |
| Coffre / réservoir | X5 - 960 à 2 047 litres / 83 litres |
| | X5 PHEV - 938 à 2 016 litres / 69 litres |
| | X6 - 776 à 1 688 litres / 83 litres |
| Nombre de passagers | 5 à 7 |
| Suspension av. / arr. | ind., bras inégaux / ind., multibras |
| Pneus avant / arrière | P275/45R20 / P275/45R20 |
| Poids / Capacité de remorquage | X5 PHEV - 2 561 kg / 2 700 kg (5 950 lb) |
| | X5/X6 - 2 202 à 2 461 kg / 3 270 kg (7 200 lb) |

## Composantes mécaniques

### xDRIVE40i

| | |
|---|---|
| Cylindrée, alim. | 6L 3,0 litres turbo |
| Puissance / Couple | 335 ch / 331 lb-pi |
| Tr. base (opt) / Rouage base (opt) | A8 / Int |
| 0-100 / 80-120 / V. max | 5,5 s (m) / 4,6 s (m) / 243 km/h (c) |
| Type / ville / route / CO$_2$ | Sup / 11,4 / 9,2 / 242 g/km |

### xDRIVE45e

| | |
|---|---|
| Cylindrée, alim. | 6L 3,0 litres turbo |
| Puissance / Couple | 282 ch / 332 lb-pi |
| Tr. base (opt) / Rouage base (opt) | A8 / Int |
| 0-100 / 80-120 / V. max | 6,6 s (c) / 5,2 s (est) / 235 km/h (c) |
| Type / ville / route / CO$_2$ | Sup / 12,2 / 10,6 / 111 g/km |
| Puissance / Couple combiné | 389 ch / 443 lb-pi |

### MOTEUR ÉLECTRIQUE

| | |
|---|---|
| Puissance / Couple | 111 ch (83 kW) / 195 lb-pi |
| Type de batterie / Énergie | Lithium-ion (Li-ion) / 17,1 kWh |
| Temps de charge (120V / 240V) | 17,7 h / 5,3 h |
| Autonomie | 50 km |

### M50i

| | |
|---|---|
| Cylindrée, alim. | V8 4,4 litres turbo |
| Puissance / Couple | 523 ch / 553 lb-pi |
| Tr. base (opt) / Rouage base (opt) | A8 / Int |
| 0-100 / 80-120 / V. max | 4,3 s (c) / 3,2 s (est) / 250 km/h (c) |
| Type / ville / route / CO$_2$ | Sup / 14,4 / 10,6 / 302 g/km |

### M COMPETITION

| | |
|---|---|
| Cylindrée, alim. | V8 4,4 litres turbo |
| Puissance / Couple | 617 ch / 553 lb-pi |
| Tr. base (opt) / Rouage base (opt) | A8 / Int |
| 0-100 / 80-120 / V. max | 3,8 s (c) / 2,9 s (est) / 290 km/h (c) |
| Type / ville / route / CO$_2$ | Sup / 17,9 / 13,0 / 364 g/km |

Photos: BMW

BMW ALPINA XB7

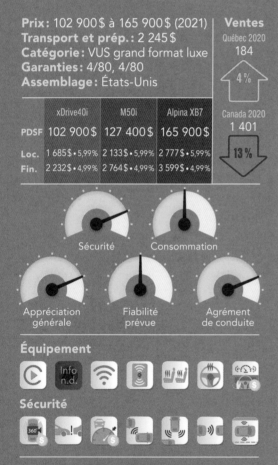

| | xDrive40i | M50i | Alpina XB7 |
|---|---|---|---|
| PDSF | 102 900 $ | 127 400 $ | 165 900 $ |
| Loc. | 1 685 $ • 5,99 % | 2 133 $ • 5,99 % | 2 777 $ • 5,99 % |
| Fin. | 2 232 $ • 4,99 % | 2 764 $ • 4,99 % | 3 599 $ • 4,99 % |

**Prix :** 102 900 $ à 165 900 $ (2021)
**Transport et prép. :** 2 245 $
**Catégorie :** VUS grand format luxe
**Garanties :** 4/80, 4/80
**Assemblage :** États-Unis

**Ventes**
Québec 2020
**184**
▲ 4 %

Canada 2020
**1 401**
▼ 13 %

Sécurité    Consommation

Appréciation générale    Fiabilité prévue    Agrément de conduite

## Équipement

## Sécurité

## Concurrents

Cadillac Escalade, Infiniti QX80,
Jeep Grand Wagoneer, Land Rover Range Rover,
Lexus LX, Lincoln Navigator, Mercedes-Benz GLS

## Nouveau en 2022

Aucun changement majeur annoncé au moment de mettre sous presse.

# Costauds, puissants et raffinés

Marc Lachapelle

**B**MW a pris tout son temps pour entrer dans la ronde des grands utilitaires sport de luxe. Élaborés sur l'architecture CLAR qui sous-tend les grandes berlines Série 7 et 8, mais également le duo X5 et X6, les X7 ont réussi la fusion de ces genres pour offrir un amalgame unique de confort, d'espace, de luxe et de performance. Tout cela est doublement vrai pour la version Alpina XB7, qui offre une touche de raffinement à l'européenne dans une catégorie où prime rarement la subtilité.

Les oracles de l'automobile ont maintes fois prédit ou réclamé une version M du grand X7. En lieu et place, BMW a plutôt choisi de confier au préparateur bavarois Alpina la mission de développer une variante plus puissante et exclusive de son modèle le plus costaud. Les créations de ce spécialiste, qui retouche des BMW depuis plus d'un demi-siècle, se distinguent par l'élégance et l'efficacité des modifications apportées, qui n'ont jamais un iota de clinquant ou de tape-à-l'œil.

### CŒUR VAILLANT ET JAMBES SOLIDES

L'Alpina XB7 est doté d'un V8 biturbo de 4,4 litres produisant 612 chevaux et 590 lb-pi de couple, qui déboule de 2 000 à 5 000 tr/min. Le XB7 atteint 100 km/h en 4,35 secondes, franchit le quart de mille en 12,51 secondes, avec une pointe de 184,4 km/h, et bondit de 80 à 120 km/h en 2,9 secondes. Des performances inouïes pour un engin de 2 658 kg.

Le V8 du XB7 a gagné ses 89 chevaux grâce à des turbos plus gros coiffés de refroidisseurs d'air Alpina, à une paire de radiateurs additionnels pour le moteur et un radiateur d'huile plus gros pour la boîte automatique à 8 rapports. Cette dernière est aussi équipée d'un carter d'huile en aluminium pour encaisser le couple élevé de ce V8 sérieusement vitaminé. Le tout se complète par un échappement en acier inoxydable à volets actifs qui libère une sonorité discrètement riche ou délicieusement rauque, selon le mode de conduite.

Côté comportement, la suspension à ressorts pneumatiques abaisse la carrosserie et le centre de gravité de 20 mm en mode Sport et d'un autre 20 mm en Sport Plus, pour aiguiser la tenue de route. Elle peut la soulever de 40 mm pour franchir un obstacle ou réduire sa hauteur d'autant pour

faciliter accès et chargement. Des entretoises augmentent sa rigidité pendant que des barres électromécaniques maîtrisent son roulis en virage.

Un différentiel électronique optimise également la répartition du couple entre les roues arrière directrices, qui améliorent la maniabilité en réduisant le diamètre de braquage ou alors la stabilité à plus grande vitesse. Les jantes d'alliage de 23 pouces ont 20 rayons, comme toujours chez Alpina. Elles réduisent aussi le poids non suspendu de 12,7 kg. Des freins Brembo à disques de 394 mm à l'avant et 399 mm derrière ont immobilisé le XB7 sur 32,4 mètres en freinage d'urgence à 100 km/h. Il s'agit de la deuxième distance la plus courte que nous ayons mesurée après la McLaren 720S Spider.

L'Alpina XB7 est venu se percher l'an dernier dans cette série au-dessus du X7 M50i, un modèle M Performance qui avait lui-même remplacé le xDrive50i l'année précédente. La version la plus accessible du X7 demeure le xDrive40i, animé par l'excellent 6 cylindres en ligne turbocompressé de 3 litres et 335 chevaux. Chose certaine, le X7 xDrive40i est tout sauf un pis-aller puisqu'il partage son habitacle et la quasi-totalité de ses composantes avec ses frères. La facture franchit d'ailleurs le cap des 100 000 $.

### EN FORCE ET EN FINESSE

À bord du X7, on reconnaît la finition irréprochable des grandes BMW. Le confort et le maintien des sièges avant, la position de conduite et le volant sont exemplaires. Les écrans de 12,3 pouces et la plus récente mouture de l'interface iDrive aussi, une fois leurs premiers mystères résolus. La deuxième banquette n'est pas vilaine et les sièges individuels optionnels non plus. L'espace reste cependant très juste à la troisième rangée et les réglages électriques de tous ces sièges s'avèrent désespérément lents ou rébarbatifs.

Dès les premiers mètres de conduite, on reconnaît la touche unique d'Alpina à la qualité du roulement, malgré les immenses pneus de performance à profil très bas. La direction est fine, précise et les transitions sont linéaires. En virage, le XB7 est carrément imperturbable, même à fond en mode Sport Plus, antidérapage désactivé. À défaut d'être agile ou excitant à piloter. Un bon sprint à l'occasion, avec ce V8 bourré de caractère, et tout sera pardonné. Le XB7, comme le M50i, se reprend par une douceur et un silence impressionnants qui en font un grand rouleur. Un peu assoiffé, bien sûr.

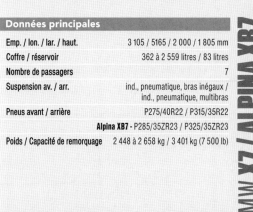

**BMW X7**

## BMW X7 / ALPINA XB7

### Données principales

| | |
|---|---|
| Emp. / lon. / lar. / haut. | 3 105 / 5165 / 2 000 / 1 805 mm |
| Coffre / réservoir | 362 à 2 559 litres / 83 litres |
| Nombre de passagers | 7 |
| Suspension av. / arr. | ind., pneumatique, bras inégaux / ind., pneumatique, multibras |
| Pneus avant / arrière | P275/40R22 / P315/35R22 |
| Alpina XB7 - | P285/35ZR23 / P325/35ZR23 |
| Poids / Capacité de remorquage | 2 448 à 2 658 kg / 3 401 kg (7 500 lb) |

### Composantes mécaniques

**xDRIVE40i**

| | |
|---|---|
| Cylindrée, alim. | 6L 3,0 litres turbo |
| Puissance / Couple | 335 ch / 331 lb-pi |
| Tr. base (opt) / Rouage base (opt) | A8 / Int |
| 0-100 / 80-120 / V. max | 6,2 s (c) / 4,8 s (est) / 210 km/h (c) |
| 100-0 km/h | 37,8 m (est) |
| Type / ville / route / $CO_2$ | Sup / 12,1 / 9,8 / 256 g/km |

**M50i**

| | |
|---|---|
| Cylindrée, alim. | V8 4,4 litres turbo |
| Puissance / Couple | 523 ch / 553 lb-pi |
| Tr. base (opt) / Rouage base (opt) | A8 / Int |
| 0-100 / 80-120 / V. max | 4,9 s (m) / 3,6 s (m) / 250 km/h (c) |
| 100-0 km/h | 37,8 m (est) |
| Type / ville / route / $CO_2$ | Sup / 15,7 / 11,5 / 321 g/km |

**ALPINA XB7**

| | |
|---|---|
| Cylindrée, alim. | V8 4,4 litres turbo |
| Puissance / Couple | 612 ch / 590 lb-pi |
| Tr. base (opt) / Rouage base (opt) | A8 / Int |
| 0-100 / 80-120 / V. max | 4,4 s (m) / 2,9 s (m) / 290 km/h (c) |
| 100-0 km/h | 32,4 m (m) |
| Type / ville / route / $CO_2$ | Sup / 15,7 / 11,5 / 321 g/km |

**BMW ALPINA XB7**

**BMW ALPINA XB7**

| | sDrive30i | M40i |
|---|---|---|
| **Prix :** 63 200 $ à 76 650 $ (2021) | | |
| **Transport et prép. :** 2 245 $ | | |
| **Catégorie :** Sportives de luxe | | |
| **Garanties :** 4/80, 4/80 | | |
| **Assemblage :** Autriche | | |
| PDSF | 63 200 $ | 76 650 $ |
| Loc. | 927 $ • 4,99 % | 1 124 $ • 4,99 % |
| Fin. | 1 338 $ • 3,99 % | 1 623 $ • 3,99 % |

**Ventes**

Québec 2020
62

**0 %**

Canada 2020
210

**0 %**

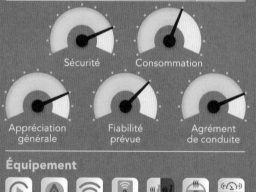

Sécurité  Consommation

Appréciation générale  Fiabilité prévue  Agrément de conduite

## Équipement

## Sécurité

## Concurrents

Audi TT, Chevrolet Corvette, Nissan Z,
Porsche 718, Toyota GR Supra

## Nouveau en 2022

Aucun changement majeur annoncé
au moment de mettre sous presse.
Ajout d'Android Auto en cours d'année 2021.

# Un parfait équilibre

Michel Deslauriers

**M**algré la vaste gamme de véhicules utilitaires et le grand déploiement de l'électrification chez BMW, tendance oblige, on n'a pas oublié les clients traditionnels qui désirent encore et toujours des voitures sport. De vraies voitures sport pures comme le *roadster* BMW Z4.

Les petites décapotables biplaces, la marque allemande connaît ça. Sa première est apparue en 1936, la superbe 328, qui a fait la pluie et le beau temps en course automobile, suivie de la très rare 507 dans les années 50. Les Z1, Z3 et Z8 ont été commercialisées dans les années 90 et 2000, et nous voilà en compagnie de la troisième génération de la Z4.

Cette dernière reste toujours spéciale puisqu'elle a été mise au point avec l'aide financière du constructeur japonais Toyota, sans quoi cette nouvelle Z4 n'aurait probablement pas vu la lumière du jour. Si son cousin lointain, le coupé GR Supra, présente des gènes un peu trop germaniques pour certains, l'influence japonaise est inexistante dans le *roadster* au logo bleu et blanc.

### DEUX MOTEURS, MÊME CARACTÈRE

On a équipé la Z4 sDrive30i du 4 cylindres turbo de 2 litres bien répandu au sein de la gamme du constructeur. Ce moteur développe 255 chevaux, assorti d'une boîte automatique à 8 rapports avec sélecteurs montés au volant. On apprécie d'ailleurs son couple généreux se manifestant dès les 1 500 tr/min, propulsant la voiture d'un départ arrêté à 100 km/h en 5,4 secondes. En ajoutant le Groupe Performance M pour quelques milliers de dollars supplémentaires, on rehausse le comportement routier grâce à un différentiel arrière et à une suspension M adaptative. Les modes Sport et Sport+ accentuent la réactivité de la motorisation et de la boîte de vitesses.

Les accélérations en ligne droite deviennent plus courtes en passant à la version M40i, profitant du glorieux 6 cylindres en ligne turbo de BMW. Avec 382 chevaux sous le pied droit, on atteint les 100 km/h en 4,9 secondes, avec en prime une sonorité mélodieuse et des pétarades lors des montées en rapports. À l'instar de la version de base, les modes sport accentuent nettement les performances, pour les moments où l'on a envie de troquer

les qualités de grande routière de la Z4 pour une attitude enragée afin de dévorer des routes de campagne désertes lors des matins ensoleillés du dimanche.

La Z4 M40i inclut de série la suspension M et le différentiel à glissement limité livrables sur la sDrive30i, mais elle commande un investissement additionnel de plus de 10 000 $, ce qui se traduit par des mensualités élevées. Au moins, elle est plus abordable que la Porsche 718 Boxster S à 350 chevaux, et la version décapotable de la Audi TT n'est disponible qu'en déclinaison de base à 228 chevaux. Bref, bien que la facture soit salée, elle demeure concurrentielle si l'on ne regarde pas trop du côté de la Chevrolet Corvette décapotable, une bête somme toute très différente.

### PAS LE MÊME REGARD

La Z4 affiche un design sophistiqué, sculpté, sans toutefois déroger du style classique d'un *roadster*, c'est-à-dire les proportions débalancées avec un long capot, un coffre court et un habitacle poussé vers l'arrière. Ce qui dérange les puristes de BMW, peut-être, ce sont les blocs optiques qui n'alignent pas deux phares côte à côte, la signature visuelle de la marque depuis la fin des années 60. Hélas, la Z4 n'a pas le regard sérieux et perçant des autres modèles chez BMW, mais bon, cela ne gâche en rien son apparence sportive.

Dans l'habitacle, rien d'anormal, alors que la touche stylistique de la marque reste bien présente. Instrumentation numérique de 10,25 pouces, système multimédia iDrive avec écran de 10,25 pouces, intégration Apple CarPlay et Android Auto, la Z4 ne manque certainement pas de caractéristiques dernier cri, alors que les sièges et le volant chauffants figurent de série.

Côté pratique, le toit souple à commande électrique s'abaisse et se remonte en à peine dix secondes, et ce, même lorsque la voiture est en mouvement à 50 km/h ou moins. Avec 281 litres, le volume de coffre s'avère suffisamment grand pour trois ou quatre sacs d'épicerie ou pour des valises pour un court voyage à deux. On déplore toutefois l'absence de rangement dans l'habitacle, un trait commun dans ce type de véhicule.

Que peut-on reprocher d'autre à la Z4? L'absence d'une boîte manuelle, pour ceux qui apprécient encore la sensation de conduire à trois pédales, et un choix limité à cinq couleurs de carrosserie. Toutefois, le petit roadster de BMW représente le parfait équilibre entre un bolide de grand tourisme et une pure sportive.

**+** Excellent comportement routier • Motorisations puissantes et peu énergivores • Habitacle moderne et confortable

**–** Manque d'espaces de rangement • Prix concurrentiel, mais élevé • Choix limité de couleurs de carrosserie

### Données principales

| | |
|---|---|
| Emp. / lon. / lar. / haut. | 2 470 / 4 336 / 1 864 / 1 306 mm |
| Coffre / réservoir | 281 litres / 52 litres |
| Nombre de passagers | 2 |
| Suspension av. / arr. | ind., jambes force / ind., multibras |
| Pneus avant / arrière | P225/45ZR18 / P255/40ZR18 |
| Poids / Capacité de remorquage | 1 491 à 1 568 kg / non recommandé |

### Composantes mécaniques

**sDRIVE30i**

| | |
|---|---|
| Cylindrée, alim. | 4L 2,0 litres turbo |
| Puissance / Couple | 255 ch / 295 lb-pi |
| Tr. base (opt) / Rouage base (opt) | A8 / Prop |
| 0-100 / 80-120 / V. max | 5,4 s (c) / 3,4 s (est) / 250 km/h (c) |
| Type / ville / route / CO$_2$ | Sup / 9,4 / 7,3 / 197 g/km |

**M40i**

| | |
|---|---|
| Cylindrée, alim. | 6L 3,0 litres turbo |
| Puissance / Couple | 382 ch / 369 lb-pi |
| Tr. base (opt) / Rouage base (opt) | A8 / Prop |
| 0-100 / 80-120 / V. max | 4,9 s (m) / 3,0 s (m) / 250 km/h (c) |
| Type / ville / route / CO$_2$ | Sup / 10,7 / 8,0 / 221 g/km |

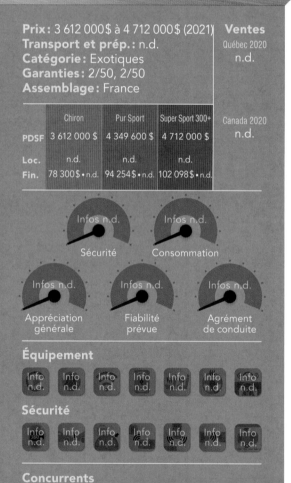

**Prix:** 3 612 000$ à 4 712 000$ (2021)
**Transport et prép.:** n.d.
**Catégorie:** Exotiques
**Garanties:** 2/50, 2/50
**Assemblage:** France

**Ventes**
Québec 2020
n.d.

|  | Chiron | Pur Sport | Super Sport 300+ |
|---|---|---|---|
| PDSF | 3 612 000 $ | 4 349 600 $ | 4 712 000 $ |
| Loc. | n.d. | n.d. | n.d. |
| Fin. | 78 300$•n.d. | 94 254$•n.d. | 102 098$•n.d. |

Canada 2020
n.d.

Infos n.d.
Sécurité

Infos n.d.
Consommation

Infos n.d.
Appréciation générale

Infos n.d.
Fiabilité prévue

Infos n.d.
Agrément de conduite

**Équipement**

Info n.d. | Info n.d. | Info n.d. | Info n.d. | Info n.d. | Info n.d. | Info n.d.

**Sécurité**

Info n.d. | Info n.d. | Info n.d. | Info n.d. | Info n.d. | Info n.d. | Info n.d.

**Concurrents**
Pagani Huayra

**Nouveau en 2022**
Aucun changement majeur annoncé au moment de mettre sous presse.

# La fois où le banquier a eu le dernier mot

Daniel Melançon

Limitée à une production de seulement 500 exemplaires, la Chiron est l'une des voitures les plus exclusives au monde. Si vous en croisez une sur la route (il y en a au moins une au Québec), sortez votre appareil photo parce que ça n'arrivera pas souvent!

Je ne vous cacherai pas que je n'ai pas pu conduire l'un des rares exemplaires de la Chiron avant de rédiger ce texte. En fait, j'ai passé proche, une fois, de m'installer derrière le volant de son ancêtre, la Veyron. Mais comme au golf, passer proche, ça ne compte pas!

Alors, pour la petite histoire, il y a quelques années, dans le cadre d'un reportage pour l'émission du *Guide de l'auto* sur MAtv, Marc Lachapelle et moi avions reçu l'invitation de Bugatti pour aller tester le fameux 0 à 100 km/h, prévu sous la barre des trois secondes. On voulait vraiment en avoir le cœur net et surtout, ramener un bon reportage avec les preuves à l'appui. Eh bien! croyez-le ou non, j'ai raté ce rendez-vous sur la piste en raison d'un conflit d'horaire. Je devais être présent lors d'un enregistrement pour l'émission *Le Banquier*. Imaginez! Je suis allé tenir une valise en studio pendant quelques heures au lieu de m'installer au volant d'une bagnole de plusieurs millions de dollars, dotée d'une puissance légendaire! Croyez-moi, je vais savoir quoi faire la prochaine fois si une situation similaire se présente ainsi.

### LA PRODUCTION SE POURSUIVRA ENCORE
Trêve d'anecdote, revenons à cette Bugatti Chiron. Il faut savoir qu'en raison de la pandémie de COVID-19, sa production sera allongée et devrait demeurer effective pour encore un an, au moins.

La Bugatti Chiron standard (il faut le dire vite!) propose un moteur W16 de 8 litres à quatre turbocompresseurs, produisant un impressionnant total de 1 479 chevaux sous le capot. La version Pur Sport, qui s'est ajoutée à la gamme en 2020, profite d'une aérodynamique optimisée et de réglages de rapports de boîte de vitesses plus courts, sachant qu'elle est également plus légère que les autres versions. Si ce n'est pas assez pour vous, la plus démentielle des Chiron demeure la Super Sport 300+. Elle est devenue la première voiture de production de l'Histoire à dépasser la barre des

300 milles à l'heure, avec une vitesse maximale enregistrée à 490 km/h. On parle alors d'une puissance de 1 577 chevaux !

Il y a aussi la magnifique version « Les légendes du ciel », produite en seulement 20 exemplaires afin de rendre hommage aux pilotes de l'air de l'armée française du XXe siècle. Il s'agit, en fait, d'une Chiron Sport avec, comme distinction, un gris mat pour couleur de carrosserie qui fait honneur aux avions des années 1920. Une bande blanche traverse, en longueur, la voiture au centre. On observe également les couleurs bleu, blanc et rouge sur les bas de caisse, petit clin d'œil au drapeau de la France.

L'ensemble des versions proposent une transmission automatique de 7 rapports à double embrayage ainsi qu'une architecture à quatre roues motrices. Ce n'est évidemment pas en roulant avec un moteur qui développe plus de 1 479 chevaux et qui fait le 0 à 100 km/h en 2,4 secondes que vous vous ferez des amis parmi les écologistes ! On parle ici d'une consommation de près de 27 L/100 km en ville et de plus de 16 L/100 km sur les grands axes.

## COMME RIEN D'AUTRE

Outre son prix vertigineux et ses prouesses sur circuit, ce qui distingue véritablement la Veyron reste son design. Elle ne ressemble à aucune autre voiture sur la route, à l'exception peut-être d'une Veyron évidemment. Son habitacle est luxueux, avec des matériaux de première qualité et un choix d'agencements de couleurs qui s'étend à l'infini, au gré des envies de l'acheteur. On a construit la console centrale d'un seul bloc en aluminium et le conducteur dépose les mains sur un superbe volant taillé à plat à sa base. Ne cherchez pas Apple CarPlay, Android Auto ou encore une assistance à la conduite. Malgré son prix de plus de 4 millions de dollars, la Chiron n'offre rien de tout ça. Par contre, elle garantit un effet « wow » absolument incomparable.

Je vous entends murmurer : « Mais qui peut se payer une telle folie ? ». Quand même pas mal de monde en fait. Malgré la pandémie des derniers mois, Bugatti a vendu et livré plus de voitures au premier trimestre de 2021 que jamais auparavant dans l'histoire de l'entreprise. Il faut croire que même la COVID-19 n'aura pas réussi à venir à bout des excès des richissimes de ce monde !

Photos : Bugatti

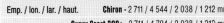

### Données principales

| | Chiron - 2 711 / 4 544 / 2 038 / 1 212 mm |
|---|---|
| Emp. / lon. / lar. / haut. | |
| | Super Sport 300+ - 2 711 / 4 794 / 2 038 / 1 212 mm |
| Coffre / réservoir | 44 litres / 100 litres |
| Nombre de passagers | 2 |
| Suspension av. / arr. | ind., double triangulation / ind., double triangulation |
| Pneus avant / arrière | P285/30ZR20 / P355/25ZR21 |
| Poids / Capacité de remorquage | 1 995 kg / non recommandé |

### Composantes mécaniques

**CHIRON**

| | |
|---|---|
| Cylindrée, alim. | W16 8,0 litres turbo |
| Puissance / Couple | 1 479 ch / 1 180 lb-pi |
| Tr. base (opt) / Rouage base (opt) | A7 / Int |
| 0-100 / 80-120 / V. max | 2,4 s (c) / 1,8 s (c) / 420 km/h (c) |
| 100-0 km/h | 31,4 m (c) |
| Type / ville / route / CO$_2$ | Chiron - Sup / 26,8 / 16,6 / 522 g/km |
| | Chiron Pur Sport - Sup / 30,3 / 20,9 / 608 g/km |

**SUPER SPORT 300+**

| | |
|---|---|
| Cylindrée, alim. | W16 8,0 litres turbo |
| Puissance / Couple | 1 577 ch / 1 180 lb-pi |
| Tr. base (opt) / Rouage base (opt) | A7 / Int |
| 0-100 / 80-120 / V. max | 2,3 s (est) / 1,7 s (est) / 490 km/h (c) |
| 100-0 km/h | 31,0 s (est) |
| Type / ville / route / CO$_2$ | Sup / n.d. / n.d. / n.d. |

| + | − |
|---|---|
| Exclusivité assurée • | Prix d'achat prohibitif • |
| Habitacle luxueux à souhait • | Frais d'entretien ridicules • |
| Accélérations décapantes | Un pensez-y-bien sur nos routes |

## Un par concession, parfois deux

Antoine Joubert

**Prix:** 48 398 $ à 62 298 $ (2021)
**Transport et prép.:** 1 900 $
**Catégorie:** VUS interm. de luxe
**Garanties:** 4/80, 6/110
**Assemblage:** États-Unis

**Ventes**
Québec 2020
136

↓ 32 %

Canada 2020
1 773

↓ 28 %

| | Essence | Privilège TI | Avenir TI |
|---|---|---|---|
| PDSF | 48 398 $ | 56 298 $ | 62 298 $ |
| Loc. | 668 $ • 3,50% | 772 $ • 3,50% | 879 $ • 3,50% |
| Fin. | 970 $ • 0,00% | 1 121 $ • 0,00% | 1 236 $ • 0,00% |

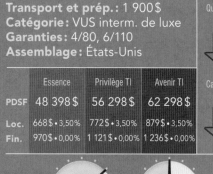

Sécurité     Consommation

Appréciation générale    Fiabilité prévue    Agrément de conduite

**Équipement**

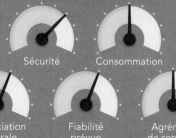

**Sécurité**

**Concurrents**

Acura MDX, Audi Q7/Q8, BMW X5/X6,
Cadillac XT6, Genesis GV80, Infin. QX60,
L. Rover Discovery, Lexus GX/RX, Lincoln
Aviator/Nautilus, Maser. Levante, Mercedes GLE,
Pors. Cayenne, Tesla Model X, Volvo XC90

**Nouveau en 2022**

Retouches esthétiques à l'intérieur
et à l'extérieur, nouvel ensemble de sécurité
Confiance Plus.

**A**vec une liste interminable de véhicules concurrents, l'Enclave peine à séduire. Ce n'est certainement pas faute de qualités puisque ce véhicule en regorge. Or, parce que les VUS Buick jouent sur deux terrains à la fois, il est difficile de les catégoriser et donc, de les considérer lorsque vient le temps de faire un choix.

Avec un produit comme l'Enclave, vendu entre 50 000 $ et 65 000 $ (incluant les frais), Buick rivalise à la fois contre Nissan et Infiniti par exemple. Ainsi, autant l'acheteur d'un Pathfinder que celui d'un QX60 peuvent s'y intéresser. Il faut dire que l'Enclave fait d'ailleurs le pont entre le Chevrolet Traverse et le Cadillac XT6, deux autres VUS de GM qui partagent les mêmes éléments mécaniques et structuraux. Vous aurez alors compris que lorsque vient le temps d'arrêter son choix, rares sont les acheteurs qui l'ajoutent à leur liste. Dommage puisqu'encore une fois, l'Enclave vaut le détour.

### SA VÉRITABLE CONCURRENCE ?

Bien que la liste de ses rivaux comporte une pléiade de VUS de luxe coûtant généralement beaucoup plus cher, la compétition réelle de ce Buick n'est pas celle que le constructeur nous laisse croire. En fait, l'Enclave peut directement rivaliser avec un Ford Explorer Limited, dont le prix de départ s'affiche à 52 000 $, mais aussi avec le Hyundai Palisade, d'approche plus classique, ou encore avec un Toyota Highlander à moteur V6. Et franchement, dans ce contexte, l'Enclave reste dans le coup.

Ce Buick se distingue de son proche cousin (le Chevrolet Traverse) par un design entièrement revu pour l'année 2022, et réussi. On note également un meilleur ficelage ainsi qu'un poste de conduite nettement plus invitant, bien qu'on ne lui décerne pas la palme à ce sujet. Cela dit, la qualité d'assemblage y est plus sérieuse et le confort général surpasse celui de nombreux véhicules pourtant réputés en la matière. Ironiquement, à équipement comparable, les modèles Chevrolet et Buick coûtent pratiquement le même prix. Par exemple, un Traverse Premier et un Enclave Privilège affichent moins de 2 000 $ d'écart. Et il en va de même pour la version Avenir quand on la compare au luxueux Traverse High Country.

Chez Buick, voyez les versions Avenir comme l'équivalent des Denali chez GMC. Dans ces modèles, qui figurent toujours au sommet de la gamme, on vous sert le nec plus ultra en matière de luxe et de finition. Dans ce cas-ci,

on a droit à un habitacle revêtant un cuir noir ou marron de très belle facture, avec tout ce qu'il faut d'accessoires et de technologie pour satisfaire votre soif de luxe, même des sièges à fonction de massage! Par contre, l'approche de Buick n'est pas sportive et joue davantage la carte du classicisme. N'y cherchez donc pas de garnitures en fibre de carbone, de jantes de 22 pouces ou de «mode sport».

Exception faite du Honda Pilot, l'Enclave propose plus d'espace et de volume de chargement que l'ensemble de ses rivaux. L'accessibilité à la troisième rangée est en outre très facile, l'espace y étant encore une fois généreux. Considérez ainsi ce véhicule comme l'une des meilleures «anti-fourgonnette» du marché, si vous êtes de ceux qui ont en horreur les portes coulissantes.

Sans surprise, le moteur retenu est le V6 de 3,6 litres que GM surexploite dans ses gammes. Il s'agit d'un bloc efficace et marié à une boîte automatique qui l'est tout autant. Du côté de la consommation de carburant, nous avons mesuré 11,5 à 12 L/100 km, pour une moyenne sur autoroute d'environ 9,5 L/100 km. Pourquoi ne pas se distinguer avec, par exemple, ce V6 de 3 litres que Cadillac exploite sous le capot de la CT5? Sans doute parce qu'on ne le propose même pas sous le capot du XT6. Cela dit, la puissance ne manque pas avec l'Enclave, bien que son plus bel atout soit son confort, doublé d'un exceptionnel silence de roulement.

### IL SUFFIT D'Y PENSER

Au moment d'écrire ces lignes, Buick proposait des Enclave 2021 (avant restylage) avec 4 000 $ de rabais, auxquels s'ajoutent des taux de financement et de location avantageux. Bref, pour une version Privilège (59 000 $ avec transport et préparation), la mensualité à la location sera de 675 $, taxes incluses, alors qu'un Kia Telluride, initialement vendu à 2 000 $ de moins, coûte mensuellement 240 $ de plus.

L'exercice de comparaison en vaut donc la peine, pouvant d'ailleurs vous faire découvrir un produit auquel vous n'auriez initialement pas pensé. Sachez également que pour une location de quatre ans, ce Buick s'accompagne d'une couverture de garantie complète. Hélas, malgré ces observations et toutes les qualités de ce VUS, les concessionnaires GM du Québec n'en ont écoulé que l'équivalent d'un seul chacun l'an dernier. Parfois deux. Comme quoi chez GM, quelqu'un, quelque part, ne fait pas adéquatement son travail...

## Données principales

| | |
|---|---|
| Emp. / lon. / lar. / haut. | 3 071 / 5 189 / 2 002 / 1 775 mm |
| Coffre / réservoir | 668 à 2 764 litres / 73 à 82 litres |
| Nombre de passagers | 7 |
| Suspension av. / arr. | ind., jambes force / ind., multibras |
| Pneus avant / arrière | P255/65R18 / P255/65R18 |
| Poids / Capacité de remorquage | 1 977 à 2 125 kg / 2 268 kg (5 000 lb) |

## Composantes mécaniques

| | |
|---|---|
| Cylindrée, alim. | V6 3,6 litres atmos. |
| Puissance / Couple | 310 ch / 266 lb-pi |
| Tr. base (opt) / Rouage base (opt) | A9 / Tr (Int) |
| Type / ville / route / CO$_2$ | **Tr** - Ord / 13,0 / 9,1 / 263 g/km |
| | **Int** - Ord / 13,6 / 9,6 / 277 g/km |

**+** Très bon confort de roulement • Espace et polyvalence de l'habitacle • Prix attrayant (taux de financement et rabais) • Bonne garantie de base

**−** Modèle oublié du public (et même de GM!) • Image de marque à travailler • Motorisation conservatrice • Consommation élevée en ville

# BUICK **ENCORE**

★★★ COTE DU **GUIDE**

## Le quasi-luxe

Jacques Bienvenue

**L**e marché automobile est un univers guidé par le symbolisme. À chaque marque et modèle, les constructeurs associent un message, une image, une signature qu'ils tentent d'inculquer aux consommateurs. Lorsque ça marche, même des jumeaux peuvent paraître complètement différents.

C'est le cas de l'Encore, le plus petit des VUS de Buick. Jumeau du Chevrolet Trax, il s'en distingue par des formes marginalement différentes. Leur profil, leur architecture et leur motorisation sont partagés. Il en va de même de leurs cotes d'habitabilité et de volume utile. Une finition plus soignée et une dotation un peu plus étoffée donnent au Buick cette image de véhicule luxueux à laquelle le Chevrolet ne peut prétendre.

Ce statut explique les comparaisons occasionnelles l'associant à des véhicules de même taille qui sont plus coûteux, comme le BMW X1, le Lexus UX ou le Mercedes-Benz GLA. Ces derniers s'en distinguent cependant par une conception plus moderne et une dotation nettement plus sophistiquée. Voilà pourquoi nous le qualifions plutôt de véhicule de quasi-luxe.

### ENCORE OU ENCORE GX?

Présent sur notre marché depuis bientôt une dizaine d'années, l'Encore n'a guère changé jusqu'ici. Qui plus est, au sein de sa gamme, il n'a plus le monopole de la catégorie des VUS sous-compacts. Car aux côtés de l'Encore «tout court» il y a désormais l'Encore GX. En vente depuis le début de l'année 2020, ce nouveau venu, un peu plus gros, lui jette ombrage et cannibalise ses ventes. Ce modèle au nom confondant s'apparente au Chevrolet Trailblazer et bénéficie d'une gamme plus diversifiée et d'une dotation mieux alignée sur les attentes actuelles des consommateurs, surtout en matière d'aides à la conduite et de systèmes de sécurité passive et active.

Ainsi, l'Encore n'a pas de dispositif d'assistance au stationnement ou un régulateur de vitesse adaptatif, contrairement à l'Encore GX. L'unique version inscrite au catalogue canadien, l'Encore Privilégié, est livrée avec un système de détection des angles morts et une alerte de trafic transversal arrière. Il faut débourser un supplément pour ajouter à cela les quelques autres dispositifs d'aide à la conduite proposés par le constructeur. Des systèmes passifs comme l'alerte de collision frontale et les radars avant et arrière, qui

---

**Prix:** 24 998 $ à 26 998 $ (2021)
**Transport et prép.:** 1 900 $
**Catégorie:** VUS sous-compacts
**Garanties:** 4/80, 6/110
**Assemblage:** Corée du Sud

**Ventes**

Québec 2020
2 165

⬇ 38 %

Canada 2020
6 480

⬇ 36 %

|  | Privilégié | Privilégié TI |
|---|---|---|
| PDSF | 24 998 $ | 26 998 $ |
| Loc. | 408 $ • 3,50 % | 425 $ • 3,50 % |
| Fin. | 527 $ • 0,49 % | 566 $ • 0,49 % |

Sécurité  Consommation

Appréciation générale  Fiabilité prévue  Agrément de conduite

### Équipement

### Sécurité

### Concurrents

Chevrolet Trax/Trailblazer, Ford EcoSport, Honda HR-V, Hyundai Kona, Jeep Renegade, Kia Niro/Seltos, Mazda CX-30, Mitsubishi Eclipse Cross/RVR, Nissan Qashqai, Subaru Crosstrek, Volkswagen Taos

### Nouveau en 2022

Nouveau moteur plus puissant, pochettes au dos des sièges avant.

détecte la présence d'obstacles lors d'un stationnement. On est loin des systèmes actifs de série de l'Encore GX comme, par exemple, son dispositif de freinage d'urgence capable de déceler la présence d'un piéton devant le véhicule.

## PLUS DE CHEVAUX SOUS LE CAPOT

Faute d'être à la page avec cette nouvelle quincaillerie électronique, l'Encore dispose au moins d'un moteur qui le situe dans la bonne moyenne. Son 4 cylindres Ecotec à turbocompresseur de 1,4 litre livre 155 chevaux, une puissance comparable à celle de nombreux modèles rivaux, y compris l'Encore GX muni de son moteur optionnel de 1,3 litre. De plus, ce bloc à injection directe, que l'Encore a adopté au courant de l'année 2021, n'a pas cette curieuse sonorité de boîte de conserve caractérisant les 2 tricylindres offerts pour l'Encore GX!

Ce moteur entraîne les roues avant par l'intermédiaire d'une boîte automatique à 6 rapports souple et discrète. Son mode manuel de changement de rapports est commandé par un commutateur à bascule posé au sommet du levier de vitesses. Une simple pression du pouce permet de l'actionner. En outre, une transmission intégrale figure parmi les options de ce véhicule. Ce système réactif entre en action lentement, ce qui explique l'effet de couple que l'on ressent parfois en conduisant une version à quatre roues motrices.

La dotation de série du petit Buick comprend des roues en alliage de 18 pouces et des phares halogènes avec feux diurnes à DEL. Le système d'infodivertissement, équipé d'un écran tactile de 7 pouces, est compatible avec Apple CarPlay et Android Auto. Il permet également d'accéder à internet via son système 4G LTE intégré. Notons, par ailleurs, que les sièges chauffants brillent par leur absence, alors qu'ils sont de série sur le GX...

Le côté pratique de l'Encore lui assure un attrait indéniable et, comparativement à ses rivaux, c'est le siège du passager avant qui fait toute la différence. D'abord parce qu'il cache au niveau du plancher un tiroir pratique, assez grand pour ranger des babioles que l'on ne souhaite pas exposer à la vue des passants. Ensuite, à l'instar de l'Encore GX, son dossier se replie à plat vers l'avant. Il suffit alors d'abaisser les dossiers «60/40» de la banquette arrière pour charger des objets encombrants (mais étroits) mesurant jusqu'à 8 pieds: une échelle ou ce curieux porte-manteau Thonet à 16 patères du XIXe siècle déniché chez votre antiquaire favori...

### Données principales

| | |
|---|---|
| Emp. / lon. / lar. / haut. | 2 555 / 4 276 / 1 781 / 1 657 mm |
| Coffre / réservoir | 532 à 1 371 litres / 53 litres |
| Nombre de passagers | 5 |
| Suspension av. / arr. | ind., jambes force / semi-ind., poutre torsion |
| Pneus avant / arrière | P215/55R18 / P215/55R18 |
| Poids / Capacité de remorquage | 1 468 à 1 523 kg / non recommandé |

### Composantes mécaniques

| | |
|---|---|
| Cylindrée, alim. | 4L 1,4 litre turbo |
| Puissance / Couple | 155 ch / 177 lb-pi |
| Tr. base (opt) / Rouage base (opt) | A6 / Tr (Int) |
| 0-100 / 80-120 / V. max | 9,6 s (est) / 8,2 s (est) / n.d. |
| 100-0 km/h | 41,1 (est) |
| Type / ville / route / $CO_2$ | **Tr** - Ord / 9,7 / 7,3 / 201 g/km |
| | **Int** - Ord / 10,2 / 7,7 / 214 g/km |

➕ Intérieur spacieux • Coffre polyvalent • Prix négociables

➖ Effet de couple à bas régime • Roulis en courbe • Visibilité arrière réduite

| | Privilégié | Sélect TI | Essence ST TI |
|---|---|---|---|
| PDSF | 26 098 $ | 30 098 $ | 33 843 $ |
| Loc. | 437 $ • 3,50 % | 499 $ • 3,50 % | 553 $ • 3,50 % |
| Fin. | 562 $ • 1,49 % | 642 $ • 1,49 % | 692 $ • 1,49 % |

**Prix :** 26 098 $ à 33 843 $ (2021)
**Transport et prép. :** 1 900 $
**Catégorie :** VUS sous-comp. luxe
**Garanties :** 4/80, 6/110
**Assemblage :** Corée du Sud

**Ventes**
Québec 2020
1 834

n.d.

Canada 2020
5 214

n.d.

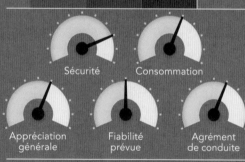

Sécurité — Consommation

Appréciation générale — Fiabilité prévue — Agrément de conduite

**Équipement**

**Sécurité**

**Concurrents**
Audi Q3, BMW X1, Cadillac XT4, Ford EcoSport, Honda HR-V, Hyundai Kona, Kia Seltos, Lexus UX, Mazda CX-30, Mercedes-Benz GLA, Mitsubishi Eclipse Cross/RVR, Nissan Qashqai, Subaru Crosstrek, Volkswagen Taos, Volvo XC40

**Nouveau en 2022**
Nouvelles couleurs extérieures.

# L'entre-deux

Louis-Philippe Dubé

**B**uick a perdu des plumes en Amérique du Nord en délaissant ses grosses berlines qui jadis faisaient d'elle un constructeur de premier plan. Heureusement que du côté de la Chine, la marque profite d'une popularité inédite — le fait que le dernier empereur de Chine ait possédé une Buick contribue à mousser allégrement les ventes auprès des jeunes en quête de reconnaissance sociale. Hélas, chez nous, la marque est toujours perçue comme réservée aux golfeurs retraités, et donc, toujours en quête de rajeunissement et de réinvention.

Pour les initiés, le Buick Encore GX n'est pas une variante de l'Encore. Il a été introduit en 2020 et s'immisce en tant qu'entre-deux entre le plus petit Encore et le Buick Envision, ce dernier étant assemblé en Chine. Sur le plan physique, l'Encore GX est légèrement plus gros que l'Encore.

### DEUX PETITS 3 CYLINDRES
Le Buick Encore GX s'anime grâce à un duo composé de mécaniques à 3 cylindres. La première, d'une cylindrée de 1,2 litre, développe 137 chevaux et 162 lb-pi de couple. Elle est jumelée à une transmission à variation continue qui entraîne exclusivement les roues avant. La seconde, d'une cylindrée 1,3 litre, engendre 155 chevaux et 174 lb-pi de couple. Celle-ci a recours à une boîte automatique à 9 rapports pour animer les quatre roues.

Notre modèle d'essai armé du choix le plus puissant s'est avéré suffisant au chapitre de la puissance en ville et limité dans les grandes accélérations sur l'autoroute. Nous pouvons en déduire que la motorisation avec 18 chevaux en moins pourrait être juste si vous planifiez vous aventurer régulièrement sur la grande route.

La boîte automatique à 9 rapports testée offre une prestation exemplaire et exécute son boulot de manière prompte une fois l'accélérateur enfoncé. Les rétrogradations et reprises se font également avec rapidité. En ce qui concerne le rouage intégral, il fait le travail en hiver et contribue à l'adhérence dans les virages sur chaussée sèche. Mais il faut souligner que dans les divers segments où l'Encore GX rivalise se trouvent des ténors munis de systèmes de traction intégrale plus avancés qui font un travail extrêmement minutieux en matière de répartition de la puissance.

## UN HABITACLE BIEN FICELÉ

Dans l'antre du Buick Encore GX, les occupants ont droit à un espace ample à l'avant comme à l'arrière, avec 665 litres de volume de chargement. Mais ce qui épate, c'est la qualité générale et l'aspect, à la fois sobre et luxueux, de la finition et de l'assemblage. Les commandes essentielles sont à portée de main, avec un bon mariage entre ergonomie et style. Au milieu de la planche de bord trône l'écran du système d'infodivertissement qui, comme dans la plupart des produits GM récents, fait un travail louable avec un écran à la clarté cristalline, mais également avec rapidité et aisance. La position de conduite est bonne, tout comme la visibilité à l'avant et à l'arrière.

Étant somme toute bien équipé, même dans la variante de base, le Buick Encore GX est livré d'office avec un système d'allumage automatique de phares, *IntelliBeam*, qui est parfois capricieux, surtout si votre quartier n'est illuminé que par les lumières des maisons. Le système semble parfois interpréter les lumières d'une maison comme étant celles d'une voiture au loin et allume les « hautes », et les éteint, pour ensuite les rallumer, le tout en l'absence de voitures... Ce n'est certes pas un gros irritant, lequel se produit dans une situation spécifique. Et le système peut toujours être désactivé le cas échéant.

L'Encore GX multiplie l'offre de VUS chez Buick, le créneau dans lequel la marque s'accroche pour conserver sa place sur la scène automobile. Bien qu'il réponde aux besoins des acheteurs dans le segment, nous aurions espéré qu'il soit un peu plus différent, en apportant une contribution plus audacieuse et ainsi attirer de nouveaux acheteurs. Il faut également souligner que ce VUS est non seulement un entre-deux dans sa propre famille, mais il l'est aussi dans l'industrie en général. Il n'est pas tout à fait un VUS de luxe — même s'il est fort pratique, il n'a pas le panache pour rivaliser contre les Audi Q3, Volvo XC40 et BMW X1, par exemple. Mais il offre un peu plus de luxe que ses homologues au sein des marques courantes.

Donc, avis à l'acheteur potentiel, il est important d'établir ses priorités et choisir un Encore GX au bon prix. En évitant de trop s'évader dans les variantes haut de gamme, là où la facture grimpe rapidement.

### Données principales

| | |
|---|---|
| Emp. / lon. / lar. / haut. | 2 595 / 4 354 / 1 813 / 1 629 mm |
| Coffre / réservoir | 665 à 1 422 litres / 50 litres |
| Nombre de passagers | 5 |
| Suspension av. / arr. | ind., jambes force / ind., multibras |
| Pneus avant / arrière | P225/55R18 / P225/55R18 |
| Poids / Capacité de remorquage | 1 372 à 1 485 kg / 454 kg (1 000 lb) |

### Composantes mécaniques

**TRACTION**

| | |
|---|---|
| Cylindrée, alim. | 3L 1,2 litre turbo |
| Puissance / Couple | 137 ch / 162 lb-pi |
| Tr. base (opt) / Rouage base (opt) | CVT / Tr |
| Type / ville / route / $CO_2$ | Ord / 8,0 / 7,6 / 184 g/km |

**INTÉGRALE**

| | |
|---|---|
| Cylindrée, alim. | 3L 1,3 litre turbo |
| Puissance / Couple | 155 ch / 174 lb-pi |
| Tr. base (opt) / Rouage base (opt) | A9 / Int |
| 0-100 / 80-120 / V. max | 9,8 (est) / 8,2 (est) / n.d. |
| 100-0 km/h | 41,1 (est) |
| Type / ville / route / $CO_2$ | Ord / 9,0 / 8,2 / 201 g/km |

+ Finition de qualité et assemblage de l'habitacle impressionnant • Espace intérieur plus qu'adéquat • Boîte de vitesses à 9 rapports bien calibrée

− Moteur 1,2 litre trop juste • Manque de caractère

Photos: Buick

# Assemblé en Chine, pour la Chine

Germain Goyer

**Prix :** 35 998 $ à 44 698 $ (2021)
**Transport et prép. :** 1 900 $
**Catégorie :** VUS compacts luxe
**Garanties :** 4/80, 6/110
**Assemblage :** Chine

**Ventes**

Québec 2020
283

⬇ 29 %

Canada 2020
2 123

⬇ 27 %

| | Privilégié | Essence TI | Avenir TI |
|---|---|---|---|
| PDSF | 35 998 $ | 39 698 $ | 44 698 $ |
| Loc. | 569 $ • 4,90 % | 633 $ • 4,90 % | 709 $ • 4,90 % |
| Fin. | 759 $ • 1,49 % | 833 $ • 1,49 % | 932 $ • 1,49 % |

Sécurité · Consommation

Appréciation générale · Fiabilité prévue · Agrément de conduite

**Équipement**

**Sécurité**

**Concurrents**

Acura RDX, Alfa Romeo Stelvio, Audi Q3, BMW X3/X4, Cadillac XT5, Genesis GV70, Infiniti QX50/QX55, Jaguar F-PACE, Land Rover Discovery Sport, Lexus NX, Lincoln Corsair, Mercedes GLC, Porsche Macan, Volvo XC60

**Nouveau en 2022**
Aucun changement majeur annoncé au moment de mettre sous presse.

**A**près une première génération qui est totalement passée sous le radar, Buick propose, depuis le printemps 2021, la nouvelle mouture de son véhicule utilitaire compact de luxe. Positionné entre l'Encore GX et l'Enclave au sein du catalogue Buick composé exclusivement de VUS, l'Envision a pour mission de faire oublier le revers essuyé avec le modèle de précédente génération. C'est un mandat qui, a priori, est des plus faciles. Or, absolument rien n'est gagné d'avance.

Sur le plan esthétique, force est de constater que l'Envision est séduisant. On aime la partie arrière qui nous paraît condensée alors que l'accent est mis sur la devanture qui a été habilement étirée, avec l'intégration de la calandre qui constitue la nouvelle signature de la marque. Autant à l'avant qu'à l'arrière, les lumières sont bien intégrées au style du véhicule. On reconnaît l'effort de ses concepteurs pour le rendre moins anonyme qu'auparavant.

Partageant sa plate-forme avec le Cadillac XT4, l'Envision est également animé par un moteur turbocompressé à 4 cylindres de 2 litres. En revanche, sa puissance est diminuée à 228 chevaux, soit neuf de moins que son pendant chez Cadillac. Quant au couple, il est équivalent avec 258 lb-pi. Tout comme le XT4, l'Envision est, lui aussi, muni d'une transmission automatique étagée sur 9 rapports. Nous avons remarqué qu'elle grimpait rapidement les rapports de manière à réduire autant que possible la consommation. Il est à noter que la version de base, portant l'appellation Privilégié, est livrée de série avec les roues motrices avant. Il faut ajouter 2 400 $ au prix de base pour obtenir le rouage intégral. Le système est offert de série pour les versions Essence et Avenir. Hélas, l'Envision ne propose, pour l'heure, aucune version électrifiée. Cette dernière aurait contribué à distinguer l'Envision de ses concurrents. D'autant plus que General Motors dispose déjà de cette technologie...

En ce qui a trait au comportement routier, soulignons que ce n'est pas non plus de cette manière que l'Envision de deuxième génération se différencie d'une concurrence féroce. Sans pour autant être d'un ennui mortel, il ne propose rien de bien excitant. Considérant le passé de la marque, on aurait pu s'attendre à davantage de confort de la part de l'Envision. Ce n'est pas catastrophique, mais Buick a déjà fait mieux à ce chapitre.

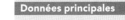

## REPRODUIRE LE SUCCÈS DE DENALI

Fondée en 1998, la sous-marque Denali identifie la version la plus haut de gamme chez GMC. Avec le recul, tous s'entendront pour admettre qu'il s'agit d'un véritable succès. Tout à fait lucide face à cette réalité, General Motors tente de répéter l'histoire, mais cette fois, chez Buick. C'est dans cette optique que Buick a créé la sous-marque Avenir, d'abord avec les Enclave et LaCrosse. Puis, l'année dernière, le constructeur américain a proposé ce niveau de finition supérieur pour la première fois avec l'Envision. Cette version se distingue notamment par ses jantes de 20 pouces au fini nickel nacré, son toit ouvrant panoramique, ses sièges avant ventilés avec fonction de massage et le système d'infodivertissement (écran tactile de 10 pouces) intégrant la navigation.

Bien que sur papier l'idée de reproduire le succès de l'appellation Denali soit légitime, il faudra davantage de panache et d'audace pour y arriver. Du moins avec l'Envision. Mais surtout, il faudra rebâtir complètement l'image de la marque.

## UNE CONCURRENCE PLUS COÛTEUSE ET PLUS ADAPTÉE

Il faut savoir que l'Envision a été conçu en Chine et pour ce marché bien précis. Il y est d'ailleurs assemblé. Sachez également que si General Motors a éliminé Oldsmobile plutôt que Buick lors de sa restructuration du début des années 2000, c'est parce que Buick rayonnait en Chine. Et c'est toujours le cas, soit dit en passant.

Consciente de l'importance que représente le marché des VUS compacts de luxe, Buick a tout simplement pigé dans son catalogue chinois pour y trouver l'Envision et ainsi l'offrir en Amérique du Nord. Cela étant, avec une démarche aussi peu sérieuse, il aurait été plus qu'optimiste d'espérer de meilleurs résultats. En effet, bien que l'Envision se distingue par sa consommation et son échelle de prix inférieure à celle de la concurrence, le produit n'est pas suffisamment convaincant.

Certes, vous pouvez obtenir un Envision Avenir pour le prix d'un Audi Q5 de base. Considérant l'importance attachée à l'image — et que Buick ne projette aucune image chez nous -, l'Envision ne sera qu'un coup d'épée dans l'eau. Défini comme un VUS compact de luxe, il se positionne sous le Cadillac XT4 si l'on se fie à la hiérarchie traditionnelle de General Motors. De ce fait, il se trouve carrément entre deux chaises. Hélas, tous les indicateurs nous laissent croire que General Motors a raté son coup, une fois de plus, avec l'Envision.

| Données principales | |
|---|---|
| Emp. / lon. / lar. / haut. | 2 779 / 4 636 / 1 882 / 1 641 mm |
| Coffre / réservoir | 713 à 1 492 litres / 60 à 61 litres |
| Nombre de passagers | 5 |
| Suspension av. / arr. | ind., jambes force / ind., multibras |
| Pneus avant / arrière | P235/60R18 / P235/60R18 |
| Poids / Capacité de remorquage | 1 675 à 1 753 kg / 680 kg (1 500 lb) |

| Composantes mécaniques | |
|---|---|
| Cylindrée, alim. | 4L 2,0 litres turbo |
| Puissance / Couple | 228 ch / 258 lb·pi |
| Tr. base (opt) / Rouage base (opt) | A9 / Tr (Int) |
| Type / ville / route / CO$_2$ | **Tr** - Ord / 10,0 / 7,6 / 209 g/km |
| | **Int** - Ord / 10,5 / 8,2 / 220 g/km |

**+** Bouille sympathique • Aménagement intérieur intéressant • Consommation de carburant raisonnable

**—** Une seule mécanique offerte • Absence de prestige de la marque

Photos: Buick, Frédéric Mercier

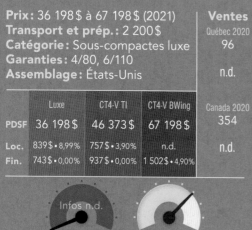

| | Luxe | CT4-V TI | CT4-V BWing |
|---|---|---|---|
| PDSF | 36 198 $ | 46 373 $ | 67 198 $ |
| Loc. | 839 $ • 8,99 % | 757 $ • 3,90 % | n.d. |
| Fin. | 743 $ • 0,00 % | 937 $ • 0,00 % | 1 502 $ • 4,90 % |

**Prix :** 36 198 $ à 67 198 $ (2021)
**Transport et prép. :** 2 200 $
**Catégorie :** Sous-compactes luxe
**Garanties :** 4/80, 6/110
**Assemblage :** États-Unis

**Ventes**
Québec 2020
96
n.d.

Canada 2020
354
n.d.

Infos n.d.
Sécurité

Consommation

Appréciation générale

Infos n.d.
Fiabilité prévue

Agrément de conduite

## Équipement

## Sécurité

## Concurrents

Acura ILX, Audi A3, BMW Série 2,
Mercedes-Benz CLA/Classe A, MINI 5 Portes

## Nouveau en 2022

Arrivée de la version
haute performance Blackwing.

# Dans l'ombre de sa grande sœur

Germain Goyer

Il y a deux ans, Cadillac a osé plus que tout autre constructeur en introduisant deux nouvelles berlines. Ainsi, les CT4 et CT5 sont devenues les remplaçantes des défuntes ATS et CTS. Il s'agissait alors d'un pari plus qu'audacieux sachant que Lincoln, éternelle rivale de Cadillac, décidait plutôt de rayer les berlines de son catalogue et de concentrer ses efforts sur sa gamme composée exclusivement de véhicules utilitaires.

Dans sa version de base, la CT4 est livrée avec un moteur turbocompressé à 4 cylindres de 2 litres, bien connu au sein de la grande famille de General Motors. Jumelé à une transmission automatique à 8 rapports, ce moteur ne déborde pas de puissance avec ses 237 chevaux. Cela dit, il ne manque jamais de souffle. En option, on offre le bloc à 4 cylindres de 2,7 litres, celui-là même qu'on peut retrouver sous le capot des Chevrolet Silverado et GMC Sierra. Ce mariage avec une camionnette pleine grandeur nous laisse perplexes. Toutefois, ce moteur reste tout à fait approprié dans le cas de la CT4. Notons que sa puissance varie en fonction de la déclinaison choisie (310 chevaux pour le haut de gamme et 325 pour la version CT4-V). Par ailleurs, il faut savoir que la V ne plaira pas forcément à tous. Bien que son attitude agressive soit assurément charmante, il faut absolument prendre note de la rigidité globale de la voiture. On n'a pas droit à une once de confort. Vous vous en douterez, la situation est bien différente pour une version régulière. Enfin, sachez que les places arrière sont exiguës dans toutes les versions.

Notez que peu importe la version choisie, le consommateur peut opter pour les roues motrices arrière ou les quatre roues motrices. Certes, la deuxième option demeure un choix plus rationnel si l'on prévoit utiliser la voiture à longueur d'année. Néanmoins, il y a moyen d'avoir une tonne de plaisir avec une version à propulsion. Parmi les atouts de la CT4, on ne peut passer sous silence son système d'infodivertissement. Comme pour une multitude de véhicules chez General Motors, il est bien conçu et facile à manipuler. Certains constructeurs auraient avantage à prendre des notes.

### PRIVILÉGIEZ LA CT5

Si la CT5 s'avère un produit abouti, mature et convaincant, on ne peut en dire autant de la CT4. Chez Cadillac, on aurait dû apprendre de ses erreurs, c'est-à-dire avaler la pilule du succès mitigé de l'ATS et mettre un terme à la production d'une berline sous-compacte de luxe. Certes, le trio allemand

composé des Audi A3, BMW Série 2 et Mercedes-Benz Classe A réussit à charmer une poignée d'acheteurs. Mais sans leur logo luisant et prestigieux, il n'en serait rien. La CT4 se retrouve à peu près dans la même position que l'Acura ILX, cantonnée au rôle de figurante.

Bien que la CT5 demeure marginale dans notre paysage automobile, elle est plus courante que sa petite sœur et ce n'est pas un hasard. En effet, en plus d'être maintes fois plus conviviale au quotidien et de présenter une allure très séduisante, la CT5 est plus intéressante sur le plan financier. Et si vous croisez davantage de versions V que de celles d'entrée de gamme, il ne s'agit pas d'une coïncidence non plus. On sait très bien que la location est reine dans ce créneau et General Motors ne souhaite absolument pas vous louer une CT4 — ou même une CT5 de base.

En effet, il vous coûtera 839 $ par mois pour un terme de 48 mois à un taux de 8,99 % (!) pour une CT4 d'entrée de gamme à propulsion. Sauf que pour 50 $ de plus par mois, vous pouvez louer une CT5-V pour la même durée, à un taux de 3,9 %. Bref, vous vous retrouvez au volant d'une voiture mieux habillée, équilibrée, bien équipée et, surtout, plus performante.

### EN ATTENDANT LA BLACKWING

Avec son moteur V6 de 3,6 litres biturbo et ses 464 chevaux, la Cadillac ATS-V avait de quoi épater la galerie. Avec la CT4, la marque américaine de luxe a revu sa stratégie. On a plutôt décidé de faire de la CT4-V une voiture plus civilisée et de réserver les excès à la version Blackwing, qui débarque pour 2022. Sous son capot, on retrouvera le même moteur que celui de l'ancienne ATS-V. Mais sa puissance passera à 472 chevaux et son couple, à 450 lb-pi. Bien qu'une transmission automatique à 10 rapports soit offerte, Cadillac a pensé aux puristes en proposant aussi une boite manuelle à 6 vitesses.

Toujours dans l'optique de plaire aux puristes, elle ne peut être livrée qu'avec les roues motrices arrière. Il faudra minimalement débourser 67 198 $ pour en obtenir une copie. Tout comme la CT4-V, elle sera dotée d'une suspension magnétique. Il y a fort à parier qu'elle sera plutôt exclusive sur nos routes. Force est d'admettre que tout ceci reste plus que prometteur et que ça sentira le caoutchouc brûlé d'ici peu.

**+** Moteur 2,7 litres performant • Système d'infodivertissement très intuitif • Version Blackwing qui promet

**—** Segment sur le respirateur artificiel • Timide évolution de l'ATS • Banquette arrière peu invitante • Habitacle trop peu spacieux

Photos : Cadillac, Marc Lachapelle

### Données principales

| | |
|---|---|
| Emp. / lon. / lar. / haut. | 2 776 / 4 755 / 1 814 / 1 422 mm |
| Coffre / réservoir | 303 litres / 64 litres |
| Nombre de passagers | 5 |
| Suspension av. / arr. | ind., jambes force / ind., multibras |
| Pneus avant / arrière | P225/45R17 / P225/45R17 |
| Poids / Capacité de remorquage | 1 552 à 1 640 kg / 454 kg (1 000 lb) |

### Composantes mécaniques

**4L - 2,0 LITRES**

| | |
|---|---|
| Cylindrée, alim. | 4L 2,0 litres turbo |
| Puissance / Couple | 237 ch / 258 lb-pi |
| Tr. base (opt) / Rouage base (opt) | A8 / Prop (Int) |
| 0-100 / 80-120 / V. max | 6,4 s (est) / n.d. / n.d. |
| Type / ville / route / CO$_2$ | **Prop** - Sup / 10,2 / 7,0 / 206 g/km |
| | **Int** - Sup / 10,5 / 7,6 / 216 g/km |

**4L - 2,7 LITRES**

| | |
|---|---|
| Cylindrée, alim. | 4L 2,7 litres turbo |
| Puissance / Couple | 310 ch / 350 lb-pi |
| Tr. base (opt) / Rouage base (opt) | A10 / Prop (Int) |
| 0-100 / 80-120 / V. max | 5,5 s (est) / 4,1 s (est) / n.d. |
| Type / ville / route / CO$_2$ | **Prop** - Sup / 11,0 / 7,6 / 221 g/km |
| | **Int** - Sup / 11,4 / 8,2 / 233 g/km |

**CT4-V**

| | |
|---|---|
| Cylindrée, alim. | 4L 2,7 litres turbo |
| Puissance / Couple | 325 ch / 380 lb-pi |
| Tr. base (opt) / Rouage base (opt) | A10 / Prop (Int) |
| 0-100 / 80-120 / V. max | 5,3 s (m) / 3,9 s (m) / n.d. |
| Type / ville / route / CO$_2$ | **Prop** - Sup / 11,9 / 8,2 / 239 g/km |
| | **Int** - Sup / 12,0 / 8,4 / 244 g/km |

**V BLACKWING**

| | |
|---|---|
| Cylindrée, alim. | V6 3,6 litres turbo |
| Puissance / Couple | 472 ch / 450 lb-pi |
| Tr. base (opt) / Rouage base (opt) | M6 (A10) / Prop |
| 0-100 / 80-120 / V. max | 4,0 s (est) / n.d. / 306 km/h (c) |
| Type / ville / route / CO$_2$ | **Man** - Sup / 15,2 / 10,2 / 303 g/km |
| | **Auto** - Sup / 15,0 / 9,7 / 297 g/km |

# Un acte de résistance

Julien Amado

**Prix :** 40 098 $ à 89 898 $ (2021)
**Transport et prép. :** 2 200 $
**Catégorie :** Compactes de luxe
**Garanties :** 4/80, 6/110
**Assemblage :** États-Unis

**Ventes**
Québec 2020
195

n.d.

Canada 2020
852

n.d.

|  | Luxe | CT5-V TI | CT5-V BWing |
|---|---|---|---|
| **PDSF** | 40 098 $ | 52 298 $ | 89 898 $ |
| **Loc.** | 906 $ • 8,99 % | 884 $ • 3,90 % | n.d. |
| **Fin.** | 817 $ • 0,00 % | 1 050 $ • 0,00 % | 1 994 $ • 4,90 % |

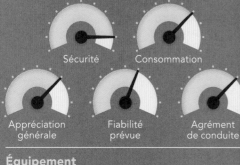

Sécurité  Consommation

Appréciation générale  Fiabilité prévue  Agrément de conduite

**Équipement**

**Sécurité**

**Concurrents**

Acura TLX, Alfa Romeo Giulia, Audi A4/A5, BMW Série 3, Genesis G70, Infiniti Q50, Lexus IS, Mercedes-Benz Classe C, Volvo S60

**Nouveau en 2022**

Arrivée de la version haute performance Blackwing.

En dévoilant la CT4 et la CT5, Cadillac réitère son engagement sur le segment des berlines de luxe. Alors que le constructeur aurait pu imiter Lincoln et se focaliser sur les utilitaires sport, General Motors prend le contre-pied et persévère dans un paysage automobile où le VUS est devenu roi.

C'est d'autant plus méritoire, que face à la CT5, on retrouve la fameuse triade allemande, à savoir Audi, BMW et Mercedes-Benz qui dominent outrageusement les ventes du segment. Pour les contrer, les designers de Cadillac n'ont pas cherché à réinventer la roue et c'est très bien ainsi. Élégante, joliment dessinée, mais plutôt classique dans son approche, la CT5 est réussie esthétiquement.

À l'intérieur, on retrouve un habitacle typique de la marque. Si vous conduisez déjà une Cadillac, vous ne serez pas dépaysé ! Mais pour aller jouer avec les Allemands sur leur propre terrain, il faut aussi se doter d'une qualité de finition à la hauteur. De ce point de vue, c'est réussi, avec des matériaux bien choisis ainsi qu'un bel assemblage.

Bien installé dans des sièges enveloppants, le conducteur fait face à des cadrans simples mais lisibles. Au milieu du tableau de bord, l'écran central de 10 pouces intègre une interface intuitive et bien pensée. On est très loin du système CUE qui équipait les Cadillac au début des années 2010.

### DU 4 CYLINDRES AU V8

Curieusement, le modèle de base de la CT5 est une propulsion, un rouage devenu très rare au pays. Cette version reçoit un 4 cylindres de 2 litres, fort de 237 chevaux et 258 lb-pi. Optez de préférence pour le V6 turbo optionnel, facturé environ 4 000 $ certes, mais dont les performances (335 chevaux et 400 lb-pi de couple) correspondent davantage à une berline de ce calibre. Avec seulement 25 chevaux de moins qu'une CT5-V, le plaisir de conduite sera au rendez-vous pour un prix plus compétitif.

Puisqu'il est question de la CT5-V, cette dernière utilise le même V6 biturbo de 3 litres, alors que la CTS-V précédente recourait à un V8. Cela peut surprendre, mais c'est simplement parce que Cadillac a décidé de revoir sa nomenclature, les modèles V devenant des modèles sport, mais qui n'ont plus pour mission de vous clouer à votre siège à chaque accélération.

Ce rôle revient désormais à la redoutable version Blackwing, dont le V8 de 6,2 litres crache 668 chevaux et 659 lb-pi sur ses seules roues arrière. Des chiffres qui font de ce modèle le plus puissant de toute l'histoire de Cadillac ! Au moment d'écrire ces lignes, nous n'avons pas encore pu prendre le volant de cette CT5 haute performance, mais nous nous réjouissons qu'une boîte manuelle à 6 rapports soit disponible au catalogue ! Un bon moyen de rehausser le plaisir de conduire, quitte à perdre quelques dixièmes de secondes dans l'exercice du 0 à 100 km/h.

## DYNAMIQUE ET PLAISANTE

Une fois derrière le volant, la CT5 dévoile une tenue de route maîtrisée et un châssis rigoureux. C'est encore plus vrai à bord de la CT5-V qui ajoute les suspensions adaptatives *Magnetic Ride Control*, assistées d'un différentiel arrière à glissement limité. Ainsi équipée, l'auto vous offre deux visages distincts.

Si vous êtes d'humeur calme, les suspensions réglées en mode Confort laissent entrevoir un amortissement plutôt souple et des mouvements de caisse marqués pour une auto à tendance sportive. Toutefois, cela permet de disposer d'un bon confort, meilleur que ses rivales allemandes, particulièrement lorsque la route est mal revêtue. Et si l'envie d'une conduite plus enthousiaste vous prend, une simple pression sur le bouton «V» sur le volant change radicalement le caractère de la voiture. Dorénavant mieux campée sur ses appuis, la CT5-V virevolte d'une courbe à l'autre et se montre bien plus précise, surtout son train avant, désormais mieux guidé. Dommage que le durcissement de la direction soit un peu trop caricatural avec le réglage le plus sportif. Il est toutefois possible de personnaliser chaque paramètre en passant par l'écran central.

Du côté du V6, les performances donnent également satisfaction. Bien rempli à bas régime, il ne rechigne pas à aller titiller la zone rouge quand le conducteur le souhaite. Un moteur agréable, bien secondé par la boîte automatique à 10 rapports, qui se montre efficace quel que soit le rythme adopté. À l'heure du bilan, on ne peut que féliciter Cadillac d'insister sur le créneau des berlines de luxe. Mais ce baroud d'honneur pourrait ne pas durer indéfiniment, surtout si l'auto demeure sous le radar de beaucoup d'acheteurs. Dans le cas de la CT5, ce serait regrettable, car la proposition de Cadillac ne manque pas d'arguments pour se faire valoir.

### Données principales

| | |
|---|---|
| Emp. / lon. / lar. / haut. | 2 946 / 4 923 / 1 882 / 1 453 mm |
| Coffre / réservoir | 337 litres / 66 litres |
| Nombre de passagers | 5 |
| Suspension av. / arr. | ind., jambes force / ind., multibras |
| Pneus avant / arrière | P245/45R18 / P245/45R18 |
| Poids / Capacité de remorquage | 1 660 à 1 803 kg / 454 kg (1 000 lb) |

### Composantes mécaniques

**4L - 2,0 LITRES**

| | |
|---|---|
| Cylindrée, alim. | 4L 2,0 litres turbo |
| Puissance / Couple | 237 ch / 258 lb-pi |
| Tr. base (opt) / Rouage base (opt) | A10 / Prop (Int) |
| 0-100 / 80-120 / V. max | 6,8 s (est) / n.d. / n.d. |
| Type / ville / route / CO₂ | **Prop** - Sup / 10,3 / 7,1 / 207 g/km |
| | **Int** - Sup / 10,9 / 7,8 / 222 g/km |

**V6 - 3,0 LITRES**

| | |
|---|---|
| Cylindrée, alim. | V6 3,0 litres turbo |
| Puissance / Couple | 335 ch / 400 lb-pi |
| Tr. base (opt) / Rouage base (opt) | A10 / Prop (Int) |
| 0-100 / 80-120 / V. max | 5,1 s (est) / n.d. / n.d. |
| Type / ville / route / CO₂ | **Prop** - Sup / 12,4 / 8,7 / 252 g/km |
| | **Int** - Sup / 12,8 / 9,1 / 260 g/km |

**CT5-V**

| | |
|---|---|
| Cylindrée, alim. | V6 3,0 litres turbo |
| Puissance / Couple | 360 ch / 405 lb-pi |
| Tr. base (opt) / Rouage base (opt) | A10 / Prop (Int) |
| 0-100 / 80-120 / V. max | 4,8 s (est) / n.d. / n.d. |
| Type / ville / route / CO₂ | **Prop** - Sup / 12,8 / 8,7 / 258 g/km |
| | **Int** - Sup / 12,8 / 9,1 / 260 g/km |

**V BLACKWING**

| | |
|---|---|
| Cylindrée, alim. | V8 6,2 litres surcomp. |
| Puissance / Couple | 668 ch / 659 lb-pi |
| Tr. base (opt) / Rouage base (opt) | M6 (A10) / Prop |
| 0-100 / 80-120 / V. max | 3,9 s (est) / n.d. / 322 km/h (c) |
| Type / ville / route / CO₂ | **Man** - Sup / 18,3 / 11,4 / 356 g/km |
| | **Auto** - Sup / 18,1 / 10,7 / 346 g/km |

➕ Moteur V6 puissant et plaisant • Tenue de route dynamique • Habitacle réussi

➖ Moteur de base peu performant • Direction un peu lourde en mode Sport • Très forte dépréciation prévue

Photos : Cadillac, Marc-André Gauthier

**Prix:** 90 398 $ à 121 898 $ (2021)
**Transport et prép.:** 2 200 $
**Catégorie:** VUS grand form. luxe
**Garanties:** 4/80, 6/110
**Assemblage:** États-Unis

**Ventes**
Québec 2020
180
↓ 28 %

Canada 2020
1 754
↓ 27 %

|  | Luxe | Sport | ESV HDG Plat. |
|---|---|---|---|
| **PDSF** | 90 398 $ | 99 898 $ | 121 898 $ |
| **Loc.** | 1 469 $ • 5,90% | 1 662 $ • 5,90% | 2 151 $ • 5,90% |
| **Fin.** | 1 870 $ • 1,99% | 2 061 $ • 1,99% | 2 503 $ • 1,99% |

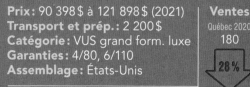

Sécurité    Consommation

Appréciation générale    Fiabilité prévue    Agrément de conduite

**Équipement**

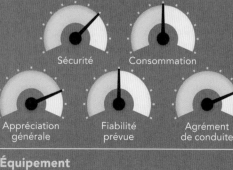

**Sécurité**

**Concurrents**
BMW X7, Infiniti QX80, Jeep Grand Wagoneer,
Land Rover Range Rover, Lexus LX,
Lincoln Navigator, Mercedes-Benz GLS

**Nouveau en 2022**
Aucun changement majeur annoncé
au moment de mettre sous presse.

# Le roi des VUS

Frédéric Mercier

**S**i au fil des décennies Cadillac a fait sa renommée avec de grosses berlines, c'est désormais avec un VUS que le constructeur fait saliver les amateurs de luxe à l'américaine. Entièrement revu l'année dernière, l'Escalade n'a jamais été aussi impressionnant. Et sa facture aussi salée!

Bien qu'il demeure basé sur l'architecture des Chevrolet Tahoe/Suburban et GMC Yukon, l'Escalade évolue dans une classe à part. Sa conduite est bel et bien celle d'un «camion» avec un châssis en échelle, mais sa suspension *Magnetic Ride Control*, que l'on peut dorénavant associer à une suspension pneumatique optionnelle, vient rendre l'expérience à bord nettement plus douce et sereine. Autrefois très similaire aux autres camions de la famille General Motors, le Cadillac Escalade se démarque maintenant plus radicalement de ses cousins Chevrolet et GMC.

Le Cadillac Escalade frappe l'imaginaire dès le premier regard. Sa calandre placée bien haut, ses roues de 22 pouces, le chrome un peu partout… tout est en place pour vous rappeler que vous n'avez pas affaire à un VUS ordinaire. Livrable avec deux longueurs différentes, l'Escalade est carrément énorme. Même sa version «régulière» jouit d'un empattement de plus de 3 mètres, alors que celui de la variante ESV dépasse les 3,4 mètres. Tout un bateau, que l'on peut essentiellement obtenir en version garnie de chrome (Luxury) ou en version Sport où les garnitures noircies sont à l'honneur.

### LA TECHNO AU SERVICE DU LUXE

Derrière le volant, on se sent maître du monde! Perché bien haut, l'Escalade donne une sensation d'invincibilité que l'on se surprend à apprécier. Impossible de ne pas tomber sous le charme de l'écran incurvé de 38 pouces (!), une première chez Cadillac qui démontre bien tout le sérieux qu'il a mis dans le développement de cette mouture de l'Escalade. Ce système est en fait composé de trois écrans, dont un derrière le volant qui vient remplacer les cadrans traditionnels. Cadillac offre plutôt une expérience entièrement numérique qui permet notamment d'afficher une caméra de réalité augmentée et même un système de vision nocturne. C'est fascinant à utiliser, mais on se doute que c'est le genre de gadget qui ne sera pas réellement utilisé dans la vie de tous les jours. Au moins, ça épate!

La technologie est omniprésente à bord de l'Escalade. Outre le système d'info-divertissement, on peut bénéficier de la conduite semi-autonome *Super Cruise*, qui permet au véhicule de se piloter sans intervention humaine sur de nombreuses routes cartographiées. Gros coup de cœur également pour le système audio AKG à 36 haut-parleurs. On se croirait dans une salle de spectacle ! À l'arrière, les passagers de la deuxième rangée ne sont pas en reste et peuvent profiter de leur écran personnel. Ceux-ci jouissent aussi d'un espace plus que suffisant pour les jambes. Même à la troisième rangée, un adulte pas trop costaud peut se sentir bien à l'aise et effectuer de longs déplacements dans un confort relatif.

### LE GROS V8 DEMEURE EN POSTE

L'Escalade 2022 épate par sa prestance et son intégration technologique. Sous son capot, Cadillac opte toutefois pour une formule beaucoup plus traditionnelle. On y retrouve un moteur V8 de 6,2 litres, bien connu chez General Motors et animant plusieurs modèles depuis de nombreuses années. Fort d'une puissance de 420 chevaux et d'un couple de 460 lb-pi, il permet des accélérations franches, typiques des gros V8. Sa transmission automatique à 10 rapports exécute un excellent boulot et se fait à peine sentir. Bien que l'on aime sa douceur et sa puissance brute, inutile de vous dire que les passages à la pompe sont onéreux. Après un essai hivernal réalisé sur plus de 1 200 km (principalement sur l'autoroute), nous avons cumulé une moyenne de 14 L/100 km. De son côté, Ressources naturelles Canada annonce une consommation combinée ville/route de 14,8 L/100 km.

Cadillac propose aussi l'option d'un moteur diesel à 6 cylindres en ligne, avec un prix identique à celui du V8. Cette mécanique de 277 chevaux promet une consommation à peine supérieure à 10 L/100 km. Le hic, c'est que General Motors a beaucoup de difficulté à fournir à la demande pour ses camions équipés de moteurs diesel. Au moment d'écrire ces lignes, la liste d'attente est déjà bien longue pour mettre la main sur un Escalade diesel. Pour ce qui est d'une éventuelle version électrifiée, il faudra un peu de patience, mais on ne serait pas surpris de voir apparaître une version hybride un jour ou l'autre.

Avec un prix de départ qui frôle les 100 000 $ et qui peut rapidement monter avec les options, le Cadillac Escalade n'a rien d'un achat rationnel. Mais quand on s'installe à bord, on comprend l'engouement autour de ce monstre sur quatre roues… et on finit même par le partager.

+ Présentation intérieure sublime • Intégration technologique épatante • Plus spacieux que jamais

− Beaucoup d'options même à ce prix • Consommation élevée (V8) • Absence de version électrifiée

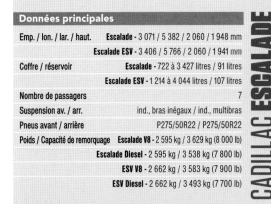

## Données principales

| | |
|---|---|
| Emp. / lon. / lar. / haut. | **Escalade** - 3 071 / 5 382 / 2 060 / 1 948 mm |
| | **Escalade ESV** - 3 406 / 5 766 / 2 060 / 1 941 mm |
| Coffre / réservoir | **Escalade** - 722 à 3 427 litres / 91 litres |
| | **Escalade ESV** - 1 214 à 4 044 litres / 107 litres |
| Nombre de passagers | 7 |
| Suspension av. / arr. | ind., bras inégaux / ind., multibras |
| Pneus avant / arrière | P275/50R22 / P275/50R22 |
| Poids / Capacité de remorquage | **Escalade V8** - 2 595 kg / 3 629 kg (8 000 lb) |
| | **Escalade Diesel** - 2 595 kg / 3 538 kg (7 800 lb) |
| | **ESV V8** - 2 662 kg / 3 583 kg (7 900 lb) |
| | **ESV Diesel** - 2 662 kg / 3 493 kg (7 700 lb) |

## Composantes mécaniques

**ESSENCE**

| | |
|---|---|
| Cylindrée, alim. | V8 6,2 litres atmos. |
| Puissance / Couple | 420 ch / 460 lb-pi |
| Tr. base (opt) / Rouage base (opt) | A10 / Int |
| 0-100 / 80-120 / V. max | 7,0 s (m) / 4,7 s (m) / n.d. |
| 100-0 km/h | 40,5 m (m) |
| Type / ville / route / $CO_2$ | Sup / 16,8 / 12,4 / 347 g/km |

**DIESEL**

| | |
|---|---|
| Cylindrée, alim. | 6L 3,0 litres turbo |
| Puissance / Couple | 277 ch / 460 lb-pi |
| Tr. base (opt) / Rouage base (opt) | A10 / Int |
| Type / ville / route / $CO_2$ | Dié / 12,0 / 8,9 / 277 g/km |

# Jeune premier

Marc Lachapelle

**Prix :** 36 098 $ à 43 798 $ (2021)
**Transport et prép. :** 2 200 $
**Catégorie :** VUS sous-comp. luxe
**Garanties :** 4/80, 6/110
**Assemblage :** États-Unis

**Ventes**

Québec 2020
**867**

⬆ 12 %

Canada 2020
**3 498**

⬆ 9 %

| | Luxe | Luxe TI | Sport TI |
|---|---|---|---|
| PDSF | 36 098 $ | 39 498 $ | 43 798 $ |
| Loc. | 588 $ • 3,90% | 649 $ • 3,90% | 768 $ • 3,90% |
| Fin. | 741 $ • 0,00% | 806 $ • 0,00% | 887 $ • 0,00% |

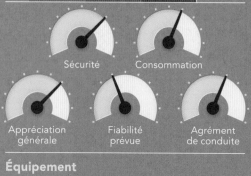

Sécurité · Consommation

Appréciation générale · Fiabilité prévue · Agrément de conduite

**Équipement**

**Sécurité**

**Concurrents**

Audi Q3, BMW X1/X2, Buick Encore GX, Jaguar E-PACE, Lexus UX, Mercedes-Benz GLA, Mercedes-Benz GLB, Volvo XC40

**Nouveau en 2022**

Aucun changement majeur annoncé au moment de mettre sous presse.

---

**L**e fait que les ventes du Cadillac XT4 aient progressé de 12 % au Québec alors qu'elles chutaient de 16,6 % pour l'ensemble des utilitaires sport compacts de luxe, en pleine pandémie, mérite certainement d'être souligné. Surtout que le modèle XT4 en était alors à sa troisième année et n'affichait qu'une série d'ajouts, de retouches et de mises à jour assez mineures. Dans une catégorie bien peuplée et férocement compétitive, aucun de ses rivaux n'a d'ailleurs fait aussi bien que lui.

Malgré cette réussite louable, dans un contexte particulièrement difficile, le XT4 ne se retrouve pas pour autant au sommet de ces catégories aux contours un peu flous qui regroupent les VUS compacts et sous-compacts. Cette distinction revient encore à une cohorte bigarrée de rivaux allemands, japonais et suédois qui disposent, bien souvent, d'un arsenal plus complet. Y compris des mécaniques plus puissantes, des groupes propulseurs hybrides et même une paire de moteurs électriques, dans le cas d'un de ces concurrents.

**PORTRAIT MÉCANIQUE MITIGÉ**

Pour affronter cette brigade bien armée et bien pourvue, le XT4 se contente d'un 4 cylindres turbocompressé de 2 litres et 237 chevaux. Une mécanique qui n'a rien de spectaculaire, malgré un double arbre à cames en tête, l'injection directe et un système d'arrêt-démarrage automatique qui visent surtout à réduire, un tant soit peu, la consommation. N'attendez pas la cavalerie en renfort, puisque Cadillac a déjà annoncé qu'elle ne donnera pas suite aux moteurs thermiques actuels. La relève sera assurément électrique. Jumelé à une boîte automatique Hydra-Matic honnête à 9 rapports, le moteur est bien en verve mais son accélérateur électronique se montre franchement trop vif en amorce. Même chose pour les freins à commande électro-hydraulique, délicats à moduler.

Quant au rouage à quatre roues motrices, offert en option sur le modèle Luxe et de série sur les versions Haut de Gamme et Sport, il est plutôt intrigant. La motricité est bonne et les accélérations franches sur la neige. On contrôle alors aisément le train arrière en virage à l'accélérateur, grâce au double embrayage intégré à l'essieu arrière qui transfère davantage de couple vers la roue extérieure. Or, tout cela n'est possible que si l'on a d'abord choisi le mode AWD. Autrement, le XT4 se comporte comme une

simple traction, en mode Normal ou Sport. De plus, il n'est pas très rassurant sur une autoroute enneigée où le train avant glisse facilement et la tenue de cap reste douteuse. Vivement un vrai rouage intégral.

Côté suspension, le roulement est très ferme sur une chaussée gelée et le moindrement bosselée, à bord d'un XT4 Sport doté des jantes d'alliage optionnelles de 20 pouces, enveloppées de pneus de taille 245/45R20. Même avec l'amortissement variable de la suspension optionnelle. Cette robustesse l'aide, par contre, à tracter jusqu'à 3 500 lb. Autant, donc, que son frère le XT5 à moteur V6, si l'on a pris soin de cocher le groupe remorquage. Eh oui, une autre option...

## ÉLÉGANT ET CONFORTABLE

Le XT4 doit certainement une bonne part de sa popularité actuelle à une silhouette svelte et bien proportionnée, qui n'a pas pris une ride depuis son apparition au Salon de l'auto de New York 2018. La version Sport est particulièrement réussie, avec une calandre, des cadres de vitre latérales et des longerons de toit finis en noir lustré. On est loin de la Cadillac toute en chrome du grand-père. La ressemblance avec les XT5 et XT6 est indiscutable, mais le XT4 rayonne d'un air de jeunesse.

Malgré les apparences, le XT4 est un peu plus grand que ses rivaux les plus sérieux. Son empattement plus long, entre autres, lui procure un habitacle spacieux et des places arrière extérieures accueillantes, pour la catégorie. Les sièges avant dispensent également un confort et un maintien impeccables. Le tableau de bord est dégagé, simple et moderne, à l'européenne. L'ergonomie des commandes est sans reproche, avec un écran tactile central appuyé par une série de touches pour la climatisation et les aides à la conduite.

On apprécie également les boutons pour régler le remarquable affichage tête haute en couleurs et une paire de cadrans classiques qui flanque un deuxième écran où s'affiche une ribambelle de données. La liste des technologies embarquées est complète et le nombre de prises pour appareils numériques est plus que suffisant, comme d'habitude chez Cadillac. La visibilité est excellente et la position de conduite très juste, sauf pour un repose-pied un peu serré.

À vrai dire, la seule ombre sérieuse à la fiche du XT4 est une cote de fiabilité assez moyenne alors que Cadillac se débrouille plutôt bien à cet égard, dans son ensemble. Reste simplement à voir si l'on succombera à son charme et ses bonnes manières.

**+** Silhouette élégante et moderne • Confort et maintien des sièges • Capacité de remorquage appréciable • Bonne maniabilité

**—** Fiabilité très moyenne • Roulement ferme • Accoudoir central encombrant • Freinage sec en amorce

## CADILLAC XT4

### Données principales

| | |
|---|---|
| Emp. / lon. / lar. / haut. | 2 779 / 4 600 / 1 948 / 1 606 mm |
| Coffre / réservoir | Tr - 637 à 1 385 litres / 60 litres |
| | Int - 637 à 1 385 litres / 62 litres |
| Nombre de passagers | 5 |
| Suspension av. / arr. | ind., jambes force / ind., multibras |
| Pneus avant / arrière | P235/60R18 / P235/60R18 |
| Poids / Capacité de remorquage | 1 660 à 1 767 kg / 1 588 kg (3 500 lb) |

### Composantes mécaniques

| | |
|---|---|
| Cylindrée, alim. | 4L 2,0 litres turbo |
| Puissance / Couple | 237 ch / 258 lb-pi |
| Tr. base (opt) / Rouage base (opt) | A9 / Tr (Int) |
| 0-100 / 80-120 / V. max | 7,4 s (est) / 5,5 s (est) / n.d. |
| Type / ville / route / $CO_2$ | Tr - Sup / 10,0 / 7,8 / 211 g/km |
| | Int - Sup / 10,9 / 8,2 / 225 g/km |

Photos: Cadillac

**Prix:** 44 298 $ à 56 398 $ (2021)
**Transport et prép.:** 2 200 $
**Catégorie:** VUS compacts luxe
**Garanties:** 4/80, 6/110
**Assemblage:** États-Unis

**Ventes**
Québec 2020
**734**
▼ **6 %**

Canada 2020
**4 216**
▼ **14 %**

| | Luxe | Luxe HDG TI | Sport TI |
|---|---|---|---|
| PDSF | 44 298 $ | 51 398 $ | 56 398 $ |
| Loc. | 723 $ • 2,90 % | 685 $ • 2,90 % | 846 $ • 2,90 % |
| Fin. | 897 $ • 0,00 % | 977 $ • 0,00 % | 1 151 $ • 0,00 % |

Sécurité      Consommation

Appréciation   Fiabilité   Agrément
générale       prévue      de conduite

**Équipement**

**Sécurité**

**Concurrents**

Acura RDX, Alfa R. Stelvio, Audi Q5, BMW X3, Buick Envision, Genesis GV70, Infiniti QX50, Jaguar F-PACE, L. Rover Discovery Sport/ Evoque, Lexus NX, Lincoln Corsair, Mercedes-Benz GLC, Porsche Macan, Volvo XC60

**Nouveau en 2022**

Système de conduite assistée Cadillac Super Cruise maintenant offert dans le modèle haut de gamme.

# Ça sent le réchauffé

Marc-André Gauthier

**V**oilà déjà six ans que le Cadillac XT5 est sur notre marché. Mis à part l'arrivée d'une nouvelle transmission à 9 rapports en 2020, qui est venue dynamiser la conduite, il n'a à peu près pas changé. Dès ses débuts, il avait une mission difficile. Il venait remplacer le SRX, et son nouveau nom amorçait un changement de nomenclature chez le constructeur. Cadillac visait à concurrencer BMW et Mercedes-Benz à l'échelle mondiale, d'où l'idée d'avoir des noms plus simples, qui rendent les véhicules faciles à positionner les uns par rapport aux autres.

Six ans plus tard, où en sommes-nous? À part pour l'Escalade, dont le nom a trop de notoriété pour l'envoyer aux ordures, Cadillac semble en voie de réaliser sa promesse, puisque le XT5 a été rejoint par le XT4, plus petit, et le XT6, plus gros.

La marque de luxe américaine a rompu avec l'expérience du SRX, pour se rapprocher d'une conduite plus européenne. Le XT5 promettait donc des jours meilleurs pour Cadillac, à condition de pouvoir suivre la concurrence. En l'absence de réelle nouveauté depuis un trop long moment, on se demande un peu ce que fait la compagnie, et ce qu'elle attend pour lancer de nouvelles versions...

**UN PEU PLUS TECHNO POUR 2022**

Cadillac dit que le style de ses produits est essentiellement inspiré de son logo. À voir les lignes carrées du XT5, force est d'admettre que c'est bel et bien le cas! Mais au moins, c'est réussi. Le XT5 est un beau véhicule, et surtout, il se démarque de la masse. Quand on le voit loin devant sur la route, on sait tout de suite à quoi on a affaire.

L'habitacle arbore un style plutôt unique et joli. À une époque où la majorité des constructeurs décident de mettre les écrans d'infodivertissement à part, comme si l'on avait collé un iPad sur la planche de bord, Cadillac, lui, l'intègre! D'ailleurs, dans les versions plus cossues, on peut opter pour une finition en Alcantara qui vient enrober le tout. Parlant de l'écran, il abrite un système d'infodivertissement qui a un peu vieilli, mais qui demeure intuitif.

Pour l'année-modèle 2022, Cadillac intègre, dans la version la plus onéreuse, son système *Super Cruise*, qui permet essentiellement à la voiture

de se conduire toute seule, et de changer de voie uniquement en engageant le clignotant. Cette conduite assistée n'est pas disponible partout au Québec, car il faut que les voies empruntées aient été cartographiées par Cadillac. Contrairement à certains de ses rivaux, le XT5 offre des places confortables, tant à l'avant qu'à l'arrière. Vos passagers apprécieront le dégagement pour leurs jambes, mais attention aux grands gabarits. En effet, le dégagement pour la tête est limité, en particulier à l'arrière.

## IL FAUT DU CHANGEMENT !

Mécaniquement, Cadillac doit faire mieux pour que son rêve de domination mondiale se réalise. Par exemple, le XT5 d'entrée de gamme est encore disponible en version à traction...

Côté moteur, les moutures de base viennent avec un 4 cylindres de 2 litres, bon pour 235 chevaux et 258 lb-pi de couple. En option, on peut choisir un V6 de 3,6 litres, lequel génère 310 chevaux et 271 lb-pi de couple, qui est automatiquement livré avec le rouage intégral. La seule transmission disponible est une boîte automatique à 9 rapports qui fait du bon travail, cependant elle ne peut compenser le manque de couple dont souffre le V6.

En fait, les deux moteurs sont dépassés. Si l'on compare le XT5 à un rival germanique, le Mercedes-Benz GLC par exemple, le moteur de base de ce dernier engendre 255 chevaux et 273 lb-pi de couple. Sans parler du V6 de 3,0 litres turbo, équivalent à celui du XT5, mais qui développe 385 chevaux et 384 lb-pi de couple. On peut toujours prétendre que la clientèle de Cadillac se soucie peu de ce genre de détails. Toutefois, si la compagnie souhaite surpasser les Allemands, elle doit aussi aller jouer sur leur terrain pour redevenir la première marque de luxe au monde.

Côté conduite, le XT5 va bien. Il a un châssis rigide, une suspension bien calibrée, et une direction assez communicative. C'est une bonne base, sur laquelle Cadillac aurait dû construire et oser aller plus haut. Ajouter un XT5-V ou Blackwing pour aller chatouiller AMG permettrait peut-être à Cadillac de se donner une image plus dynamique, comme elle l'a déjà fait avec certaines berlines.

### Données principales

| Emp. / lon. / lar. / haut. | 2 858 / 4 816 / 1 902 / 1 679 mm |
|---|---|
| Coffre / réservoir | **Tr** - 850 à 1 784 litres / 72 litres |
| | **Int** - 850 à 1 784 litres / 83 litres |
| Nombre de passagers | 5 |
| Suspension av. / arr. | ind., jambes force / ind., multibras |
| Pneus avant / arrière | P235/65R18 / P235/65R18 |
| Poids / Capacité de remorquage | **2.0T** - 1 776 à 1 908 kg / 454 kg (1 000 lb) |
| | **V6** - 1 944 à 1 968 kg / 1 588 kg (3 500 lb) |

### Composantes mécaniques

**4L - 2,0 LITRES**

| Cylindrée, alim. | 4L 2,0 litres turbo |
|---|---|
| Puissance / Couple | 235 ch / 258 lb-pi |
| Tr. base (opt) / Rouage base (opt) | A9 / Tr (Int) |
| 0-100 / 80-120 / V. max | 8,5 s (est) / 6,1 s (est) / n.d. |
| 100-0 km/h | 41,1 m (est) |
| Type / ville / route / CO$_2$ | **Tr** - Sup / 10,8 / 8,2 / 225 g/km |
| | **Int** - Sup / 11,2 / 8,7 / 237 g/km |

**V6 - 3,6 LITRES**

| Cylindrée, alim. | V6 3,6 litres atmos. |
|---|---|
| Puissance / Couple | 310 ch / 271 lb-pi |
| Tr. base (opt) / Rouage base (opt) | A9 / Int |
| 0-100 / 80-120 / V. max | 7,8 s (m) / 5,3 s (m) / n.d. |
| 100-0 km/h | 41,1 m (m) |
| Type / ville / route / CO$_2$ | Ord / 12,9 / 9,2 / 263 g/km |

+ Beau style • Habitacle relativement spacieux • Bon châssis

− Mécaniques un peu dépassées • Le V6 manque de couple • Dégagement pour la tête, surtout aux places arrière

Photos : Cadillac

# Le Cadillac de l'ancien temps

Marc-André Gauthier

**E**n lançant le XT5 il y a quelques années, Cadillac a révélé ses ambitions, c'est-à-dire d'être capable de rivaliser avec BMW sur tous les marchés, et dans la plupart des catégories. Pour ce faire, le constructeur a eu recours à une nouvelle stratégie de nomenclature, XT pour les VUS, et CT pour les berlines, et comptait lancer de nouveaux produits de calibre mondial.

La marque a-t-elle été à la hauteur de ses ambitions ? Plus ou moins. Côté nomenclature, elle a respecté la stratégie, à l'exception du Cadillac Escalade, qui conserve son nom en raison d'un statut quasi légendaire. Côté qualité, il y a eu de bons et de moins bons modèles. On peut déjà dire, malheureusement, que le XT6 est dans la deuxième catégorie.

Son principal problème, c'est qu'il n'offre pas le prestige auquel on serait en droit de s'attendre de la part d'un produit Cadillac. Non, il n'est ni plus ni moins qu'une version de luxe du Chevrolet Traverse, un VUS intermédiaire à sept places, pensé pour ceux qui veulent un VUS plutôt qu'une minifourgonnette pour transporter la famille, sans pour autant se diriger vers la catégorie des VUS pleine grandeur.

Dans ces circonstances, on peut difficilement le considérer comme un véritable rival au BMW X5. Cela n'a pas empêché Cadillac d'en vendre une bonne quantité. Le XT6 est d'ailleurs devenu le troisième meilleur vendeur de la marque, derrière les utilitaires de plus petit format XT4 et XT5.

### UN STYLE PLUS DOUX QUE LES AUTRES CADILLAC

Les produits Cadillac modernes ont un style qui leur est propre. Ils ont des formes très carrées, mais élégantes. Le XT6 est le plus anonyme. On distingue facilement la forme du Chevrolet Traverse, et même si les designers ont pris le temps de lui donner des airs de Cadillac, on sent bien les influences de Chevrolet.

À l'intérieur, le style est essentiellement copié du petit frère XT5, caractérisé par un écran multimédia qui est encastré dans la planche de bord. Cette présentation est unique, dans la mesure où la majorité des véhicules, de nos jours, offrent ce genre d'écran superposé à la planche de bord, comme si l'on avait fixé un iPad sur celle-ci. Par ailleurs, on aime la qualité de finition

---

| | Prix : 57 998 $ à 62 698 $ (2021) |
|---|---|
| **Transport et prép. :** 2 200 $ |
| **Catégorie :** VUS interm. de luxe |
| **Garanties :** 4/80, 6/110 |
| **Assemblage :** États-Unis |

| | Luxe TI | Luxe HDG TI | Sport TI |
|---|---|---|---|
| **PDSF** | 57 998 $ | 62 698 $ | 62 698 $ |
| **Loc.** | 880 $ • 2,90 % | 963 $ • 2,90 % | 963 $ • 2,90 % |
| **Fin.** | 1 159 $ • 0,00 % | 1 249 $ • 0,00 % | 1 249 $ • 0,00 % |

**Ventes**
Québec 2020
**191**
n.d.

Canada 2020
**1 490**
n.d.

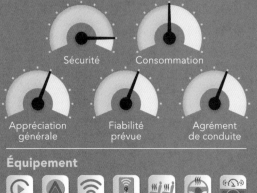

Sécurité — Consommation

Appréciation générale — Fiabilité prévue — Agrément de conduite

## Équipement

## Sécurité

## Concurrents

Acura MDX, Audi Q7/Q8, BMW X5/X6, Buick Enclave, Genesis GV80, Infin. QX60, L. Rover Discovery/R. Rover Sport, Lexus GX/RX, Lincoln Aviator/Nautilus, Mercedes GLE, Pors. Cayenne, Tesla Model X, Volvo XC90

## Nouveau en 2022

Système de conduite assistée Cadillac Super Cruise maintenant offert.

et le choix des matériaux présents dans l'habitacle. À ce chapitre, on ne voit pas la ressemblance avec le Chevrolet Traverse.

Côté espace, le XT6 est plutôt généreux. Ainsi, on a des places confortables, autant à l'avant qu'au milieu, où l'on dispose de sièges capitaine. Comment est la troisième rangée? Bien honnêtement, elle aurait pu être plus spacieuse. Votre XT6 conviendra pour amener quatre enfants ou adolescents un peu partout, mais ne voyez pas en lui l'équivalent d'un Escalade au rabais.

### UN COMPORTEMENT ROUTIER CORRECT, MAIS SANS PLUS

Chez les marques de luxe allemandes, les VUS à sept places se conduisent bien. Pour sa part, le XT6 se conduit comme un Traverse, avec une couche de raffinement supplémentaire. Cela dit, on profite tout de même d'un peu plus de silence et de confort. Le XT6 est disponible avec deux moteurs. Le premier est un 4 cylindres turbocompressé de 2 litres développant 237 chevaux et 258 lb-pi de couple. Le second est un V6 atmosphérique de 3,6 litres bon pour 310 chevaux et 271 lb-pi de couple. Dans les deux cas, la puissance est acheminée aux quatre roues à l'aide d'une boîte automatique à 9 rapports.

La question est surtout de savoir pourquoi Cadillac monte le 2 litres dans un véhicule de cette taille. Si le XT6 est vraiment votre coup de cœur, allez-y pour le V6. Au final, tout n'est pas négatif. La transmission automatique à 9 rapports, par exemple, fait un travail tout à fait honnête, et la suspension, si elle n'a rien de bien spécial, offre une bonne qualité de roulement. Qui plus est, le châssis plutôt rigide procure à l'ensemble une tenue de route assez convaincante.

Le XT6 n'a rien de spectaculaire, mais il fait le travail. L'ennui, c'est qu'il coûte beaucoup trop cher. À près de 60 000 $ pour un modèle de base, on se retrouve avec un véhicule correctement équipé, sans plus. Une pilule difficile à avaler, quand on sait qu'on peut se payer un Traverse pour moins de 40 000 $.

Au moins, Cadillac a inséré pour 2022 son système de conduite semi-autonome Super Cruise. C'est un bon pas en avant, mais la différence de prix avec le Traverse demeure trop élevée. Malheureusement, on n'offre qu'un modèle endimanché qui ne se démarque aucunement de la concurrence.

### Données principales

| | |
|---|---|
| Emp. / lon. / lar. / haut. | 2 863 / 5 042 / 1 963 / 1 775 mm |
| Coffre / réservoir | 357 à 2 229 litres / 83 litres |
| Nombre de passagers | 6 à 7 |
| Suspension av. / arr. | ind., jambes force / ind., multibras |
| Pneus avant / arrière | P235/65R18 / P235/65R18 |
| Poids / Capacité de remorquage | **2.0T** - 2 071 kg / 454 kg (1 000 lb) |
| | **V6** - 2 106 à 2 127 kg / 1 588 kg (3 500 lb) |

### Composantes mécaniques

**4L - 2,0 LITRES**

| | |
|---|---|
| Cylindrée, alim. | 4L 2,0 litres turbo |
| Puissance / Couple | 237 ch / 258 lb-pi |
| Tr. base (opt) / Rouage base (opt) | A9 / Int |
| Type / ville / route / $CO_2$ | Sup / 11,2 / 9,0 / 239 g/km |

**V6 - 3,6 LITRES**

| | |
|---|---|
| Cylindrée, alim. | V6 3,6 litres atmos. |
| Puissance / Couple | 310 ch / 271 lb-pi |
| Tr. base (opt) / Rouage base (opt) | A9 / Int |
| Type / ville / route / $CO_2$ | Ord / 13,1 / 9,5 / 269 g/km |

**+** Comportement du V6 • Confortable • Habitacle relativement spacieux

**—** Moteur 2 litres turbo à éviter • Dispendieux • Pas très amusant à conduire

Photos : Cadillac

## Le futur sera radieux

Marc-André Gauthier

**D**errière le fameux T-Rex fabriqué au Québec se cache une compagnie bien de chez nous : Campagna Motors. En difficulté ces dernières années, l'entreprise a maintenant de nouveaux propriétaires. Et ils sont sérieux! Leur vision est simple: faire de Campagna Motors une compagnie reconnue mondialement dans la fabrication de petits véhicules rapides et uniques.

Pour y arriver, ce consortium souhaite d'abord rendre Campagna Motors plus compétitive. Un exemple que l'on nous a donné concerne, entre autres, l'assemblage du modèle fabriqué par l'entreprise, le T-Rex RR. Même s'il est assemblé à Boucherville, plusieurs de ses composantes sont manufacturées par d'autres fournisseurs, un peu partout au Québec. Ainsi, si l'un d'entre eux a un problème, c'est toute la production qui se voit interrompue. Le nouveau partenariat permettra de consolider les opérations afin d'optimiser la production.

L'entreprise a plusieurs projets en cours. Un nouveau véhicule plus gros et plus luxueux, un T-Rex électrique, une production plus imposante livrée dans plus de pays, bref, Campagna Motors semble bien être en voie de devenir la première compagnie automobile (si l'on peut qualifier le T-Rex d'automobile...) québécoise à connaître un vrai succès international!

Pour le moment, par contre, la firme vend toujours le T-Rex, un impression-nant véhicule trois roues que l'on reconnaît facilement. Présent sur nos routes depuis de nombreuses années, on peut dire qu'il est vendu aujourd'hui dans sa meilleure version, et de loin. Baptisé «RR», il combine la sauvagerie d'une supermoto sans avoir à craindre de tomber sur le côté!

### SUR MESURE, S'IL VOUS PLAÎT!

On parlait du look singulier du T-Rex un peu plus haut. Vous n'avez qu'à le regarder, et vous comprendrez facilement ce que l'on veut dire. Il ne ressemble en rien à ce qui se fait sur le marché. Avec ses suspensions avant exposées et sa grosse roue motrice à l'arrière, il nous donne l'impression d'être devant un bolide de course! Et honnêtement, on n'est pas loin de ça. C'est un miracle que ce truc soit autorisé à rouler sur nos routes. Pas de coussins gonflables, pas de panneaux de protection ou de renforts de châssis pour absorber les

**Prix:** 65 999 $ (2021)
**Transport et prép.:** n.d.
**Catégorie:** Exotiques
**Garanties:** 1/20, 1/20
**Assemblage:** Canada

**Ventes**
Québec 2020
n.d.

Canada 2020
n.d.

PDSF
n.d.
Loc.
Fin.

Infos n.d.
**Sécurité**

**Consommation**

**Appréciation générale**

Infos n.d.
**Fiabilité prévue**

**Agrément de conduite**

### Équipement

### Sécurité

### Concurrents
Le T-Rex n'a pas de concurrent direct sur le marché.

### Nouveau en 2022
Aucun changement majeur annoncé au moment de mettre sous presse.

chocs. Au moins, les barres qui font office de toit sont conçues comme étant une cage de sécurité, ce qui protège suffisamment le conducteur en cas d'impact.

L'habitacle du T-Rex est plus que restreint. Si vous n'êtes pas dans une forme olympique et que vous mesurez plus de 6 pieds, il sera difficile de vous y sentir à l'aise. Mais avec un peu de volonté, vous pourrez tout de même vous y glisser. Le T-Rex étant minimaliste, on retrouve donc peu de commodités à bord. On a des valises de moto à l'arrière qui offrent une certaine capacité, par contre. Dans l'habitacle, il n'y a que le strict minimum avec les commandes de base, et un tableau de bord emprunté à une moto.

Au moins, vous pouvez vraiment personnaliser votre T-Rex. À l'achat, vous pouvez choisir ce que vous voulez comme combinaison de couleurs pour les différents éléments exposés, et moyennant un frais, vous pouvez même réserver l'exclusivité de votre combinaison.

### UNE CONDUITE SURPRENANTE

Le T-Rex offre une conduite vraiment unique. Il possède un moteur de moto, ainsi qu'une transmission de moto. Ainsi, même si l'embrayage est relié à une pédale plutôt qu'à une poignée, ça prend un moment pour s'habituer aux changements de rapports. D'ailleurs, on doit monter et descendre chaque rapport. On ne peut pas choisir la vitesse à enclencher indépendamment comme un levier de vitesse normal. Pour faciliter le stationnement, Campagna Motors a évidemment ajouté une marche arrière.

Le moteur, lui, vient de Kawasaki. Il s'agit d'un 4 cylindres atmosphérique de 1,4 litre, développant 208 chevaux et 116,5 lb-pi de couple, initialement monté dans la Ninja ZX-14R. Toute cette puissance dans un véhicule si léger, ça décoiffe, et c'est peu dire. Ce moteur révolutionne vraiment haut et les accélérations qu'il procure sont incroyables si l'on ose dépasser les 5 000 tr/min. Cela dit, le T-Rex sait aussi se montrer docile à bas régime.

Qui plus est, les suspensions du T-Rex, si elles confèrent une tenue de route impressionnante lorsqu'on le pousse en virage, demeurent confortables en ville. Autrement dit, que ce soit pour se balader ou attaquer des circuits automobiles, le T-Rex sait répondre présent. Malheureusement, il n'est pas donné, avec un prix qui frôle les 70 000 $...

**+** Conduite enthousiasmante • Performances du moteur • Tenue de route efficace

**−** Pas facile à conduire • Espace restreint • Prix élevé

Photos : Marc-André Gauthier, Campagna Motors

**CAMPAGNA MOTORS T-REX RR**

### Données principales

| | |
|---|---|
| Emp. / lon. / lar. / haut. | 2 286 / 3 505 / 1 981 / 1 067 mm |
| Coffre / réservoir | 92 litres / 30 litres |
| Nombre de passagers | 2 |
| Suspension av. / arr. | ind., double triangulation / ind., multibras |
| Pneus avant / arrière | P205/45ZR16 / P295/40ZR18 |
| Poids / Capacité de remorquage | 453 kg / non recommandé |

### Composantes mécaniques

**RR**

| | |
|---|---|
| Cylindrée, alim. | 4L 1,4 litre atmos. |
| Puissance / Couple | 208 ch / 116,5 lb·pi |
| Tr. base (opt) / Rouage base (opt) | M6 / Prop |
| Type / ville / route / $CO_2$ | Sup / n.d. / n.d. / n.d. |

# CHEVROLET **BLAZER** / GMC **ACADIA**

★★★⯪ COTE DU **GUIDE**

**CHEVROLET BLAZER**

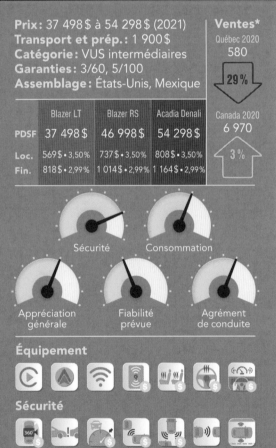

**Prix :** 37 498 $ à 54 298 $ (2021)
**Transport et prép. :** 1 900 $
**Catégorie :** VUS intermédiaires
**Garanties :** 3/60, 5/100
**Assemblage :** États-Unis, Mexique

**Ventes\***
Québec 2020
580
↓ 29 %

Canada 2020
6 970
↑ 3 %

|  | Blazer LT | Blazer RS | Acadia Denali |
|---|---|---|---|
| PDSF | 37 498 $ | 46 998 $ | 54 298 $ |
| Loc. | 569 $ • 3,50 % | 737 $ • 3,50 % | 808 $ • 3,50 % |
| Fin. | 818 $ • 2,99 % | 1 014 $ • 2,99 % | 1 164 $ • 2,99 % |

Sécurité  Consommation

Appréciation générale  Fiabilité prévue  Agrément de conduite

## Équipement

## Sécurité

## Concurrents

Ford Bronco, Ford Edge, Honda Passport,
Hyundai Santa Fe, Jeep Grand Cherokee,
Jeep Wrangler, Kia Sorento, Nissan Murano,
Subaru Outback, Toyota 4Runner/Venza,
Volkswagen Atlas Cross Sport

## Nouveau en 2022

Abandon du moteur de base (2,5 litres)
du GMC Acadia.

# Coup d'épée dans l'eau

Germain Goyer

En 2019, Chevrolet a ressorti, une fois de plus, un nom des boules à mites : Blazer. Véhicule utilitaire intermédiaire à deux rangées, il avait pour mandat de concurrencer les Ford Edge, Honda Passport et Nissan Murano. Chez General Motors, on a réellement assisté à un feu de paille. Si l'engouement était palpable lorsque l'on a appris le retour du modèle, il s'est vite dissipé suite à son arrivée. Le Blazer de nouvelle génération est le meilleur exemple démontrant que la nostalgie ne suffit pas toujours.

Au chapitre de la mécanique, le Blazer est livré de série avec un moteur turbocompressé de 2 litres. Dans le cas de la version True North, un V6 de 3,6 litres, bien connu dans l'univers de General Motors, est offert en option. C'est ce bloc qui anime également les variantes RS et Premier. Certes, avec les 308 chevaux et 270 lb-pi qu'il dégage, on n'a pas affaire à un âne. En revanche, le plaisir au volant est totalement inexistant. C'est fade, c'est déconnecté et peu inspirant. Avant de retirer 50 000 $ de vos épargnes parce que vous adorez sa silhouette rappelant le film de science-fiction *Transformers*, pensez-y à deux fois. D'ailleurs, si vous trouvez qu'il a des allures de Camaro, ce n'est pas un hasard. En effet, avec le devant et certaines parties de l'habitacle comme les buses de ventilation, on a voulu évoquer la sportive de la marque. Hélas, c'est raté. Il faut aussi mentionner que la Camaro est en perte de vitesse et qu'elle a déjà brillé davantage qu'en ce moment.

À l'intérieur, on ne peut passer sous silence son système d'infodivertissement. On sait très bien que cette technologie fait de plus en plus partie intégrante du véhicule. Dans le cas du Blazer et de bien d'autres VUS de la même famille, on a droit à un système bien pensé, bien conçu et très intuitif.

Autrefois, le Blazer était un authentique véhicule 4x4, et ce, même quand il a rétréci au début des années 80. À notre avis, les concepteurs chez General Motors auraient eu intérêt à s'inspirer de ce passé de dur à cuire. Avec l'effervescence que connaissent les Jeep Wrangler, Toyota 4Runner et le nouveau Ford Bronco, on doit se rendre à l'évidence que Chevrolet a malheureusement perdu son pari avec le retour du Blazer qui n'est, finalement, qu'un autre banal VUS.

\*Ventes combinées des Chevrolet Blazer et GMC Acadia

## UN AUDI Q5 DE BASE POUR QUELQUES DOLLARS DE MOINS

Malheureusement pour lui, le Blazer n'est pas très avantageux sur le plan financier. En effet, lorsque l'on opte pour une location sur un terme de 48 mois pour un Blazer dans sa version RS, on doit débourser 737 $ mensuellement. Toujours avec une allocation de 20 000 km, il vous en coûtera approximativement 718 $ (au moment d'écrire ces lignes) pour être au volant d'un Audi Q5 de base pour une durée équivalente ! Quand on sort la calculatrice, on comprend bien mieux les raisons de l'insuccès commercial du Blazer. Il est tout simplement trop dispendieux pour ce qu'il offre à l'heure actuelle.

## LE GMC EST PLUS PRATIQUE

À son arrivée sur le marché en 2007, le GMC Acadia n'était ni plus ni moins qu'un clone des Buick Enclave, Chevrolet Traverse... et Saturn Outlook. Pour la seconde génération du modèle, General Motors a brassé les cartes. Les Enclave et Traverse ont poursuivi sur leur lancée — l'Outlook a logiquement disparu avec Saturn —, mais pas l'Acadia. En effet, ce dernier a été transformé afin de devenir un VUS intermédiaire plus polyvalent. Ainsi, au sein de la gamme GMC, il se positionne entre les Terrain et Yukon. Plus long et plus spacieux que le Blazer, l'Acadia peut accueillir cinq, six ou sept occupants en fonction de la mouture choisie. Il s'avère donc un choix plus judicieux pour une famille, bien qu'il existe tout de même de meilleurs produits chez les concurrents.

Jusqu'en 2021, l'Acadia était offert avec une motorisation de base de 2,5 litres. Certes, celle-ci était dotée d'une puissance un peu juste pour un véhicule de ce gabarit, mais elle permettait à GMC d'offrir ce modèle sous la barre des 40 000 $. Malgré cela, ce moteur n'était pas réellement intéressant et personne ne sera déçu d'apprendre son abandon pour l'année-modèle 2022. Par ailleurs, bien qu'un moteur turbocompressé à 4 cylindres soit aussi disponible, nous sommes d'avis que le V6 de 3,6 litres représente la mécanique idéale. Sans être raffinée d'une quelconque manière, elle procure un rendement intéressant.

Sur le plan esthétique, nous avons trouvé la version AT4 plus attirante que les autres. Adieu les insertions de chrome et bonjour les pneus tout-terrain ! Cela étant, nous aurions préféré que GMC lui attribue davantage de caractéristiques dédiées à la conduite hors route, comme dans les camionnettes Canyon et Sierra.

### Données principales

| Emp. / lon. / lar. / haut. | Blazer - 2 863 / 4 862 / 1 948 / 1 702 mm |
| | Acadia - 2 858 / 4 912 / 1 915 / 1 694 mm |
| Coffre / réservoir | Blazer - 864 à 1 818 litres / 73 à 82 litres |
| | Acadia - 362 à 2 237 litres / 73 à 82 litres |
| Nombre de passagers | Blazer - 5 |
| | Acadia - 5 à 7 |
| Suspension av. / arr. | ind., jambes force / ind., multibras |
| Pneus avant / arrière | P235/65R18 / P235/65R18 |
| Poids / Capacité de remorquage | Blazer - 1 945 kg / 2 041 kg (4 500 lb) |
| | Acadia - 1 953 kg / 1 814 kg (4 000 lb) |

### Composantes mécaniques

**4L - 2,0 LITRES**

| Cylindrée, alim. | 4L 2,0 litres turbo |
|---|---|
| Puissance / Couple | 228 ch / 258 lb-pi |
| Tr. base (opt) / Rouage base (opt) | A9 / Tr (Int) |
| Type / ville / route / CO₂ | **Tr** - Ord / 10,6 / 8,0 / 221 g/km |
| | **Int** - Ord / 10,8 / 8,7 / 232 g/km |

**V6 - 3,6 LITRES**

| Cylindrée, alim. | V6 3,6 litres atmos. |
|---|---|
| Puissance / Couple | Blazer - 308 ch / 270 lb-pi |
| | Acadia - 310 ch / 271 lb-pi |
| Tr. base (opt) / Rouage base (opt) | A9 / Prop (Int) |
| Type / ville / route / CO₂ | **Tr** - 12,3 / 8,8 / 252 g/km |
| | **Int** - 12,6 / 9,2 / 259 g/km |

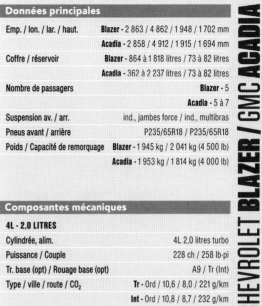

GMC ACADIA

**+** Système d'infodivertissement intuitif • Très spacieux (Acadia)

**–** Versions à traction peu intéressantes • Moteur 2,5 litres sans intérêt (Acadia) • Absence de versions hors route • Style à revoir (Acadia)

CHEVROLET BLAZER

GMC ACADIA

**CHEVROLET BOLT EV**

---

**Prix:** 38 198 $ à 43 698 $
**Transport et prép.:** 1 800 $
**Catégorie:** VUS sous-compacts
**Garanties:** 3/60, 5/100
**Assemblage:** États-Unis

**Ventes**
Québec 2020
**3 020**
↑ 6 %

Canada 2020
**4 025**
↓ 1 %

|  | EV LT | EUV LT | EUV Premier |
|---|---|---|---|
| **PDSF** | 38 198 $ | 40 198 $ | 43 698 $ |
| **Loc.** | 448 $ • 7,90 % | 492 $ • 7,90 % | 574 $ • 7,90 % |
| **Fin.** | 667 $ • 5,49 % | 711 $ • 5,49 % | 787 $ • 5,49 % |

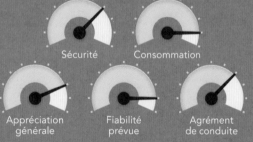

Sécurité   Consommation

Appréciation générale   Fiabilité prévue   Agrément de conduite

**Équipement**

**Sécurité**

**Concurrents**

Ford Mustang Mach-E, Hyundai IONIQ5/
Kona électrique, Kia EV6/Niro EV/Soul EV,
Mazda MX-30, MINI Cooper SE, Nissan Ariya/
LEAF, Polestar 2, Tesla Model 3/Model Y,
Volkswagen ID.4

**Nouveau en 2022**

Nouveau modèle (EUV). Retouches esthétiques
à l'intérieur et à l'extérieur, nouvelles assises
(Bolt). *Super Cruise* disponible (Bolt EUV).

---

# Démocratiser la voiture électrique pour de bon

Louis-Philippe Dubé

**D**ans le cadre de l'édition 2021 du *Guide de l'auto*, l'essai de la Chevrolet Bolt était titré « Le VÉ de monsieur et madame Tout-le-Monde ». Pour 2022, ce titre est encore plus juste. En plus d'apporter des modifications esthétiques et technologiques à sa voiture électrique, Chevrolet a en effet baissé son prix de 6 800 $! La Bolt est désormais plus accessible que jamais, ce qui la rend même compétitive face à plusieurs compactes à moteur thermique.

Avec le gargantuesque Hummer EV du côté de GMC et le futur Lyriq dans le clan Cadillac, cette Bolt EV à prix réduit trace la limite opposée dans la gamme 100 % électrique chez GM, et solidifie ainsi la position de ce dernier dans un monde où les moteurs thermiques seront progressivement supprimés. Cette année, l'utilitaire Bolt EUV (*Electric Utility Vehicle*) se joint à la Bolt EV pour offrir une position de conduite plus élevée à ceux qui la désirent. C'est également le premier véhicule Chevrolet à intégrer le système d'aide à la conduite mains libres *Super Cruise*.

### COUPLE ET AUTONOMIE AU MENU

Les Chevrolet Bolt EV et EUV comptent sur une motorisation électrique jumelée à une batterie de 65 kWh qui déploie 200 chevaux et 266 lb-pi de couple, des chiffres inchangés pour 2022. En revanche, ceux qui espéraient avoir la traction intégrale pour maîtriser la saison hivernale en bonne et due forme seront déçus, le duo de Bolt venant exclusivement avec les roues motrices avant.

Or, il n'en demeure pas moins que dès la première accélération avec la Bolt EV, on comprend qu'il est possible de laisser une couche de caoutchouc sur un bitume bien chaud grâce à une livraison de couple instantanée. La Bolt EV fait preuve d'agilité, malgré ses 1 628 kg, et la suspension absorbe adéquatement les imperfections de la route.

Au chapitre de l'autonomie, la fiche technique de la Bolt EV vante 417 km, ce qui est toujours supérieur à plusieurs rivales. La variante utilitaire EUV en a moins: 397 km. Selon le constructeur, la recharge totale prend 7 heures sur une borne de 240 volts. Il est également possible de recharger plus rapidement sur une borne rapide.

Après notre passage sur une borne de 100 kW toute neuve avec un peu moins de 50 % d'autonomie restante, nous avons gagné un peu plus de 100 km en 23 minutes de recharge. Mais rappelons qu'une panoplie de facteurs entre en ligne de compte dans l'évaluation de l'autonomie restante que le véhicule affiche dans le bloc d'instruments. Des éléments comme le comportement du conducteur et la température peuvent venir changer la donne.

## L'EUV N'EST PAS RÉELLEMENT PLUS UTILITAIRE

L'un des gros irritants de la Bolt EV était ses sièges au confort quelconque. Inutile de dire que 417 km d'autonomie méritent des assises dignes de parcourir ce trajet. Même si la partie centrale des nouveaux sièges a été améliorée pour plus de confort, nous trouvons que ça laisse à désirer. Les sièges de la Nissan Leaf, par exemple, sont bien plus douillets.

La planche de bord a subi quelques modifications. Le levier de changement de vitesses conventionnel a laissé sa place à des boutons-poussoirs, et les commandes pour la climatisation ont changé d'aspect sous l'écran tactile. Un écran de bon format, avec un système d'infodivertissement toujours aussi intuitif. Bonifié, ce système diffuse également une multitude d'informations relatives à la consommation et à la recharge. Des données qui peuvent s'avérer fort utiles pour ceux qui désirent monitorer les détails de leur utilisation d'énergie, tel un athlète surveillant sa diète. Une grande curiosité avec la nouvelle gamme Bolt, c'est que le modèle EUV offre moins d'espace de chargement que le modèle EV. Le dégagement aux jambes pour les passagers arrière est supérieur dans l'utilitaire, mais demeure cependant suffisant dans la Bolt EV.

« Est-ce que vous croyez en la voiture électrique ? » Voilà une question qui nous est posée par nos lecteurs sur une base de plus en plus fréquente. Cette question n'a plus de choix de réponse. Croire en la voiture électrique est inévitable, parce qu'elle s'en vient coûte que coûte. En effet, le Canada interdira la vente de véhicules neufs à moteur thermique dès 2035, au grand dam des automobilistes réticents et préoccupés face aux véhicules électriques.

Or, avec plus de 400 km d'autonomie et un prix de départ compétitif, cette Chevrolet répond aux deux préoccupations principales des automobilistes réticents à passer à l'électrique.

Photos : Chevrolet

**CHEVROLET BOLT EV / BOLT EUV**

### Données principales

| | |
|---|---|
| Emp. / lon. / lar. / haut. | Bolt EV - 2 600 / 4 145 / 1 765 / 1 611 mm |
| | Bolt EUV - 2 675 / 4 306 / 1 770 / 1 616 mm |
| Coffre | Bolt EV - 470 à 1 614 litres |
| | Bolt EUV - 462 à 1 611 litres |
| Nombre de passagers | 5 |
| Suspension av. / arr. | ind., jambes force / semi-ind., poutre torsion |
| Pneus avant / arrière | P215/50R17 / P215/50R17 |
| Poids / Capacité de remorquage | Bolt EV - 1 628 kg / non recommandé |
| | Bolt EUV - 1 669 kg / non recommandé |

### Composantes mécaniques

| | |
|---|---|
| Puissance / Couple | 200 ch (149 kW) / 266 lb-pi |
| Tr. base (opt) / Rouage base (opt) | Rapport fixe / Tr |
| 0-100 / 80-120 / V. max | 7,5 s (m) / 4,7 s (m) / 145 km/h (c) |
| 100-0 km/h | 46,6 m (m) |
| Consommation équivalente | 2,0 Le/100 km |
| Type de batterie | Lithium-ion (Li-ion) |
| Énergie | 65,0 kWh |
| Temps de charge (120V / 240V) | 70,0 h / 7,0 h |
| Autonomie | Bolt EV - 417 km |
| | Bolt EUV - 397 km |

**CHEVROLET BOLT EUV**

+ Excellent rapport prix/autonomie • Sièges légèrement plus confortables • Système d'infodivertissement intuitif et bien garni

− Mais où est la traction intégrale ? • Modèle EUV pas plus pratique

**CHEVROLET BOLT EV**

**CHEVROLET BOLT EUV**

| | 1LS coupé | LT1 coupé | ZL1 décapotable |
|---|---|---|---|
| PDSF | 29 598 $ | 41 698 $ | 78 998 $ |
| Loc. | 507 $ • 3,90 % | 732 $ • 3,90 % | 1 352 $ • 3,99 % |
| Fin. | 659 $ • 0,99 % | 895 $ • 0,99 % | 1 627 $ • 0,99 % |

**Prix :** 29 598 $ à 78 998 $ (2021)
**Transport et prép. :** 1 800 $
**Catégorie :** Sportives
**Garanties :** 3/60, 5/100
**Assemblage :** États-Unis

**Ventes**
Québec 2020
218
⬇ 36 %

Canada 2020
1 518
⬇ 32 %

Sécurité    Consommation

Appréciation générale    Fiabilité prévue    Agrément de conduite

## Équipement

## Sécurité

## Concurrents

Dodge Challenger, Ford Mustang, Mazda MX-5, Nissan Z, Subaru BRZ, Toyota GR 86/GR Supra

## Nouveau en 2022

Changements mineurs dans les ensembles d'options.

# De décapotable de promenade à fusée de piste

Marc-André Gauthier

La Chevrolet Camaro a été créée afin de rivaliser avec la Mustang de Ford. Voyant le succès que connaissait le *pony car*, Chevrolet a voulu sa part du gâteau. D'ailleurs, quand on demandait à GM, à l'époque, ce que signifiait « Camaro », le constructeur répondait qu'il s'agissait d'une petite créature vorace, qui dévore les mustangs...

Bien que l'ambition de GM ait toujours été de concurrencer Ford, on doit bien admettre que la compagnie a connu un succès mitigé à ce niveau. Non seulement la Camaro n'arrive pas à battre la Mustang, mais elle se fait même dépasser par la Dodge Challenger, une voiture qui commence sérieusement à être obsolète.

Il est vrai que la Camaro a elle aussi besoin d'un bon coup de plumeau, et à ce titre, la version 2022 est probablement la dernière de la génération actuelle. En fait, il est difficile de savoir ce qui attend la Camaro, puisque de plus en plus de rumeurs envoient la sportive à la casse. Il serait même possible que la prochaine génération soit électrique... D'ici là, que penser de la Camaro ? Parmi tout ce qui roule sur nos routes, celle-ci est l'un des secrets les mieux gardés en matière de performance.

### LE RÉTRO VRAIMENT BIEN FAIT

Tout comme la Mustang et la Challenger, la Camaro se devait de reprendre des lignes classiques, tout en embrassant une certaine modernité. Qui veut revivre le drame que le style de la Camaro des années 90 représentait ?

Bien qu'elle ait subi quelques modifications esthétiques depuis son arrivée sur le marché en 2016, la sixième génération de la Camaro demeure une voiture élégante. Oui, élégante. Elle reprend les mêmes lignes carrées que la cinquième génération, mais avec une touche de modernisme.

Dans l'habitacle, on retrouve une formule tout aussi rétro, mais avec un angle contemporain apporté par un écran multimédia qui permet, entre autres, d'utiliser Apple CarPlay et Android Auto. Cela dit, signe que le modèle a maintenant six ans, l'écran est petit, et on pourrait embarquer un peu plus de technologies à bord.

Peu importe la mouture choisie, les sièges avant offrent un bon maintien et sont plutôt confortables pour une voiture sport. Même si la Camaro dispose de sièges à l'arrière, ne vous y méprenez pas : il ne sont pas les plus accueillants. Et si vous optez pour une version manuelle, la position de conduite la plus confortable pour embrayer aisément implique que votre siège soit pratiquement collé sur la banquette arrière.

## DÉCAPOTABLE DE CROISIÈRE OU MACHINE DE GUERRE POUR LA PISTE

De nombreuses versions de la Camaro sont offertes, incluant un coupé et une variante cabriolet. Laquelle choisir ? Ça dépend vraiment de ce que vous recherchez. Côté moteurs, il y a beaucoup de choix là aussi. En version de base, la Camaro est disponible avec un 4 cylindres de 2 litres turbocompressé de 275 chevaux et 295 lb-pi de couple. Livrable avec une boîte manuelle à 6 vitesses ou une automatique à 8 rapports, la Camaro de base n'est pas un mauvais achat en soi. Bien au contraire, à 31 000$ (frais inclus), elle est une voiture sport d'entrée de gamme plutôt dynamique, bien qu'elle soit loin d'être un *muscle car*. Ensuite, on a un V6 atmosphérique de 3,6 litres, bon pour 335 chevaux et 284 lb-pi de couple. Disponible avec deux transmissions (manuelle à 6 vitesses et automatique à 10 rapports), il n'est pas tellement plus performant que le 2 litres turbo. La plus grande différence, c'est qu'il ne souffre pas pas du temps de réponse (le fameux *turbo lag*) que l'on connaît avec le bloc turbocompressé.

Ensuite est offert le V8 de 6,2 litres, que l'on retrouve dans le modèle SS. Un classique américain avec ses 455 chevaux et ses 455 lb-pi de couple. Très performant, ce moteur est particulièrement intéressant, surtout avec la boîte manuelle qui, ici, vient automatiquement appliquer l'accélérateur au moment de rétrograder, pour faciliter la conduite. Le fameux *rev match* qui pratique le talon-pointe à votre place quand vous descendez les rapports. Pour ceux qui en veulent plus, il y a la version ZL1, avec son V8 de 6,2 litres suralimenté. Avec 650 chevaux et 650 lb-pi de couple pour environ 75 000 $, elle représente l'un des meilleurs rapports prix/performance du marché.

Avec un bon châssis et d'excellentes suspensions magnétiques en option, la Camaro peut autant être une décapotable relaxe qu'une machine de piste capable de coller une Porsche de très près. Dommage qu'il n'y ait pas plus de gens qui s'intéressent à cette voiture qui ne manque pas de qualités.

**+** Design réussi • Châssis et suspensions magnétiques divins • Moteurs 6,2 litres (atmosphérique et surcompressé) performants

**—** Performance similaire des deux moteurs d'entrée de gamme • Places arrière symboliques • Qualité de certains matériaux dans l'habitacle • Forte dépréciation

## Données principales

| Emp. / lon. / lar. / haut. | **Cabriolet** - 2 182 / 4 783 / 1 897 / 1 344 mm |
| | **Coupé** - 2 182 / 4 783 / 1 897 / 1 349 mm |
| Coffre / réservoir | **Cabriolet** - 207 litres / 72 litres |
| | **Coupé** - 258 litres / 72 litres |
| Nombre de passagers | 4 |
| Suspension av. / arr. | ind., jambes force / ind., multibras |
| Pneus avant / arrière | 245/50R18 245/50R18 |
| Poids / Capacité de remorquage | **Cabriolet** - 1 883 kg / non recommandé |
| | **Coupé** - 1 676 kg / non recommandé |

## Composantes mécaniques

### 4L - 2,0 LITRES

| | |
|---|---|
| Cylindrée, alim. | 4L 2,0 litres turbo |
| Puissance / Couple | 275 ch / 295 lb-pi |
| Tr. base (opt) / Rouage base (opt) | M6 (A8) / Prop |
| Type / ville / route / $CO_2$ | **Man** - Sup / 12,6 / 8,0 / 239 g/km |
| | **Auto** - Sup / 10,9 / 7,8 / 222 g/km |

### V6 - 3,6 LITRES

| | |
|---|---|
| Cylindrée, alim. | V6 3,6 litres atmos. |
| Puissance / Couple | 335 ch / 284 lb-pi |
| Tr. base (opt) / Rouage base (opt) | M6 (A10) / Prop |
| Type / ville / route / $CO_2$ | **Man** - Ord / 14,4 / 9,1 / 281 g/km |
| | **Auto** - Ord / 12,8 / 8,1 / 251 g/km |

### V8 - 6,2 LITRES

| | |
|---|---|
| Cylindrée, alim. | V8 6,2 litres atmos. |
| Puissance / Couple | 455 ch / 455 lb-pi |
| Tr. base (opt) / Rouage base (opt) | M6 (A10) / Prop |
| 0-100 / 80-120 / V. max | 4,7 s (m) / 4,3 s (m) / n.d. |
| 100-0 km/h | 33,5 m (m) |
| Type / ville / route / $CO_2$ | **Man** - Sup / 14,9 / 9,9 / 296 g/km |
| | **Auto** - Sup / 14,6 / 8,9 / 281 g/km |

### V8 - 6,2 LITRES SURCOMPRESSÉ

| | |
|---|---|
| Cylindrée, alim. | V8 6,2 litres surcomp. |
| Puissance / Couple | 650 ch / 650 lb-pi |
| Tr. base (opt) / Rouage base (opt) | M6 (A10) / Prop |
| Type / ville / route / $CO_2$ | **Man** - Sup / 17,2 / 12,0 / 349 g/km |
| | **Auto** - Sup / 18,3 / 11,2 / 355 g/km |

**CHEVROLET COLORADO**

DIESEL

**Prix :** 27 948 $ à 49 748 $ (2021)
**Transport et prép. :** 1 950 $
**Catégorie :** Camionnettes interm.
**Garanties :** 3/60, 5/100
**Assemblage :** États-Unis

**Ventes\***
Québec 2020
2 363

1 %

Canada 2020
11 679

10 %

|  | Col. WT 2RM | Col. Z71 4RM | Canyon Denali |
|---|---|---|---|
| **PDSF** | 27 948 $ | 39 448 $ | 49 748 $ |
| **Loc.** | 475 $ • 4,90% | 557 $ • 4,90% | 683 $ • 4,90% |
| **Fin.** | 594 $ • 0,99% | 820 $ • 0,99% | 1 022 $ • 0,99% |

Sécurité    Consommation

Appréciation générale    Fiabilité prévue    Agrément de conduite

**Équipement**

**Sécurité**

**Concurrents**
Ford Ranger, Honda Ridgeline,
Jeep Gladiator, Nissan Frontier,
Toyota Tacoma

**Nouveau en 2022**
Aucun changement majeur annoncé
au moment de mettre sous presse.

# Compétents mais pas donnés

Marc-André Gauthier

**B**ien que l'on ne puisse remettre en question l'aspect pratique des camionnettes pleine grandeur, leur gabarit ne convient pas à tout le monde. C'est la raison d'être des camionnettes intermédiaires, un bon moyen de profiter d'un *pickup* sans pour autant redouter chaque stationnement.

Moins populaire que le segment des pleine grandeur, celui des camionnettes intermédiaires est intéressant dans la mesure où l'on retrouve des produits plutôt différents les uns des autres. Il y a par exemple le Honda Ridgeline, plus VUS que camion, le Ford Ranger, orienté vers les amateurs de plein air, ainsi que l'indestructible et populaire Toyota Tacoma. Sans oublier le retour remarqué du Nissan Frontier, qui revient passablement modernisé. En plus de ceux-là, il y a deux modèles qui se démarquent parce qu'ils peuvent convenir à ceux qui ont besoin d'un camion pour travailler, pour partir à l'aventure, ou simplement pour conduire un véhicule polyvalent. Vous l'aurez deviné, il s'agit des Chevrolet Colorado et GMC Canyon 2022.

Sur le marché depuis 2014, la mouture actuelle tire à sa fin alors qu'une nouvelle génération devrait voir le jour au courant de 2022. En attendant, on a tout de même accès à deux bons produits, mais qui ne sont malheureusement pas donnés...

### DES VERSIONS POUR TOUS LES USAGES
Quand on magasine un Honda Ridgeline, tout ce que l'on a à choisir, c'est la couleur et les gadgets du moment. Chez GM, on privilégie une expérience d'achat qui se rapproche de celle du Sierra ou du Silverado. Par exemple, on a le choix entre deux cabines pour ces modèles. La première est une cabine allongée, avec une banquette arrière, à laquelle on accède par de petites portes à ouverture opposée. Cette banquette est appropriée pour des enfants, mais des adultes ne seront pas enchantés de s'y asseoir.

Il y a aussi la cabine multiplace, plus accueillante, qui convient pas mal plus. Pour environ 4 000 $ de plus (avec une boîte équivalente), c'est une option que l'on recommande sans hésiter. Côté boîte, ces deux camionnettes américaines viennent avec la boîte longue de 6,17 pieds, si vous optez pour la cabine allongée. Pour sa part, la cabine multiplace est disponible avec la boîte courte (d'une longueur de 5,14 pieds), ainsi qu'avec la boîte longue.

\*Ventes combinées des Chevrolet Colorado et GMC Canyon

Concernant la mécanique, on a le choix entre trois moteurs. Le premier et un 4 cylindres de 2,5 litres bon pour 200 chevaux et 191 lb-pi de couple. Il peut remorquer jusqu'à 3 500 lb, ce qui n'est pas trop mal pour un usage commercial. Il y a ensuite le V6 de 3,6 litres, qui produit 308 chevaux et 275 lb-pi de couple, capable de tracter jusqu'à 7 000 lb. Finalement, il y a un moteur diesel de 2,8 litres, qui génère 181 chevaux et 369 lb-pi de couple, pour une capacité maximale de remorquage de 7 700 lb.

Le moteur V6 est jumelé à une transmission automatique à 8 rapports, tandis que les deux autres moteurs travaillent avec une transmission automatique à 6 rapports, plus ancienne. Si l'on devait y aller d'un conseil, optez pour le V6. Il a une bonne capacité de remorquage et un meilleur comportement au quotidien.

Ainsi, s'il est possible d'obtenir une version de base à 4 cylindres et à propulsion pour environ 30 000 $, (incluant les frais), attendez-vous à devoir débourser plus de 40 000 $ si vous voulez l'équiper le moindrement. Et si vous désirez un peu de luxe, le prix dépasse rapidement les 50 000 $. Chez GMC, par exemple, le Canyon Denali diesel entièrement équipé coûte 55 000 $. Pour ce prix, on peut s'offrir un Sierra...

## DES VERSIONS HORS ROUTE IMPRESSIONNANTES

Si le comportement routier des Colorado et Canyon est fort satisfaisant, c'est dans leurs variantes hors route respectives qu'ils impressionnent le plus. Chez GMC, le Canyon AT4 comprend de meilleures suspensions, des pneus surdimensionnés et un style plus robuste. Cet ensemble rend le Canyon vraiment plaisant à conduire, et capable de s'aventurer sur des pistes ardues.

Mais pour les vrais amateurs de hors route, c'est chez Chevrolet qu'il faut aller. La version ZR2 du Colorado le transforme en char d'assaut, avec des suspensions démentes, et tous les renforts vous permettent de suivre n'importe quel Jeep Wrangler ou Ford Bronco dans les bois! Pas étonnant que le nouveau véhicule de transport de l'armée américaine soit basé sur le Colorado ZR2.

En fin de compte, les jumeaux Colorado et Canyon sont de bons produits. Leur principal problème, c'est leur prix, qui grimpe rapidement dès que l'on sélectionne des équipements dans le catalogue des options. Dans les modèles haut de gamme, ces deux camions se trouvent en concurrence directe avec les modèles pleine grandeur...

+ Style des versions AT4 et ZR2 • Comportement routier • Bonne capacité de remorquage • Aptitudes hors route (AT4 et surtout ZR2)

− Prix élevé • 4 cylindres de base à éviter • Moteur diesel dispendieux et pas très rapide • Transmission à 6 rapports dépassée

CHEVROLET COLORADO / GMC CANYON

### Données principales

| | |
|---|---|
| Emp. / lon. / lar. / haut. | **Cabine allongée 2RM** - 3 259 / 5 403 / 1 887 / 1 788 mm |
| | **Cabine allongée 4RM** - 3 264 / 5 403 / 1 948 / 1 785 mm |
| | **Cabine multiplace court** - 3 258 / 5 402 / 1 854 à 1 887 / 1 793 mm |
| | **Cabine multiplace long** - 3 568 / 5 712 / 1 584 à 1 887 / 1 793 mm |
| Boîte / réservoir | **Cabine allongée** - 1 879 mm / 79 litres |
| | **Cabine multiplace court** - 1 567 mm / 79 litres |
| | **Cabine multiplace long** - 1 879 mm / 79 litres |
| Nombre de passagers | 4 à 5 |
| Suspension av. / arr. | ind., bras inégaux / essieu rigide, ress. à lames |
| Pneus avant / arrière | P255/65R17 / P255/65R17 |
| Poids / Cap. de remorquage (max)* | **Cab. allongée 2RM (V6)** - 1 877 kg / 13 175 kg (7 000 lb) |
| | **Cab. allongée 4RM (Diesel)** - 2 111 kg / 3 493 kg (7 700 lb) |
| | **Cab. multi 2RM (Diesel)** - 2 184 kg / 3 493 kg (7 700 lb) |
| | **Cab. multi 4RM (Diesel)** - 2 273 kg / 3 447 kg (7 600 lb) |

*\* Avec ensemble remorquage maximum*

### Composantes mécaniques

**4L 2,5 LITRES**

| | |
|---|---|
| Cylindrée, alim. | 4L 2,5 litres atmos. |
| Puissance / Couple | 200 ch / 191 lb-pi |
| Tr. base (opt) / Rouage base (opt) | A6 / Prop (4x4) |
| Type / ville / route / $CO_2$ | **Prop** - Ord / 12,2 / 9,4 / 257 g/km |
| | **4x4** - Ord / 12,6 / 9,9 / 267 g/km |

**V6 3,6 LITRES**

| | |
|---|---|
| Cylindrée, alim. | V6 3,6 litres atmos. |
| Puissance / Couple | 308 ch / 275 lb-pi |
| Tr. base (opt) / Rouage base (opt) | A8 / Prop (4x4) |
| 0-100 / 80-120 / V. max | 7,0 (m) / 5,4 (m) / n.d. |
| 100-0 km/h | 44,2 (m) |
| Type / ville / route / $CO_2$ | **Prop** - Ord / 12,9 / 9,3 / 263 g/km |
| | **4x4** - Ord / 14,0 / 9,9 / 284 g/km |
| | **ZR2** - Ord / 15,0 / 13,0 / 329 g/km |

**DIESEL**

| | |
|---|---|
| Cylindrée, alim. | 4L 2,8 litres turbo |
| Puissance / Couple | 181 ch / 369 lb-pi |
| Tr. base (opt) / Rouage base (opt) | A6 / Prop (4x4) |
| 0-100 / 80-120 / V. max | 10,2 (m) / 8,7 (m) / n.d. |
| 100-0 km/h | 43,5 (m) |
| Type / ville / route / $CO_2$ | **Prop** - Die / 11,8 / 7,9 / 270 g/km |
| | **4x4** - Die / 12,2 / 8,4 / 283 g/km |
| | **ZR2** - Die / 13,3 / 10,6 / 326 g/km |

Photos : Chevrolet, GMC

**GMC CANYON**

**CHEVROLET COLORADO**

![Meilleur achat de sa catégorie]

# La mutante magique

Marc Lachapelle

**Prix :** 69 398 $ à 93 898 $ (2021)
**Transport et prép. :** 2 000 $
**Catégorie :** Sportives de luxe
**Garanties :** 3/60, 5/100
**Assemblage :** États-Unis

**Ventes**
Québec 2020
**283**
↑ 7 %

Canada 2020
**1 811**
↑ 5 %

|  | 1LT coupé | 3LT coupé | 3LT décapotable |
|---|---|---|---|
| PDSF | 69 398 $ | 84 898 $ | 93 898 $ |
| Loc. | n.d. | n.d. | n.d. |
| Fin. | 1 568 $ • 5,49 % | 1 907 $ • 5,49 % | 2 104 $ • 5,49 % |

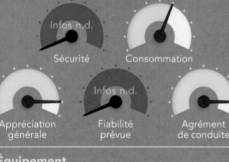

Infos n.d.
Sécurité — Consommation

Infos n.d.
Appréciation générale — Fiabilité prévue — Agrément de conduite

**Équipement**

**Sécurité**

**Concurrents**

Acura NSX, Aston Martin Vantage, Audi R8, Jaguar F-TYPE, Lamborghini Huracán, McLaren GT, Nissan GT-R, Porsche 911

**Nouveau en 2022**

Nouvelle Z06 à V8 atmosphérique de 5,5 litres avec double arbre à cames en tête.

**C**hevrolet a tenu pleinement son immense pari de transformer une icône américaine de l'automobile en grande sportive à moteur central, après plus de six décennies de lente évolution et de tradition farouche. Cette Corvette s'est imposée comme le meilleur vendeur de sa catégorie au pays dès sa première année, récoltant même le double des ventes de sa plus proche rivale. Et ce n'est qu'un début, puisque de nouvelles variantes vont bientôt augmenter l'offre, alors que l'usine de Bowling Green n'arrive pas encore à satisfaire la demande.

Alors que cette huitième génération de la Corvette, alias C8, entame déjà sa troisième année, on n'entend plus la clameur des puristes qui souhaitaient la survie de la version classique à moteur avant. Parce que la nouvelle a démontré, avec panache, que l'ingénieur en chef Tadge Juechter et son équipe ont eu raison de se battre et de concrétiser le rêve d'une Corvette à moteur central qui animait Zora Arkus-Duntov, père légendaire de la voiture sport américaine par excellence. Un rêve entretenu, pendant plus d'un demi-siècle, par la création d'une série impressionnante d'études et prototypes de toutes sortes.

### AU JEU DES GROUPES ET DES OPTIONS

La svelte C8 a rapidement conquis la presse automobile, qui l'a aussitôt bombardée de superlatifs et couverte d'honneurs. Parmi eux, le titre de Voiture nord-américaine de l'année. Les acheteurs se sont rapidement manifestés par la suite, pour les quelque 21 000 exemplaires qu'a réussi à produire l'usine du Kentucky la première année, soit environ la moitié de ce qui était prévu. Près de 20 % de ces pionnières étaient des décapotables, dont le toit rigide rétractable ajoute 46 kg au poids de la Stingray et se replie ou se replace en quelque 16 secondes, jusqu'à 48 km/h.

Plus de 85 % des Corvette de cette première portée étaient des versions 2LT et 3LT très bien équipées, comme c'est souvent le cas avec les nouveautés. On aurait cependant tort de ne pas considérer la 1LT, aux prix de base actuels de 71 748 $ pour le coupé et 80 748 $ pour la décapotable (transport et préparation inclus dans les deux cas). Jamais la plus abordable des Corvette n'aura effectivement été aussi intéressante.

D'abord parce qu'elle profite de l'agilité, de l'équilibre et de la motricité que lui procure son moteur central. Ensuite parce qu'il s'agit du même V8 atmosphérique tout aluminium de 6,2 litres et 490 chevaux que ses sœurs, lubrifié par carter sec et jumelé à une excellente boîte Tremec à double embrayage comptant 8 rapports. Il suffit d'allonger 1 375 $ pour l'échappement de performance qui fait passer la puissance de 490 à 495 chevaux et le couple de 465 à 470 lb-pi, sonorité fauve en prime. Les fabuleux amortisseurs à variation magnétique sont une option vendue 2 180 $.

Cette Corvette 1LT a beaucoup de gueule, entre autres parce qu'elle est posée sur des jantes d'alliage de 19 pouces à l'avant et 20 pouces à l'arrière, chaussées de pneus de taille 245/35ZR19 et 305/30ZR20, comme les autres. Or, la version 1LT de la Stingray C7 se contentait à l'origine de jantes de 18 et 19 pouces qui émoussaient à la fois sa direction et son look. En outre, l'habitacle de la C8 est, sans conteste, plus attrayant et mieux fini. La qualité et la richesse des matériaux se bonifient au gré des éléments et finitions spéciales que l'on ajoute aux 2LT et 3LT, déjà plus cossues.

### LES CHOSES SÉRIEUSES

Pour tirer le meilleur de cette Corvette Stingray, il lui faut le groupe Z51, toujours une aubaine, même à 6 995 $. Parce qu'il lui octroie des freins Brembo plus grands, des amortisseurs à variation magnétique réglables, l'échappement de performance, un rapport de pont plus court de 5,17 avec différentiel autobloquant électronique et des pneus Michelin Pilot Sport 4S plus mordants, sans oublier une lame sous l'avant et un aileron arrière. La C8 est ainsi fin prête pour les circuits, si la chose vous sourit, en plus de son grand talent pour la conduite sur route sinueuse.

Et ce n'est qu'un début, puisque Chevrolet lancera bientôt une nouvelle Z06 animée par une version civile du V8 de 5,5 litres qui a mené les Corvette C8.R à la victoire aux dernières 24 Heures de Daytona. On attend une puissance de 615 chevaux et un régime maximal entre 8 500 et 9 000 tr/min pour ce moteur atmosphérique à double arbre à cames en tête, doté d'un vilebrequin à manetons plats (*flat-crank*), comme chez Ferrari. Notre boule de cristal montre également une C8 hybride, une nouvelle ZR1 et une Zora de près de 1 000 chevaux, à rouage intégral. Peut-être même une Corvette électrique. Désolé pour les puristes...

| Données principales | |
|---|---|
| Emp. / lon. / lar. / haut. | **Coupé - Cabriolet** - 2 723 / 4 630 / 1 933 / 1 234 mm |
| Coffre / réservoir | **Coupé - Cabriolet** - 357 litres / 70 litres |
| Nombre de passagers | 2 |
| Suspension av. / arr. | ind., bras inégaux / ind., bras inégaux |
| Pneus avant / arrière | P245/35ZR19 / P305/30ZR20 |
| Poids / Capacité de remorquage | **Coupé** - 1 527 kg / non recommandé |
| | **Cabriolet** - 1 573 kg / non recommandé |

| Composantes mécaniques | |
|---|---|
| Cylindrée, alim. | V8 6,2 litres atmos. |
| Puissance / Couple | 490 ch / 465 lb-pi |
| | **Z51** - 495 ch / 470 lb-pi |
| Tr. base (opt) / Rouage base (opt) | A8 / Prop |
| 0-100 / 80-120 / V. max | 3,5 s (m) / 2,2 s (m) / 312 km/h (c) |
| 100-0 km/h | 34,1 m (m) |
| Type / ville / route / $CO_2$ | Sup / 15,4 / 8,7 / 290 g/km |

**+** Performances et sonorité emballantes • Comportement et roulement exceptionnels • Habitacle moderne et bien fini • Conception ingénieuse et soignée

**—** Visibilité arrière très limitée • Commandes de climatisation étranges • Peu de rangement dans l'habitacle • Qualités hivernales douteuses

**CHEVROLET EQUINOX**

**Prix:** 27 198$ à 40 598$ (2021)
**Transport et prép.:** 1 900$
**Catégorie:** VUS compacts
**Garanties:** 3/60, 5/100
**Assemblage:** Canada

**Ventes***
Québec 2020
**3 750**
⬇ 27%

Canada 2020
**22 347**
⬇ 26%

|  | Equinox LS | Equinox Pr. TI | Terrain Denali |
|---|---|---|---|
| PDSF | 27 198$ | 35 398$ | 40 598$ |
| Loc. | 492$ • 8,99% | 478$ • 3,90% | 495$ • 3,90% |
| Fin. | 570$ • 1,99% | 697$ • 0,99% | 784$ • 0,99% |

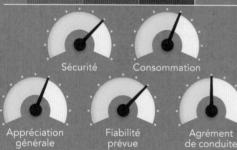

Sécurité  Consommation

Appréciation  Fiabilité  Agrément
générale  prévue  de conduite

**Équipement**

**Sécurité**

**Concurrents**

Ford Bronco Sport/Escape, Honda CR-V,
Hyundai Tucson, Jeep Cherokee, Jeep Compass,
Kia Sportage, Mazda CX-5, Mitsubishi Outlander,
Nissan Rogue, Subaru Forester, Toyota RAV4,
Volkswagen Tiguan

**Nouveau en 2022**

Retouches esthétiques, nouvelle version RS
(Equinox), nouvelle version AT4 (Terrain),
Apple CarPlay et Android Auto sans fil,
aide au stationnement en option.

# Mieux vaut tard que jamais

Jacques Bienvenue

**L**a pandémie a affecté l'industrie automobile de multiples façons. Elle a, entre autres, causé le report du lancement de certaines nouveautés, comme l'Equinox et le Terrain 2022. Initialement, ces utilitaires remodelés devaient porter le millésime 2021 et faire leurs débuts plus tôt. Le lancement de l'Equinox, par exemple, était prévu pour l'automne 2020!

Comme le dit l'adage, mieux vaut tard que jamais. Ces nouveautés doivent maintenant donner un second souffle à la troisième génération de l'Equinox et à la deuxième génération du Terrain. Issus d'une conception commune, ces faux jumeaux partagent leur plateforme et divers organes mécaniques sous des carrosseries très différentes qui poussent leurs acheteurs à porter allégeance au modèle choisi, comme s'il était unique.

Ces utilitaires compacts de General Motors ciblent un des segments les plus importants au Canada. Un créneau largement dominé par le Toyota RAV4 et le Honda CR-V, des favoris de longue date que talonnent Nissan (Rogue), Mazda (CX-5) et Hyundai (Tucson). Plus loin dans le palmarès des ventes, l'Equinox et le Terrain semblent traîner de la patte individuellement. Cependant, en combinant leurs ventes, on découvre que leur constructeur a autant de succès que Hyundai. Ces chiffres nous apprennent aussi que l'Equinox est le plus vendu des deux au pays, mais que le Terrain plaît davantage aux Québécois, qui en ont acheté plus.

**RECETTE INCHANGÉE**

Ces versions 2022 susciteront-elles autant d'engouement? Pourquoi pas? Après tout, la recette n'a guère changé. Du point de vue esthétique, le profil élégant de l'un et l'autre est resté intact. Seules leurs parties avant et arrière ont subi des retouches. Pour l'Equinox, cela s'exprime par une calandre, des pare-chocs, des feux arrière et des blocs optiques avant redessinés. La forme fine et délicate des phares et des feux diurnes à DEL est d'ailleurs le premier détail que remarquent les habitués du modèle. Quant aux autres éléments majeurs de la carrosserie (capot, bas de caisse latéraux, rétroviseurs, tôleries, hayon, brancards de toit, etc.), rien n'a changé. Le scénario est identique pour le Terrain. Les retouches esthétiques se concentrent sur le bouclier avant avec une calandre et des blocs optiques rafraîchis. Les DEL diurnes en forme de crochet autour des phares, qui démarquaient l'ancien modèle, ont été retenus et adaptées au nouveau faciès.

*Ventes combinées des Chevrolet Equinox et GMC Terrain

À l'écoute des consommateurs, GM a ajouté à la gamme de chaque utilitaire une variante à la mode. Pour l'Equinox, c'est la version RS à laquelle le constructeur prête une allure sportive avec une calandre noir lustré, des roues foncées de 19 pouces, des brancards noirs et des sièges à revêtement noir rehaussé de surpiqûres rouges. Bref, ici, tout n'est qu'esthétique. Pour le Terrain, par contre, la nouvelle déclinaison AT4 à saveur hors route bénéficie d'une dotation plus substantielle. En plus d'une garde au sol surélevée, elle dispose d'une plaque protectrice sous l'avant du châssis, de pneus Goodyear Wrangler au dessin plus agressif et de phares à triple DEL exclusifs.

L'intérieur de ce duo affiche cependant un immobilisme surprenant. Les tableaux de bord, dont la fabrication emploie du plastique de qualité moyenne, n'ont pas changé. De plus, la boîte automatique du Terrain conserve ces minuscules commutateurs logés au bas du centre de la console. Ils sont peu ergonomiques, hors de portée et d'allure banale. Un levier classique, comme celui de l'Equinox, se manie mieux, tout comme les commandes rotatives qu'on retrouve, par exemple, dans le Jeep Grand Cherokee.

## BEAUCOUP D'ESPACE

Les systèmes d'infodivertissement et d'aide à la conduite se comparent favorablement à ceux de leurs rivaux. De plus, l'intérieur spacieux de ces deux VUS convient à quatre adultes de taille moyenne, la banquette arrière procurant un dégagement généreux au niveau des jambes et des pieds. Ses dossiers rabattables 60/40 offrent aussi la possibilité d'accroître de manière substantielle le volume de chargement du coffre, autre point fort de ce duo.

La visibilité arrière, par contre, reste limitée. De plus, le montant du pare-brise, plutôt massif, et le rétroviseur du côté passager empêchent le conducteur de voir les piétons sur le coin d'une rue.

On observe aussi un statu quo du côté du moteur. Ces utilitaires partagent de nouveau un 4 cylindres turbo poussif. À tout le moins, ce moteur permet de remorquer une charge atteignant 1 500 lb, quelle que soit la version. C'est autant qu'un Honda CR-V, mais les Toyota RAV4 Trail et hybrides et certains Ford Escape font mieux. Il est amusant de noter, enfin, que la boîte de vitesses automatique à 6 rapports de l'Equinox permet à son moteur de consommer environ 2 % moins de carburant que la boîte à 9 rapports du Terrain. Allez savoir pourquoi...

## CHEVROLET EQUINOX / GMC TERRAIN

### Données principales

| | |
|---|---|
| Emp. / lon. / lar. / haut. | Equinox - 2 725 / 4 652 / 1 843 / 1 661 mm |
| | Terrain - 2 725 / 4 630 / 1 839 / 1 661 mm |
| Coffre / réservoir | Equinox - 847 à 1 809 litres / 56 à 59 litres |
| | Terrain - 838 à 1 792 litres / 56 à 59 litres |
| Nombre de passagers | 5 |
| Suspension av. / arr. | ind., jambes force / ind., multibras |
| Pneus avant / arrière | P225/65R17 / P225/65R17 |
| Poids / Capacité de remorquage | Equinox - 1 593 kg / 680 kg (1 500 lb) |
| | Terrain - 1 643 kg / 680 kg (1 500 lb) |

### Composantes mécaniques

| | |
|---|---|
| Cylindrée, alim. | 4L 1,5 litre turbo |
| Puissance / Couple | 170 ch / 203 lb·pi |
| Tr. base (opt) / Rouage base (opt) | Equinox - A6 / Tr (Int) |
| | Terrain - A6 / Tr (Int) |
| Type / ville / route / $CO_2$ | Equinox Tr - Ord / 8,9 / 7,7 / 198 g/km |
| | Equinox Int - Ord 9,4 / 8,0 / 208 g/km |
| | Terrain Tr - Ord 9,2 / 7,8 / 202 g/km |
| | Terrain Int - Ord / 9,6 / 8,3 / 212 g/km |

**GMC TERRAIN**

**+** Intérieur spacieux • Coffre volumineux • Bonne boîte automatique • Freinage progressif

**–** Plastiques de qualité moyenne à l'intérieur • Moteur poussif • Commutateurs de la boîte de vitesses ridicules (Terrain) • Bruits de caisse

**CHEVROLET EQUINOX**

**GMC TERRAIN**

Photos : Chevrolet, GMC

GMC SAVANA

DIESEL

**Prix:** 39 598 $ à 49 548 $ (2021)
**Transport et prép.:** 1 950 $
**Catégorie:** Fourgonnettes
**Garanties:** 3/60, 5/100
**Assemblage:** États-Unis

**Ventes***

Québec 2020
**2 018**
20 % ⬇

Canada 2020
**7 457**
24 % ⬇

| | 2500 Cargo | 3500 Cargo | 3500 passager |
|---|---|---|---|
| PDSF | 39 598 $ | 40 198 $ | 49 548 $ |
| Loc. | n.d. | n.d. | n.d. |
| Fin. | 873 $ • 3,49% | 886 $ • 3,49% | 1 081 $ • 3,49% |

Sécurité

Consommation

Appréciation générale

Fiabilité prévue

Agrément de conduite

## Équipement

## Sécurité

## Concurrents

Ford Transit, Mercedes-Benz Metris/Sprinter, Ram ProMaster

## Nouveau en 2022

Abandon du lecteur CD et du refroidisseur d'huile de la boîte de vitesses, autres changements mineurs.

# Sauvés par la pandémie

Michel Deslauriers

**O**n se demande pour combien de temps encore General Motors produira ses vieux routiers commerciaux Chevrolet Express et GMC Savana, introduits sur notre marché pour le millésime 1996 et ayant subi peu de changements depuis.

On s'en doute, technologiquement parlant, les Express et Savana figurent parmi les véhicules les plus archaïques sur notre marché, mais s'avèrent toujours aussi utiles pour les parcs d'activités commerciales et les professionnels travaillant sur la route. Et surtout, en temps de pandémie, pour les compagnies de livraison qui vaquaient jour et nuit pendant que la population était confinée à la maison. On peut même dire que ces camions ont pu conserver un certain volume de ventes dans un segment où les concurrents sont drôlement plus modernes et, selon les besoins, dotés de meilleures capacités.

### TROIS CONFIGURATIONS

On propose les Express et Savana en versions utilitaire et tourisme, en séries 2500 et 3500, avec deux longueurs d'empattement. La déclinaison tourisme peut transporter jusqu'à 12 passagers, allant jusqu'à 15 personnes si l'on opte pour le camion allongé, soit la même capacité maximale que celle des Mercedes-Benz Sprinter et Ford Transit. La version utilitaire propose quant à elle une charge utile variant de 1 488 à 1 941 kg, nettement en deçà de celle des fourgons de la concurrence, même du Ram ProMaster avec son rouage à traction. Idem pour le volume de chargement, car un toit surélevé n'est pas offert. La variante tronquée reste disponible en séries 3500 et 4500, avec trois longueurs d'empattement et une charge utile maximale de 4 406 kg.

Les modèles GM profitent toutefois de l'exclusivité d'offrir un bon vieux moteur V8. En 2021, on a remplacé le vétuste bloc de 6 litres par une cylindrée de 6,6 litres, produisant 401 chevaux et moins d'émissions polluantes. Grâce à ce dernier, les Express et Savana peuvent remorquer une charge maximale de 10 000 lb. Le seul fourgon disposant d'une telle capacité était le Nissan NV, mais celui-ci n'est plus offert au Canada.

Quant au V6 de 4,3 litres de base, il fait le travail si l'on n'a pas besoin de traîner de lourdes remorques, alors que sa charge utile est à peine plus basse qu'avec le V8. Si l'on effectue le trajet Montréal-Québec sur une base

*Ventes combinées des Chevrolet Express et GMC Savana

régulière, vaut mieux considérer le 4 cylindres turbo-diesel de 2,8 litres pour son économie de carburant, celui que l'on retrouve dans les camionnettes Chevrolet Colorado et GMC Canyon. Toutefois, ses capacités sont les pires des trois motorisations, et il coûte 5 700 $ de plus que le moteur V6. Il faut donc rouler beaucoup pour absorber cet investissement. Le V8 de 6,6 litres représente, à nos yeux, le meilleur équilibre de puissance et de longévité, malgré le fait qu'il soit le plus gourmand des trois.

## ADIEU, LECTEUR CD

Les stylistes de GM ayant dessiné l'habitacle de ces camions ont dû prendre leur retraite il y a bien longtemps. Ne cherchez pas d'écrans tactiles dans les Express et Savana, car il n'y en a pas, même en option. De série, on tente de se divertir tant bien que mal avec une chaîne audio AM/FM, une prise auxiliaire et deux haut-parleurs montés dans les portes. Un port USB, la radio satellite (abonnement requis) et deux enceintes supplémentaires sont offerts en option, tout comme la connectivité Bluetooth, et ce, même dans les déclinaisons mieux équipées. Plus chiche que ça, tu meurs.

Le lecteur CD prend le bord, en 2022, ce qui ne fera vraisemblablement pleurer personne. En fait, la caractéristique la plus moderne dans ces bourreaux de travail, c'est la borne Wi-Fi intégrée permettant aux passagers de se brancher sur Internet, bien que l'on doive investir sur un forfait de données. Côté confort et commodités, oublions les sièges et le volant chauffants. En fait, les accessoires les plus anodins, ce qu'on s'attend à retrouver de série dans un véhicule neuf aujourd'hui, figurent sur la liste des options. On n'a qu'à penser à l'affichage de la température extérieure (15 $), au dégivreur de lunette arrière (220 $), à la console « de luxe » avec compartiment de rangement (35 $) et même au klaxon à double tonalité (20 $). Tout cela dans un véhicule vendu plus de 40 000 $!

Malgré leur âge et leur réputation de fiabilité peu reluisante, les Express et Savana trouvent encore des acheteurs. Bien entretenus, ces fourgons peuvent rendre de fiers services pendant de longues années, et les pièces de rechange abondent. Ils passeront éventuellement le flambeau au nouveau fourgon 100 % électrique de GM, le BrightDrop EV600. Mais le temps de laisser les entreprises compléter leur transition vers ce dernier, on risque de fêter les 30 ans de service des Express et Savana avant leur retraite.

**+** Frais d'entretien et disponibilité des pièces • Peut transporter jusqu'à 15 personnes • Excellente capacité de remorquage (moteur V8)

**–** Fiabilité aléatoire • Charge utile peu reluisante • Consommation élevée (sauf diesel)

**GMC SAVANA**

### Données principales

| | |
|---|---|
| Emp. / lon. / lar. / haut. | Emp. court - 3 434 / 5 688 / 2 013 / 2 146 mm |
| | Emp. long - 3 940 / 6 196 / 2 013 / 2 151 mm |
| Coffre / réservoir | 6 187 à 8 031 litres / 117 litres |
| Nombre de passagers | 2 à 15 |
| Suspension av. / arr. | ind., bras inégaux / essieu rigide, ress. à lames |
| Pneus avant / arrière | LT245/75R16 / LT245/75R16 |
| Poids / Capacité de remorquage (max) | 2 361 kg / 4 536 kg (10 000 lb) |

### Composantes mécaniques

**V6 - 4,3 LITRES**

| | |
|---|---|
| Cylindrée, alim. | V6 4,3 litres atmos. |
| Puissance / Couple | 276 ch / 298 lb-pi |
| Tr. base (opt) / Rouage base (opt) | A8 / Prop |

**4L - 2,8 LITRES TURBO-DIESEL**

| | |
|---|---|
| Cylindrée, alim. | 4L 2,8 litres turbo |
| Puissance / Couple | 181 ch / 369 lb-pi |
| Tr. base (opt) / Rouage base (opt) | A8 / Prop |

**V8 - 6,6 LITRES**

| | |
|---|---|
| Cylindrée, alim. | V8 6,6 litres atmos. |
| Puissance / Couple | 401 ch / 464 lb-pi |
| Tr. base (opt) / Rouage base (opt) | A6 / Prop |

# La berline qui refuse de mourir

Frédéric Mercier

**D**ans la catégorie en déclin des berlines intermédiaires, la Chevrolet Malibu est désormais l'unique représentante américaine. Malgré des rumeurs concernant son abandon, la Malibu tient bon et demeure offerte en 2022, possiblement pour une dernière année...

Inchangée depuis 2016, la berline de Chevrolet a subi une cure minceur l'an passé, où l'on a notamment retiré la version hybride de son catalogue. Une décision plutôt surprenante, quand on sait que certains modèles concurrents proposent cette option. Pour le reste, la Malibu continue de n'être offerte qu'avec une architecture à deux roues motrices. Ailleurs dans la catégorie, des modèles comme la Subaru Legacy, la Nissan Altima et la Kia K5 possèdent pourtant le rouage intégral de série, peu importe la version choisie. Comment la Chevrolet Malibu peut-elle donc se démarquer dans un tel contexte?

### LA BERLINE AMÉRICAINE... SANS LE MOTEUR

La Malibu est l'une des rares berlines encore sur le marché à procurer une expérience de conduite typiquement américaine. Oubliez le comportement sportif et les accélérations foudroyantes. Ici, on tente de charmer les consommateurs avec une suspension confortable, un habitacle spacieux et un tableau de bord pas trop techno.

L'intérieur se veut de bon goût, quoique très classique. Les boutons physiques sont omniprésents, contrairement à certains modèles où l'on semble vouloir tout centraliser dans l'écran tactile. On apprécie la convivialité du système d'infodivertissement, la visibilité globalement très bonne ainsi que la position de conduite adéquate.

À l'inverse des traditionnelles berlines américaines, la Malibu boude les grosses mécaniques atmosphériques. Oubliez le moteur V6, que seul Toyota semble s'entêter à conserver sous le capot de sa Camry. Avec la Malibu, on ne peut désormais qu'opter entre un moteur à 4 cylindres de 1,5 litre... ou un autre de 2 litres.

La motorisation de base, jumelée à une transmission automatique à variation continue (CVT), développe une maigre écurie de 160 chevaux. C'est très peu sur papier, bien que le couple de 184 lb-pi permette tout de

---

**Prix:** 25 598 $ à 38 198 $ (2021)
**Transport et prép.:** 1 800 $
**Catégorie:** Intermédiaires
**Garanties:** 3/60, 5/100
**Assemblage:** États-Unis

| | LS | LT | Premier |
|---|---|---|---|
| **PDSF** | 25 598 $ | 28 098 $ | 38 198 $ |
| **Loc.** | n.d. | n.d. | n.d. |
| **Fin.** | 532 $ • 0,00% | 580 $ • 0,00% | 773 $ • 0,00% |

**Ventes**
Québec 2020
423
▼ 42 %

Canada 2020
3 287
▼ 43 %

Sécurité    Consommation

Appréciation générale    Fiabilité prévue    Agrément de conduite

### Équipement

### Sécurité

### Concurrents
Honda Accord, Hyundai Sonata, Kia K5,
Nissan Altima, Subaru Legacy, Toyota Camry,

---

**Nouveau en 2022**
Aucun changement majeur annoncé au moment de mettre sous presse.

même des accélérations acceptables pour une berline dont les prétentions n'ont absolument rien de sportif. Avec le moteur optionnel, la Malibu fournit un peu plus d'adrénaline avec ses 250 chevaux et 260 lb-pi. Avec cette mécanique, on troque l'insipide boîte CVT au profit d'une transmission automatique à 9 rapports plus dynamique. Il en résulte une berline au comportement franchement intéressant, un secret bien gardé dans l'industrie automobile.

Cela dit, pour les automobilistes plus traditionnels, les moteurs à 4 cylindres turbocompressés ne réussiront jamais à égaler la douceur et la souplesse d'un V6 atmosphérique. Chevrolet aurait-il avantage à offrir ce type de motorisation ? Ce serait assurément une façon pour la Malibu de se distinguer de ses rivales, mais les normes environnementales toujours plus strictes et la demande décroissante pour ce genre de produits ne donnent guère espoir pour un retour du V6.

### EN AVOIR POUR SON ARGENT

Le seul élément où la Malibu se démarque réellement, c'est au chapitre financier. Avec un prix de départ à peine supérieur à 25 000 $, l'auto représente une aubaine dans le créneau des berlines intermédiaires. La version de base LS est plutôt dénudée en matière d'équipements, mais un supplément de 900 $ permet de passer à la mouture RS avec son style un peu plus sportif et ses jantes de 18 pouces. Vient ensuite la version LT, qui intègre des sièges chauffants (eh oui, c'est une option avec la Malibu !), des phares à DEL et quelques autres commodités. Il s'agit à notre avis du modèle le plus attrayant d'un point de vue qualité/prix.

Puis il y a la Malibu Premier, la seule à pouvoir bénéficier du moteur de 2 litres. Bien sûr, le comportement routier s'en voit grandement amélioré, mais la pilule est difficile à avaler, avec un prix pouvant dépasser les 40 000 $. Soulignons que peu importe la déclinaison que vous choisirez, il faut s'attendre à une grande dépréciation avec la Chevrolet Malibu. La demande pour ce genre de véhicule est très faible sur le marché d'occasion, et rien ne nous laisse croire que cela changera prochainement.

Sans être mauvaise, la Chevrolet Malibu n'a rien pour se démarquer de ses concurrentes. À moins de vouloir absolument une berline intermédiaire à prix plancher, il y a de meilleurs véhicules à votre disposition.

## Données principales

| | |
|---|---|
| Emp. / lon. / lar. / haut. | 2 830 / 4 933 / 1 854 / 1 455 mm |
| Coffre / réservoir | 445 litres / 60 litres |
| Nombre de passagers | 5 |
| Suspension av. / arr. | ind., jambes force / ind., multibras |
| Pneus avant / arrière | P245/45R18 / P245/45R18 |
| Poids / Capacité de remorquage | 1 422 kg / non recommandé |

## Composantes mécaniques

**4L - 1,5 LITRE**

| | |
|---|---|
| Cylindrée, alim. | 4L 1,5 litre turbo |
| Puissance / Couple | 160 ch / 184 lb-pi |
| Tr. base (opt) / Rouage base (opt) | CVT / Tr |
| 0-100 / 80-120 / V. max | 8,8 s (m) / 7,1 s (m) / n.d. |
| 100-0 km/h | 40,5 m (m) |
| Type / ville / route / $CO_2$ | Ord / 8,2 / 6,6 / 175 g/km |

**4L - 2,0 LITRES**

| | |
|---|---|
| Cylindrée, alim. | 4L 2,0 litres turbo |
| Puissance / Couple | 250 ch / 260 lb-pi |
| Tr. base (opt) / Rouage base (opt) | A9 / Tr |
| Type / ville / route / $CO_2$ | Ord / 10,7 / 7,1 / 213 g/km |

+ Confort de roulement appréciable • Habitacle spacieux • Gamme de prix alléchante

— Aucune version hybride • Rouage intégral indisponible • Faible valeur de revente

CHEVROLET SILVERADO

**Prix :** 32 048 $ à 70 348 $ (2021)
**Transport et prép. :** 1 950 $
**Catégorie :** Camion. pleine gr.
**Garanties :** 3/60, 5/100
**Assemblage :** États-Unis

**Ventes\***
Québec 2020
**20 517**
2 %

Canada 2020
**104 259**
3 %

| | Silv. WT 2RM | Silv. RST 4RM | Sierra Denali 4RM |
|---|---|---|---|
| **PDSF** | 32 048 $ | 51 748 $ | 70 348 $ |
| **Loc.** | 507 $ • 3,90 % | 819 $ • 3,90 % | 1 074 $ • 3,90 % |
| **Fin.** | 691 $ • 1,99 % | 1 041 $ • 1,99 % | 1 426 $ • 1,99 % |

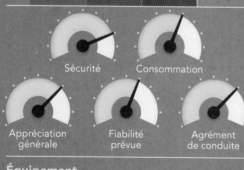

Sécurité  Consommation

Appréciation générale  Fiabilité prévue  Agrément de conduite

**Équipement**

**Sécurité**

**Concurrents**
Ford F-150, Ram 1500, Toyota Tundra

**Nouveau en 2022**
Nouvelle version ZR2 et modifications esthétiques attendues.

# Deux c'est mieux

Jacques Bienvenue

**M**ois après mois, les camionnettes jumelles Chevrolet Silverado et GMC Sierra sont parmi les véhicules les plus vendus au pays. Pour ce faire, GM propose deux gammes totalisant près d'une vingtaine de versions taillées selon les besoins d'une clientèle très variée.

Certaines de ces camionnettes, comme les Silverado WT (pour *Work Truck*) et Custom, ou encore les Sierra d'entrée de gamme, ont une vocation principalement ouvrière. Par contre, GM ne néglige aucun client, surtout pas celui qui valorise les véhicules tout-terrain purs et durs. Pour cette clientèle, le GMC Sierra AT4 et les versions Trail Boss des Chevrolet Silverado Custom et LT offrent des équipements optimisant leurs aptitudes hors route et rehaussant leur apparence.

Le cœur du marché gravite cependant autour d'acheteurs qui partagent leur camionnette entre travail, famille et loisirs. C'est à eux que l'on destine les Silverado LT, RST et LTZ, et les Sierra SLE, Elevation et SLT. À cela s'ajoutent des versions luxueuses. On pense ici au Sierra Denali, devenu dès 2002 une référence en la matière, mais aussi au Silverado High Country qui a suivi ses traces douze ans plus tard.

**PEDIGREE CHIFFRÉ**
Le pedigree d'une camionnette se définit par de nombreux chiffres. Toutefois, l'appellation complète de nos deux jumelles (Silverado 1500 et Sierra 1500), où 1500 signifie «demi-tonne» pour les constructeurs, s'avère trompeuse. Après tout, leur capacité de charge tourne autour d'une tonne. Leurs cotes de remorquage, en revanche, sont on ne peut plus explicites. La cote maximale de 13 300 lb de ces camionnettes obtenue avec un V8 de 6,2 litres surpasse celle des Ram 1500 (12 750 lb) mais pas celle des F-150 (14 000 lb). Voilà qui plaira aux acheteurs pour qui plus, c'est mieux !

Cette camionnette ultime n'est toutefois pas pour tout le monde. Voilà pourquoi GM offre cinq moteurs différents. Ceux qui recherchent un bas prix, par exemple, opteront peut-être pour le V6 de moins de 300 chevaux. Ce moteur d'entrée de gamme a une cote de remorquage de 7 900 lb. Le 4 cylindres turbo paraîtra peut-être plus attrayant. Il est le moins gourmand de tous les moteurs à essence. De plus, il est plus puissant que le V6 et livre plus de couple, sans compter une limite de remorquage de 9 600 lb.

Pour les tâches plus exigeantes, le choix se portera sans doute sur l'un ou l'autre des deux V8 de 5,3 ou 6,2 litres. Ils sont les plus puissants et procurent les plus hautes cotes de remorquage. Puisqu'ils sont plus gourmands, le constructeur a prévu une désactivation des cylindres pour optimiser leur consommation et celle des autres moteurs à essence. Certains ont un dispositif d'arrêt-démarrage au ralenti.

Pour finir, il y a un turbodiesel. Ce 6 cylindres en ligne Duramax semble d'ailleurs offrir le meilleur des deux mondes. Il produit autant de couple que le V8 le plus puissant (460 lb-pi), tout en permettant à un Silverado à deux roues motrices de consommer aussi peu de carburant qu'un Equinox à quatre roues motrices (8,8 L/100 km). Enfin, sa capacité de remorquage atteint 9 500 lb.

## CABINES ET CAISSES VARIÉES

Ces camionnettes ont une caisse en acier de 5,8, 6,6 ou 8,2 pieds. Une caisse en fibre de carbone figure parmi les options de certains Sierra haut de gamme. Selon le cas, ces caisses sont appariées à une cabine à deux ou à quatre portes (double ou multiplace). Avec des cabines haut perchées, le marchepied devient incontournable pour ces véhicules.

GM propose diverses solutions novatrices qui facilitent l'accès à la caisse. À l'image des marches de coin encastrées au pare-chocs arrière : simples, pratiques et robustes. Quelques camionnettes ont également un hayon baptisé EZ-Lift qu'un mécanisme ingénieux rend aussi léger qu'une plume. À cela s'ajoute un hayon électrique pour certaines versions cossues et pour d'autres le hayon MultiPro de GMC, que Chevrolet a renommé MultiFlex. Ce hayon articulé peut se déployer de six façons différentes pour s'adapter à divers chargements ou faciliter l'accès à la caisse.

Le raffinement de ces jumelles s'étend à leurs nombreux dispositifs d'aide à la conduite. Parmi ceux-ci, le système de caméras multiples ressort du lot. Il offre 15 manières de surveiller le périmètre du véhicule, dont le mode Remorque transparente permettant de voir à la fois derrière le hayon et derrière la remorque. Ou comment réinventer l'art de conduire un train routier !

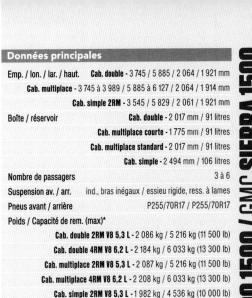

**CHEVROLET SILVERADO 1500 / GMC SIERRA 1500**

### Données principales

| | | |
|---|---|---|
| Emp. / lon. / lar. / haut. | Cab. double - | 3 745 / 5 885 / 2 064 / 1 921 mm |
| | Cab. multiplace - | 3 745 à 3 989 / 5 885 à 6 127 / 2 064 / 1 914 mm |
| | Cab. simple 2RM - | 3 545 / 5 829 / 2 061 / 1 921 mm |
| Boîte / réservoir | Cab. double - | 2 017 mm / 91 litres |
| | Cab. multiplace courte - | 1 775 mm / 91 litres |
| | Cab. multiplace standard - | 2 017 mm / 91 litres |
| | Cab. simple - | 2 494 mm / 106 litres |
| Nombre de passagers | | 3 à 6 |
| Suspension av. / arr. | | ind., bras inégaux / essieu rigide, ress. à lames |
| Pneus avant / arrière | | P255/70R17 / P255/70R17 |
| Poids / Capacité de rem. (max)* | | |
| | Cab. double 2RM V8 5,3 L - | 2 086 kg / 5 216 kg (11 500 lb) |
| | Cab. double 4RM V8 6,2 L - | 2 184 kg / 6 033 kg (13 300 lb) |
| | Cab. multiplace 2RM V8 5,3 L - | 2 087 kg / 5 216 kg (11 500 lb) |
| | Cab. multiplace 4RM V8 6,2 L - | 2 208 kg / 6 033 kg (13 300 lb) |
| | Cab. simple 2RM V8 5,3 L - | 1 982 kg / 4 536 kg (10 000 lb) |
| | Cab. simple 4RM V8 5,3 L - | 2 078 kg / 4 400 kg (9 700 lb) |

*Avec ensemble remorquage maximum

### Composantes mécaniques

**DIESEL**

| | |
|---|---|
| Cylindrée, alim. | 6L 3,0 litres turbo |
| Puissance / Couple | 277 ch / 460 lb-pi |
| Tr. base (opt) / Rouage base (opt) | A10 / Prop (4x4) |
| Type / ville / route / CO₂ | Prop - Die / 10,2 / 7,2 / 238 g/km |
| | 4x4 - Die / 10,6 / 9,2 / 268 g/km |

**V6 - 4,3 LITRES**

| | |
|---|---|
| Cylindrée, alim. | V6 4,3 litres atmos. |
| Puissance / Couple | 285 ch / 305 lb-pi |
| Tr. base (opt) / Rouage base (opt) | A6 / Prop (4x4) |
| Type / ville / route / CO₂ | Prop - Ord / 15,1 / 11,5 / 318 g/km |
| | 4x4 - Ord / 15,8 / 11,9 / 329 g/km |

**V8 - 5,3 LITRES**

| | |
|---|---|
| Cylindrée, alim. | V8 5,3 litres atmos. |
| Puissance / Couple | 355 ch / 383 lb-pi |
| Tr. base (opt) / Rouage base (opt) | A8 / Prop (4x4) |
| Type / ville / route / CO₂ | Prop - Ord / 13,9 / 10,1 / 286 g/km |
| | 4x4 - Ord / 14,4 / 10,6 / 299 g/km |

**V8 - 6,2 LITRES**

| | |
|---|---|
| Cylindrée, alim. | V8 6,2 litres atmos. |
| Puissance / Couple | 420 ch / 460 lb-pi |
| Tr. base (opt) / Rouage base (opt) | A10 / Prop (4x4) |
| Type / ville / route / CO₂ | Prop - Ord / n.d. / n.d. / n.d. |
| | 4x4 - Ord / 14,7 / 11,0 / 306 g/km |

**4L - 2,7 LITRES**

4L 2,7 L - 310 ch/348 lb-pi - A8 - 0-100: n.d. - 11,9/10,3 L/100 km

| | |
|---|---|
| **+** Conduite agréable •<br>Habitacle bien insonorisé •<br>Turbodiesel Duramax<br>impressionnant •<br>Marches encastrées des<br>pare-chocs pratiques | **—** Design trop sobre du<br>tableau de bord •<br>Marchepied essentiel |

**GMC SIERRA**

**CHEVROLET SILVERADO**

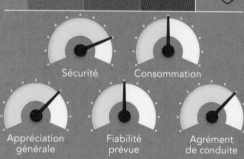

CHEVROLET SILVERADO HD

## Prix et données

**Prix:** 45 048 $ à 80 548 $ (2021)
**Transport et prép.:** 1 950 $
**Catégorie:** Camion. pleine gr.
**Garanties:** 3/60, 5/100
**Assemblage:** États-Unis

**Ventes***
Québec 2020
**20 517**
▼ 2 %

Canada 2020
**104 259**
▼ 3 %

|  | Silv. 2500 WT | Silv. 2500 LTZ | Sierra 3500 Denali |
|---|---|---|---|
| PDSF | 45 048 $ | 62 248 $ | 80 548 $ |
| Loc. | n.d. | 1 102 $ • 5,90 % | 1 294 $ • 5,90 % |
| Fin. | 954 $ • 1,99 % | 1 298 $ • 1,99 % | 1 693 $ • 1,99 % |

Sécurité　Consommation

Appréciation générale　Fiabilité prévue　Agrément de conduite

**Équipement**

**Sécurité**

**Concurrents**
Ford Super Duty, Ram Heavy-Duty

**Nouveau en 2022**
Aucun changement majeur annoncé au moment de mettre sous presse.

# Bon travailleur

Marc-André Gauthier

**U**n vendeur travaillant chez un concessionnaire qui offre l'un des produits les plus populaires du marché a déjà dit à l'un de mes bons amis, qui se plaignait de bris mécaniques sur sa camionnette 1500, que s'il voulait un véhicule véritablement conçu pour travailler, il devrait opter pour la catégorie des HD, pour «heavy duty». Pourtant, les camionnettes pleine grandeur d'aujourd'hui sont plus robustes que jamais, avec des capacités de remorquage qui dépassent aisément les 10 000 livres.

Malgré tout, pour ceux qui veulent faire de gros travaux, affronter des routes défoncées à l'autre bout du monde, ou tout simplement remorquer des charges qu'aucun autre véhicule ne peut affronter, les versions 2500 et 3500 des Silverado et Sierra méritent assurément d'être considérées.

Chez GM, il y a essentiellement quatre camionnettes qui répondent à cette définition: les Chevrolet Silverado 2500 et Silverado 3500 ainsi que les Sierra 2500 et Sierra 3500. Or, bien que ces produits soient excellents, leur offre s'avère complexe en plus d'afficher un prix élevé.

**STYLE ROBUSTE**
D'un point de vue esthétique, cette génération de camionnettes HD est la première à se démarquer autant des camions Silverado et Sierra réguliers. Bien entendu, la silhouette de ces machines imposantes reste sensiblement la même, mais il y a tellement d'éléments stylistiques qui varient en fonction de la version choisie qu'on a essentiellement affaire à des camions qui finissent par largement différer l'un de l'autre. Chez Chevrolet, par exemple, on peut aller du traditionnel nœud papillon à une grosse barre sur laquelle est gravé le nom «Chevrolet». Les modèles GMC Sierra 2500 et 3500 varient également d'un point de vue visuel d'une version à l'autre tout en affichant un style globalement plus robuste.

Dans les deux cas, on a des habitacles spacieux, qui peuvent être joliment garnis si l'on se tourne vers des versions High Country et Denali tout équipées. Toutefois, la petitesse relative de l'écran du système multimédia rend l'ensemble étrange. Même dans les versions les plus cossues des deux camions, le raffinement n'est pas à l'honneur et au niveau de l'équipement, le Ram HD en donne plus. Certains pourraient répondre que la présentation intérieure est superficielle dans un modèle destiné au travail comme les Silverado et

*Ventes combinées des Chevrolet Silverado et GMC Sierra 1500 et HD

Sierra HD. À cela, répondons simplement que les travailleurs sont eux aussi à la recherche d'une présentation de plus en plus raffinée. Qui plus est, il est injuste de penser que ces gros camions HD ne sont réservés qu'aux propriétaires d'entreprise en construction. Certains individus se tournent vers ces mastodontes pour trimballer leur remorque ou leur roulotte de fort gabarit, et ils n'ont pas nécessairement envie de se balader dans un véhicule dépourvu d'équipements.

## ENCORE ET TOUJOURS UNE GUERRE DE CHIFFRES

Si vous prêtez attention à l'industrie, vous savez que les produits GM ne se situent pas au sommet des performances revendiquées. En fait, chaque fois que l'un des trois joueurs importants lance un nouveau véhicule, il s'assure que la plus récente version de sa grosse camionnette reste la plus capable. Comme le Silverado et le Sierra commencent à dater, ils ne sont plus les plus performants.

Pourtant, ça, on s'en moque, d'autant plus que les différences demeurent minimes. L'important, c'est de voir comment les camionnettes se comportent lorsqu'on leur demande de travailler. À ce sujet, on doit bien avouer que GM a un bon produit sous la main. La qualité du châssis de ces gros *pickups* est indéniable, et même lorsqu'on tire de lourdes charges, ou lorsqu'on décide d'aller tester les suspensions en hors route, on est vraiment renversé par leur comportement.

Il y a tellement de configurations de cabines, de boîtes et de mécaniques proposées qu'il ne sert à rien d'énumérer toutes les possibilités. Ce qu'il faut retenir, c'est qu'il n'y a pas de mauvaise mécanique offerte ici. Que l'on parle du V8 de 6,6 litres ou du moteur diesel Duramax de la même cylindrée, vous aurez un solide compagnon de chantier qui vous accompagnera pour un bon moment, les deux ayant fait preuve de robustesse !

Cela dit, si vous voulez vraiment épater la galerie, c'est le moteur diesel qu'il vous faut ! Avec plus de 900 lb-pi de couple, il peut remorquer jusqu'à 36 000 lb, lorsque muni d'une attache à sellette, et contenir jusqu'à 7 442 lb dans sa boîte, selon la configuration sélectionnée.

Vous vous en doutez bien, ces produits sont des plus dispendieux. Toutefois, dites-vous que s'il vous en faut un pour le travail, ils demeurent tout de même civilisés au quotidien, donc vous n'aurez pas besoin de vous procurer un deuxième véhicule. Pour l'économie d'essence, par contre, on repassera…

**+** Habitacle spacieux • Conduite robuste, mais confortable • Performances au travail • Suspension éprouvée

**–** Prix élevés • Moteurs gourmands • Manque de technologies • Écran central trop petit

### CHEVROLET SILVERADO HD / GMC SIERRA HD

#### Données principales

| | | |
|---|---|---|
| Emp. / lon. / lar. / haut. | Cab. double 2RM | 4 127 / 6 514 / 2 079 / 2 027 mm |
| | Cab. double 4RM | 4 127 / 6 514 / 2 079 / 2 027 mm |
| | Cab. multiplace 4RM | 4 369 / 6 756 / 2 079 / 2 023 mm |
| | Cab. simple 2RM | 3 595 / 5 982 / 2 076 / 2 030 mm |
| | Cab. simple 4RM | 3 595 / 5 982 / 2 076 / 2 030 mm |
| Boîte / réservoir | Cab. double 2RM | 2 089 à 2 496 mm / 136 litres |
| | Cab. double 4RM | 2 089 à 2 496 mm / 136 litres |
| | Cab. multiplace 4RM | 2 089 à 2 496 mm / 136 litres |
| | Cab. simple | 2 496 mm / 136 litres |
| | Cab. simple 4RM | 2 496 mm / 136 litres |
| Nombre de passagers | | 3 à 6 |
| Suspension av. / arr. | | ind., bras inégaux / essieu rigide, ress. à lames |
| Pneus avant / arrière | | LT245/75R17E / LT245/75R17E |
| Poids / Cap. de rem. | Cab. double 2RM | 3 239 kg / 6 577 kg (14 500 lb) |
| | Cab. multiplace 4RM | 3 191 kg / 8 392 kg (18 500 lb) |
| | Cab. simple 2RM | 2 688 kg / 6 577 kg (14 500 lb) |
| | 3500 HD (Turbo-diesel) | 3 249 kg / 9 072 kg (20 000 lb) |

#### Composantes mécaniques

**ESSENCE**

| | |
|---|---|
| Cylindrée, alim. | V8 6,6 litres atmos. |
| Puissance / Couple | 401 ch / 464 lb-pi |
| Tr. base (opt) / Rouage base (opt) | A6 / Prop (4x4) |

**DIESEL**

| | |
|---|---|
| Cylindrée, alim. | V8 6,6 litres turbo |
| Puissance / Couple | 445 ch / 910 lb-pi |
| Tr. base (opt) / Rouage base (opt) | A10 / 4x4 |

GMC SIERRA HD

CHEVROLET SILVERADO HD

GMC SIERRA HD

Photos : Chevrolet, GMC

# CHEVROLET SPARK

★★★⯪ COTE DU GUIDE

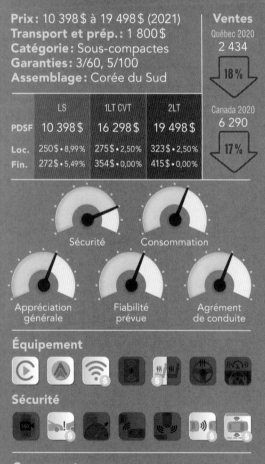

**Prix :** 10 398 $ à 19 498 $ (2021)
**Transport et prép. :** 1 800 $
**Catégorie :** Sous-compactes
**Garanties :** 3/60, 5/100
**Assemblage :** Corée du Sud

**Ventes**

Québec 2020
**2 434**

⬇ 18 %

Canada 2020
**6 290**

⬇ 17 %

|  | LS | 1LT CVT | 2LT |
|---|---|---|---|
| PDSF | 10 398 $ | 16 298 $ | 19 498 $ |
| Loc. | 250 $ • 8,99 % | 275 $ • 2,50 % | 323 $ • 2,50 % |
| Fin. | 272 $ • 5,49 % | 354 $ • 0,00 % | 415 $ • 0,00 % |

Sécurité — Consommation

Appréciation générale — Fiabilité prévue — Agrément de conduite

**Équipement**

**Sécurité**

**Concurrents**

Kia Rio, Mitsubishi Mirage, Nissan Versa

**Nouveau en 2022**

Aucun changement majeur annoncé au moment de mettre sous presse.

# L'étincelle n'est plus

Germain Goyer

Après avoir rayé du catalogue les Sonic, Cruze et Volt, l'offre de voitures est on ne peut plus succincte chez Chevrolet. En fait, en excluant les sportives, il ne reste que la Bolt, la Malibu et la Spark. Et pour cette dernière, disons que l'avenir est très incertain. En effet, ces dernières années, les sous-compactes sont tombées comme des mouches et seule une poignée d'irréductibles demeurent. Pour le moment.

Sur le plan mécanique, la Spark ne propose rien de farfelu. Sous son capot loge un moteur atmosphérique à 4 cylindres de 1,4 litre. Certes, c'est une toute petite cylindrée, mais elle est proportionnelle à la taille de la voiture. La Spark fait partie du club très exclusif (si l'on peut dire...) des véhicules dont la puissance est inférieure à 100 chevaux. Pour être exact, le bloc développe 98 chevaux et 94 lb-pi. Mais on le réitère, pour le format de la voiture et sa vocation, c'est suffisant. Dans sa version d'entrée de gamme, elle est livrée avec une boîte manuelle à 5 rapports. Au prix de base fort alléchant, il faut additionner 4 400 $ pour obtenir la transmission à variation continue (CVT) et le climatiseur. Voilà qui est tout d'un coup pas mal moins intéressant. Par ailleurs, il faut savoir que les manufacturiers ont parfois la fâcheuse habitude de n'offrir la boîte manuelle que sur des modèles de base dépourvus d'options dans le seul but d'afficher un prix très bas. Or, dans le cas de la Spark, la boîte manuelle est également livrable avec une version de milieu de gamme reconnue par l'appellation 1LT.

Vu la taille de la Spark, on pourrait croire qu'elle a l'appétit d'une souris. Ce n'est malheureusement pas le cas. Ressources naturelles Canada affiche une cote combinée de 7 L/100 km pour la Spark à boîte CVT. À titre d'exemple, la Toyota Corolla à moteur de 2 litres, une berline plus spacieuse, plus confortable et plus puissante, ne consomme que 6,7 L/100 km. Alors avant de jeter votre dévolu sur une sous-compacte comme la Spark dans le seul but de dépenser moins à la pompe, pensez-y à deux fois.

La Chevrolet Spark se démarque notamment par son habitacle : le niveau de finition, la qualité des matériaux et la présentation générale dépassent largement ce que propose sa rivale directe, la Mitsubishi Mirage. Qui plus est, la Spark est équipée d'un écran tactile de 7 pouces qui permet de contrôler le système d'infodivertissement. Celui-ci est intuitif et mieux conçu que celui de Mitsubishi.

## NE LA LOUEZ PAS

La location a connu une hausse de popularité notable ces dernières années. Cela étant, dans le cas qui nous concerne, elle n'est absolument pas avantageuse. En effet, pour une location sur un terme de 48 mois à un taux de 8,99 % (!), vous paierez 335 $ par mois pour une Spark LS à boîte CVT. Pour un terme de la même durée avec une allocation de 20 000 km par année, vous paierez 310 $ par mois pour une Nissan Sentra SV à boîte CVT à un taux de 0,5 %. Une auto plus spacieuse, plus performante et moderne. À la lumière de ces quelques chiffres, on est à même de constater que General Motors refuse catégoriquement de vous louer une Spark. Pourquoi ? Parce que le constructeur ne veut absolument pas les voir revenir quatre ans plus tard et être coincé pour les revendre. N'oublions pas que la Spark est assemblée en Corée du Sud et que les frais de transport jusqu'en Amérique sont onéreux.

Cela étant, que vous payiez la voiture comptant ou que vous la financiez, allez-y mollo. Se procurer une version 2LT à près de 22 000 $ n'a aucun sens ! Il en est de même pour les options. Vous n'êtes pas obligé de toutes les cocher, au contraire. La Spark se veut une petite bagnole à bas prix, alors gardez cette idée en tête en la magasinant.

## IRRÉDUCTIBLE ?

Ces dernières années, le segment des sous-compactes a fondu comme neige au soleil. Malgré une certaine demande du marché québécois, le déclin est généralisé à l'échelle nord-américaine et la rentabilité désormais absente. C'est dans cette foulée que sont disparues les Honda Fit, Toyota Yaris, Ford Fiesta, Fiat 500, Nissan Micra, Hyundai Accent, etc. Pour ainsi dire, il ne reste que la Chevrolet Spark, la Mitsubishi Mirage, la Kia Rio — en version à hayon seulement — ainsi que la Nissan Versa récemment débarquée.

Du coup, trois sous-compactes à hayon et une seule berline sont offertes au moment d'écrire ces lignes. Bien que nous ayons une nette préférence pour la Spark par rapport à la Mirage, nous sommes d'avis que les Fit, Yaris et Accent étaient de bien meilleures voitures. Hélas, il faut désormais se tourner vers le marché d'occasion pour en obtenir un exemplaire.

### Données principales

| | |
|---|---|
| Emp. / lon. / lar. / haut. | 2 385 / 3 635 / 1 595 / 1 483 mm |
| Coffre / réservoir | 314 à 770 litres / 35 litres |
| Nombre de passagers | 4 |
| Suspension av. / arr. | ind., jambes force / semi-ind., poutre torsion |
| Pneus avant / arrière | P185/55R15 / P185/55R15 |
| Poids / Capacité de remorquage | 1 049 kg / non recommandé |

### Composantes mécaniques

| | |
|---|---|
| Cylindrée, alim. | 4L 1,4 litre atmos. |
| Puissance / Couple | 98 ch / 94 lb-pi |
| Tr. base (opt) / Rouage base (opt) | M5 (CVT) / Tr |
| Type / ville / route / CO$_2$ | **Man** - Ord / 8,0 / 6,2 / 170 g/km |
| | **Auto** - Ord / 7,7 / 6,2 / 165 g/km |

**+** Format pratique en ville • Système d'infodivertissement intuitif • Finition et présentation supérieures à la moyenne

**–** Consommation décevante • Location très peu intéressante

Photos : Chevrolet

GMC YUKON

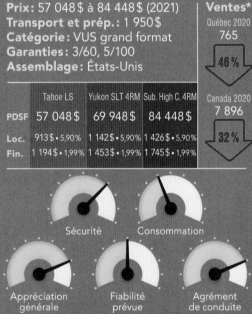

**Prix:** 57 048 $ à 84 448 $ (2021)
**Transport et prép.:** 1 950 $
**Catégorie:** VUS grand format
**Garanties:** 3/60, 5/100
**Assemblage:** États-Unis

**Ventes***
Québec 2020
765
↓ 46 %

Canada 2020
7 896
↓ 32 %

| | Tahoe LS | Yukon SLT 4RM | Sub. High C. 4RM |
|---|---|---|---|
| PDSF | 57 048 $ | 69 948 $ | 84 448 $ |
| Loc. | 913 $ • 5,90 % | 1 142 $ • 5,90 % | 1 426 $ • 5,90 % |
| Fin. | 1 194 $ • 1,99 % | 1 453 $ • 1,99 % | 1 745 $ • 1,99 % |

Sécurité • Consommation
Appréciation générale • Fiabilité prévue • Agrément de conduite

**Équipement**

**Sécurité**

**Concurrents**
Ford Expedition, Jeep Wagoneer,
Nissan Armada, Toyota Sequoia

**Nouveau en 2022**
Aucun changement majeur annoncé
au moment de mettre sous presse.

# La vraie passion de General Motors

Antoine Joubert

Créer des camions, c'est dans l'ADN des constructeurs américains parce que les concepteurs comme la clientèle les adorent et parce qu'avec le produit vient une palpable fierté qu'on ne ressent pas lorsqu'il est question d'un Trailblazer ou d'une Bolt. Bien sûr, les Tahoe, Yukon et Suburban constituent plus que jamais un symbole de démesure à l'américaine. Or, ils continuent de gagner en popularité chez nous. Pour combien de temps encore?

Chose certaine, GM balaie désormais Ford et son Expedition du revers de la main avec une gamme de camions beaucoup plus complète qui corrige heureusement la vaste majorité des irritants du modèle de précédente génération. Vous constaterez donc, d'entrée de jeu, que les Tahoe et Yukon à empattement régulier se voient allongés de 17 cm, permettant d'offrir plus d'espace aux places arrière, un facteur sur lequel GM se devait de travailler. On a aussi augmenté l'espace de chargement de façon considérable en retravaillant le moulage des panneaux, mais surtout en abaissant le seuil du plancher. On a réussi cet exploit grâce à l'élimination (enfin!) de l'essieu arrière rigide au profit d'une suspension entièrement indépendante.

Ces mastodontes offrent donc plus d'espace et de confort que par le passé, l'accès aux places arrière étant également plus facile. Il faut aussi mentionner que les passagers de la troisième rangée, bien qu'ils ne soient manifestement pas aussi bien installés qu'à l'avant, n'ont désormais plus les genoux au front comme c'était le cas avec le précédent modèle. Devant, le conducteur profite d'un environnement plutôt classique dans son approche. La finition est nettement supérieure à celle du précédent modèle, mais ne rivalise hélas pas avec celle de Ford, et encore moins celle du nouveau Jeep Wagoneer, son nouveau pire ennemi! Cela dit, l'ergonomie générale est irréprochable et le confort, exceptionnel. Notons d'ailleurs le retrait du traditionnel levier de vitesse à la colonne au profit d'un système à bouton poussoir, ce que les ingénieurs n'ont conservé que pour les camionnettes Silverado et Sierra.

**DU SOLIDE**
Sur papier, le groupe de VUS de GM remorque un peu moins que la compétition, à peine 8 400 lb contre 9 100 chez Ford, et 10 000 chez Jeep. Cet élément freinera-t-il les acheteurs? Assurément pas, puisque le véhicule

*Ventes combinées des Chevrolet Suburban, Chevrolet Tahoe et GMC Yukon

propose des capacités remarquables, malgré tout. Même lorsque lourdement attelé, le Yukon mis à l'essai ne semblait aucunement souffrir. Voilà un signe que les suspensions sont extrêmement efficaces et que le châssis est capable d'en prendre. Proposant un comportement routier se situant à des années-lumière des anciens modèles, ces VUS témoignent d'ailleurs de tout le travail de recherche effectué par les ingénieurs afin d'éliminer le sautillement, les bruits de caisse et l'instabilité. Aujourd'hui, le véhicule est maniable et nettement plus confortable, pour une expérience de conduite des plus agréables.

Parce que GM ne fait pas les choses à moitié, on y propose trois choix mécaniques. D'abord, un puissant et réputé V8 de 6,2 litres, exclusif aux versions High Country (Chevrolet) et Denali (GMC). Ensuite, un V8 de 5,3 litres de série pour l'ensemble des autres modèles ainsi qu'un moteur turbodiesel de 3 litres offert partout, à l'exception des modèles Z71 (Chevrolet) et AT4 (GMC). Voilà d'ailleurs un point décevant, considérant que ces versions sont conçues pour être plus aventurières, elles profiteraient justement de l'avantage d'un couple généreux à très bas régime. L'angle d'attaque optimisé pour la conduite hors route par la modification du bouclier avant, propre à ces versions, expliquerait l'impossibilité de GM de pouvoir y greffer son moteur diesel.

### AVANTAGE DIESEL

Sans contredit, le 6 cylindres Duramax constitue un net avantage pour ces camions qui, malgré toutes leurs qualités, consomment encore de façon considérable, malheureusement même un peu plus que leurs devanciers (5,3 et 6,2 litres), quoi qu'en disent les cotes de consommation annoncées. Avec une moyenne enregistrée à seulement 9,7 L/100 km pour un Suburban Premier, il est évident que l'option du diesel reste fort intéressante. Certes, elle engendre des frais supplémentaires de 2 000 $ et des coûts d'entretien plus élevés, néanmoins le rendement et les performances de cette motorisation vous convaincront. Reste à voir si GM saura suffire à la demande puisque la disponibilité chez les concessionnaires, au moment d'écrire ces lignes, semblait être problématique.

Avec un choix de six versions, deux configurations de carrosserie et trois moteurs qui ont fait leurs preuves, GM s'assure une position de tête dans le segment. Il faudra cependant s'attarder rapidement à ce fort appétit en carburant des moteurs V8 avant que la concurrence ne s'en mêle.

CHEVROLET SUBURBAN / TAHOE / GMC YUKON

## Données principales

| | |
|---|---|
| Emp. / lon. / lar. / haut. | **Tahoe** - 3 070 / 5 351 / 2 057 / 1 927 mm |
| | **Suburban** - 3 406 / 5 732 / 2 059 / 1 922 mm |
| | **Yukon** - 3 071 / 5 334 / 2 057 / 1 943 mm |
| | **Yukon XL** - 3 406 / 5 720 / 2 057 / 1 943 mm |
| Coffre / réservoir | **Tahoe/Yukon** - 722 à 3 479 litres / 98 litres |
| | **Suburban/Yukon XL** - 1 175 à 4 097 litres / 106 litres |
| Nombre de passagers | **Tahoe/Yukon** - 5 |
| | **Suburban/Yukon XL** - 8 à 9 |
| Suspension av. / arr. | ind., bras inégaux / ind., multibras |
| Pneus avant / arrière | P265/65R18 / P265/65R18 |
| Poids / Cap. de remorquage | **Tahoe/Yukon** - 2 596 kg / 3 810 kg (8 400 lb) |
| | **Suburban/Yukon XL** - 2 663 kg / 3 765 kg (8300 lb) |

## Composantes mécaniques

**DIESEL**

| | |
|---|---|
| Cylindrée, alim. | 6L 3,0 litres turbo |
| Puissance / Couple | 277 ch / 460 lb-pi |
| Tr. base (opt) / Rouage base (opt) | A10 / Prop (4x4) |
| Type / ville / route / $CO_2$ | **Prop** - Die / 11,3 / 8,6 / 272 g/km |
| | **4x4** - Die / 12,0 / 8,9 / 277 g/km |

**V8 - 5,3 LITRES**

| | |
|---|---|
| Cylindrée, alim. | V8 5,3 litres atmos. |
| Puissance / Couple | 355 ch / 383 lb-pi |
| Tr. base (opt) / Rouage base (opt) | A10 / Prop (4x4) |
| Type / ville / route / $CO_2$ | **Prop** - Ord / 14,3 / 11,8 / 309 g/km |
| | **4x4** - Ord / 15,3 / 12,4 / 328 g/km |

**V8 - 6,2 LITRES**

| | |
|---|---|
| Cylindrée, alim. | V8 6,2 litres atmos. |
| Puissance / Couple | 420 ch / 460 lb-pi |
| Tr. base (opt) / Rouage base (opt) | A10 / 4x4 |
| 0-100 / 80-120 / V. max | 6,8 (m) / 4,5 (m) / n.d. |
| 100-0 km/h | 40,2 m (m) |
| Type / ville / route / $CO_2$ | Ord / 16,8 / 12,4 / 347 g/km |

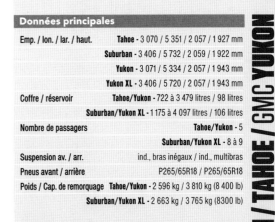

**CHEVROLET TAHOE**

| + Choix de modèles et de motorisations • Habitabilité nettement améliorée • Qualité de construction • Moteur diesel fort pertinent | − Consommation plus élevée qu'en 2020 (V8) • Présentation intérieure moyenne • Pas de diesel pour les Z71 et AT4 • Un festival d'options |
|---|---|

**GMC YUKON**

Photos : Marc-André Gauthier, Chevrolet, Marc Lachapelle

**CHEVROLET SUBURBAN**

# Le mauvais nom pour un produit ordinaire

Marc-André Gauthier

| | | | | Ventes |
|---|---|---|---|---|
| **Prix:** 23 898 $ à 30 598 $ (2021) | | | | Québec 2020 |
| **Transport et prép.:** 1 900 $ | | | | **564** |
| **Catégorie:** VUS sous-compacts | | | | |
| **Garanties:** 3/60, 5/100 | | | | n.d. |
| **Assemblage:** Corée du Sud | | | | |

| | LS | LT TI | RS TI | Canada 2020 |
|---|---|---|---|---|
| PDSF | 23 898 $ | 28 098 $ | 30 598 $ | **2 486** |
| Loc. | 376 $ • 3,90 % | 415 $ • 3,90 % | 454 $ • 3,90 % | n.d. |
| Fin. | 483 $ • 0,00 % | 554 $ • 0,00 % | 594 $ • 0,00 % | |

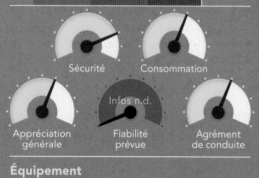

Sécurité — Consommation — Appréciation générale — Infos n.d. Fiabilité prévue — Agrément de conduite

**Équipement**

**Sécurité**

**Concurrents**

Buick Encore GX, Fiat 500X, Ford EcoSport, Honda HR-V, Hyundai Kona, Jeep Renegade, Kia Niro/Seltos, Mazda CX-30, Mitsubishi Eclipse Cross/RVR, Nissan Qashqai, Subaru Crosstrek, Volkswagen Taos

**Nouveau en 2022**

Aucun changement majeur annoncé au moment de mettre sous presse.

**L**es derniers mois ont été marqués par un retour en force des VUS hors route. On voit réapparaître des camions portant fièrement des noms légendaires comme Bronco ou encore Defender. Eh oui, Jeep et son Wrangler ont enfin de la concurrence!

General Motors a, dans son bagage historique, un VUS qu'il aurait pu ressortir pour se joindre à la bagarre, le Trailblazer. Au début des années 2000, c'était un VUS intermédiaire pas trop dispendieux et plutôt compétent en hors route. Malmené par la presse automobile, il s'est toutefois attiré une communauté de fidèles.

Depuis, GM a réintroduit le Blazer, un VUS intermédiaire à 5 places, qui se veut «sportif», ce qui nous permettait de rêver, le nom Trailblazer étant encore disponible! Malheureusement, «l'éclaireur des sentiers» est revenu, sous la forme d'un VUS sous-compact qui n'est pas du tout destiné au hors route et qui est, finalement, un produit très ordinaire.

**UN CERTAIN STYLE**

La plus grande qualité du Trailblazer est sans doute son style. Sachant que le nom Trailblazer évoque un véhicule «hors route», General Motors a eu la présence d'esprit de lui donner un look aventurier. Ainsi, le petit VUS reprend certains éléments du Blazer, notamment le devant, auxquels il conjugue des éléments propres à l'exploration hors route, comme des bas de caisse, des contours d'aile en robuste plastique noir et des rails de toit.

Malheureusement, la thématique tout-terrain s'arrête là. Quand on entre dans l'habitacle, on est accueilli par une esthétique plutôt conservatrice. Le gros écran multimédia sur la planche de bord nous rappelle que l'on est bel et bien dans un véhicule moderne, mais la présentation manque cruellement de personnalité. Sans dire que c'est laid, ça ne se démarque pas particulièrement.

Au moins, les places avant sont confortables, et les places arrière relativement spacieuses, pour un VUS sous-compact, entendons-nous. C'est un peu mieux pour l'espace de chargement, avec une contenance de 716 litres. En option, on peut munir son Trailblazer de plusieurs technologies de sécurité, néanmoins, elles n'ont rien de bien avant-gardiste. On sait que General Motors a dans son arsenal des dispositifs plutôt avancés, mais vous ne les retrouverez

pas tous dans ce petit VUS, dont le prix, en version tout équipée, dépasse quand même les 33 000 $, si l'on compte les frais.

## UNE CONDUITE LOIN D'ÊTRE RECHERCHÉE

Comme plusieurs de ses concurrents, le Trailblazer est disponible avec deux moteurs différents : un qui est décevant, et l'autre à peine suffisant... Ainsi, dans les versions à roues motrices avant niche un moteur turbocompressé de 1,2 litre, qui développe 137 chevaux et 162 lb-pi de couple. Il est associé à une boîte CVT. Cette puissance peut vous sembler convenable, mais n'oubliez pas que le Trailblazer est tout de même assez lourd avec un poids de 1 491 kg.

Dans les versions à quatre roues motrices, on a toujours un moteur turbocompressé, de 1,3 litre cette fois, produisant 155 chevaux et 174 lb-pi de couple. Accouplé à une transmission automatique à 9 rapports, qui fait un bien meilleur travail que la boîte CVT offerte avec le moteur de base, on le sent toutefois souvent à bout de souffle. Contrairement à ses rivaux, le Trailblazer laisse le choix au conducteur d'activer les quatre roues motrices ou non à l'aide d'un bouton. Mais il n'est pas possible de confier cette tâche au véhicule. On comprend que ce système vise à améliorer l'économie d'essence, cependant, pour des automobilistes québécois, ce n'est pas la meilleure stratégie. D'autant plus que même lorsqu'il est en fonction, le rouage intégral se distingue surtout par son inefficacité...

Une conduite sportive et inspirée viendra-t-elle sauver la mise ? Malheureusement pas. Une direction déconnectée, une suspension mollasse et un châssis à la rigidité fluctuante font du Trailblazer un petit VUS dont le comportement routier est loin de celui de ses pairs. Si les conditions estivales cachent un peu ces défauts, le véhicule fait moins bonne figure sur la neige, comme nous avons d'ailleurs pu le constater lors du match comparatif que vous pouvez retrouver au début du livre.

C'est donc bien dommage qu'un nom qui aurait pu être réservé à un nouveau VUS hors route ait finalement servi à mousser, d'un point de vue marketing, l'arrivée sur le marché d'un VUS sous-compact qui ne se démarque d'aucune manière dans son segment. À la rigueur, GM aurait pu lancer un VUS sous-compact qui se débrouille correctement hors des sentiers battus, un genre de Ford Bronco Sport miniature. En attendant, le Trailblazer est un produit un peu à oublier, se faisant damer le pion par la quasi-totalité de ses concurrents.

| + | Lignes réussies • Sièges avant confortables • Transmission automatique à 9 rapports correcte | – | Deux mécaniques qui manquent de cœur • Comportement de la CVT sur la version à traction • Rouage intégral perfectible • Prix élevé |

## Données principales

| Emp. / lon. / lar. / haut. | 2 639 / 4 412 / 1 808 / 1 656 à 1 669 mm |
| --- | --- |
| Coffre / réservoir | 716 à 1 540 litres / 50 litres |
| Nombre de passagers | 5 |
| Suspension av. / arr. | ind., jambes force / semi-ind., poutre torsion |
| Pneus avant / arrière | P225/60R17 / P225/60R17 |
| Poids / Capacité de remorquage | 1 491 kg / 453 kg (1 000 lb) |

## Composantes mécaniques

**TRACTION**

| Cylindrée, alim. | 3L 1,2 litre turbo |
| --- | --- |
| Puissance / Couple | 137 ch / 162 lb-pi |
| Tr. base (opt) / Rouage base (opt) | CVT / Tr |
| Type / ville / route / $CO_2$ | Ord / 8,0 / 7,6 / 184 g/km |

**INTÉGRALE**

| Cylindrée, alim. | 3L 1,3 litre turbo |
| --- | --- |
| Puissance / Couple | 155 ch / 174 lb-pi |
| Tr. base (opt) / Rouage base (opt) | A9 / Int |
| 0-100 / 80-120 / V. max | 9,8 s (m) / 8,2 s (m) / n.d. |
| 100-0 km/h | 41,1 m (m) |
| Type / ville / route / $CO_2$ | Ord / 8,9 / 7,8 / 197 g/km |

Photos : Chevrolet

**Prix :** 36 498 $ à 60 298 $ (2021)
**Transport et prép. :** 1 900 $
**Catégorie :** VUS intermédiaires
**Garanties :** 3/60, 5/100
**Assemblage :** États-Unis

**Ventes**
Québec 2020
594
↓ 14 %

Canada 2020
5 319
↓ 13 %

| | LS | LT TI | High Country |
|---|---|---|---|
| PDSF | 36 498 $ | 43 798 $ | 60 298 $ |
| Loc. | 517 $ • 3,50 % | 591 $ • 3,50 % | 868 $ • 3,50 % |
| Fin. | 767 $ • 2,99 % | 902 $ • 2,99 % | 1 211 $ • 2,99 % |

Sécurité   Consommation

Appréciation générale   Fiabilité prévue   Agrément de conduite

## Équipement

## Sécurité

## Concurrents
Dodge Durango, Ford Explorer, GMC Acadia,
Honda Pilot, Hyundai Palisade,
Jeep Grand Cherokee L, Kia Telluride,
Mazda CX-9, Nissan Pathfinder, Subaru Ascent,
Toyota Highlander, Volkswagen Atlas

## Nouveau en 2022
Retouches esthétiques, Apple CarPlay
et Android Auto sans fil, plusieurs aides
à la conduite de série, toit vitré en
deux sections livrable, nouvelles jantes.

# Un havre familial

Jacques Bienvenue

**V**ous êtes à la recherche d'un utilitaire spacieux capable de transporter vos scouts et tous leurs bagages pour le camp d'été ? Le Chevrolet Traverse pourrait être l'alternative aux Jeep Grand Cherokee, Toyota Highlander et Ford Explorer, les trois modèles intermédiaires favoris des Canadiens. Bien qu'il soit le troisième utilitaire Chevrolet le plus vendu au pays, dans son créneau, le Traverse ne décolle pas du milieu du peloton.

Lancé en 2008, le Traverse n'a pas de portes coulissantes, certes, mais il demeure polyvalent. Son habitacle peut accueillir sept ou huit personnes, selon la version choisie. De plus, son coffre dispose d'un volume utile plus important que celui des trois utilitaires les plus populaires de sa catégorie.

### INTÉRIEUR RÉSOLUMENT PRATIQUE
À l'intérieur, on trouve de nombreux espaces de rangement pratiques. Le plus original est associé à l'écran tactile central de 8 pouces des versions plus cossues. Lorsque le véhicule est en marche, en appuyant sur un bouton, l'écran se soulève et découvre une petite cavité où divers objets, comme un cellulaire, peuvent être déposés au besoin. Ce mini coffre-fort peut s'avérer pratique, du moins tant que la batterie du véhicule ne tombe pas à plat !

L'aménagement peut inclure une banquette centrale à sections asymétriques (60/40) ou deux sièges baquets avec un espace convenable pour les jambes et les pieds d'adultes de taille moyenne. Également constituée de sections symétriques, la banquette arrière convient plutôt à de jeunes enfants compte tenu de son piètre dégagement pour les pieds et les jambes. À tout le moins, le constructeur a su mettre au point un mécanisme appelé *Smart Slide* permettant aux sièges de la rangée centrale de s'escamoter en toute simplicité pour faciliter l'embarquement de ces petits passagers.

La dotation comporte divers équipements destinés à satisfaire les besoins d'une famille. On n'a qu'à penser au système de climatisation qui a des commandes distinctes pour trois zones, aux multiples ports USB que l'on trouve à chaque rangée de sièges, ou à ces 10 porte-gobelets que recèle l'habitacle. Sans oublier les chaînes audio compatibles avec Apple CarPlay et Android Auto, désormais en mode sans fil. Un point d'accès 4G LTE

permet aussi à sept appareils d'accéder à Internet en même temps. Imaginez, voyager dans le cyberespace même en camping !

Le Traverse 2022 devait faire ses débuts en 2020, mais la COVID-19 en a voulu autrement. Pour minimiser l'impact commercial négatif que risquait d'engendrer cette pandémie, le constructeur a choisi de repousser son lancement à l'été 2021. Malgré les changements esthétiques qu'il a subis, ce Traverse n'est pas si nouveau. Il reprend l'architecture du modèle de seconde génération dévoilé à Detroit, en janvier 2017. Voilà pourquoi son profil élégant demeure inchangé, tout comme le capot, le hayon et le pare-chocs arrière. On le reconnaîtra donc par sa partie avant remaniée, dotée de phares à DEL de série, à ses nouvelles roues et à ses feux arrière redessinés.

## GOURMAND... ET PERFORMANT

Sous le capot niche le puissant V6 de 3,6 litres, le seul moteur offert depuis 2019. Ce bloc atmosphérique à injection directe, que le Traverse partage avec le Buick Enclave et le GMC Acadia, est jumelé à une boîte de vitesses automatique à 9 rapports à l'action discrète. Malheureusement, il est plutôt glouton. La consommation moyenne, soit 11,1 ou 11,8 L/100 km selon que l'on a une version à deux ou à quatre roues motrices, le confirme. En revanche, ses 310 chevaux procurent une accélération et des reprises plus que convenables compte tenu de sa vocation familiale. Le Traverse offre aussi une capacité de remorquage de 5 000 lb, du moins lorsqu'il est muni du système de refroidissement de haute capacité, et ce, qu'il ait deux ou quatre roues motrices.

Pour le modèle 2022, GM fait miroiter une dotation de systèmes d'aide à la conduite enrichie. Parmi les six dispositifs additionnels qui sont désormais de série, on note, entre autres, un système de freinage d'urgence automatique capable de détecter les piétons. Malheureusement, ces dispositifs de série ne comprennent toujours pas le système de détection des angles morts pourtant très pratique. Il demeure l'apanage de versions plus coûteuses.

Rappelons enfin que le Traverse a été le premier produit GM muni du système bloquant le levier de vitesses pendant 20 secondes lorsqu'un conducteur novice oublie de mettre sa ceinture de sécurité. Une fois activée, cette fonction de sécurité appelée «conducteur ado» rappelle efficacement qu'il faut la boucler avant de rouler !

### CHEVROLET TRAVERSE

**Données principales**

| | |
|---|---|
| Emp. / lon. / lar. / haut. | 3 071 / 5 189 / 1 996 / 1 796 mm |
| Coffre / réservoir | 652 à 2 781 litres / 73 à 82 litres |
| Nombre de passagers | 7 à 8 |
| Suspension av. / arr. | ind., jambes force / ind., multibras |
| Pneus avant / arrière | LT / LS - P255/65R18 / P255/65R18 |
| Gr Exp./RS/Prem/High Country - P255/55R20 / P255/55R20 | |
| Poids / Capacité de remorquage | 2 100 kg / 2 268 kg (5 000 lb) |

**Composantes mécaniques**

| | |
|---|---|
| Cylindrée, alim. | V6 3,6 litres atmos. |
| Puissance / Couple | 310 ch / 266 lb-pi |
| Tr. base (opt) / Rouage base (opt) | A9 / Tr (Int) |
| 0-100 / 80-120 / V. max | 8,0 s (est) / 6,1 (est) / 200 km/h (est) |
| 100-0 km/h | 42,8 m (est) |
| Type / ville / route / CO₂ | **Tr** - Ord / 13,0 / 8,8 / 260 g/km |
| | **Int** - Ord / 13,6 / 9,6 / 277 g/km |

| + Comportement routier homogène • Coffre volumineux • Bonne position de conduite | − Consommation élevée • Troisième rangée pour bambins seulement • Visibilité arrière réduite |
|---|---|

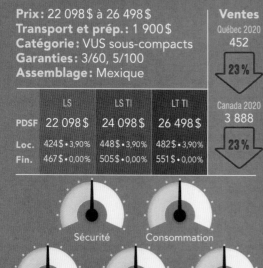

**Prix:** 22 098 $ à 26 498 $
**Transport et prép.:** 1 900 $
**Catégorie:** VUS sous-compacts
**Garanties:** 3/60, 5/100
**Assemblage:** Mexique

**Ventes**
Québec 2020
452

⬇ 23 %

Canada 2020
3 888

⬇ 23 %

| | LS | LS TI | LT TI |
|---|---|---|---|
| PDSF | 22 098 $ | 24 098 $ | 26 498 $ |
| Loc. | 424 $ • 3,90% | 448 $ • 3,90% | 482 $ • 3,90% |
| Fin. | 467 $ • 0,00% | 505 $ • 0,00% | 551 $ • 0,00% |

Sécurité     Consommation

Appréciation générale    Fiabilité prévue    Agrément de conduite

**Équipement**

**Sécurité**

**Concurrents**

Buick Encore, Hyundai Venue, Mazda CX-3, Nissan Kicks, Toyota C-HR

**Nouveau en 2022**
Moteur plus puissant.

# En attente de nouveauté

Luc Gagné

Le Chevrolet Trax a la couenne dure. Ce petit utilitaire sillonne les routes du Québec depuis bientôt dix ans sans avoir beaucoup changé. Le créneau dont il fait partie, par contre, s'est transformé radicalement. Alors qu'il opposait une poignée de rivaux en décembre 2012, lorsque les premiers Trax sont arrivés chez les concessionnaires, on en compte désormais une vingtaine! C'est dire combien les VUS sous-compacts ont gagné en popularité.

À ses débuts, le Trax brillait par ses dimensions réduites, son habitabilité surprenante et sa transmission intégrale. Sa bouille sympathique a aussi contribué à son succès. Voilà pourquoi, dans ses meilleures années, il s'est hissé aux premières places du palmarès des ventes dans son créneau. Mais à partir de là, il a fait du surplace.

Aujourd'hui, les Hyundai Venue, Nissan Kicks, Mazda CX-3 et Toyota C-HR lui donnent la réplique. En effet, les Subaru Crosstrek, Nissan Qashqai, Hyundai Kona ou Kia Seltos, plus gros, ne jouent plus vraiment dans la même cour. Ces nouveaux venus s'intercalent entre les modèles sous-compacts les plus petits, comme le Trax, et les modèles compacts. Au sein de la gamme Chevrolet, il y a maintenant le Trailblazer qui n'aide pas le Trax à maintenir ses ventes.

**POUR LE PRIX**

Dans l'attente d'une refonte ou d'un remplacement, le Trax attirera donc surtout des acheteurs en quête de produits dont le prix est un facteur important. Cela n'enlève toutefois rien à ses particularités intéressantes. La principale demeure son habitacle. À la fois spacieux et polyvalent, il a de multiples espaces de rangement petits et grands. Quatre adultes de taille moyenne y trouveront le confort souhaité. C'est possible grâce aux places arrière qui offrent plus de dégagement au niveau des jambes qu'un Mazda CX-3, et plus encore qu'un Toyota C-HR. Une garde au toit généreuse, nettement supérieure à ce dont on dispose dans ces deux derniers VUS, rend la banquette arrière d'autant plus accueillante pour de grandes personnes.

**HABITACLE POLYVALENT**

Son coffre transformable est aussi très volumineux, du moins pour un si petit véhicule. Lorsque l'on replie les dossiers de la banquette arrière, le

volume utile surpasse celui du Kicks et du C-HR. Il est même supérieur à celui d'un CX-30, un modèle rival pourtant plus long.

À l'instar de son jumeau, le Buick Encore, le Trax bénéficie d'une particularité originale et pratique qu'aucun constructeur rival n'a jugé bon de reproduire. Il s'agit du dossier du siège du passager avant qui se rabat vers l'avant. Cela permet de transporter des objets longs et encombrants mesurant jusqu'à 8 pieds comme une échelle ou une planche à rame !

Signe d'une popularité en baisse, la gamme du Trax ne compte plus que deux niveaux de dotation. Le Trax LT, le modèle le plus cossu, se reconnaît à ses brancards de toit, à ses feux diurnes et ses feux arrière à DEL, et à ses roues en alliage de 16 pouces (18 pouces en option). La dotation de série comprend un système d'infodivertissement avec écran tactile de 7 pouces compatible avec Bluetooth, Apple CarPlay et Android Auto. Cela dit, les sièges chauffants sont réservés au Trax LT, tout comme l'ensemble plutôt sommaire de dispositifs d'aide à la conduite nommé « groupe Confiance du conducteur ». Tristement, cet ensemble figure parmi les options de cette version que l'on dit pourtant haut de gamme.

Le Trax 2022 dispose d'une nouvelle version du 4 cylindres à turbocompresseur qu'il a eu jusqu'ici. Ce moteur troque l'injection séquentielle pour l'injection directe et livre 17 chevaux et 29 livres-pieds de plus. Par le biais d'une boîte de vitesses automatique à 6 rapports, qui n'a pas changé, il entraîne les roues avant ou les quatre roues, si l'acheteur opte pour la traction intégrale.

Ce moteur paraît moins modeste que la version de 138 chevaux qu'il remplace. Dans ce créneau, plusieurs VUS ont des moteurs de 150 chevaux et plus. Cette augmentation de puissance n'en fait toutefois pas un foudre de guerre. Bien qu'il ne manque pas de couple à bas régime, ses cotes confirment la vocation « métro-boulot-dodo » d'un véhicule qui n'est même pas apte à faire du remorquage, d'après le constructeur. Cette tâche est dévolue au Trailblazer ou à l'Equinox, selon les besoins.

Sur la route, on découvre un véhicule qui a indubitablement vieilli. Si la direction s'avère précise, l'insonorisation reste perfectible et la suspension privilégie le confort aux dépens d'un roulis prononcé dans les courbes. Enfin, l'effet de couple que l'on ressent parfois à bas régime était sans doute acceptable il y a dix ans, mais plus aujourd'hui.

| Données principales | |
| --- | --- |
| Emp. / lon. / lar. / haut. | 2 555 / 4 257 / 1 775 / 1 648 mm |
| Coffre / réservoir | 530 à 1 371 litres / 53 litres |
| Nombre de passagers | 5 |
| Suspension av. / arr. | ind., jambes force / semi-ind., poutre torsion |
| Pneus avant / arrière | P205/70R16 / P205/70R16 |
| Poids / Capacité de remorquage | 1 455 kg / non recommandé |

| Composantes mécaniques | |
| --- | --- |
| Cylindrée, alim. | 4L 1,4 litre turbo |
| Puissance / Couple | 155 ch / 177 lb-pi |
| Tr. base (opt) / Rouage base (opt) | A6 / Tr (Int) |
| Type / ville / route / $CO_2$ | **Tr** - Ord / 9,7 / 7,3 / 201 g/km |
| | **Int** - Ord / 10,2 / 7,7 / 214 g/km |

**+** Intérieur spacieux • Coffre polyvalent

**−** Effet de couple à bas régime • Roulis en courbe • Visibilité arrière réduite

Photos : Chevrolet

**Prix :** 44 565 $ à 50 465 $ (2021)
**Transport et prép. :** 1 995 $
**Catégorie :** Grandes berlines
**Garanties :** 3/60, 5/100
**Assemblage :** Canada

**Ventes**
Québec 2020
65
▲ 140 %

Canada 2020
447
▼ 77 %

|  | Touring | Touring TI | 300S TI |
|---|---|---|---|
| PDSF | 44 565 $ | 47 065 $ | 50 465 $ |
| Loc. | 952 $ • 6,19 % | 993 $ • 6,19 % | 1 072 $ • 6,19 % |
| Fin. | 974 $ • 3,49 % | 1 026 $ • 3,49 % | 1 097 $ • 3,49 % |

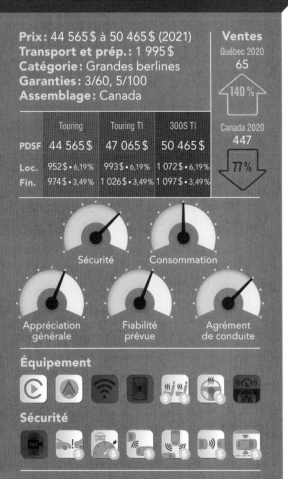

Sécurité          Consommation

Appréciation       Fiabilité         Agrément
générale           prévue            de conduite

**Équipement**

**Sécurité**

**Concurrents**
Dodge Charger, Kia Stinger, Nissan Maxima

**Nouveau en 2022**
Aucun changement majeur annoncé
au moment de mettre sous presse.

# Dernière danse pour ce fossile vivant ?

Marc-André Gauthier

**E**n paléontologie, un fossile vivant est une espèce qui existe depuis très longtemps sans avoir subi d'altération majeure, et qui a ainsi des caractéristiques que l'on retrouve uniquement sur des fossiles. N'est-ce pas une belle description pour parler de la Chrysler 300 ? Cette grosse berline américaine, âgée et dispendieuse, est l'ultime représentante d'une race aujourd'hui disparue, sacrifiée sur l'autel des VUS.

Selon les rumeurs qui circulaient, la Chrysler 300, inchangée depuis 10 ans, en serait à sa dernière danse, avant de céder sa place, ou devenir elle-même une grosse berline électrique que les nouveaux patrons de Stellantis souhaitent amener de notre côté de l'océan. Quoi qu'il en soit, voilà l'occasion, probablement pour la dernière fois, d'écrire sur la 300, une voiture qui, malgré son grand retard technologique, a néanmoins assez de qualités pour plaire à plusieurs.

### UNE ANCIENNE DÉFINITION DU LUXE

Quand on regarde une Chrysler 300, on est frappé par son style ostentatoire. Elle met de l'avant une certaine opulence que l'on ne voit plus vraiment de nos jours. Encore moins de la part d'une marque qui ne fait pas dans le luxe à proprement parler. Si le chrome est omniprésent, il existe toutefois une version au design plus sportif qui opte pour des accents noirs, plutôt réussie.

À l'intérieur, c'est une histoire un peu différente. À moins d'opter pour le modèle le plus cher, qui propose des matériaux plus luxueux, l'âge de la 300 se fait cruellement sentir. L'habitacle, autrefois prisé pour son design, paraît mal, et ne correspond plus du tout aux attentes actuelles. Par exemple, l'écran multimédia logé au milieu de la planche de bord est un tantinet trop petit selon les standards modernes et il ne s'intègre pas au reste du style. Au moins, le logiciel qu'il abrite, Uconnect, demeure une référence, en dépit de son âge.

Dernière représentante des berlines pleine grandeur américaines (avec sa cousine la Dodge Charger), la 300 est naturellement spacieuse, capable d'accueillir confortablement quatre adultes. Notons au passage le confort des places avant. On aimerait des sièges avec un peu plus de support latéral, mais sur les longs trajets autoroutiers, ils gardent notre arrière-train en bonne condition.

## QUATRE ROUES MOTRICES, OU PLUS DE PERFORMANCES

Mécaniquement, la 300 dispose de moteurs qui datent de dix ans. À la base, on retrouve le bon vieux V6 Pentastar de 3,6 litres développant entre 292 et 300 chevaux selon les versions, le couple oscillant entre 260 et 264 lb-pi. Il envoie sa puissance aux roues arrière à l'aide d'une transmission automatique à 8 rapports. Le rouage intégral — optionnel — est efficace et réalise des performances que l'on ne peut qualifier d'exaltantes, mais qui sont tout à fait adéquates. Malheureusement, l'économie d'essence n'est pas son point faible.

Pour ceux qui veulent davantage de performances, et une méchante facture à la pompe, il y a une mécanique V8 de 5,7 litres HEMI, générant 363 chevaux et 394 lb-pi de couple. Ce moteur est intéressant, dans la mesure où la puissance additionnelle est la bienvenue sur une voiture de cette dimension et de ce poids. On perd toutefois le rouage intégral au profit d'une propulsion, et un V8 à propulsion dans la neige, ce n'est vraiment pas idéal.

La tenue de route de la 300 est orientée vers le confort, et c'est pas mal ça. Ce n'est pas une voiture que l'on veut amener dans les courbes de manière enthousiaste, et on sent rapidement les limites du châssis quand on pousse un peu la bagnole. Sur une Charger, qui partage la même plate-forme, on a des renforts qui corrigent la situation. Leur absence se fait cruellement sentir sur la 300, mais encore une fois, elle ne prétend pas offrir une conduite dynamique. Pourtant, on le voit sur les grosses berlines allemandes, il est possible d'allier les deux.

Pour en revenir à la 300, c'est une voiture globalement datée, mais encore efficace pour les gens qui désirent un véhicule confortable pour les longs trajets. Mais technophiles, prenez garde : la 300 n'a presque pas de technologies modernes, comme la conduite semi-autonome sur l'autoroute, un moteur hybride, ou le stationnement automatique. À l'image de sa mécanique et de son habitacle, on retrouve des commodités désuètes.

On ne connaît pas le futur avec certitude, mais tout porte à croire que la 300 pourrait revenir en tant que voiture contemporaine, illustrant ce que Stellantis sait faire de mieux en Europe en matière de technologie.

### Données principales

| | |
|---|---|
| Emp. / lon. / lar. / haut. | 3 048 / 5 044 / 1 902 / 1 492 mm |
| Coffre / réservoir | 462 litres / 70 litres |
| Nombre de passagers | 5 |
| Suspension av. / arr. | ind., bras inégaux / ind., multibras |
| Pneus avant / arrière | P245/45R20 / P245/45R20 |
| Poids / Capacité de remorquage | 1 987 kg / 454 kg (1 000 lb) |

### Composantes mécaniques

**TOURING**

| | |
|---|---|
| Cylindrée, alim. | V6 3,6 litres atmos. |
| Puissance / Couple | 292 ch / 260 lb-pi |
| Tr. base (opt) / Rouage base (opt) | A8 / Prop (Int) |
| 0-100 / 80-120 / V. max | 8,0 s (est) / 7,0 s (est) / n.d. |
| Type / ville / route / CO2 | **Prop** - Ord / 12,4 / 7,8 / 242 g/km |
| | **Int** - Ord / 12,8 / 8,7 / 258 g/km |

**S**

| | |
|---|---|
| Cylindrée, alim. | V6 3,6 litres atmos. |
| Puissance / Couple | 300 ch / 264 lb-pi |
| Tr. base (opt) / Rouage base (opt) | A8 / Prop (Int) |
| 0-100 / 80-120 / V. max | 8,0 s (est) / 7,0 s (est) / n.d. |
| Type / ville / route / CO2 | **Prop** - Ord / 12,4 / 7,8 / 242 g/km |
| | **Int** - Ord / 12,8 / 8,7 / 258 g/km |

**S V8**

| | |
|---|---|
| Cylindrée, alim. | V8 5,7 litres atmos. |
| Puissance / Couple | 363 ch / 394 lb-pi |
| Tr. base (opt) / Rouage base (opt) | A8 / Prop |
| Type / ville / route / CO2 | Ord / 14,7 / 9,4 / 289 g/km |

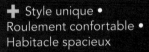

+ Style unique • Roulement confortable • Habitacle spacieux

− Consommation d'essence élevée • Habitacle au style dépassé • À peu près aucune technologie de pointe

Photos Chrysler

**CHRYSLER PACIFICA**

HYBRIDE

**Prix:** 38 690 $ à 66 865 $ (2021)
**Transport et prép.:** 1 995 $
**Catégorie:** Fourgonnettes
**Garanties:** 3/60, 5/100
**Assemblage:** Canada

**Ventes\***
Québec 2020
694

13 %

Canada 2020
2 760

26 %

|      | Gr. Caravan SE | Pac. Hyb. Touring | Pac. Pinnacle TI |
|------|----------------|-------------------|------------------|
| PDSF | 38 690 $       | 54 095 $          | 66 865 $         |
| Loc. | 721 $ • 6,19 % | 671 $ • 6,19 %    | 1 210 $ • 6,19 % |
| Fin. | 780 $ • 0,00 % | 938 $ • 0,00 %    | 1 320 $ • 0,00 % |

Sécurité    Consommation

Appréciation générale    Fiabilité prévue    Agrément de conduite

**Équipement**

**Sécurité**

**Concurrents**
Ford Transit Connect, Honda Odyssey, Kia Carnival, Toyota Sienna

**Nouveau en 2022**
Aucun changement majeur annoncé au moment de mettre sous presse.

# La fin d'une époque

Antoine Joubert

Il y a de cela près de 40 ans, Chrysler introduisait sur le marché celle qui allait littéralement sauver l'entreprise. Celle qu'on allait alors surnommer l'Autobeaucoup. Le succès fut tel que la plupart des constructeurs ont tenté de suivre, sans jamais réussir à la détrôner. Aujourd'hui, le marché s'avère hélas bien différent. Parce qu'on lui préfère les VUS, même s'ils ne sont pas aussi pratiques, et parce que les fourgonnettes sont de moins en moins accessibles, toutes vendues au-delà des 35 000 $.

Pour Chrysler, l'abandon en fin d'année 2020 de la Dodge Grand Caravan aura signifié la fin d'une époque. Celle de la fourgonnette abordable. Et bien sûr, inutile de vous dire que malgré la tentative de Stellantis de poursuivre la tradition avec la « nouvelle » Chrysler Grand Caravan, son succès n'a rien de comparable à celui de sa devancière.

En effet, afin de conserver une clientèle précieuse, l'entreprise a cru bon de dénuder la Pacifica introduite en 2016 en créant des versions d'entrée de gamme (Grand Caravan), conservant l'allure des modèles 2016-2020. Il faut dire que la Pacifica avait pour sa part droit, l'an dernier, à d'importantes retouches esthétiques ainsi qu'à une mise à jour technologique, lui permettant de se distinguer et de créer un pont entre les deux modèles.

**À PARTIR DE 34 500 $... AVEC RABAIS!**
Au moment d'écrire ces lignes, la Grand Caravan SE 2021 était proposée avec rabais à un peu plus de 34 500 $. Essentiellement, à 10 000 $ de plus que l'ancienne Dodge du même nom. Cet écart de prix constitue également un non-sens considérant que pour environ 4 000 $ de plus (avec rabais), vous accédez à une Chrysler Pacifica Touring, un véhicule modernisé et proposant beaucoup plus de caractéristiques de série. On peut ainsi en conclure que les efforts de Chrysler pour conserver le nom Grand Caravan sur notre marché sont quasi vains puisque tout l'intérêt d'une fourgonnette bon marché qui a fait le succès de ce modèle n'est plus.

Cela dit, la Pacifica demeure un véhicule qui mérite qu'on s'y attarde. Parce qu'en dépit de son prix certainement moins compétitif, elle propose une polyvalence et une modularité supérieures à celles de ses rivales. Évidemment, les versions régulières (non hybrides) conservent l'avantage des sièges Stow 'N Go, qu'on replie et dissimule sous le seuil du plancher, pour les

\*Ventes combinées des Chrysler Grand Caravan et Pacifica

deux rangées arrière. Pour le conducteur, le poste de conduite est assurément le plus confortable et le plus ergonomique qui soit, pouvant proposer un niveau de luxe jamais atteint dans une fourgonnette. Soulignons d'ailleurs que Chrysler introduisait en 2021 l'édition Pinnacle de la Pacifica, laquelle vous transporte littéralement en première classe.

## MENTION D'HONNEUR POUR L'HYBRIDE

Comme autre nouveauté introduite en 2021, mentionnons la possibilité d'ajouter un rouage intégral sur l'ensemble des versions non hybrides de la Pacifica, pour un coût additionnel d'environ 3 000 $. Une option viable, mais qui impacte fortement la consommation d'essence. Prévoyez avec celle-ci une moyenne combinée d'au moins 13 L/100 km, alors qu'une version régulière oscille entre 10,5 et 11 L/100 km. Dans cette optique, une version hybride rechargeable devient donc très pertinente, vous permettant de rouler selon la saison entre 35 et 60 km en mode 100 % électrique, pour ensuite ne consommer qu'environ 8 L/100 km. Un choix d'autant plus viable sachant que cette Pacifica (offerte en quatre déclinaisons) est éligible au plein crédit gouvernemental de 13 000 $, ou à compter d'environ 40 000 $, crédits et rabais inclus. Alors oui, le coût de revient de l'hybride est même légèrement moindre que celui d'une version régulière.

Vous hésitez entre la Toyota Sienna hybride et la Pacifica hybride rechargeable ? Sachez que Chrysler propose un confort supérieur, un plus grand silence de roulement ainsi qu'une puissance mécanique drôlement plus inspirante. Vous apprécierez aussi l'ergonomie d'ensemble ainsi que cet écran central doté de la technologie Uconnect 5, intégrant Apple CarPlay et Android Auto sans fil. Maintenant, vous dire que la Pacifica sera aussi fiable et durable qu'une Sienna serait très risqué puisque le bilan n'est pas sans tache. Soyez sans crainte, la qualité d'ensemble se situe à des années-lumière de celle de la précédente Dodge Grand Caravan grâce à une construction plus sérieuse. Mais pour un achat à long terme, peut-être serait-il plus sage de songer à une garantie prolongée.

Dans un marché où Kia fait peau neuve et où Honda et Toyota jouissent d'une enviable réputation, la fourgonnette Chrysler perd énormément de terrain. Certes, il s'agit de la plus confortable et de la plus polyvalente, néanmoins sa forte dépréciation comme sa réputation de fiabilité lui jouent des tours. Fort heureusement, l'hybride se distingue, étant de loin la fourgonnette la plus verte actuellement offerte.

**+** Version hybride très intéressante • Confort et polyvalence • Technologie et astuces à bord • Silence de roulement

**—** Prix élevé • Grand Caravan moins pertinente • Consommation élevée (traction intégrale) • Fiabilité inégale

CHRYSLER GRAND CARAVAN / PACIFICA

### Données principales

| | |
|---|---|
| Emp. / lon. / lar. / haut. | 3 089 / 5 189 / 2 297 / 1 777 mm |
| Coffre / réservoir | 915 à 3 979 litres / 62 à 72 litres |
| Nombre de passagers | 7 à 8 |
| Suspension av. / arr. | ind., jambes force / semi-ind., poutre torsion |
| Pneus avant / arrière | P235/65R17 / P235/65R17 |
| Poids / Cap. de remorquage | **Essence -** 2 051 kg / 1 633 kg (3 600 lb) |
| | **Hybride -** 2 273 kg / non-recommandé |

### Composantes mécaniques

**ESSENCE**

| | |
|---|---|
| Cylindrée, alim. | V6 3,6 litres atmos. |
| Puissance / Couple | 287 ch / 262 lb-pi |
| Tr. base (opt) / Rouage base (opt) | A9 / Tr (Int) |
| 0-100 / 80-120 / V. max | 8,2 s (m) / 5,4 s (m) / n.d. |
| 100-0 km/h | 42,3 m (m) |
| Type / ville / route / CO₂ | **Tr -** Ord / 12,4 / 8,4 / 249 g/km |
| | **Int -** Ord / 14,1 / 9,4 / 279 g/km |

**HYBRIDE**

| | |
|---|---|
| Cylindrée, alim. | V6 3,6 litres atmos. |
| Puissance / Couple | 260 ch / 236 lb-pi |
| Tr. base (opt) / Rouage base (opt) | CVT / Tr |
| 0-100 / 80-120 / V. max | 8,8 s (m) / 6,0 s (m) / n.d. |
| 100-0 km/h | 41,1 m (m) |
| Type / ville / route / CO₂ | Ord / 8,0 / 7,9 / 74 g/km |
| Puissance combinée | 260 ch |

**MOTEURS ÉLECTRIQUES**

| | |
|---|---|
| Puissance | **Av -** 84 ch (63 kW) |
| | **Av -** 114 ch (85 kW) |
| Type de batterie | Lithium-ion (Li-ion) |
| Énergie | 16,0 kWh |
| Temps de charge (120V / 240V) | 14,0 h / 2,0 h |
| Autonomie | 51 km |

**CHRYSLER GRAND CARAVAN**

**CHRYSLER PACIFICA**

**CHRYSLER PACIFICA**

**Prix:** 36 265 $ à 105 215 $ (2021)
**Transport et prép.:** 1 995 $
**Catégorie:** Sportives
**Garanties:** 3/60, 5/100
**Assemblage:** Canada

**Ventes**
Québec 2020
182
▲ 12 %

Canada 2020
1 368
▼ 32 %

| | Challenger | Scat Pack 392 | Hellcat Red. WB |
|---|---|---|---|
| PDSF | 36 265 $ | 54 465 $ | 105 215 $ |
| Loc. | n.d. | n.d. | n.d. |
| Fin. | 803 $ • 3,49 % | 1 183 $ • 3,49 % | 2 280 $ • 3,49 % |

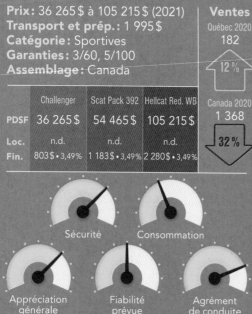

Sécurité   Consommation

Appréciation générale   Fiabilité prévue   Agrément de conduite

**Équipement**

**Sécurité**

**Concurrents**

Chevrolet Camaro, Ford Mustang, Mazda MX-5, MINI Cabriolet, Nissan Z, Subaru BRZ, Toyota 86, Toyota GR Supra

**Nouveau en 2022**

Aucun changement majeur annoncé au moment de mettre sous presse.

# Là pour rester

Marc-André Gauthier

**V**ous souvenez-vous que lors de son grand retour en 2008, Loto-Québec a marqué l'occasion en offrant une Challenger SRT8 comme gros lot de la loterie à 5 $ du film *Les Boys*?

Ça fait un bail! Pourtant, la Challenger n'a pas réellement changé depuis. Son style a un peu évolué, et son habitacle a été modernisé, mais la formule est restée sensiblement la même, soit celle d'une grosse voiture à deux portes, disponible avec de gros moteurs, résistant à la modernité et à l'arrivée de nouvelles technologies.

Ce n'est pas une mauvaise chose en soi. La vocation première de la Challenger est d'être une voiture sportive, amusante, donnant la sensation de conduire un *muscle car* comme dans le temps. Cela dit, l'un n'empêche pas l'autre, et la Challenger se modernisera. Le chef de la direction de Dodge a dit récemment que les gros V8 disponibles dans la Challenger allaient finir par disparaître, mais que la formule «était là pour rester», et que les moteurs électriques du futur pourraient atteindre ou même surpasser les performances des moteurs thermiques actuels.

### FIDÈLE À L'ORIGINALE

La Challenger a comme principales rivales la Chevrolet Camaro et la Ford Mustang. Comme ces dernières, elle compte sur la nostalgie des années 60 et 70 afin d'attirer les acheteurs qui souhaitent revivre la belle époque des grosses cylindrées et des moteurs joliment bruyants. Cela dit, de ses rivales, elle est celle qui, sans l'ombre d'un doute, arbore le style le plus proche de celui de l'époque!

Unique, que ce soit par sa large grille à l'avant ou par le travail qui a été fait sur ses feux à l'arrière, la Challenger continue de faire tourner les têtes. À l'intérieur, c'est une expérience complètement différente. Dodge n'a pas misé sur le rétro, mais a plutôt choisi d'y aller avec quelque chose de moderne... En fait, il y a bien longtemps, cet habitacle a gagné un prix pour son design. Aujourd'hui, c'est un intérieur dépassé stylistiquement, mais encore efficace.

Comme la voiture est de bonne taille, l'espace est généreux, tant à l'avant qu'à l'arrière, ce qui est très rare pour un coupé. On aimerait sans doute un peu plus de support latéral concernant les sièges, mais en contrepartie,

on a l'impression de s'asseoir dans de gros fauteuils qui offrent un excellent niveau de confort.

## TROP DE CHOIX?

On a tendance à dire, en marketing du moins, qu'il est astucieux d'offrir du choix à ses clients. Mais peut-on avoir trop de choix? La Challenger est disponible en version de base (SXT) à plus de 36 000 $. Elle vient avec un V6 de 3,6 litres de 305 chevaux et 268 lb-pi de couple, marié à une transmission automatique à 8 rapports qui envoie sa puissance aux roues arrière. Confortable, elle est une bonne routière, mais manque de sportivité.

Toujours avec le moteur V6, sachez que les SXT et GT peuvent être équipées de la traction intégrale. La Challenger est d'ailleurs la seule de sa catégorie à offrir un tel rouage, qui confère des avantages indéniables en hiver ou quand les routes sont mouillées. Puis, pour un peu plus de 42 000 $, il y a la grande classique, la version R/T, avec un V8 HEMI de 5,7 litres, bon pour 372 chevaux et 400 lb-pi, le tout envoyé aux roues arrière à l'aide d'une transmission automatique à 8 rapports ou d'une boîte manuelle à 6 rapports optionnelle.

Cette dernière version représente un bel équilibre entre le confort des moutures de base et les performances relevées des variantes plus sportives, car cette énumération n'est pas terminée! Il y a ensuite, à près de 55 000 $, la Scat Pack 392, qui remplace l'ancienne SRT, abritant un V8 HEMI de 6,4 litres, bon pour 485 chevaux et 475 lb-pi. Plus sportive que la R/T, elle partage les mêmes transmissions que celle-ci. Pour 8 000 $ de plus, on a l'option Widebody, qui octroie une carrosserie plus large, plus jolie, ainsi qu'une suspension ajustable très compétente.

Nous tombons ensuite dans les déclinaisons SRT Hellcat qui proposent au départ 717 chevaux et 656 lb-pi, disponible avec transmission automatique ou manuelle. Si ce n'est pas assez, il y a toujours la SRT Hellcat Redeye : 797 chevaux et 707 lb-pi! Dans les deux cas, on peut opter pour l'ensemble Widebody et sa merveilleuse suspension, le tout pour un prix entre 80 000 et 105 000 $, environ. Toutefois, qu'importe la version, même si l'on décolle comme une fusée, on est loin de la précision et du raffinement d'une sportive comme une BMW M3, par exemple. Donc, en attendant la venue d'une Challenger électrique, on a, pour 2022, une Challenger âgée, offerte en plusieurs déclinaisons, et qui demeure néanmoins un produit agréable et original.

---

**+** Moteurs V8 performants • Traction intégrale disponible • Versions SRT Hellcat très rapides... en ligne droite! • Bon confort de roulement

**—** Prix élevés • Design de l'habitacle à moderniser • Consommation élevée (SRT Hellcat)

### Données principales

| | |
|---|---|
| Emp. / lon. / lar. / haut. | 2 946 / 5 027 / 2 169 / 1 454 à 1 465 mm |
| Coffre / réservoir | 459 litres / 70 litres |
| Nombre de passagers | 5 |
| Suspension av. / arr. | ind., bras inégaux / ind., multibras |
| Pneus avant / arrière | P245/45R20 / P245/45R20 |
| Poids / Capacité de remorquage* | 1 924 kg / 454 kg (1 000 lb) |
| | *V6 et V8 5,7 litres seulement |

### Composantes mécaniques

**SXT, GT, SXT TI, GT TI**

| | |
|---|---|
| Cylindrée, alim. | V6 3,6 litres atmos. |
| Puissance / Couple | 305 ch / 268 lb-pi |
| Tr. base (opt) / Rouage base (opt) | A8 / Prop (Int) |
| 0-100 / 80-120 / V. max | Int - 7,0 s (m) / 5,8 s (m) / n.d. |
| Type / ville / route / CO₂ | **Prop** - Ord / 12,4 / 7,8 / 242 g/km |
| | **Int** - Ord / 12,8 / 8,7 / 258 g/km |

**R/T**

| | |
|---|---|
| Cylindrée, alim. | V8 5,7 litres atmos. |
| Puissance / Couple | 372 ch / 400 lb-pi |
| Tr. base (opt) / Rouage base (opt) | A8 (M6) / Prop |
| 0-100 / 80-120 / V. max | 5,5 s (est) / n.d. / n.d. |
| Type / ville / route / CO₂ | Ord / 14,7 / 9,4 / 289 g/km |

**SCAT PACK 392, SCAT PACK 392 WIDEBODY**

| | |
|---|---|
| Cylindrée, alim. | V8 6,4 litres atmos. |
| Puissance / Couple | 485 ch / 475 lb-pi |
| Tr. base (opt) / Rouage base (opt) | A8 (M6) / Prop |
| 0-100 / 80-120 / V. max | n.d. / n.d. / n.d. |
| Type / ville / route / CO₂ | Sup / 15,9 / 9,6 / 306 g/km |

**SRT HELLCAT, SRT HELLCAT WIDEBODY**

| | |
|---|---|
| Cylindrée, alim. | V8 6,2 litres surcomp. |
| Puissance / Couple | 717 ch / 656 lb-pi |
| Tr. base (opt) / Rouage base (opt) | A8 (M6) / Prop |
| 0-100 / 80-120 / V. max | 5,2 s (est) / n.d. / n.d. |
| Type / ville / route / CO₂ | Sup / 17,6 / 10,7 / 339 g/km |

**SRT HELLCAT REDEYE, SRT HELLCAT REDEYE WIDEBODY**

| | |
|---|---|
| Cylindrée, alim. | V8 6,2 litres surcomp. |
| Puissance / Couple | 797 ch / 707 lb-pi |
| Tr. base (opt) / Rouage base (opt) | A8 / Prop |
| 0-100 / 80-120 / V. max | 5,0 s (m) / 2,4 s (m) / n.d. |
| 100-0 km/h | 38,8 m (m) |
| Type / ville / route / CO₂ | Sup / 18,1 / 11,4 / 352 g/km |

Photos : Dodge

## YOLO

Michel Deslauriers

**Y**ou only live once. Il s'agit d'une expression, en anglais, des gens qui désirent savourer chaque instant de la vie, une devise devenue plus pertinente que jamais en temps de pandémie. Pour les amateurs de voitures sport américaines qui ne vivent qu'une fois, il y a la Dodge Charger.

Bien sûr, on pourrait en dire autant de la Challenger, de la Ford Mustang ainsi que des Chevrolet Camaro et Corvette, toutes disponibles avec de gros moteurs V8. Mais la Charger reste la seule procurant la polyvalence de quatre portes et des sièges arrière pour la famille. Comme quoi on peut être égoïste sans négliger ses responsabilités parentales.

### LES ANGES

Bien que les grandes berlines n'aient plus la cote auprès des consommateurs nord-américains, Stellantis persiste en offrant la vieillissante Charger ainsi que sa cousine, la Chrysler 300, qui partagent plateforme et composants mécaniques. Avec son rouage à propulsion, la Charger s'avère un anachronisme dans le marché actuel. Par contre, pour affronter l'hiver, on l'offre avec un rouage intégral qui découple le train avant en conduite relaxe, mais qui alimente rapidement les quatre roues lors de pertes d'adhérence. De plus, l'écart de consommation entre les deux rouages représente à peine 0,4 L/100 km en circulation urbaine.

Pour profiter de la transmission intégrale, on doit toutefois se contenter du V6 de 3,6 litres produisant 300 chevaux, jumelé à une boîte automatique à 8 rapports. Heureusement, cette combinaison procure amplement de puissance et de raffinement, sans compter une consommation somme toute raisonnable.

Si certains seront encore et toujours déçus de constater que Stellantis n'offre pas de moteur V8 avec l'assurance des quatre roues motrices, la Charger GT affiche au moins une apparence similaire à celle des versions R/T et Scat Pack, avec sa prise d'air sur le capot et ses ajouts aérodynamiques. L'habitacle de la Charger est spacieux, même si l'espace pour les jambes à l'arrière fait défaut, surtout pour le passager assis au centre. Le coffre est immense, tout comme son ouverture. La planche de bord mélange un style rétro et une instrumentation moderne, le système multimédia Uconnect 4 étant l'un des plus faciles à utiliser en conduisant, grâce à son grand écran

---

**Prix:** 39 865 $ à 106 615 $ (2021)
**Transport et prép.:** 1 995 $
**Catégorie:** Grandes berlines
**Garanties:** 3/60, 5/100
**Assemblage:** Canada

**Ventes**
Québec 2020
174

24 %

Canada 2020
1 659

51 %

| | SXT | R/T | Hellcat Red. WB |
|---|---|---|---|
| PDSF | 39 865 $ | 45 865 $ | 106 615 $ |
| Loc. | n.d. | n.d. | n.d. |
| Fin. | 876 $ • 3,49 % | 1 001 $ • 3,49 % | 2 286 $ • 3,49 % |

Sécurité   Consommation

Appréciation générale   Fiabilité prévue   Agrément de conduite

**Équipement**

**Sécurité**

**Concurrents**
Chrysler 300, Kia Stinger, Nissan Maxima

**Nouveau en 2022**
Aucun changement majeur annoncé au moment de mettre sous presse. Peinture dorée et logiciel de sécurité ajoutés en cours d'année 2021.

tactile très réactif et la taille des zones de boutons. Comme on s'y attend, la Charger est une berline très confortable pour les longues randonnées, des trajets agrémentés par de bonnes chaînes audio de surcroît.

## LES DÉMONS

Ennemie jurée des environnementalistes et portant l'un des noms les plus longs de l'industrie, la Dodge Charger SRT Hellcat Redeye Widebody impose sa présence avec le vrombissement de son V8 suralimenté de 6,2 litres, crachant pas moins de 797 chevaux. Le chant du surcompresseur se fait bien entendre lors des accélérations, même si le grognement du moteur et le bruit de l'échappement prennent toute la place. Mais ce qui impressionne autant, c'est la douceur de ce monstre de moteur en conduite urbaine. Quant à la consommation d'essence, de type super bien entendu, il faut s'attendre à une moyenne générale d'au moins 15 L/100 km.

La version Scat Pack 392 n'est pas en reste avec son V8 atmosphérique de 6,4 litres, produisant 485 chevaux. Également livrable en version Widebody, même si elle n'a pas la fougue de la Hellcat en ligne droite, on apprécie son équilibre et la linéarité de sa courbe de puissance. Voilà un beau compromis à prix relativement raisonnable, avec un style tout aussi tape-à-l'œil. Entre les anges et les démons, il existe toujours la Charger R/T avec son V8 de 5,7 litres, bon pour 372 chevaux. Et même s'il s'agissait de la version la plus désirable il y a 15 ans, elle semble avoir perdu sa raison d'exister dans la gamme actuelle.

Les 84 mm additionnels en largeur semblent anodins, mais les ailes gonflées permettent à la Charger Widebody de chausser d'immenses pneus 305/35ZR20 et d'augmenter les voies avant et arrière, accentuant la tenue de route et la stabilité sur piste. Sur les routes publiques, avec du caoutchouc aussi large, la voiture dandine aux moindres imperfections, et il faut bien tenir le volant sur l'autoroute alors que les ornières vous feront subitement dévier de votre trajectoire. Conduire une Charger Widebody au quotidien, ce n'est pas de tout repos.

Si la Charger survit encore, c'est parce qu'elle procure des sensations fortes et constitue un achat plus émotionnel que rationnel. On lui pardonne donc sa conception dépassée, même si le constructeur est parvenu à conserver une certaine modernité. Il ne faut toutefois pas oublier que les versions les plus intéressantes coûteront cher en frais d'entretien, d'immatriculation et de pneus. Néanmoins, si le budget le permet, il faut bien en profiter pendant que nous sommes encore vivants, non ?

### Données principales

| | |
|---|---|
| Emp. / lon. / lar. / haut. | 3 048 / 5 100 / 2 100 / 1 467 mm |
| Coffre / réservoir | 470 litres / 70 litres |
| Nombre de passagers | 5 |
| Suspension av. / arr. | ind., bras inégaux / ind., multibras |
| Pneus avant / arrière | P245/45ZR20 / P245/45ZR20 |
| Poids / Capacité de remorquage* | 1983 kg / 454 kg (1 000 lb) |

*\* V6 et V8 5,7 litres seulement*

### Composantes mécaniques

**SXT, GT**

| | |
|---|---|
| Cylindrée, alim. | V6 3,6 litres atmos. |
| Puissance / Couple | 300 ch / 264 lb-pi |
| | **SXT Prop** - 292 ch / 260 lb-pi |
| Tr. base (opt) / Rouage base (opt) | A8 / Prop (Int) |
| 0-100 / 80-120 / V. max | 7,1 s (est) / 5,9 s (est) / n.d. |
| Type / ville / route / $CO_2$ | **Prop** - Ord / 12,4 / 7,8 / 242 g/km |
| | **Int** - Ord / 12,8 / 8,7 / 258 g/km |

**R/T**

| | |
|---|---|
| Cylindrée, alim. | V8 5,7 litres atmos. |
| Puissance / Couple | 372 ch / 400 lb-pi |
| Tr. base (opt) / Rouage base (opt) | A8 / Prop |
| Type / ville / route / $CO_2$ | Ord / 14,7 / 9,4 / 289 g/km |

**SCAT PACK 392, SCAT PACK 392 WIDEBODY**

| | |
|---|---|
| Cylindrée, alim. | V8 6,4 litres atmos. |
| Puissance / Couple | 485 ch / 475 lb-pi |
| Tr. base (opt) / Rouage base (opt) | A8 / Prop |
| Type / ville / route / $CO_2$ | Sup / 15,9 / 9,6 / 306 g/km |

**SRT HELLCAT WIDEBODY**

| | |
|---|---|
| Cylindrée, alim. | V8 6,2 litres surcomp. |
| Puissance / Couple | **Hellcat** - 717 ch / 656 lb-pi |
| | **Redeye** - 797 ch / 707 lb-pi |
| Tr. base (opt) / Rouage base (opt) | A8 / Prop |
| 0-100 / 80-120 / V. max | 4,6 s (m) / 3,0 s (m) / n.d. |
| 100-0 km/h | 34,2 m (m) |
| Type / ville / route / $CO_2$ | Sup / 19,0 / 11,5 / 368 g/km |

+ Performances et caractère • Rouage intégral efficace • Système multimédia toujours aussi convivial

— Consommation démesurée (moteurs V8) • Tenue de cap imprécise (Widebody) • Prix et frais d'entretien élevés (SRT Hellcat)

Photos : Dodge

# Du muscle pour la famille

Antoine Joubert

**Prix:** 48 965 $ à 114 345 $ (2021)
**Transport et prép.:** 1 995 $
**Catégorie:** VUS intermédiaires
**Garanties:** 3/60, 5/100
**Assemblage:** États-Unis

**Ventes**
Québec 2020
**884**

⬇ **9 %**

| | SXT | Citadel | SRT Hellcat |
|---|---|---|---|
| PDSF | 48 965 $ | 61 965 $ | 114 345 $ |
| Loc. | 809 $ • 3,99 % | 1 072 $ • 6,18 % | n.d. |
| Fin. | 977 $ • 0,00 % | 1 227 $ • 0,00 % | 2 299 $ • 3,49 % |

Canada 2020
**5 668**

⬇ **38 %**

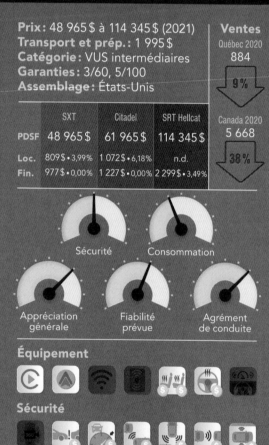

Sécurité    Consommation

Appréciation générale    Fiabilité prévue    Agrément de conduite

**Équipement**

**Sécurité**

**Concurrents**

Chevrolet Traverse, Ford Explorer, GMC Acadia, Honda Pilot, Hyundai Palisade, Jeep Grand Cherokee L, Kia Telluride, Mazda CX-9, Nissan Pathfinder, Subaru Ascent, Toyota Highlander, Volkswagen Atlas

**Nouveau en 2022**

Aucun changement dont majeur annoncé au moment de mettre sous presse.

**D**epuis le départ du Journey, le Dodge Durango est l'unique VUS de la famille Stellantis à offrir sept places assises. Un véhicule lancé en 2011 et qui, chaque année, s'écoule à volume à peu près égal. Entre 70 000 et 80 000 unités à l'échelle nord-américaine depuis 2013. Un constat intéressant, considérant la forte concurrence et une conception vieillissante.

Pour 2022, Jeep lance cependant le Grand Cherokee L, le premier véhicule Jeep à offrir sept places dans un format directement comparable au Durango, qui prend donc soudainement un véritable coup de vieux. Cela dit, le succès du Durango ces dernières années repose justement sur le fait qu'il fasse les choses différemment. Qu'il ne tente pas de faire concurrence au Honda Pilot ou au Kia Telluride, ayant une approche bien distincte et on ne peut plus américaine. Remarquez, même Ford et GM proposent des produits se situant à des années-lumière du Durango, l'Explorer venant par exemple avec des motorisations à 4 cylindres, hybrides, ou avec de petits V6.

### TROIS V8

Du côté de Dodge, pas de complexes. On a un choix de quatre motorisations, la plus petite étant l'increvable V6 Pentastar de 3,6 litres, avec lequel vous consommez en moyenne entre 11 et 12 L/100 km. Ensuite, il y a trois moteurs V8, uniques au segment. Des mécaniques jouant la carte d'une bonne puissance pour la meilleure capacité de remorquage de cette catégorie, ou encore celle de la performance brute. L'an dernier, Dodge poussait l'audace en sortant une version SRT Hellcat à moteur surcompressé de 710 chevaux. Un monstre mécanique d'une rare violence en accélération, capable de tenir tête (en ligne droite) à un Porsche Cayenne Turbo S E-Hybrid, pour la moitié du prix!

Inutile de vous le mentionner, ce SRT Hellcat est une véritable insulte environnementale. Or, Dodge semble avoir joué le tout pour le tout sachant que d'ici peu, il sera probablement impossible de produire de tels monstres. Cela dit, les deux déclinaisons SRT du Durango demeurent aussi brutales en accélération que sportives au chapitre du comportement. Les larges pneumatiques, la suspension sport et les gigantesques barres stabilisatrices affectent donc le confort au quotidien, bien que l'on ne se lasse pas de cette sublime sonorité mécanique.

L'acheteur en quête d'un certain agrément de conduite peut opter pour une version R/T équipée d'un ensemble performance baptisé Tow N Go, proposant un rendement plus ferme que les moutures ordinaires, sans toutefois atteindre le niveau des SRT. Sachez également qu'avec 360 chevaux sous le pied droit, le V8 de 5,7 litres déploie une puissance déjà bien plus impressionnante que celle de la majorité des véhicules de ce segment, quoique son plus proche rival, le Ford Explorer ST, en offre plus avec 400 chevaux..

### AGUICHANT

On aura beau dire, les stylistes de Dodge ont eu le coup de crayon très heureux avec le Durango. Esthétiquement, c'est l'un des véhicules les plus attrayants du segment, ce qui explique en partie son succès. Puisque l'habitacle commençait sérieusement à dater, les ingénieurs ont complètement repensé la planche de bord et l'aménagement du poste de conduite l'an dernier. Un environnement désormais plus ergonomique, luxueux et de plus belle facture, bien que le niveau de finition ne soit pas irréprochable. Parmi les points à souligner, l'ajout d'un écran central tactile de 10,1 pouces (optionnel), on ne peut plus efficace, ainsi qu'une console centrale nettement mieux configurée. Par contre, l'accès à la troisième rangée demeure problématique et l'habitacle n'est pas aussi facilement modulable que la concurrence.

Parce que les prix de détail de ces véhicules sont artificiellement gonflés et que les valeurs résiduelles ne reflètent pas la réalité du marché, il est difficile pour Dodge d'être compétitif au chapitre de la location. Plusieurs concessionnaires ont donc recours à de la location maison afin de les rendre plus accessibles. Ces derniers sont alors en mesure d'en tirer profit via de généreuses ristournes du constructeur et une revente après terme au sud de nos frontières. Ainsi, acheter un Durango neuf sans rabais important n'est pas recommandé en raison d'un marché périlleux qui risque de vous affecter durement à la revente. À moins bien sûr que vous optiez pour une version SRT qui, elle, conservera toujours une excellente valeur marchande.

Ayant atteint un niveau de fiabilité honnête et constituant tout de même un véhicule à la fois agréable et polyvalent, le Durango peut certainement être un bon parti. Il ne tient cependant qu'à vous de vous informer des promotions et des modes de financement ou de location les plus avantageux. L'autre solution serait de vous tourner vers un modèle d'occasion récent qui pourrait vous faire économiser des sommes colossales.

### Données principales

| | |
|---|---|
| Emp. / lon. / lar. / haut. | 3 043 / 5 101 / 2 172 / 1 851 mm |
| Coffre / réservoir | 487 à 2 409 litres / 93 litres |
| Nombre de passagers | 5 à 7 |
| Suspension av. / arr. | ind., bras inégaux / ind., multibras |
| Pneus avant / arrière | P265/50R20 / P265/50R20 |
| Poids / Capacité de remorquage (max) | 2 411 kg / 3 946 kg (8 700 lb) |

### Composantes mécaniques

**SXT, GT, CITADEL**

| | |
|---|---|
| Cylindrée, alim. | V6 3,6 litres atmos. |
| Puissance / Couple | 293 ch / 260 lb-pi |
| Tr. base (opt) / Rouage base (opt) | A8 / Int |
| 0-100 / 80-120 / V. max | 9,4 s (est) / 7,8 s (est) / n.d. |
| 100-0 km/h | 43,0 m (est) |
| Type / ville / route / $CO_2$ | Ord / 12,7 / 9,6 / 265 g/km |

**R/T**

| | |
|---|---|
| Cylindrée, alim. | V8 5,7 litres atmos. |
| Puissance / Couple | 360 ch / 390 lb-pi |
| Tr. base (opt) / Rouage base (opt) | A8 / Int |
| 0-100 / 80-120 / V. max | 7,3 s (est) / 6,7 s (est) / n.d. |
| 100-0 km/h | 45,1 m (est) |
| Type / ville / route / $CO_2$ | Ord / 16,7 / 10,9 / 331 g/km |

**SRT**

| | |
|---|---|
| Cylindrée, alim. | V8 6,4 litres atmos. |
| Puissance / Couple | 475 ch / 470 lb-pi |
| Tr. base (opt) / Rouage base (opt) | A8 / Int |
| 0-100 / 80-120 / V. max | 5,0 s (m) / 4,0 s (m) / n.d. |
| 100-0 km/h | 43,5 m (m) |
| Type / ville / route / $CO_2$ | Sup / 18,3 / 12,2 / 363 g/km |

**SRT HELLCAT**

| | |
|---|---|
| Cylindrée, alim. | V8 6,2 litres surcomp. |
| Puissance / Couple | 710 ch / 645 lb-pi |
| Tr. base (opt) / Rouage base (opt) | A8 / Int |
| 0-100 / 80-120 / V. max | 4,0 s (est) / 4,0 s (est) / n.d. |
| 100-0 km/h | 43,5 m (est) |
| Type / ville / route / $CO_2$ | Sup / 18,3 / 12,2 / 363 g/km |

**+** Design réussi • Performances exceptionnelles • Poste de conduite nettement plus invitant • Excellente capacité de remorquage

**—** Prix/modes de financement • Finition encore inégale • Consommation très élevée (V8) • Conception vieillissante

Photos : Dodge

## Classiques et sublimes

Marc Lachapelle

**Prix:** 452 523 $ à 469 318 $
**Transport et prép.:** 4 800 $
**Catégorie:** Exotiques
**Garanties:** 3/ill, 3/ill
**Assemblage:** Italie

**Ventes**
Québec 2020
n.d.

Canada 2020
n.d.

|      | Superfast | GTS |
|------|-----------|-----|
| PDSF | 452 523 $ | 469 318 $ |
| Loc. | n.d. | n.d. |
| Fin. | 9 899 $ • 4,90 % | 10 262 $ • 4,90 % |

Sécurité     Consommation

Infos n.d.    Infos n.d.    Infos n.d.

Appréciation générale    Fiabilité prévue    Agrément de conduite

### Équipement

Info n.d.   Info n.d.   Info n.d.   Info n.d.   Info n.d.   Info n.d.

### Sécurité

### Concurrents

Aston Martin DBS Superleggera,
Lamborghini Aventador, McLaren 720S

**Nouveau en 2022**
Versions 812 Competizione et 812
Competizione A (pour Aperta) fabriquées
en édition limitée.

À part un hiatus de deux ans, Ferrari n'a jamais cessé de produire des voitures à moteur V12 avant depuis 1947. Or, le constructeur de Maranello nous présente maintenant des versions encore plus poussées et raffinées d'une sportive à moteur avant exceptionnelle, qui était déjà au sommet de son art.

Ferrari est effectivement restée fidèle au moteur avant, contrairement à son grand rival Lamborghini qui est passé au moteur central il y a plus de quatre décennies (les camions et tracteurs ne comptent pas). Et pourtant, les sorciers de la marque à l'étalon cabré réussissent encore à créer de grandes montures classiques à moteur avant et roues arrière motrices virtuellement aussi rapides que leurs sœurs les plus fringantes. Ce qui n'est pas peu dire. En fait, peut-on vraiment parler de grand tourisme lorsqu'une de ces voitures boucle le circuit de Fiorano, étalon ultime de la performance d'une Ferrari, à une petite seconde de la plus puissante et rapide de toutes, la SF90 de 986 chevaux? D'autant plus qu'aucune autre n'a fait mieux.

### QUÊTES INCESSANTES

Pour garder la main, Ferrari a créé la 812 Competizione, variante plus puissante et rapide de la 812 Superfast, et aussi la Competizione A (pour Aperta) sa version découvrable. La première se distingue surtout de la seconde par le panneau d'aluminium qui remplace la lunette arrière, avec ses trois paires de «générateurs de vortex». Sur la Competizione A, une lame relie les deux contreforts qui s'allongent derrière la cabine. Elle forme une surface lisse avec le toit escamotable en fibre de carbone, lorsqu'il est en place.

À l'avant, une prise d'air unique réduit le poids et améliore le refroidissement de 10% tandis qu'une lame en fibre de carbone et d'autres modifications augmentent l'appui aérodynamique de 70%. Les étriers avant, empruntés à la SF90, réduisent la température des freins de 30°C. À l'arrière, les embouts d'échappement rectangulaires et verticaux qui remplacent les embouts ronds classiques, de part et d'autre d'un diffuseur retouché, augmentent l'appui de 35% en mélangeant air chaud et froid, un truc appris en Formule 1. Le soubassement redessiné ajoute 10% additionnels et le grand aileron aux bouts incurvés, qui rappelle celui des glorieuses 330 P3/P4, collabore aussi.

La 812 Competizione est plus légère que la 812 Superfast de 38 kg grâce aux matériaux légers. À l'extérieur, les pare-chocs, ailerons et prises d'air sont en fibre de carbone. On en retrouve aussi dans l'habitacle, sur le volant, la console et les contreportes, entre autres. On retranche 3,7 kg de plus en remplaçant les roues en aluminium forgé, fixées par des écrous en titane, par les premières jantes en fibre de carbone pour une Ferrari à moteur V12.

## MÉCANIQUE MAGISTRALE ET AGILITÉ INSOUPÇONNÉE

Puisque la motorisation est toujours le cœur d'une Ferrari, les motoristes se sont appliqués à tirer encore plus de puissance du V12 atmosphérique de 6,5 litres qui anime les 812 GTS et Superfast. Ils ont par exemple haussé son régime maximal de 8 900 tr/min à 9 500 tr/min, exploit remarquable pour un moteur atmosphérique d'une telle cylindrée. Ils y sont arrivés en installant des bielles en titane plus légères de 40 %, un vilebrequin allégé de 3 % et des axes de pistons enduits de carbone (DLC) pour réduire la friction.

Les modifications les plus importantes touchent néanmoins la distribution et les culasses, entièrement redessinées. Les nouveaux arbres à cames et poussoirs traités au DLC sont inspirés des moteurs de F1 et un collecteur à tubulures variables optimise le couple à tous les régimes. Résultat de ce travail : un gain de 29 équidés pour une puissance de 818 chevaux au total, transmis à une boîte Getrag à double embrayage et 7 rapports dont les passages sont plus rapides de 5 %.

Pour aiguiser leur comportement, les 812 Competizione ont droit à des roues arrière directrices contrôlées individuellement plutôt que synchronisées. Une première. Elles travaillent de concert avec la version 7.0 de l'antidérapage exceptionnel de Ferrari, dont on choisit l'un des cinq modes avec le célèbre et génial *manettino*, sur le volant. Des pneus Michelin Pilot Sport Cup 2 R, développés pour les Competizione, complètent le tableau. Le tout produit ce chrono remarquable de 1 minute 20 secondes à Fiorano et une tenue de route sûrement à l'avenant.

Avons-nous besoin de préciser que les clients fidèles de Ferrari se sont arraché les 999 Competizione et les 599 Competizione A qui seront vendues à plus d'un demi-million de dollars pièce ? Meilleure chance la prochaine fois.

### Données principales

| | | |
|---|---|---|
| Emp. / lon. / lar. / haut. | **Superfast** - 2 720 / 4 657 / 1 971 / 1 276 mm | |
| | **GTS** - 2 720 / 4 693 / 1 971 / 1 278 mm | |
| | **Competizione** - 2 720 / 4 696 / 1 971 / 1 276 mm | |
| Coffre / réservoir | **Coupé** - 320 litres / 92 litres | |
| | **Roadster** - 210 litres / 92 litres | |
| Nombre de passagers | 2 | |
| Suspension av. / arr. | ind., double triangulation / ind., multibras | |
| Pneus avant / arrière | P275/35R20 / P315/35R20 | |
| Poids / Capacité de remorquage | **Coupé** - 1 630 kg / non recommandé | |
| | **Roadster** - 1 750 kg / non recommandé | |
| | **Competizione** - 1 592 kg / non recommandé | |

### Composantes mécaniques

**SUPERFAST, GTS**

| | |
|---|---|
| Cylindrée, alim. | V12 6,5 litres atmos. |
| Puissance / Couple | 789 ch / 530 lb-pi |
| Tr. base (opt) / Rouage base (opt) | A7 / Prop |
| 0-100 / 80-120 / V. max | 2,9 s (c) / n.d. / 340 km/h (c) |
| 100-0 km/h | 32,0 m (c) |
| Type / ville / route / CO$_2$ | Sup / 25,2 / 14,1 / 461 g/km (est) |

**COMPETIZIONE**

| | |
|---|---|
| Cylindrée, alim. | V12 6,5 litres atmos. |
| Puissance / Couple | 818 ch / 510 lb-pi |
| Tr. base (opt) / Rouage base (opt) | A7 / Prop |
| 0-100 / 80-120 / V. max | 2,85 s (c) / n.d. / 340 km/h (c) |
| 100-0 km/h | 32,0 m (est) |
| Type / ville / route / CO$_2$ | Sup / 25,2 / 14,1 / 461 g/km (est) |

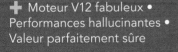

+ Moteur V12 fabuleux • Performances hallucinantes • Valeur parfaitement sûre

– Silhouettes un peu chargées • Visibilité arrière compromise • Rupture de stock instantanée

Photos : Ferrari

# FERRARI **F8 TRIBUTO** / SPIDER

★★★★ CÔTE DU GUIDE

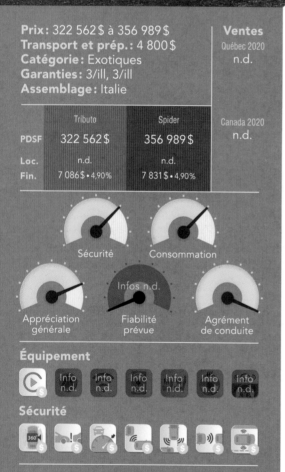

**Prix :** 322 562 $ à 356 989 $
**Transport et prép. :** 4 800 $
**Catégorie :** Exotiques
**Garanties :** 3/ill, 3/ill
**Assemblage :** Italie

**Ventes**

Québec 2020
n.d.

Canada 2020
n.d.

|  | Tributo | Spider |
|---|---|---|
| PDSF | 322 562 $ | 356 989 $ |
| Loc. | n.d. | n.d. |
| Fin. | 7 086 $ • 4,90 % | 7 831 $ • 4,90 % |

Sécurité — Consommation

Appréciation générale — Fiabilité prévue (Infos n.d.) — Agrément de conduite

## Équipement

Info n.d. — Info n.d. — Info n.d. — Info n.d. — Info n.d. — Info n.d.

## Sécurité

## Concurrents

Acura NSX, Aston Martin Vantage, Audi R8, Lamborghini Huracán, McLaren 720S, Porsche 911, Tesla Roadster

## Nouveau en 2022

Aucun changement majeur annoncé au moment de mettre sous presse.

# Une constante évolution

Gabriel Gélinas

**C**hez Ferrari, l'évolution est constante pour toutes les lignées de modèles, et elle l'est particulièrement dans le cas des sportives à moteur central. C'est la raison pour laquelle la F8 Tributo représente une évolution de la 488 GTB qui a reçu le moteur de la 488 Pista, alors que de nombreuses modifications ont été apportées à son aérodynamique, son châssis et à sa boîte de vitesses. Quant au nom F8 Tributo, il a été choisi en hommage à son moteur V8, le plus puissant de l'histoire de la marque.

Ferrari court non seulement en Formule 1, mais aussi dans les catégories GT, ce qui lui permet d'optimiser constamment la performance de ses voitures de course et de ses modèles de série. C'est pourquoi la F8 Tributo se différencie autant de sa devancière, son aérodynamique ayant été dictée par la performance sur circuit. À l'avant, on remarque les petites ouvertures pratiquées au-dessus des blocs optiques, servant au refroidissement des freins, tandis que la partie arrière arbore un diffuseur dérivé de la 488 Challenge.

Le look est particulièrement frappant et on aime beaucoup les feux ronds qui évoquent la première Ferrari 308, ainsi que la lunette arrière en Lexan dont les ouvertures permettent d'admirer le moteur, comme sur la mythique F40. Les jantes en alliage forgé sont tout simplement magnifiques, et il est possible d'opter pour des jantes en fibre de carbone, inaugurées sur la 488 Pista.

### UN VÉRITABLE COCKPIT

L'offre de la F8 est doublée par la Spider dont le toit rigide rétractable se replie ou se déploie en une quinzaine de secondes, même lorsque la voiture est en mouvement à basse vitesse. La Spider étant dépourvue de la lunette arrière de la Tributo, on doit obligatoirement soulever un capot pour admirer le moteur. Qu'il s'agisse de la Tributo ou de la Spider, l'habitacle évoque un véritable cockpit avec le volant sport qui regroupe les principales commandes, notamment celle des essuie-glaces et des clignotants.

C'est aussi au moyen d'un bouton localisé sur le côté gauche du volant que l'on commande le démarrage du moteur, alors que le sélecteur de modes de conduite se trouve sur le côté droit. Pour enclencher la boîte de vitesses, il suffit d'appuyer sur le bouton placé sur le pont central et de passer les

rapports au moyen des palettes au volant. Ou de laisser la boîte à 7 rapports faire le travail en mode automatique...

## DOCILE ET FURIEUSE À LA FOIS

Lors de la conduite en zones urbaines, en mode Automatique, on remarque que la boîte à double embrayage égrène les rapports rapidement afin que le moteur tourne à bas régime pour réduire la consommation. Il n'est pas rare de s'apercevoir que la boîte est engagée sur le cinquième rapport même si la voiture ne roule qu'aux environs de 60 km/h. Dans ces conditions, l'auto se montre très docile et d'une facilité déconcertante à conduire malgré le fait qu'il s'agisse d'une sportive de très haut calibre. Dans ce contexte, il faut juste apprendre à moduler correctement la pédale de frein qui s'avère très sensible. Lorsque la qualité du revêtement laisse à désirer, il suffit d'activer le mode *Bumpy Road* qui permet de composer plus efficacement avec les inégalités de la chaussée. Bref, la F8 Tributo se montre relativement à l'aise dans la circulation dense.

Pour exploiter un tant soit peu le potentiel démentiel de cette sportive ultraperformante, mieux vaut mettre le cap sur un circuit où l'on peut apprécier au plus haut point la phénoménale poussée du V8 biturbo de 3,9 litres, ainsi que la réactivité du châssis. La F8 Tributo est aussi dotée d'un arsenal électronique complet qui se met au service de la performance. À titre d'exemple, le système *Side Slip Control* 6.1 permet de paramétrer l'angle de dérive maximal de la voiture dans les virages, alors que le *Dynamic Enhancer* commande le freinage sélectif des roues pour optimiser la motricité. Encore et toujours, le charme opère lorsqu'une Ferrari à moteur central peut s'exprimer librement dans un environnement contrôlé.

Au cours des dernières années, Ferrari a fait la transition des moteurs atmosphériques vers les moteurs suralimentés par turbocompresseur avec brio, mais une nouvelle transition est sur le point de débuter avec un éventuel passage à la motorisation hybride, déjà amorcée avec la SF90 Stradale. Ceci porte à croire que la descendante de la F8 Tributo ne sera peut-être plus animée par un V8 biturbo, mais plutôt par un V6 biturbo secondé par un ou des moteurs électriques, permettant ainsi de récupérer l'énergie cinétique lors de la décélération et du freinage afin de la redéployer au cours de l'accélération. À cet effet, l'arrivée prochaine de la nouvelle 296 GTB hybride rechargeable pourrait bien signer l'arrêt de mort de la F8 Tributo. Histoire à suivre.

**+** Performances spectaculaires • Furieuse et docile à la fois • Degré de sophistication technique • Exclusivité assurée

**—** Tarif des options • Délais de livraison

### Données principales

| Emp. / lon. / lar. / haut. | **Coupé** - 2 650 / 4 611 / 1 979 / 1 206 mm |
| --- | --- |
| | **Spider** - 2 650 / 4 611 / 1 979 / 1 206 mm |
| Coffre / réservoir | **Coupé** - 200 litres / 78 litres |
| | **Spider** - 200 litres / 78 litres |
| Nombre de passagers | 2 |
| Suspension av. / arr. | ind., double triangulation / ind., multibras |
| Pneus avant / arrière | P245/35R20 / P305/30R20 |
| Poids / Capacité de remorquage | **Coupé** - 1 435 kg / non recommandé |
| | **Spider** - 1 505 kg / non recommandé |

### Composantes mécaniques

| Cylindrée, alim. | V8 3,9 litres turbo |
| --- | --- |
| Puissance / Couple | 710 ch / 568 lb-pi |
| Tr. base (opt) / Rouage base (opt) | A7 / Prop |
| 0-100 / 80-120 / V. max | 2,9 s (c) / n.d. / 340 km/h (c) |
| 100-0 km/h | 31,0 m (est) |
| Type / ville / route / $CO_2$ | Sup / 21,5 / 10,8 / 390 g/km (est) |

# FERRARI **PORTOFINO M**

★★★★☆ COTE DU GUIDE

## De modèle décrié à pur-sang en quelques années

Marc-André Gauthier

**Prix :** 264 670 $
**Transport et prép. :** 4 800 $
**Catégorie :** Exotiques
**Garanties :** 3/ill, 3/ill
**Assemblage :** Italie

| | M | Ventes |
|---|---|---|
| | | Québec 2020 |
| | | n.d. |
| PDSF | 264 670 $ | Canada 2020 |
| | | n.d. |
| Loc. | n.d. | |
| Fin. | 5 833 $ • 4,90 % | |

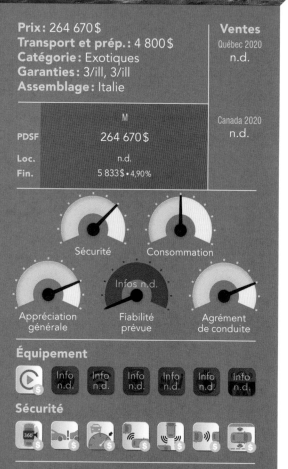

Sécurité · Consommation · Appréciation générale · Fiabilité prévue · Infos n.d. · Agrément de conduite

**Équipement**

Info n.d. | Info n.d. | Info n.d. | Info n.d. | Info n.d. | Info n.d.

**Sécurité**

**Concurrents**

Audi R8, Bentley Continental, Lamborghini Huracán, Mercedes-Benz SL, Tesla Roadster

**Nouveau en 2022**

Début de la Portofino M, qui comprend une nouvelle transmission ainsi que la manette de sélection des modes de conduite.

---

**O**n a tendance à croire que Ferrari est une compagnie plutôt conservatrice et, pourtant, elle a souvent essayé de lancer des produits que plusieurs qualifiaient de « fausses Ferrari ». On se rappelle la belle Dino, devenue iconique, alors qu'elle avait été mal accueillie à l'époque.

La plus récente voiture à avoir reçu cette critique est la California. Quand Ferrari l'a mise sur le marché, certains ont crié à l'imposture ! Qu'est-ce qu'une voiture de grand tourisme décapotable avec un toit rigide vient faire dans la gamme du constructeur italien ?

Cette California, digne de la marque ou pas, a connu du succès et a été modifiée à plusieurs reprises, recevant un nouveau moteur, avant d'être réincarnée en un nouveau modèle, la Portofino. Eh bien, pour 2022, la Portofino n'est plus ! À la place, voici la Portofino M, le M signifiant *Modificata* en italien, ou « modifiée ». Bien que les modifications apportées n'aient rien de majeur, elles permettent à la Portofino de mériter d'être appelée un « pur-sang ».

**UN LOOK TOUJOURS AUSSI CHARGÉ**

Par rapport à la Portofino, la Portofino M reste essentiellement inchangée, stylistiquement. Ainsi, quand on la regarde, on est confronté à une jolie silhouette typiquement GT. Ce qui est bien avec la Portofino M, c'est qu'elle a un toit rigide qui se cache dans le coffre quand on sélectionne le mode décapotable. Ainsi, on a une allure d'enfer, peu importe la situation !

Malheureusement, ce style est quelque peu alourdi par les nombreux accents que Ferrari a mis un peu partout sur la voiture. Si son devant demeure fidèle au langage visuel de la marque, les côtés sont affublés de lignes plus ou moins réussies. On comprend qu'elles sont là pour rehausser son aérodynamisme, néanmoins, il y aurait sans doute eu une manière de faire mieux.

L'habitacle de la Portofino M ne se démarque pas particulièrement. On retrouve une planche de bord étrangement découpée, avec un écran multimédia large, bien que placé plutôt bas. On découvre aussi un petit écran rectangulaire face au passager avant, une disposition également adoptée chez Porsche dans la Taycan, qui permet de choisir la musique

et de consulter d'autres paramètres. Le combiné d'instrumentation, lui, est occupé par un gigantesque cadran analogique intégrant le compte-tours. Ce dernier est entouré d'écrans numériques qui affichent les autres informations nécessaires à la conduite.

Un autre élément qui permet aux véhicules Ferrari de se démarquer, ce sont leurs magnifiques volants, inspirés de la Formule 1. Par exemple, on démarre la voiture en appuyant sur le bouton rouge situé sur ce dernier. Nouveauté sur la Portofino M, on retrouve finalement le *manettino*, une petite commande qui permet de changer les modes de conduite facilement.

La Portofino M offre techniquement quatre places, toutefois, les places arrière conviennent à peine à des enfants. Si vous reculez suffisamment votre siège à l'avant, vous ne pourrez plus assoir quiconque à l'arrière. Reste que les sièges avant sont confortables, supportant le conducteur à merveille, même sur les longs trajets.

### UNE MÉCANIQUE UN PEU PLUS ÉPICÉE

La Portofino M est mue par un merveilleux moteur Ferrari qui fait saliver quiconque connaît la mécanique. Il s'agit d'un V8 biturbo de 3,9 litres, moteur qui a été hautement récompensé lors de sa sortie. Il produit un total de 612 chevaux et 561 lb-pi de couple. Nouveauté sur la Portofino M, la puissance est maintenant acheminée aux roues arrière à l'aide d'une boîte à double embrayage comptant 8 rapports, directement inspirée des transmissions actuellement utilisées en Formule 1.

Bien entendu, la Portofino M emploie une suspension parmi les plus raffinées de la planète, ce qui lui confère une tenue de route franchement impressionnante. D'autre part, l'auto se démarque grâce à la précision de sa direction, qui demeure au sommet de la catégorie. Encore mieux, Ferrari arrive à offrir une conduite céleste sans pour autant compromettre le confort.

Avec l'arrivée de cette transmission à double embrayage et de la légendaire manette qui contrôle les modes de conduite, la Portofino M ajoute les ingrédients qui lui manquaient pour compléter l'expérience Ferrari. On cessera de la traiter d'impostrice pour finalement apprécier pleinement le produit fantastique que Ferrari est arrivée à créer : une GT décapotable qui offre la conduite d'une vraie Ferrari.

| Données principales | |
|---|---|
| Emp. / lon. / lar. / haut. | 2 670 / 4 594 / 1 938 / 1 318 mm |
| Coffre / réservoir | 292 litres / 80 litres |
| Nombre de passagers | 4 |
| Suspension av. / arr. | ind., double triangulation / ind., multibras |
| Pneus avant / arrière | P245/35R20 / P285/35R20 |
| Poids / Capacité de remorquage | 1 650 kg / non recommandé |

| Composantes mécaniques | |
|---|---|
| Cylindrée, alim. | V8 3,9 litres turbo |
| Puissance / Couple | 612 ch / 561 lb-pi |
| Tr. base (opt) / Rouage base (opt) | A8 / Prop |
| 0-100 / 80-120 / V. max | 3,5 s (c) / n.d. / 320 km/h (c) |
| 100-0 km/h | 34,0 m (c) |
| Type / ville / route / $CO_2$ | Sup / 18,0 / 9,9 / 339 g/km (est) |

| + Mécanique divine •<br>Conduite précise •<br>Parfaite pour les balades | – Style extérieur chargé •<br>Places arrière inutiles |
|---|---|

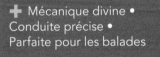

Photos : Ferrari

**Prix :** 251 665 $
**Transport et prép. :** 4 800 $
**Catégorie :** Exotiques
**Garanties :** 3/ill, 3/ill
**Assemblage :** Italie

**Ventes**
Québec 2020
n.d.

|  | Roma |
|---|---|
| **PDSF** | 251 665 $ |
| **Loc.** | n.d. |
| **Fin.** | 5 551 $ • 4,90% |

Canada 2020
n.d.

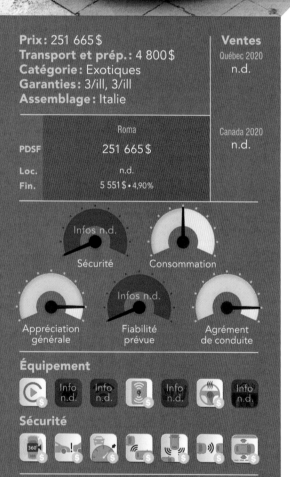

Infos n.d. — Sécurité
Consommation
Appréciation générale
Infos n.d. — Fiabilité prévue
Agrément de conduite

**Équipement**

**Sécurité**

**Concurrents**

Acura NSX, Aston Martin DB11,
Audi R8, Bentley Continental GT,
Lamborghini Huracán, McLaren GT,
Porsche 911

**Nouveau en 2022**

Aucun changement majeur annoncé
au moment de mettre sous presse.

# Savoureuse riposte à Aston Martin

Antoine Joubert

É tant devenu le principal actionnaire de la marque Aston Martin, Lawrence Stroll (père de Lance) s'est récemment contraint à céder sa concession montréalaise Ferrari. Or, à peine quelques mois avant la transaction, la firme de Maranello débarquait avec la Roma, une voiture ciblant directement l'acheteur d'une DB11. Voilà qui est ironique, bien que cela fasse le bonheur des amateurs de Ferrari, qui poursuit la multiplication de ses sportives tandis que les autres marques de prestige s'appuient sur leur VUS.

Soyez sans crainte, Ferrari dévoilera également sous peu son propre VUS, le Purosangue («pur sang» en italien). N'allez surtout pas croire que ce dernier dénaturera la marque, puisque pas moins de sept gammes de sportives sont offertes cette année, alors que s'effectue actuellement la transition de la F8 Tributo à la 296 GTB.

Débarquée l'an dernier, la Roma n'est proposée que sous forme de coupé, la Portofino M se chargeant de ceux souhaitant rouler à ciel ouvert. Ces deux autos partagent d'ailleurs structure et empattement, bien que la Roma soit plus longue, plus basse et encore plus épurée en matière de design. Son long capot plongeant et son habitacle fortement déporté vers l'arrière font d'elle une authentique GT. Une voiture qui n'a d'ailleurs que très peu de rivales directes, encore une fois, à l'exception de la DB11 d'Aston Martin.

### SE TREMPER LES ORTEILS

Quelques heures passées à son volant auront suffi pour bien en saisir l'approche. La Roma transpire l'ADN de Ferrari en demeurant toutefois à l'écart des projecteurs. Loin d'être banale, elle n'est pas non plus tape-à-l'œil comme certains autres modèles de la marque. Moins aiguisée dans sa conduite que la F8 Tributo, elle est indéniablement plus athlétique que ses rivales anglaises. Ainsi, bien que la Roma témoigne d'un raffinement quasi inimaginable pour ce genre de bolide, la grande précision de sa direction ainsi que l'heureuse impression de solidité et de légèreté la distinguent encore davantage. Sa structure tout aluminium permet de maintenir le poids à seulement 1 570 kg, pour une parfaite répartition des masses.

Bien ancrée au sol, la Roma peut se montrer docile et conviviale au quotidien. Il suffit cependant de passer au mode Sport ou Race pour littéralement constater sa transformation comportementale. Une action

permettant de découvrir ce qu'elle a dans le ventre, tant en matière de puissance que de maniabilité. Alors certes, les accélérations comme les reprises sont foudroyantes, au même titre que la sonorité de ce V8 turbocompressé qui chante jusqu'à 7 500 tr/min. La rapidité d'exécution et le rendement de la boîte à double embrayage impressionnent tout autant, contribuant aux chiffres d'accélération qui surpassent ceux d'une Aston Martin DB11 à moteur V12. Cela dit, le freinage est si puissant, qu'il vous faudra apprendre à doser l'appui avec un peu plus de délicatesse qu'à l'habitude.

### COMME UN GANT

Plusieurs voitures sport d'exception vous impressionneront en matière de performance, négligeant toutefois votre aisance à la conduite. Ce qui n'a pas lieu d'être avec la Roma, conçue pour vous offrir confort et convivialité, y compris pour de très longs trajets. En revanche, les sièges arrière sont accessoires. Et vous constaterez une visibilité très moyenne vers l'arrière, problème en partie réglé par cette caméra de recul qui, en fonction, occupe le plein espace de l'écran d'instrumentation.

Néanmoins, cet habitacle nous fait bénéficier d'une expérience sensorielle hors du commun. Les odeurs, le toucher des cuirs, la beauté de l'environnement comme la richesse des matériaux vous transportent automatiquement dans une autre dimension. Du grand art italien, où s'intègre également une technologie de pointe, ce qu'Aston Martin ne peut se vanter d'offrir.

Devant le conducteur on découvre une instrumentation numérique d'une grande qualité graphique, où prédomine bien sûr le tachymètre, et où l'essentiel de l'information vous est transmis avec simplicité. Puis, directement sur le volant, l'activation des clignotants, phares et essuie-glaces, malgré une présentation très sobre. L'écran destiné au passager transmet diverses informations relatives à la conduite, lui donnant aussi accès à la navigation et au système audio. Un écran optionnel, comme d'innombrables autres accessoires, Ferrari allant même jusqu'à facturer dans les quatre chiffres pour obtenir Apple CarPlay...

Un moindre mal lorsque le portefeuille le permet, puisque ce splendide coupé fait figure d'exception dans un monde où la distinction par l'élégance et non pas par l'opulence est de plus en plus rare.

### Données principales

| | |
|---|---|
| Emp. / lon. / lar. / haut. | 2 670 / 4 656 / 1 974 / 1 301 mm |
| Coffre / réservoir | 345 litres / 80 litres |
| Nombre de passagers | 4 |
| Suspension av. / arr. | ind., double triangulation / ind., multibras |
| Pneus avant / arrière | P245/35R20 / P285/35R20 |
| Poids / Capacité de remorquage | 1 570 kg / non recommandé |

### Composantes mécaniques

| | |
|---|---|
| Cylindrée, alim. | V8 3,9 litres turbo |
| Puissance / Couple | 612 ch / 561 lb-pi |
| Tr. base (opt) / Rouage base (opt) | A8 / Prop |
| 0-100 / 80-120 / V. max | 3,4 s (c) / n.d. / 320 km/h (c) |
| 100-0 km/h | 32,0 m (est) |
| Type / ville / route / CO$_2$ | Sup / 17,8 / 9,7 / 333 g/km (est) |

**+** Lignes sensationnelles • Performances d'exception • Raffinement du poste de conduite • Technologies de pointe

Festival d'options • Places arrière symboliques • Délais de livraison

Photos: Ferrari

# FERRARI **SF90 STRADALE / SF90 SPIDER**

**n.d.** COTE DU GUIDE

**Prix :** 599 341 $ à 660 000 $ (est)
**Transport et prép. :** 4 800 $
**Catégorie :** Exotiques
**Garanties :** 3/ill, 3/ill
**Assemblage :** Italie

**Ventes**
Québec 2020
n.d.

|  | Stradale | Spider | |
|---|---|---|---|
| **PDSF** | 599 341 $ | 660 000 $ | Canada 2020 |
| **Loc.** | n.d. | n.d. | n.d. |
| **Fin.** | 14 012 $ • 4,90 % | 15 325 $ • 4,90 % | |

| Infos n.d. | Infos n.d. |
|---|---|
| Sécurité | Consommation |

| Infos n.d. | Infos n.d. | Infos n.d. |
|---|---|---|
| Appréciation générale | Fiabilité prévue | Agrément de conduite |

**Équipement**

**Sécurité**

**Concurrents**
Aston Martin DBS Superleggera,
Lamborghini Aventador, McLaren 720S

**Nouveau en 2022**
Aucun changement majeur annoncé
au moment de mettre sous presse.

# Quand hybridation rime avec performance
Gabriel Gélinas

Les lettres SF évoquent la *Scuderia Ferrari*, le chiffre 90 fait référence au nombre d'années depuis lesquelles la marque de Maranello est présente en sport automobile, et le mot Stradale fait le lien entre le circuit et la route. Voilà pour la désignation, mais la SF90 Stradale, c'est surtout la toute première Ferrari dotée d'une motorisation hybride rechargeable. C'est aussi le premier modèle qui peut être commandé en version de base, si l'on peut ainsi qualifier une Ferrari, ou en version *Assetto Fiorano*, laquelle est encore plus typée et dont la conduite est axée sur la performance sur circuit. Chargez la batterie et attachez votre ceinture...

Pour faire une belle expérience de dissonance cognitive, il suffit de se glisser dans la Ferrari SF90, d'appuyer sur le bouton du démarreur et de constater qu'elle est prête à rouler dans un silence complet grâce à ses trois moteurs électriques et à l'énergie stockée dans sa batterie d'une capacité de 7,9 kWh. Sur tous les autres modèles Ferrari, le démarrage est une expérience sensorielle exceptionnelle alors que les V8 ou V12 s'éveillent dans un vrombissement provoquant la chair de poule. Par contre, dans la SF90, il faut obligatoirement appuyer sur l'accélérateur pour commander la mise à feu du V8 biturbo. Un bloc dérivé de la F8 Tributo, mais dont l'alésage a été augmenté faisant passer la cylindrée de 3,9 à 4 litres.

## PRESQUE 1000 CHEVAUX
La puissance combinée du V8 biturbo et des trois moteurs électriques est chiffrée à 986 chevaux. Assez pour expédier le 0 à 100 km/h en 2,5 secondes et le 0 à 200 en 6,7 secondes, ce qui permet d'atteindre une vitesse maximale de 340 km/h. Le premier moteur électrique est logé en sandwich entre le moteur thermique et la boîte de vitesses. Les deux autres sont montés à l'avant de la voiture et couplés dans un module assurant une répartition vectorielle du couple entre les roues gauche et droite.

Lorsque le mode Électrique est sélectionné, la SF90 Stradale est en fait une simple traction capable d'avancer sans consommer d'essence sur une distance de 25 km à une vitesse maximale de 135 km/h. Si le conducteur veut faire une manœuvre de recul, la rotation des moteurs électriques s'inverse, puisque la boîte de vitesses de la SF90 Stradale est dépourvue d'un rapport de marche arrière.

Depuis 2021, l'offre de Ferrari comprend également la SF90 Spider à toit rigide rétractable qui se replie en 14 secondes. Cette variante est identique à la SF90 Stradale, exception faite des montants de pare-brise plus fins et de l'ajout d'une nouvelle ouïe devant la vitre arrière permettant d'alimenter le V8 en air. Plus lourde de 100 kg, la SF90 Spider ajoute trois dixièmes de seconde à l'exercice du 0 à 200 km/h par rapport à la SF90 Stradale. En revanche, le chrono du 0 à 100 km/h demeure pareil pour les deux modèles. Qu'il s'agisse de la Stradale ou de la Spider, le design est frappant avec des lignes tendues, des grandes prises d'air et les sorties d'échappement intégrées à même la carrosserie. Dommage que les feux soient presque carrés, et non ronds comme le veut la tradition chez Ferrari.

## UN HABITACLE NUMÉRIQUE

L'habitacle fait la part belle au numérique avec un tableau de bord digital qui prend la forme d'un écran courbé de 16 pouces de largeur. Ce dernier sert non seulement à indiquer la vitesse et les révolutions du moteur, mais également d'interface avec les différentes fonctionnalités de la voiture.

Le volant est dépourvu du célèbre *manettino* qui est ici remplacé par un pavé tactile permettant la sélection des modes de conduite sur le côté gauche, alors qu'un bouton rotatif monté sur le côté droit permet de calibrer la dynamique. On ajoute la commande vocale activée par un « Ciao Ferrari » et le portrait est complet.

Si les SF90 Stradale et Spider ne sont pas assez radicales pour vous, sachez qu'il est possible d'opter pour la spécification *Assetto Fiorano* qui abaisse un peu le poids de la voiture, intègre un volet de type *Gurney* sur le becquet arrière et qui est dotée d'une suspension avec ressorts en titane et amortisseurs en aluminium. Bien évidemment, les options de personnalisation sont légion sur les SF90, ce qui permet à l'acheteur de construire un bolide unique au monde.

Bardée de technologies, la SF90 Stradale et sa déclinaison Spider inaugurent une nouvelle ère pour la marque de Maranello avec l'ajout d'une motorisation hybride rechargeable et un habitacle entièrement numérique. Plusieurs de ces innovations seront éventuellement intégrées à d'autres modèles, on pense ici au VUS Purosangue, mais la SF90 Stradale aura été celle qui a tracé la voie.

### Données principales

| | |
|---|---|
| Emp. / lon. / lar. / haut. | **Stradale** - 2 650 / 4 710 / 1 972 / 1 186 mm |
| | **Spider** - 2 650 / 4 704 / 1 973 / 1 191 mm |
| Coffre / réservoir | **Stradale** - 74 litres / 68 litres |
| | **Spider** - 74 litres / 68 litres |
| Nombre de passagers | 2 |
| Suspension av. / arr. | ind., multibras / ind., multibras |
| Pneus avant / arrière | P255/35R20 / P315/30R20 |
| Poids / Capacité de remorquage | **Stradale** - 1 570 kg / non recommandé |
| | **Spider** - 1 670 kg / non recommandé |

### Composantes mécaniques

| | |
|---|---|
| Cylindrée, alim. | V8 4,0 litres turbo |
| Puissance / Couple | 769 ch / 590 lb·pi |
| Tr. base (opt) / Rouage base (opt) | A8 / Int |
| 0-100 / 80-120 / V. max | 2,5 s (c) / n.d. / 340 km/h (c) |
| 100-0 km/h | 29,5 s (c) |
| Type / ville / route / $CO_2$ | Sup / n.d. / n.d. / n.d. |
| Puissance combinée | 986 ch |
| **MOTEUR ÉLECTRIQUE** | |
| Puissance / Couple | **Av (2x)** - 42 ch (31 kW) |
| Moteur électrique | **Arr** - 134 ch (100 kW) |
| Type de batterie / Énergie | Lithium-ion (Li-ion) / 7,9 kWh |
| Autonomie | 25 km |

| + Performances stupéfiantes • Technologie de pointe • Look très réussi • Valeur de revente | − Coût des options • Délais de livraison • Production limitée |
|---|---|

**Prix :** 32 345 $ à 34 345 $ (2021)
**Transport et prép. :** 1 995 $
**Catégorie :** VUS sous-compacts
**Garanties :** 3/60, 5/100
**Assemblage :** Italie

**Ventes**

Québec 2020
**3**

**0%**

Canada 2020
**34**

**32 %**

| | Pop | Sport | Trekking Plus |
|---|---|---|---|
| PDSF | 32 345 $ | 33 845 $ | 34 345 $ |
| Loc. | n.d. | n.d. | n.d. |
| Fin. | 719 $ • 3,49 % | 750 $ • 3,49 % | 760 $ • 3,49 % |

Sécurité · Consommation
Appréciation générale · Fiabilité prévue · Agrément de conduite

### Équipement

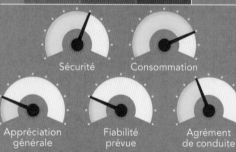

### Sécurité

### Concurrents

Chevrolet Trailblazer, Ford EcoSport,
Honda HR-V, Hyundai Kona, Jeep Renegade,
Kia Niro/Seltos, Mazda CX-30,
Mitsubishi Eclipse Cross, Mitsubishi RVR,
Nissan Qashqai, Subaru Crosstrek

### Nouveau en 2022

Aucun changement majeur annoncé
au moment de mettre sous presse.
Le futur de ce modèle est incertain.

# Le prochain sur la liste

Julien Amado

**L**e rapprochement entre FCA (Fiat Chrysler) et PSA (Peugeot-Citroën) a donné naissance à un nouveau groupe tentaculaire : Stellantis. Bien que les remaniements en soient encore à leurs balbutiements, on constate déjà que la marque Fiat n'incarne plus l'avenir en Amérique du Nord.

En effet, après l'élimination de la 500, deux autres modèles ont disparu en cours d'année 2021 : l'anonyme 500 litres ainsi que la 124 Spider, cousine un peu plus latine de la Mazda MX-5. Ce qui signifie qu'au moment d'écrire ces lignes, la gamme Fiat se compose d'un seul modèle : le 500X. Appartenant à la catégorie des VUS sous-compacts, il fait partie d'un segment de marché très prisé des acheteurs québécois. Haut sur pattes, doté d'un design toujours d'actualité et disponible avec la traction intégrale, il a tous les ingrédients pour connaitre du succès.

Pourtant, un rapide coup d'œil aux ventes canadiennes et québécoises montre que le 500X se vend extrêmement mal. Pour vous donner une idée, le Hyundai Kona, qui domine la catégorie, s'est vendu à 26 641 exemplaires au Canada en 2020, dont 12 296 rien qu'au Québec. À l'autre bout du classement, le petit VUS de Fiat a convaincu 34 acheteurs au pays... et seulement trois dans la Belle Province ! Avec des chiffres aussi catastrophiques, vous comprenez aisément que la présence de Fiat reste très théorique dans notre pays.

### À QUOI BON ?

Avant même d'aborder les capacités dynamiques du Fiat 500X, vous avez compris qu'il s'agit d'un véhicule très peu prisé. Un constat qui va de pair avec une énorme dépréciation qui fait en sorte qu'acheter ce VUS aujourd'hui vous garantit une grande perte financière. Autre problème dans le cas d'un achat à long terme, la fiabilité prévue fait partie des moins bonnes du marché. Certains propriétaires ont connu de nombreux problèmes au volant des modèles Fiat vendus chez nous, d'autres certifient que leur véhicule se comporte très bien. Mais avez-vous vraiment envie de jouer à la loterie au moment de faire votre achat ?

D'autant plus que le 500X coûte une véritable fortune ! Avec un prix de départ d'un peu plus de 32 000 $, la version de base n'a rien d'une aubaine. Surtout que pour le même prix, vous pouvez déjà vous offrir un Subaru Crosstrek,

un Mazda CX-30, un Hyundai Kona ou un Kia Seltos bien équipé et dont la valeur de revente sera largement supérieure. Et que dire du modèle haut de gamme qui peut dépasser les 40 000 $ si vous cochez des ensembles d'options ajoutant des éléments de confort ou de sécurité ! Pour remettre les choses dans leur contexte, vous pouvez vous offrir un Toyota RAV4 hybride pour le prix d'un Fiat 500X doté de toutes les options !

## DU CHARME, MAIS DES DÉFAUTS

En matière de design, reconnaissons à Fiat un certain succès, le véhicule vieillissant plutôt bien esthétiquement. Les quelques retouches opérées en 2020 ont également dynamisé le véhicule, dont l'arrivée sur notre marché remonte à la fin de 2015. Différent de ses concurrents taillés à la serpe, le 500X joue la carte des rondeurs avec goût. On constate la même chose dans l'habitacle, où l'on retrouve un design réussi, en dépit de quelques incongruités ergonomiques. Certains plastiques pourraient être de meilleure qualité, surtout au prix affiché, mais on se sent tout de même bien à l'intérieur. Bien qu'il ne s'agisse pas de la dernière itération, l'interface Uconnect du système multimédia demeure intuitive et agréable à utiliser.

Sur la route, le comportement dynamique se montre également à la hauteur. Sans égaler ses rivaux les plus affûtés, le Fiat 500X propose une bonne tenue de route, une stabilité correcte dans les courbes ainsi qu'une direction plutôt précise. Dommage que ces bonnes dispositions soient gâchées par un niveau sonore important, que ce soit à cause du vent ou du moteur. Puisqu'il est question du groupe motopropulseur, sachez qu'il propose des performances adéquates dans l'absolu. Par contre, il est jumelé à une transmission automatique à 9 rapports dont les hésitations lassent le conducteur au quotidien.

Livré au compte-gouttes par une marque moribonde, moins agréable à conduire que la majorité de ses concurrents, vendu trop cher et affublé d'une valeur de revente épouvantable, vous comprenez aisément pourquoi nous ne vous recommandons pas l'achat de ce véhicule. À moins d'un revirement de situation spectaculaire, le Fiat 500X en est à ses derniers moments en Amérique du Nord. Son abandon causera vraisemblablement la disparition de la marque Fiat, dont le passage au Canada aura duré à peine plus de dix ans. Malheureusement, une réputation de fiabilité exécrable et une gamme de prix peu concurrentielle n'auront jamais permis à la marque de s'imposer au Québec.

### Données principales

| | |
|---|---|
| Emp. / lon. / lar. / haut. | 2 570 / 4 248 / 1 796 / 1 617 mm |
| Coffre / réservoir | 400 à 1 127 litres / 48 litres |
| Nombre de passagers | 5 |
| Suspension av. / arr. | ind., jambes force / ind., jambes force |
| Pneus avant / arrière | P215/60R17 / P215/60R17 |
| Poids / Capacité de remorquage | 1 499 kg / 907 kg (2 000 lb) |

### Composantes mécaniques

| | |
|---|---|
| Cylindrée, alim. | 4L 1,3 litre turbo |
| Puissance / Couple | 177 ch / 210 lb-pi |
| Tr. base (opt) / Rouage base (opt) | A9 / Int |
| Type / ville / route / $CO_2$ | Sup / 10,0 / 7,9 / 221 g/km |

+ Ligne qui demeure d'actualité • Bonne tenue de route

− Transmission hésitante • Prix démesuré • Valeur de revente très faible • Avenir incertain

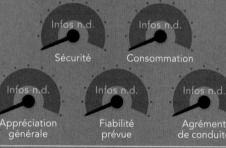

| | Bronco 2P | Bronco 4P | Wildtrak 4P |
|---|---|---|---|
| PDSF | 40 499 $ | 45 749 $ | 59 994 $ |
| Loc. | 555 $ • 4,49 % | 613 $ • 4,49 % | 862 $ • 4,49 % |
| Fin. | 922 $ • 4,99 % | 1 036 $ • 4,99 % | 1 345 $ • 4,99 % |

**Prix :** 40 499 $ à 59 994 $ (2021)
**Transport et prép. :** 1 995 $
**Catégorie :** VUS intermédiaires
**Garanties :** 3/60, 5/100
**Assemblage :** États-Unis

**Ventes**
Québec 2020
n.d.

Canada 2020
n.d.

Infos n.d. — Sécurité
Infos n.d. — Consommation
Infos n.d. — Appréciation générale
Infos n.d. — Fiabilité prévue
Infos n.d. — Agrément de conduite

### Équipement

### Sécurité

### Concurrents
Jeep Wrangler, Toyota 4Runner

### Nouveau en 2022
Nouvelles couleurs.

# L'étalon fantôme

Marc Lachapelle

**U**n Bronco couleur orange cyber trônait fièrement sur la page couverture du *Guide de l'auto 2021*, toit et portières enlevées, ses immenses pneus posés sur un tapis de grosses pierres. Douze mois plus tard, les premiers exemplaires du modèle commencent à peine à se faire voir au Québec. En effet, les premiers Bronco sont finalement sortis de l'usine de Wayne au Michigan, après de nombreux retards. Enfin.

À vrai dire, il s'est passé suffisamment de temps, depuis le dévoilement du nouveau Bronco, pour qu'on se demande à quel moment Ford donnera la réplique au groupe hybride rechargeable et au gros V8 qui se sont glissés sous le capot du grand rival, le Jeep Wrangler, entre-temps. On a déjà mentionné la possibilité d'un groupe hybride et l'ajout d'un V8 serait tout naturel puisque le premier Bronco a été animé par des moteurs de ce type il y a un demi-siècle et des poussières.

**PAR MONTS ET PAR VAUX**
Parlant poussière, rocs, boue et autres splendeurs naturelles, le Bronco nouveau ne demande qu'à s'élancer loin de l'asphalte. D'abord, parce qu'il est construit sur une version de l'architecture T6 à châssis séparé qui sous-tend la camionnette Ranger. Ensuite, parce que ses porte-à-faux extrêmement réduits et son empattement raccourci de 67 ou 27 cm, selon qu'il s'agit du Bronco à deux ou quatre portières, lui confèrent des angles d'approche, de rampe et de dégagement exceptionnels. Les différentiels Dana et une suspension qu'on peut équiper d'amortisseurs Bilstein ne font que bonifier la recette.

Le Bronco attaquera d'ailleurs les sentiers avec plus de hardiesse encore si on lui greffe quelques-unes de ces composantes spécialisées. Le groupe Sasquatch, par exemple, ajoute des jantes de 17 pouces compatibles avec les verrous de talon qui vont empêcher ses gros pneus de taille LT315/70 R17 de glisser sur la jante lorsqu'ils seront dégonflés pour les sentiers difficiles. Ils seront blottis sous des ailes élargies, harnachés à une suspension à grand débattement et entraînés par des différentiels verrouillables avec rapport final plus démultiplié de 4,7. Ce groupe, vendu entre 4 500 et 7 000 $, est intégré de série aux Bronco Wildtrak à deux ou quatre portières.

Les versions Badlands et Wildtrak demeurent les seules à être dotées uniquement du rouage 4x4 à boîtier de transfert électronique. Ce dernier offre quatre programmes, dont un mode intégral qui fait varier la répartition du couple entre les essieux et les roues avant, selon les conditions. On a équipé les autres variantes du Bronco d'un rouage 4x4 débrayable classique qui tolère mal la conduite sur béton ou bitume. Toutes profitent, par contre, de la molette qui permet de choisir l'un des sept modes de conduite intégrés soit: Normal, Éco, Sport, Sable et surface glissantes, en plus des modes Baja, Boue/ornières et Roche pour le tout-terrain.

## UNE DEMI-DOUZAINE FOIS DEUX

Le Bronco se décline en six modèles, avec le choix d'une carrosserie à deux ou quatre portières. Les Bronco de base, Big Bend, Black Diamond, Outer Banks, Badlands et Wildtrak ont des prix qui s'échelonnent actuellement de 40 499 $ à 59 994 $. On doit choisir ensuite entre le 4 cylindres turbo de 2,3 litres et 300 chevaux et le V6 biturbo de 2,7 litres et 330 chevaux. Deux transmissions sont disponibles : une boîte manuelle à 7 rapports (réservée au 4 cylindres) ou une automatique à 10 rapports. Le Wildtrak n'est livrable qu'avec le V6 et l'automatique. En cochant toutes les options disponibles, le prix de sa version à quatre portières, tous frais inclus, grimpe à près de 74 000 $.

À l'inverse, il est sympathique de songer qu'on pourra conduire un Bronco simple et dépouillé pour 40 500 $. Parce que cet utilitaire sport court, anguleux et sans fioritures, avec sa boîte manuelle à 7 rapports et ses jantes en acier, évoque mieux que tout autre la simplicité du Bronco des années 60. Et c'est à celui-là que les passionnés vouent un culte encore aujourd'hui.

Les amateurs de plein air sont gâtés dans les Bronco. Les versions à deux portières proposent une paire de panneaux de toit rigides et amovibles à l'avant et un plus grand à l'arrière. On a plutôt coiffé les Bronco à quatre portières d'un toit souple qu'on peut remplacer par un toit rigide à quatre panneaux. Dans chacune des versions, on peut ranger quatre pièces, au choix. Y compris quatre portières, puisqu'elles sont amovibles, elles aussi.

La finition de l'habitacle reprend des teintes naturelles et le tableau de bord est une interprétation moderne de celui du premier Bronco. Une approche qui réussit très bien à son rival chez Jeep. Il faut assurément comparer ces deux-là au plus tôt, à la ville comme aux champs.

| **+** Design réussi • Gamme variée et complète • Capacités hors route prometteuses • Habitacle techno | **—** Prix qui peut grimper rapidement • Disponibilité problématique jusqu'à maintenant |
|---|---|

### Données principales

| Emp. / lon. / lar. / haut. | **2 portes** - 2 550 / 4 412 / 1 928 / 1 826 mm |
|---|---|
| | **2 portes Badlands** - 2 550 / 4 440 / 1 938 / 1 875 mm |
| | **4 portes** - 2 949 / 4 811 / 1 928 / 1 854 mm |
| | **4 portes Badlands** - 2 949 / 4 839 / 1 938 / 1 877 mm |
| Coffre / réservoir | **2 portes** - 634 à 1 481 litres / 64 litres |
| | **4 portes** - 1 085 à 2 350 litres / 79 litres |
| Nombre de passagers | 4 à 5 |
| Suspension av. / arr. | ind., bras inégaux / essieu rigide, multibras |
| Pneus avant / arrière | P255/70R16 / P255/70R16 |
| Poids / Cap. de remorquage | **2 portes** - 1 944 à 2 154 kg / 1 588 kg (3 500 lb) |
| | **4 portes** - 2 030 à 2 243 kg / 1 588 kg (3 500 lb) |

### Composantes mécaniques

**4L - 2,3 LITRES**

| Cylindrée, alim. | 4L 2,3 litres turbo |
|---|---|
| Puissance / Couple | **Ess Ord** - 275 ch / 315 lb-pi |
| | **Ess Sup** - 300 ch / 325 lb-pi |
| Tr. base (opt) / Rouage base (opt) | M7 (A10) / 4x4 |
| Type / ville / route / $CO_2$ | **Man** - Ord / 11,6 / 10,9 / 265 g/km |
| | **Auto** - Ord / 11,7 / 10,7 / 264 g/km |

**V6 - 2,7 LITRES**

| Cylindrée, alim. | V6 2,7 litres turbo |
|---|---|
| Puissance / Couple | **Ess Ord** - 315 ch / 410 lb-pi |
| | **Ess Sup** - 330 ch / 415 lb-pi |
| Tr. base (opt) / Rouage base (opt) | A10 / 4x4 |
| Type / ville / route / $CO_2$ | Ord / 12,8 / 11,6 / 287 g/km |

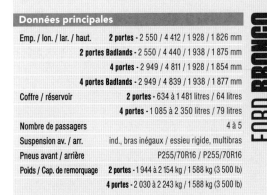

Sécurité    Consommation

Appréciation    Fiabilité    Agrément
générale    prévue    de conduite

## Équipement

## Sécurité

## Concurrents

Chevrolet Equinox, Ford Escape, GMC Terrain, Honda CR-V, Hyundai Tucson, Jeep Cherokee/Compass, Kia Sportage, Mazda CX-5, Mitsubishi Outlander, Nissan Rogue, Subaru Forester, Toyota RAV4, Volkswagen Tiguan

## Nouveau en 2022

Aucun changement majeur annoncé au moment de mettre sous presse.

# Confondre les sceptiques

Marc-André Gauthier

L'année dernière, on retrouvait le Ford Bronco en couverture du *Guide de l'auto*. C'est compréhensible, quand on saisit à quel point ce VUS hors route était attendu. Toutefois, le dévoilement du Bronco est venu avec une surprise, puisque Ford annonçait aussi le Bronco Sport, un plus petit VUS destiné au segment déjà bien rempli des utilitaires compacts.

On pouvait voir avec le nouveau Bronco Sport une résurrection du petit VUS baroudeur dans la lignée du Suzuki Sidekick. Mais rapidement, la communauté automobile a déchanté, parce que le Bronco Sport n'était nul autre qu'un dérivé du Ford Escape, un modèle correct, mais qui est loin de ce que l'on imagine quand on parle d'un VUS hors route. Cela dit, le Bronco Sport comprend plusieurs modifications, et finalement, Ford a réussi à en faire un projet convaincant, à condition de prévoir un peu d'argent pour un modèle bien équipé.

### IL A LE LOOK !

Le Bronco Sport est peut-être basé sur le Ford Escape, mais il ne lui ressemble en rien, que ce soit à l'intérieur ou à l'extérieur. Si l'on commence par la carrosserie, on aime ses formes carrées inspirées du Bronco, mais rendues d'une manière plutôt unique. D'ailleurs, son devant, avec la grande bande noire sur laquelle est apposé le nom Bronco, dominé aux extrémités par des phares à DEL (optionnels), fait du Bronco Sport un VUS qui se démarque facilement.

Dans l'habitacle, on vient, là aussi, rompre complètement avec le Ford Escape. On retrouve un design plus recherché, évoquant la robustesse que Ford revendique avec le Bronco Sport. La planche de bord est dominée par un gros écran qui abrite un système d'infodivertissement moderne, avec une présentation réussie.

Comme il est carré, le Bronco Sport offre un bon espace intérieur, se soldant par des places avant confortables et des places arrière relativement spacieuses. Dans le coffre, une tablette permet d'organiser le compartiment de plusieurs manières, chose qui enchantera les aventuriers.

Mécaniquement, le Bronco Sport est disponible avec les mêmes moteurs que l'Escape. En version de base, on a donc un 3 cylindres turbocompressé de 1,5 litre, développant 181 chevaux et 190 lb-pi de couple. Dans la version

Badlands, on dispose d'un 4 cylindres de 2 litres, bon pour 250 chevaux et 277 lb-pi. Et bien que tous les modèles soient munis d'un rouage intégral et d'un ordinateur de bord qui gère la traction en fonction du type de terrain que l'on sélectionne, c'est indéniablement le modèle Badlands qu'il faut choisir si vous avez l'intention de quitter les sentiers battus régulièrement.

### PERFORMANCES HORS ROUTE CONVAINCANTES

Offert à environ 40 000 $, à peu près 8 000 $ de plus que la version de base, le Bronco Sport Badlands n'est pas donné. Mais il comprend des pneus hors route, des roues spéciales, des plaques de protection sous le véhicule, mais surtout, un différentiel arrière similaire à celui que l'on retrouvait dans la Ford Focus RS, ainsi que des modes de conduite additionnels dans l'ordinateur de bord.

Avec cet ensemble, le Bronco Sport performe bien dans tous les types de situations. Il faut dire que les suspensions, rehaussées par rapport à l'Escape, aident beaucoup. Généralement, quand on reste coincé en faisant du hors route, c'est parce que le plancher du véhicule est accoté sur le sol, privant les roues du poids dont elles ont besoin pour avoir de la traction. Sinon, les diverses programmations font un bon travail pour adapter la réponse du véhicule aux différentes conditions, mais encore une fois, c'est le modèle Badlands qu'il faut acheter si vous voulez de réelles capacités hors route.

Et qu'est-ce que ça dit quand on est sur la route ? C'est là le plus grand avantage du Bronco Sport par rapport à un vrai VUS hors route. Comme il est basé sur un châssis monocoque, il tient bien la route, et la suspension plus haute combinée aux pneus épais procure un bon confort, faisant du Bronco Sport un VUS que l'on peut apprécier sur de longs trajets sans problème. En fin de compte, le Bronco Sport Badlands a fait taire les critiques concernant les capacités du nouveau VUS Ford. Pour les autres moutures, c'est essentiellement un beau VUS compact confortable, sans plus.

Le moteur à 3 cylindres se débrouille correctement, mais l'économie d'essence réalisée est minime par rapport à ce qu'on perd en matière de robustesse et de plaisir de conduire. Pas de doute, le bloc à 4 cylindres est le meilleur choix. Ford aurait d'ailleurs avantage à l'offrir sur l'ensemble des versions du Bronco Sport, et pas juste avec le Badlands.

## Données principales

| | |
|---|---|
| Emp. / lon. / lar. / haut. | 2 670 / 4 387 / 1 887 / 1 783 mm |
| Coffre / réservoir | 920 à 1 846 litres / 61 litres |
| Nombre de passagers | 5 |
| Suspension av. / arr. | ind., jambes force / ind., multibras |
| Pneus avant / arrière | P225/65R17 / P225/65R17 |
| Poids / Capacité de remorquage | **3L** - 1 568 kg / 907 kg (2 000 lb) |
| | **4L** - 1 684 kg / 998 kg (2 200 lb) |

## Composantes mécaniques

### 3L - 1,5 LITRE

| | |
|---|---|
| Cylindrée, alim. | 3L 1,5 litre turbo |
| Puissance / Couple | 181 ch / 190 lb-pi |
| Tr. base (opt) / Rouage base (opt) | A8 / Int |
| Type / ville / route / $CO_2$ | Ord / 9,3 / 8,3 / 209 g/km |

### 4L - 2,0 LITRES

| | |
|---|---|
| Cylindrée, alim. | 4L 2,0 litres turbo |
| Puissance / Couple | 250 ch / 277 lb-pi |
| Tr. base (opt) / Rouage base (opt) | A8 / Int |
| Type / ville / route / $CO_2$ | Ord / 11,1 / 8,9 / 238 g/km |

**+** Performances hors route de la version Badlands • Style réussi • Habitacle spacieux • Confortable sur la route

**–** Performances hors route des versions de base • Sièges qui manquent d'ajustement aux goûts de certains • Pas très économique en essence • Fiabilité à prouver

Photos : Ford, Julien Amado

**Prix:** 25 399 $ à 31 899 $ (2021)
**Transport et prép.:** 1 995 $
**Catégorie:** VUS sous-compacts
**Garanties:** 3/60, 5/100
**Assemblage:** Inde

**Ventes**
Québec 2020
880
↓ 41 %

Canada 2020
4 866
↓ 34 %

| | S TI | SE TI | Titanium TI |
|---|---|---|---|
| PDSF | 25 399 $ | 28 499 $ | 31 899 $ |
| Loc. | 518 $ • 4,99% | 558 $ • 4,99% | 604 $ • 4,99% |
| Fin. | 583 $ • 3,99% | 648 $ • 3,99% | 720 $ • 3,99% |

Sécurité    Consommation

Appréciation générale    Fiabilité prévue    Agrément de conduite

**Équipement**

**Sécurité**

**Concurrents**

Buick Encore GX, Chevrolet Trailblazer, Fiat 500X, Honda HR-V, Hyundai Kona, Jeep Renegade, Kia Niro/Seltos, Mazda CX-30, Mitsubishi Eclipse Cross/RVR, Nissan Qashqai, Subaru Crosstrek, Toyota Corolla Cross, Volks. Taos

**Nouveau en 2022**

Aucun changement majeur annoncé au moment de mettre sous presse.

# Plus qu'un cylindre manquant

Germain Goyer

À l'aube de 2018, Ford a flairé la bonne affaire. Ses stratèges ont prédit un engouement croissant pour le segment des véhicules utilitaires sport sous-compacts. Puisque les VUS compacts ont pris du volume et que leur échelle de prix a grimpé au fil du temps, il était logique d'introduire un nouveau segment. Et de son côté, Ford avait raison de ne pas vouloir regarder le train passer.

Toutefois, comme cela se produit trop souvent, le fabricant a bâclé son travail. Autrement dit, plutôt que de développer un véhicule qui serait adapté à l'Amérique du Nord, il a pigé dans le catalogue international pour en trouver un qui allait faire l'affaire. C'est ainsi qu'est arrivé l'EcoSport, qui roulait déjà sa bosse en Amérique latine. L'ennui, c'est qu'il ne fait pas l'affaire du tout.

Sur le plan technique, l'EcoSport est livré avec une motorisation à 4 cylindres de 2 litres. En revanche, si vous choisissez une version de milieu de gamme à roues motrices avant, que l'on reconnaît par l'appellation SE, vous avez droit à un moteur à 3 cylindres de 1 litre. Oui, le même volume qu'un petit contenant de lait! Bien évidemment, il est inconcevable d'imaginer qu'une telle mécanique loge sous le capot d'un VUS. Seule note positive au tableau: l'EcoSport n'est pas équipé de la transmission automatique à double embrayage *PowerShift* qui a causé bien des difficultés aux propriétaires des Fiesta et Focus. En effet, que vous optiez pour l'une ou l'autre des motorisations proposées, vous profiterez d'une transmission automatique à 6 rapports sans histoire.

Parmi les caractéristiques qui différencient l'EcoSport, mentionnons son hayon arrière: celui-ci s'ouvre à 90 degrés comme la porte d'un réfrigérateur traditionnel. Si ça peut paraître une bonne idée, on vous laisse imaginer que le chargement n'est pas évident lorsque le véhicule est stationné en parallèle en ville. Inutile de vous rappeler que l'EcoSport est un véhicule urbain. Voilà un non-sens.

Bien que les points forts de l'EcoSport soient relativement peu nombreux, soulignons que son ergonomie générale nous convient. Le positionnement des boutons et des commandes est bien pensé. Il en est de même pour le système SYNC. Depuis, Ford a développé une version plus moderne de

son système d'infodivertissement, mais celle qui est montée dans l'EcoSport demeure efficace et intuitive.

## NI ECO, NI SPORT

Ford a pris la fâcheuse habitude d'employer le terme «Sport» à tour de bras pour des modèles qui n'ont de sport que le nom... On se souviendra de la Windstar Sport notamment. Et l'EcoSport n'y échappe pas : il n'a absolument rien d'athlétique sur la route, ni même d'aventurier sur des routes non pavées. Bref, non seulement Ford galvaude le terme «sport» avec ce VUS dont on cherche les qualités, mais en plus, le manufacturier lance en l'air l'idée qu'il sera «Eco». Or, il n'en est rien.

Pas de version hybride et encore moins de version électrique. Et sur le plan de la consommation de carburant, il ne peut donner de leçon à personne. À titre d'exemple, notons que Ressources naturelles Canada annonce une cote de consommation combinée de 9,2 L/100 km pour l'EcoSport à moteur de 2 litres équipé des quatre roues motrices. En comparaison, l'organisme fédéral affiche une cote de 8,6 L/100 km pour le Mazda CX-30 et de 8,4 L/100 pour le Nissan Qashqai, tous deux dotés des quatre roues motrices et d'une cylindrée similaire. L'EcoSport déçoit franchement sur ce point.

## VIVEMENT UN NOUVEAU PRODUIT

On a vu arriver l'EcoSport alors que le marché était en train de se définir. Depuis ce temps, les concurrents se sont ajustés et certains ont même modernisé leur offre. Chez Ford, aucun effort n'est appliqué. Et pourtant, l'EcoSport joue un rôle capital. En effet, avec la disparition des Fiesta et Focus, il est devenu la porte d'entrée chez Ford. Avouez que ça ne donne pas envie de l'ouvrir, la porte. Pour le constructeur américain, l'EcoSport doit être considéré comme un appât pour un premier client qui reviendra ensuite acheter un Escape, un Explorer ou un F-150, qui sait. L'ennui, c'est qu'après avoir roulé quelques kilomètres à son volant, on veut rapidement mettre fin à l'expérience.

L'EcoSport est malheureusement inadapté au marché de l'Amérique du Nord. Sa mécanique à 3 cylindres est une aberration et son échelle de prix s'avère trop élevée (près de 32 000 $ pour une version Titanium). On espère sincèrement que Ford saura proposer un produit plus convaincant dans ce créneau immensément compétitif. D'ici là, on ne peut que s'inquiéter, avec raison, d'une éventuelle valeur de revente très incertaine, qui s'annonce nettement inférieure à la moyenne du segment.

### Données principales

| Emp. / lon. / lar. / haut. | Tr - 2 519 / 4 096 / 1 765 / 1 653 mm |
|---|---|
| | Int - 2 519 / 4 096 / 1 765 / 1 647 mm |
| Coffre / réservoir | 592 à 1 415 litres / 55 litres |
| Nombre de passagers | 5 |
| Suspension av. / arr. | ind., jambes force / ind., multibras |
| Pneus avant / arrière | P205/60R16 / P205/60R16 |
| Poids / Capacité de remorquage | Tr - 1 370 kg / 635 kg (1 400 lb) |
| | Int - 1 497 kg / 907 kg (2 000 lb) |

### Composantes mécaniques

**TRACTION**

| | |
|---|---|
| Cylindrée, alim. | 3L 1,0 litre turbo |
| Puissance / Couple | 123 ch / 125 lb-pi |
| Tr. base (opt) / Rouage base (opt) | A6 / Tr |
| 0-100 / 80-120 / V. max | 13,9 s (est) / 10,6 s (est) / n.d. |
| 100-0 km/h | 42,1 m (est) |
| Type / ville / route / $CO_2$ | Ord / 8,6 / 8,1 / 197 g/km |

**INTÉGRAL**

| | |
|---|---|
| Cylindrée, alim. | 4L 2,0 litres atmos. |
| Puissance / Couple | 166 ch / 149 lb-pi |
| Tr. base (opt) / Rouage base (opt) | A6 / Int |
| 0-100 / 80-120 / V. max | 11,1 s (est) / 9,5 s (est) / n.d. |
| 100-0 km/h | 42,9 m (est) |
| Type / ville / route / $CO_2$ | Ord / 10,2 / 8,0 / 217 g/km |

+ Système SYNC intuitif • Ergonomie respectable

− Moteur à 3 cylindres inadapté • Motorisations gourmandes considérant les performances • Hayon à ouverture latérale peu pratique • Faible valeur de revente

Photos : Ford

# FORD EDGE

★★★☆ **COTE DU GUIDE**

**Prix:** 36 399 $ à 49 499 $ (2021)
**Transport et prép.:** 1 995 $
**Catégorie:** VUS intermédiaires
**Garanties:** 3/60, 5/100
**Assemblage:** Canada

**Ventes**
Québec 2020
1 992
⬇ **29 %**

Canada 2020
13 214
⬇ **33 %**

|  | SE TI | Titanium TI | ST |
|---|---|---|---|
| PDSF | 36 399 $ | 43 799 $ | 49 499 $ |
| Loc. | 596 $ • 1,99 % | 701 $ • 1,99 % | 788 $ • 1,99 % |
| Fin. | 776 $ • 1,99 % | 925 $ • 1,99 % | 1 040 $ • 1,99 % |

Sécurité    Consommation

Appréciation générale    Fiabilité prévue    Agrément de conduite

## Équipement

## Sécurité

## Concurrents

Chevrolet Blazer, Ford Bronco, GMC Acadia, Honda Passport, Hyundai Santa Fe, Jeep Grand Cherokee, Jeep Wrangler, Kia Sorento, Nissan Murano, Subaru Outback, Toyota 4Runner/Venza, Volks. Atlas Cross Sport

## Nouveau en 2022

Aucun changement majeur annoncé au moment de mettre sous presse.

# En attente de nouveauté

Marc-André Gauthier

En lançant le Edge il y a plusieurs années, Ford a démontré qu'il était en quelque sorte un fabricant visionnaire. En effet, il fut l'un des premiers VUS intermédiaires à cinq places, conçu pour ceux qui voulaient une expérience différente de la berline, sans pour autant se payer un VUS à sept passagers.

Depuis, des Edge, on en voit partout! Le modèle a connu un bon succès, et il continue de bien se vendre, même s'il doit maintenant faire face à une féroce concurrence. Pour 2022, on s'attendait à une refonte, voire une nouvelle génération de la bête. Or, lorsque l'on communique avec Ford, on n'obtient aucune information sur le sujet.

Il semblerait donc que le Edge actuel soit avec nous pour quelque temps encore. Au moins il a récemment reçu quelques mises à jour qui lui permettent de rester un produit agréable.

### NOS ENVIES COÛTENT CHER

Le Edge est relativement accessible. Il débute en version SE à 36 399 $. Selon les versions, les prix s'échelonnent jusqu'à 49 500 $ environ. Autrement dit, il ne faut pas cocher trop d'options, sans quoi la facture grimpe rapidement. Au moins, le Edge fait de son mieux pour offrir un équipement complet à son propriétaire.

Par exemple, le VUS est disponible avec un écran multimédia de 12 pouces, monté à la verticale (en option). Dans son segment, il est le seul à offrir quelque chose dans le genre. C'est bien, parce que le système d'info-divertissement fait du très bon travail. Grâce à son interface modernisée et ses graphismes améliorés, cet écran est bien plus agréable à utiliser que celui des versions de base avec le plus petit écran.

Malgré tout, l'habitacle donne l'impression de se retrouver dans un véhicule de 2010... C'est surtout vrai pour le tableau de bord, dont le design rappelle celui de la Focus ou de la Fusion. Des véhicules qui ont désormais quitté le catalogue du constructeur américain. En revanche les deux places avant sont véritablement confortables, et les places arrière suffisamment spacieuses pour des adultes. Et comme Ford n'a pas voulu mettre deux strapontins dans le coffre, celui-ci est plutôt grand, et vraiment large. Si vous avez besoin de sept places, c'est du côté de l'Explorer qu'il faudra lorgner.

## UNE VERSION ST CONVAINCANTE

À l'exception de la ST, toutes les versions du Ford Edge disposent d'un 4 cylindres de 2 litres turbocompressé qui développe 250 chevaux et 280 lb-pi de couple, soit une puissance semblable à celle de ses rivaux avec un couple légèrement supérieur. À l'usage, les performances suffisent amplement pour réaliser des accélérations et des reprises similaires à la concurrence.

Le Edge s'avère confortable au quotidien, sans pour autant être ennuyeux. Ford a fait du bon travail pour rendre la conduite de ce VUS agréable. Mais là où il surprend, c'est quand on prend le volant de la version sportive ST. Ford, en abandonnant ses petites berlines et voitures à hayon, jetait à la poubelle, par le fait même, un riche historique de voitures de performance dans ce segment. La compagnie nous avait alors promis d'arriver avec des VUS de performance, des modèles que l'on retrouve habituellement chez Audi, BMW ou Mercedes-Benz. C'est maintenant chose faite avec le Edge ST, qui a depuis été rejoint par l'Explorer ST.

La version ST vient avec un style plus sportif, un habitacle cossu et un comportement routier qui n'a rien à voir avec les autres versions. La principale amélioration vient de la suspension plus sportive qui rend le Edge ST plus incisif à conduire. Sur des routes sinueuses, il est capable de prendre les courbes à des vitesses impressionnantes pour un véhicule de ce genre. Mais ce qu'il y a de mieux sur la version ST, c'est le moteur !

C'est la seule version qui vient avec un 6 cylindres turbocompressé de 2,7 litres, bon pour 335 chevaux et 380 lb-pi de couple. Un bloc qui améliore sensiblement les performances. Sans dire que c'est une fusée, le Edge ST a du cœur au ventre ! C'est aussi le seul VUS intermédiaire à cinq places d'un constructeur généraliste à proposer une version axée sur les performances, si l'on exclut le Jeep Grand Cherokee, dont l'approche est cependant très différente.

Le Ford Edge a été un pionnier dans le segment des VUS intermédiaires à cinq passagers. À l'heure actuelle, cependant, ses concurrents le devancent largement. Il reste à voir si Ford offrira une nouvelle génération du Edge ou si la marque voudra plutôt se tourner vers une nouvelle gamme d'utilitaires électrifiés.

### Données principales

| | |
|---|---|
| Emp. / lon. / lar. / haut. | 2 849 / 4 796 / 1 928 / 1 736 mm |
| Coffre / réservoir | 1 110 à 2 079 litres / 70 litres |
| Nombre de passagers | 5 |
| Suspension av. / arr. | ind., jambes force / ind., multibras |
| Pneus avant / arrière | P245/60R18 / P245/60R18 |
| Poids / Capacité de remorquage | 4L - 1 795 à 1 870 kg / 1 587 kg (3 500 lb) |
| | V6 - 2 053 kg / 1 587 kg (3 500 lb) |

### Composantes mécaniques

#### 4L - 2,0 LITRES

| | |
|---|---|
| Cylindrée, alim. | 4L 2,0 litres turbo |
| Puissance / Couple | 250 ch / 280 lb-pi |
| Tr. base (opt) / Rouage base (opt) | A8 / Tr (Int) |
| 0-100 / 80-120 / V. max | 8,3 s (est) / 7,6 s (est) / n.d. |
| 100-0 km/h | 41,4 m (est) |
| Type / ville / route / $CO_2$ | Tr - Ord / 11,2 / 8,1 / 229 g/km |
| | Int - Ord / 11,5 / 8,3 / 236 g/km |

#### V6 - 2,7 LITRES

| | |
|---|---|
| Cylindrée, alim. | V6 2,7 litres turbo |
| Puissance / Couple | 335 ch / 380 lb-pi |
| Tr. base (opt) / Rouage base (opt) | A8 / Int |
| 0-100 / 80-120 / V. max | 6,3 s (m) / 4,6 s (m) / n.d. |
| 100-0 km/h | 39,1 m (est) |
| Type / ville / route / $CO_2$ | Ord / 12,6 / 9,3 / 262 g/km |

+ Mécanique et comportement (ST) • Confortable • Habitacle spacieux • Grand coffre

− Présentation intérieure ordinaire • Puissance des versions de base un peu juste • Fiabilité incertaine

Photos : Ford

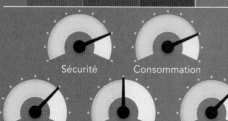

# FORD **ESCAPE**

★★★☆ COTE DU GUIDE

**HYBRIDE**

**Prix :** 28 649 $ à 43 749 $ (2021)
**Transport et prép. :** 1 995 $
**Catégorie :** VUS compacts
**Garanties :** 3/60, 5/100
**Assemblage :** États-Unis

**Ventes**
Québec 2020
**4 007**
⬇ 35 %

Canada 2020
**23 747**
⬇ 39 %

|  | S | SEL hybride TI | Titanium PHEV |
|---|---|---|---|
| PDSF | 28 649 $ | 36 849 $ | 43 749 $ |
| Loc. | 520 $ • 2,99 % | 600 $ • 1,99 % | 604 $ • 1,99 % |
| Fin. | 606 $ • 0,99 % | 749 $ • 0,99 % | 770 $ • 0,99 % |

Sécurité   Consommation

Appréciation générale   Fiabilité prévue   Agrément de conduite

**Équipement**

**Sécurité**

**Concurrents**

Chevrolet Equinox, Ford Bronco Sport,
GMC Terrain, Honda CR-V, Hyundai Tucson,
Jeep Cherokee/Compass, Kia Sportage,
Mazda CX-5, Mitsubishi Outlander, Nissan Rogue,
Subaru Forester, Toyota RAV4, Volkswagen Tiguan

**Nouveau en 2022**
Aucun changement majeur annoncé
au moment de mettre sous presse.

# Le RAV4 américain

Marc-André Gauthier

**Q**uand on pense aux voitures américaines, on pense à de gros VUS comme le Chevrolet Tahoe ou le Cadillac Escalade. Ou encore à des *muscle cars* comme la Mustang. Pourtant, s'il y a bien un véhicule américain qu'il faut repérer, c'est le Ford Escape.

Ce dernier, un des VUS les plus populaires au Canada, est l'utilitaire compact de la marque à l'ovale bleu. Il doit rivaliser avec les Toyota RAV4, Honda CR-V, Hyundai Tucson, Mazda CX-5, etc. Autrement dit, il n'a pas une tâche facile devant lui. Pourtant, l'Escape actuel arrive à se distinguer de belle manière. Difficile de savoir ce qui fait exactement son succès. Est-ce parce qu'il est vendu en plusieurs versions ? Est-ce le fait d'offrir une conduite agréable ? C'est plutôt un mélange de beaucoup de facteurs.

### FINITION AMÉLIORÉE
On a longtemps reproché à Ford de fabriquer des véhicules avec une finition ordinaire. C'est un peu exagéré de dire ça comme ça, mais bon, c'est vrai que ceux-ci étaient généralement mal finis quand on les comparait aux Toyota ou Honda équivalents.

Heureusement, les temps changent, et l'Escape nous le prouve de brillante façon avec une présentation intérieure joliment finie qui n'a plus rien à voir avec celle des modèles du début des années 2000. On a maintenant un style contemporain et une bonne amélioration de la qualité des matériaux et de la finition. Est-il enfin au même niveau que ces rivaux ? Toujours pas, mais il faut reconnaître qu'il fait mieux.

Ford a également retouché tout ce qui concerne l'ergonomie et la facilité d'utilisation. Le système multimédia SYNC fonctionne vraiment bien, et n'a plus rien à envier aux autres. Pour le reste, l'Escape offre des places confortables, et un habitacle assez spacieux. Il convient parfaitement à une jeune famille, et ça pourrait expliquer, en partie, sa popularité.

Soulignons que les technologies embarquées sur l'Escape fonctionnent à merveille. Ford est l'une des premières compagnies à avoir offert le stationnement automatique, et ça paraît. Aujourd'hui, c'est réellement au point.

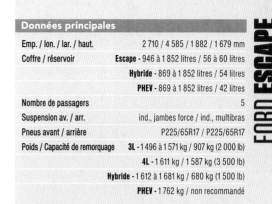

## PLUSIEURS MOTEURS POUR PLUSIEURS BESOINS

Plus un produit peut attirer de clients différents, plus il a des chances d'être populaire. Ford l'a compris : il y a l'Escape à essence, avec un choix de deux moteurs, et en différentes déclinaisons, selon les options. Puis l'Escape hybride, en plusieurs versions, et l'Escape hybride rechargeable, lui aussi en plusieurs déclinaisons. Ainsi, acheter un Escape peut s'avérer complexe.

Le moteur de base est un 3 cylindres turbocompressé de 1,5 litre bon pour 181 chevaux et 190 lb-pi de couple, jumelé à une boîte à 8 rapports. Cette mécanique fait un travail correct, mais souffre d'un manque d'agrément important. Il y a ensuite le 4 cylindres de 2 litres turbocompressé de 250 chevaux et 280 lb-pi, jumelé lui aussi à la même transmission. Ce dernier moteur, plus performant, fait de l'Escape l'un des VUS les plus rapides de sa catégorie.

Le meilleur moteur est toutefois celui que l'on retrouve dans la mouture hybride. Il s'agit d'un 4 cylindres à cycle Atkinson de 2,5 litres assisté d'une motorisation électrique, bon pour 200 chevaux. Ce n'est pas tant la puissance qui impressionne, mais plutôt la consommation d'essence. Avec 6 L/100 km de moyenne, il permet de réduire le budget alloué au carburant. En raison d'un comportement dynamique efficace et d'une conduite plaisante, on aime l'Escape hybride.

Finalement, le véhicule est théoriquement disponible en version hybride rechargeable. Sur papier, ça semble bon, avec 221 chevaux et une autonomie électrique d'environ 60 km. Mais malheureusement, il n'est disponible qu'en version à traction, alors qu'on sait que son rival direct, le RAV4 Prime, est offert avec un rouage intégral. De plus, l'Escape à motorisation hybride rechargeable n'a pas la même puissance ni la même portée que le RAV4 Prime. Même avant d'être officiellement arrivé sur le marché (les concessionnaires l'attendent encore au moment d'écrire ces lignes), il est sérieusement désavantagé face à son concurrent.

Avec autant de modèles de qualité dans le segment des VUS compacts, le Ford Escape n'a pas droit à l'erreur. Or, il réussit à séduire avec ses nombreuses versions et son comportement routier, mais il n'a pas la polyvalence ou la qualité d'assemblage intérieure pour rivaliser avec les modèles japonais et coréens.

| Données principales | |
|---|---|
| Emp. / lon. / lar. / haut. | 2 710 / 4 585 / 1 882 / 1 679 mm |
| Coffre / réservoir | **Escape** - 946 à 1 852 litres / 56 à 60 litres |
| | **Hybride** - 869 à 1 852 litres / 54 litres |
| | **PHEV** - 869 à 1 852 litres / 42 litres |
| Nombre de passagers | 5 |
| Suspension av. / arr. | ind., jambes force / ind., multibras |
| Pneus avant / arrière | P225/65R17 / P225/65R17 |
| Poids / Capacité de remorquage | **3L** - 1 496 à 1 571 kg / 907 kg (2 000 lb) |
| | **4L** - 1 611 kg / 1 587 kg (3 500 lb) |
| | **Hybride** - 1 612 à 1 681 kg / 680 kg (1 500 lb) |
| | **PHEV** - 1 762 kg / non recommandé |

### Composantes mécaniques

**3L - 1,5 LITRE**

| | |
|---|---|
| Cylindrée, alim. | 3L 1,5 litre turbo |
| Puissance / Couple | 181 ch / 190 lb-pi |
| Tr. base (opt) / Rouage base (opt) | A8 / Tr (Int) |
| Type / ville / route / CO$_2$ | **Tr** - Ord / 8,5 / 6,8 / 182 g/km |
| | **Int** - Ord / 9,0 / 7,6 / 198 g/km |

**HYBRIDE**

| | |
|---|---|
| Cylindrée, alim. | 4L 2,5 litres atmos. |
| Puissance / Couple | 165 ch / 155 lb-pi |
| Tr. base (opt) / Rouage base (opt) | CVT / Tr (Int) |
| Type / ville / route / CO$_2$ | **Tr** - Ord / 5,4 / 6,3 / 136 g/km |
| | **Int** - Ord / 5,5 / 6,4 / 139 g/km |
| Puissance combinée | 200 ch |

**MOTEUR ÉLECTRIQUE**

| | |
|---|---|
| Puissance / Couple | 118 ch (88 kW) / 129 lb-pi |
| Type de batterie | Lithium-ion (Li-ion) |

**HYBRIDE RECHARGEABLE**

| | |
|---|---|
| Cylindrée, alim. | 4L 2,5 litres atmos. |
| Puissance / Couple | 165 ch / 155 lb-pi |
| Tr. base (opt) / Rouage base (opt) | CVT / Tr |
| Type / ville / route / CO$_2$ | Ord / 5,5 / 6,2 / 48 g/km |
| Puissance combinée | 221 ch |

**MOTEUR ÉLECTRIQUE**

| | |
|---|---|
| Puissance / Couple | 118 ch (88 kW) / 129 lb-pi |
| Type de batterie / Énergie | Lithium-ion (Li-ion) / 14,4 kWh |
| Temps de charge (120V / 240V) | 10,5 h / 3,3 h |
| Autonomie | 60 km |

**4L - 2,0 LITRES**

4L 2,0 L turbo - 250 ch/280 lb-pi - A8 - Int - 0-100: 6,7 s (est) - 10,4/7,5 L/100 km

**+** Groupe motopropulseur hybride intéressant • Économie d'essence globalement bonne • Tenue de route convaincante

**—** Moteur 3 cylindres sans intérêt • Disponibilité de la version hybride rechargeable • Finition perfectible à certains endroits

Photos : Ford

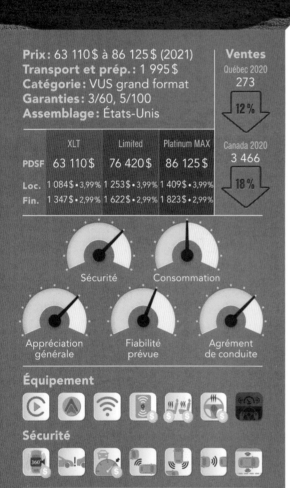

**Prix:** 63 110 $ à 86 125 $ (2021)
**Transport et prép.:** 1 995 $
**Catégorie:** VUS grand format
**Garanties:** 3/60, 5/100
**Assemblage:** États-Unis

**Ventes**
Québec 2020
273

▽ 12 %

Canada 2020
3 466

▽ 18 %

|  | XLT | Limited | Platinum MAX |
|---|---|---|---|
| **PDSF** | 63 110 $ | 76 420 $ | 86 125 $ |
| **Loc.** | 1 084 $ • 3,99 % | 1 253 $ • 3,99 % | 1 409 $ • 3,99 % |
| **Fin.** | 1 347 $ • 2,99 % | 1 622 $ • 2,99 % | 1 823 $ • 2,99 % |

Sécurité    Consommation

Appréciation générale    Fiabilité prévue    Agrément de conduite

**Équipement**

**Sécurité**

**Concurrents**
Chevrolet Suburban/Tahoe, GMC Yukon,
Jeep Wagoneer, Nissan Armada, Toyota Sequoia

**Nouveau en 2022**
Aucun changement majeur annoncé
au moment de mettre sous presse.

# Prosterné devant GM

Frédéric Mercier

La guerre entre Ford et General Motors se joue sur plusieurs terrains. Pensez à l'interminable duel entre la Mustang et la Camaro, ou au combat sans merci que se livrent les deux constructeurs américains dans le créneau des camionnettes pleine grandeur, où le F-150 continue de dominer les Silverado et Sierra au chapitre des ventes.

De cette longue querelle qui dure depuis plus de 100 ans, Ford a remporté bien des batailles. Mais dans la catégorie des VUS pleine grandeur, le constructeur à l'ovale bleu doit s'avouer vaincu. Contre les Chevrolet Tahoe, Suburban et GMC Yukon, le Ford Expedition ne fait tout simplement pas le poids. Il avait momentanément donné une riposte intéressante lors de son renouvellement en 2018, mais depuis l'avènement des modèles de nouvelle génération chez GM l'an dernier, le Ford Expedition a grandement perdu de son attrait.

En 2020, les ventes canadiennes de l'Expedition n'atteignaient même pas la moitié de celles des camions GM. Il faut dire qu'avec un unique moteur à sa gamme, le plus gros des VUS de Ford fait pâle figure contre les trois motorisations proposées chez son rival le plus féroce. Malgré tout, l'Expedition revient sans changement majeur en 2022. Ford aurait-il lancé la serviette? Ou prépare-t-il tranquillement une nouvelle offensive pour faire trembler les monstres de Chevrolet et GMC?

**TURBO OU RIEN**
Ça fait longtemps que Ford a déclaré son amour pour les moteurs turbocompressés, que l'on retrouve aujourd'hui dans pratiquement tous les modèles de la marque sous l'appellation EcoBoost. Ce n'est donc pas surprenant que même le gros Expedition soit équipé de l'une de ces mécaniques. Ici, on a affaire à un V6 de 3,5 litres qui développe 375 chevaux et 470 lb-pi de couple. Notons toutefois que la version Platinum fait passer la puissance à 400 chevaux et le couple à 480 lb-pi.

Les performances ne sont donc manifestement pas un enjeu, et la transmission automatique à 10 rapports effectue un travail efficace. Cependant, ce V6 n'aura jamais la robustesse ni l'aplomb d'un bon vieux V8. Les accélérations viennent avec un certain délai causé par le turbocompresseur, et la sonorité n'est évidemment pas la même. Qui plus est, on peut encore émettre des

doutes sur la fiabilité à long terme de cette mécanique, inévitablement plus complexe et donc plus à risque de nécessiter des réparations dispendieuses...

Bien sûr, Ford opte pour ce V6 en expliquant qu'il s'agit d'une motorisation plus écoénergétique. Et c'est vrai. Sauf que la différence entre la consommation du V6 de l'Expedition et celle du V8 de 5,3 litres du Chevrolet Tahoe ne représente que 0,9 L/100 km. C'est négligeable. Il n'y a donc pas vraiment de bonne raison pour Ford de ne pas offrir de moteur V8 sous le capot de son gros VUS. Pendant ce temps, General Motors donne le choix entre deux V8 et même un moteur diesel... Au chapitre du remorquage, le Ford Expedition ne déçoit pas. Il peut tracter des charges allant jusqu'à 9 100 lb, ce qui le place devant toutes les versions des camions GM.

### EN VOULEZ-VOUS DE L'ESPACE?

Pour être gros, il est gros le Ford Expedition! Construit à partir des mêmes bases qui servent le populaire F-150, ce VUS peut recevoir confortablement jusqu'à huit occupants. Et on insiste sur le mot «confortablement». Alors que de trop nombreux VUS à trois rangées fournissent à peine assez d'espace pour des enfants à l'arrière, l'Expedition peut accueillir des adultes de moins de 6 pieds sans problème. C'est encore plus vrai si vous optez pour la version MAX, une variante à l'empattement allongé pour ceux qui aiment vraiment se compliquer la vie quand vient le temps de se stationner en parallèle!

Au poste de conduite, on se sent un peu comme le roi de la route, perché bien haut sur des sièges d'un grand confort. L'Expedition surprend par la douceur de sa suspension. Sur les routes dégradées du Québec, nous avons été à même d'en témoigner! Nous avons également aimé le système d'infodivertissement SYNC, toujours aussi agréable à utiliser. Puisque sa refonte remonte à 2018, il ne bénéficie toutefois pas de la dernière génération du système. Parions qu'une mise à jour ne tardera pas. L'Expedition est aussi livré avec la série de technologies d'aide à la conduite Co-Pilot360.

Tous les Ford Expedition vendus au Canada sont équipés du rouage intégral, de la version de base XLT aux ostentatoires King Ranch et Platinum. Attention, parce que les modèles les plus onéreux peuvent frôler les 100 000 $ avec des équipements comme les sièges à fonction de massage... Rendu là, aussi bien faire le saut vers le Lincoln Navigator, son jumeau non identique!

### Données principales

| | | |
|---|---|---|
| Emp. / lon. / lar. / haut. | Expedition | 3 112 / 5 333 / 2 030 / 1 941 mm |
| | Expedition MAX | 3 342 / 5 635 / 2 030 / 1 936 mm |
| Coffre / réservoir | Expedition | 546 à 2 962 litres / 88 litres |
| | Expedition MAX | 972 à 3 439 litres / 105 litres |
| Nombre de passagers | | 7 à 8 |
| Suspension av. / arr. | | ind., bras inégaux / ind., multibras |
| Pneus avant / arrière | XLT | P275/65R18 / P275/65R18 |
| | Limited | P275/55R20 / P275/55R20 |
| | King Ranch, Platinum | P285/45R22 / P285/45R22 |
| Poids / Capacité de remorquage | Expedition | 2 551 kg / 4 127 kg (9 100 lb) |
| | Expedition MAX | 2 628 kg / 4 127 kg (9 100 lb) |

### Composantes mécaniques

**XLT, LIMITED, KING RANCH**

| | |
|---|---|
| Cylindrée, alim. | V6 3,5 litres turbo |
| Puissance / Couple | 375 ch / 470 lb-pi |
| Tr. base (opt) / Rouage base (opt) | A10 / 4x4 |
| Type / ville / route / $CO_2$ | Expedition - Ord / 14,1 / 10,7 / 295 g/km |
| | Expedition MAX - Ord / 14,7 / 11,2 / 308 g/km |

**PLATINUM**

| | |
|---|---|
| Cylindrée, alim. | V6 3,5 litres turbo |
| Puissance / Couple | 400 ch / 480 lb-pi |
| Tr. base (opt) / Rouage base (opt) | A10 / 4x4 |
| Type / ville / route / $CO_2$ | Expedition - Ord / 14,1 / 10,7 / 295 g/km |
| | Expedition MAX - Ord / 14,7 / 11,2 / 308 g/km |

**+** Grand confort à bord • Système SYNC intuitif • Excellente capacité de remorquage

**—** Une seule motorisation offerte • Fiabilité à long terme incertaine • Consommation décevante

Photos: Ford

# L'âge des réalisations

**Prix :** 45 549 $ à 65 649 $ (2021)
**Transport et prép. :** 1 995 $
**Catégorie :** VUS intermédiaires
**Garanties :** 3/60, 5/100
**Assemblage :** États-Unis

**Ventes**
Québec 2020
2 434
↑ 92 %

Canada 2020
16 229
↑ 67 %

| | Explorer | Limited hyb. | Platinum |
|---|---|---|---|
| PDSF | 45 549 $ | 53 799 $ | 65 649 $ |
| Loc. | 732 $ • 3,49 % | 859 $ • 3,49 % | 1 026 $ • 3,49 % |
| Fin. | 959 $ • 1,99 % | 1 125 $ • 1,99 % | 1 363 $ • 1,99 % |

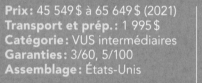

Sécurité    Consommation

Appréciation générale    Fiabilité prévue    Agrément de conduite

**Équipement**

**Sécurité**

**Concurrents**

Chevrolet Traverse, Dodge Durango,
Honda Pilot, Hyundai Palisade,
Jeep Grand Cherokee L, Kia Telluride,
Mazda CX-9, Nissan Pathfinder, Subaru Ascent,
Toyota Highlander, Volkswagen Atlas

**Nouveau en 2022**

Nouvelles versions : Timberline plus aventurière,
et ST-Line d'apparence sportive.

Jacques Bienvenue

**O**n dit de la trentaine que c'est l'âge des réalisations. Alors, on n'a sûrement pas fini de voir l'Explorer se diversifier. Du petit 4x4 pur et dur qu'il était à ses débuts, il est devenu l'Explorer le plus grand et le plus sophistiqué jamais offert par Ford. Un véhicule qui a même abordé la voie de l'électrification.

L'actuelle sixième génération de cet utilitaire intermédiaire vise une clientèle qui exprime aussi le besoin de rester connectée. Ce qui a mené à l'intégration d'Apple CarPlay et Android Auto à ces systèmes d'infodivertissement branchés à un écran tactile de 8 pouces d'allure banale, dans les versions plus abordables. Ou à cet imposant écran vertical de 10,1 pouces dans les modèles plus cossus.

C'est pour cette clientèle également que l'Explorer dispose des systèmes d'assistance sophistiqués devant sécuriser le conducteur (régulateur de vitesse adaptatif, détection d'obstacles dans les angles morts, alerte de trafic transversal, etc.) et devant lui faciliter la vie (stationnement assisté, fonction de stabilisation de remorque, etc.). À côté de tout cela, l'Explorer originel lancé en mars 1990 paraît aussi banal qu'une Modèle T du siècle dernier !

### SPACIEUX ET POLYVALENT

L'Explorer accueille six ou sept personnes confortablement, selon que l'on choisisse une version ayant des sièges capitaine ou une banquette partitionnée (35/30/35) au centre. On doit toutefois relativiser cette notion de confort pour décrire la banquette arrière biplace, qui est mieux adaptée à de jeunes enfants qu'à des adultes.

Ce véhicule a un côté polyvalent indéniable comme le suggèrent, par exemple, ses nombreux espaces de rangement et ses connexions USB et 110 volts. Sans oublier son coffre transformable qu'un important volume modulable permet d'adapter à une foule d'usages. Qu'il s'agisse de transporter vos emplettes ou d'aider l'universitaire de la maison à déménager.

Dans le même esprit, une gamme diversifiée permet à l'acheteur de choisir la mouture répondant le mieux à ses aspirations et son budget. En plus des quatre modèles qu'offrait Ford l'an dernier, soit les XLT (entrée de gamme), Limited (plus cossue), ST (le bolide) et Platinum (le grand luxe), il y en a deux nouvelles en 2022.

L'Explorer ST-Line, d'abord, vise l'acheteur entiché par l'allure audacieuse de l'Explorer ST, mais sans plus. Alors, comme pour ce bolide, cette version se pare, entre autres, d'une calandre noire, d'échappements multiples, de grandes roues de 20 pouces et d'un intérieur chic.

Dans un tout autre registre, l'Explorer Timberline s'adresse à celui qui veut un tout-terrain moins rustique qu'un Bronco! En vente depuis juin 2021, cette variante affiche les meilleures aptitudes hors route de tous les Explorer grâce à sa garde au sol surélevée, des angles d'attaque et de sortie accrus, des plaques protectrices, un différentiel à glissement limité Torsen et des pneus Bridgestone Dueler. Outre sa carrosserie et son intérieur distincts, il a même une direction, des barres stabilisatrices et une suspension calibrées pour d'éventuelles escapades loin du bitume.

## MOTORISATIONS VARIÉES

Pour autant de versions, toutes dotées de la transmission intégrale, Ford propose plusieurs moteurs. Les déclinaisons plus abordables partagent un 4 cylindres turbocompressé de 300 chevaux. Mais sa cote de consommation moyenne de 10,3 L/100 km le fait paraître glouton. Ford offre cependant une solution de rechange qui est 7% moins gourmande : une motorisation hybride non branchable de 318 chevaux. Cette option, réservée à l'Explorer Limited, s'avère néanmoins relativement coûteuse. À cela s'ajoutent deux V6 EcoBoost. Celui de la version Platinum, la plus luxueuse, produit 365 chevaux, alors que le biturbo de la version ST en livre 400, ce qui en fait l'Explorer le plus puissant de l'histoire.

La capacité de remorquage atteint 5 600 lb avec les deux V6, 5 300 lb avec le 4 cylindres et 5 000 lb dans le cas de l'hybride. De plus, ces moteurs, qui se contentent de carburant ordinaire, partagent une boîte de vitesses automatique à 10 rapports.

Mais en matière de motorisations, Ford n'a pas dit son dernier mot. Depuis l'an passé, il vend l'Explorer PHEV en Europe. La batterie de 13,6 kWh de cet hybride branchable lui permet de parcourir jusqu'à 48 km en mode électrique. Le verra-t-on aboutir sur notre continent avant qu'une version 100 % électrique, qui serait en développement, se pointe chez nos concessionnaires ? Bien que Ford fasse la sourde oreille à cette question, on connaîtra sûrement la réponse avant que l'Explorer atteigne la quarantaine.

### Données principales

| Emp. / lon. / lar. / haut. | **Explorer** - 3 025 / 5 049 / 2 004 / 1 782 mm |
| | **ST** - 3 025 / 5 063 / 2 004 / 1 782 mm |
| Coffre / réservoir | 515 à 2 486 litres / 68 à 70 litres |
| Nombre de passagers | 6 à 7 |
| Suspension av. / arr. | ind., jambes force / ind., multibras |
| Pneus avant / arrière | **XLT** - P255/65R18 / P255/65R18 |
| | **Limited, ST-Line, ST** - P255/55R20 / P255/55R20 |
| | **Platinum** - P275/45R21 / P275/45R21 |
| Poids / Capacité de remorquage | **4L** - 2 022 kg / 2 404 kg (5 300 lb) |
| | **Hybride** - 2 254 kg / 2 268 kg (5 000 lb) |
| | **V6** - 2 132 kg / 2 540 kg (5 600 lb) |

### Composantes mécaniques

**4L - 2,3 LITRES**

| | |
|---|---|
| Cylindrée, alim. | 4L 2,3 litres turbo |
| Puissance / Couple | 300 ch / 310 lb-pi |
| Tr. base (opt) / Rouage base (opt) | A10 / Int |
| 0-100 / 80-120 / V. max | 7,8 s (est) / 5,7 s (est) / n.d. |
| Type / ville / route / CO$_2$ | Ord / 11,7 / 8,6 / 242 g/km |
| | **Timberline** - Ord / 12,2 / 10,4 / 268 g/km |

**V6 - 3,0 LITRES**

| | |
|---|---|
| Cylindrée, alim. | V6 3,0 litres turbo |
| Puissance / Couple | 365 ch / 380 lb-pi |
| Tr. base (opt) / Rouage base (opt) | A10 / Int |
| 0-100 / 80-120 / V. max | 6,2 s (est) / 4,8 s (est) / n.d. |
| Type / ville / route / CO$_2$ | Ord / 13,4 / 9,8 / 277 g/km |

**ST**

| | |
|---|---|
| Cylindrée, alim. | V6 3,0 litres turbo |
| Puissance / Couple | 400 ch / 415 lb-pi |
| Tr. base (opt) / Rouage base (opt) | A10 / Int |
| 0-100 / 80-120 / V. max | 6,0 s (m) / 4,6 s (m) / 230 km/h (c) |
| Type / ville / route / CO$_2$ | Ord / 13,4 / 9,8 / 277 g/km |

**HYBRIDE**

| | |
|---|---|
| Cylindrée, alim. | V6 3,3 litres atmos. |
| Puissance / Couple | 285 ch / 260 lb-pi |
| Tr. base (opt) / Rouage base (opt) | A10 / Int |
| 0-100 / 80-120 / V. max | 8,1 s (est) / 5,9 s (est) / n.d. |
| Type / ville / route / CO$_2$ | Ord / 10,1 / 9,0 / 225 g/km |
| Puissance combinée | 318 ch / 322 lb-pi |

**MOTEUR ÉLECTRIQUE**

| | |
|---|---|
| Puissance / Couple | 44 ch (33 kW) / n.d. |
| Type de batterie | Lithium-ion (Li-ion) |

**+** Conduite agréable • Places avant et centrales confortables • Coffre transformable volumineux • Capacités de remorquage attrayantes

**−** Troisième rangée de sièges symbolique • Consommation élevée • À quand l'hybride branchable ?

Photos : Ford

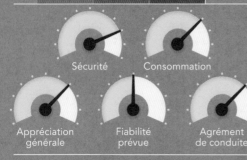

**Prix:** 34 079 $ à 94 525 $ (2021)
**Transport et prép.:** 1 995 $
**Catégorie:** Camion. pleine gr.
**Garanties:** 3/60, 5/100
**Assemblage:** États-Unis

**Ventes***
Québec 2020
**19 342**
⬇ **18 %**
Canada 2020
**128 649**
⬇ **11 %**

|  | XL 2RM | Lariat 4RM | Limited Hyb. 4RM |
|---|---|---|---|
| **PDSF** | 34 079 $ | 60 195 $ | 94 525 $ |
| **Loc.** | 594 $ • 2,99 % | 922 $ • 1,99 % | 1 453 $ • 2,99 % |
| **Fin.** | 738 $ • 2,49 % | 1 240 $ • 1,49 % | 1 972 $ • 2,49 % |

Sécurité — Consommation

Appréciation générale — Fiabilité prévue — Agrément de conduite

**Équipement**

**Sécurité**

**Concurrents**
Chevrolet Silverado 1500, GMC Sierra 1500, Ram 1500, Toyota Tundra

**Nouveau en 2022**
Nouveau modèle Lightning à propulsion électrique. Ajout d'une version Raptor en cours d'année 2021. Retrait du moteur diesel.

# L'art de foudroyer ses rivaux

Marc Lachapelle

**L**oin de savourer tranquillement son 55e titre de meilleur vendeur national, Ford a redoublé d'efforts et d'audace pour lancer une première camionnette électrique. Ce constructeur plus que centenaire devance ainsi, d'un bond, les « jeunes pousses » qui annoncent un tel véhicule depuis des années, y compris Tesla, avec son Cybertruck que l'on attend toujours.

Ford réussit un grand coup ranimant le nom d'une version de performance qui était aux antipodes écologiques de la nouvelle, avec son V8 surcompressé de 5,4 litres.

### LA TOTALE ÉLECTRIQUE ET PLUS
Le F-150 Lightning sera produit dans une usine « verte » toute neuve, installée sur les terrains du gigantesque complexe intégré *The Rouge* qui a marqué l'histoire il y a plus d'un siècle, aux abords de Detroit. Chose certaine, le F-150 Lightning coche toutes les cases pour une camionnette électrique, et même quelques autres.

Sa carrosserie en aluminium — la plus aérodynamique à ce jour pour un F-150 — est posée sur un châssis modifié, doté pour la première fois d'une suspension arrière à roues indépendantes. Cette structure abrite une batterie au lithium-ion refroidie par liquide dans un caisson étanche, lequel est protégé par des boucliers. Offerte en deux niveaux de stockage, elle alimente un moteur électrique pour chaque essieu, avec le choix de quatre modes à quatre roues motrices: Normal, Sport, Tout-terrain et Remorquage. Le Lightning pourra d'ailleurs tracter jusqu'à 10 000 lb et porter une charge utile maximale de 2 000 lb.

La batterie standard garantit 370 km d'autonomie, 426 chevaux et 775 lb-pi de couple. Ces données passent à 483 km, 563 chevaux avec les mêmes 775 lb-pi de couple pour la batterie optionnelle. Le sprint de 0 à 100 km/h d'environ 4,7 secondes qu'elle promet en ferait le F-150 le plus rapide, Raptor inclus. Cette batterie se recharge de 15 à 100 % en 8 heures avec la borne de 80 ampères venant de série ou de 15 à 80 % en 41 minutes sur une borne rapide de 150 kW.

L'habitacle est essentiellement celui des nouveaux Ford Série F, donc impeccablement spacieux et pratique. Au superbe tableau numérique

configurable de 12 pouces qui s'adresse au conducteur, on peut ajouter un écran tactile vertical de 15,5 pouces appuyé sur l'interface SYNC 4A, utilisée pour la première fois dans un camion. La grande tablette qui se déploie sur le sélecteur de vitesse repliable et les sièges avant qui s'allongent à plat seront disponibles aussi.

Le Lightning offre même les deux onduleurs électriques *Pro Power Onboard* avec le groupe propulseur hybride de ses sœurs. On dispose ainsi de 7,2 kW dans l'habitacle et la plate-forme arrière, et de 2,4 kW dans le grand coffre avant de 400 litres. Ces 9,6 kW seraient suffisants pour alimenter un bungalow moyen pendant trois jours, en cas de panne. Le prix de départ du premier est fixé à 58 000 $ alors que celui du XLT est de 68 000 $, pour livraison au printemps 2022. Reste à voir si le constructeur jouera sur l'admissibilité de son Lightning au rabais pour véhicules électriques au Québec. Son impact n'en serait que plus grand.

### DE SOLIDES ÉQUIPIERS

Malgré l'attrait du Lightning, ce sont les autres versions qui assureront la majorité du million et plus de ventes en terre nord-américaine. À court et moyen terme, du moins. Six modèles sont déclinés, avec plus de combinaisons possibles que d'étoiles dans la galaxie.

Tous peuvent être équipés du groupe propulseur hybride de 430 chevaux, construit autour du V6 biturbo de 3,5 litres, contre un supplément allant de 2 200 $ à 5 750 $. Il emmène un Limited, le plus lourd des F-150, de 0 à 100 km/h en 6,3 secondes en toute douceur, avec une excellente cote combinée de 9,8 L/100 km avec la traction intégrale. Le V8 atmosphérique de 5 litres est un bon choix malgré des soucis de surconsommation d'huile, et le V6 biturbo de 2,7 litres est l'aubaine du lot.

Enfin, un mot sur le nouveau Raptor, présenté par Ford en février 2021. Le constructeur tarde à publier les chiffres de performances officiels, mais on peut d'ores et déjà s'attendre à encore plus de muscle que l'ancienne version, qui déballait 450 chevaux et 510 lb-pi. On nous promet aussi un Raptor R encore plus démentiel, assurément jumelé à un moteur V8 pour faire la guerre au gros Ram TRX.

Or, le nouveau Lightning les battra tous, en performance et en frugalité, sans polluer le moindrement. Reste à voir comment il résistera à de longues années d'utilisation intense, de Val-d'Or à Gaspé. Batterie incluse.

## Données principales

| | | |
|---|---|---|
| Emp. / lon. / lar. / haut. | Simple court - 3 120 / 5 310 / 2 030 / 1 921 mm | |
| | Simple long - 3 594 / 5 784 / 2 030 / 1 911 mm | |
| | SuperCab court - 3 694 / 5 884 / 2 030 / 1 917 mm | |
| | SuperCab long - 4 168 / 6 358 / 2 030 / 1 919 mm | |
| | SuperCrew court - 3 694 / 5 884 / 2 030 / 1 920 mm | |
| | SuperCrew long - 3 994 / 6 184 / 2 030 / 1 925 mm | |
| Boîte / réservoir | 1 705, 2 005, 2 479 mm / 87, 98, 136 litres | |
| Nombre de passagers | 3 à 6 | |
| Suspension av. / arr. | ind., double triangulation / essieu rigide, ress. à lames | |
| Pneus avant / arrière | P245/70R17 / P245/70R17 | |
| Poids / Capacité de remorquage | Simple - 1 824 kg / 6 033 kg (13 300 lb) | |
| | SuperCab - 1 979 kg / 6 350 kg (14 000 lb) | |
| | SuperCrew - 2 025 kg / 6 350 kg (14 000 lb) | |
| | Lightning - n.d. / 4 536 kg (10 000 lb) | |

*Avec moteur V6 3,5 litres EcoBoost, sauf où noté.

## Composantes mécaniques

**LIGHTNING**

| | |
|---|---|
| Puissance / Couple combiné | 426 ou 563 ch / 775 lb-pi |
| Tr. base (opt) / Rouage base (opt) | Rapport fixe / Int |
| 0-100 / 80-120 / V. max | 4,7 s (est) / 3,3 s (est) / n.d. |
| Temps de recharge (240V / 400V) | 8,0 h / 0,7 h |
| Autonomie | 370 à 483 km (est) |

**V6 - 2,7 LITRES TURBO**

| | |
|---|---|
| Puissance / Couple | 325 ch / 400 lb-pi |
| Tr. base (opt) / Rouage base (opt) | A10 / 4x2 (4x4) |
| Type / ville / route / CO$_2$ | Ord / 12,8 / 10,0 / 271 g/km |

**V6 - 3,5 LITRES TURBO**

| | |
|---|---|
| Puissance / Couple | 400 ch / 500 lb-pi |
| Tr. base (opt) / Rouage base (opt) | A10 / 4x4 |
| Type / ville / route / CO$_2$ | Ord / 13,5 / 10,2 / 282 g/km |

**HYBRIDE POWERBOOST**

| | |
|---|---|
| Cylindrée, alim. | V6 3,5 litres turbo + moteur électrique |
| Puissance / Couple combiné | 430 ch / 570 lb-pi |
| Tr. base (opt) / Rouage base (opt) | A10 / Prop (4x4) |
| Type / ville / route / CO$_2$ | Ord / 9,8 / 9,7 / 229 g/km |
| Type de batterie / Énergie | Lithium-ion (Li-ion) / 1,5 kWh |

**V6 - 3,3 LITRES ATMOS.**

V6 3,3 L - 290 ch/265 lb-pi - A10 - 4x2 (4x4) - 12,5/10,7 L/100 km

**V8 - 5,0 LITRES ATMOS.**

V8 5,0 L - 400 ch/410 lb-pi - A10 - 4x2 (4x4) - 14,8/10,9 L/100 km

*Cotes de consommation avec rouage 4x4

+ Version Lightning spectaculaire • Habitacle vaste, pratique et confortable • Gamme de moteurs variée • Comportement stable en virage

− Essieu arrière raide et sautillant sur route bosselée • Versions cossues très chères • Choix de configurations étourdissant • Fiabilité globale moyenne

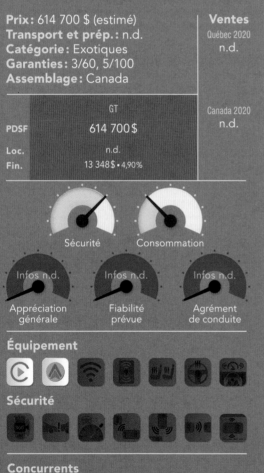

**Prix :** 614 700 $ (estimé)
**Transport et prép. :** n.d.
**Catégorie :** Exotiques
**Garanties :** 3/60, 5/100
**Assemblage :** Canada

**Ventes**
Québec 2020
n.d.

| | GT |
|---|---|
| **PDSF** | 614 700 $ |
| **Loc.** | n.d. |
| **Fin.** | 13 348 $ • 4,90 % |

Canada 2020
n.d.

Sécurité — Consommation

Infos n.d. — Infos n.d. — Infos n.d.

Appréciation générale — Fiabilité prévue — Agrément de conduite

**Équipement**

**Sécurité**

**Concurrents**
Ferrari SF90, Lamborghini Aventador,
McLaren 720S

**Nouveau en 2022**
Dernière année de production du modèle.

# La fin du rêve américain

Guillaume Rivard

**D**ans le monde de l'automobile et plus particulièrement celui des voitures de performance, la Ford GT est une très belle expression du rêve américain. Or, c'est un rêve qui s'achève en 2022, dernière année de production. Au total, 1 350 exemplaires ont été fabriqués, sans jamais dépasser les 250 annuellement. Et n'espérez pas pouvoir commander une GT neuve, car les modèles 2022 destinés au Canada sont déjà tous vendus, et ce, à une clientèle sélectionnée très rigoureusement. Retour sur une courte mais mémorable carrière.

La Ford GT telle qu'on la connait aujourd'hui a vu le jour au Salon de l'auto de Detroit en 2015, une décennie après la première GT qui n'a duré que deux ans, et quasiment un demi-siècle après le premier de quatre triomphes de la Ford GT40 aux 24 Heures du Mans. Devant l'évidence qu'il s'agissait d'un futur classique, *Le Guide de l'auto* l'a placée en couverture de son édition 2016. Finalement, la production a débuté pour l'année-modèle 2017, la première de six.

### UNE VOITURE PHARE DEVENUE ÉTOILE FILANTE
C'est toujours bon de le répéter, la Ford GT actuelle est beaucoup plus internationale que certains peuvent le penser. D'abord, son design porte la signature de l'Écossais Moray Callum. Ensuite, l'assemblage méticuleux se fait à l'usine de Multimatic située à Markham, en Ontario.

Le souci du détail et la précision de cette supervoiture impressionnent, tout comme le travail aérodynamique, même si celui-ci l'emporte un peu trop sur la beauté et la pureté du design. De son museau fuselé et ajouré à son sculptural aileron arrière réglable (qui se braque à la verticale lors du freinage de façon à servir d'aérofrein) en passant par ses admissions juste au-dessus des roues arrière et bien sûr ses fameux contreforts qui encadrent le moteur central, tout a été savamment étudié pour fendre l'air au maximum.

Le moteur en question, bien à la vue sous un panneau de verre, est un V6 biturbo de 3,5 litres qui déploie 660 chevaux et un couple de 550 lb-pi. On aimerait croire qu'il expire par le biais des deux gros cercles ardents à l'arrière (ce sont en réalité les feux), mais l'échappement passe plutôt par les deux sorties circulaires en titane signées Akrapovic et intégrées à la carrosserie au-dessus de l'imposant diffuseur. Utilisant une boîte automatique

à 7 rapports pour entraîner ses roues arrière, la bombe en fibre de carbone file de 0 à 100 km/h en un peu plus de trois secondes et atteint une vitesse de pointe frôlant les 350 km/h. Bon, ce ne sont pas les chiffres les plus renversants que l'on retrouve dans cette catégorie d'automobiles démentielles, mais n'avez-vous pas un frisson juste à l'idée de les valider sur un circuit de course ? Et Dieu merci pour les puissants freins Brembo en carbone-céramique !

Ceci nous amène à parler de l'habitacle non moins extraordinaire, auquel on accède par des portières en élytre. Malgré le prix de départ de plus de 600 000 $, ce n'est pas un royaume de luxe. Comme ce sont les performances qui comptent avant tout, le poste de pilotage se rapproche davantage de celui d'une voiture de course où les commodités sont minimales et où l'espace est précieusement compté. Le volant, dominé par une molette de sélection du mode de conduite, remplace les tiges par des boutons. Sur la console, des touches permettent d'ajuster la fermeté des amortisseurs et de réduire la garde au sol de 5 cm pour abaisser le centre de gravité et augmenter du même coup l'appui aérodynamique.

## LA PASSATION DES POUVOIRS

Ford, tel qu'on l'a évoqué plus tôt, prend le temps de bien choisir les clients de la GT et exige que ceux-ci la conservent pendant au moins deux ans avant de la revendre, question de maintenir l'image. Ce sont généralement de grands fidèles de la marque, des propriétaires de l'ancienne génération et des passionnés qui savent apprécier ce qu'ils ont entre les mains. Toute l'innovation que Ford a développée et investie saura prendre de la valeur avec la retraite imminente de la GT. Dans cinq ou dix ans, elle sera un objet de collection fort convoité, surtout les exemplaires qui auront eu une histoire et un parcours uniques.

Maintenant, qui s'emparera du flambeau ? Est-ce même une chose à envisager ? À notre avis, non. Chez Ford, il ne reste que la Mustang, mais sa version Shelby GT500 est un tout autre genre de monstre qui n'attire pas le même public. Autrement, les amateurs de supervoitures américaines devront se tourner vers des créatures encore plus exclusives et célestes, par exemple la SSC Tuatara et la Hennessey Venom F5. Générant plus de deux fois et demie la puissance de la Ford GT, elles sont une vision ahurissante du rêve américain.

| Données principales | |
|---|---|
| Emp. / lon. / lar. / haut. | 2 710 / 4 763 / 2 004 / 1 110 mm |
| Coffre / réservoir | 11 litres / 58 litres |
| Nombre de passagers | 2 |
| Suspension av. / arr. | ind., bras inégaux / ind., bras inégaux |
| Pneus avant / arrière | P245/35R20 / P325/30R20 |
| Poids / Capacité de remorquage | 1 385 kg / non recommandé |

| Composantes mécaniques | |
|---|---|
| Cylindrée, alim. | V6 3,5 litres turbo |
| Puissance / Couple | 660 ch / 550 lb-pi |
| Tr. base (opt) / Rouage base (opt) | A7 / Prop |
| 0-100 / 80-120 / V. max | 3,2 s (est) / 2,9 s (est) / 348 km/h (c) |
| 100-0 km/h | 33,6 m (est) |
| Type / ville / route / $CO_2$ | Sup / 19,8 / 12,8 / 393 g/km |

+ Aérodynamisme de pointe • Conception éprouvée sur route et en course • Performances du tonnerre

− Réservée à un club sélect • Moteur pas aussi exotique que certaines rivales • Habitacle radical et bruyant

Photos : Ford

**Prix :** 25 900 $ à 42 600 $
**Transport et prép. :** 1 995 $
**Catégorie :** Camionnettes comp.
**Garanties :** 3/60, 5/100
**Assemblage :** Mexique

**Ventes**
Québec 2020
n.d.

| | XL hybride | XLT TI | Lariat 1st Ed. TI |
|---|---|---|---|
| PDSF | 25 900 $ | 31 000 $ | 42 600 $ |
| Loc. | 421 $ • 4,49 % | 504 $ • 4,49 % | 680 $ • 4,49 % |
| Fin. | 586 $ • 3,49 % | 693 $ • 3,49 % | 935 $ • 3,49 % |

Canada 2020
n.d.

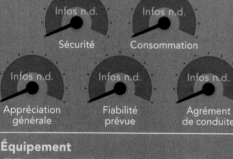

Infos n.d.
**Sécurité**

Infos n.d.
**Consommation**

Infos n.d.
**Appréciation générale**

Infos n.d.
**Fiabilité prévue**

Infos n.d.
**Agrément de conduite**

### Équipement

### Sécurité

### Concurrents
Honda Ridgeline, Hyundai Santa Cruz

**Nouveau en 2022**
Nouveau modèle.

# Un nouveau cowboy en ville

Guillaume Rivard

**A**u début des années 1970, Ford a lancé une voiture compacte, abordable et économe en essence qui contrastait avec les grosses berlines et les *muscle cars* de l'époque. Son nom ? Maverick. Un demi-siècle plus tard, le constructeur à l'ovale bleu refait le coup... avec une camionnette, naturellement !

Si les F-150 et Super Duty demeurent toujours aussi populaires et que le Ranger se débrouille bien dans le créneau des intermédiaires, le fait est que les camionnettes, de nos jours, sont de plus en plus grosses et dispendieuses. Au lieu de laisser bon nombre de consommateurs se tourner vers les modèles d'occasion, Ford a pris la sage décision de créer une nouvelle option plus compacte et économique. Or, le Maverick est beaucoup plus que ça. Doté de caractéristiques surprenantes, c'est un véhicule qui change la donne et qui pourrait faire mal à des compétiteurs de différents horizons, même au sein de sa famille.

### À QUI S'ADRESSE LE MAVERICK ?

Avec comme seul concurrent direct le Hyundai Santa Cruz (lui aussi nouveau pour 2022), le Ford Maverick s'adresse en bonne partie aux gens qui n'avaient jamais envisagé de conduire un camion auparavant. Bien qu'il ait été testé dans toutes sortes de conditions et qu'il propose un ensemble hors route FX4, le Maverick reste plutôt axé sur la conduite de tous les jours et attirera des propriétaires de VUS comme de berlines. On pense surtout à ces personnes qui doivent souvent rouler et se stationner en ville (le Maverick mesure 28 cm de moins qu'un Ranger à boîte courte), mais qui désirent voir du pays ou accomplir toutes sortes de tâches — tant des travailleurs que des amateurs de loisirs, de bricolage et de rénovation.

Comprenez ensuite que le Maverick devient pratiquement le nouveau modèle d'entrée de gamme de Ford, coûtant à peine plus cher que le minuscule EcoSport, avec un prix de départ de seulement 25 900 $. C'est environ 7 000 $ de moins qu'un Escape hybride de base. Pourquoi cette comparaison ? Eh bien, parce que le Maverick renferme de série une motorisation hybride ! Il consomme moins d'essence en ville qu'une voiture sous-compacte et, avec sa puissance totale de 191 chevaux, il peut remorquer jusqu'à 2 000 lb. Impressionnant.

Plusieurs clients potentiels au Canada devront toutefois faire un choix déchirant, car on n'offre aucun rouage intégral avec le Maverick hybride. Ceux qui désirent quatre roues motrices doivent obligatoirement opter pour le moteur turbocompressé de 2 litres, moyennant un extra de 2 500 $. Cette motorisation libère 250 chevaux et un couple de 277 lb-pi, comme dans le Bronco Sport Badlands. Il ajoute également l'ensemble de remorquage 4K qui double la capacité du Maverick, soit 4 000 lb ou l'équivalent d'une roulotte de 23 pieds. Le changement de moteur s'accompagne également d'un meilleur roulement, car la suspension arrière remplace la poutre de torsion de l'hybride par un système indépendant à bras multiples.

## UNE CAISSE FLEXIBLE

Comme les nombreux VUS à qui il tentera de voler des acheteurs, le Maverick adopte une construction monocoque, mais à la différence de la majorité des camionnettes, on propose un seul format : une cabine *SuperCrew* à quatre portes avec une caisse de 4,5 pieds. À l'intérieur, l'espace se compare à celui du Ranger et le décor a été pensé pour être fonctionnel et facile à nettoyer. La connectivité n'est pas un problème grâce à l'écran tactile de 8 pouces permettant de profiter d'Apple CarPlay et d'Android Auto, du modem FordPass Connect avec point d'accès Wi-Fi ainsi que du service FordPass, qui contrôle et surveille le véhicule à distance.

Appelée FLEXBED, la caisse du Maverick a de quoi étonner. D'abord, le seuil de chargement d'à peine 30 pouces (une fois le hayon rabattu) facilite l'accès et les parois sont assez basses pour que même une personne dont la taille se trouve dans le cinquième percentile puisse y déposer ou cueillir du matériel, selon Ford. La capacité de charge utile s'élève à 1 500 lb et le plancher de 6 pieds avec le hayon abaissé permet de loger un VTT standard. C'est assez large également pour transporter jusqu'à 18 feuilles de contreplaqué de 4x8 pieds au-dessus du passage des roues en les reposant sur le hayon en position à moitié ouvert.

Des fentes pour glisser des 2x4 et des 2x6 permettent de compartimenter le chargement ou de créer des supports. N'oublions pas les deux crochets d'arrimage, les quatre anneaux en D et les trous filetés intégrés. Besoin d'inspiration ? Vous n'avez qu'à numériser le code QR dans la caisse pour trouver des idées d'aménagement. Par ailleurs, il y a une prise de courant de 110 volts de même qu'une alimentation de 12 volts qui est précâblée derrière un panneau facilement amovible, de chaque côté de la caisse, afin de faciliter des projets électriques. Sortez vos outils !

+ Motorisation hybride de série • Prix très alléchant • Caisse polyvalente

− Hybride à traction seulement • Un seul format

### Données principales

| | |
|---|---|
| Emp. / lon. / lar. / haut. | 3 076 / 5 073 / 1 844 / 1 745 mm |
| Boîte / réservoir | 1 372 mm / 52 litres |
| Nombre de passagers | 5 |
| Suspension av. / arr. | **Tr -** ind., jambes force / ind., barres torsion |
| | **Int -** ind., jambes force / ind., multibras |
| Pneus avant / arrière | P225/65R17 / P225/65R17 |
| Poids / Capacité de remorquage | **Hybride -** 1 667 kg / 907 kg (2 000 lb) |
| | **Essence -** 1 692 kg / 1 814 kg (4 000 lb) |

### Composantes mécaniques

**HYBRIDE**

| | |
|---|---|
| Cylindrée, alim. | 4L 2,5 litres atmos. |
| Puissance / Couple | 162 ch / 155 lb-pi |
| Tr. base (opt) / Rouage base (opt) | CVT / Tr |
| Type / ville / route / $CO_2$ | Ord / 5,9 / 6,8 / 151 g/km (est) |
| Puissance combinée | 191 ch |

**MOTEUR ÉLECTRIQUE**

| | |
|---|---|
| Puissance / Couple | 130 ch (97 kW) / 128 lb-pi |
| Type de batterie | Lithium-ion (Li-ion) |

**ESSENCE**

| | |
|---|---|
| Cylindrée, alim. | 4L 2,0 litres turbo |
| Puissance / Couple | 250 ch / 277 lb-pi |
| Tr. base (opt) / Rouage base (opt) | A8 / Int |
| Type / ville / route / $CO_2$ | Ord / 10,7 / 7,9 / 225 g/km (est) |

Photos : Ford

**Prix:** 31 895 $ à 96 480 $ (2021)
**Transport et prép.:** 1 995 $
**Catégorie:** Sportives
**Garanties:** 3/60, 5/100
**Assemblage:** États-Unis

**Ventes**
Québec 2020
675
▼ 21 %

Canada 2020
4 636
▼ 31 %

|  | EcoBoost Coupé | GT Premium Déc. | Shelby GT500 |
|---|---|---|---|
| **PDSF** | 31 895 $ | 54 795 $ | 96 480 $ |
| **Loc.** | 592 $ • 4,49 % | 1 015 $ • 4,49 % | n.d. |
| **Fin.** | 694 $ • 2,49 % | 1 161 $ • 2,49 % | 2 290 $ • 7,00 % |

Sécurité   Consommation

Appréciation générale   Fiabilité prévue   Agrément de conduite

**Équipement**

**Sécurité**

**Concurrents**

Chevrolet Camaro/Corvette, Dodge Challenger, Mazda MX-5, MINI Cabriolet, Nissan Z, Subaru BRZ, Toyota GR 86/GR Supra

**Nouveau en 2022**
Aucun changement majeur annoncé au moment de mettre sous presse.

# La vraie

Antoine Joubert

**T**itre facile, me direz-vous. Puisque les commentaires négatifs concernant le nom du récent VUS électrique de Ford ne cessent de se multiplier, il est intéressant d'en rappeler les origines. Il faut dire que certains allaient même jusqu'à croire qu'on avait éliminé l'authentique Mustang pour la remplacer par un utilitaire orné du cheval sauvage. Je vous rassure, la Mustang demeure.

Pour 2022, l'unique voiture de Ford (si vous excluez la GT) revient d'ailleurs sans changements importants. La venue, pour 2023, d'une toute nouvelle génération qui promet d'en mettre plein la vue en constituerait la cause. Il sera assurément question d'électrification, d'hybridation et d'une diminution significative de la cylindrée des moteurs thermiques. Irait-on jusqu'à abandonner le moteur V8? À suivre.

En attendant, la Mustang poursuit sa brillante carrière. Introduite pour l'année-modèle 2015, cette génération du *pony car* de Ford affiche quelques rides, bien qu'elle fasse toujours vibrer les amateurs. Il faut dire que la hausse considérable des prix de la Mustang a freiné les ardeurs de plusieurs, qui se tournent aujourd'hui vers des modèles d'occasion, lesquels ont conséquemment conservé une excellente valeur, au point où certaines unités ont vu leur prix augmenter depuis le début de la pandémie.

**65 000 $**
La dernière Mustang mise à l'essai pour les fins de cet article était un cabriolet GT, équipé de l'ensemble California Special. Il s'agit essentiellement d'un habillage esthétique distinctif, accompagné de quelques fioritures intérieures pour une allure à la fois classique et typiquement Mustang. Cette voiture est équipée d'une boîte manuelle, mais elle comporte toute la crème en matière d'équipement pour satisfaire les acheteurs plus exigeants. C'est ce qui explique une facture de 65 000 $ avant taxes, ce à quoi auraient pu s'ajouter la boîte automatique et quelques autres accessoires. Ce prix s'avère littéralement exorbitant considérant le peu d'évolution technique du modèle en sept ans de commercialisation. D'ailleurs, bien qu'on ne puisse se plaindre d'un manque d'équipement, la Mustang nous sert un écran d'infodivertissement vieillot et continue de décevoir par une console centrale franchement mal aménagée. Les sièges, dont le réglage des dossiers demeure manuel, de même que le mécanisme vieillissant du toit décapotable sont d'ailleurs des éléments difficiles à accepter dans un véhicule de ce prix.

Fort heureusement, la Mustang ne perd rien de son agrément de conduite. Son V8 est toujours aussi nerveux alors que la boîte manuelle demeure un modèle de précision. Quant à l'automatique, ses 10 rapports viennent parfois amenuiser le plaisir au volant par certaines hésitations. Cela dit, il faut tout de même reconnaître que cette boîte contribue également à améliorer les performances. L'impact est plus important avec le moteur à 4 cylindres qui, bien que performant, n'est certainement pas aussi souple que le V8.

## MACH 1

Les délais de livraison causés par la pandémie auront retardé l'arrivée de la Mach 1 pour 2021. Ce modèle, fort attendu, effectue un retour après 18 ans d'absence. Essentiellement, cette version plus dynamique reprend le moteur de la défunte Bullitt (2019-2020), adoptant néanmoins le collecteur d'échappement et la boîte manuelle de la précédente Shelby GT350, une boîte Tremec qui, à elle seule, contribue à ce plaisir de conduite rehaussé à bord d'une Mach 1. On obtient en outre une suspension avec amortissement magnétique adaptatif, contribuant à une meilleure tenue de route. Le plaisir à son volant reste donc phénoménal, bien qu'elle ne nous serve pas encore le niveau de performance de la Shelby GT500.

De cette dernière, la Mach 1 hérite de certains éléments stylistiques comme l'ensemble de jupes aérodynamiques, ce qui contribue là aussi à un meilleur appui au sol et donc, à un meilleur comportement. Il ne lui manque ainsi que la prise d'air fonctionnelle de capot, qui constituait une signature visuelle pour l'ensemble des précédentes versions.

Évidemment, on ne pourrait passer sous silence la version ultime de la Mustang, la Shelby GT500. Ce monstre mécanique de 760 chevaux, aussi rare que convoité, constitue, malgré son prix (100 000 $ à 135 000 $ avec les options), un investissement pour un collectionneur. Cette voiture, qui impose le respect et de laquelle personne ne se moquera, offre des performances en piste ahurissantes. Remarquez, la Shelby GT500 est tout de même capable de montrer un peu de civisme, bien que sa plus grande qualité ne soit pas le confort.

100 000 $ séparent donc une déclinaison de base et la plus équipée. Cette plage très large en dit long sur les personnalités multiples de la Mustang. Cela dit, un coupé GT à moteur 5 litres, offert pour 44 000 $, constitue sans aucun doute le meilleur rapport performance/prix de la gamme.

| + Modèle Mach 1 très attrayant • Performances colossales (GT500) • Agrément de conduite • Fiabilité | − Prix en forte hausse • 4 cylindres décevant • Modèle vieillissant • Détails d'aménagement (habitacle) |
|---|---|

Photos : Ford, Antoine Joubert

### Données principales

| Emp. / lon. / lar. / haut. | **Coupé** - 2 720 / 4 789 / 1 916 / 1 380 mm |
|---|---|
| | **Cabriolet** - 2 720 / 4 789 / 1 916 / 1 394 mm |
| | **Shelby GT500** - 2 717 / 4 832 / 1 949 / 1 379 mm |
| Coffre / réservoir | **Coupé** - 383 litres / 60 litres |
| | **Cabriolet** - 324 litres / 60 litres |
| Nombre de passagers | 4 |
| Suspension av. / arr. | ind., jambes force / ind., ress. hélicoïdaux |
| Pneus avant / arrière | P235/50R18 / P235/50R18 |
| | **Shelby GT500** - P305/30R20 / P315/30R20 |
| Poids / Capacité de remorquage | **Coupé** - 1 583 kg / non recommandé |
| | **Cabriolet** - 1 649 kg / non recommandé |

### Composantes mécaniques

**ECOBOOST**

| Cylindrée, alim. | 4L 2,3 litres turbo |
|---|---|
| Puissance / Couple | 310 ch / 350 lb-pi |
| Tr. base (opt) / Rouage base (opt) | M6 (A10) / Prop |
| 0-100 / 80-120 / V. max | 6,2 s (est) / 5,2 s (est) / 195 km/h (c) |
| Type / ville / route / $CO_2$ | Sup / 11,0 / 7,5 / 221 g/km |

**ECOBOOST HAUTE PERFORMANCE**

| Cylindrée, alim. | 4L 2,3 litres turbo |
|---|---|
| Puissance / Couple | 330 ch / 350 lb-pi |
| Tr. base (opt) / Rouage base (opt) | M6 (A10) / Prop |
| 0-100 / 80-120 / V. max | 6,1 s (est) / 5,1 s (est) / 249 km/h (c) |
| Type / ville / route / $CO_2$ | Sup / 11,7 / 8,6 / 242 g/km |

**GT**

| Cylindrée, alim. | V8 5,0 litres atmos. |
|---|---|
| Puissance / Couple | 460 ch / 420 lb-pi |
| Tr. base (opt) / Rouage base (opt) | M6 (A10) / Prop |
| 0-100 / 80-120 / V. max | 5,2 s (m) / 3,8 s (m) / 249 km/h (c) |
| Type / ville / route / $CO_2$ | Ord / 15,3 / 9,8 / 300 g/km |

**SHELBY GT500**

| Cylindrée, alim. | V8 5,2 litres surcomp. |
|---|---|
| Puissance / Couple | 760 ch / 625 lb-pi |
| Tr. base (opt) / Rouage base (opt) | A7 / Prop |
| 0-100 / 80-120 / V. max | 3,7 s (est) / 2,9 s (est) / 290 km/h (c) |
| Type / ville / route / $CO_2$ | Sup / 19,9 / 12,8 / 393 g/km |

**MACH 1**

V8 5,0 L - 480 ch/420 lb-pi - M6 (A10)- 0-100: 5,1 s (est) - V. max: 267 km/h (c) - 15,3/10,1 L/100 km

*Cotes de consommation de la Mustang coupé automatique

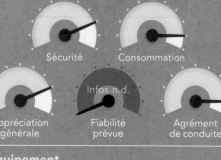

| | | | | Ventes |
|---|---|---|---|---|
| **Prix :** 50 495 $ à 82 995 $ (2021) | | | | Québec 2020 |
| **Transport et prép. :** 2 095 $ | | | | **4** |
| **Catégorie :** VUS compacts | | | | |
| **Garanties :** 3/60, 5/100 | | | | **n.d.** |
| **Assemblage :** Mexique | | | | |

| | Mach-E | Prem. Gr. Auto TI | GT performance | Canada 2020 |
|---|---|---|---|---|
| **PDSF** | 50 495 $ | 69 995 $ | 82 995 $ | **6** |
| **Loc.** | 769 $ • 4,49 % | 1 190 $ • 3,49 % | n.d. | **n.d.** |
| **Fin.** | 978 $ • 4,49 % | 1 499 $ • 2,99 % | 1 842 $ • 4,90 % | |

Sécurité   Consommation

Appréciation générale   Fiabilité prévue   Agrément de conduite

Infos n.d.

**Équipement**

**Sécurité**

**Concurrents**

Chevrolet Bolt EUV, Hyundai IONIQ5/ Kona électrique, Kia Niro EV6/EV, Kia Soul EV, Nissan Ariya, Tesla Model Y, Volkswagen ID.4, Volvo XC40 Recharge

**Nouveau en 2022**

Nouvelles couleurs.

# Le courant passe

Marc Lachapelle

**O**ubliez la chicane sur l'utilisation du nom Mustang pour un multisegment électrique qui a tant excité les puristes et les nostalgiques. Les exemples de la nouvelle Ford Mustang Mach-E courent les routes du Québec depuis des mois, conduites par des gens qui n'auraient jamais songé une seconde à un coupé Mustang.

Tel que promis à son lancement, au Salon de l'auto de Los Angeles 2019, le Mach-E s'est présenté chez nous à la fin de l'année suivante et a raflé le titre d'Utilitaire nord-américain de l'année au passage. Quatre versions sont offertes : Select, Premium, California Route 1 et Édition GT Performance, en ordre croissant d'équipement, de puissance et de prix.

Les Mach-E partagent la même carrosserie autoporteuse, posée sur la nouvelle architecture GE1 (pour *Global Electrified*), version fortement modifiée de la plate-forme C2 que partagent les Ford Bronco Sport, Escape, Maverick et Lincoln Corsair. Le nom Mustang n'apparaît nulle part sur le Mach-E. En fait, les deux n'ont rien en commun si ce n'est l'étalon qui galope au milieu de la calandre ainsi que les feux arrière à trois bandes verticales.

Le Mach-E GT édition performance se distingue également de ses frères par une fausse grille de calandre carrelée, flanquée de grandes prises d'air, qui surplombent un becquet prononcé. On remarque aussi l'écusson GT sur le hayon et les étriers rouges des freins Brembo entre les rayons des roues d'alliage de 20 pouces.

### AUTONOMIE ET PERFORMANCE À LA CARTE

Parmi les quatre modèles disponibles, seuls les Select et les Premium à roues motrices arrière sont admissibles au rabais de 8 000 $ du programme québécois Roulez vert. Le premier, livrable uniquement avec une batterie lithium-ion de 68 kWh (utilisables), jouit d'une autonomie de 370 km. Ce nombre chute à seulement 340 km avec le deuxième moteur électrique qui en fait un quatre roues motrices, une option de 3 395 $ au tarif actuel.

La championne de l'autonomie est la California Route 1, qui promet 491 km avec la batterie de 88 kWh (utilisables) et un moteur arrière. La version Premium dotée de la même batterie et du rouage intégral, qui sera sans doute la plus populaire chez nous, revendique une autonomie de 435 km.

Avec ses deux moteurs qui totalisent 346 chevaux, elle boucle le 0 à 100 km/h en 5,94 secondes, bien mesurées. La version à roues arrière motrices et moteur unique de 290 chevaux y met plutôt 7,35 secondes.

Quant à l'Édition GT Performance, dont les moteurs totalisent 480 chevaux et 634 lb-pi de couple, bons pour un sprint 0 à 100 km/h projeté de 3,7 secondes, son autonomie se chiffrerait à 418 km. Il faut dire que les pneus bas et larges qui bonifient son adhérence font l'inverse pour son autonomie. Ajoutons que le freinage est assuré par de grands disques Brembo de 385 mm à l'avant et que le roulement est maîtrisé par des amortisseurs à variation magnétique, toujours exceptionnels.

### UNE TOUT AUTRE ESPÈCE

À l'intérieur, à part un autre étalon sur le volant, on se retrouve dans un autre monde tellement l'habitacle s'avère sobre et minimaliste. Au milieu de la planche de bord trône un superbe écran tactile vertical de 15,5 pouces serti d'une bague dentelée pour régler le volume des appareils sonorisés. On l'explore du bout des doigts, comme un ordiphone, pour gérer facilement les divers systèmes. Sous un matériau ferme et poreux se blottit même une barre de son. Un autre écran, mince et horizontal, affiche les données de conduite essentielles, derrière le volant. Bien pensé.

L'assise des sièges avant est à la hauteur idéale pour faciliter l'accès, ces derniers offrant un alliage très juste de confort et de maintien. La grande molette sur la console, pour la transmission, est précise et intuitive. L'accès à l'arrière est correct et les places extérieures sont bonnes. Ça reste serré pour les jambes par contre. L'ouverture de la soute est large et son volume passe de 841 à 1 690 litres en repliant le dossier arrière 60/40. Il y a un grand bac sous le plancher et un coffre de 133 litres sous le capot avant.

En mouvement, la conduite à une pédale est à peu près parfaite, on peut quand même la désactiver si l'on préfère. La direction est un peu empâtée en position centrale, le roulement, doux et silencieux mais toujours ferme. On se trouve vraiment au volant d'un multisegment, pas d'une voiture. En virage, toutefois, le Mach-E reste plaqué au bitume, stable et sûr, presque sans roulis.

Chose certaine, ce nouveau venu s'est déjà fait un nom, à l'écart du folklore et de la tradition qui entourent ce nom célèbre dont on l'a affublé. Espérons qu'il tiendra ses promesses.

| + | − |
|---|---|
| Écrans superbement nets et utiles • Comportement impeccable en virage • Habitacle confortable, moderne et spacieux • Roulement doux et silencieux | Performances décevantes (propulsion) • Direction empâtée et tenue de cap moyenne • Le rétroviseur gauche cache l'intérieur du virage • Roulement ferme |

## FORD MUSTANG MACH-E

### Données principales

| | |
|---|---|
| Emp. / lon. / lar. / haut. | 2 984 / 4 713 / 1 881 / 1 625 mm |
| Coffre | 841 à 1 690 litres (133 Av.) |
| Nombre de passagers | 5 |
| Suspension av. / arr. | ind., jambes force / ind., multibras |
| Pneus avant / arrière | P225/60R18 / P225/60R18 |
| Poids / Capacité de remorquage | 1 969 à 2 237 kg / non recommandé |

### Composantes mécaniques

**SELECT SR, PREMIUM SR**

| | |
|---|---|
| Puissance / Couple | 266 ch (198 kW) / 317 lb-pi |
| Tr. base (opt) / Rouage base (opt) | Rapport fixe / Prop |
| 0-100 / 80-120 / V. max | 7,4 s (m) / 4,1 s (m) / 180 km/h (c) |
| Type de batterie / Énergie | Lithium-ion (Li-ion) / 75,7 kWh |
| Temps de charge (240V / 400V) | 8,8 h / 0,6 h |
| Autonomie | 370 km |

**SELECT SR EAWD, PREMIUM SR EAWD**

| | |
|---|---|
| Puissance / Couple combiné | 266 ch (198 kW) / 428 lb-pi |
| Tr. base (opt) / Rouage base (opt) | Rapport fixe / Int |
| 0-100 / 80-120 / V. max | 6,1 s (est) / 4,2 s (est) / 180 km/h (c) |

**MOTEUR ÉLECTRIQUE**

| | |
|---|---|
| Puissance / Couple | **Arr** - 266 ch (198 kW) / 317 lb-pi |
| | **Av** - 67 ch (50 kW) / n.d. |
| Type de batterie / Énergie | Lithium-ion (Li-ion) / 75,7 kWh |
| Temps de charge (240V / 400V) | 8,5 h / 0,6 h |
| Autonomie | 340 km |

**PREMIUM ER EAWD**

| | |
|---|---|
| Puissance / Couple combiné | 346 ch (258 kW) / 428 lb-pi |
| Tr. base (opt) / Rouage base (opt) | Rapport fixe / Int |
| 0-100 / 80-120 / V. max | 5,9 s (m) / 3,9 s (m) / 180 km/h (c) |

**MOTEUR ÉLECTRIQUE**

| | |
|---|---|
| Puissance / Couple | **Arr** - 290 ch (216 kW) / 317 lb-pi |
| | **Av** - 67 ch (50 kW) / n.d. |
| Type de batterie / Énergie | Lithium-ion (Li-ion) / 98,8 kWh |
| Temps de charge (240V / 400V) | 10,7 h / 0,8 h |
| Autonomie | 435 km |

**GT PERFORMANCE**

| | |
|---|---|
| Puissance / Couple combiné | 480 ch (358 kW) / 634 lb-pi |
| Tr. base (opt) / Rouage base (opt) | Rapport fixe / Int |
| 0-100 / 80-120 / V. max | 3,7 s (c) / 2,5 s (est) / 200 km/h (c) |
| Type de batterie / Énergie | Lithium-ion (Li-ion) / 98,8 kWh |
| Autonomie | 418 km |

**PREMIUM ER, CALIFORNIA ROUTE 1**

290 ch (216 kW)/317 lb-pi - Rapport fixe - Prop - 0-100 : 6,2 s (c) - 483 à 491 km

Photos : Marc Lachapelle

# Plus intermédiaire que jamais

Germain Goyer

**C**'est dans l'optique d'offrir une camionnette plus compacte que le légendaire F-150 que Ford a lancé le Ranger en 1983 en Amérique du Nord. Jusqu'en 2011, année au cours de laquelle le constructeur l'a retiré, le Ranger n'a évolué que très timidement. Au fil du temps, son mandat est demeuré le même : proposer une camionnette traditionnelle de petit format à prix modique pour les travailleurs.

Hélas, Ford a jugé bon de quitter ce marché et d'abandonner le Ranger. Coup de théâtre! Alors que le segment des camionnettes intermédiaires reprenait du galon avec, notamment, les Chevrolet Colorado et GMC Canyon, le manufacturier est revenu en 2019 avec une camionnette infiniment plus moderne. Bien que ses caractéristiques intrinsèques ne soient pas plus attirantes qu'il ne le faut, le Ranger actuel jouit d'une certaine popularité grâce à l'engouement entourant les camionnettes de manière générale.

Sur le plan mécanique, le Ranger est animé par un moteur à essence turbocompressé à 4 cylindres turbo. Ses concurrents proposent plutôt des blocs à 4 cylindres atmosphériques, des V6 et des mécaniques diesel. En bref, il s'agit d'une cylindrée de 2,3 litres qui développe tout de même 270 chevaux et 310 lb-pi. Jumelé à une transmission automatique étagée sur 10 rapports, il opère plus qu'adéquatement. Par souci d'efficacité, il est possible que la transmission saute des rapports. Ainsi, elle peut passer du premier, au troisième, puis au cinquième si la situation s'y prête. Il faut savoir que Ford recommande du carburant ordinaire alors que l'on sait que traditionnellement, les mécaniques turbocompressées évoluent mieux avec du carburant super. Quant à la capacité de chargement et de remorquage, on parle respectivement de 1 650 et 7 500 lb. Voilà qui suffit amplement.

Chevrolet et GMC offrent une panoplie de modèles allant d'une version dénudée à 4 cylindres jusqu'au ZR2 4X4 à moteur diesel. Ford se concentre sur une gamme beaucoup plus restreinte dans le cas du Ranger. En effet, seulement trois déclinaisons figurent au catalogue : XL, XLT, puis Lariat. Si l'on opte pour le modèle d'entrée de gamme, on obtient automatiquement la cabine double, l'unique configuration de cabine qui peut être jumelée avec une caisse de 6 pieds. Pour ce qui est de la version Lariat, seule la cabine *SuperCrew* est offerte. Celle-ci ne peut être combinée qu'avec la

**Prix :** 34 923 $ à 43 038 $ (2021)
**Transport et prép. :** 1 995 $
**Catégorie :** Camionnettes interm.
**Garanties :** 3/60, 5/100
**Assemblage :** États-Unis

**Ventes**
Québec 2020
**1 885**
68 %
Canada 2020
**10 840**
64 %

| | XL Super Cab | XLT SuperCrew | Lariat SuperCrew |
|---|---|---|---|
| **PDSF** | 34 923 $ | 38 658 $ | 43 038 $ |
| **Loc.** | 570 $ • 3,49 % | 583 $ • 3,49 % | 644 $ • 3,49 % |
| **Fin.** | 746 $ • 1,99 % | 822 $ • 1,99 % | 910 $ • 1,99 % |

Sécurité   Consommation

Appréciation générale   Fiabilité prévue   Agrément de conduite

**Équipement**

**Sécurité**

**Concurrents**

Chevrolet Colorado, GMC Canyon, Honda Ridgeline, Jeep Gladiator, Nissan Frontier, Toyota Tacoma

**Nouveau en 2022**
Aucun changement majeur annoncé au moment de mettre sous presse.

caisse de 5 pieds malheureusement. Marier la cabine la plus volumineuse avec la caisse la plus longue aurait certainement attiré davantage d'acheteurs.

Bien que le Ranger actuel soit encore relativement jeune sur notre marché, nous avons reçu un certain nombre de plaintes concernant la qualité de sa peinture. Ce ne serait pas une première pour Ford. Cet élément sera à surveiller de près. En attendant, l'application d'une pellicule transparente de protection de même qu'un traitement antirouille sont recommandés.

## TELLEMENT MOINS ENCOMBRANT

Avec un prix frôlant les 45 000 $ pour une version Lariat, on comprend pourquoi certains acheteurs de camionnettes intermédiaires font le saut vers la Série F. Or, pour avoir conduit le Ranger en milieu urbain, nous avons constaté qu'il est vraiment plus pratique pour les consommateurs citadins.

Plus court, plus étroit et plus bas, il est nettement moins encombrant. Alors même si l'écart de prix peut vous paraître symbolique, ciblez sérieusement vos besoins avant de jeter votre dévolu sur un F-150. Le Ranger pourrait s'avérer bien plus pratique en fonction de votre utilisation.

## EN ATTENDANT LE RAPTOR ?

En attendant la venue d'une version plus radicale du F-150 Raptor, Ford se fait une fois de plus damer le pion par Ram et sa camionnette TRX. Hélas, la situation semble la même dans le segment des camionnettes intermédiaires : pendant que les Toyota Tacoma TRD Pro, Chevrolet Colorado ZR2 et Jeep Gladiator Rubicon connaissent un certain succès, Ford a les mains dans les poches. Certes, il propose l'ensemble Tremor qui comprend des jantes de 17 pouces, des pneus tout-terrain, une garde au sol légèrement plus élevée, des angles d'attaque à peine plus agressifs et des amortisseurs Fox, mais ce n'est pas assez pour une partie de la clientèle.

Ce faisant, une version Raptor continue de se faire attendre. À cet effet, certaines rumeurs laissent entendre que cette déclinaison axée sur la conduite hors route et les performances serait équipée d'un moteur V6 EcoBoost de 2,7 litres. Celui-ci pourrait déployer 325 chevaux et 400 lb-pi. Voilà de quoi épater la galerie. Même si, pour l'heure, rien n'a été confirmé par Ford.

### Données principales

| Emp. / lon. / lar. / haut. | SuperCab - 3 220 / 5 355 / 1 861 / 1 806 mm |
|---|---|
| | SuperCrew - 3 220 / 5 355 / 1 861 / 1 806 mm |
| Boîte / réservoir | SuperCab - 1 848 mm / 68 litres |
| | SuperCrew - 1 550 mm / 68 litres |
| Nombre de passagers | 4 à 5 |
| Suspension av. / arr. | ind., bras inégaux / essieu rigide, ress. à lames |
| Pneus avant / arrière | P255/65R17 / P255/65R17 |
| Poids / Cap. de remorquage | SuperCab - 1 974 kg / 3 400 kg (7 500 lb) |
| | SuperCrew - 2 014 kg / 3 400 kg (7 500 lb) |

### Composantes mécaniques

| Cylindrée, alim. | 4L 2,3 litres turbo |
|---|---|
| Puissance / Couple | 270 ch / 310 lb-pi |
| Tr. base (opt) / Rouage base (opt) | A10 / 4x4 |
| 0-100 / 80-120 / V. max | 7,8 s (m) / 6,6 s (m) / n.d. |
| 100-0 km/h | 47,1 m (m) |
| Type / ville / route / $CO_2$ | Ord / 11,8 / 9,8 / 256 g/km |
| Tremor - Ord / 12,1 / 12,3 / 287 g/km | |

+ Capacité de chargement et de remorquage intéressante • Moteur puissant • Cabine *SuperCrew* spacieuse

— Impossible de combiner la cabine *SuperCrew* et la caisse de 6 pieds • Absence de moteur V6 • La version Raptor continue de se faire attendre

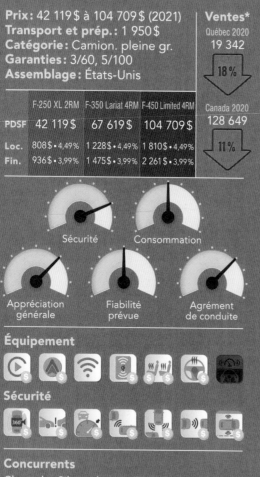

**Prix :** 42 119 $ à 104 709 $ (2021)
**Transport et prép. :** 1 950 $
**Catégorie :** Camion. pleine gr.
**Garanties :** 3/60, 5/100
**Assemblage :** États-Unis

**Ventes***
Québec 2020
19 342
↓ 18 %

Canada 2020
128 649
↓ 11 %

| | F-250 XL 2RM | F-350 Lariat 4RM | F-450 Limited 4RM |
|---|---|---|---|
| PDSF | 42 119 $ | 67 619 $ | 104 709 $ |
| Loc. | 808 $ • 4,49 % | 1 228 $ • 4,49 % | 1 810 $ • 4,49 % |
| Fin. | 936 $ • 3,99 % | 1 475 $ • 3,99 % | 2 261 $ • 3,99 % |

Sécurité   Consommation

Appréciation générale   Fiabilité prévue   Agrément de conduite

**Équipement**

**Sécurité**

**Concurrents**
Chevrolet Silverado HD, GMC Sierra HD, Ram Heavy Duty

**Nouveau en 2022**
Nouvel écran tactile de 12 pouces optionnel + SYNC 4, ensemble Décor sport pour version Lariat, ensemble Décor noir offert sur XLT.

# « Le plus fort, c'est mon truck ! »

Antoine Joubert

**Q**u'importe vos allégeances relatives à votre marque de camionnette favorite, personne ne peut nier le fait que Ford soit extrêmement sérieux dans sa démarche. En effet, si pendant plusieurs années, on pouvait lui reprocher de faire du surplace avec un camion devenu désuet, on peut aujourd'hui ressentir la passion d'une équipe qui s'est dépassée afin de développer une gamme de véhicules plus efficace, plus innovatrice et toujours plus performante.

Ne cherchez donc pas plus loin, la série Super Duty est celle qui offre la plus grande capacité de charge, de remorquage ainsi que le meilleur couple, à camionnette comparable. Cela ne fait évidemment pas des camionnettes Chevrolet, GMC et Ram des produits de second rang, mais les gens de Ford refuseraient sans doute de se faire damer le pion sur un territoire qui les passionne, où ils sont toujours maîtres des ventes.

### BEAUCOUP D'APPELÉS, PEU D'ÉLUS

Vous vous indignez quant au prix que peuvent coûter ces camionnettes ? Sachez alors ceci. Sauf quelques rares exceptions, il n'existe aucune voiture vendue à 80 000 $ ou 100 000 $ que vous pourriez revendre un an plus tard pour à peine quelques milliers de dollars de moins, ce qui est pourtant le cas des Super Duty. Des camions si convoités et si rares qu'on se les arrachait littéralement cette année, la pénurie de semi-conducteurs ayant causé une véritable tempête dans l'industrie. Sans conteste, les camionnettes Ford ont été parmi les plus durement touchées. Au moment d'écrire ces lignes, il était d'ailleurs encore très difficile de configurer son camion de rêve en ligne en pensant pouvoir l'obtenir. Un camion que vous pourriez commander, sans trop savoir s'il existera un jour, en composant sans doute avec quelques restrictions au chapitre des options. Cela dit, qu'importe la version de la gamme Super Duty que vous pourriez obtenir, vous faites financièrement une bonne affaire.

Parmi les camionnettes HD, la gamme Super Duty demeure la plus convoitée, bien que les constructeurs ne confirment pas leurs chiffres de ventes respectifs en les mêlant avec la série 1500. Il faut dire que Ford est le seul des trois constructeurs américains à proposer trois mécaniques bien distinctes. Un choix de deux moteurs V8 à essence incluant le très puissant V8 Godzilla, d'une cylindrée de 7,3 litres, et l'incontournable

*Ventes combinées des Ford F-150 et Super Duty

V8 turbodiesel Power Stroke. Un monstre de puissance qui en impose par son couple de 1 050 lb-pi, disponibles dès 1 600 tr/min. Certes, un moteur un tantinet plus gourmand que ceux de la concurrence, mais pour de meilleures capacités et un rendement tout simplement exceptionnel.

Sur le F-250, le coût du passage à la motorisation diesel dépasse légèrement le cap des 10 000 $, exception faite de la version Limited qui, à 99 000 $ avant options, l'offre de série. Il s'agit d'une dépense considérable, que vous rentabiliserez cependant au fil des kilomètres grâce à une consommation d'au moins 30 % inférieure à celle d'un V8 à essence, spécialement lors d'un remorquage. Sachez que vous récupérerez une bonne partie de cette dépense supplémentaire à la revente, venant ainsi mettre un baume sur cette plaie financière.

### ÉTONNAMMENT CONFORTABLE

Solide comme le roc, la camionnette Super Duty impressionne sur la route par un confort insoupçonné, qui variera bien sûr en fonction de la version et de la charge à l'arrière. Le rendement de la boîte automatique à 10 rapports est remarquable, cette dernière étant particulièrement bien adaptée à ce type de mécanique. À son volant, vous constaterez que tout a été mis en œuvre pour vous faciliter la vie. On peut penser à la caméra de recul facilitant l'arrimage de la remorque, le stationnement, sans oublier le nouvel écran central de 12 pouces intégrant la technologie SYNC 4 et les applications mobiles sans fil.

Esthétiquement réussi, surtout depuis sa refonte pour l'année-modèle 2017, ce camion abrite un habitacle des plus invitants. Certains lui préféreront celui du Ram qui impressionne également, mais il faut admettre qu'à ce chapitre, c'est GM qui tire de la patte. De la série Super Duty, retenez que vous obtiendrez un niveau d'insonorisation sans égal de même que les sièges les plus confortables de l'industrie, y compris dans la version XL à vocation purement commerciale. Parce qu'en effet, de plus en plus de gens se procurent ces véhicules pour un usage personnel, notamment dans le cadre de l'arrimage d'une caravane ou d'une remorque. Ne soyez donc pas étonné par la quantité invraisemblable de moutures et d'accessoires offerts par Ford, qui ajoute même cette année un treuil électrique de 12 000 lb de capacité.

Voilà une gamme de camionnettes avec laquelle on ne se trompe pas. Le meilleur de Ford qui, rappelons-le, vous sert une carrosserie tout aluminium montée sur le plus robuste des châssis de l'industrie.

**+** Qualité de construction/robustesse • Comportement routier étonnant • Capacités de charge/remorquage • Faible dépréciation

**−** Consommation indécente (essence) • Certaines options très coûteuses • Aluminium fragile et coûteux à réparer

### Données principales

| | |
|---|---|
| Emp. / lon. / lar. / haut. | Simple - 3 596 / 5 888 / 2 031 / 2 005 mm |
| | Double court - 3 759 / 6 051 / 2 031 / 2 013 mm |
| | Double long - 4 170 / 6 462 / 2 031 / 2 005 mm |
| | Multiplace court - 4 059 / 6 351 / 2 031 / 2 013 mm |
| | Multiplace long - 4 470 / 6 762 / 2 031 / 2 007 mm |
| Boîte / réservoir | 2 080 à 2 492 mm / 109 à 184 litres |
| Nombre de passagers | 3 à 6 |
| Suspension av. / arr. | **4x2** - ind., double poutre en I, ress. hélicoïdaux / essieu rigide, ress. à lames |
| | **4x4** - ind., poutre en I, ress. hélicoïdaux / essieu rigide, ress. à lames |
| Pneus avant / arrière | LT245/75R17 / LT245/75R17 |
| Poids / Capacité de remorquage | **F-250** - 2 575 kg / 10 342 kg (22 800 lb) |
| | **F-350** - 2 666 kg / 16 216 kg (35 700 lb) |
| | **F-450** - 3 498 kg / 16 783 kg (37 000 lb) |

*Attelage en col de cygne, moteur Diesel, rouage 4x2, cabine simple, boîte de 8 pieds

### Composantes mécaniques

**6,2 LITRES ESSENCE**

| | |
|---|---|
| Cylindrée, alim. | V8 6,2 litres atmos. |
| Puissance / Couple | 385 ch / 430 lb-pi |
| Tr. base (opt) / Rouage base (opt) | A6 (A10) / Prop (4x4) |

**7,3 LITRES ESSENCE**

| | |
|---|---|
| Cylindrée, alim. | V8 7,3 litres atmos. |
| Puissance / Couple | 430 ch / 475 lb-pi |
| Tr. base (opt) / Rouage base (opt) | A10 / Prop (4x4) |

**6,7 LITRES DIESEL**

| | |
|---|---|
| Cylindrée, alim. | V8 6,7 litres turbo |
| Puissance / Couple | 475 ch / 1 050 lb-pi |
| Tr. base (opt) / Rouage base (opt) | A10 / Prop (4x4) |

Photos : Ford

**Prix:** 40 619 $ à 67 859 $ (2021)
**Transport et prép.:** 1 950 $
**Catégorie:** Fourgonnettes
**Garanties:** 3/60, 5/100
**Assemblage:** États-Unis

**Ventes**
Québec 2020
3 329
18 %

Canada 2020
14 413
10 %

| | Utilitaire | Util. allongé | XLT allongé TI |
|---|---|---|---|
| PDSF | 40 619 $ | 47 569 $ | 67 859 $ |
| Loc. | 787 $ • 2,99% | 915 $ • 2,99% | 1 256 $ • 2,99% |
| Fin. | 882 $ • 2,99% | 1 025 $ • 2,99% | 1 444 $ • 2,99% |

Sécurité    Consommation

Appréciation    Fiabilité    Agrément
générale      prévue      de conduite

**Équipement**

**Sécurité**

**Concurrents**
Chevrolet Express, GMC Savana,
Mercedes-Benz Sprinter, Ram ProMaster

**Nouveau en 2022**
Nouvelle version 100% électrique.

# 57 variétés et plus

Jacques Bienvenue

**F**ord fabrique la camionnette et le coupé sport les plus vendus au monde: la Série F et la Mustang. C'est bien connu. Mais peu de gens savent qu'en Amérique, le constructeur de Dearborn domine aussi le créneau des fourgons commerciaux avec le Transit, un véhicule offert en plus de versions que les 57 variétés de ketchup Heinz!

Au moment de lancer la version actuelle, en décembre 2019, un porte-parole de Ford affirmait qu'il en existait 78 configurations différentes. Cette affirmation semble plausible puisque, à la base, il y a les fourgons biplaces ordinaires servant à livrer les colis et les fourgons «de transport de personnel», dans lesquels une banquette s'ajoute aux deux sièges avant pour permettre à cinq personnes de voyager avec la cargaison. C'est sans oublier les minibus pour passagers et les versions à châssis-cabine qui n'attendent qu'un «cube» ou une autre carrosserie particulière pour répondre aux besoins de l'entreprise qui les adopte.

**GRANDE ADAPTABILITÉ**
Mais ça ne s'arrête pas là. Selon les déclinaisons, le Transit peut avoir trois longueurs, trois hauteurs et deux empattements différents, deux ou quatre roues motrices, un essieu arrière à roues simples ou doubles auquel s'ajoute, de surcroît, un différentiel (autobloquant ou non) offrant différents rapports de pont. Pour 2022, le constructeur propose non plus deux, mais trois motorisations, dont une électrique. Ajoutez à cela les couleurs, les roues de 16 pouces en acier ou en alliage d'aluminium, sans oublier la version électrique qui a sans doute fait exploser le nombre de configurations!

Le Transit a une conception ergonomique digne du XXIe siècle. Son poste de pilotage facile d'accès dispose de sièges baquets confortables et pivotants (pour les autocaravanes). Les commandes du tableau de bord sont à portée de main pour le conducteur qui a même un volant inclinable et télescopique, un attribut inimaginable pour un Econoline du siècle dernier.

Au centre du tableau de bord trône un petit écran de 4 pouces ou un écran tactile optionnel de 8 pouces. Servant aux systèmes d'infodivertissement, ils incorporent des ressources de connectivité comme Android Auto, Apple CarPlay et SYNC 3. Cette dernière permet d'ailleurs au propriétaire d'utiliser une foule d'outils de télématique. Un modem FordPass Connect

intégré à cette quincaillerie et à une connexion Wi-Fi 4G LTE permettent aussi de brancher à Internet jusqu'à 10 appareils. Les minibus ont même des prises USB à chaque rangée de sièges.

Il est si agréable de circuler debout dans l'aire de chargement des Transit ayant une des deux carrosseries les plus hautes, comme le Sprinter ou le ProMaster. Mais contrairement à ces derniers, le seuil du plancher est plutôt haut. Pour pallier ce désavantage, le pare-chocs arrière sert de marchepied avec sa surface supérieure encavée, alors que, du côté passager, une découpe dans le plancher près de la porte coulissante latérale (ou les portes battantes asymétriques 60/40 optionnelles) fait office de marche pour faciliter l'embarquement. Notez que Ford n'offre plus de porte coulissante du côté conducteur et que la présence d'une transmission intégrale n'affecte pas la hauteur du plancher. Par ailleurs, les deux portes battantes arrière symétriques se déploient sur 180 degrés, à moins d'opter pour celles qui pivotent sur 253 degrés. Réservées aux versions longues et extralongues, on peut les munir d'un dispositif d'ouverture électrique.

Deux V6 de 3,5 litres sont offerts. Pour le gros travail, l'EcoBoost optionnel est de rigueur. Comparativement au moteur atmosphérique de série, ce bloc turbo livre 35 chevaux et surtout 138 lb-pi de couple de plus. Tous deux sont jumelés à une boîte de vitesses automatique à 10 rapports souple, en plus d'avoir un système d'arrêt-démarrage automatique au ralenti peu discret destiné à économiser un peu d'essence au quotidien. Selon le modèle et le moteur choisis, le poids nominal brut (PNBV) est de 8 670 à 12 600 lb et la charge utile maximale de 2 730 à 4 550 lb (en excluant le poids du châssis) pour les fourgons commerciaux.

### FOURGON ÉLECTRIQUE

La vedette de 2022 est incontestablement l'E-Transit 100 % électrique. Doté d'une batterie de 67 kWh, le constructeur estime qu'il devrait parcourir 200 km et des poussières selon la configuration de carrosserie et les conditions. Ses frais d'utilisation et d'entretien assurément moindres font saliver les entrepreneurs urbains capables de s'accommoder d'une charge utile de 3 240 à 3 800 lb. Mieux encore, le fait de disposer d'une source électrique mobile, avec 2,4 kW de puissance et d'une génératrice (Pro Power Onboard), fait miroiter la possibilité d'utiliser et de recharger des outils électriques où que l'on soit. Voilà un nouveau paradigme auquel les utilisateurs de fourgons commerciaux vont sûrement adhérer très vite !

## Données principales

| | |
|---|---|
| Emp. / lon. / lar. / haut. **Toit bas, court** - | 3 300 / 5 585 / 2 066 / 2 088 mm |
| **Toit bas, long** - | 3 750 / 6 035 / 2 066 / 2 106 mm |
| **Toit moyen, court** - | 3 300 / 5 532 / 2 066 / 2 517 mm |
| **Toit moyen, long** - | 3 750 / 5 982 / 2 066 / 2 573 mm |
| **Toit haut, long** - | 3 750 / 5 982 / 2 066 / 2 784 mm |
| **Toit haut, allongé** - | 3 750 / 6 703 / 2 066 / 2 804 mm |
| Coffre / réservoir **Fourgon** - | 6 985 à 15 189 litres / 95 à 117 litres |
| **Fourgonnette** - | 1 385 à 12 046 litres / 95 à 117 litres |
| Nombre de passagers | 2 à 15 |
| Suspension av. / arr. **Transit** - | ind., jambes force / essieu rigide, ress. à lames |
| **E-Transit** - | ind., jambes force / ind., ress. hélicoïdaux |
| Pneus avant / arrière | LT235/65R16 / LT235/65R16 |
| Poids / Capacité de remorquage **Fourgon** - | 2 261 kg / 3 084 kg (6 800 lb) |
| **Fourgonnette** - | 2 732 kg / 2 087 kg (4 600 lb) |

## Composantes mécaniques

**V6 - 3,5 LITRES ATMOS.**

| | |
|---|---|
| Cylindrée, alim. | V6 3,5 litres atmos. |
| Puissance / Couple | 275 ch / 262 lb-pi |
| Tr. base (opt) / Rouage base (opt) | A10 / Prop (Int) |
| Type / ville / route / CO$_2$ | Prop - Ord / 16,2 / 12,4 / 341 g/km |
| | Int - Ord / 16,8 / 13,0 / 354 g/km |

**V6 - 3,5 LITRES TURBO**

| | |
|---|---|
| Cylindrée, alim. | V6 3,5 litres turbo |
| Puissance / Couple | 310 ch / 400 lb-pi |
| Tr. base (opt) / Rouage base (opt) | A10 / Prop (Int) |
| Type / ville / route / CO$_2$ | Prop - Ord / 16,2 / 12,4 / 341 g/km |
| | Int - Ord / 16,8 / 13,0 / 354 g/km |

**E-TRANSIT**

| | |
|---|---|
| Puissance / Couple | 266 ch (198 kW) / 317 lb-pi |
| Tr. base (opt) / Rouage base (opt) | Rapport fixe / Prop |
| Type de batterie / Énergie | Lithium-ion (Li-ion) / 67,0 kWh |
| Temps de charge (240V / 400V) | 8,0 h / 0,6 h |
| Autonomie | 174 à 203 km |

+ Conduite agréable • Conception adaptable à de nombreux usages • Nouvelle version à moteur électrique attrayante

− Seuil élevé du plancher de l'aire de chargement • Pas de porte latérale optionnelle côté conducteur • Écran de série plutôt petit

Photos : Ford

| | Transit Connect | Utilitaire XLT | Tour. Titanium |
|---|---|---|---|
| **Prix :** 30 835 $ à 39 385 $ (2021) | | | |
| **Transport et prép. :** 1 950 $ | | | |
| **Catégorie :** Fourgonnettes | | | |
| **Garanties :** 3/60, 5/100 | | | |
| **Assemblage :** Espagne | | | |
| **PDSF** | 30 835 $ | 33 285 $ | 39 385 $ |
| **Loc.** | 643 $ • 2,99 % | 692 $ • 2,99 % | 726 $ • 2,99 % |
| **Fin.** | 680 $ • 2,99 % | 730 $ • 2,99 % | 856 $ • 2,99 % |

**Ventes**
Québec 2020
667
5 %

Canada 2020
3 583
7 %

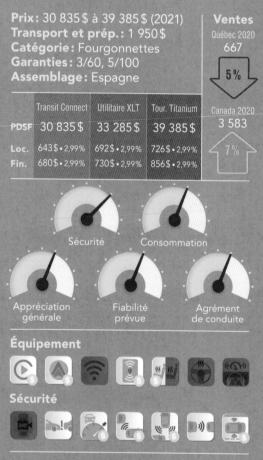

Sécurité  Consommation

Appréciation générale  Fiabilité prévue  Agrément de conduite

**Équipement**

**Sécurité**

**Concurrents**
Chrysler Grand Caravan/Pacifica,
Honda Odyssey, Kia Carnival,
Mercedes-Benz Metris, Ram ProMaster City,
Toyota Sienna

**Nouveau en 2022**
Aucun changement majeur annoncé
au moment de mettre sous presse.

# À quand l'électrique ?

Germain Goyer

**L**e Ford Transit Connect se trouve à mi-chemin entre l'Europe et l'Amérique : bien qu'il soit commercialisé sous la bannière de l'ovale bleu qui est lui-même un symbole fort des États-Unis, le Transit Connect nous arrive directement d'Espagne ! Petit frère du Transit, il peut servir de fourgon de transport ou de minifourgonnette pour la famille selon la version choisie.

Le Transit Connect est mû par un bloc atmosphérique à 4 cylindres de 2 litres. Celui-ci génère une puissance de 162 chevaux et un couple de 144 lb-pi. Vous vous en doutez, avec quelques occupants à bord ou rempli de marchandise, ces chiffres peuvent rapidement devenir un peu justes. Que ce soit pour les familles qui voudraient tirer une roulotte ou les entrepreneurs qui seraient tentés de tracter une remorque pour transporter davantage, il faut savoir que la capacité de remorquage n'est que de 2 000 lb. Un moteur à 4 cylindres de 2,5 litres est également offert pour le volet commercial.

## PAS D'ÉLECTRIFICATION POUR L'INSTANT
Si Ford débarque avec une version électrique du Transit cette année, il n'en est rien pour le Transit Connect. Aucune forme d'électrification n'est visible à l'horizon. On aurait apprécié que le constructeur américain sorte, du moins en attendant, une mouture hybride. Considérant que le Transit Connect est très populaire en milieu urbain et que ce type de technologie y est particulièrement efficace, on aurait pu assister à un mariage heureux. Qui plus est, Ford a récemment ajouté des versions à quatre roues motrices du Transit. Malheureusement, on doit se contenter des roues motrices avant dans le cas du petit fourgon de la famille.

Sur le plan de la conduite, en revanche, mentionnons que le Transit Connect s'avère relativement maniable. Ce berlingot a la particularité de se comporter un peu comme une voiture et la position de conduite est sans reproche. Les livreurs en milieu urbain sauront assurément apprécier. Ainsi, on retrouve l'esprit de la Focus lorsqu'on a le volant en main. Il en est de même pour la présentation générale de la section avant de l'habitacle. Après tout, c'est bien normal puisque les deux véhicules sont assemblés sur la même plate-forme.

Soulignons que le système SYNC est livré de série, mais que la troisième génération de la technologie est optionnelle et qu'une multitude d'autres modèles de la marque sont déjà rendus à la quatrième génération. Si par

le passé on a été des années sans renouveler ou moderniser le fourgon qu'était l'Econoline, il ne faudra pas répéter l'erreur avec le Transit Connect. Bien que le modèle en soit à sa deuxième génération, l'introduction de celui-ci remonte à 2014. Tranquillement, ça commence à dater.

## PAS IDÉAL POUR LA FAMILLE

Les familles québécoises sont nombreuses à se procurer des VUS. Quelques irréductibles achètent encore les fourgonnettes que sont les Chrysler Grand Caravan et Pacifica, Toyota Sienna, Honda Odyssey et Kia Carnival. Par contre, peu de gens savent que Ford propose une alternative. En effet, à la suite de la disparition des Windstar et Freestar, Ford n'avait rien à offrir aux gens en quête de portes coulissantes et de place pour accueillir jusqu'à sept occupants. Du coup, c'est ainsi qu'il a eu l'idée de produire les déclinaisons Tourisme du Transit. Grâce à son seuil de caisse très bas et à ses portes latérales coulissantes, justement, l'accès à bord est des plus faciles. On s'en doute, le dégagement pour la tête pourrait difficilement être plus généreux! C'est assurément l'un de ses grands atouts. Cela étant, il s'agit d'un véhicule bien moins adapté aux besoins et aux désirs d'une famille nord-américaine qu'une Sienna, pour ne citer que celle-là.

Malheureusement, lorsque l'on désire transporter de gros objets avec une version Tourisme, ce n'est pas une tâche facile. En effet, nous avons observé que les sièges ne se replient pas de façon optimale. On est bien loin de la Grand Caravan avec ses sièges Stow 'N Go. Par le passé, nous avions d'ailleurs constaté le faible niveau d'intérêt de Ford de vendre des Transit Connect aux particuliers. Le manufacturier préfère largement fournir les flottes de véhicules commerciaux.

Afin de faciliter le travail des gestionnaires de flottes de véhicules commerciaux, le constructeur américain propose Ford Telematics et Ford Data Services. Ces systèmes permettent de récolter des données sur les véhicules, d'optimiser la consommation de carburant, d'en savoir plus sur le comportement des conducteurs qui sont parfois nombreux, de localiser les camions en plus d'assurer un suivi de l'entretien. Voilà une caractéristique bien utile.

Sous sa forme actuelle, le Transit Connect est mieux adapté aux besoins de livraison et de transport des commerces urbains qu'à ceux des particuliers. Une version hybride et un rouage intégral pourraient cependant changer la donne.

Photos: Ford

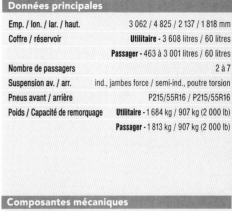

### Données principales

| | |
|---|---|
| Emp. / lon. / lar. / haut. | 3 062 / 4 825 / 2 137 / 1 818 mm |
| Coffre / réservoir | **Utilitaire** - 3 608 litres / 60 litres |
| | **Passager** - 463 à 3 001 litres / 60 litres |
| Nombre de passagers | 2 à 7 |
| Suspension av. / arr. | ind., jambes force / semi-ind., poutre torsion |
| Pneus avant / arrière | P215/55R16 / P215/55R16 |
| Poids / Capacité de remorquage | **Utilitaire** - 1 684 kg / 907 kg (2 000 lb) |
| | **Passager** - 1 813 kg / 907 kg (2 000 lb) |

### Composantes mécaniques

**4L - 2,0 LITRES**

| | |
|---|---|
| Cylindrée, alim. | 4L 2,0 litres atmos. |
| Puissance / Couple | 162 ch / 144 lb-pi |
| Tr. base (opt) / Rouage base (opt) | A8 / Tr |
| Type / ville / route / $CO_2$ | **Utilitaire** - Ord / 9,8 / 8,9 / 221 g/km |
| | **Passager** - Ord / 10,0 / 8,3 / 216 g/km |

**4L - 2,5 LITRES**

| | |
|---|---|
| Cylindrée, alim. | 4L 2,5 litres atmos. |
| Puissance / Couple | 169 ch / 171 lb-pi |
| Tr. base (opt) / Rouage base (opt) | A6 / Tr |
| Type / ville / route / $CO_2$ | **Utilitaire** - Ord / 12,0 / 8,9 / 249 g/km |
| | **Passager** - Ord / 12,1 / 9,0 / 249 g/km |

**+** Dégagement pour la tête généreux • Bonne maniabilité • Véhicule polyvalent

**—** Absence de version électrifiée • Version Tourisme peu intéressante

**Prix :** 45 000$ à 59 000$
**Transport et prép. :** Inclus
**Catégorie :** Compactes de luxe
**Garanties :** 5/100, 5/100
**Assemblage :** Corée du Sud

**Ventes**
Québec 2020
**239**
↑ 3 %
Canada 2020
**962**
↓ 14 %

|  | 2.0 Select | 2.0T Prestige | 3.3T Sport |
|---|---|---|---|
| PDSF | 45 000$ | 53 500$ | 59 000$ |
| Loc. | 644$ • 2,90% | 805$ • 2,90% | 844$ • 2,90% |
| Fin. | 924$ • 2,40% | 1 097$ • 2,40% | 1 209$ • 2,40% |

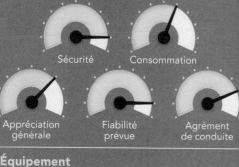

Sécurité   Consommation

Appréciation générale   Fiabilité prévue   Agrément de conduite

## Équipement

## Sécurité

## Concurrents

Acura TLX, Alfa Romeo Giulia, Audi A4,
BMW Série 3, Cadillac CT5, Infiniti Q50,
Kia Stinger, Lexus IS, Mercedes-Benz Classe C,
Polestar 2, Volvo S60

## Nouveau en 2022

Nouvelle calandre, nouveaux phares et feux,
système multimédia revu. Ajout de certaines
aides électroniques à la conduite.

# Restylée pour 2022

Gabriel Gélinas

La G70, c'est la voiture avec laquelle la marque Genesis a réussi à attirer l'attention des acheteurs. Mais, dans ce créneau des berlines sport qui est outrageusement dominé par les Allemands, attirer l'attention n'assure pas le succès commercial, et la G70 a encore de la difficulté à prendre sa place. Pourtant, cette voiture n'est pas dénuée d'intérêt. Elle poursuit sa route en 2022 avec de jolies retouches esthétiques.

Afin d'assurer une filiation avec les G80 et G90, la G70 adopte maintenant la calandre triangulaire propre à la marque, et des phares et feux segmentés à DEL de série. Aussi, la G70 accueille un nouvel écran multimédia tactile de forme rectangulaire de 10,25 pouces monté en plein centre de la planche de bord, lequel affiche un graphisme plus haut de gamme corrigeant ainsi l'un des défauts du modèle antérieur. De plus, la G70 ajoute les aides électroniques à la conduite déjà présentes dans d'autres modèles de la marque.

## UN COMPORTEMENT ROUTIER SÛR

Au volant, la G70 est une berline dont le comportement routier est à la fois dynamique et agréable. Son châssis est rigide et la pédale de frein ferme, deux aspects qui invitent à exploiter sa tenue de route dans les virages, où la berline coréenne fait preuve d'une belle assurance. Tout cela n'est pas étonnant, puisque les ingénieurs responsables de sa mise au point ont travaillé sous la férule d'Albert Biermann qui était auparavant à la tête de la division M de BMW.

La G70 n'a donc pas à rougir de la comparaison avec les rivales germaniques pour ce qui est de la dynamique, bien que la direction manque un peu de ressenti. Toutefois, la gamme G70 ne comprend pas de variantes qui sont véritablement axées sur la performance, alors que les marques allemandes peuvent compter sur leurs divisions Audi Sport, Mercedes-AMG, et BMW M. Cela viendra peut-être un jour...

Sous le capot, on ne note aucun changement pour 2022. La G70 est toujours animée par le 4 cylindres turbocompressé de 2 litres ou le V6 de 3,3 litres. Genesis a développé un nouveau moteur turbo de 2,5 litres pour la berline G80 et le VUS GV80. On pensait que les intentions de la marque étaient de remplacer le 2 litres turbocompressé par ce moteur dans la G70 pour 2022, mais la direction s'est ravisée. Dommage, car il sert très bien la G80,

et il aurait permis de rehausser d'un cran les performances de la G70. Évidemment, le V6 rend la G70 plus véloce, en revanche, le poids plus élevé de ce moteur sur le train avant rend la conduite légèrement moins incisive en entrée de virage.

Pour ce qui est des considérations pratiques, précisons que l'espace aux places arrière est compté au point ou le dégagement pour les jambes des passagers est presque inexistant si le conducteur ou le passager sont de grande taille. Aussi, le volume du coffre n'est que de 297 litres et l'ouverture étriquée ne facilite pas le chargement.

### UN *SHOOTING BRAKE,* MAIS PAS POUR NOUS

En 2021, Genesis a dévoilé une variante familiale de la G70, laquelle sera disponible en Europe, là où ce type de véhicule a encore la cote. Malheureusement elle ne sera pas vendue en Amérique du Nord. Dommage, car la G70 *Shooting Brake* est encore plus réussie côté design que la berline dont elle est dérivée, comme c'est souvent d'ailleurs le cas avec les voitures européennes. Avec un volume de chargement augmenté de 40 % par rapport à la berline, la polyvalence est assurée alors que les performances et la dynamique devraient être semblables à celles de la berline.

Si Genesis décide un jour de commercialiser cette variante ici, elle n'aurait que la Volvo V60 comme véritable rivale . Mais étant donné que la direction canadienne de la marque a choisi de retirer la G70 à boîte manuelle du catalogue en raison de son faible volume de ventes, on peut comprendre que ses dirigeants soient frileux à l'idée d'importer une familiale dans un marché où les acheteurs sont avides de VUS.

Finalement, la G70 est une berline sport qui propose des performances relevées, une très bonne dynamique et une dotation complète d'équipements, mais elle n'a pas le prestige d'une rivale allemande. Toutefois, la marque réussit à se distinguer par son service à la clientèle, lequel comprend la cueillette et la livraison de la voiture à domicile ou au bureau ainsi que le prêt d'un véhicule de courtoisie, et par les entretiens sans frais pendant la durée de la garantie globale qui est de 5 ans ou 100 000 km, ce qui est un aspect non négligeable.

| + Comportement routier sûr • Nouveau système multimédia • Bon rapport prix/équipement | − Manque de prestige de la marque • Dégagement limité aux places arrière • Direction qui manque un peu de ressenti |

### Données principales

| | |
|---|---|
| Emp. / lon. / lar. / haut. | 2 835 / 4 685 / 1 850 / 1 400 mm |
| Coffre / réservoir | 297 litres / 60 litres |
| Nombre de passagers | 5 |
| Suspension av. / arr. | ind., jambes force / ind., multibras |
| Pneus avant / arrière | 2.0T Select / Advanced - P225/45R18 / P225/45R18 |
| | 2.0T Prestige / 3.3T - P225/40R19 / P255/35R19 |
| Poids / Capacité de remorquage | 1 775 kg / non recommandé |

### Composantes mécaniques

**2.0T**

| | |
|---|---|
| Cylindrée, alim. | 4L 2,0 litres turbo |
| Puissance / Couple | 252 ch / 260 lb-pi |
| Tr. base (opt) / Rouage base (opt) | A8 / Int |
| 0-100 / 80-120 / V. max | 6,7 s (m) / 5,0 s (m) / n.d. |
| Type / ville / route / $CO_2$ | Sup / 11,4 / 8,5 / 236 g/km |

**3.3T**

| | |
|---|---|
| Cylindrée, alim. | V6 3,3 litres turbo |
| Puissance / Couple | 365 ch / 376 lb-pi |
| Tr. base (opt) / Rouage base (opt) | A8 / Int |
| 0-100 / 80-120 / V. max | 5,3 s (m) / 4,0 s (m) / n.d. |
| 100-0 km/h | 36,4 m (m) |
| Type / ville / route / $CO_2$ | Sup / 13,5 / 9,1 / 273 g/km |

Photos: Genesis, Marc-André Gauthier

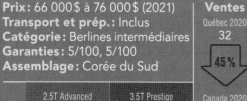

**Prix:** 66 000$ à 76 000$ (2021)
**Transport et prép.:** Inclus
**Catégorie:** Berlines intermédiaires
**Garanties:** 5/100, 5/100
**Assemblage:** Corée du Sud

**Ventes**

Québec 2020
**32**
⬇ 45%

Canada 2020
**178**
⬇ 45%

|  | 2.5T Advanced | 3.5T Prestige |
|---|---|---|
| PDSF | 66 000$ | 76 000$ |
| Loc. | 987$ • 3,40% | 1 173$ • 3,40% |
| Fin. | 1 368$ • 2,90% | 1 574$ • 2,90% |

Sécurité · Consommation

Appréciation générale · Infos n.d. Fiabilité prévue · Agrément de conduite

**Équipement**

**Sécurité**

**Concurrents**
Audi A6/A7, BMW Série 5, Jaguar XF, Lexus ES, Maserati Ghibli, Mercedes-Benz Classe E, Volvo S90

**Nouveau en 2022**
Nouvelle version électrifiée.

# Reprendre le flambeau des Américains

Antoine Joubert

**A**u cours des dernières années, la quantité invraisemblable de berlines intermédiaires de luxe ayant quitté notre marché a presque fait croire à la mort du segment. Une constatation d'autant plus surprenante chez les Américains, où les berlines ont toujours eu la cote. Hélas, de mauvaises décisions stratégiques et des produits souvent trop peu innovateurs allaient causer la perte de modèles que l'on aurait cru invincibles.

Genesis a vu en cette situation une opportunité en or. Celle de récupérer une partie de la clientèle qui se procurait des berlines de luxe autres qu'allemandes, en adaptant à notre marché une voiture qui connaît un succès monstre en Corée du Sud. Et franchement, le résultat est tel que l'on peut aujourd'hui affirmer que les Américains se sont fait damer le pion par Genesis.

### TOUT CE QUE LINCOLN AURAIT DÛ FAIRE...

Soyons francs, rares sont les acheteurs d'Audi A6 ou de BMW Série 5 qui feront le saut vers la G80. Cela dit, voyez cette dernière comme la berline d'exception que les Américains et les Japonais ne fabriquent plus. Une voiture distinctive, élégante et raffinée, qui impressionne par la grande qualité de sa fabrication, laquelle est palpable au premier regard. Une berline où le souci du détail n'a d'égal que la quantité invraisemblable de gadgets qui s'y trouvent. Et surtout, une auto qui n'a pas d'équivalent direct chez Hyundai, en référence à Lincoln qui endimanchait des Ford pour les vendre 20 000$ de plus...

L'expérience sensorielle de cette berline se poursuit à bord, où la richesse des matériaux peut servir de mesure étalon. La présentation est sublime, ce que l'on attribue au design d'ensemble, mais aussi aux matériaux et à l'heureux mariage des teintes. Puis, le soir venu, un magnifique éclairage d'ambiance donne l'impression que l'on vous déroule chaque fois le tapis rouge! Bref, rien n'a été laissé au hasard. Évidemment, le confort des sièges est exceptionnel, et ce, devant comme derrière. En revanche, le dégagement pour la tête est plutôt limité aux places arrière, et on apprécierait une assise offrant plus de latitude au niveau du réglage à la verticale.

Extrêmement bien insonorisé, l'habitacle permet de profiter au maximum du système audio Lexicon à 21 haut-parleurs, de série sur les deux versions

Advanced et Prestige. On obtient également un écran central tactile de 14,5 pouces, lequel peut aussi être contrôlé via une molette rotative dont l'utilisation rappelle celle des premiers iPod. En revanche, la version Prestige est la seule à bénéficier d'une sellerie en cuir Nappa, d'une instrumentation numérique 3D et d'un siège baptisé *Ergo-Motion*, lequel comporte de multiples fonctions d'ajustements ainsi qu'une fonction de massage.

Pour accéder au moteur V6, mais aussi à plusieurs accessoires additionnels, Genesis réclame 10 000 $ supplémentaires. Un montant jugé raisonnable, puisqu'il semble que les acheteurs aient majoritairement opté pour cette option. Pourtant, la version Advanced à moteur 4 cylindres offre l'avantage d'un meilleur équilibre sur route, assurément en raison d'une répartition des masses optimisée. D'ailleurs, sachez qu'avec le poids additionnel du V6 combiné aux jantes de 20 pouces (19 pouces avec le 4 cylindres) l'amortissement est plus sec et parfois agaçant sur chaussée dégradée.

## NOUVELLE VERSION ÉLECTRIQUE

Pour 2022, une nouvelle version électrifiée s'ajoute également au catalogue. Bien que les détails la concernant étaient encore minces au moment d'écrire ces lignes, nous savons qu'elle offrira une autonomie annoncée à 427 km ainsi qu'une puissance remarquable, le 0 à 100 km/h étant estimé en un temps de 4,9 secondes. Voilà une version qui risque de clouer le bec à la compétition, qui n'offre pour l'heure aucun équivalent.

Tout récemment, la firme ALG accordait à cette berline le titre de meilleure valeur résiduelle du segment. Un titre que l'on pourrait qualifier de cocasse dans la mesure où les valeurs de revente de la plupart des berlines de luxe sont extrêmement faibles. Même chez Audi ou Mercedes-Benz. Ainsi, bien que la G80 soit vendue à un prix ultracompétitif et que la qualité du produit soit indéniable, il est clair que la dépréciation sera considérable. En pourcentage, sans doute aussi élevée que pour les bagnoles allemandes, mais avec l'avantage d'une économie d'au moins 20 000 $ à l'achat initial. Un avantage qui s'accompagne d'un service cinq étoiles comportant l'entretien inclus pendant cinq ans avec voiture de courtoisie, service à domicile, et même une garantie de base de 5 ans.

### Données principales

| | |
|---|---|
| Emp. / lon. / lar. / haut. | 3 010 / 4 995 / 1 925 / 1 465 mm |
| Coffre / réservoir | n.d. / 73 litres |
| Nombre de passagers | 5 |
| Suspension av. / arr. | ind., multibras / ind., multibras |
| Pneus avant / arrière | **2.5T** - P245/45R19 / P275/40R19 |
| | **3.5T** - P245/40R20 / P275/35R20 |
| Poids / Capacité de remorquage | 1 965 kg / non recommandé |

### Composantes mécaniques

**2.5T ADVANCED**

| | |
|---|---|
| Cylindrée, alim. | 4L 2,5 litres turbo |
| Puissance / Couple | 300 ch / 311 lb-pi |
| Tr. base (opt) / Rouage base (opt) | A8 / Int |
| 0-100 / 80-120 / V. max | 6,2 s (m) / 4,6 s (m) / n.d. |
| Type / ville / route / $CO_2$ | Sup / 10,8 / 7,9 / 225 g/km |

**3.5T PRESTIGE**

| | |
|---|---|
| Cylindrée, alim. | V6 3,5 litres turbo |
| Puissance / Couple | 375 ch / 391 lb-pi |
| Tr. base (opt) / Rouage base (opt) | A8 / Int |
| 0-100 / 80-120 / V. max | 4,9 s (m) / 3,6 s (m) / n.d. |
| Type / ville / route / $CO_2$ | Sup / 12,9 / 9,0 / 262 g/km |

**ÉLECTRIFIÉE**

| | |
|---|---|
| Puissance / Couple | 365 ch / 516 lb-pi |
| 0-100 / 80-120 / V. max | 4,9 s (est) / n.d. / n.d. |
| Autonomie | 427 à 500 km (est) |

+ Qualité de fabrication impressionnante • Confort et niveau de luxe • Présentation et finition • Version électrifiée • Garantie et entretien inclus

− Forte dépréciation à prévoir • Cogne parfois dur avec les roues de 20 pouces • Consommation considérable (V6)

Photos: Genesis, Marc-André Gauthier

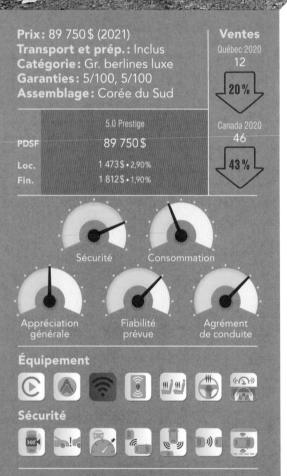

## Informations

**Prix :** 89 750 $ (2021)
**Transport et prép. :** Inclus
**Catégorie :** Gr. berlines luxe
**Garanties :** 5/100, 5/100
**Assemblage :** Corée du Sud

| | 5.0 Prestige |
|---|---|
| PDSF | 89 750 $ |
| Loc. | 1 473 $ • 2,90 % |
| Fin. | 1 812 $ • 1,90 % |

**Ventes**
Québec 2020
**12**
▼ 20 %

Canada 2020
**46**
▼ 43 %

Cotes (jauges) :
Sécurité · Consommation
Appréciation générale · Fiabilité prévue · Agrément de conduite

### Équipement

### Sécurité

### Concurrents

Audi A8, BMW Série 7, Karma GS-6/Revero, Lexus LS, Maserati Quattroporte, Mercedes-Benz Classe S, Porsche Panamera, Tesla Model S

### Nouveau en 2022

Aucun changement majeur annoncé au moment de mettre sous presse. Nouvelle génération attendue en cours d'année 2022.

# Brillante et désuète

Marc Lachapelle

La grande berline de luxe G90 est complète, luxueuse et raffinée dans une catégorie où la réussite exige, hélas, d'être également prestigieuse, audacieuse et spectaculaire. Avec pour résultat que Genesis n'en a livré qu'une douzaine chez nous l'an dernier alors que Mercedes-Benz vendait dix fois plus de ses Classe S, pourtant en fin de cycle. De toute manière, l'utilitaire sport GV80 propulse déjà les ventes de la marque coréenne huppée et réduit d'autant la pertinence de la G90 actuelle, dont les jours sont assurément comptés.

Longue, large et imposante, douce, confortable et spacieuse, puissante, silencieuse et raffinée, la première G90 semblait avoir tout pour réussir à ses débuts, en 2017. Conçue et fabriquée avec un soin remarquable, elle prouvait surtout que Genesis avait les connaissances, le savoir-faire et les ressources pour produire une grande berline aussi bonne que la Classe S... de la décennie précédente.

### LES HABITS NEUFS DE LA REINE

Or, les succès d'estime ne comptent pas pour grand-chose dans une industrie qui carbure aux ventes et aux profits. Et l'ambitieuse débutante Genesis n'allait pas s'en satisfaire. C'est ainsi que la carrosserie de la grande G90 fut redessinée presque entièrement après seulement trois années sur ce continent. Une métamorphose qui avait pour but premier de corriger un manque net de caractère et d'originalité, par rapport aux grandes rivales germaniques.

Cette opération fut menée par le réputé styliste belge Luc Donckerwolke, devenu patron du design au sein du groupe Hyundai après avoir occupé le même poste chez Bentley et sculpté les Murciélago et Gallardo pour Lamborghini, entre autres faits d'armes. À défaut de tradition centenaire, de grands classiques ou de palmarès glorieux en course automobile, Genesis choisit de surprendre, au risque de choquer certains. D'abord avec l'immense calandre en pentagone inversé de la G90. Stratégie à laquelle Audi, BMW et Mercedes-Benz ont eu recours abondamment et qui a toujours fini par leur sourire. Tout chez Genesis affiche d'ailleurs maintenant une calandre semblable.

La G90 se distingue aussi, très nettement, par ses jantes d'alliage en fin treillis qui suggèrent l'affection durable que semble avoir le patron du design

pour la marque britanno-germanique (ou vice-versa) mentionnée plus haut. Elles sont chaussées de pneus de taille 245/45R19 à l'avant et 275/40R19 à l'arrière pour maîtriser cette bête de 5,2 mètres qui porte ses 2 250 kilogrammes sur un empattement de 3,16 mètres. Pas étonnant que son profil long et bas en impose autant. Sur les flancs, de faux évents reprennent les stries superposées des phares et des feux arrière que l'on retrouve aussi sur la G80 et le GV80.

## FIDÈLE AU NATUREL

Les modifications furent beaucoup plus discrètes dans l'habitacle. Dans l'ensemble, Genesis est demeurée fidèle aux principes d'ergonomie élémentaires qui sont heureusement encore chers aux constructeurs coréens. La G90 est ainsi dotée d'un sélecteur électronique droit et précis à la console pour la boîte automatique à 8 rapports, d'une série de touches et de molettes pour régler la climatisation et de la traditionnelle paire de cadrans ronds qui bordent un écran d'affichage configurable pour le conducteur, droit devant. On a également enveloppé de cuir la console centrale, relevé encore d'un cran la qualité de tous les matériaux et ajouté des boiseries de frêne au grain naturel.

L'écran central de 12,3 pouces est tactile mais un peu trop éloigné pour le conducteur. Il demeure quand même plus efficace que la grande molette entourée de touches sur la console centrale pour tenter de s'y retrouver parmi une kyrielle de commandes éparpillées et fragmentées, au cœur de l'interface multimédia. La plupart des systèmes d'aide à la conduite ont été retouchés mais bien malin qui peut en retrouver rapidement les réglages.

Côté confort, rien à redire. Ni pour les moelleux sièges avant, ni aux places de limousine à l'arrière. Statu quo également pour la mécanique, avec un V8 de 5 litres et 420 chevaux qui ronronne sous le capot, bon pour un sprint de 0 à 100 km/h en 5,8 secondes, rouage intégral aidant. Toujours aussi gourmand, par contre. Le freinage de 100 km/h à 0 en 42,1 mètres est tout juste correct et on peut en dire à peu près autant du comportement.

La nouvelle G90, qui doit se pointer bientôt, devra affiner sa conduite et plonger dans la numérisation à outrance et l'électrification pour espérer s'approcher des ténors allemands de la spécialité. Si la chose intéresse encore Genesis, entre deux utilitaires sport, bien sûr.

**+** Calandre mémorable et originale • Beaucoup de tout pour le prix • Confort et douceur sans reproche • Garantie généreuse et service très complet

**−** Consommation assez forte • Déficit de prestige • Dossier arrière fixe • Dépréciation rapide

### Données principales

| Emp. / lon. / lar. / haut. | 3 160 / 5 205 / 1 915 / 1 495 mm |
|---|---|
| Coffre / réservoir | 445 litres / 83 litres |
| Nombre de passagers | 5 |
| Suspension av. / arr. | ind., multibras / ind., multibras |
| Pneus avant / arrière | P245/45R19 / P275/40R19 |
| Poids / Capacité de remorquage | 2 250 kg / non recommandé |

### Composantes mécaniques

| Cylindrée, alim. | V8 5,0 litres atmos. |
|---|---|
| Puissance / Couple | 420 ch / 383 lb-pi |
| Tr. base (opt) / Rouage base (opt) | A8 / Int |
| 0-100 / 80-120 / V. max | 5,8 s (m) / 4,7 s (m) / n.d. |
| 100-0 km/h | 42,1 m (m) |
| Type / ville / route / $CO_2$ | Sup / 15,0 / 10,1 / 303 g/km |

**Prix :** 49 000 $ à 75 500 $
**Transport et prép. :** inclus
**Catégorie :** VUS compacts luxe
**Garanties :** 5/100, 5/100
**Assemblage :** Corée du Sud

**Ventes**
Québec 2020
n.d.

| | 2.5T Select | 2.5T Prestige | 3.3T Sport Plus | |
|---|---|---|---|---|
| PDSF | 49 000 $ | 63 000 $ | 75 500 $ | Canada 2020 n.d. |
| Loc. | 697 $ • 3,40 % | 971 $ • 3,40 % | 1 233 $ • 3,40 % | |
| Fin. | 1 018 $ • 2,90 % | 1 306 $ • 2,90 % | 1 564 $ • 2,90 % | |

Infos n.d.
Sécurité

Consommation

Appréciation générale

Infos n.d.
Fiabilité prévue

Agrément de conduite

## Équipement

## Sécurité

## Concurrents

Acura RDX, Alfa Romeo Stelvio, Audi Q5, BMW X3/X4, Buick Envision, Cadillac XT5, Infiniti QX50/QX55, Jaguar F-PACE, Land Rover Discovery Sport, Lexus NX, Lincoln Corsair, Mercedes-Benz GLC, Porsche Macan, Volvo XC60

## Nouveau en 2022
Nouveau modèle.

# Tout pour réussir

Louis-Philippe Dubé

**M**ême s'ils connaissent une croissance relative, les modèles Genesis ne constituent toujours pas une menace de taille aux rivaux bien implantés dans leur segment respectif. La fiabilité globale de leurs mécaniques doit encore être prouvée, certes. Mais le plus gros défi pour Genesis, c'est de se forger une identité à part entière en tant que constructeur de voitures de luxe, et non en tant que ramification de la marque Hyundai. Considérant que l'image constitue un volet critique pour les acheteurs du créneau, dominé encore et toujours par les ténors allemands, Genesis doit arriver avec une offre on ne peut plus convaincante, et ce, à tous les niveaux.

Le constructeur a récemment levé le voile sur le GV70, un joueur élu pour montrer les dents dans le très convoité (et très lucratif) segment des VUS compacts de luxe. Pour une marque qui a fait ses débuts avec un catalogue entièrement constitué de berlines, nous savions, dès son dévoilement, qu'il y avait fort à parier que ce VUS aux courbes charmantes ne serait pas dépourvu de plaisir au volant.

### ARTILLERIE BIEN TAILLÉE SOUS LE CAPOT
Genesis utilise un duo de motorisations turbocompressées pour se mesurer à ses rivaux en bonne et due forme. Un 4 cylindres de 2,5 litres développant 300 chevaux et 311 lb-pi de couple anime les variantes Select, Advanced, Advanced Plus et Prestige. L'option plus puissante demeure un V6 de 3,5 litres qui développe 375 chevaux et 391 lb-pi de couple dans les modèles Sport et Sport Plus. Quelle que soit la déclinaison choisie, sa motorisation sera jumelée à une transmission automatique à 8 vitesses, un rouage intégral de série et une variété de modes de conduite.

Les spécifications du 2,5 litres sont supérieures à celles de plusieurs motorisations rivales dans le segment, et ce moteur comblera fort probablement la grande majorité des besoins avec amplement de couple à bas régime. Par contre, passer à la motorisation plus cossue amène son lot d'avantages pour les amateurs de performance, avec des accélérations vigoureuses et des reprises énergiques sur l'autoroute. Les modes Sport et Sport+ affutent les divers sens du GV70, avec notamment une réponse plus prompte à l'accélérateur. Hélas, ces petits changements invitent la frugalité à prendre le large, et les cotes affichées par le constructeur laissent leur place à

une consommation bien supérieure. Rappelons que le GV70 n'a pas de version hybride comme certains de ses homologues allemands, un désavantage sur lequel Genesis devra se pencher rapidement.

## UN COMPORTEMENT ROUTIER AUTHENTIQUE

Au volant, le GV70 fournit une expérience qui lui est propre. Pendant que certaines marques empilent des technologies et des équipements parfois plus ou moins pertinents au détriment de l'agrément de conduite, le GV70 déploie un équilibre finement calculé entre confort et dynamisme. Entreprendre les virages en mode Sport au volant du GV70 se fait avec aplomb, et les probabilités d'un petit sourire en coin au visage du conducteur sont fortes. La direction fournit une précision rassurante, et croissante selon le mode de conduite choisi. La déclinaison Sport Plus que nous avons pu essayer était équipée d'un différentiel à glissement limité électronique pouvant rapidement transférer la puissance là où elle est requise.

À l'intérieur, le GV70 épate par sa qualité de finition et son originalité. Mis à part l'écran du système d'infodivertissement légèrement hors de portée et la position de conduite un peu trop élevée, l'habitacle du GV70 est quasi impeccable. Fidèle à son habitude, Genesis se montre généreux en fait d'équipement de série, même dans le modèle d'entrée de gamme. Le modèle Select, qui affiche un Prix de départ de 49 000 $, est armé d'éléments que l'on retrouverait normalement cachés dans des ensembles optionnels du côté des produits allemands. Une recharge sans fil, un volant chauffant et une multitude d'éléments de sécurité active font partie du lot. Mais ne vous-y trompez pas, le prix s'emballe rapidement lorsqu'on grimpe l'échelle — la variante Sport Plus essayée se détaille à 75 500 $.

Cela dit, il faut également prendre en compte l'entretien, un volet particulièrement onéreux chez certains rivaux. Le GV70, comme les autres modèles de la famille Genesis, vient avec les entretiens réguliers sans frais sur une période de 5 ans ou 100 000 km.

Le GV70 est plus alléchant qu'un Audi Q5, un BMW X3 ou un Mercedes-Benz GLC lorsqu'on prend en considération le prix d'achat, les coûts d'entretien et le rapport prix/équipement (dans la majorité de ses variantes du moins). Mais en prime, il rivalise aisément avec ces modèles sur les plans de la finition et du style, et ajoute un petit je-ne-sais-quoi qui le démarque en ce qui a trait à la dynamique de conduite.

GENESIS GV70

### Données principales

| | |
|---|---|
| Emp. / lon. / lar. / haut. | 2 875 / 4 715 / 1 910 / 1 630 mm |
| Coffre / réservoir | 819 à 1 610 litres / 66 litres |
| Nombre de passagers | 5 |
| Suspension av. / arr. | ind. jambes de force / ind. multibras |
| Pneus avant / arrière | P235/55R19 / P235/55R19 |
| Poids / Capacité de remorquage | 1 939 kg / 1 588 kg (3 500 lb) |

### Composantes mécaniques

**2.5T**

| | |
|---|---|
| Cylindrée, alim. | 4L 2,5 litres turbo |
| Puissance / Couple | 300 ch / 311 lb-pi |
| Tr. base (opt) / Rouage base (opt) | A8 / Int |
| Type / ville / route / $CO_2$ | Sup / 10,7 / 8,4 / 229 g/km |

**3.5T**

| | |
|---|---|
| Cylindrée, alim. | V6 3,5 litres turbo |
| Puissance / Couple | 375 ch / 391 lb-pi |
| Tr. base (opt) / Rouage base (opt) | A8 / Int |
| Type / ville / route / $CO_2$ | Sup / 12,9 / 10,0 / 275 g/km |

**+** Look réussi à l'intérieur comme à l'extérieur • Confort appréciable • Performance et dynamique de conduite de pointe

**–** Écran tactile légèrement hors de portée • Position de conduite plutôt élevée • Fiabilité inconnue

Photos : Julien Amado, Genesis

| | 2.5T Select | 2.5T Advanced | 3.5T Prestige |
|---|---|---|---|
| **PDSF** | 64 500$ | 70 000$ | 85 000$ |
| **Loc.** | 936$ • 3,40% | 1 032$ • 3,40% | 1 332$ • 3,40% |
| **Fin.** | 1 337$ • 2,90% | 1 450$ • 2,90% | 1 760$ • 2,90% |

**Prix :** 64 500$ à 85 000$ (2021)
**Transport et prép. :** inclus
**Catégorie :** VUS interm. de luxe
**Garanties :** 5/100, 5/100
**Assemblage :** Corée du Sud

**Ventes**
Québec 2020
46

n.d.

Canada 2020
276

n.d.

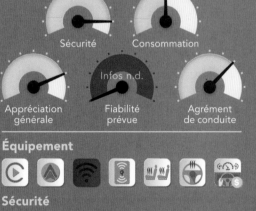

Sécurité  Consommation

Appréciation générale  Infos n.d.  Fiabilité prévue  Agrément de conduite

## Équipement

## Sécurité

## Concurrents

Acura MDX, Audi Q7/Q8, BMW X5/X6, Buick Enclave, Cad. XT6, Infin. QX60, L. Rover Discovery/R. Rover Sport, Lexus GX/RX, Linc. Aviator/Nautilus, Maser. Levante, Mercedes GLE, Pors. Cayenne, Tesla Model X, Volvo XC90

## Nouveau en 2022

Aucun changement majeur annoncé au moment de mettre sous presse.

# Diamant injustement boudé

Marc-André Gauthier

**C**ertains véhicules, malgré des qualités intéressantes, sont injustement boudés par les consommateur. Pourtant, ces voitures sont vraiment bonnes, mais malheureusement, pour une raison ou une autre, elles ne connaissent pas la popularité qu'elles méritent.

Cette triste réalité n'a jamais été aussi injuste que dans le cas du Genesis GV80. À peine arrivé sur le marché, ce VUS de luxe intermédiaire a prouvé combien il est compétent. Comme tous les autres produits Genesis, on peut facilement le recommander à la place d'un produit germanique. Pourtant, la réponse des consommateurs tarde à se faire sentir et les ventes demeurent somme toute assez timides.

Comment expliquer un tel résultat ? Bien entendu, la compagnie Genesis, division de luxe de Hyundai, est encore jeune sur le marché, et doit convaincre les acheteurs de sa pertinence. L'arrivée tardive du GV80 l'an passé peut aussi expliquer pourquoi les ventes de l'année 2020 ont été aussi faibles. Gageons que les chiffres de l'année 2021 seront assurément plus élevés.

### UN STYLE PRESTIGIEUX COMME IL NE S'EN FAIT PLUS

Les Genesis de série 80 (G80 et GV80) et 90 (G90) dégagent quelque chose que l'on ne voit presque plus sur le marché : l'opulence. Les rivaux du GV80, les Mercedes-Benz GLE, BMW X5 et Audi Q7, entre autres, sont désormais bien moins ostentatoires, misant beaucoup plus sur leur côté dynamique et sportif.

Chez Genesis, on souhaite établir une réputation indétrônable en matière de luxe. Le GV80 impose par son élégance, et par le choix des matériaux, autant à l'extérieur qu'à l'intérieur. Dans l'habitacle, par exemple, on note un niveau de finition et une qualité de matériaux qui font penser à Bentley, et ce n'est pas exagéré. Quand on sait que le GV80 coûte environ trois fois moins cher qu'un Bentley Bentayga, cela vous montre combien il impressionne à ce chapitre.

L'habitacle offre toutes les commodités modernes, avec un gros écran multimédia, enrobé de boiseries et de cuirs de bonne qualité. Le système d'infodivertissement propose une interface graphique élégante, venant rehausser l'expérience. La commande rotative qui sert de principal point

d'interaction n'est pas optimale, mais il est aussi possible de commander les fonctions intégrées à l'interface via l'écran tactile.

Les sièges avant et arrière sont d'un grand confort, mais les places de la troisième rangée escamotable sont étriquées. Autrement dit, ne voyez pas le GV80 comme un remplaçant pour votre Cadillac Escalade.

## MÉCANIQUES DE POINTE

Le GV80 se pointe avec un choix de deux moteurs. Celui qui est disponible sur les versions de base est un 4 cylindres turbocompressé, libérant 300 chevaux et 311 lb-pi de couple. Le second est un V6 biturbo de 3,5 litres, bon pour 375 chevaux et 391 lb-pi. Dans les deux cas, les performances sont comparables aux rivaux allemands, et pas seulement en matière de chiffres! Les deux blocs s'exécutent très bien, gracieuseté d'une boîte automatique à 8 rapports très compétente, qui envoie la puissance aux quatre roues. Parlant du rouage intégral, celui du GV80 impressionne également. On peut le programmer selon le type de terrain que l'on parcourt, et il se comporte vraiment bien. Les suspensions contrôlées électroniquement surprennent par leur tenue de route efficace, sans pour autant compromettre le confort.

Le principal défaut du GV80 demeure sa direction trop peu communicative. On a un super moteur, de bonnes suspensions, un châssis rigide, une transmission qui fait le travail, mais la direction laisse à désirer. Elle ne parvient pas à nous connecter à la route comme le fait un BMW X5, par exemple. Pour ceux qui apprécient les véhicules dynamiques à tendance sportive, le GV80 ne conviendra pas.

Le VUS de Genesis offre plutôt une expérience de luxe et de raffinement comme il ne s'en fait plus. On est bercé par son grand confort et sa conduite douce, le tout dans un habitacle silencieux et accueillant. C'est pour ça que l'on dit qu'il est injustement boudé. Plusieurs acheteurs veulent un VUS pour le confort et la sécurité, justement. À ce titre, le GV80 bat à plate couture ses rivaux allemands, et pour un prix moindre en plus de ça!

La prochaine étape serait de concevoir un GV80 de 500 chevaux pour rivaliser avec les Mercedes-AMG GLE 63 S et BMW X5 M de ce monde, mais pour ça, il faut que les ventes décollent... En tout cas, si vous magasinez un VUS de ce format, allez essayer le Genesis GV80. Vous ne serez pas déçu!

➕ Qualité des matériaux • Excellents moteurs • Tenue de route efficace

➖ Direction à perfectionner • Places de la troisième rangée petites • Pas de version de performance

### Données principales

| | |
|---|---|
| Emp. / lon. / lar. / haut. | 2 955 / 4 945 / 1 975 / 1 715 mm |
| Coffre / réservoir | 328 à 2379 litres / 80 litres |
| Nombre de passagers | 5 à 7 |
| Suspension av. / arr. | ind., pneumatique, multibras / ind., pneumatique, multibras |
| Pneus avant / arrière | 2.5T Select - P265/55R19 / P265/55R19 |
| | 2.5 T Advanced - 3.5T - P265/40R22 / P265/40R22 |
| Poids / Capacité de remorquage | 2 240 kg / 2 722 kg (6 000 lb) |

### Composantes mécaniques

**4L - 2,5 LITRES**

| | |
|---|---|
| Cylindrée, alim. | 4L 2,5 litres turbo |
| Puissance / Couple | 300 ch / 311 lb-pi |
| Tr. base (opt) / Rouage base (opt) | A8 / Int |
| 0-100 / 80-120 / V. max | 7,1 s (m) / 5,2 s (m) / n.d. |
| Type / ville / route / $CO_2$ | Sup / 11,3 / 9,5 / 248 g/km |

**V6 - 3,5 LITRES**

| | |
|---|---|
| Cylindrée, alim. | V6 3,5 litres turbo |
| Puissance / Couple | 375 ch / 391 lb-pi |
| Tr. base (opt) / Rouage base (opt) | A8 / Int |
| 0-100 / 80-120 / V. max | 5,9 s (m) / 4,1 s (m) / n.d. |
| Type / ville / route / $CO_2$ | Sup / 12,9 / 10,4 / 279 g/km |

Photos : Julien Amado, Genesis

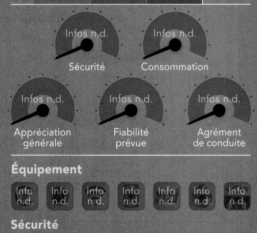

| | | | | Ventes |
|---|---|---|---|---|
| **Prix :** 89 000 $ à 120 000 $ (estimé) | | | | Québec 2020 |
| **Transport et prép. :** 1 950 $ | | | | n.d. |
| **Catégorie :** Camion. pleine gr. | | | | |
| **Garanties :** 3/60, 5/100 | | | | |
| **Assemblage :** États-Unis | | | | |

| | EV2 | EV2X | EV3X | Canada 2020 |
|---|---|---|---|---|
| PDSF | 89 000 $ | 105 000 $ | 120 000 $ | n.d. |
| Loc. | n.d. | n.d. | n.d. | |
| Fin. | 1 833 $ • 4,90 % | 2 155 $ • 4,90 % | 2 457 $ • 4,90 % | |

Infos n.d. — Sécurité
Infos n.d. — Consommation
Infos n.d. — Appréciation générale
Infos n.d. — Fiabilité prévue
Infos n.d. — Agrément de conduite

**Équipement**

Info n.d. | Info n.d. | Info n.d. | Info n.d. | Info n.d. | Info n.d. | Info n.d.

**Sécurité**

360 | Info n.d. | | Info n.d. | Info n.d. | Info n.d. | Info n.d.

**Concurrents**

Chevrolet Silverado 1500, Ford F-150, GMC Sierra 1500, Ram 1500, Tesla Cybertruck, Toyota Tundra

**Nouveau en 2022**
Nouveau modèle.

# Renaissance électrisante

Julien Amado

À l'origine du Hummer, on retrouve le Humvee, véhicule militaire produit par AM General et destiné à intégrer les rangs de l'armée américaine. De ce modèle hors normes naîtra une version civile, le Hummer H1 portant l'appellation série C (pour civile). Véritable mastodonte sur quatre roues, il est destiné à une clientèle réduite, mais friande de véhicules atypiques.

Après avoir racheté le nom Hummer à AM General, GM décide d'en faire un constructeur à part entière au début des années 2000. Toutefois, il n'est évidemment pas question de vendre des véhicules dérivés d'un modèle militaire, qui étaient d'ailleurs toujours produits par AM General. L'idée, c'était de tirer profit de l'image de ce camion mythique tout en proposant des VUS plus petits qui utilisent des motorisations et des plateformes déjà employées par GM.

Après de bons succès commerciaux, les Hummer vont finalement devenir le symbole de tous les excès des États-Unis et pointés du doigt pour leur consommation d'essence. Des remontrances plutôt injustes puisque ces modèles ne font finalement pas pire que d'autres VUS de taille identique. Mais le mal était fait, et Hummer ne survivra pas à la grande restructuration opérée par GM en 2009.

Treize ans plus tard, le marché automobile a radicalement changé. L'avenir étant électrique, tous les constructeurs s'engagent dans cette voie initiée par Tesla. Et c'est précisément ce que fait GM en faisant renaître le nom Hummer sous la bannière de GMC. Par contre, cette fois-ci, impossible de lui reprocher sa consommation gargantuesque puisque le nouveau Hummer EV est une camionnette 100 % électrique ! Un gros véhicule statutaire, mais qui n'utilise plus de carburant fossile pour se déplacer. Esthétiquement, bien que cette réinterprétation se veuille futuriste, on ne tombe pas dans les excès de Tesla avec son Cybertruck.

### PUISSANCE ET COUPLE AU SOMMET
Doté de la nouvelle génération de batterie de GM, baptisée Ultium, le Hummer EV peut compter sur 564 km d'autonomie théoriques. La batterie, développée en partenariat avec le manufacturier LG Chem, peut évidemment être branchée sur une borne de recharge rapide. GMC annonce 165 km récupérés en seulement dix minutes, à condition de brancher le véhicule

sur une borne d'une puissance de 350 kW. Précisons cependant qu'au moment où sont écrites ces lignes, la majorité des bornes rapides déployées au Québec affichent une puissance de 50 kW...

Du côté de la motorisation, le Hummer dispose de deux ou trois moteurs électriques selon la version, une disposition qui lui permet de profiter d'un rouage intégral. La puissance totale donne le vertige avec 1 000 chevaux annoncés par GMC pour la version la plus musclée. Même chose pour le couple, qui s'élève à 11 500 lb-pi lorsque le Hummer est doté de trois moteurs ! Grâce à cette débauche d'électrons, General Motors annonce un 0 à 100 km/h bouclé en 3,2 secondes environ. Pour vous donner une idée, la Chevrolet Corvette Z51, essayée pour le match comparatif au début de ce livre, a réalisé le même exercice en 3,5 secondes !

## SUR LA ROUTE... OU EN DEHORS !

À l'intérieur, on retrouve un habitacle techno, mais qui conserve un design conventionnel avec des formes très carrées, typiques des véhicules destinés au hors route. Un écran de 12,3 pouces affiche les informations nécessaires à la conduite, tandis que le système multimédia est intégré dans un écran de 13,4 pouces. GMC a également doté son camion d'une multitude de caméras, dont certaines sont situées sous le véhicule. Un bon moyen d'éviter les obstacles qui risqueraient d'abîmer le soubassement, surtout en conduite hors route.

Sortir des sentiers battus, voilà justement ce que propose le Hummer. Pourvu d'une garde au sol élevée, d'angles d'attaque importants, d'une suspension adaptative et de quatre roues directrices, le camion ne manque pas d'arguments. Précisons que les quatre roues peuvent aussi être braquées dans le même sens pour faire avancer le véhicule de travers. Un système bien nommé puisque GM l'a baptisé *CrabWalk*. Et avec ses panneaux de toit démontables pour rouler cheveux au vent, on est aussi allé chercher l'inspiration du côté du Jeep Wrangler...

Très prometteur sur papier, le GMC Hummer EV sera d'abord vendu chez nos voisins du Sud. En effet, la construction des véhicules destinés au marché canadien ne débutera qu'à l'automne 2022... Les acheteurs devront donc s'armer de patience, car il y a peu de chances qu'ils puissent conduire leur véhicule avant le début de l'année 2023. Même chose pour la future déclinaison VUS du Hummer, dont l'arrivée est prévue au printemps 2023 au plus tôt, mais qui pourrait se faire attendre un peu plus.

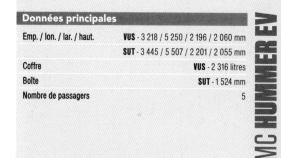

### Données principales

| Emp. / lon. / lar. / haut. | VUS - 3 218 / 5 250 / 2 196 / 2 060 mm |
| | SUT - 3 445 / 5 507 / 2 201 / 2 055 mm |
| Coffre | VUS - 2 316 litres |
| Boîte | SUT - 1 524 mm |
| Nombre de passagers | 5 |

### Composantes mécaniques

**EV2, EV2X**

| | |
|---|---|
| Puissance / Couple | 625 ch / 7 400 lb-pi |
| Tr. base (opt) / Rouage base (opt) | Rapport fixe / Int |
| 0-100 / 80-120 / V. max | 4,2 s (est) / 3,1 s (est) / n.d. |
| Autonomie | 403 km (est) |

**EV3X AUTONOMIE STANDARD**

| | |
|---|---|
| Puissance / Couple | 830 ch / 11 500 lb-pi |
| Tr. base (opt) / Rouage base (opt) | Rapport fixe / Int |
| 0-100 / 80-120 / V. max | 3,7 s (est) / 2,7 s (est) / n.d. |
| Autonomie | 483 km (est) |

**EV3X LONGUE AUTONOMIE**

| | |
|---|---|
| Puissance / Couple | 1 000 ch / 11 500 lb-pi |
| Tr. base (opt) / Rouage base (opt) | Rapport fixe / Int |
| 0-100 / 80-120 / V. max | 3,2 s (est) / 2,3 s (est) / n.d. |
| Autonomie | 564 km (est) |

+ Puissance et couple impressionnants • Capacités hors route prometteuses

− Disponibilité très théorique en 2022

Photos : GMC

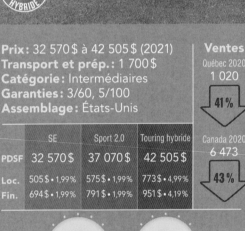

HYBRIDE

**Prix :** 32 570 $ à 42 505 $ (2021)
**Transport et prép. :** 1 700 $
**Catégorie :** Intermédiaires
**Garanties :** 3/60, 5/100
**Assemblage :** États-Unis

**Ventes**
Québec 2020
1 020
⬇ 41 %

Canada 2020
6 473
⬇ 43 %

| | SE | Sport 2.0 | Touring hybride |
|---|---|---|---|
| **PDSF** | 32 570 $ | 37 070 $ | 42 505 $ |
| **Loc.** | 505 $ • 1,99 % | 575 $ • 1,99 % | 773 $ • 4,99 % |
| **Fin.** | 694 $ • 1,99 % | 791 $ • 1,99 % | 951 $ • 4,19 % |

Sécurité    Consommation

Appréciation générale    Fiabilité prévue    Agrément de conduite

**Équipement**

**Sécurité**

**Concurrents**

Chevrolet Malibu, Hyundai Sonata, Kia K5, Nissan Altima, Subaru Legacy, Toyota Camry, Volkswagen Passat

**Nouveau en 2022**
Aucun changement majeur annoncé au moment de mettre sous presse.

# Encore et toujours la médaille d'argent

Guillaume Rivard

**C**omment vous sentiriez-vous après avoir remporté la médaille d'argent... cinq années de suite ? Bravo pour la constance ou meilleure chance la prochaine fois ? C'est ce qui arrive avec la Honda Accord depuis 2017 quand on regarde les ventes de berlines intermédiaires au Canada. Acclamée à la suite du lancement de sa nouvelle génération en 2018, elle trouve toujours le moyen de séduire plus d'acheteurs que chacune de ses rivales à l'exception de la Toyota Camry, bien campée sur la plus haute marche du podium.

Honda a profité de l'année-modèle 2021 pour apporter quelques changements de mi-mandat, question de consolider sa deuxième place. L'Accord nous ayant habitués à des cycles de cinq ans, rien de vraiment nouveau n'est au programme pour 2022, alors que les designers et ingénieurs se concentrent à préparer une onzième mouture qui devrait arriver sur le marché comme modèle 2023.

### UN DESIGN QUI NE PLAÎT PAS À TOUS

Malgré les récentes retouches à la calandre et aux phares, le devant de l'Accord manque d'harmonie et d'élégance. Par contre, c'est beaucoup mieux sur les flancs où l'on note de magnifiques jantes sur les différentes versions ainsi qu'un profil de coupé à quatre portes qui n'est pas sans rappeler certaines voitures allemandes. L'angle trois quarts arrière est particulièrement aguichant.

Le décor intérieur est raffiné et bien construit, à défaut d'en mettre plein la vue. Le confort des sièges est louable et la visibilité, rien de moins qu'excellente. Côté espace, il n'y a aucune raison de se plaindre, tant pour les passagers que pour les bagages. Bien que son ouverture soit plus ou moins longue, le coffre de 473 litres est le plus volumineux de la catégorie. L'Accord hybride revendique le même total, étonnamment, et n'impose donc pas le moindre sacrifice malgré la présence de la batterie.

À l'avant, les commandes sont disposées logiquement et les boutons qui remplacent le levier de vitesses sur la console permettent d'accéder plus facilement aux porte-gobelets adjacents ou au rangement avec chargeur sans fil livrable derrière le panneau. Le volant se prend bien en mains et l'affichage tête haute optionnel complète joliment l'instrumentation.

Déception concernant l'écran multimédia, qui est relativement éloigné et oblige parfois à s'étirer en conduisant. De plus, son angle par rapport à la verticale peut compliquer la lecture en plein jour.

Parlant de technologie, l'intégration d'Apple CarPlay et d'Android Auto se fait maintenant sans fil et une alerte nous rappelle de jeter un coup d'œil à la banquette avant de sortir pour ne pas oublier un enfant ou un animal. La version Touring n'a pas grand-chose à envier à une berline de luxe d'entrée de gamme. En plus de certaines commodités déjà mentionnées, elle compte des sièges avant chauffants/ventilés avec mémoire de positions pour le conducteur, un éclairage ambiant, un système de navigation à reconnaissance vocale et plus encore.

## ELLE INSPIRE CONFIANCE

Avec l'Accord, toute la suite de dispositifs de sécurité et d'aides à la conduite Honda Sensing est incluse de série. Bravo! Depuis l'an dernier, le régulateur de vitesse adaptatif et l'aide au maintien dans la voie sont améliorés pour rendre le comportement de la voiture plus naturel. Une bonne chose, car la seconde avait tendance à être trop sensible, au point où l'on finissait par la désactiver. La version Touring va même une étape plus loin avec un système de contrôle du freinage à basse vitesse.

Sur la route, l'Accord fait preuve d'un peu plus de sportivité que ses rivales tout en conservant une belle douceur. La direction est précise et la voiture affiche un bon mordant dans les courbes serrées. Alors que de plus en plus de berlines intermédiaires proposent un rouage intégral, ce n'est malheureusement pas le cas ici. Par surcroît, même si ses moteurs turbocompressés de 1,5 et 2 litres ont suffisamment de puissance en général, on ne peut s'empêcher de souligner que les Toyota Camry, Hyundai Sonata, Kia K5 et Subaru Legacy en offrent toutes plus. L'Accord hybride, révisée en 2021 pour des accélérations plus fluides et instantanées, est certes une option intéressante. Mais là encore, la Camry hybride se classe première avec un prix de base plus abordable et une consommation inférieure... de 0,1 L/100 km!

En somme, la Honda Accord n'est pas aussi incontournable en ce moment que sa deuxième place au tableau des ventes le laisse croire, mais elle reste un choix fiable et sensé, même si vous n'attendez pas le nouveau modèle en approche pour 2023.

| + Bien équipée et sécuritaire • Grand coffre • Très bon comportement routier | − Modèle en fin de génération • Écran central à revoir • Pas de rouage intégral |
|---|---|

### Données principales

| | |
|---|---|
| Emp. / lon. / lar. / haut. | 2 830 / 4 882 / 1 906 / 1 450 mm |
| Coffre / réservoir | **Accord** - 473 litres / 56 litres |
| | **Hybride** - 473 litres / 49 litres |
| Nombre de passagers | 5 |
| Suspension av. / arr. | ind., jambes force / ind., multibras |
| Pneus avant / arrière | P235/40R19 / P235/40R19 |
| Poids / Capacité de remorquage | 1 469 kg / non recommandé |

### Composantes mécaniques

**4L - 1,5 LITRE**

| | |
|---|---|
| Cylindrée, alim. | 4L 1,5 litre turbo |
| Puissance / Couple | 192 ch / 192 lb-pi |
| Tr. base (opt) / Rouage base (opt) | CVT / Tr |
| 0-100 / 80-120 / V. max | 8,3 s (m) / 6,3 s (m) / n.d. |
| 100-0 km/h | 40,1 m (m) |
| Type / ville / route / $CO_2$ | **SE, EX-L** - Ord / 7,8 / 6,5 / 168 g/km |
| | **Sport, Touring** - Ord / 8,1 / 6,8 / 176 g/km |

**4L - 2,0 LITRES**

| | |
|---|---|
| Cylindrée, alim. | 4L 2,0 litres turbo |
| Puissance / Couple | 252 ch / 273 lb-pi |
| Tr. base (opt) / Rouage base (opt) | A10 / Tr |
| 0-100 / 80-120 / V. max | 6,7 s (est) / 5,8 s (est) / n.d. |
| 100-0 km/h | 40,1 m (est) |
| Type / ville / route / $CO_2$ | Ord / 10,4 / 7,4 / 211 g/km |

**HYBRIDE**

| | |
|---|---|
| Cylindrée, alim. | 4L 2,0 litres atmos. |
| Puissance / Couple | 143 ch / 129 lb-pi |
| Tr. base (opt) / Rouage base (opt) | CVT / Tr |
| 0-100 / 80-120 / V. max | 7,9 s (est) / 6,1 s (est) / n.d. |
| 100-0 km/h | 41,5 m (est) |
| Type / ville / route / $CO_2$ | Ord / 5,0 / 5,0 / 117 g/km |
| | **Touring** - Ord / 5,3 / 5,7 / 129 g/km |
| Puissance combinée | 212 ch |

**MOTEUR ÉLECTRIQUE**

| | |
|---|---|
| Puissance / Couple | 181 ch (135 kW) / 232 lb-pi |
| Type de batterie | Lithium-ion (Li-ion) |
| Énergie | 1,3 kWh |

Photos : Honda

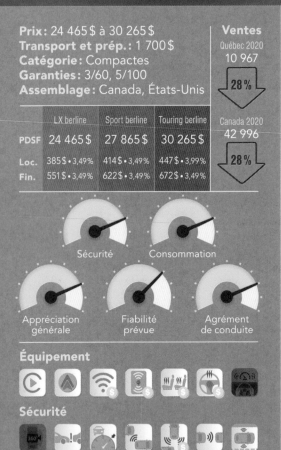

**Prix:** 24 465 $ à 30 265 $
**Transport et prép.:** 1 700 $
**Catégorie:** Compactes
**Garanties:** 3/60, 5/100
**Assemblage:** Canada, États-Unis

**Ventes**
Québec 2020
10 967
⬇ **28 %**

Canada 2020
42 996
⬇ **28 %**

|  | LX berline | Sport berline | Touring berline |
|---|---|---|---|
| **PDSF** | 24 465 $ | 27 865 $ | 30 265 $ |
| **Loc.** | 385 $ • 3,49 % | 414 $ • 3,49 % | 447 $ • 3,99 % |
| **Fin.** | 551 $ • 3,49 % | 622 $ • 3,49 % | 672 $ • 3,49 % |

Sécurité · Consommation

Appréciation générale · Fiabilité prévue · Agrément de conduite

**Équipement**

**Sécurité**

**Concurrents**

Honda Insight, Hyundai Elantra, Kia Forte, Mazda3, Nissan Sentra, Subaru Impreza, Toyota Corolla, Volkswagen Jetta

**Nouveau en 2022**
Nouvelle génération du modèle.

# En accord avec ses valeurs

Louis-Philippe Dubé

Chaque fois que la Porsche 911 traverse une nouvelle génération, la communauté automobile s'émerveille en constatant comment les ingénieurs à Stuttgart ont, à nouveau, amélioré un produit aussi « parfait », tout en conservant les traits et valeurs qui définissent son identité. Certes, établir une comparaison entre la Porsche 911 et la Honda Civic est inhabituel, voire absurde, étant donné qu'elles ne partagent rien sur les plans physique, mécanique ou esthétique.

Toutefois, difficile de s'empêcher de constater qu'elles se ressemblent dans le sens où elles sont toutes les deux au sommet de leur catégorie respective. Et se renouveler, quand on est en tête, est toujours un défi. Puis, il y a le fait que la Civic a le droit de se vanter d'avoir été la voiture la plus vendue au Canada pendant 23 années consécutives. Tout ceci vient avec son lot de responsabilités, et un faux pas peut lui faire perdre le titre prestigieux, une situation qui coûterait très cher à la marque.

Pour sa nouvelle génération, la Honda Civic reçoit un relooking bien mérité, avec des lignes plus sobres et moins futuristes que celles de la génération précédente. On aime dire que la Civic retourne aux sources en fait de design avec un bouclier moins expressif, mais on remarque également qu'elle ressemble à sa grande sœur, l'Accord. Elle a pris en gabarit et elle a tout à gagner en prenant cette direction, avec tous les VUS disponibles sur le marché. On compte aussi sur un habitacle entièrement remodelé et sur des technologies de sécurité active plus nombreuses pour séduire.

### DES PERFORMANCES DIGNES DU MODÈLE

La Civic s'ajuste légèrement sous son capot. Le moteur 2 litres acclamé pour sa fiabilité demeure. Bien que celui-ci fournisse les mêmes performances que dans le modèle sortant, quelques modifications le rendent plus frugal. Le moteur turbocompressé de 1,5 litre est aussi de retour. Celui-ci gagne en puissance comparé aux précédentes Civic berline, avec 180 chevaux (+6) et 177 lb-pi de couple (+15). Une économie de carburant est également au menu pour celui-ci, selon Honda.

Les deux moteurs sont jumelés à une transmission à variation continue dans la berline, qui a perdu sa boîte manuelle en 2021. Soyez rassurés, amateurs de troisième pédale, la boîte manuelle reviendra dans la Civic Si

et dans la Type R de manière exclusive. Elle sera d'ailleurs livrable dans le modèle à hayon.

Sur la route, une fois l'accélérateur bien enfoncé et la CVT engagée, l'amélioration du couple du 1,5 litre est bien perceptible en accélération. Honda a en outre apporté des mises au point au châssis et à la carrosserie, dorénavant plus rigides. Les améliorations se font sentir en ce qui concerne l'habileté et la maniabilité en virage, que la Civic maîtrise très bien. Par contre, le confort de roulement nous a semblé un peu plus ferme.

### UN HABITACLE PLUS CLASSIQUE

Si elle emprunte à l'extérieur des traits esthétiques de sa grande sœur, l'Accord, la Civic s'inspire d'un tout autre registre à l'intérieur. La planche de bord futuriste et complexe de l'ancien modèle s'est simplifiée et s'avère hautement plus agréable à l'œil. Les plastiques durs demeurent, mais on a mélangé les textures restantes de manière plus conservatrice, avec une large bande centrale épurée, s'apparentant à un genre de grillage qui apporte une touche rétro.

Un nouvel écran d'instrumentation numérique, dans la version Touring, simule les cadrans virtuellement avec une clarté cristalline. Cet élément était déjà futuriste dans l'ancien modèle mais cette fois, il marie parfaitement modernité et classicisme. Une appréciation particulière se fait également sentir au volant de la Civic, qui offre toujours une bonne prise avec un diamètre de bonne épaisseur, un détail parfois négligé par les constructeurs qui peut pénaliser le sentiment de sportivité. D'ailleurs, ce volant est dorénavant chauffant dans la majorité des variantes.

Pour le reste, la Civic conserve toute sa praticité, avec des assises confortables et de l'espace généreux pour les jambes des passagers arrière. Par contre, elle a perdu quelques litres de chargement dans le coffre, avec 8 ou 9 litres de sacrifiés selon la variante, ce qui n'a rien de dramatique. Honda n'avait pas avantage à tenter d'épater la galerie avec un produit trop novateur pour cette onzième génération, considérant son succès actuel. Or, s'il est prescrit de ne pas changer une recette gagnante, il n'est pas prohibé de la bonifier, tout en conservant ses éléments de base.

Même si la différence de prix entre la Porsche 911 et la Honda Civic frôle les six chiffres, elles partagent la capacité de se moderniser, tout en conservant les éléments classiques en accord avec leurs valeurs, génération après génération.

## Données principales

| | |
|---|---|
| Emp. / lon. / lar. / haut. | **Berline** - 2 735 / 4 655 / 1 900 / 1 415 mm |
| | **Hayon** - 2 735 / 4 549 / 1 800 / 1 414 mm |
| Coffre / réservoir | **Berline** - 408 à 419 litres / 47 litres |
| Nombre de passagers | 5 |
| Suspension av. / arr. | ind., jambes force / ind., multibras |
| Pneus avant / arrière | P215/55R16 / P215/55R16 |
| Poids / Capacité de remorquage | 1 312 kg / non recommandé |

## Composantes mécaniques

**4L - 2,0 LITRES**

| | |
|---|---|
| Cylindrée, alim. | 4L 2,0 litres atmos. |
| Puissance / Couple | 158 ch / 138 lb-pi |
| Tr. base (opt) / Rouage base (opt) | CVT (M6) / Tr |
| 0-100 / 80-120 / V. max | 8,5 s (est) / 6,7 s (est) / n.d. |
| Type / ville / route / CO₂ | Ord / 7,7 / 6,0 / 162 g/km (est) |

**4L - 1,5 LITRE**

| | |
|---|---|
| Cylindrée, alim. | 4L 1,5 litre turbo |
| Puissance / Couple | 180 ch / 177 lb-pi |
| Tr. base (opt) / Rouage base (opt) | CVT (M6) / Tr |
| 0-100 / 80-120 / V. max | 7,2 s (est) / 5,3 s (est) / n.d. |
| Type / ville / route / CO₂ | Ord / 7,6 / 6,1 / 162 g/km (est) |

➕ Maniabilité étonnante • Habitacle réussi • Beaucoup de technologies pour le prix

➖ Roulement légèrement plus ferme • Lenteur de réponse de la CVT • Pas de retour de la boîte manuelle dans la berline

Photos : Honda

| | LX TA | Sport TI | Black Ed. TI |
|---|---|---|---|
| PDSF | 29 970 $ | 36 670 $ | 43 570 $ |
| Loc. | 456 $ • 1,99 % | 546 $ • 1,99 % | 669 $ • 1,99 % |
| Fin. | 629 $ • 0,99 % | 761 $ • 0,99 % | 902 $ • 0,99 % |

**Prix :** 29 970 $ à 43 570 $ (2021)
**Transport et prép. :** 1 870 $
**Catégorie :** VUS compacts
**Garanties :** 3/60, 5/100
**Assemblage :** Canada

**Ventes**
Québec 2020
10 139
⬇ 20 %

Canada 2020
44 495
⬇ 20 %

Sécurité — Consommation

Appréciation générale — Fiabilité prévue — Agrément de conduite

**Équipement**

**Sécurité**

**Concurrents**

Chevrolet Equinox, Ford Bronco Sport/Escape, GMC Terrain, Hyundai Tucson, Jeep Cherokee/Compass, Kia Sportage, Mazda CX-5, Mitsubishi Outlander, Nissan Rogue, Subaru Forester, Toyota RAV4, Volkswagen Tiguan

**Nouveau en 2022**
Aucun changement majeur annoncé au moment de mettre sous presse.

# Le bon vétéran qui attend son tour

Guillaume Rivard

**C**onfortablement installé au deuxième rang des ventes de sa catégorie depuis l'arrivée de la génération actuelle en 2017, le Honda CR-V se la coule douce. Les familles de partout apprécient ses nombreuses qualités, et elles ne sont pas les seules. Les dernières statistiques annuelles du Bureau d'assurance du Canada nous apprenaient que le CR-V monopolise les trois premières places du classement des modèles les plus volés au Québec !

À la suite d'une mise à jour en 2020, la compagnie est restée tranquille. C'est encore le cas pour 2022, même si des concurrents comme le Hyundai Tucson et le Mitsubishi Outlander sont complètement redessinés. Le Nissan Rogue demeure tout frais lui aussi. Comme à peu près tous les véhicules en fin de mandat, le Honda CR-V montre des signes de vieillesse. Disons qu'il s'impose beaucoup plus par son espace, son utilité et sa frugalité que par son style et son modernisme.

**LES GOÛTS NE SE DISCUTENT PAS**

La beauté est subjective, mais à peu près personne n'osera admettre que le CR-V est le plus joli VUS de sa catégorie. C'est ainsi depuis toujours, remarquez. Aux deux extrémités, le design manque d'harmonie, comme si Honda ne savait pas trop dans quelle direction aller. Les choses s'améliorent à partir de la version Sport avec ses belles jantes de 19 pouces. Ce qui est sûr, c'est que l'assemblage et la finition n'attirent aucun reproche.

Ça vaut aussi pour l'intérieur, où le décor réunit avec précision différents matériaux et textures, mais pèche par excès de bizarrerie. Le meilleur exemple est l'affreux levier de vitesses juché au milieu du bloc central et désagréable à manipuler. Honda le remplace par des boutons dans le CR-V hybride vendu aux États-Unis, mais a-t-on besoin de rappeler que nous n'avons pas ce modèle ici ? Par ailleurs, il y a un contraste entre la bonne ergonomie des commandes et la conception décevante des sièges avant. On a plus l'impression d'être assis dessus que dedans, leur coussin est plutôt court et ferme, tandis que les renforts latéraux pour les épaules sont trop serrés, surtout pour les conducteurs plus grands que la moyenne.

Donnons-lui toutefois la couronne qu'il mérite : le CR-V est très pratique. L'accès à l'habitacle est facile et le dégagement aux deux rangées est si

généreux qu'il peut rendre jaloux des VUS intermédiaires. Les rangements sont nombreux et bien pensés, comme dans la console centrale. Le coffre est le plus spacieux de la catégorie et les 2 146 litres obtenus en rabattant les dossiers arrière bien à plat ne sont surpassés que par le nouvel Outlander.

## UN BON ROUTIER QUI NE S'ABREUVE PAS SOUVENT

Sous le capot, Honda mise sur la simplicité et l'efficacité. Le moteur turbocompressé de 1,5 litre fournit des performances honnêtes grâce à ses 190 chevaux et à son couple de 179 lb-pi. Son rendement à la pompe le classe également parmi les meilleurs VUS compacts non hybrides, à égalité avec le RAV4 à traction, et légèrement derrière le modèle à quatre roues motrices. Quelques bémols, par contre : la version de base demeure à traction seulement, le mode Econ étouffe le moteur et la boîte de vitesses à variation continue rend les accélérations bruyantes. En outre, le pseudomode Sport ne change pas grand-chose.

En l'absence d'une version plus musclée, le plaisir atteint vite ses limites. Idem pour le remorquage alors que l'on a droit au strict minimum de 1 500 lb. Les consommateurs qui veulent du choix et plus de capacités doivent se tourner ailleurs. Évidemment, ça n'enlève rien au bon comportement routier du CR-V, qui tient bien la route et se révèle maniable dans la plupart des situations. La suspension est juste assez ferme et la direction, franche et bien dosée. Pour leur part, les freins sont simples à moduler et efficaces sans causer un effet de plongée excessif.

La visibilité est somme toute adéquate et la suite de technologies de sécurité et d'aide à la conduite Honda Sensing fait partie de l'équipement de série de tous les CR-V. Les deux exceptions, non négligeables, sont le système de surveillance des angles morts et l'alerte de circulation transversale arrière, disponibles uniquement à partir de la version haut de gamme Touring. D'autres versions ont un système de surveillance des angles morts côté passager, appelé *LaneWatch*, cependant son usage est limité. Enfin, puisque l'on parle de sécurité, le seul écran central au catalogue est petit selon les standards d'aujourd'hui (7 pouces) et ses innombrables menus et réglages s'avèrent trop distrayants en conduisant.

Bref, malgré la position enviable du CR-V sur le marché, Honda ne doit pas prendre son imminente refonte à la légère. Oui, il s'agit toujours d'un produit de qualité et satisfaisant pour la majorité, mais il y a quand même pas mal de progrès à faire quand on regarde la concurrence actuelle.

**+** Très spacieux et pratique • Bien assemblé et sécuritaire • Faible consommation d'essence

**−** Prix plus élevé que la moyenne du segment • Moteur bruyant qui a ses limites • Design et sièges à améliorer

## Données principales

| | |
|---|---|
| Emp. / lon. / lar. / haut. | 2 660 / 4 626 / 1 855 / 1 689 mm |
| Coffre / réservoir | 1 065 à 2 146 litres / 53 litres |
| Nombre de passagers | 5 |
| Suspension av. / arr. | ind., jambes force / ind., multibras |
| Pneus avant / arrière | P235/65R17 / P235/65R17 |
| Poids / Capacité de remorquage | 1 521 kg / 680 kg (1 500 lb) |

## Composantes mécaniques

| | |
|---|---|
| Cylindrée, alim. | 4L 1,5 litre turbo |
| Puissance / Couple | 190 ch / 179 lb-pi |
| Tr. base (opt) / Rouage base (opt) | CVT / Tr (Int) |
| 0-100 / 80-120 / V. max | 8,5 s (m) / 6,6 s (m) / n.d. |
| 100-0 km/h | 40,9 m (est) |
| Type / ville / route / $CO_2$ | **Tr** - Ord / 8,3 / 7,0 / 180 g/km |
| | **Int** - Ord / 8,7 / 7,4 / 189 g/km |

**Prix :** 25 200 $ à 33 700 $ (2021)
**Transport et prép. :** 1 870 $
**Catégorie :** VUS sous-compacts
**Garanties :** 3/60, 5/100
**Assemblage :** Mexique

**Ventes**
Québec 2020
**4 604**
↓ 8% ↓

Canada 2020
**10 306**
↓ 20% ↓

| | LX | Sport TI | Touring |
|---|---|---|---|
| **PDSF** | 25 200 $ | 30 500 $ | 33 700 $ |
| **Loc.** | 388 $ • 1,99 % | 473 $ • 1,99 % | 525 $ • 1,99 % |
| **Fin.** | 549 $ • 1,99 % | 656 $ • 1,99 % | 720 $ • 1,99 % |

Sécurité    Consommation

Appréciation générale    Fiabilité prévue    Agrément de conduite

## Équipement

## Sécurité

## Concurrents

Buick Encore GX, Chev. TrailBlazer,
Ford EcoSport, Hyundai Kona, Jeep Renegade,
Kia Niro/Seltos, Mazda CX-30, Mitsubishi Eclipse
Cross/RVR, Nissan Qashqai, Subaru Crosstrek,
Toyota Corolla Cross, Volks. Taos

## Nouveau en 2022

Présentation d'une nouvelle génération,
modèle actuel reconduit une année
de plus au Canada.

# L'année de trop ?

Germain Goyer

**E**n introduisant le HR-V sur le marché nord-américain dès 2016, Honda arrivait parmi les premiers sur le marché des véhicules utilitaires sous-compacts. À ce moment, ce créneau qui se définissait petit à petit en était encore à ses balbutiements. Dès les premiers instants, le HR-V s'est présenté comme un produit sérieux, bien pensé et solidement conçu. Et c'est assurément grâce à cette recette qu'il a connu du succès.

En février 2021, Honda a dévoilé en première mondiale la deuxième génération de son populaire HR-V en Europe et au Japon. Alors que nous nous attendions tous à le voir débarquer sur notre marché pour l'année 2022, il faudra continuer de patienter. En effet, pour le marché canadien, Honda a décidé de poursuivre avec le modèle que nous connaissons une année de plus. La nouvelle mouture du HR-V sera tout de même commercialisée sur les marchés européen et japonais. Alors que certains concurrents ont eu droit à une mise à jour de mi-mandat, le HR-V demeure le même dans son intégralité.

Ainsi, le VUS sous-compact de Honda continue d'être mû par un 4 cylindres de 1,8 litre développant une puissance de 141 chevaux et un couple de 127 lb-pi. C'est convenable considérant son gabarit et sa vocation, mais sans plus. La seule transmission retenue est une boîte à variation continue. Rappelons que la boîte manuelle avait été rayée du catalogue, et qu'il serait plus qu'étonnant qu'Honda la fasse revivre. Quant au rouage intégral, Honda l'offre en option sur la version LX et de série sur les déclinaisons Sport et Touring. Dynamiquement, le véhicule propose une tenue de route à la hauteur ainsi qu'un bon confort de roulement. Par contre, le moteur demeure bruyant, surtout quand on le sollicite fortement.

Dans le cas du modèle de deuxième génération, les paris sont ouverts en ce qui a trait à sa motorisation. Si sur d'autres marchés une motorisation hybride — composée d'un bloc à 4 cylindres de 1,5 litre et d'un moteur électrique — anime le HR-V, rien ne nous laisse croire que nous pourrions l'obtenir sur notre territoire. Certaines rumeurs indiquent que le HR-V pourrait emprunter le moteur à 4 cylindres de 2 litres de la Civic ou même son bloc turbocompressé de 1,5 litre.

Concernant le design, le futur HR-V fait preuve d'un peu plus d'audace que son prédécesseur. Notons que les poignées des portières arrière,

dissimulées dans la ceinture de fenestration et qui représentaient un élément stylistique distinctif, sont encore présentes sur le nouveau modèle.

## UNE GRANDE POLYVALENCE

Bien que le HR-V appartienne à la catégorie des petits VUS, il n'est pas moins pratique pour autant : l'habitacle est si bien pensé et aménagé qu'il peut être amplement suffisant pour une petite famille. Son coffre, spacieux, fait partie des plus logeables de la catégorie.

Construit sur la plate-forme de l'ancienne Fit, il possède, lui aussi, la banquette *Magic Seat* à l'arrière. Son assise est relevable et le dossier peut être rabattu, ce qui permet de charger de gros objets. À cet effet, soulignons que le HR-V demeure l'un des véhicules les plus spacieux de sa catégorie. Espérons simplement que Honda aura la présence d'esprit de poursuivre dans cette veine lors de la conception de la prochaine génération du modèle.

## DE PLUS EN PLUS COÛTEUX ?

Malheureusement pour le consommateur moyen, elle est bien loin derrière nous, l'époque au cours de laquelle Honda, et les autres constructeurs généralistes, vendaient des véhicules réellement abordables. Une Civic à moins de 18 000 $, on ne reverra plus jamais ça de notre vivant ! Il faut désormais dépenser plus de 25 000 $ pour une version d'entrée de gamme. Le HR-V a été victime du même sort.

En effet, lors de son introduction en 2016, on pouvait s'en procurer un exemplaire pour à peine plus de 20 000 $. L'année dernière, alors que la première génération du modèle s'étirait déjà, on exigeait plus de 27 000 $ (transport et préparation inclus) pour une version de base à deux roues motrices ! Ainsi, bien que Honda n'ait pas encore divulgué l'échelle de prix de la deuxième génération du HR-V, il faudra fouiller profondément dans ses poches pour mettre la main sur un exemplaire...

Bien qu'il soit prévu que la Civic demeure la porte d'entrée chez Honda et qu'elle soit capitale pour la marque, le constructeur japonais aurait sans doute intérêt à développer un VUS citadin. Celui-ci pourrait notamment concurrencer les Nissan Kicks et Hyundai Venue. Il faudrait, forcément, que la facture soit moins salée que celle du HR-V. Vous l'aurez compris, on s'ennuie déjà de la Fit.

### Données principales

| | |
|---|---|
| Emp. / lon. / lar. / haut. | 2 610 / 4 348 / 1 772 / 1 605 mm |
| Coffre / réservoir | 657 à 1 665 litres / 50 litres |
| Nombre de passagers | 5 |
| Suspension av. / arr. | ind., jambes force / semi-ind., poutre torsion |
| Pneus avant / arrière | P215/55R17 / P215/55R17 |
| Poids / Capacité de remorquage | 1 320 kg / non recommandé |

### Composantes mécaniques

| | |
|---|---|
| Cylindrée, alim. | 4L 1,8 litre atmos. |
| Puissance / Couple | 141 ch / 127 lb-pi |
| Tr. base (opt) / Rouage base (opt) | CVT / Tr (Int) |
| 0-100 / 80-120 / V. max | 10,5 s (est) / 8,5 s (est) / n.d. |
| 100-0 km/h | 42,9 m (est) |
| Type / ville / route / $CO_2$ | **LX TA** - Ord / 8,4 / 7,0 / 181 g/km |
| | **LX TI** - Ord / 8,8 / 7,5 / 193 g/km |
| | **Sport, Touring** - Ord / 9,1 / 7,7 / 200 g/km |

+ Aménagement de
l'habitacle bien pensé •
Coffre spacieux •
Véhicule fiable

− Modèle vieillissant •
Facture en hausse

**HONDA HR-V (MODÈLE EUROPÉEN)**

Photos : Honda

# HONDA **INSIGHT**

**Prix :** 28 490 $ à 32 190 $ (2021)
**Transport et prép. :** 1 700 $
**Catégorie :** Compactes
**Garanties :** 3/60, 5/100
**Assemblage :** États-Unis

**Ventes**
Québec 2020
56
46 %

Canada 2020
415
44 %

|  | Insight | Touring |
|---|---|---|
| PDSF | 28 490 $ | 32 190 $ |
| Loc. | 553 $ • 4,99 % | 612 $ • 4,99 % |
| Fin. | 646 $ • 4,19 % | 725 $ • 4,19 % |

Sécurité

Consommation

Appréciation générale

Fiabilité prévue

Agrément de conduite

## Équipement

## Sécurité

## Concurrents

Honda Civic, Hyundai Elantra/IONIQ, Kia Forte, Mazda3, Nissan Sentra, Toyota Corolla/Prius, Volkswagen Jetta

## Nouveau en 2022

Aucun changement majeur annoncé au moment de mettre sous presse.

# Dans l'ombre de la Civic

Julien Amado

**A**vec l'arrivée de la nouvelle Civic 2022, on aurait pu s'attendre à une redistribution des cartes au sein de la gamme Honda. Sachant que Toyota et Hyundai proposent désormais des versions hybrides de la Corolla et de l'Elantra, il aurait été logique que Honda opte pour une stratégie similaire avec la Civic et élimine l'Insight, sa seule compacte hybride.

En misant sur le nom Civic, dont la réputation n'est plus à faire, il aurait été plus facile de faire grimper les ventes de voitures hybrides auprès des clients. Car les immatriculations de l'Insight demeurent faibles, l'auto végétant dans l'ombre de son encombrante cousine. Une tendance qui devrait s'accentuer avec le renouveau de la Civic, alors que la voiture qui illustre ces pages ne connaît pas de modifications notables.

Et lorsque l'on souhaite configurer l'Insight, il n'y a pas à hésiter longtemps puisqu'il n'y a que deux versions. Le modèle de base possède déjà suffisamment d'équipements de confort et de sécurité. Mais pour accéder à certains raffinements supplémentaires comme les sièges arrière chauffants ou la sellerie en cuir, il faut obligatoirement se tourner vers le modèle haut de gamme Touring, dont le prix est élevé.

### LE CLASSICISME PERSONNIFIÉ

En regardant cette voiture, personne ne tombera en bas de sa chaise. L'Insight ne se distingue pas particulièrement, que ce soit positivement ou négativement. Discrète, elle est nettement moins polarisante que la défunte Clarity hybride rechargeable.

Au sein de la gamme Honda, on reconnaît une certaine filiation avec l'Accord, ou la nouvelle Civic 2022... encore elle ! Cela dit, la ligne de l'Insight aura au moins le mérite de bien vieillir. C'est la même chose à l'intérieur, avec un tableau de bord simple et classique, doté d'un écran central flanqué de deux gros boutons rotatifs. Là encore, on a l'impression de se trouver dans une petite Accord, l'interface du système multimédia, les boutons de sélection des vitesses et le volant étant similaires.

La qualité de finition donne satisfaction, l'auto étant également bien construite. Les sièges fournissent un bon confort à l'avant comme à l'arrière. L'espace est adéquat pour accueillir quatre personnes. Du côté du coffre,

le volume utile s'élève à 428 litres, ce qui correspond à ce que l'on attend d'une berline compacte de cette taille. Précisons toutefois que le modèle haut de gamme Touring perd quelques litres de contenance (416 litres).

## L'EFFICACITÉ SANS ÉCLAT

Il n'y a qu'une seule motorisation disponible sous le capot de l'Insight, une mécanique hybride non rechargeable. Le 4 cylindres atmosphérique de 1,5 litre est associé à un moteur électrique et une petite batterie lithium-ion. Avec une puissance combinée de 151 chevaux, vous comprenez aisément que les performances sont correctes, mais pas vraiment éclatantes. Possédant suffisamment de couple pour les accélérations et les relances, l'Insight s'insère dans la circulation sans aucune difficulté. Mais n'espérez pas ressentir le moindre frisson lorsque votre pied enfonce la pédale de droite.

On dresse le même constat pour les capacités dynamiques. Basée sur la Civic de précédente génération, l'Insight adopte une bonne tenue de route. Confortable et sereine, elle vous emmènera du point A au point B sans se faire remarquer. Sa direction se montre plutôt précise, en revanche sa vivacité est moindre que celle affichée par la Civic. En prenant le volant des deux autos, on jurerait que l'Insight souffre d'un poids largement supérieur alors que la différence d'une cinquantaine de kilos n'est pas déterminante. Les réglages des trains roulants plus souples de l'Insight jouent probablement un rôle dans ce ressenti à la conduite.

Au chapitre de la consommation de carburant, le petit bloc hybride affiche une moyenne de 4,9 L/100 km selon Ressources naturelles Canada. Dit autrement, cela correspond à 5,3 L/100 km sur la route et 4,6 L/100 km en ville. Un chiffre très bas dans l'absolu, mais supérieur à ce que proposent une Hyundai Elantra à moteur électrifié (4,4 L/100 km) et une Toyota Corolla hybride (4,5 L/100 km).

Au moment de conclure cet essai, il n'y a pas grand-chose que l'on puisse reprocher à la Honda Insight. C'est une bagnole sans histoire, qui rendra de bons et loyaux services aux consommateurs à la recherche d'une auto confortable et économique à l'usage. Mais son prix plus élevé que ceux pratiqués chez Hyundai et Toyota, et sa consommation d'essence supérieure risquent de la cantonner dans son rôle de figurante. Il faut également garder à l'esprit que la valeur de revente d'une Insight demeure plus incertaine que celle de ses rivales plus établies.

### Données principales

| | |
|---|---|
| Emp. / lon. / lar. / haut. | 2 700 / 4 663 / 1 878 / 1 411 mm |
| Coffre / réservoir | 416 à 428 litres / 40 litres |
| Nombre de passagers | 5 |
| Suspension av. / arr. | ind., jambes force / ind., multibras |
| Pneus avant / arrière | P215/50R17 / P215/50R17 |
| Poids / Capacité de remorquage | 1 382 kg / non recommandé |

### Composantes mécaniques

| | |
|---|---|
| Cylindrée, alim. | 4L 1,5 litre atmos. |
| Puissance / Couple | 107 ch / 99 lb-pi |
| Tr. base (opt) / Rouage base (opt) | CVT / Tr |
| 0-100 / 80-120 / V. max | 8,7 s (m) / 7,0 s (m) / n.d. |
| 100-0 km/h | 38,9 m (m) |
| Type / ville / route / $CO_2$ | Ord / 4,6 / 5,3 / 115 g/km |
| Puissance combinée | 151 ch |
| **MOTEUR ÉLECTRIQUE** | |
| Puissance / Couple | 129 ch (96 kW) / 197 lb-pi |
| Type de batterie | Lithium-ion (Li-ion) |

**+** Consommation raisonnable • Très bon confort de roulement • Habitacle spacieux et agréable à vivre

**—** Plus chère qu'une Elantra ou une Corolla hybride • Consomme plus que la concurrence • En déficit d'image • Si seulement elle s'appelait Civic...

Photos: Honda

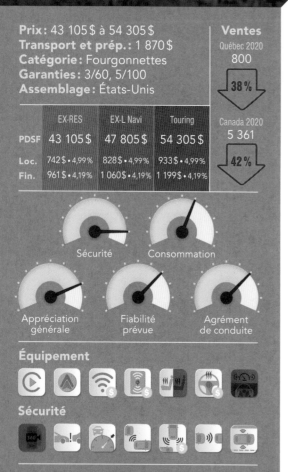

**Prix:** 43 105 $ à 54 305 $
**Transport et prép.:** 1 870 $
**Catégorie:** Fourgonnettes
**Garanties:** 3/60, 5/100
**Assemblage:** États-Unis

**Ventes**
Québec 2020
800
▼ 38 %

Canada 2020
5 361
▼ 42 %

| | EX-RES | EX-L Navi | Touring |
|---|---|---|---|
| PDSF | 43 105 $ | 47 805 $ | 54 305 $ |
| Loc. | 742 $ • 4,99 % | 828 $ • 4,99 % | 933 $ • 4,99 % |
| Fin. | 961 $ • 4,19 % | 1 060 $ • 4,19 % | 1 199 $ • 4,19 % |

Sécurité · Consommation

Appréciation générale · Fiabilité prévue · Agrément de conduite

## Équipement

## Sécurité

## Concurrents

Chrysler Grand Caravan/Pacifica,
Ford Transit Connect, Kia Carnival,
Toyota Sienna

## Nouveau en 2022

Aucun changement majeur annoncé
au moment de mettre sous presse.

# Traditionnellement viable

Antoine Joubert

Il y a maintenant 27 ans que Honda commercialise l'Odyssey chez nous. D'abord introduite sous forme de monospace à moteur 4 cylindres et sans portières coulissantes, elle s'est ensuite harmonisée à ce que l'Amérique proposait de mieux en matière de fourgonnette familiale. De nos jours, elle jouit d'une enviable réputation qui explique son succès comme sa faible dépréciation. Toutefois, dans un marché ne comptant désormais que quatre constructeurs, Honda se retrouve soudainement avec un produit qui n'est plus avant-gardiste.

Débarquée très tôt en 2021, la cuvée 2022 de l'Odyssey ne change guère. Les légères retouches apportées l'an dernier sur un modèle très faiblement diffusé en raison de la pandémie auront incité le constructeur à passer très rapidement à un modèle de nouveau millésime, permettant du coup aux acheteurs de profiter d'un véhicule « de l'année » pendant 18 mois. Les retouches apportées en 2021 accompagnent également l'élimination des modèles LX et EX de base, faisant passer le prix de base d'environ 38 000 $ à 45 000 $ (transport et préparation inclus).

### NIVELER VERS LE HAUT

Honda explique bien sûr cette approche en affirmant que la majeure partie des ventes s'effectue sur les moutures plus luxueuses, parce que les familles d'aujourd'hui ont soif de luxe et de confort. Et sur ce point, ces stratèges n'ont pas tout à fait tort. En effet, lorsqu'il est question de ventes au détail, les acheteurs ne choisissent que très rarement une version de base. Cela dit, l'élimination de ces dernières permet aussi à Honda de faciliter la gestion des unités pour ses concessionnaires tout en augmentant son seuil de rentabilité.

En optant pour une Odyssey, on obtient désormais de série un système de divertissement à l'arrière (sauf EX-L Navi), les portes coulissantes à commande électrique, ainsi que la possibilité d'accueillir jusqu'à huit occupants grâce à une banquette de seconde rangée ingénieusement pensée, qui permet d'accéder à la troisième rangée sans devoir démanteler le siège d'appoint y étant installé. On peut d'ailleurs mentionner que l'ergonomie demeure l'un des points forts de ce véhicule, avec lequel la famille profite d'une foule de gadgets pratiques, à condition bien sûr d'y mettre le prix. Par exemple, la version Touring comprend le dispositif CabinWatch qui affiche sur l'écran central une vue parfaite des rangées arrière. Puis, le système CabinTalk

amplifiera votre voix à travers les haut-parleurs afin de communiquer avec les passagers arrière sans hausser le ton.

Le poste de conduite est de son côté un véritable havre de paix où le confort est exceptionnel. Bien que chargée, la console centrale englobe l'écran, les commandes de ventilation et le levier de vitesses à bouton-poussoir qui s'avèrent intuitifs et faciles à manipuler. Bien sûr s'y intègrent les applications Apple CarPlay et Android Auto, de série sur tous les modèles. Retenez aussi qu'avec du verre acoustique à l'avant et aux vitres des portières, l'insonorisation du modèle Touring est nettement optimisée, vous laissant ainsi jouir du système audio de 550 watts lui étant exclusif.

## PAS D'HYBRIDE NI D'INTÉGRALE

Conservant comme seule motorisation un puissant V6 de 3,5 litres, l'Odyssey perd l'avantage du meilleur rendement énergétique qu'on lui accordait il y a quelques années. Il faut dire que Chrysler et Toyota proposent aujourd'hui des options d'hybridation permettant de maintenir des moyennes de consommation bien en deçà de celle de l'Odyssey, qui oscille entre 10 et 11 L/100 km. Accordons tout de même à Honda l'avantage d'une fourgonnette qui se démarque au chapitre du comportement routier, avec une puissance notoire et une maniabilité supérieure à la moyenne. Vous y apprécierez notamment la précision de la direction ainsi que sa grande stabilité, deux points dont la Sienna ne peut se vanter. Vous constaterez aussi la qualité d'assemblage se traduisant par l'absence de craquements et de bruits de caisse, certainement plus difficiles à éliminer dans une fourgonnette que dans une berline.

À l'inverse de Chrysler et Toyota, Honda n'offre pas non plus de rouage intégral. Un choix assurément économique sachant qu'il se vend douze fois plus d'Odyssey aux États-Unis qu'ici, au Canada. D'ailleurs, l'Odyssey et la Pacifica se disputent là-bas la position de tête du segment, alors que la Sienna est loin derrière. Pour la majorité des acheteurs, l'absence des quatre roues motrices n'est donc pas dramatique, d'autant plus qu'avec cette fourgonnette, l'effet de couple en accélération n'est pas un irritant.

Retenez que l'Odyssey demeure la plus intéressante des fourgonnettes sur le plan dynamique et qu'en dépit d'une facture initiale salée, le coût de revient à long terme — considérant la dépréciation et les coûts d'entretien — est certainement moindre que chez Chrysler.

| Données principales | |
|---|---|
| Emp. / lon. / lar. / haut. | 3 000 / 5 213 / 2 110 / 1 767 mm |
| Coffre / réservoir | 929 à 3 984 litres / 74 litres |
| Nombre de passagers | 8 |
| Suspension av. / arr. | ind., jambes force / ind., multibras |
| Pneus avant / arrière | P235/60R18 / P235/60R18 |
| Poids / Capacité de remorquage | 2 058 kg / 1 587 kg (3 500 lb) |

| Composantes mécaniques | |
|---|---|
| Cylindrée, alim. | V6 3,5 litres atmos. |
| Puissance / Couple | 280 ch / 262 lb-pi |
| Tr. base (opt) / Rouage base (opt) | A10 / Tr |
| 0-100 / 80-120 / V. max | 8,2 s (m) / 5,2 s (m) / n.d. |
| 100-0 km/h | 41,1 m (m) |
| Type / ville / route / $CO_2$ | Ord / 12,2 / 8,5 / 248 g/km |

| + | − |
|---|---|
| Espace et aménagement • V6 puissant et agréable • Fiabilité remarquable • Faible dépréciation | Technologie mécanique conservatrice • Pas de rouage intégral • Prix d'entrée à plus de 40 000$ |

Photos : Honda

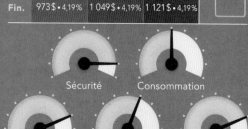

# HONDA PASSPORT

★★★★ COTE DU **GUIDE**

**Prix :** 43 670 $ à 50 670 $ (2021)
**Transport et prép. :** 1 870 $
**Catégorie :** VUS intermédiaires
**Garanties :** 3/60, 5/100
**Assemblage :** États-Unis

| | Sport | EX-L | Touring |
|---|---|---|---|
| PDSF | 43 670 $ | 47 270 $ | 50 670 $ |
| Loc. | 719 $ • 3,99 % | 764 $ • 3,99 % | 826 $ • 3,99 % |
| Fin. | 973 $ • 4,19 % | 1 049 $ • 4,19 % | 1 121 $ • 4,19 % |

**Ventes**
Québec 2020
663
↑ 48 %

Canada 2020
2 734
↑ 2 %

Sécurité   Consommation

Appréciation générale   Fiabilité prévue   Agrément de conduite

## Équipement

## Sécurité

## Concurrents

Chevrolet Blazer, Ford Bronco/Edge,
GMC Acadia, Hyundai Santa Fe,
Jeep Grand Cherokee/Wrangler, Kia Sorento,
Nissan Murano, Subaru Outback,
Toyota 4Runner/Venza, VW Atlas Cross Sport

## Nouveau en 2022

Aucun changement majeur annoncé au moment de mettre sous presse.

# VUS anti-confinement

Jean-François Guay

La désignation « véhicules tout-terrain » est habituellement réservée à des camions robustes, dotés d'un châssis en échelle comme le Jeep Wrangler, le Ford Bronco ou le Toyota 4Runner. Toutefois, ces véhicules ne conviennent pas nécessairement à tout le monde. Pour y remédier, les constructeurs offrent désormais des VUS mitoyens, dont les caractéristiques allient la conduite au quotidien à celle de la conduite hors route modérée pour accéder à un petit coin perdu les fins de semaine.

Parmi les modèles ayant quelques gènes de baroudeur, on dénombre le Ford Explorer Timberline, le GMC Acadia AT4, le Kia Sorento X-Line et le Subaru Outback Wilderness. Or, bien avant le lancement de ces VUS en habits du dimanche, Honda avait exploré le créneau en concoctant le Passport. Vendu depuis le début de l'année 2019, ce pionnier de la catégorie a été élaboré à partir de la plate-forme du Honda Pilot, avec lequel il partage ses éléments mécaniques. Qu'à cela ne tienne, le Passport se démarque de son faux jumeau en ayant des caractéristiques qui lui sont propres.

### PERSONNALITÉ DE BAROUDEUR

Dans un premier temps, la carrosserie du Passport adopte un look plus sportif que le Pilot en délaissant tout artifice de chrome à la calandre, aux pare-chocs, aux bas de caisse et aux garnitures au profit d'un coloris noir. De même, les jantes en alliage des versions Sport et Touring sont toutes de noir vêtues.

L'autre principale différence se trouve dans l'habitacle, où l'on compte deux rangées de sièges dans le Passport tandis que son grand frère en dénombre trois. Malgré tout, les deux véhicules ont sensiblement le même empattement et la même largeur de caisse. Pour accueillir la troisième rangée de sièges, le porte-à-faux arrière du Pilot mesure 15,2 cm de plus. Il va sans dire que le volume de chargement de ce dernier dépasse celui du Passport. En contrepartie, le Passport prend l'ascendant sur son ainé en proposant de meilleures capacités dans les sentiers.

Pour grimper des pentes, traverser des ornières et des cours d'eau ou rouler sur des bosses et des souches d'arbre, la garde au sol du Passport s'élève à 20,5 cm comparativement à 18,5 cm pour le Pilot. En outre, l'angle d'approche (21,4 degrés) et l'angle de sortie (27,6 degrés) du Passport sont

plus inclinés que ceux du Pilot (19,7 et 20,8 degrés). En d'autres mots, la configuration des porte-à-faux avant et arrière du Passport lui permet de monter ou de descendre une pente plus facilement, et ce, en diminuant les risques de rester coincé ou d'endommager la carrosserie ou le soubassement.

## PAREIL PAS PAREIL

Le Passport et le Pilot utilisent le même V6 de 3,5 litres qui développe 280 chevaux et 262 lb-pi de couple, et la même boîte automatique à 9 rapports. Peu importent le modèle et la version, la capacité de remorquage avec la traction intégrale i-VTM4 s'élève à 5 000 lb.

Le rouage intégral reste l'un des plus sophistiqués qui soient. Selon les conditions routières ou le style de conduite, ce mécanisme dirige jusqu'à 70 % du couple moteur vers l'essieu arrière et 100 % de ce couple peut être redirigé entre les roues arrière droite ou gauche. Cela s'avère particulièrement efficace dans les virages. En terrain accidenté ou sur les surfaces glissantes, le système ITM (*Intelligent Traction Management*) fonctionne en conjonction avec le rouage i-VTM4 afin de permettre au conducteur de sélectionner la motricité en fonction de quatre modes : normal, sable, neige et boue.

À l'intérieur, il est regrettable de constater que le Passport ressemble comme deux gouttes d'eau au Pilot. Honda aurait pu se forcer un peu pour personnaliser le décor de chacun. On peut supposer qu'il s'agit d'une décision financière afin d'offrir des tarifs concurrentiels, mais le Passport n'est pas donné ! Quoi qu'il en soit, l'équipement de base est complet avec des sièges avant et un volant chauffants, un toit ouvrant et une caméra de recul multiangle avec affichage dynamique. La version EX-L dispose d'une banquette arrière chauffante tandis que la déclinaison Touring jouit de sièges avant ventilés, de verre acoustique pour les vitres avant et d'un système audio de 550 watts à 10 haut-parleurs.

Pour le reste, la petitesse de l'écran tactile de 7 pouces démontre que le Passport aurait besoin de rajeunir son système d'infodivertissement, lequel est cependant compatible avec Apple CarPlay et Android Auto. Il ne fait pas de doute que le Passport sera modernisé lors de l'arrivée de la nouvelle génération du Pilot, attendue en cours d'année 2022.

### Données principales

| | |
|---|---|
| Emp. / lon. / lar. / haut. | 2 817 / 4 839 / 2 116 / 1 835 mm |
| Coffre / réservoir | 1 430 à 2 854 litres / 74 litres |
| Nombre de passagers | 5 |
| Suspension av. / arr. | ind., jambes force / ind., multibras |
| Pneus avant / arrière | P245/50R20 / P245/50R20 |
| Poids / Capacité de remorquage | 1 890 kg / 2 268 kg (5 000 lb) |

### Composantes mécaniques

| | |
|---|---|
| Cylindrée, alim. | V6 3,5 litres atmos. |
| Puissance / Couple | 280 ch / 262 lb-pi |
| Tr. base (opt) / Rouage base (opt) | A9 / Int |
| 0-100 / 80-120 / V. max | 7,2 s (m) / 5,8 s (m) / n.d. |
| 100-0 km/h | 42,3 m (m) |
| Type / ville / route / CO$_2$ | Ord / 12,5 / 9,8 / 265 g/km |

| + Mécanique fiable • Garde au sol élevée • Rouage intégral sophistiqué • Habitacle volumineux | − Design manquant de punch • Tableau de bord identique au Pilot • Écran tactile minuscule • Tarifs élevés |

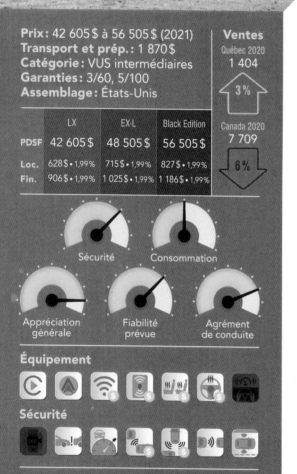

**Prix:** 42 605 $ à 56 505 $ (2021)
**Transport et prép.:** 1 870 $
**Catégorie:** VUS intermédiaires
**Garanties:** 3/60, 5/100
**Assemblage:** États-Unis

**Ventes**
Québec 2020
**1 404**
▲ 3 %

Canada 2020
**7 709**
▼ 6 %

|  | LX | EX-L | Black Edition |
|---|---|---|---|
| **PDSF** | 42 605 $ | 48 505 $ | 56 505 $ |
| **Loc.** | 628 $ • 1,99 % | 715 $ • 1,99 % | 827 $ • 1,99 % |
| **Fin.** | 906 $ • 1,99 % | 1 025 $ • 1,99 % | 1 186 $ • 1,99 % |

Sécurité — Consommation

Appréciation générale — Fiabilité prévue — Agrément de conduite

**Équipement**

**Sécurité**

**Concurrents**

Chevrolet Traverse, Dodge Durango, Ford Explorer, GMC Acadia, Hyundai Palisade, Hyundai Santa Fe, Kia Telluride, Mazda CX-9, Nissan Pathfinder, Subaru Ascent, Toyota Highlander, Volkswagen Atlas

**Nouveau en 2022**

Renouvellement du modèle attendu en cours d'année 2022.

# Des souhaits pour la prochaine génération

Marc-André Gauthier

Lors de la rédaction du *Guide de l'auto*, c'est invariablement la course à l'information! Malheureusement, il n'est pas toujours possible d'obtenir tout les détails concernant un nouveau produit. C'est le cas du Honda Pilot. Des rumeurs provenant de sources bien informées font allusion à une refonte imminente pour l'année-modèle 2022.

En même temps, pas besoin d'être dans le secret des dieux pour se douter qu'un VUS intermédiaire datant de 2015 a besoin d'un coup de plumeau! Le renouvellement partiel de la camionnette Ridgeline, avec qui le Pilot partage beaucoup d'éléments, laisse également penser que celui du VUS intermédiaire de Honda ne devrait plus tarder.

Nous n'avons pas encore obtenu d'informations officielles sur le Honda Pilot de prochaine génération. Toutefois, si l'on se fie à ce que Honda a fait avec le Ridgeline, on peut s'attendre à un style un peu plus carré, un habitacle modernisé avec un meilleur système d'infodivertissement et un retour vers une conduite un peu plus robuste — à l'époque où les véhicules hors route reviennent en force. Par contre, la motorisation devrait sans doute rester la même. Le V6 de 3,5 litres n'est peut-être plus offert dans l'Accord, mais Honda n'a pas encore trouvé par quoi le remplacer dans ses gros VUS. Bref, en attendant, on ne peut que se concentrer sur le modèle actuel, et émettre nos souhaits quant au modèle futur.

### SPACIEUX ET DISPENDIEUX

Les VUS n'ont jamais été aussi populaires et le Pilot, l'un des premiers VUS intermédiaires à être arrivé sur notre marché, n'a jamais eu autant de concurrence. En fait, Honda lui en a même donné un: le Passport. Les VUS intermédiaires ont longtemps été fabriqués avec une petite rangée de sièges dans le coffre, convenant aux jeunes enfants, ou pour dépanner. Or, devant la multitude de camions sur nos routes, et la mort lente des berlines intermédiaires et des fourgonnettes, beaucoup de constructeurs offrent désormais deux VUS intermédiaires, un cinq à places, et un second à sept. Chez Chevrolet, on a le Blazer et le Traverse, chez Ford l'Edge et l'Explorer tandis que chez Honda, il s'agit du Passport et du Pilot.

Le Pilot est donc le VUS pour ceux qui veulent 7 à 8 places, selon la version retenue. Les occupants disposent d'un habitacle vraiment spacieux. Le

dégagement est amplement suffisant pour la tête et les jambes dans la deuxième rangée. Dans la troisième, il est même possible d'accueillir des adultes relativement confortablement. De son côté, l'espace de chargement est volumineux. Comme celui de la génération précédente, si l'on abaisse les sièges, on a pratiquement assez d'espace pour y déposer un matelas !

Néanmoins, tout ça a un prix. Le Pilot est décliné en six versions, dont les prix s'échelonnent de 42 605 $ à 56 505 $ (2021). Plus on monte en grade, plus on gagne en équipements et en style. Cela dit, toutes les moutures conservent la même mécanique, un moteur V6 3,5 litres de 280 chevaux et 262 lb-pi de couple. Ce dernier est jumelé à une transmission automatique traditionnelle à 9 rapports. Le rouage intégral est livré de série dans toutes les versions.

L'apparence de l'habitacle varie en fonction des options choisies, mais globalement, on devine l'âge du produit en admirant son design. On ne peut pas dire qu'il s'agisse d'un intérieur dernier cri. De ce point de vue, la présence d'un gros lecteur CD sous les commandes de la ventilation en dit long...

### COMPORTEMENT IMPECCABLE

Le Pilot n'a rien d'un VUS hors route, mais il possède pourtant des capacités surprenantes sur les sentiers. Celles-ci, il les doit entre autres à son rouage intégral, similaire à celui utilisé chez Acura, qui a recours à un différentiel arrière autobloquant plutôt sophistiqué. Autant ce différentiel que les suspensions du VUS sont identiques à ce que l'on retrouve sur la camionnette Ridgeline.

Le Pilot propose une tenue de route efficace, un bon confort de roulement, et demeure des plus plaisants à conduire malgré son âge. Honda a fait un bon travail avec le calibrage de la direction. Le moteur V6 est plus vivant que jamais et dispose d'une belle allonge à haut régime, même si — sur papier — il est moins puissant que la concurrence. Comme quoi il n'y a pas que les chevaux qui comptent.

Pour la prochaine génération, il doit s'appliquer à marquer davantage les esprits, avec un style plus osé, plus aventureux. On ne sait pas si c'est la dernière année du Honda Pilot actuel, mais Honda a su créer un produit qui a bien navigué le passage du temps. La prochaine génération pourra miser sur l'excellente fiabilité et réputation du modèle tout en améliorant les technologies et l'efficacité.

## Données principales

| | |
|---|---|
| Emp. / lon. / lar. / haut. | 2 820 / 4 991 / 2 029 / 1 794 mm |
| Coffre / réservoir | 510 à 3 092 litres / 74 litres |
| Nombre de passagers | 7 à 8 |
| Suspension av. / arr. | ind., jambes force / ind., multibras |
| Pneus avant / arrière | P245/60R18 / P245/60R18 |
| Poids / Capacité de remorquage | 1 906 kg / 2 268 kg (5 000 lb) |

## Composantes mécaniques

| | |
|---|---|
| Cylindrée, alim. | V6 3,5 litres atmos. |
| Puissance / Couple | 280 ch / 262 lb-pi |
| Tr. base (opt) / Rouage base (opt) | A9 / Int |
| 0-100 / 80-120 / V. max | 7,1 s (m) / 5,7 s (m) / n.d. |
| 100-0 km/h | 40,8 m (m) |
| Type / ville / route / $CO_2$ | Ord / 12,4 / 9,3 / 256 g/km |

**+** Habitacle spacieux •
Rouage intégral efficace •
Comportement routier sûr •
Moteur performant

**—** Prix plus élevé que la moyenne du segment •
Design vieillissant • Style de l'habitacle à revoir

**Prix:** 45 535 $ à 54 235 $
**Transport et prép.:** 1 870 $
**Catégorie:** Camionnette interm.
**Garanties:** 3/60, 5/100
**Assemblage:** États-Unis

**Ventes**
Québec 2020
**510**
▼ 18 %

|  | Sport | EX-L | Black Edition |
|---|---|---|---|
| **PDSF** | 45 535 $ | 48 535 $ | 54 235 $ |
| **Loc.** | 732 $ • 4,99 % | 777 $ • 4,99 % | 870 $ • 4,99 % |
| **Fin.** | 1 012 $ • 4,19 % | 1 076 $ • 4,19 % | 1 204 $ • 4,19 % |

Canada 2020
**2 885**
▼ 15 %

Sécurité — Consommation
Appréciation générale — Fiabilité prévue — Agrément de conduite

**Équipement**

**Sécurité**

**Concurrents**

Chevrolet Colorado, Ford Maverick/Ranger,
GMC Canyon, Hyundai Santa Cruz,
Jeep Gladiator, Nissan Frontier, Toyota Tacoma

**Nouveau en 2022**
Aucun changement majeur annoncé
au moment de mettre sous presse.

# Imaginez s'il était joli

Antoine Joubert

Chaque année, la discussion de l'équipe du *Guide de l'auto* entourant le meilleur choix dans la catégorie des camionnettes s'enflamme. Le débat porte sur la polyvalence et les capacités des véhicules, les besoins des acheteurs, mais aussi sur leurs désirs les plus profonds, qui sont souvent irrationnels. Ce dernier point explique notamment le succès d'un produit comme le Jeep Gladiator qui, entre vous et moi, n'a rien de comparable à la camionnette Ridgeline.

Ironiquement, Honda se situe bon dernier au registre des ventes du segment, loin derrière Ford, GM et Toyota, qui écoulent tout ce qui débarque chez les concessionnaires en claquant des doigts. Remarquez, la même situation s'applique au Ridgeline, même qu'il se fait souvent attendre pendant plusieurs mois par ceux qui ont choisi de l'adopter. S'agit-il de problèmes de production ou de la volonté du constructeur de la limiter? Allez donc savoir. Chose certaine, Honda n'en fait pas vraiment la promotion et ne donne aucunement l'impression de vouloir jouer sur le même terrain que sa supposée compétition.

Bien sûr, Honda fait les choses différemment depuis une quinzaine d'années, bien que la production du Ridgeline ait momentanément cessé entre les deux générations (2015). Il y a des différences parce qu'on partage ici les éléments mécaniques et structuraux du Pilot et du Passport, signifiant ainsi l'utilisation d'un châssis monocoque. Cet élément continue de surprendre puisque le constructeur simule pourtant un joint d'évasement entre la cabine et la benne. Ça reste un élément purement esthétique, ajouté dans la seule optique de déjouer les nombreux acquéreurs de camionnettes, souvent très traditionnels dans leur quête.

### HYBRIDE?

Oui. Mais pas sur le plan mécanique puisqu'on y reprend bien sûr le réputé V6 de 3,5 litres, symbole de fiabilité. Le Ridgeline est plutôt l'hybride d'un VUS et d'une authentique camionnette, proposant le confort, la polyvalence et les commodités d'un utilitaire ainsi qu'une bonne partie des capacités d'une «vraie» camionnette. En fait, non seulement la caisse est plus spacieuse que celle des Ford Ranger et Chevrolet Colorado à caisse courte, mais on y cache aussi un coffre de soubassement étanche et verrouillable dont l'accès est facilité par un hayon à double battant, qu'on abaisse ou qu'on ouvre à la façon d'une portière.

L'an dernier, Honda apportait quelques retouches au Ridgeline, du point de vue esthétique, pour un look soi-disant plus costaud, tout comme à bord, où certains éléments décoratifs et quelques garnitures ont été mis à jour. À l'écoute de sa clientèle, Honda a également ajouté quelques boutons physiques, améliorant ainsi l'ergonomie générale. Cette caractéristique était déjà à l'avantage de ce véhicule, méticuleusement aménagé pour offrir un maximum de confort, d'espace et de commodités. Évidemment, le poste de conduite diffère légèrement de celui des Pilot et Passport, proposant un environnement qui commence à dater. Or, à ce compte, l'exercice de comparaison avec les camionnettes GM et surtout, Toyota, donne l'avantage à Honda.

### DÉSORMAIS PLUS LE SEUL

Multidisciplinaire, le Ridgeline propose un comportement routier nettement plus raffiné que celui des camionnettes traditionnelles. Plus de confort, certes, mais également une bien meilleure maniabilité sur la route en raison d'une suspension indépendante aux quatre roues. Et il ne faut pas oublier le rouage intégral, très performant, qu'on emprunte encore une fois aux autres VUS intermédiaires Honda. Cela dit, 2022 marque l'arrivée de deux nouvelles camionnettes, qui adhèrent de plus près à la philosophie Honda. En effet, Ford et Hyundai débarquent respectivement avec les Maverick et Santa Cruz, faisant appel à une structure monocoque, mais à des motorisations de plus petite taille. Est-ce que d'autres manufacturiers emboîteront le pas? Est-ce que Subaru osera faire renaître la Baja? Seul l'avenir nous le dira.

Alors voilà. Le verdict revient année après année. Le Ridgeline demeure, encore à ce jour, le meilleur achat de sa catégorie. Ce n'est pas celui qui remorque 7 500 lb et certainement pas celui avec laquel vous grimperez l'Everest. Tel n'est pas son mandat. Néanmoins, sur le marché actuel, il n'existe pas de formule plus efficace et polyvalente, s'accompagnant de surcroît d'une fiabilité qu'aucune autre camionnette ne peut se vanter d'offrir (sauf Toyota). Hélas, nous vous l'accordons, le Ridgeline n'engendre aucune émotion. Son design est quelconque et totalement dépourvu de caractère, rebutant sans doute nombre de potentiels intéressés. Aurait-il été plus complexe de lui greffer une robe plus attrayante, davantage au diapason du désir des acheteurs? Voilà une question qui ne semble pas avoir effleuré l'esprit des designers, au crayon bien mal effilé. Maintenant, vous l'aurez compris, le Ridgeline se veut un choix plus rationnel, mais qu'on ne peut qu'apprécier davantage chaque jour.

**+** Comportement routier exceptionnel • Polyvalence et astuces d'aménagement • Fiabilité irréprochable • Très faible dépréciation (30-35 % sur quatre ans)

**—** Facture considérable • Disponibilité problématique • Capacité de remorquage décevante • Esthétique discutable

### Données principales

| | |
|---|---|
| Emp. / lon. / lar. / haut. | 3 178 / 5 339 / 2 116 / 1 798 mm |
| Boîte / réservoir | 1 625 mm / 74 litres |
| Nombre de passagers | 5 |
| Suspension av. / arr. | ind., jambes force / ind., multibras |
| Pneus avant / arrière | P245/60R18 / P245/60R18 |
| Poids / Capacité de remorquage | 2 037 kg / 2 268 kg (5 000 lb) |

### Composantes mécaniques

| | |
|---|---|
| Cylindrée, alim. | V6 3,5 litres atmos. |
| Puissance / Couple | 280 ch / 262 lb-pi |
| Tr. base (opt) / Rouage base (opt) | A9 / Int |
| 0-100 / 80-120 / V. max | 7,5 s (m) / 5,5 s (m) / n.d. |
| 100-0 km/h | 42,3 m (est) |
| Type / ville / route / $CO_2$ | Ord / 12,8 / 9,9 / 271 g/km |

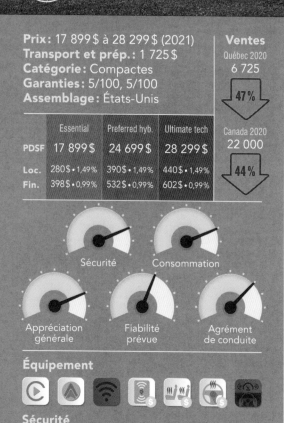

**Prix:** 17 899$ à 28 299$ (2021)
**Transport et prép.:** 1 725$
**Catégorie:** Compactes
**Garanties:** 5/100, 5/100
**Assemblage:** États-Unis

**Ventes**
Québec 2020
6 725
47%

Canada 2020
22 000
44%

|  | Essential | Preferred hyb. | Ultimate tech |
|---|---|---|---|
| **PDSF** | 17 899$ | 24 699$ | 28 299$ |
| **Loc.** | 280$ • 1,49% | 390$ • 1,49% | 440$ • 1,49% |
| **Fin.** | 398$ • 0,99% | 532$ • 0,99% | 602$ • 0,99% |

Sécurité  Consommation

Appréciation générale  Fiabilité prévue  Agrément de conduite

### Équipement

### Sécurité

### Concurrents

Honda Civic, Honda Insight, Kia Forte, Mazda3, Nissan Sentra, Subaru Impreza, Toyota Corolla, Volkswagen Jetta

**Nouveau en 2022**
Nouvelle version sportive N.

# La berline aux trois personnalités

Luc Gagné

**A**u fil des ans, on a vu beaucoup d'Elantra défiler sur nos routes: des berlines à deux et à trois volumes, des familiales et des coupés.

Signe des temps, l'actuelle génération se cantonne dans le style traditionnel de la berline tricorps. Néanmoins, avec une allure à couper le souffle, des motorisations et des habillages variés, son constructeur réussit à lui donner trois personnalités typées.

### GRAND PUBLIC

Sa dernière refonte procure à cette rivale des Honda Civic et Toyota Corolla une allure audacieuse à la mode. Sa partie avant a des formes élaborées, ses flancs sont sculpturaux et son toit à longue courbure s'étire jusqu'au coffre pour faire croire qu'il s'agit d'un coupé. Mais, ne vous y méprenez pas, il y a bel et bien quatre portes, et elles mènent à un habitacle spacieux pour autant d'adultes de taille moyenne.

Le constructeur a aussi aménagé, pour le conducteur, un «cocon immersif». Il l'isole avec une arête surmontant le flanc droit de la console centrale et l'écran tactile, à droite du volant. L'effet atteint un paroxysme, toutefois, dans les versions Ultimate, N Line et N lorsqu'on s'offre la totale: un tableau de bord tapissé d'écrans numériques qui se fondent les uns dans les autres.

Un écran tactile de 10,25 pouces se substitue à celui de 8 pouces, de série, pour le système d'infodivertissement. Au centre, un second écran, aussi grand, remplace les élégants cadrans traditionnels des autres déclinaisons. Enfin, à gauche, un tout petit écran complète l'ensemble. Tristement, il n'affiche qu'un... cercle vide! Il ne sert que dans les Elantra N et N-Line, les sportives décrites ci-dessous, où il abrite un sélecteur de mode de conduite. Pourquoi ne pas faire de même dans les versions populaires? Avec un écran vide, on croirait que les concepteurs ont manqué d'imagination ou de budget! À leur décharge, saluons la présence de commandes à bouton-pression et à molettes rotatives autour de l'écran tactile (le petit et le grand). Voilà de quoi ravir l'automobiliste allergique à la surabondance de touches tactiles.

Le comportement routier aussi est louable. La servodirection est bien dosée, il n'y a pas de roulis et la suspension masque les défauts du revêtement

efficacement, malgré l'humble poutre de torsion à l'arrière. Le moteur de 2 litres répond énergiquement aux sollicitations et la boîte automatique à variation continue limite les surrégimes irritants. Les nostalgiques peuvent même s'offrir une manuelle à 6 rapports avec l'Elantra d'entrée de gamme. Cela dit, des bruits de caisse parasites signalent une insonorisation perfectible.

Pour la première fois au Canada, cette compacte populaire joue la carte de l'électrification. Cette riposte évidente à la Toyota Corolla hybride mise sur la motorisation hybride non branchable de l'IONIQ. Comparativement à une Elantra ordinaire, cette voiture réalise une consommation moyenne environ 30 % inférieure grâce à l'action combinée d'un moteur à essence de 1,6 litre et du moteur électrique alimenté par une batterie de 1,3 kWh. Son rendement écoénergétique est comparable à celui de la Toyota. Toutefois, l'Elantra bénéficie d'une puissance supérieure (18 chevaux), d'une suspension arrière indépendante plus souple et d'une boîte automatique à 6 rapports très discrète.

## SPORTIVE

Hyundai offre non pas une, mais deux Elantra survitaminées. Chacune arbore le N stylisé de sa division de sport automobile, qui assure également le développement de modèles de performance. Cela se traduit d'abord par l'Elantra N Line, qui se compare à une Jetta GLI. Son moteur turbo de 1,6 litre et 201 chevaux est jumelé à une boîte automatique à double embrayage à 7 rapports. Comme l'hybride, elle possède une suspension indépendante, mais plus ferme. À cela s'ajoutent des roues en alliage de 18 pouces et des disques de freins avant plus grands, de même que des sièges plus moulants, un volant gainé de cuir perforé et un pédalier tout alu.

Et pour 2022, il y a plus. L'Elantra N, elle, cible les férus de haute performance songeant à une Subaru WRX ou à une Honda Civic Type R. Cette petite bombe partage le 4 cylindres turbo de 2 litres des Kona N et Veloster N. Il transmet aux roues avant 75 chevaux de plus qu'une Elantra N Line via une boîte manuelle à 6 rapports ou une automatique à double embrayage (8 rapports). Avec ses roues de 19 pouces chaussées de Michelin Pilot Sport 4S, une suspension encore plus ferme et des disques de freins encore plus grands, elle pourrait taquiner les circuits selon son constructeur. En tout cas, la sonorité gutturale de son double échappement et l'aileron arrière surélevé l'évoquent sans ambages !

### Données principales

| | |
|---|---|
| Emp. / lon. / lar. / haut. | 2 720 / 4 675 / 1 825 / 1 415 à 1 420 mm |
| Coffre / réservoir | 402 litres / 42 à 47 litres |
| Nombre de passagers | 5 |
| Suspension av. / arr. | Essential-Preferred-Ultim. - ind., jambes force / semi-ind., poutre torsion |
| | Hybride-N Line-N - ind. jambes de force / ind. multibras |
| Pneus avant / arrière | Essential - P195/65R15 / P195/65R15 |
| | Preferred - P205/55R16 / P205/55R16 |
| | Ultimate - P225/45R17 / P225/45R17 |
| | N Line - P235/40R18 / P235/40R18 |
| | N - P245/35R19 / P245/35R19 |
| Poids / Capacité de remorquage | 1 236 à 1 370 kg / non recommandé |

### Composantes mécaniques

**ESSENTIAL, PREFERRED, ULTIMATE**

| | |
|---|---|
| Cylindrée, alim. | 4L 2,0 litres atmos. |
| Puissance / Couple | 147 ch / 132 lb-pi |
| Tr. base (opt) / Rouage base (opt) | M6 (CVT) / Tr |
| 0-100 / 80-120 / V. max | 8,3 s (m) / 5,8 s (m) / n.d. |
| 100-0 km/h | 38,8 m (m) |
| Type / ville / route / CO$_2$ | Man - Ord / 9,1 / 6,3 / 185 g/km |
| | Auto - Ord / 7,6 / 5,7 / 158g/km |

**HYBRIDE**

| | |
|---|---|
| Cylindrée, alim. | 4L 1,6 litre atmos. |
| Puissance / Couple | 104 ch / 109 lb-pi |
| Tr. base (opt) / Rouage base (opt) | A6 / Tr |
| Type / ville / route / CO$_2$ | Ord / 4,5 / 4,2 / 103 g/km |
| Puissance combinée | 139 ch |

**MOTEUR ÉLECTRIQUE**

| | |
|---|---|
| Puissance / Couple | 43 ch (32 kW) / 125 lb-pi |
| Type de batterie | Lithium-ion polymère (Li-Po) |
| Énergie | 1,3 kWh |

**N LINE**

| | |
|---|---|
| Cylindrée, alim. | 4L 1,6 litres turbo |
| Puissance / Couple | 201 ch / 195 lb-pi |
| Tr. base (opt) / Rouage base (opt) | A7 / Tr |
| 0-100 / 80-120 / V. max | 7,7 s (m) / 5,2 s (m) / n.d. |
| Type / ville / route / CO$_2$ | Ord / 8,4 / 6,6 / 179 g/km |

**N**

| | |
|---|---|
| Cylindrée, alim. | 4L 2,0 litres turbo |
| Puissance / Couple | 276 ch / 289 lb-pi |
| Tr. base (opt) / Rouage base (opt) | M6 (A8) / Tr |
| 0-100 / 80-120 / V. max | 5,3 s (c) / n.d. / 250 km/h (c) |
| Type / ville / route / CO$_2$ | Sup / n.d. / n.d. / n.d. |

➕ Gamme très diversifiée • Conduite agréable (versions populaires et hybrides) • Habitacle spacieux • Variantes hybrides et sportives attrayantes chacune à leur façon

➖ Bruits parasites provenant de la suspension et du châssis • Ouverture courte et seuil élevé du coffre • Finition perfectible

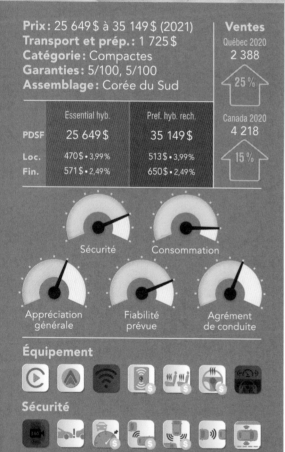

**Prix :** 25 649 $ à 35 149 $ (2021)
**Transport et prép. :** 1 725 $
**Catégorie :** Compactes
**Garanties :** 5/100, 5/100
**Assemblage :** Corée du Sud

**Ventes**
Québec 2020
**2 388**
↑ 25 %

Canada 2020
**4 218**
↑ 15 %

| | Essential hyb. | Pref. hyb. rech. |
|---|---|---|
| PDSF | 25 649 $ | 35 149 $ |
| Loc. | 470 $ • 3,99 % | 513 $ • 3,99 % |
| Fin. | 571 $ • 2,49 % | 650 $ • 2,49 % |

Sécurité    Consommation

Appréciation générale    Fiabilité prévue    Agrément de conduite

**Équipement**

**Sécurité**

**Concurrents**
Honda Insight, Toyota Prius

**Nouveau en 2022**
Retrait de l'IONIQ électrique.
Avenir incertain pour ce modèle.

# Vers la bretelle de sortie

Germain Goyer

**D**ans le domaine de la voiture électrifiée, les avancées sont si rapides qu'un véhicule peut être désuet sur le plan technique en un claquement de doigts. On observe un phénomène similaire dans le domaine de la téléphonie cellulaire. Qui veut d'un iPhone 4 en 2022 ? Pas grand monde... Même chose pour l'automobile électrique. Qui voudrait une Nissan Leaf de première génération en 2022 ? Très peu de gens également. Si l'IONIQ était encore pertinente il y a un an ou deux, elle est de plus en plus dépassée par la concurrence et par les autres produits du même constructeur. On imagine même qu'elle pourrait être éliminée avant d'avoir le temps de finir la lecture du présent texte.

En entrée de gamme, on retrouve une version hybride. Jumelant une batterie de 1,6 kWh à un moteur à essence de 1,6 litre, elle permet d'obtenir une consommation d'environ 4 L/100 km. Voilà qui est bien intéressant. Son mandat est carrément de rivaliser avec des hybrides comme la Toyota Prius.

Au second rang, on retrouve l'IONIQ hybride rechargeable qui propose une approche comparable à celle de la Toyota Prius Prime. Dans son cas, le moteur à essence de 1,6 litre demeure, mais la capacité de la batterie passe à 8,9 kWh, ce qui permet de parcourir jusqu'à 47 kilomètres en mode tout électrique lorsque les conditions sont optimales. Si certains perçoivent la technologie hybride rechargeable comme une option de transition, celle-ci demeure pertinente pour plusieurs automobilistes. Le consommateur moyen peut effectuer la majeure partie de ses trajets quotidiens grâce à l'électricité et le moteur à essence survient en renfort pour les plus longues distances. L'IONIQ hybride rechargeable est éligible à un crédit de 4 000 $ de la part du provincial et de 2 500 $ du fédéral.

Jusqu'en 2021, une troisième version 100 % électrique était disponible. Mais l'arrivée de l'IONIQ 5 a logiquement changé les plans chez Hyundai. Il faut reconnaître qu'avec une batterie de 38,3 kWh lui permettant de parcourir jusqu'à 274 km avec une seule charge, l'IONIQ électrique peinait à rivaliser face à une concurrence qui a nettement augmenté son autonomie au fil des années. Au moins, son prix était inférieur de plusieurs milliers de dollars à ceux pratiqués par la concurrence. Mais lorsqu'on jette un œil à l'offre des concurrents, comme la Bolt EV, qui propose une autonomie de 417 km pour

un prix d'entrée dépassant à peine les 40 000 $, on réalise que l'IONIQ électrique n'était plus du tout dans la course.

## OUBLIEZ LA LOCATION

Peu importe le groupe motopropulseur que vous choisirez (hybride ou hybride rechargeable), vous profiterez d'une ergonomie pratiquement sans faille. Chaque bouton est judicieusement positionné et tout se situe à portée de main. Le confort de roulement, grâce à des suspensions bien calibrées, fait également partie des points forts de l'IONIQ. Par contre, il faut savoir que la visibilité arrière laisse à désirer, notamment en raison de la configuration de son hayon et de l'épaisseur des piliers C. Et si le modèle électrique proposait des performances convaincantes, les modèles hybrides traînent un peu plus la patte. Les accélérations et les reprises sont suffisantes pour un usage quotidien, mais n'espérez pas ressentir le grand frisson à leur volant.

Il n'est pas rare que lorsqu'on projette l'extinction d'un modèle et que celui-ci est technologiquement dépassé, sa location soit peu avantageuse. Logiquement, on comprend très bien le constructeur et les concessionnaires qui ne veulent pas voir revenir les véhicules dans trois ou quatre ans et être forcés de les vendre d'occasion, à perte, la technologie ayant de nouveau progressé. Ainsi, au moment d'écrire ces quelques lignes, le taux d'intérêt est de 2,49 % pour un financement échelonné sur 60 mois. En revanche, en location, le taux s'élève à 3,99 %, ce qui n'est pas du tout alléchant. Sachant que la version actuelle est en fin de carrière et que la concurrence l'a surpassée à bien des niveaux, vous avez raison de croire que votre pouvoir de négociation est grand si des unités sont toujours présentes dans l'inventaire des concessionnaires.

## D'UN MODÈLE À UNE SOUS-MARQUE

Avec trois déclinaisons portant le même nom, Hyundai a fait connaître l'appellation IONIQ... en plus de créer la confusion chez les consommateurs. En effet, le constructeur coréen a signifié ses intentions de transformer IONIQ en une sous-marque. Et c'est dans cette vision qu'arrive la IONIQ 5 cette année.

Pourtant, la Hyundai IONIQ poursuit sa route en portant le même nom en 2022. Histoire de mettre encore mieux la table pour l'arrivée de cette entité, Hyundai aurait-il eu intérêt à baptiser « Kona IONIQ » son petit utilitaire électrique ? Absolument. Une occasion ratée.

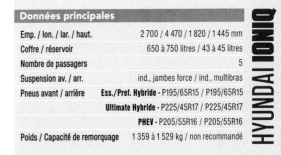

### Données principales

| | |
|---|---|
| Emp. / lon. / lar. / haut. | 2 700 / 4 470 / 1 820 / 1 445 mm |
| Coffre / réservoir | 650 à 750 litres / 43 à 45 litres |
| Nombre de passagers | 5 |
| Suspension av. / arr. | ind., jambes force / ind., multibras |
| Pneus avant / arrière | **Ess./Pref. Hybride** - P195/65R15 / P195/65R15 |
| | **Ultimate Hybride** - P225/45R17 / P225/45R17 |
| | **PHEV** - P205/55R16 / P205/55R16 |
| Poids / Capacité de remorquage | 1 359 à 1 529 kg / non recommandé |

### Composantes mécaniques

**HYBRIDE**

| | |
|---|---|
| Cylindrée, alim. | 4L 1,6 litre atmos. |
| Puissance / Couple | 104 ch / 109 lb-pi |
| Tr. base (opt) / Rouage base (opt) | A6 / Tr |

**MOTEUR ÉLECTRIQUE**

| | |
|---|---|
| Puissance / Couple | 43 ch (32 kW) / 125 lb-pi |
| Type de batterie | Lithium-ion polymère (Li-Po) |
| Énergie | 1,6 kWh |
| Puissance combinée | 139 ch |
| 0-100 / 80-120 / V. max | 10,6 s (m) / 7,9 s (m) / 185 km/h (c) |
| 100-0 km/h | 45,4 m (m) |
| Type / ville / route / $CO_2$ | Ord / 4,3 / 4,1 / 99 g/km |

**PHEV**

| | |
|---|---|
| Cylindrée, alim. | 4L 1,6 litre atmos. |
| Puissance / Couple | 104 ch / 109 lb-pi |
| Tr. base (opt) / Rouage base (opt) | A6 / Tr |

**MOTEUR ÉLECTRIQUE**

| | |
|---|---|
| Puissance / Couple | 60 ch (45 kW) / 125 lb-pi |
| Type de batterie | Lithium-ion polymère (Li-Po) |
| Énergie | 8,9 kWh |
| Puissance combinée | 164 ch |
| Temps de charge (120V / 240V) | n.d. / 2,3 h |
| 0-100 / 80-120 / V. max | 9,8 s (m) / 7,5 s (m) / 178 km/h (c) |
| 100-0 km/h | 45,4 m (est) |
| Type / ville / route / $CO_2$ | Ord / 4,5 / 4,6 / 46 g/km |
| Autonomie | 47 km |

**+** Très faible consommation • Format pratique en milieu urbain • Ergonomie sans faille

**—** Modèle assurément en fin de vie • Location très peu intéressante

Photos : Hyundai

**Prix:** 44 900 $ à 60 000 $ (estimé)
**Transport et prép.:** n.d.
**Catégorie:** Électriques
**Garanties:** n.d.
**Assemblage:** Corée du Sud

**Ventes**
Québec 2020
n.d.

Canada 2020
n.d.

PDSF
n.d.
Loc.
Fin.

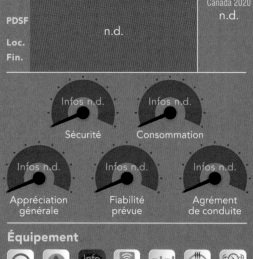

Infos n.d.
Sécurité

Infos n.d.
Consommation

Infos n.d.
Appréciation générale

Infos n.d.
Fiabilité prévue

Infos n.d.
Agrément de conduite

## Équipement

Info n.d.

## Sécurité

Info n.d.

## Concurrents
Chevrolet Bolt EUV, Ford Mustang Mach-E, Mazda MX-30, Nissan Ariya, Tesla Model Y, Volkswagen ID.4, Volvo C40/XC40 Recharge

## Nouveau en 2022
Nouveau modèle.

# Ça sent le coup de circuit

Frédéric Mercier

L'offre de véhicules électriques a carrément explosé ces dernières années. C'est particulièrement vrai en 2022, où l'on attend une panoplie de modèles avec impatience. C'est le cas de l'IONIQ 5 de Hyundai.

Hyundai n'en est pas à ses premiers pas dans le créneau des véhicules électriques. Le constructeur coréen s'est rapidement imposé avec des modèles comme le Kona électrique et l'IONIQ. Maintenant, on souhaite aller encore plus loin en créant une famille de véhicules électriques qui porteront tous l'appellation IONIQ, justement. On lance le bal cette année avec l'IONIQ 5, lequel répond, sur papier, aux principaux critères des consommateurs canadiens: une garde au sol élevée, une autonomie généreuse et l'option d'un rouage à quatre roues motrices. Si la gamme de prix demeure raisonnable, Hyundai pourrait bien frapper un solide coup de circuit.

### PLUS GROS QU'IL N'Y PARAÎT
Tous les goûts sont dans la nature, mais on ne peut s'empêcher de souligner le joli travail réalisé sur le design de ce nouveau modèle. Contrairement à la majorité des autres véhicules électriques actuellement sur la route, l'IONIQ 5 présente une carrosserie aux angles plutôt affutés. On aime également les phares et les feux rectangulaires en «pixels», qui le différencient grandement des autres modèles de la marque.

Si les images peuvent laisser croire à une voiture assez compacte comparable à une petite Volkswagen Golf, sachez que c'est loin d'être le cas. L'IONIQ 5 affiche des dimensions similaires à celles du VUS compact Tucson, alors que l'empattement de 3 mètres dépasse celui du gros Palisade! D'ailleurs, Hyundai nous le présente comme un véhicule utilitaire compact, et non pas comme une voiture. Disons que la ligne est plutôt mince...

L'espace intérieur est très vaste, d'autant plus que Hyundai a aéré l'habitacle en optant pour un style très minimaliste. Avec un volume de 3 015 litres pour les occupants, l'IONIQ 5 s'avère théoriquement plus spacieux que les Ford Mustang Mach-E et Volkswagen ID.4, deux concurrents avec lesquels il rivalisera directement. On retrouve un plancher plat entre les deux sièges avant qui permet d'aller d'un bout à l'autre du véhicule sans embûche. Derrière le poste de conduite, on a remplacé les cadrans traditionnels par un écran numérique collé à un autre écran de même dimension qui intègre

le système d'infodivertissement. Le tout crée un ensemble qui rappelle drôlement l'habitacle de certains modèles de Mercedes-Benz. Hyundai a heureusement pris soin de conserver plusieurs boutons physiques à bord, notamment pour contrôler le chauffage et la climatisation.

## DEUX BATTERIES AU MENU

Le Hyundai IONIQ 5 2022 se commande avec un choix de deux batteries. La première, d'une capacité de 58 kWh, s'associe uniquement à une configuration à roues motrices arrière, pour une autonomie annoncée de 354 km. Il est aussi possible de choisir une batterie optionnelle de 77,4 kWh, laquelle fournit une autonomie capable d'atteindre 480 km (deux roues motrices). L'IONIQ 5 est aussi livrable avec une architecture à deux moteurs, l'un à l'avant et l'autre à l'arrière, qui lui confère *de facto* un rouage à quatre roues motrices. Dans ce cas-ci, l'autonomie passe à 435 km. Sans être mirobolants, ces chiffres se comparent bien à ceux des rivaux directs de l'IONIQ 5, à l'exception du Tesla Model Y, qui demeure la référence avec son autonomie annoncée de plus de 500 km.

En ce qui concerne la recharge, l'IONIQ 5 se branche à des bornes allant jusqu'à 800 volts. On peut ainsi théoriquement passer de 10 % à 80 % du chargement en seulement 18 minutes (avec une recharge de 350 kW). Les performances sont aussi au rendez-vous avec une puissance totale de 320 chevaux et 446 lb-pi de couple (quatre roues motrices), ce qui permet de boucler le 0 à 100 km/h en 5,2 secondes.

Au moment de mettre sous presse, il nous manquait une information cruciale afin de bien mesurer l'ampleur de l'engouement que pourrait connaitre ce modèle : son prix. Un représentant de Hyundai Canada nous a assuré que les subventions gouvernementales ne dictaient pas la stratégie de prix du constructeur, mais permettez-nous d'en douter. Il ne serait pas surprenant que son prix de base se situe juste en dessous de 45 000 $, ce qui le rendrait éligible à une subvention fédérale de 5 000 $ ainsi qu'à un crédit de 8 000 $ au Québec.

Enfin, il restera à voir si Hyundai saura suffire à la demande. De nombreux véhicules électriques rebutent les consommateurs en raison d'une trop longue liste d'attente. Si l'IONIQ 5 est disponible dans des délais raisonnables et que son prix lui permet d'être éligible aux subventions en vigueur, habituez-vous à son design. Parce que vous risquez de le voir souvent !

## HYUNDAI IONIQ 5

### Données principales

| | |
|---|---|
| Emp. / lon. / lar. / haut. | 3 000 / 4 635 / 1 890 / 1 605 mm |
| Coffre | 770 à 1 680 litres |
| Nombre de passagers | n.d. |
| Suspension av. / arr. | n.d. / ind., multibras |
| Pneus avant / arrière | n.d. / n.d. |
| Poids / Capacité de remorquage | 1 920 à 2 060 kg / 680 kg (1 500 lb) |

### Composantes mécaniques

**PROPULSION AUTONOMIE STANDARD**

| | |
|---|---|
| Puissance / Couple | 225 ch (168 kW) / 258 lb-pi |
| Tr. base (opt) / Rouage base (opt) | n.d. / Prop |
| 0-100 / 80-120 / V. max | 8,5 sec. (c) / n.d. / 185 km/h (c) |
| Type de batterie | Lithium-ion (Li-ion) |
| Énergie | 58,0 kWh |
| Temps de charge (120V / 240V) | n.d. / n.d. |
| Autonomie | 354 km (est) |

**PROPULSION AUTONOMIE LONGUE**

| | |
|---|---|
| Puissance / Couple | 225 ch (168 kW) / 258 lb-pi |
| Tr. base (opt) / Rouage base (opt) | n.d. / Prop |
| 0-100 / 80-120 / V. max | 7,4 (c) / n.d. / 185 km/h (c) |
| Type de batterie | Lithium-ion (Li-ion) |
| Énergie | 77,4 kWh |
| Temps de charge (120V / 240V) | n.d. / n.d. |
| Autonomie | 480 km (est) |

**TI AUTONOMIE LONGUE**

| | |
|---|---|
| Puissance / Couple moteur AV | 100 ch (75 kW) / 200 lb-pi |
| Puissance / Couple moteur AR | 225 ch (168 kW) / 258 lb-pi |
| Puissance / Couple combinés | 320 ch / 446 lb-pi |
| Tr. base (opt) / Rouage base (opt) | n.d. / Int |
| 0-100 / 80-120 / V. max | 5,2 s (c) / n.d. / 185 km/h (c) |
| Type de batterie | Lithium-ion (Li-ion) |
| Énergie | 77,4 kWh |
| Temps de charge (120V / 240V) | n.d. / n.d. |
| Autonomie | 435 km |

**+** Autonomie généreuse •
Design réussi •
Rouage intégral offert

**—** Disponibilité incertaine

**Prix:** 21 299 $ à 49 199 $ (2021)
**Transport et prép.:** 1 825 $
**Catégorie:** VUS sous-compacts
**Garanties:** 5/100, 5/100
**Assemblage:** Corée du Sud

**Ventes**

Québec 2020
**12 298**

⬆ 7 %

| | Essential | N Line TI | EV Ultimate |
|---|---|---|---|
| PDSF | 21 999 $ | 28 099 $ | 49 199 $ |
| Loc. | 331 $ • 3,99 % | 412 $ • 3,99 % | n.d. |
| Fin. | 498 $ • 2,49 % | 623 $ • 2,69 % | 837 $ • 3,19 % |

Canada 2020
**26 641**

⬆ 3 %

Sécurité · Consommation

Appréciation générale · Fiabilité prévue · Agrément de conduite

**Équipement**

**Sécurité**

**Concurrents**

Buick Encore GX, Chevrolet Trailblazer/Bolt EUV, Fiat 500X, Ford EcoSport, Honda HR-V, Kia Niro/Seltos, Mazda CX-30, Mitsubishi Eclipse Cross/RVR, Nissan Qashqai, Subaru Crosstrek, Volkswagen Taos

**Nouveau en 2022**

Retouches esthétiques, moteur 1.6T plus puissant, nouvelle boîte IVT, versions N, nouvelles caractéristiques de sécurité.

# Pour demeurer au sommet

Antoine Joubert

**D**epuis son arrivée, en 2018, le Kona gravite au sommet des ventes des VUS sous-compacts, un segment en forte progression, où la compétition est plus féroce que jamais. Rien que cette année débarquent d'ailleurs les nouveaux Toyota Corolla Cross et Volkswagen Taos, lesquels seront suivis prochainement par le Nissan Qashqai et le Honda HR-V. Afin de conserver sa position de tête, Hyundai n'avait alors d'autre choix que celui de corriger certains éléments du modèle initial.

Un des avantages incontournables du Kona réside bien sûr en la présence d'une variante électrifiée, ce qu'aucun autre véhicule du segment ne propose. Le Kona jouait donc jusqu'ici sur deux territoires bien distincts, s'ajoutant pour 2022 un troisième mandat. Ce dernier consiste à conquérir le cœur des amateurs de performance avec une version N, atteignant pratiquement la puissance des BMW X2 M35i et Mercedes-AMG GLA 35.

**UNE LETTRE À RETENIR**

N. Voilà la désignation du constructeur coréen pour tout ce qui évoque la performance, un peu comme le S chez Audi. En 2022, vous pourrez ainsi opter pour un Kona N Line à saveur sportive, ou pour le Kona N, dont le niveau de performance atteint une autre dimension. Ce véhicule produit 276 chevaux issus d'un moteur turbo emprunté au coupé Veloster N, et il peut même produire jusqu'à 286 chevaux sur une période de 20 secondes, en sélectionnant le mode *N Grin* de la transmission. La boîte retenue est une séquentielle à double embrayage qui compte 8 rapports.

Capable, selon Hyundai, de boucler le 0 à 100 km/h en 5,5 secondes, cette version haute performance est hélas dépourvue du rouage intégral ! Voilà qui en décevra plus d'un, bien que dans les faits, le Kona N puisse être comparé à une voiture sport à hayon. En effet, ce dernier ne dépasse la Volkswagen Golf GTI que de quelques centimètres en hauteur.

Avec une motorisation 1,6 litre turbo optimisée à 195 chevaux pour 2022 (175 dans le modèle sortant), les déclinaisons N Line et Ultimate surpassent les performances de l'ensemble de la compétition, exception faite du Mazda CX-30 à moteur turbo, qui peut grimper jusqu'à 250 chevaux. Les 20 chevaux gagnés apportent un nouveau souffle au modèle, qui se distance encore davantage des versions régulières. Autrement, le moteur 2 litres de

147 chevaux effectue un retour sans changement technique. On le jumelle en revanche à la boîte IVT, reprenant ainsi l'ensemble des composantes offertes sur le Kia Seltos. Espérons toutefois que les problèmes de fiabilité associés au 2 litres, au turbocompresseur du moteur de 1,6 litre ainsi qu'à la boîte IVT soient résolus. Ces derniers ont causé nombre d'irritants, autant chez Hyundai que chez Kia, au cours des dernières années.

Bien que l'originalité de son design le rendait sympathique, plusieurs n'appréciaient guère ces imposants renflements de plastique qui surplombaient phares et feux arrière. Les stylistes de Hyundai ont donc remodelé pare-chocs, phares et roues, raffinant et modernisant ainsi l'allure du Kona. Pour la version N Line, on a aussi opté pour une allure monochrome, ajoutant au passage des jupes de bas de caisse qui diffèrent de celles du Kona électrique.

Loin d'être aussi spacieux que son proche cousin, le Kia Seltos, le Kona propose néanmoins une position de conduite agréable et une ergonomie d'ensemble à citer en exemple. On adopte d'ailleurs, pour 2022, de nouveaux systèmes multimédia sur des écrans tactiles de 8 ou 10,25 pouces, où s'ajoutent nombre de fonctions. Sachez également que Hyundai optimise, cette année, l'offre de ses éléments de sécurité, le Kona accusant jusqu'ici un certain retard en la matière.

### UN CHOC POUR LE KONA ÉLECTRIQUE ?

Offert en trois déclinaisons, le Kona électrique fait face au Chevrolet Bolt EUV, son plus proche rival, dont le prix d'entrée est plus faible de près de 3 500 $. L'exercice de comparaison en vaut néanmoins la chandelle puisque ces deux véhicules figurent parmi les plus talentueux du marché. Est-ce que Hyundai se montrera conséquemment plus agressif pour ce qui est des prix et des promotions ? La réponse se concrétisera au cours de l'année 2022...

Parfaitement adaptée aux besoins des acheteurs, la gamme Kona est large, innovatrice et on ne peut plus intéressante. La garantie de base de cinq ans constitue également un atout, rassurant la clientèle à propos des problèmes de moteur et de transmission rencontrés ces dernières années. *Le Guide de l'auto* recommande donc l'achat de ces véhicules si vous souhaitez les conserver pendant la période de garantie. Nous émettons toutefois une réserve quant à la durabilité de certains éléments mécaniques, du moins, jusqu'à ce que l'histoire ait prouvé qu'il s'agit d'un problème du passé.

**+** Mise à jour esthétique réussie • Vaste gamme de modèles • Agrément de conduite étonnant • Rapport équipement/prix

**–** Fiabilité (moteurs et transmissions) • Rendement de la boîte à double embrayage • Pas de rouage intégral pour les Kona N et électriques • Moins d'espace qu'avec le Kia Seltos

## Données principales

| | |
|---|---|
| Emp. / lon. / lar. / haut. | 2 600 / 4 215 / 1 800 / 1 565 à 1 575 mm |
| Coffre / réservoir | 544 à 1 296 litres / 50 litres |
| Nombre de passagers | 5 |
| Suspension av. / arr. | ind., jambes force / semi-ind., poutre torsion |
| Pneus avant / arrière | **Essential** - P205/60R16 / P205/60R16 |
| | **Preferred-electric** - P215/55R17 / P215/55R17 |
| | **N Line** - P235/45R18 / P235/45R18 |
| Poids / Capacité de remorquage | 1 315 à 1 685 kg / non recommandé |

## Composantes mécaniques

### 2.0L ESSENTIAL, 2.0L PREFERRED

| | |
|---|---|
| Cylindrée, alim. | 4L 2,0 litres atmos. |
| Puissance / Couple | 147 ch / 132 lb·pi |
| Tr. base (opt) / Rouage base (opt) | CVT / Tr (Int) |
| 0-100 / 80-120 / V. max | 10,0 s (est) / n.d. / 194 km/h (est) |
| Type / ville / route / $CO_2$ | **Traction** - Ord / 8,0 / 6,6 / 174 g/km |
| | **Int** - Ord / 8,5 / 7,2 / 187 g/km |

### 1.6T N-LINE, 1.6T ULTIMATE TI

| | |
|---|---|
| Cylindrée, alim. | 4L 1,6 litre turbo |
| Puissance / Couple | 195 ch / 195 lb·pi |
| Tr. base (opt) / Rouage base (opt) | A7 / Int |
| 0-100 / 80-120 / V. max | 7,5 (est) / 5,5 (est) / n.d. |
| 100-0 km/h | 40,5 m (est) |
| Type / ville / route / $CO_2$ | Ord / 8,8 / 7,4 / 193 g/km |

### ÉLECTRIQUE

| | |
|---|---|
| Puissance / Couple | 201 ch (150 kW) / 290 lb·pi |
| Tr. base (opt) / Rouage base (opt) | Rapport fixe / Tr |
| 0-100 / 80-120 / V. max | 6,9 s (m) / 5,0 s (m) / 167 km/h (c) |
| 100-0 km/h | 41,4 m (m) |
| Consommation équivalente | 2,0 Le/100 km |
| Type de batterie | Lithium-ion polymère (Li-Po) |
| Énergie | 64,0 kWh |
| Temps de charge (120V / 240V) | n.d. / 9,5 h |
| Autonomie | 415 km |

### KONA N

| | |
|---|---|
| Cylindrée, alim. | 4L 2,0 litres turbo |
| Puissance / Couple | 276 ch / 289 lb·pi |
| Tr. base (opt) / Rouage base (opt) | A8 / Int |
| 0-100 / 80-120 / V. max | 5,5 sec (c) / n.d. / 240 km/h (c) |
| Type / ville / route / $CO_2$ | n.d. |

Photos : Hyundai

**Prix:** 71 000 $ à 73 500 $ (2021)
**Transport et prép.:** 1 925 $
**Catégorie:** Électriques
**Garanties:** 5/100, 5/100
**Assemblage:** Corée du Sud

**Ventes**
Québec 2020
n.d.

|  | Preferred | Ultimate |
|---|---|---|
| PDSF | 71 000 $ | 73 500 $ |
| Loc. | n.d. | n.d. |
| Fin. | 1 530 $ • 3,28 % | 1 582 $ • 3,28 % |

Canada 2020
6
↓ 33 %

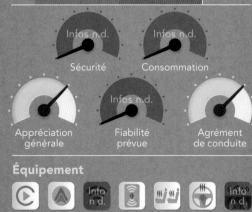

Infos n.d. — Sécurité
Infos n.d. — Consommation
Appréciation générale
Infos n.d. — Fiabilité prévue
Agrément de conduite

**Équipement**

**Sécurité**

**Concurrents**
Toyota Mirai

**Nouveau en 2022**
Aucun changement majeur annoncé
au moment de mettre sous presse.

# L'anachronisme qui perdure

Guillaume Rivard

**H**yundai est un bel exemple d'un constructeur automobile qui ne veut pas mettre tous ses œufs dans le même panier, surtout quand il est question d'alternatives au moteur à combustion. D'une part, les modèles hybrides et hybrides rechargeables commencent à se multiplier au sein de sa gamme. D'autre part, une nouvelle génération de véhicules électriques menée par l'IONIQ 5 s'amène avec la ferme intention de convaincre un grand nombre de sceptiques.

Parallèlement à tout ça, Hyundai maintient sa vision d'une future « société de l'hydrogène » où cette source d'énergie influencerait non seulement notre façon de nous déplacer, mais aussi le fonctionnement de nos infrastructures et des procédés industriels. C'est d'ailleurs le même esprit qui le pousse à s'imaginer au-delà d'un simple fabricant de voitures et plutôt comme un « fournisseur de solutions de mobilité intelligentes », d'où ses investissements dans la robotique et même... les taxis volants !

### PAS DANS LA BONNE ÉPOQUE

Le géant coréen souhaite produire annuellement 500 000 véhicules avec pile à combustible à partir de 2030 — des voitures de tourisme, mais surtout des véhicules commerciaux destinés au transport de marchandises sur de longues distances — soit le quart de la demande mondiale selon ses projections. Hyundai se place déjà comme le chef de file, devant des compagnies telles que Toyota et Honda.

C'est en bonne partie grâce au Nexo, lancé en 2018, un modèle conçu sur une plate-forme exclusive et qui représente la deuxième génération de sa technologie à l'hydrogène. Or, au Canada, la diffusion se fait littéralement au compte-goutte. Vous avez assez de vos dix doigts pour calculer les exemplaires qui ont trouvé preneur en 2019, en 2020 ainsi qu'en 2021. Hyundai peut dire un gros merci aux gouvernements qui osent explorer l'avenue des piles à combustible, monsieur et madame Tout-le-Monde n'étant pas prêts à s'embarquer dans une telle aventure. En passant, le prix du véhicule dépasse les 70 000 $.

On vous pardonne si vous croyez à un mirage en apercevant un Nexo sur la route, mais les stations de ravitaillement accessibles au public sont encore plus rares. Dans la province, la seule station publique qui existe se trouve

à Québec. Deux autres stations doivent voir le jour d'ici mars 2022, une seconde dans la capitale nationale et l'autre à Dorval. Ironiquement, même en nous trouvant à proximité de celle de la Vieille-Capitale, l'écran central du véhicule affichait toujours «Aucune station d'hydrogène n'a été trouvée à portée». Ça en dit long!

Au moins, l'autonomie est très intéressante. Officiellement, c'est 570 km, mais avec un réservoir plein à 98%, l'ordinateur nous donnait 586 km. C'est beaucoup plus que les 415 km du Kona électrique de Hyundai, surtout en hiver car il n'a pas de grosse batterie qui perd de sa capacité à cause du froid. Parlant de l'hiver, si le Nexo séduit par son ravitaillement complet en 5 minutes environ, sachez que le fusil peut rester gelé sur le véhicule momentanément en raison de l'hydrogène pressurisé. C'est un problème qui devra être corrigé éventuellement.

Au fait, combien ça coûte, l'hydrogène? Au moment d'écrire ces lignes, pas moins de 18,60 $/kg. Avec une consommation moyenne de 1,1 kg/100 km, le Nexo oblige donc à dépenser 20,50 $/100 km. Pour un Kona électrique qui affiche une consommation électrique moyenne de de 17,4 kWh/100 km, c'est environ dix fois moins cher que le Nexo.

## PLUSIEURS QUALITÉS ET COMPROMIS

Le Hyundai Nexo est un VUS compact doté d'un habitacle assez spacieux et très confortable, avec un coffre qui s'agrandit de 838 à 1 600 litres en repliant la banquette arrière. Malgré sa vocation d'utilitaire, il n'offre pas de rouage intégral et le remorquage n'est pas recommandé.

En outre, sa lourdeur vient saper le couple généreux de 291 lb-pi, si bien que l'accélération de 0 à 100 km/h prend un peu plus de 9 secondes. La conduite est quand même dynamique et silencieuse dans l'ensemble, comprenez toutefois que ce n'est pas une bombe.

Enfin, le design du Nexo n'a pas changé depuis son lancement. Normal, puisque ça reste un véhicule exploratoire. À bord, les commodités sont nombreuses et sophistiquées. Le double affichage numérique est grand et facile à consulter. En revanche, l'imposant pavé de boutons sur la console et les garnitures tape-à-l'œil gâchent le décor et trahissent l'âge du véhicule.

### Données principales

| | |
|---|---|
| Emp. / lon. / lar. / haut. | 2 789 / 4 670 / 1 859 / 1 631 mm |
| Coffre / réservoir | 838 à 1 600 litres / 157 litres |
| Nombre de passagers | 5 |
| Suspension av. / arr. | ind., jambes force / ind., multibras |
| Pneus avant / arrière | **Preferred** - P225/60R17 / P225/60R17 |
| | **Ultimate** - P245/45R19 / P245/45R19 |
| Poids / Capacité de remorquage | 1 867 kg / non recommandé |

### Composantes mécaniques

| | |
|---|---|
| Puissance / Couple | 161 ch (120 kW) / 291 lb-pi |
| Tr. base (opt) / Rouage base (opt) | Rapport fixe / Tr |
| 0-100 / 80-120 / V. max | 9,2 s (est) / 7,4 s (est) / 179 km/h (c) |
| Consommation équivalente | 4,1 Le/100 km |
| Type de batterie | Lithium-ion polymère (Li-Po) |
| Énergie | 1,6 kWh |
| Autonomie | 570 km |

+ Grande autonomie •
Bon comportement routier •
Habitacle spacieux et
confortable

− Coûts démesurés •
Stations de remplissage
rares • VUS à traction
seulement

Photos : Hyundai

| | Essential | Luxury TI 8P | Calligraphy TI |
|---|---|---|---|
| **Prix :** 39 199 $ à 54 699 $ (2021) | | | |
| **Transport et prép. :** 1 925 $ | | | |
| **Catégorie :** VUS intermédiaires | | | |
| **Garanties :** 5/100, 5/100 | | | |
| **Assemblage :** Corée du Sud | | | |

**Ventes**
Québec 2020
1 040
73 %

Canada 2020
7 279
89 %

| | Essential | Luxury TI 8P | Calligraphy TI |
|---|---|---|---|
| PDSF | 39 199 $ | 50 399 $ | 54 699 $ |
| Loc. | 653 $ • 3,99% | 780 $ • 3,99% | 878 $ • 3,99% |
| Fin. | 852 $ • 2,49% | 1 080 $ • 2,49% | 1 168 $ • 2,49% |

Sécurité  Consommation

Appréciation générale  Fiabilité prévue  Agrément de conduite

**Équipement**

**Sécurité**

**Concurrents**
Chevrolet Traverse, Dodge Durango, Ford Explorer, GMC Acadia, Honda Pilot, Kia Telluride, Mazda CX-9, Nissan Pathfinder, Subaru Ascent, Toyota Highlander, Volkswagen Atlas

**Nouveau en 2022**
Aucun changement majeur annoncé au moment de mettre sous presse.

# Au-delà des apparences

Daniel Melançon

L e Hyundai Palisade est arrivé sur nos routes en 2020, ce qui en fait un modèle encore tout jeune sur le marché. Pourtant, les rumeurs de refonte esthétique vont déjà bon train.

Pourquoi de telles discussions deux ans seulement après son lancement ? Il faut croire que le design du Palisade, qui ne fait vraiment pas l'unanimité, aurait avantage à être revu selon certains. Qu'à cela ne tienne, le VUS intermédiaire coréen nous revient sans changement majeur pour l'année-modèle 2022, même si l'on peut s'attendre à quelques modifications en cours d'année, probablement pour le millésime 2023. Les changements devraient toutefois demeurer esthétiques, ce qui veut donc dire que le confort sera encore au rendez-vous à bord de l'habitacle, qui propose trois rangées de sièges et de la place pour huit passagers. Rappelons que le Palisade est venu remplacer le Santa Fe XL, devenant du même coup le plus gros véhicule jamais commercialisé par Hyundai sur notre continent.

### PRESQUE COMME UN TELLURIDE

En jetant un œil au Palisade, il se peut que vous voyiez des ressemblances avec le Kia Telluride. En fait, il s'agit de son cousin puisque les deux modèles partagent la même plateforme et le même moteur. On retrouve donc le même V6 de 3,8 litres développant 291 chevaux et 262 lb-pi de couple. Une boîte à 8 rapports se charge de gérer le tout, et le rouage intégral demeure une option sur le modèle d'entrée de gamme. Sa capacité de remorquage s'élève à 5 000 lb, égale à celle du Kia Telluride.

Sur la route, le comportement routier du Palisade se veut à la fois convaincant et rassurant. Les accélérations sont amplement suffisantes, tout comme les reprises après de brefs ralentissements. Il ne faut pas s'attendre non plus à une direction très précise. Celle-ci est juste, mais ne vous apportera aucun sentiment de sportivité ou de communion avec la route. C'est de toute manière le constat de plusieurs véhicules dans cette catégorie. Perché bien haut à bord de ce mastodonte, on se sent en sécurité et les déplacements s'avèrent agréables, même sur de longs trajets. La suspension, bien adaptée à son gabarit, permet d'obtenir un roulement doux. En fait de consommation de carburant, sachez que le Palisade brûle environ 11 L/100 km sur les grands axes rapides. En ville, il peut engloutir près de 15 L/100 km selon votre type de conduite.

Le rouage intégral fait pour sa part un bon travail, même s'il brille par son absence sur la version de base. Avec un véhicule de ce gabarit vendu dans un marché comme le nôtre, où l'hiver s'éternise, on s'explique difficilement pourquoi Hyundai propose une version à deux roues motrices. D'ailleurs, plusieurs de ses concurrents sont livrés de série avec le rouage intégral...

## LE LUXE À L'HONNEUR

Si l'allure extérieure du Palisade ne plait pas à tous, sa présentation intérieure laisse peu de place aux critiques. L'habitacle mise sur des matériaux de qualité et les passagers y trouvent leur aise grâce à un espace abondant, surtout pour les deux premières rangées. Le dégagement est plus restreint pour la troisième, mais l'accès y est facile grâce à un système simplifié qui permet de faire avancer la deuxième rangée à la simple pression d'un bouton. L'espace de chargement de 509 litres (1 297 quand la troisième rangée est rabattue) place le Palisade dans la moyenne de sa catégorie.

Le système multimédia est assez simple d'utilisation, avec un écran de 8 pouces de bonne résolution. Les applications pour téléphones intelligents Apple CarPlay et Android Auto sont offertes de série, tout comme les sièges et le volant chauffants. En choisissant la version Luxury, vous profiterez presque d'une salle de spectacle sur quatre roues puisqu'une chaine audio Harman Kardon s'occupe de faire jouer vos chansons préférées à travers 12 haut-parleurs. Et pour un maximum de luxe et de technologie, la variante Ultimate Caligraphy en met plein la vue avec ses jantes de 20 pouces, ses sièges en cuir Nappa, son panneau d'instrumentation entièrement numérique et son système d'affichage tête haute. Il s'agit carrément du véhicule le plus haut de gamme offert par Hyundai en 2022. Pour trouver mieux dans le même groupe, il faudra regarder du côté de la division de luxe Genesis.

En conclusion, le Hyundai Palisade s'impose comme l'un des leaders de sa catégorie. Il avait d'ailleurs terminé deuxième lors d'un match comparatif organisé par notre équipe dans l'édition 2021 du *Guide de l'auto*. Après tout, il offre du confort, de l'espace, une bonne tenue de route, une finition intérieure de qualité et des performances honnêtes en toutes circonstances. Tout ça pour un prix franchement raisonnable. Avec une calandre différente et peut-être un peu moins de chrome, parions qu'il se démarquerait encore plus brillamment !

### Données principales

| | |
|---|---|
| Emp. / lon. / lar. / haut. | 2 900 / 4 980 / 1 975 / 1 750 mm |
| Coffre / réservoir | 509 à 2 447 litres / 71 litres |
| Nombre de passagers | 7 à 8 |
| Suspension av. / arr. | ind., jambes force / ind., multibras |
| Pneus avant / arrière | **Essential** - P245/60R18 / P245/60R18 |
| | **Preferred-Luxury-Calligraphy** - P245/50R20 / P245/50R20 |
| Poids / Capacité de remorquage | 1 880 à 2 022 kg / 2 268 kg (5 000 lb) |

### Composantes mécaniques

| | |
|---|---|
| Cylindrée, alim. | V6 3,8 litres atmos. |
| Puissance / Couple | 291 ch / 262 lb-pi |
| Tr. base (opt) / Rouage base (opt) | A8 / Tr (Int.) |
| 0-100 / 80-120 / V. max | 7,6 (est) / 5,1 (est) / n.d. |
| Type / ville / route / $CO_2$ | **Tr** - Ord / 11,9 / 8,8 / 250 g/km |
| | **Int** - Ord / 12,3 / 9,6 / 265 g/km |

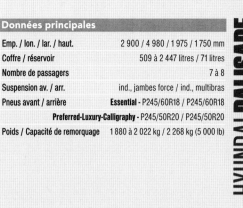

+ Roulement confortable • Habitacle soigné • Bonne intégration technologique

− Look discutable • Rouage intégral en option

**Prix:** 38 499 $ à 44 799 $
**Transport et prép.:** 1 925 $
**Catégorie:** Camionnettes comp.
**Garanties:** n.d.
**Assemblage:** n.d.

**Ventes**
Québec 2020
n.d.

| | Preferred | Trend | Ultimate | |
|---|---|---|---|---|
| **PDSF** | 38 499 $ | 41 399 $ | 44 799 $ | Canada 2020 n.d. |
| **Loc.** | n.d. | n.d. | n.d. | |
| **Fin.** | 885 $ • 4,90% | 940 $ • 4,90% | 1 013 $ • 4,90% | |

Infos n.d. | Sécurité
Consommation
Appréciation générale | Fiabilité prévue | Infos n.d.
Agrément de conduite

**Équipement**

**Sécurité**

**Concurrents**
Ford Maverick, Honda Ridgeline

**Nouveau en 2022**
Nouveau modèle.

# Camionnette à la sauce coréenne

Frédéric Mercier

**P**our une première fois sur notre continent, un constructeur coréen se lance dans le créneau des camionnettes en 2022. Pour l'occasion, Hyundai nous propose un nouveau modèle qui n'a rien à voir avec les camions que l'on connaît.

En raison de son format compact et son allure excentrique, vous aurez compris que le Hyundai Santa Cruz n'est pas une camionnette comme les autres. En fait, son unique compétiteur direct est le Ford Maverick, lui aussi tout nouveau en 2022. On assiste donc au retour des camionnettes de plus petit format. Il faut dire que les modèles intermédiaires comme le Toyota Tacoma ou le Ford Ranger ont beaucoup grossi au fil des années. Hyundai prend donc le pari que certains consommateurs désirent conduire un véhicule avec une caisse à l'arrière, mais qu'ils ne souhaitent pas s'encombrer d'un véhicule corpulent et énergivore.

### DES AIRS DE TUCSON

Hyundai n'a pas cherché trop loin pour trouver l'inspiration du design de ce nouveau Santa Cruz. Les phares à DEL intégrés dans la calandre rappellent immédiatement le Tucson de nouvelle génération, avec lequel le Santa Cruz partage d'ailleurs son architecture. Contrairement à la grande majorité des camionnettes, ce nouveau venu coréen fait donc appel à une structure monocoque au lieu d'un traditionnel châssis en échelle. Cela fait en sorte que la conduite se veut beaucoup plus confortable que dans une camionnette régulière.

Dès les premiers tours de roue, on en vient à oublier la boîte à l'arrière et à se croire dans un véhicule utilitaire compact. Les similarités avec le Tucson sont nombreuses sur ce point. Idem dans l'habitacle, où tout le tableau de bord est absolument identique à celui du Tucson. Même planche de bord, même système d'infodivertissement, etc. C'est esthétiquement très réussi, mais l'ergonomie pourrait être améliorée. Certaines commandes tactiles nécessitent un degré d'attention assez important, ce qui peut distraire la personne au volant et l'empêcher de garder les yeux sur la route.

À l'arrière, la banquette est relativement confortable et l'espace pour les jambes, adéquat. Sous les sièges, que l'on peut facilement relever, on découvre des compartiments de rangement. La boîte de la camionnette mesure à peine plus de 4 pieds, ce qui limite évidemment ses capacités par

rapport aux camionnettes régulières. Mais rappelons-le, le Santa Cruz ne vise pas la même clientèle. La polyvalence demeure malgré tout intéressante, notamment grâce à l'ajout d'un compartiment de rangement sous la boîte, qui se verrouille automatiquement en même temps que les portières.

## PERFORMANCES IMPRESSIONNANTES

Bien que le Santa Cruz partage plusieurs caractéristiques avec le Tucson, sa motorisation provient plutôt du Santa Fe. On offre un seul moteur sur le marché canadien, soit un bloc à 4 cylindres turbocompressé de 2,5 litres, dont la puissance et le couple s'élèvent à 281 chevaux et 311 lb-pi. Les accélérations sont vives et permettent à ce petit véhicule un plaisir de conduire qu'on n'aurait pas soupçonné à priori.

Pour gérer la puissance de cette mécanique, Hyundai a pris l'audacieuse décision d'utiliser une transmission à double embrayage comptant 8 rapports. En fait, un représentant du constructeur nous a confirmé qu'il s'agit de la même boîte que l'on retrouve chez la très sportive Veloster N! Pourquoi insérer une transmission de voiture sport dans une camionnette? Hyundai assure qu'il s'agissait du meilleur choix à faire afin d'améliorer la consommation de carburant tout en offrant des performances intéressantes. Lors de notre essai, cette transmission a d'ailleurs réalisé un travail irréprochable et l'on n'a senti aucun à-coup lors des déplacements à basse vitesse. Il faut dire que les paramètres ont évidemment été modifiés par rapport à ceux de la Veloster N. Ceci dit, la question de la fiabilité demeure en suspens. Les boîtes à double embrayage ont la réputation d'être plus fragiles et les coûts de réparation peuvent rapidement gonfler.

Malgré son petit gabarit, le Hyundai Santa Cruz promet une capacité de remorquage de 5 000 lb, égale à celle du Honda Ridgeline et supérieure à ce qui est proposé par le Ford Maverick. D'ailleurs, le rouage intégral, offert de série, permettra à toutes les versions du modèle de faire bonne figure en hiver.

Contrairement à Ford, qui joue la carte du bas prix avec son Maverick, Hyundai mise sur un moteur performant et un équipement généreux. La recette ne manque pas d'audace, et notre premier contact réalisé avec ce véhicule nous a démontré qu'il s'agit d'un produit à prendre au sérieux. Reste maintenant à voir s'il y a réellement un marché pour une camionnette de cette taille.

**+** Format intéressant • Bonne capacité de remorquage • Accélérations vives

**—** Système multimédia qui requiert beaucoup d'attention • Fiabilité à prouver

### Données principales

| | |
|---|---|
| Emp. / lon. / lar. / haut. | 3 005 / 4 970 / 1 905 / 1 695 mm |
| Boîte / réservoir | 1 323 mm / n.d. |
| Nombre de passagers | 5 |
| Suspension av. / arr. | ind. jambes de force / ind. multibras |
| Pneus avant / arrière | **Preferred** - P245/60R18 / P245/60R18 |
| | **Ultimate** - P245/50R20 / P245/50R20 |
| Poids / Capacité de remorquage | n.d. / 2 267 kg (5 000 lb) |

### Composantes mécaniques

| | |
|---|---|
| Cylindrée, alim. | 4L 2,5 litres turbo |
| Puissance / Couple | 281 ch / 311 lb-pi |
| Tr. base (opt) / Rouage base (opt) | A8 / Int |
| 0-100 / 80-120 / V. max | n.d. / n.d. / n.d. |
| Type / ville / route / CO$_2$ | Ord. / 12,1 / 8,6 / 250 g/km |

# HYUNDAI **SANTA FE**

★★★⯪ **COTE DU GUIDE**

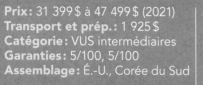

HYBRIDE

**Prix:** 31 399 $ à 47 499 $ (2021)
**Transport et prép.:** 1 925 $
**Catégorie:** VUS intermédiaires
**Garanties:** 5/100, 5/100
**Assemblage:** É.-U., Corée du Sud

**Ventes**
Québec 2020
**2 505**
⬇ **24 %**

Canada 2020
**13 238**
⬇ **21 %**

|  | Essential | Pref. Trend hyb. TI | Calligraphy TI |
|---|---|---|---|
| **PDSF** | 31 399 $ | 41 399 $ | 47 499 $ |
| **Loc.** | 523 $ • 2,99 % | 666 $ • 2,99 % | 746 $ • 2,99 % |
| **Fin.** | 676 $ • 1,49 % | 875 $ • 1,49 % | 996 $ • 1,49 % |

Sécurité  Consommation

Appréciation générale  Fiabilité prévue  Agrément de conduite

## Équipement

## Sécurité

## Concurrents

Chevrolet Blazer, Ford Bronco/Edge, GMC Acadia, Honda Passport, Jeep Grand Cherokee/Wrangler, Kia Sorento, Nissan Murano, Subaru Outback, Toyota 4Runner, Toyota Venza, Volkswagen Atlas Cross Sport

## Nouveau en 2022

Nouvelle version XRT. Arrivée prévue d'une version hybride rechargeable.

# Rationnel à outrance

Julien Amado

**M**odifié pour l'année-modèle 2021, le Hyundai Santa Fe n'a pas connu de révolution. Quelques touches de chrome ici et là, une calandre et des phares redessinés, des feux arrière retouchés ainsi qu'un diffuseur revu, il s'agit davantage d'une révision de milieu de cycle.

Globalement, on retrouve un design plus timide que les dernières créations signées Hyundai (Elantra et Tucson en tête). C'est encore plus vrai quand on le compare à son cousin le Kia Sorento, dont les lignes affirmées montrent plus de caractère.

Le volume de chargement est également moins important à bord du Santa Fe. La différence n'est pas énorme : son coffre peut recevoir 1 032 litres de bagages, là où le Sorento en accepte au moins 1 090. L'écart grandit encore une fois tous les sièges rabattus puisque le Santa Fe affiche une contenance de 2 041 litres, une centaine de moins que son cousin. Dernière différence de taille entre les deux véhicules, la troisième rangée de sièges n'est pas disponible chez Hyundai, même en option. Si vous souhaitez 7 places assises, il faudra obligatoirement vous tourner vers le Palisade.

En dépit de ces irritants, le Santa Fe dispose d'un habitacle spacieux et accueillant. L'espace est amplement suffisant pour des adultes, que ce soit à l'avant ou à l'arrière. Comme de coutume chez Hyundai, on retrouve un système multimédia intuitif et des commandes logiques. Et selon la nouvelle tendance observée chez le constructeur coréen, il n'y a plus de levier de vitesses à droite du conducteur, mais une série de boutons montés sur une console centrale placée en hauteur.

## ESSENCE ET HYBRIDATION AU MENU

Hyundai et Kia faisant partie du même groupe, le Santa Fe récupère logiquement les moteurs à essence du Sorento. Les modèles d'entrée de gamme reçoivent un bloc de 2,5 litres atmosphérique fort de 191 chevaux et 181 lb-pi. Il est associé à une transmission automatique conventionnelle comptant 8 rapports. Les versions plus huppées, Ultimate Calligraphy, hébergent un 4 cylindres de 2,5 litres, lequel bénéficie de la suralimentation et augmente les performances à 277 chevaux et 311 lb-pi. Un moteur performant et volontaire, mais dont la gestion électronique et le rendement de la boîte à double embrayage (8 rapports) nous ont déçus.

Pour la première fois, le Santa Fe se dote d'une version hybride. Il s'agit d'un 4 cylindres turbo de 1,6 litre associé à un moteur électrique et une transmission automatique à 6 rapports. Ce groupe motopropulseur, également partagé avec le Tucson, dispose de 226 chevaux et 258 lb-pi de couple. Lors de notre essai routier, les accélérations et reprises étaient correctes, sans plus. Cependant, avec un véhicule chargé et le coffre rempli de bagages, il faudra probablement anticiper davantage ses dépassements.

Plus lourd que son petit frère et doté du même moteur, le Santa Fe est légèrement distancé lors des accélérations et des reprises. En revanche, la consommation de carburant nous a convaincus, puisque nous avons relevé une moyenne de 8,2 L/100 km, ce qui est très bien pour un véhicule de ce gabarit. Pour vous donner une idée, il sera difficile de descendre sous les 12 à 13 L/100 km de moyenne avec le moteur 2,5 litres turbo. La consommation d'essence pourrait diminuer avec la future motorisation hybride rechargeable annoncée par Hyundai. Si aucun détail technique n'a filtré au moment d'écrire ces lignes, on peut supposer que le Tucson va une nouvelle fois être mis à contribution. Si tel était le cas, le Santa Fe reprendrait le même bloc 1,6 litre turbo hybride avec une puissance augmentée (261 chevaux) et une batterie de plus grande capacité (13,8 kWh, environ 50 km d'autonomie).

## VOYAGE AU BOUT DE L'ENNUI

Dire que la tenue de route du Santa Fe est mauvaise serait mentir. Son roulement est très confortable, tout comme ses sièges, et les longues étapes autoroutières ne lui font pas peur. Si les bruits de vent étaient un peu mieux filtrés à haute vitesse, l'absence de fatigue serait totale.

Pour aller du point A au point B, transporter l'épicerie ou partir en vacances, il peut tout faire. Mais ses commandes sont si engourdies que la conduite est d'un ennui mortel. Direction amorphe, train avant flou qui remonte peu d'informations au conducteur, la conduite d'un Santa Fe 2022 ne vous laissera pas un souvenir impérissable…

Quand il est question de dynamisme, il ne faut pas seulement y voir de la sportivité. Demander à un Santa Fe de se comporter comme un Porsche Macan n'a aucun sens. Toutefois, un volant et des trains roulants plus communicatifs ne nuiraient pas au véhicule. Le Sorento, déjà abondamment cité dans ce texte, ne se conduit pas comme un modèle sportif, mais est un peu plus plaisant à manier.

**+** Vaste habitacle •
Très confortable •
Version hybride frugale

**–** Conduite sans saveur •
Quelques bruits de vent sur l'autoroute • Capacité de remorquage (hybride)

### Données principales

| | |
|---|---|
| Emp. / lon. / lar. / haut. | 2 765 / 4 785 / 1 900 / 1 685 à 1 705 mm |
| Coffre / réservoir | 1 032 à 2 041 litres / 67 litres |
| Nombre de passagers | 5 |
| Suspension av. / arr. | ind., jambes force / ind., multibras |
| Pneus avant / arrière | P235/60R18 / P235/60R18 |
| Poids / Capacité de remorquage | **2.5L** - 1 729 kg / 907 kg (2 000 lb) |
| | **2.5T** - 1 831 kg / 1 588 kg (3 500 lb) |
| | **Hybride** - 1 907 kg / 907 kg (2 000 lb) |

### Composantes mécaniques

**2.5L**

| | |
|---|---|
| Cylindrée, alim. | 4L 2,5 litres atmos. |
| Puissance / Couple | 191 ch / 181 lb-pi |
| Tr. base (opt) / Rouage base (opt) | A8 / Tr (Int) |
| Type / ville / route / CO$_2$ | **Tr** - Ord / 9,6 / 8,5 / 214 g/km |
| | **Int** - Ord / 10,6 / 9,3 / 235 g/km |

**2.5T**

| | |
|---|---|
| Cylindrée, alim. | 4L 2,5 litres turbo |
| Puissance / Couple | 277 ch / 311 lb-pi |
| Tr. base (opt) / Rouage base (opt) | A8 / Int |
| Type / ville / route / CO$_2$ | Ord / 11,0 / 8,5 / 214 g/km |

**HYBRIDE**

| | |
|---|---|
| Cylindrée, alim. | 4L 1,6 litre turbo |
| Puissance / Couple | 178 ch / 195 lb-pi |
| Tr. base (opt) / Rouage base (opt) | A6 / Int |
| Type / ville / route / CO$_2$ | Ord / 7,1 / 7,9 / 176 g/km |
| Puissance combinée / Couple combiné | 226 ch / 258 lb-pi |

**MOTEUR ÉLECTRIQUE**

| | |
|---|---|
| Puissance / Couple | 59 ch (44 kW) / 195 lb-pi |
| Type de batterie | Lithium-ion polymère (Li-Po) |
| Énergie | 1,5 kWh |

**PHEV**

| | |
|---|---|
| Cylindrée, alim. | 4L 1,6 litre turbo |
| Puissance / Couple | 180 ch / 195 lb-pi (est.) |
| Tr. base (opt) / Rouage base (opt) | A6 / Int |
| Type / ville / route / CO$_2$ | Ord / 7,1 / 7,3 / 69 g/km. |
| Puissance combinée | 261 ch |

**MOTEUR ÉLECTRIQUE**

| | |
|---|---|
| Puissance / Couple | 90 ch (67 kW) / 224 lb-pi |
| Type de batterie | Lithium-ion polymère (Li-Po) |
| Autonomie | 50 km |

**Prix :** 27 149 $ à 40 199 $ (2021)
**Transport et prép. :** 1 825 $
**Catégorie :** Berlines intermédiaires
**Garanties :** 5/100, 5/100
**Assemblage :** É.-U., Corée du Sud

**Ventes**
Québec 2020
**532**
▽ 2 %

Canada 2020
**2 977**
▽ 19 %

| | Preferred | Luxury | Ultimate hybride |
|---|---|---|---|
| PDSF | 27 149 $ | 36 149 $ | 40 199 $ |
| Loc. | 404 $ • 2,99 % | 585 $ • 2,99 % | 665 $ • 2,99 % |
| Fin. | 567 $ • 0,00 % | 740 $ • 0,00 % | 849 $ • 1,49 % |

Sécurité    Consommation

Appréciation générale    Fiabilité prévue    Agrément de conduite

**Équipement**

**Sécurité**

**Concurrents**
Chevrolet Malibu, Honda Accord, Kia K5, Nissan Altima, Subaru Legacy, Toyota Camry, Volkswagen Passat

**Nouveau en 2022**
Aucun changement majeur annoncé au moment de mettre sous presse.

# À des années-lumière de Bromont

Germain Goyer

**B**erline intermédiaire coréenne, la Hyundai Sonata en est à sa septième génération au Canada. Si certains manufacturiers négocient avec la décroissance du segment en proposant une gamme on ne peut plus simplifiée, c'est le cas notamment de Nissan avec l'Altima et de Volkswagen avec la Passat, on mise sur une stratégie totalement opposée chez Hyundai. En effet, pour 2022, on ne propose rien de moins qu'un choix de six versions et de quatre motorisations. Nous sommes très loin des premières Sonata assemblées à Bromont il y a 30 ans !

Alors qu'elle a déjà été nettement plus anonyme par le passé, la Sonata est désormais une berline absolument séduisante sur le plan stylistique. De série, elle est livrée avec un moteur à 4 cylindres de 2,5 litres. Développant 191 chevaux et 181 lb-pi, il est étonnamment plus puissant que le moteur optionnel. Ce dernier, d'une cylindrée de 1,6 litres, jouit de la turbocompression et génère 180 chevaux et 195 lb-pi. Étrange, non ? Le moteur turbocompressé équipe les versions Sport, Luxury et Ultimate.

Amateurs de conduite relevée et de sensations fortes, Hyundai a pensé à vous. En effet, pour un peu moins de 38 000 $, vous pouvez obtenir la Sonata N Line. Son capot renferme une impressionnante mécanique turbocompressée de 2,5 litres développant 290 chevaux et 311 lb-pi. Une transmission automatique à double embrayage à 8 rapports achemine le tout aux roues avant. Celle-ci nous a quelque peu laissés sur notre appétit. De plus, on ne peut passer sous silence l'effet de couple ressenti en accélération. Beaucoup de pression est appliquée sur l'essieu avant et cela se perçoit. Certes, la cavalerie et le couple font de l'effet. En revanche, on a une impression de trop-plein lorsqu'on se trouve derrière le volant.

Également, il faut savoir que le dégagement pour la tête est quelque peu limité. Nous aurions souhaité pouvoir baisser davantage l'assise et ainsi être plus confortables au volant. Cela dit, comme c'est le cas aussi chez une majorité de produits de la grande famille composée de Hyundai et Kia, l'ergonomie demeure presque sans faille. Le système d'infodivertissement s'avère simple à utiliser, les commandes sont claires et les boutons, bien placés. Comme toujours, chapeau !

## OUI À L'HYBRIDE, MAIS...

Bien qu'elle ne soit pas une précurseure dans le domaine, la Sonata propose une mécanique hybride depuis quelques années déjà. Pour 2022, cette version combine un bloc atmosphérique de 2 litres à un moteur électrique de 38 kW. Le tout déploie une puissance tout à fait raisonnable de 192 chevaux. D'ailleurs, contrairement à bien des véhicules hybrides qui sont dotés d'une transmission à variation continue, la Sonata fait appel à une boîte automatique conventionnelle à 6 rapports.

Son rendement nous a bien plu. En outre, au terme de notre essai effectué en hiver, l'ordinateur de bord affichait une consommation moyenne de 5,7 L/100 km. Voilà qui est franchement convaincant. Le constructeur coréen aurait avantage à mettre de l'avant ce modèle dont les qualités foisonnent. Malheureusement, une seule variante est offerte avec ce groupe motopropulseur et il faut minimalement débourser environ 40 000 $. On aurait aimé que cette mécanique se retrouve sous le capot d'une version moins équipée et qui aurait affiché un prix plus accessible. Hélas, bien que la technologie soit présente au sein du giron de Hyundai, aucune déclinaison hybride rechargeable n'est offerte pour le moment !

## ELLE DONNE UNE CHANCE À LA K5

Parmi les grandes nouveautés de l'année dernière, mentionnons au passage la Kia K5. Jumelle non identique de la Sonata, elle remplace l'Optima. Afin de lui donner un maximum de chances de percer le marché, toutes les versions sont munies du système à quatre roues motrices, à l'exception de la GT. Il ne fait aucun doute que cette caractéristique représente un atout considérable. On peut aussi voir cette stratégie comme étant une manière de différencier les deux berlines qui partagent bon nombre de composantes. En revanche, on a du mal à comprendre les raisons qui poussent à désavantager la Sonata, sur notre marché du moins, puisqu'on sait que le rouage intégral demeure un élément prisé.

Bien que la Sonata ne soit pas en mode conquête, comme c'est le cas de la K5, et qu'elle compte déjà sur un bassin d'acheteurs depuis des décennies, l'intermédiaire de Hyundai reste tout de même lésée. Avec l'étendue de la gamme actuelle du modèle, nous croyons qu'il y aurait eu moyen de concevoir une Sonata AWD. D'autant plus qu'elle serait davantage en mesure de concurrencer les Altima, Legacy et Camry qui peuvent être dotées de cette caractéristique tant convoitée.

**+** Gamme variée • Silhouette séduisante • Mécanique hybride efficace

**−** Absence de rouage intégral • Absence de version hybride abordable • Faible dégagement pour la tête

### Données principales

| | |
|---|---|
| Emp. / lon. / lar. / haut. | 2 840 / 4 900 / 1 860 / 1 445 mm |
| Coffre / réservoir | 453 litres / 60 litres |
| Nombre de passagers | 5 |
| Suspension av. / arr. | ind., jambes force / ind., multibras |
| Pneus avant / arrière | P235/45R18 / P235/45R18 |
| Poids / Capacité de remorquage | 1 530 kg / non recommandé |

### Composantes mécaniques

**2.5L PREFERRED**

| | |
|---|---|
| Cylindrée, alim. | 4L 2,5 litres atmos. |
| Puissance / Couple | 191 ch / 181 lb-pi |
| Tr. base (opt) / Rouage base (opt) | A8 / Tr |
| 0-100 / 80-120 / V. max | n.d. / n.d. / n.d. |
| 100-0 km/h | n.d. |
| Type / ville / route / $CO_2$ | Ord / 8,8 / 6,4 / 182 g/km |

**1.6T SPORT, 1.6T LUXURY, 1.6T ULTIMATE**

| | |
|---|---|
| Cylindrée, alim. | 4L 1,6 litre turbo |
| Puissance / Couple | 180 ch / 195 lb-pi |
| Tr. base (opt) / Rouage base (opt) | A8 / Tr |
| 0-100 / 80-120 / V. max | n.d. / n.d. / n.d. |
| 100-0 km/h | n.d. |
| Type / ville / route / $CO_2$ | Ord / 8,8 / 6,4 / 183 g/km |

**HYBRIDE ULTIMATE**

| | |
|---|---|
| Cylindrée, alim. | 4L 2,0 litres atmos. |
| Puissance / Couple | 150 ch / 139 lb-pi |
| Tr. base (opt) / Rouage base (opt) | A6 / Tr |
| 0-100 / 80-120 / V. max | 8,9 s (est) / 6,7 s (est) / n.d. |
| 100-0 km/h | 44,4 m (est) |
| Type / ville / route / $CO_2$ | Ord / 5,3 / 4,6 / 117 g/km |
| Puissance combinée | 192 ch |

**MOTEUR ÉLECTRIQUE**

| | |
|---|---|
| Puissance / Couple | 51 ch (38 kW) / 151 lb-pi |
| Type de batterie | Lithium-ion polymère (Li-Po) |
| Énergie | 1,6 kWh |
| Autonomie | n.d. |

**N LINE**

| | |
|---|---|
| Cylindrée, alim. | 4L 2,5 litres turbo |
| Puissance / Couple | 290 ch / 311 lb-pi |
| Tr. base (opt) / Rouage base (opt) | A8 / Tr |
| 0-100 / 80-120 / V. max | 5,5 s (est) / n.d. / n.d. |
| 100-0 km/h | n.d. |
| Type / ville / route / $CO_2$ | Ord / 10,1 / 7,2 / 208 g/km |

# HYUNDAI **TUCSON**

★★★★ COTE DU GUIDE

**Prix :** 27 699 $ à 41 999 $
**Transport et prép. :** 1 825 $
**Catégorie :** VUS compacts
**Garanties :** 5/100, 5/100
**Assemblage :** Corée du Sud

**Ventes**
Québec 2020
**6 009**
⬇ 19 %

Canada 2020
**23 578**
⬇ 21 %

| | Essential | N Line TI | Ultimate TI hybr. |
|---|---|---|---|
| PDSF | 27 699 $ | 36 999 $ | 41 999 $ |
| Loc. | 434 $ • 3,99 % | 583 $ • 3,99 % | 639 $ • 3,99 % |
| Fin. | 615 $ • 2,49 % | 805 $ • 2,49 % | 897 $ • 2,49 % |

Infos n.d. — Sécurité
Consommation
Appréciation générale
Fiabilité prévue
Agrément de conduite

**Équipement**

**Sécurité**

**Concurrents**
Chevrolet Equinox, Ford Bronco Sport/Escape, GMC Terrain, Honda CR-V, Jeep Cherokee/Compass, Kia Sportage, Mazda CX-5, Mitsubishi Outlander, Nissan Rogue, Subaru Forester, Toyota RAV4, Volkswagen Tiguan

**Nouveau en 2022**
Nouvelle génération du modèle.

# Évolution spectaculaire

Julien Amado

**A**vec cette nouvelle génération de Tucson, Hyundai souhaite changer d'approche. Considérant (avec raison) que la majorité des VUS compacts se ressemblent, le constructeur coréen a décidé de se démarquer de la concurrence en misant sur un design nettement plus affirmé.

Le premier élément qui interpelle, c'est évidemment la partie avant, avec les phares qui se dissimulent dans la calandre une fois éteints. La partie latérale, où des angles vifs sculptent les portières, s'inspire d'une tendance déjà vue dans d'autres modèles Hyundai, mais convient bien aux lignes du Tucson. Enfin, la partie arrière avec ses feux qui semblent mordre les ailes et le hayon apportent également du dynamisme au véhicule. Et bien que certains trouvent que son postérieur ressemble à celui du Ford Mustang Mach-E, il faut reconnaître que le VUS de Hyundai ne s'apparente à aucun autre. Nous avons d'ailleurs reçu plusieurs compliments à propos du véhicule ainsi que de nombreux pouces levés lors de notre essai, ce qui arrive plutôt rarement avec un utilitaire sport de grande diffusion.

### PLUS D'ESPACE ET DEUX MOTORISATIONS HYBRIDES
Un des principaux reproches qu'on faisait au Tucson, c'était le volume de son coffre, nettement inférieur à celui des véhicules les plus spacieux comme le Honda CR-V ou le Toyota RAV4. Pour corriger le tir, Hyundai a décidé d'allonger l'empattement de 85 mm et de réduire les porte-à-faux pour augmenter l'espace intérieur. On le perçoit immédiatement dans l'habitacle, surtout à l'arrière où les occupants se sentiront plus à l'aise. Toutefois, c'est dans le coffre que les progrès sont les plus notables. Au lieu des 877 litres du modèle sortant, on profite désormais de 1 095 litres dans le Tucson 2022. Une valeur qui lui permet de se mesurer plus sereinement à la concurrence sur ce point.

Sous le capot, Hyundai a prévu trois motorisations différentes et complémentaires. La première est un 4 cylindres de 2,5 litres atmosphérique développant 187 chevaux et 178 lb-pi de couple. Il est également possible d'opter pour un groupe motopropulseur hybride basé sur un moteur turbo de 1,6 litre assisté d'une motorisation électrique. Ce dernier dispose de 227 chevaux et 258 lb-pi de couple. Enfin, les clients peuvent choisir une version hybride rechargeable. Basée sur le même moteur hybride, elle offre plus de puissance (261 chevaux), mais surtout une batterie de plus grande

capacité. Au lieu des 1,5 kWh du modèle hybride, la variante rechargeable profite d'une capacité de 13,8 kWh, ce qui lui octroie une autonomie théorique de 51,5 km.

Si l'arrivée de versions électrifiées s'avère une bonne nouvelle en soi, il est regrettable qu'au moment d'écrire ce texte, ces dernières soient réservées aux déclinaisons haut de gamme uniquement. La possibilité d'opter pour un modèle de base hybride à traction intégrale permettrait de démocratiser davantage cette motorisation.

Lors de notre essai, nous avons mis à l'épreuve le modèle hybride non rechargeable. Si ses performances sont tout à fait convaincantes et son silence de fonctionnement, bienvenu, sa consommation d'essence nous a déçus. Avec une moyenne relevée de 7,6 L/100 km, c'est correct dans l'absolu, mais plutôt élevé pour une version hybride. En effet, les Tucson d'ancienne génération (1,6 litre turbo) étaient capables de consommer environ 8 L/100 km de moyenne sur la route. La différence n'est donc pas très importante dans ces conditions. Et à moins de rouler exclusivement en ville, le moteur hybride ne fera pas baisser drastiquement votre facture de carburant. À titre de comparaison, un Toyota RAV4 hybride non rechargeable a consommé environ 6,5 L/100 km dans les mêmes conditions, se permettant même de descendre à 5,8 L/100 km lorsque les conditions étaient idéales.

## PLAISANT À CONDUIRE

Lors du dévoilement du Tucson 2022, Hyundai a insisté sur le fait que le plaisir de conduite avait fait partie des éléments traités en priorité. De fait, toute l'équipe d'Albert Biermann, qui a longtemps travaillé chez BMW Motorsport et qui officie désormais à la division sportive N, a aussi eu son mot à dire dans le développement du véhicule.

Est-ce que le nouveau Tucson se conduit comme un BMW X3 M? Non, il ne faut tout de même pas exagérer. Cela dit, les équipes de Hyundai ont trouvé un très bon compromis entre sportivité et polyvalence au quotidien. Les suspensions limitent efficacement les mouvements de caisse tout en offrant un bon confort de roulement.

La direction ne mérite que des éloges, sa précision et le toucher de route qu'elle apporte permettant un très bon guidage du train avant. L'arrière n'est pas en reste et suit le mouvement sans sourciller, offrant une très bonne stabilité dans les courbes. Dommage que des bruits de vent et de roulement se fassent entendre à haute vitesse. Sans cela, le Tucson frôlait le sans-faute pour ce qui est du comportement dynamique.

### Données principales

| | |
|---|---|
| Emp. / lon. / lar. / haut. | 2 755 / 4 630 / 1 865 / 1 665 à 1 685 mm |
| Coffre / réservoir | **Essence** - 1 095 à 2 119 litres / 54 litres |
| | **Hybride** - 902 à 1 876 litres / 42 litres |
| Nombre de passagers | 5 |
| Suspension av. / arr. | ind. jambes de force / ind. multibras |
| Pneus avant / arrière | P235/65R17 / P235/65R17 |
| Poids / Capacité de remorquage | **Essence** - 1 573 kg / 1 590 kg (3 500 lb) |
| | **Hybride** - 1 690 kg / 908 kg (2 000 lb) |

### Composantes mécaniques

**2,5L**

| | |
|---|---|
| Cylindrée, alim. | 4L 2,5 litres atmos. |
| Puissance / Couple | 187 ch / 178 lb-pi |
| Tr. base (opt) / Rouage base (opt) | A8 / Tr (Int) |
| Type / ville / route / $CO_2$ | **Tr** - Ord / 9,1 / 7,1 / 194 g/km |
| | **Int** - Ord / 9,9 / 8,0 / 214 g/km |

**HYBRIDE**

| | |
|---|---|
| Cylindrée, alim. | 4L 1,6 litres turbo. |
| Puissance / Couple | 180 ch / 195 lb-pi |
| Tr. base (opt) / Rouage base (opt) | A6 / Int |

**MOTEUR ÉLECTRIQUE**

| | |
|---|---|
| Puissance / Couple | 59 ch. (44 kW) / 195 lb-pi |
| Type de batterie / Énergie | Lithium-Ion polymère (li-Po) / 1,5 kWh |
| Puissance combinée | 227 ch / 258 lb-pi |
| Type / ville / route / $CO_2$ | Ord / 6,3 / 6,6 / 152 g/km |

**PHEV**

| | |
|---|---|
| Cylindrée, alim. | 4L 1,6 litres turbo. |
| Puissance / Couple | 180 ch / 195 lb-pi |
| Tr. base (opt) / Rouage base (opt) | A6 / Int |
| Puissance combinée | 261 ch / 258 lb-pi |

**MOTEUR ÉLECTRIQUE**

| | |
|---|---|
| Puissance / Couple | 90 ch. (67 kW) / 224 lb-pi |
| Type de batterie / Énergie | Lithium-Ion polymère (li-Po) / 13,8 kWh |
| Type / ville / route / $CO_2$ | n.d. / n.d. / n.d. |
| Autonomie | 51,5 km (est.) |

➕ Tenue de route efficace • Bien plus spacieux que le modèle sortant • Autonomie 100% électrique intéressante (PHEV)

➖ Bruyant à haute vitesse • Consommation décevante (hybride) • Modèles hybrides réservés au haut de gamme

Photos : Hyundai

## Prix et caractéristiques

**Prix :** 37 799 $ à 39 399 $
**Transport et prép. :** 1 725 $
**Catégorie :** Sportives
**Garanties :** 5/100, 5/100
**Assemblage :** Corée du Sud

| | Manuelle | DCT |
|---|---|---|
| **PDSF** | 37 799 $ | 39 399 $ |
| **Loc.** | n.d. | n.d. |
| **Fin.** | 799 $ • 1,49 % | 831 $ • 1,49 % |

**Ventes**

Québec 2020
233
↓ 30 %

Canada 2020
950
↓ 33 %

Sécurité · Consommation

Appréciation générale · Fiabilité prévue · Agrément de conduite

### Équipement

### Sécurité

### Concurrents

Honda Civic Type R, Hyundai Elantra N,
MINI JCW 3 Portes, MINI JCW 5 Portes,
Subaru WRX/STI, Volkswagen Golf GTI/R

### Nouveau en 2022

Aucun changement majeur annoncé
au moment de mettre sous presse.

# Lettre de noblesse

Louis-Philippe Dubé

**L**e segment des compactes devient de plus en plus agressif. Non pas parce que les rivaux se multiplient, mais bien parce que les modèles d'entrée de gamme laissent place à des variantes plus cossues et souvent plus dévergondées. Avec Volkswagen qui ne conservera que sa GTI et sa Golf R, la Civic qui perd son coupé et la Veloster qui a écarté tous ses modèles en sol canadien, à part la plus véloce N, il va sans dire que l'ambiance actuelle dans le créneau se situe n'importe où entre désespoir et opportunité.

Hyundai a introduit l'appellation N qui évoque essentiellement sa ville natale de Namyang en Corée, ainsi que le circuit du Nürburgring sur lequel elle a poursuivi son développement, pour tenter de charmer les amateurs de performance. Hyundai a connu un succès plus ou moins convaincant dans ce créneau au fil du temps. Il faut dire que l'instigatrice de cette division, la Veloster N, n'a pas l'héritage ni le pedigree de la Volkswagen Golf GTI ou encore de la Honda Civic Type R.

La Veloster N compte sur une motorisation 4 cylindres turbocompressée de 2 litres qui développe 275 chevaux et 260 lb-pi de couple livré à 1 450 tr/min. Avec un poids de 1 409 kg (1 454 kg pour l'automatique), la Veloster N a, sur papier, l'ADN d'une petite fusée. Cette puissance est envoyée aux roues avant via une boîte manuelle à 6 rapports ou une automatique à 8 rapports et double embrayage. Pour tenter d'atténuer l'effet de couple, Hyundai a doté la Veloster N d'une suspension unique qui travaille de pair avec un différentiel à glissement limité avec contrôle vectoriel électronique.

Si les puristes optent pour la boîte manuelle pour son caractère engageant au volant, la division N vous promet que la nouvelle boîte à 8 rapports introduite l'an dernier fera ressortir le meilleur des performances de ce coupé compact. Elle vient avec diverses fonctions avancées, comme la fonction appelée *N Grin Shift* qui travaille de pair avec le système de turbocompression pour augmenter le couple de 7 % pendant 20 secondes en accélération.

### ÇA COLLE !

Sur la route, la Veloster N réalise des accélérations convaincantes avec un temps de réponse du turbocompresseur peu perceptible. À haute vitesse dans les virages, elle fait preuve d'un équilibre exceptionnel pour un véhicule

de ce prix. Bien chaussée d'un train de pneumatiques Pirelli P ZERO, cette voiture fait de l'adhérence une obsession.

Avec un sélecteur de modes de conduite garni des configurations prédéfinies habituelles comme Eco, Normal, Sport, la Veloster N peut changer d'humeur promptement. Mais c'est en mode N que l'excès a bien meilleur goût, transformant le coupé en voiture de compétition calibrée avec soin, pour le meilleur et pour le pire, le tout accompagné de la pétarade incessante du système d'échappement.

En mode *N Custom,* le pilote peut concocter une recette selon ses goûts, en dosant la réponse du moteur, le régime en fonction des rapports, la sonorité de l'échappement, le différentiel, le taux d'amortissement de la suspension, la sensation de la direction, etc. Hélas, peu importe le mode dans lequel le sélecteur se trouve, la Veloster N fournira le strict nécessaire en ce qui concerne le confort de roulement.

### BON SOUTIEN, HABITACLE SIMPLISTE

Vous l'aurez deviné, la Veloster N n'est pas la plus spacieuse. Les passagers ne doivent pas mesurer au-delà de 6 pieds — la tête pourrait cogner dans la lunette arrière. Non, la Veloster N n'est pas une routière invétérée.

Par contre, le conducteur et son passager avant jouissent d'assises confortables qui étreignent avec fermeté. Ces mêmes occupants sont exposés à une finition élémentaire qui comprend de nombreux plastiques et autres textures de base. Mais, avec la position de conduite idéale, les commandes positionnées de manière ergonomique et le système d'infodivertissement intuitif, l'habitacle de la Veloster N prend soin de son conducteur en matière de fonctionnalités.

La Hyundai Veloster N surprend sur plusieurs facettes. Certes grâce à ses performances, mais également avec les possibilités de modulation des paramètres liés avec ces performances. Il est rare de recevoir ces fonctionnalités et ce niveau de dynamisme à un prix aussi abordable. D'ailleurs, la N a remporté le prix de Voiture de performance de l'année 2020 du magazine *Road & Track* devant de grandes dames du créneau comme la Toyota Supra, la BMW M2 Competiton et même la McLaren 600LT. Il va sans dire qu'elle a gagné ses lettres de noblesse. Avec les modèles N déjà dévoilés, et ceux sur le point de sauter sur la glace chez Hyundai, nous sommes tentés de croire que cette lettre devra être prise au sérieux, autant par les acheteurs que par les rivaux.

**Données principales**

| | |
|---|---|
| Emp. / lon. / lar. / haut. | 2 650 / 4 265 / 1 810 / 1 394 mm |
| Coffre / réservoir | 565 litres / 50 litres |
| Nombre de passagers | 4 |
| Suspension av. / arr. | ind., jambes force / ind., multibras |
| Pneus avant / arrière | P235/35R19 / P235/35R19 |
| Poids / Capacité de remorquage | 1 409 à 1 454 kg / non recommandé |

**Composantes mécaniques**

| | |
|---|---|
| Cylindrée, alim. | 4L 2,0 litres turbo |
| Puissance / Couple | 275 ch / 260 lb-pi |
| Tr. base (opt) / Rouage base (opt) | M6 (A8) / Tr |
| 0-100 / 80-120 / V. max | 6,8 s (m) / 5,4 s (m) / 250 km/h (est) |
| 100-0 km/h | 38,3 m (m) |
| Type / ville / route / $CO_2$ | **Man** - Sup / 10,6 / 8,3 / 226 g/km |
| | **Auto** - Sup / 12,0 / 8,6 / 248 g/km |

✚ Conduite hautement dynamique • Boîtes de vitesses performantes • Look unique

━ Confort de roulement saccadé • Places arrière symboliques • Visibilité limitée à l'arrière

Photos : Hyundai

# HYUNDAI **VENUE**

★★★☆ COTE DU **GUIDE**

| | Essential | Trend | Ultimate |
|---|---|---|---|
| **PDSF** | 17 599 $ | 22 699 $ | 24 999 $ |
| **Loc.** | 299$•3,49% | 385$•3,49% | 414$•3,49% |
| **Fin.** | 398$•1,49% | 499$•1,49% | 545$•1,49% |

**Prix:** 17 599 $ à 24 999 $ (2021)
**Transport et prép.:** 1 825 $
**Catégorie:** VUS sous-compacts
**Garanties:** 5/100, 5/100
**Assemblage:** Corée du Sud

**Ventes**
Québec 2020
3 268

n.d.

Canada 2020
8 706

n.d.

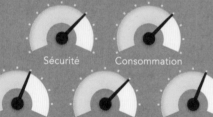

Sécurité — Consommation

Appréciation générale — Fiabilité prévue — Agrément de conduite

**Équipement**

**Sécurité**

**Concurrents**
Buick Encore, Chevrolet Trax, Kia Soul,
Mazda CX-3, Nissan Kicks, Toyota C-HR

**Nouveau en 2022**
Aucun changement majeur annoncé
au moment de mettre sous presse.

# On s'ennuie de l'Accent

Antoine Joubert

**D**e grâce, ne le catégorisez pas comme un VUS, bien que l'industrie le qualifie ainsi. Certes, le Venue est à la mode, mais il est plus court, moins spacieux, moins puissant, plus gourmand et plus cher que la défunte Hyundai Accent, une sous-compacte dont le constructeur s'est volontairement défait parce que la profitabilité s'était évaporée.

Le Venue reprend donc le flambeau de l'Accent au sein de la famille Hyundai, faisant office de modèle d'entrée de gamme. Affichant un prix d'entrée sous la barre des 20 000 $ (transport et préparation inclus), assurément, ce dernier parvient à charmer. Joliment tourné et habilement publicisé, il donne l'impression d'un produit plus huppé et raffiné que sa devancière, proposant bien sûr cette position de conduite surélevée et cette impression d'être au volant d'un «camion».

Sans surprise, moins de 5% des acheteurs optent hélas pour une version de base baptisée Essential, la seule à pouvoir bénéficier d'une boîte manuelle. En fait, la grande majorité privilégie les modèles Preferred ou Trend, vendus, avec les frais, entre 23 500 $ et 25 000 $. Alors oui, ils s'affichent à des prix certainement plus élevés que ceux d'une Accent, vendue en moyenne à environ 17 000 $ à sa dernière année de commercialisation. Remarquez, Hyundai n'est pas le seul constructeur à avoir adopté cette stratégie puisque le même parallèle se voit chez Nissan, avec un Kicks n'étant, en vérité, qu'une Versa *hatchback* haute sur pattes.

### JOLI COMME TOUT!
Bien que les derniers designs du constructeur (Elantra, Tucson) soient franchement polarisants, celui du Venue nous décroche automatiquement un sourire. Esthétiquement, la version Preferred ajoute les rails de toit et les jantes d'alliage de 15 pouces, alors que la version Trend hérite d'un toit ouvrant et de jantes de 17 pouces, ou encore d'une combinaison «Urban», avec mariage de teintes extérieures et phares à DEL.

Bien qu'on y dénote une très forte présence de plastiques rigides, l'habitacle reste lui aussi de bon goût, particulièrement si vous optez pour cette sellerie de denim offerte sur le modèle Trend. Moderne, ergonomique et étonnamment confortable, il n'offre toutefois pas l'espace d'un «vrai» VUS, pas même celui d'une compacte plus traditionnelle. Sachez d'ailleurs que le volume

de chargement y est passablement limité, nettement inférieur à celui d'une Kia Soul, du Nissan Kicks et, encore une fois, de la défunte Accent.

On livre de série chaque Venue avec un écran tactile de 8 pouces, Apple CarPlay et Android Auto ainsi que des sièges chauffants. L'ajout de la clé intelligente, du volant chauffant et de l'accoudoir rabattable incite toutefois à monter en gamme, les choix de couleurs étant également plus nombreux. Au sommet, vous pourriez bien sûr opter pour la version Ultimate et obtenir de multiples accessoires de luxe (écran HD, radio satellite, navigation, etc.), mais pour une facture qui vous permettrait alors de faire le saut dans un Kona beaucoup plus attrayant.

### LA FORME, PAS LE FOND

Oreilles sensibles, soyez averties. Le Venue est malheureusement très bruyant. En accélération comme à vitesse de croisière, où les bruits éoliens se multiplient en fonction de la vitesse. Il faut dire que le coefficient aérodynamique déçoit extrêmement (0,34), expliquant d'ailleurs une consommation d'essence mesurée autour de 8 L/100 km. Voilà une bien triste constatation considérant que la précédente Accent, pourtant plus puissante, nous faisait économiser près d'un litre par 100 km parcourus.

Lorsque jumelé avec la boîte CVT, le petit 4 cylindres peine d'ailleurs à offrir une puissance adéquate, surtout lors des reprises. Puis, encore une fois, l'exercice s'accompagne d'une cacophonie mécanique dont on se passerait bien. Ne soyez donc pas étonnés de l'absence d'un rouage intégral, qui viendrait alourdir le véhicule tout en affectant encore davantage les performances et la consommation. Heureusement, la direction précise et le faible diamètre de braquage contribuent à sa maniabilité en milieu urbain, là où il est le plus à l'aise. Assurément plus que sur autoroute, où sa sensibilité aux vents latéraux affecte sa stabilité.

Tout compte fait, il est dommage de constater que Hyundai nous sert ici un produit certes plus moderne, mais qui en offre beaucoup moins que la précédente Accent, même en matière de qualité. Et tout cela, en considérant une facture beaucoup plus élevée. Ne soyez donc pas surpris de constater la très faible dépréciation des Hyundai Accent 2018 et 2019, qui se négocient aujourd'hui pour quelques milliers de dollars de moins que leur prix d'origine et qui constituent une meilleure affaire que le Venue, qui ne nous sert à peine plus que du vent, enrobé d'un joli plumage.

**Données principales**

| | |
|---|---|
| Emp. / lon. / lar. / haut. | 2 520 / 4 040 / 1 770 / 1 590 mm |
| Coffre / réservoir | 528 à 902 litres / 45 litres |
| Nombre de passagers | 5 |
| Suspension av. / arr. | ind., jambes force / semi-ind., poutre torsion |
| Pneus avant / arrière | P185/65R15 / P185/65R15 |
| Poids / Capacité de remorquage | 1 156 à 1 201 kg / non recommandé |

**Composantes mécaniques**

| | |
|---|---|
| Cylindrée, alim. | 4L 1,6 litre atmos. |
| Puissance / Couple | 121 ch / 113 lb-pi |
| Tr. base (opt) / Rouage base (opt) | M6 (CVT) / Tr |
| Type / ville / route / $CO_2$ | **Man** - Ord / 8,6 / 6,8 / 184 g/km |
| | **Auto** - Ord / 7,9 / 6,9 / 176 g/km |

+ Design réussi •
Ergonomie d'ensemble •
Maniabilité en ville •
Bonne garantie

– Véhicule très bruyant •
Consommation décevante •
Volume du coffre • Sensible
aux vents latéraux

Photos : Hyundai, Marc-André Gauthier

INFINITI Q50

**Prix:** 43 995 $ à 68 495 $ (2021)
**Transport et prép.:** 2 095 $
**Catégorie:** Compactes de luxe
**Garanties:** 4/100, 6/110
**Assemblage:** Japon

**Ventes\***
Québec 2020
278
▼ 48 %

Canada 2020
1 298
▼ 45 %

|  | Q50 Pure | Q50 Red Sport | Q60 R Sport ProA |
|---|---|---|---|
| PDSF | 43 995 $ | 58 995 $ | 68 495 $ |
| Loc. | 577 $ • 0,00 % | 860 $ • 0,99 % | 1 042 $ • 0,99 % |
| Fin. | 908 $ • 0,99 % | 1 217 $ • 0,99 % | 1 450 $ • 2,29 % |

Sécurité          Consommation

Appréciation générale   Fiabilité prévue   Agrément de conduite

**Équipement**

**Sécurité**

**Concurrents**
Acura TLX, Alfa Romeo Giulia, Audi A4/A5,
BMW Série 3/Série 4, Cadillac CT5,
Genesis G70, Lexus IS/RC,
Mercedes-Benz Classe C, Tesla Model 3,
Volvo S60

**Nouveau en 2022**
Aucun changement majeur annoncé
au moment de mettre sous presse.

# Confortables, et c'est ça

Marc-André Gauthier

**L**es ventes ne vont pas très bien pour Infiniti. Si l'on questionne la marque quant à sa situation, elle nous répond que la pandémie de la COVID-19 a amené beaucoup de problèmes. Mais n'était-ce pas toute l'industrie qui était dans cette situation? Quoi qu'il en soit, pour remonter la pente, Infiniti mise sur deux VUS, le QX50 et sa déclinaison QX55. Mais qu'en est-il des voitures? Toutefois, la Q50 et la Q60 ne reçoivent plus beaucoup d'amour. Ce qui ne veut pas dire que l'on parle de mauvais produits.

On a l'impression que la Q50 vient d'arriver sur notre marché, elle qui remplaçait la populaire G37. Pourtant, la voiture a déjà huit ans et n'a encore jamais reçu de retouches majeures. Ce n'est pas nécessairement une mauvaise chose, puisque cette berline sportive compacte de luxe demeure jolie et unique, même si elle n'a pas un style aussi pointu qu'une BMW Série 3, par exemple. La Q60, version coupée de la Q50, existe depuis un peu moins longtemps, mais n'a pas connu de grosse évolution stylistique non plus. Cela dit, elle est toujours dans le coup.

### LE TEMPS PASSE VITE
L'habitacle des deux voitures est essentiellement identique. On a affaire à un design élégant, mais un tantinet désuet. Ainsi on dispose d'un système d'infodivertissement à deux écrans, un peu complexe à utiliser les premières fois, mais qui offre toutes les fonctionnalités modernes attendues dans une automobile de luxe en 2022.

Dans les deux cas, on retrouve des sièges d'un grand confort, et des places assez spacieuses à l'arrière de la Q50, si jamais vous comptez faire le taxi avec votre berline sport! La Q60, en revanche, se prête moins bien au transport de passagers arrière, avec une banquette plutôt restreinte.

### DEUX MÉCANIQUES, ET PAS MAL DE TECHNOLOGIES
S'il fut un temps où la Q50 proposait plusieurs mécaniques, et même une version hybride, c'était à une autre époque! Aujourd'hui, la Q50 et la Q60 n'abritent qu'un seul moteur, un V6 biturbo de 3 litres.

En version de base, il développe 300 chevaux et 295 lb-pi de couple, envoyant sa puissance aux quatre roues à l'aide d'une boîte automatique à 7 rapports. Les moutures plus équipées, et plus onéreuses, engendrent

\*Ventes combinées des Infiniti Q50 et Q60.

400 chevaux et 350 lb-pi de couple, moyennant quelques petites modifications. La transmission demeure identique pour ces modèles à la puissance majorée. C'est sans doute là que la Q50 et la Q60 se démarquent par rapport aux Série 3 et 4 par exemple, leurs moteurs de base étant plus performants que les 4 cylindres allemands.

Néanmoins, ce ne sont pas des voitures qui adoptent une conduite aussi relevée qu'une BMW. En fait, si le moteur, dans les deux configurations, se comporte bien et forme un beau duo avec la transmission, c'est une direction complètement artificielle qui vient ruiner l'expérience. On dit que l'on ne conduit pas une BMW, mais bien qu'on la pilote? Ce n'est pas vraiment le cas des Q50 et Q60. C'est un choix qui a été fait, à l'époque, pour maximiser le confort sur la route, puisque cette direction élimine le besoin de faire constamment de petites corrections pour rester en ligne droite, ce qui a des effets démontrés sur la fatigue du conducteur, particulièrement sur les longs trajets. On a essayé quelque chose de nouveau, mais le résultat est une voiture moins engageante, même avec 400 chevaux sous le capot...

Tant la Q50 que la Q60 sont disponibles avec des technologies des plus modernes, comme un système d'aides à la conduite, lequel permet à la voiture de se conduire essentiellement seule sur l'autoroute, et qui est efficace pour prévenir les accidents. Cependant, il n'intègre que les variantes haut de gamme, soit environ 64 000 $ pour la Q50, et 70 000 $ pour la Q60 (transport et préparation inclus). Pour des véhicules de cette trempe, les équipements de sécurité ne devraient pas être optionnels. Après tout, certaines voitures offertes à la moitié du prix des Q50 et Q60 intègrent davantage de technologies!

Des bagnoles recommandables, donc? Disons que si vous voulez une voiture de luxe compacte, ce sont de bon choix, mais si vous recherchez une conduite enivrante, il faudra manifestement chercher ailleurs.

Si seulement Infiniti avait fini par faire une rivale aux BMW M3 et M4 avec la Q50 et Q60! Il en a été question, mais l'argent a finalement été investi ailleurs. On se demande donc ce que l'avenir réserve à ces deux voitures. En observant la tendance du marché actuel, il est plus que probable qu'elles soient un jour remplacées par des VUS ou des modèles électriques.

## Données principales

| | | |
|---|---|---|
| Emp. / lon. / lar. / haut. | Q50 - 2 850 / 4 815 / 1 824 / 1 453 mm | |
| | Q60 - 2 850 / 4 690 / 1 850 / 1 395 mm | |
| Coffre / réservoir | Q50 - 382 litres / 76 litres | |
| | Q60 - 246 litres / 76 litres | |
| Nombre de passagers | Q50 - 5 | |
| | Q60 - 4 | |
| Suspension av. / arr. | ind., bras inégaux / ind., multibras | |
| Pneus avant / arrière | Q50 - P225/50R18 / P225/50R18 | |
| | Q60 - P255/40R19 / P255/40R19 | |
| Poids / Capacité de remorquage | Q50 - 1 784 kg / non recommandé | |
| | Q60 - 1 739 kg / non recommandé | |

## Composantes mécaniques

**PURE, LUXE, INDISPENSABLE, SPORT TECH**

| | |
|---|---|
| Cylindrée, alim. | V6 3,0 litres turbo |
| Puissance / Couple | 300 ch / 295 lb-pi |
| Tr. base (opt) / Rouage base (opt) | A7 / Int |
| 0-100 / 80-120 / V. max | 5,5 s (m) / 4,3 s (m) / n.d. |
| Type / ville / route / $CO_2$ | Sup / 12,5 / 8,7 / 254 g/km |

**RED SPORT, I-LINE RED SPORT PROACTIVE**

| | |
|---|---|
| Cylindrée, alim. | V6 3,0 litres turbo |
| Puissance / Couple | 400 ch / 350 lb-pi |
| Tr. base (opt) / Rouage base (opt) | A7 / Int |
| 0-100 / 80-120 / V. max | 4,7 s (m) / 3,9 s (m) / n.d. |
| Type / ville / route / $CO_2$ | Sup / 12,5 / 9,3 / 261 g/km |

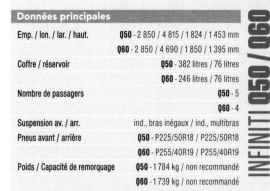

INFINITI Q60

+ Look qui vieillit bien •
Bonne tenue de route •
Mécanique performante

− Direction peu communicative •
Manque d'espace (Q60) •
Avenir incertain

INFINITI Q60

Photos: Infiniti

INFINITI QX55

# Répéter les mêmes erreurs

Antoine Joubert

**S**oyons francs, le QX50 est un échec. Ce véhicule fait face à une très féroce compétition chez qui les arguments de ventes sont tout simplement plus nombreux. Pourtant, il devait constituer le nouveau souffle de la marque. Celui qui allait permettre à Infiniti de se sortir la tête hors de l'eau. Car, faut-il le rappeler, la division de luxe de Nissan Canada voyait ses ventes chuter de 47,3 % en 2020, avec un total de seulement 5 783 unités vendues.

Pourtant, le QX50 a bonne mine. Joliment sculpté, il embrasse avec élégance l'image que la marque souhaite se donner : une proposition stylistique empreinte de luxe, de dynamisme et de raffinement. Le problème ne concerne donc pas la robe, qui a d'ailleurs droit à de petites améliorations pour 2022.

### QX55

Cette année, la gamme se voit également bonifiée d'une déclinaison « coupé », baptisée QX55, un véhicule longtemps attendu, qui aurait dû faire son apparition pour 2021, mais que la COVID-19 a repoussé de près d'un an. En somme, il s'agit d'une riposte d'Infiniti aux Audi Q5 Sportback, BMW X4 et Mercedes-Benz GLC Coupé, qui rappelle aussi les premiers pas d'Infiniti dans le monde des VUS, avec le FX35. Son look est plus polarisant, mais encore plus sportif, bien que greffé à une base en tout point identique à celle du QX50. Contrairement à ce dernier, le QX55 n'est pas offert en version « Pure » de base, ce qui explique un prix d'entrée dépassant légèrement les 54 000 $ (transport et préparation inclus).

Essentiellement, les QX50 et 55 se distinguent par leurs lignes et bien sûr, leur espace de chargement, légèrement moindre sur le second, conséquence d'une ligne de toit plus fuyante. Pour cette même raison, les passagers arrière constateront d'ailleurs un plus faible dégagement à la tête. Cela dit, l'habitabilité demeure un des points forts de cette gamme face à la concurrence. Ce sont des VUS conséquemment plus pratiques, d'autant plus grâce à la banquette arrière divisée et coulissante, permettant d'optimiser le volume du coffre ou l'espace dévolu aux occupants.

Ce ne sont toutefois pas ces éléments qui font vendre un VUS de luxe. Les acheteurs y recherchent d'abord le prestige et une technologie de pointe, deux facteurs sur lesquels Infiniti doit travailler. Alors oui, l'emblème de la marque ne brille pas comme il le devrait, et il faut aussi admettre qu'à bord,

*Ventes combinées des Infiniti QX50 et QX55

---

**Prix :** 45 495 $ à 60 998 $ (2021)
**Transport et prép. :** 2 095 $
**Catégorie :** VUS compacts luxe
**Garanties :** 4/100, 6/110
**Assemblage :** Mexique

**Ventes\***
Québec 2020
**474**
▼ 38 %

Canada 2020
**1 897**
▼ 46 %

| | QX50 Pure | QX55 Luxe | QX55 Sensory |
|---|---|---|---|
| **PDSF** | 45 495 $ | 51 995 $ | 60 998 $ |
| **Loc.** | 689 $ • 1,99 % | 803 $ • 2,99 % | 987 $ • 3,49 % |
| **Fin.** | 959 $ • 2,49 % | 1 128 $ • 3,29 % | 1 315 $ • 3,29 % |

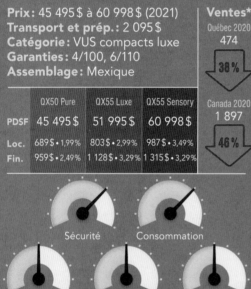

Sécurité   Consommation

Appréciation générale   Fiabilité prévue   Agrément de conduite

**Équipement**

**Sécurité**

**Concurrents**
Acura RDX, Alfa Romeo Stelvio, Audi Q5, BMW X3/X4, Buick Envision, Cadillac XT5, Jaguar F-PACE, Land Rover Discovery Sport, Lexus NX, Lincoln Corsair, Mercedes-Benz GLC, Porsche Macan, Volvo XC60

**Nouveau en 2022**
Arrivée du QX55, retouches esthétiques au QX50.

le constructeur nous sert du réchauffé. On a droit à une instrumentation vieillotte accompagnée de deux écrans superposés, dont la qualité graphique diffère sérieusement et où l'information est souvent dédoublée. À cela s'ajoute une molette pour le contrôle de l'écran supérieur qui n'est qu'accessoire, comme si l'utilisation de ces écrans n'était pas encore assez complexe.

Les irritants technologiques se poursuivent également sur la route, où vous constaterez une hypersensibilité des systèmes d'assistance à la conduite, notamment du côté du régulateur de vitesse dit intelligent, que vous préférerez proscrire tellement son utilisation est enrageante.

## LE PLUS ÉCONOMIQUE… SUR PAPIER !

Pour obtenir le meilleur rendement énergétique qui soit, le constructeur Nissan a développé un moteur 2 litres turbo à taux de compression variable. En vous épargnant les détails techniques, le système permet théoriquement d'optimiser à la fois les performances et l'économie d'essence. Or, il serait plus juste d'affirmer qu'on optimise l'un ou l'autre de ces deux facteurs puisque le seul fait d'accélérer un peu plus promptement ou encore de rouler 115 km/h (au lieu de 100 km/h) viendra considérablement affecter la consommation. En somme, on a affaire à une motorisation qui a certes un peu de *punch*, mais qui consomme autant sinon plus que la compétition. Le comble, c'est sa boîte automatique à variation continue (CVT), qui vient littéralement gâcher tout le plaisir qu'on pourrait obtenir au volant. De notre point de vue, voilà un des facteurs qui explique pourquoi une majorité d'acheteurs lui tourne le dos.

Relativement confortable, le QX55 récemment mis à l'essai affichait un certain sentiment de légèreté, loin d'être vilain, ainsi qu'une qualité de fabrication louable. Or, bien que sa robe et sa peinture rouge aient fait tourner les têtes, l'impression de conduire un VUS plus générique façon Nissan Rogue demeurait présente. Cela s'explique, encore une fois, par cet effet d'élasticité de la boîte CVT, et aussi par la dynamique de conduite qui n'a certainement rien de comparable avec ce que proposent Acura, Audi ou BMW.

Le QX55, plus pointu dans son approche, est donc voué à l'échec au même titre que le QX50 parce qu'on y a répété les mêmes erreurs et parce que les corrections qu'on aurait dû apporter se font toujours attendre, au même titre que la clientèle, qui préfère avec raison se procurer un produit plus convaincant.

### Données principales

| Emp. / lon. / lar. / haut. | QX50 - 2 800 / 4 691 / 1 903 / 1 677 mm |
|---|---|
| | QX55 - 2 800 / 4 732 / 1 903 / 1 621 mm |
| Coffre / réservoir | QX50 - 880 à 1 822 litres / 60 litres |
| | QX55 - 762 à 1 532 litres / 60 litres |
| Nombre de passagers | 5 |
| Suspension av. / arr. | ind., jambes force / ind., multibras |
| Pneus avant / arrière | QX50 - P235/55R19 / P235/55R19 |
| | QX55 - P255/45R20 / P255/45R20 |
| Poids / Capacité de remorquage | QX50 - 1 854 kg / 1 361 kg (3 000 lb) |
| | QX55 - 1 844 kg /non recommandé |

### Composantes mécaniques

| Cylindrée, alim. | 4L 2,0 litres turbo |
|---|---|
| Puissance / Couple | 268 ch / 280 lb-pi |
| Tr. base (opt) / Rouage base (opt) | CVT / Int |
| 0-100 / 80-120 / V. max | 7,1 s (m) / 5,1 s (m) / 230 km/h (c) |
| Type / ville / route / CO$_2$ | QX50 - Ord / 10,8 / 8,3 / 223 g/km |
| | QX55 - Ord / 10,5 / 8,3 / 223 g/km |

+ Design réussi • Habitabilité supérieure à la moyenne • Confort étonnant

– Boîte CVT inadéquate • Consommation décevante • Système multimédia complètement raté • Dépréciation supérieure à la moyenne

INFINITI QX50

INFINITI QX55

Photos: Marc-André Gauthier, Infiniti

## Prix et spécifications

**Prix:** 54 995 $ à 67 995 $
**Transport et prép.:** 2 095 $
**Catégorie:** VUS interm. de luxe
**Garanties:** 4/100, 6/110
**Assemblage:** États-Unis

**Ventes**
Québec 2020
393
↓ 51 %

Canada 2020
1 833
↓ 53 %

PDSF
Loc.
Fin.
n.d.

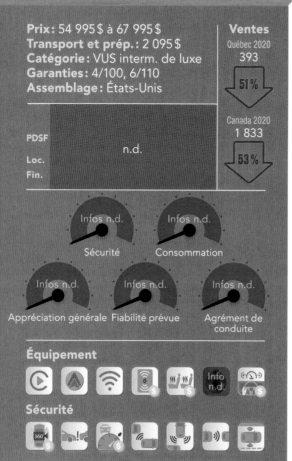

Infos n.d. — Sécurité
Infos n.d. — Consommation
Infos n.d. — Appréciation générale
Infos n.d. — Fiabilité prévue
Infos n.d. — Agrément de conduite

### Équipement

### Sécurité

### Concurrents

Acura MDX, Audi Q7, BMW X5/X6,
Buick Enclave, Cadillac XT6, Genesis GV80,
Land Rover Discovery/Range Rover Sport,
Lexus GX/RX, Lincoln Aviator/Nautilus,
Maserati Levante, Mercedes GLE,
Porsche Cayenne, Tesla Model X, Volvo XC90

### Nouveau en 2022
Nouvelle génération du modèle.

# Une refonte cruciale

Michel Deslauriers

Lorsque l'Infiniti QX60 a été introduit sur le marché canadien, il est rapidement devenu le modèle le plus vendu de la marque, et de loin. Neuf ans plus tard, on a enfin droit à une nouvelle génération. Mieux vaut tard que jamais, comme on dit.

Redessiné presque de A à Z pour le millésime 2022, le QX60 est évidemment un modèle crucial pour la marque de luxe japonaise, alors qu'elle amorcera sous peu sa transition vers une gamme électrifiée. Ce VUS intermédiaire à trois rangées de sièges partage sa plateforme et ses composantes mécaniques avec le Nissan Pathfinder, maximisant les profits avec des coûts de développement amortis sur la vente de deux modèles au lieu d'un seul. Cette récente mouture du QX60 apporte son lot d'améliorations et de nouveautés technologiques, mais ne change pas la recette de base qui a fait le succès de la première génération.

### ÉLÉGANCE ET RAFFINEMENT

Le tout dernier QX60 affiche des dimensions très similaires à celles du modèle sortant, reposant sur un empattement identique, alors que la longueur hors tout, la largeur et la hauteur n'ont augmenté que de quelques centimètres. Toutefois, le design a pris un sérieux coup de jeune, maintenant plus élégant et mieux proportionné. En option, le QX60 peut arborer un toit peint en noir, rehaussant davantage l'élégance du véhicule.

Même son de cloche dans l'habitacle, où la présentation a sérieusement rajeuni. On se distance un peu plus du design retrouvé dans le Pathfinder, avec une mince bande horizontale dissimulant les bouches d'aération, une planche de bord garnie de cuir à texture gaufrée ainsi que des sièges recouverts de cuir semi-aniline (dans la nouvelle édition Autograph au sommet de la gamme), et des boiseries à pores ouvertes. Côté techno, le QX60 est livrable avec une instrumentation numérique, un affichage tête haute et une version améliorée de la conduite semi-autonome ProPILOT Assist.

De nouveaux sièges adoptant la technologie « zéro gravité » de Nissan/Infiniti à l'avant promettent un confort accru pour les longs voyages sur la route, ajoutant une fonction de massage en option. Ceux de la deuxième rangée profitent d'un coussin plus élevé, alors les adultes qui y prendront place n'auront plus le sentiment d'avoir les genoux dans le front. Les acheteurs peuvent maintenant choisir entre une banquette ou des sièges capitaine.

L'accès à la troisième rangée est rendu plus facile pour les enfants, la deuxième rangée s'escamotant à l'aide d'un bouton au lieu d'une poignée.

Un toit vitré panoramique figure désormais de série, apportant une plus grande luminosité dans l'habitacle, même dans les déclinaisons plus abordables. On a également amélioré le système de climatisation afin de conférer une meilleure aération aux rangées arrière, corrigeant une lacune de l'ancien modèle, et jusqu'à sept ports USB sont répartis dans l'habitacle pour garder les appareils de toute la famille chargés à bloc.

Quant au volume de chargement, il est légèrement en baisse lorsque tous les sièges arrière sont occupés ou rabattus, et à peine en hausse derrière la deuxième rangée. Le QX60 se trouve donc toujours dans la moyenne du segment des utilitaires de luxe à trois rangées de sièges, surpassé notamment par l'Acura MDX et le Land Rover Discovery.

### DU FAMILIER SOUS LE CAPOT

Dans l'Infiniti QX60 2022 redessiné, le V6 atmosphérique de 3,5 litres reprend du service, produisant toujours 295 chevaux. Cependant, on a laissé tomber la boîte à variation continue, qui a connu des ratés en matière de fiabilité durant les premières années de l'ancienne génération, au profit d'une automatique conventionnelle à 9 rapports. On profite donc encore d'un moteur énergique et mélodieux, avec une consommation presque similaire à celle du QX60 sortant, soit l'une des moins élevées de son segment à moins de 11 L/100 km en conduite mixte ville/route.

Le rouage intégral, de série au Canada, a été retravaillé pour procurer une meilleure performance sur les chaussées glissantes. Et en prime, la capacité de remorquage passe de 5 000 à 6 000 lb, coiffant celles de ses rivaux directs comme le MDX et le Cadillac XT6, mais demeurant toujours derrière celles du Land Rover Discovery, du Lincoln Aviator et des utilitaires allemands chez BMW, Audi et Mercedes-Benz.

Le tout récent Infiniti QX60 devrait apporter un souffle nouveau chez les concessionnaires, et continuera de proposer l'un des meilleurs rapports prix-équipement dans sa catégorie — le principal ingrédient de la recette gagnante ayant été conservé.

| Données principales | |
|---|---|
| Emp. / lon. / lar. / haut. | 2 900 / 5 033 / 2 185 / 1 770 mm |
| Coffre / réservoir | 411 à 2 135 litres / n.d. |
| Nombre de passagers | 6 à 7 |
| Suspension av. / arr. | ind., jambes force / ind., multibras |
| Pneus avant / arrière | P255/50R20 / P255/50R20 |
| Poids / Capacité de remorquage | 1 991 kg / 2 722 kg (6 000 lb) |

| Composantes mécaniques | |
|---|---|
| Cylindrée, alim. | V6 3,5 litres atmos. |
| Puissance / Couple | 295 ch / 270 lb-pi |
| Tr. base (opt) / Rouage base (opt) | A9 / Int |
| 0-100 / 80-120 / V. max | 7,8 s (est) / 5,9 s (est) / n.d. |
| 100-0 km/h | n.d. |
| Type / ville / route / $CO_2$ | Sup / 11,9 / 9,3 / 256 g/km (est) |

**+** Design raffiné et séduisant • Rapport prix/équipement intéressant • Consommation d'essence appréciable

**—** Pas plus spacieux qu'avant • Pas de version électrifiée ou sportive • Image de la marque à redorer

Photos: Infiniti

**Prix :** 51 700 $ à 59 100 $ (2021)
**Transport et prép. :** 1 800 $
**Catégorie :** VUS sous-comp. luxe
**Garanties :** 4/80, 4/80
**Assemblage :** Autriche

**Ventes**

Québec 2020
27
▼ 46 %

Canada 2020
265
▼ 36 %

|  | SE | 300 Sport |
|---|---|---|
| PDSF | 51 700 $ | 59 100 $ |
| Loc. | 949 $ • 4,90 % | 1 049 $ • 4,90 % |
| Fin. | 1 098 $ • 1,90 % | 1 247 $ • 1,90 % |

Sécurité  Consommation

Appréciation générale  Fiabilité prévue  Agrément de conduite

**Équipement**

**Sécurité**

**Concurrents**

Audi Q3, BMW X1/X2,
Buick Encore GX, Cadillac XT4, Lexus UX,
Mercedes-Benz GLA/GLB, Volvo XC40

**Nouveau en 2022**
Version R-Dynamic Black,
nouvelle présentation intérieure

# Vivre sur du temps emprunté

Jean-François Guay

Il y a cinq ans, Jaguar avait battu des records de ventes avec une production d'un peu plus de 178 000 véhicules. Par la suite, les choses sont allées de mal en pis pour la marque britannique qui a vu ses ventes dégringoler partout dans le monde. Entre 2017 et 2020, elles ont chuté de 59,8 % au Québec, 53,6 % au Canada et 45 % aux États-Unis. Il va sans dire que la crise du coronavirus n'a pas aidé à redresser la situation puisque Jaguar a dû fermer temporairement des usines d'autant plus que des fournisseurs de pièces ne suffisaient pas à la tâche, sans oublier la pénurie de puces électroniques.

Cela dit, l'effondrement des parts de marché de Jaguar n'est pas seulement dû à la crise sanitaire et aux difficultés d'approvisionnement en circuits intégrés. En effet, l'image de la marque est affectée par le manque de fiabilité de ses modèles. De même, les ventes de voitures souffrent du succès planétaire remporté par les VUS. Ce qui fait en sorte que la popularité des voitures comme la XF et la F-Type de Jaguar décline. Restent les trois VUS de la gamme. D'une part, le F-Pace ne peut sauver à lui seul la mise. D'autre part, l'I-Pace est un véhicule électrique à faible diffusion tandis que l'E-Pace tente de tirer son épingle du jeu dans un segment ultra-compétitif.

Pour tout dire, les affaires ne risquent pas de s'améliorer pour Jaguar, qui a annoncé maladroitement que la gamme comptera uniquement des véhicules 100 % électriques à partir de 2025. Un échéancier de trois ans est très court dans le monde de l'automobile. Pour y arriver, Jaguar (avec Land Rover) promet d'investir 4,3 milliards de dollars par année. C'est beaucoup d'argent pour la marque britannique, dont la trésorerie a été affectée par la pandémie et le Brexit. Le travail sera long et ardu, et l'on peut supposer que les suppressions d'emplois seront nombreuses chez Jaguar. D'autant plus qu'à la suite de l'annonce de l'électrification de tous les modèles, il semble évident que les véhicules Jaguar équipés d'un moteur à combustion vivent sur du temps emprunté. Pour cette raison, certains consommateurs pourraient être tentés de retarder leur achat ou d'aller magasiner ailleurs en attendant la conclusion de cette histoire.

### RETOUCHES ESTHÉTIQUES
Malgré les incertitudes concernant son avenir, l'E-Pace s'est refait une beauté l'an dernier. Les stylistes ont optimisé la calandre, le bouclier inférieur

avant, les pare-chocs, les bouches d'aération latérales, tout en ajoutant de nouveaux phares à DEL plus lumineux. Pour le reste, la carrosserie conserve les proportions typiques des modèles Jaguar avec des porte-à-faux courts, un capot musclé et des bas de portes sculptés. Pour sa part, la nouvelle version R-Dynamic adopte un look plus sportif avec des étriers de frein rouges, des jantes distinctives en alliage et des éléments de carrosserie en noir brillant.

À l'intérieur, le centre du tableau de bord a été revu pour accueillir un nouvel écran tactile de 11,4 pouces qui intègre le nouveau système d'infodivertissement Pivi Pro. Ce dernier bénéficie d'Apple CarPlay, d'Android Auto ainsi que de fonctionnalités simplifiées. D'ailleurs, ce nouvel écran en verre comporte deux revêtements, l'un est antiéblouissant et l'autre résiste aux empreintes digitales.

Parmi les autres changements, la console centrale dispose d'une zone de rangement plus spacieuse grâce à un sélecteur de vitesses qui s'avère plus bas, plus large et surtout plus élégant que l'ancien levier vertical. On retrouve également un volant inspiré de son frère I-Pace avec des commandes illuminées et des palettes de changement de vitesse en métal. À l'instar de la voiture sport F-Type, le tableau de bord a été conçu comme un cockpit pour agrémenter le plaisir de conduire. Il va sans dire que l'habitacle est moins épuré que celui de son cousin, le Range Rover Evoque qui, en passant, est assemblé sur la même plate-forme que celle du E-Pace.

## PLUS RIGIDE

Depuis l'an dernier, l'E-Pace bénéficie d'un renforcement de sa structure afin de réduire les vibrations tout en améliorant le confort et le comportement routier. Ainsi, on retrouve de nouveaux supports de moteur et des points d'attache plus robustes pour la suspension avant.

Le moteur d'entrée de gamme est un 4 cylindres turbo de 2 litres qui développe 246 chevaux. La version plus puissante du même moteur produit 296 chevaux. Pour ce dernier, on retrouve un système hybride léger de 48 volts, une boîte automatique à 9 rapports et la traction intégrale. Cependant, le rouage intégral de base utilise la technologie *Standard Driveline* de deuxième génération, qui répartit automatiquement le couple entre les essieux avant et arrière tandis que la version plus sportive (P300) a droit au système *Active Driveline* plus sophistiqué, qui permet de diriger 100 % du couple vers l'une ou l'autre des roues arrière en 100 millisecondes.

**+** Conduite enjouée • Choix de moteurs • Design réussi • Exclusivité assurée

**—** Motorisation PHEV non offerte au Canada • Fiabilité aléatoire • Gamme de prix corsée

### Données principales

| | |
|---|---|
| Emp. / lon. / lar. / haut. | 2 681 / 4 395 / 1 984 / 1 648 mm |
| Coffre / réservoir | 634 à 1 401 litres / 67 litres |
| Nombre de passagers | 5 |
| Suspension av. / arr. | ind., jambes force / ind., multibras |
| Pneus avant / arrière | P235/55R19 / P235/55R19 |
| Poids / Capacité de remorquage | 1 814 kg / 1 800 kg (3 970 lb) |

### Composantes mécaniques

**P250**

| | |
|---|---|
| Cylindrée, alim. | 4L 2,0 litres turbo |
| Puissance / Couple | 246 ch / 269 lb·pi |
| Tr. base (opt) / Rouage base (opt) | A9 / Int |
| 0-100 / 80-120 / V. max | 7,5 s (c) / 5,8 s (est) / 229 km/h (c) |
| Type / ville / route / $CO_2$ | Sup / 11,0 / 8,4 / 231 g/km |

**P300**

| | |
|---|---|
| Cylindrée, alim. | 4L 2,0 litres turbo |
| Puissance / Couple | 296 ch / 295 lb·pi |
| Tr. base (opt) / Rouage base (opt) | A9 / Int |
| 0-100 / 80-120 / V. max | 6,9 s (c) / 5,4 s (est) / 241 km/h (c) |
| Type / ville / route / $CO_2$ | Sup / 11,2 / 8,6 / 236 g/km |

**Prix :** 60 350 $ à 96 250 $ (2021)
**Transport et prép. :** 1 800 $
**Catégorie :** VUS compacts de luxe
**Garanties :** 4/80, 4/80
**Assemblage :** Royaume-Uni

**Ventes**
Québec 2020
**240**
⬇ **39 %**

Canada 2020
**1 445**
⬇ **34 %**

| | S | R-Dynamic S | SVR |
|---|---|---|---|
| PDSF | 60 350 $ | 73 650 $ | 96 250 $ |
| Loc. | 1 075 $ • 4,90 % | 1 295 $ • 4,90 % | 1 670 $ • 4,90 % |
| Fin. | 1 241 $ • 1,90 % | 1 508 $ • 1,90 % | 1 963 $ • 1,90 % |

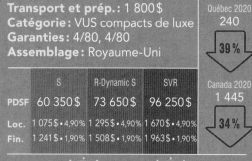

Sécurité — Consommation — Appréciation générale — Fiabilité prévue — Agrément de conduite

**Équipement**

**Sécurité**

**Concurrents**

Acura RDX, Alfa Romeo Stelvio, Audi Q5, BMW X3/X4, Buick Envision, Cadillac XT5, Infiniti QX50, Land Rover Discovery Sport / Evoque / Velar, Lexus NX, Lincoln Corsair, Mercedes GLC, Porsche Macan, Volvo XC60

**Nouveau en 2022**

Modernisation esthétique et nouvel habitacle intégré en cours d'année 2021.

# Un second souffle

Marc Lachapelle

**P**our emprunter une métaphore propre à un autre grand fauve, le Jaguar F-Pace a certainement débuté en lion, il y a cinq ans, en étant primé véhicule et design mondial de l'année à son lancement. Comme chez plusieurs marques de luxe rivales, le succès a vite suivi le lancement de ce premier utilitaire sport pour le constructeur britannique, au point de doubler ses ventes dès la première année. Solide, racé et performant, le F-Pace s'est malgré tout essoufflé face à des concurrents aguerris, toujours en forte progression. Il avait besoin d'un sérieux coup de main.

Sans faire peau neuve entièrement, le F-Pace s'est donc refait une beauté et une santé l'an dernier, à pratiquement tous les égards. Côté style, sa partie avant est ainsi coiffée de blocs optiques plus minces entièrement à DEL. Son bouclier avant est également dominé par une grille de calandre en rectangle arrondi, à motif diamant, plus grande et entourée de prises d'air nettement plus béantes. Le capot plus sculpté, maintenant sans joint transversal pour gâter sa surface impeccablement lisse, était nouveau lui aussi. La partie arrière a également été rafraîchie avec des blocs optiques à DEL amincis et un nouveau pare-chocs plus sculpté d'où émanent deux grands embouts d'échappement en trapèze.

### À L'INTÉRIEUR ET SOUS LE CAPOT AUSSI

Dans l'habitacle entièrement redessiné, on remarque immédiatement des matériaux d'aspect plus flatteur et de meilleure qualité. Un cuir plus riche, des surfaces en aluminium ouvré ou gravé au laser et quelques moulures en bois poreux sont venus compléter une présentation qui avait franchement un air d'inachevé, jusque là. Même histoire pour le tableau de bord sérieusement requinqué où trône maintenant un écran tactile horizontal de 11,4 pouces. L'interface multimédia Pivi Pro qui l'habite désormais jouit de mises à jour effectuées à distance. Une bonne nouvelle, indéniablement. L'habitacle est maintenant équipé d'un filtre qui élimine les particules microscopiques et assainit l'air ambiant. Il suffit d'appuyer sur le bouton *Purify*.

Le poste de conduite profite d'un nouveau volant coiffé de commandes tactiles. Ses manettes en alliage complètent un sélecteur électronique trapu sur une console toute neuve, pour contrôler la boîte automatique à 8 rapports. Juste devant, on trouve un plateau de recharge à induction pour cellulaires. Des vide-poches plus grands aux portières et une nouvelle console centrale

à passerelle bonifient le rangement. Et sur les appuie-tête des nouveaux sièges avant très sculptés, drapés de cuir perforé, se profile une version en relief du fauve emblématique de Jaguar. On le reconnaît également, en version métallique, sur les sorties d'air découpées des ailes avant.

La déclinaison de base S P250 du F-Pace est pourvue du 4 cylindres turbocompressé familier de 2 litres et 247 chevaux. Dans la version R-Dynamic, la puissance passe à 395 chevaux. Il s'agit d'un nouveau 6 cylindres en ligne de 3 litres. Cette mécanique est suralimentée à la fois par un surcompresseur électrique, pour gonfler le couple à bas régime sans temps de réponse, et un turbocompresseur à double chambre qui prend le relais pour hausser la puissance à plus haut régime, en accélération. Le tout modulé finement par le calage variable des soupapes en continu, pour une efficacité optimale. Jaguar promet un chrono de 0 à 100 km/h en 5,4 secondes pour le R-Dynamic S.

Pas un mot encore, par contre, sur l'offre éventuelle de la variante P400e à groupe propulseur hybride rechargeable qui combine un 4 cylindres turbo de 2 litres, un moteur électrique de 141 chevaux et une batterie lithium-ion de 17,1 kWh. L'ensemble procurerait au F-Pace une puissance de 398 chevaux, une autonomie électrique de 53 km et un chrono de 5,3 secondes pour le sprint de 0 à 100 km/h. Il lui permettrait surtout de donner la réplique à ses rivaux germaniques qui comptent des versions écolos de même gabarit.

### LA CAVALERIE PREND DU MUSCLE

Pour la totale côté performance et comportement le F-Pace SVR demeure une valeur sûre. En sommet de gamme, cette version reine a eu droit à une série de retouches. Son V8 surcompressé de 5 litres, par exemple, produit toujours 550 chevaux, mais son couple est maintenant de 516 lb-pi, un gain de 14 lb-pi qui promet un sprint de 0 à 100 km/h en 4 secondes.

Le SVR est doté d'une servodirection électronique plus vive et les ingénieurs ont aussi retouché la suspension et les grands freins à disque. Des prises et sorties d'air agrandies améliorent le refroidissement et réduisent la portance et la traînée. Aux commandes, on profite en outre d'un écran numérique de 12,3 pouces où s'affichent les données de performance en mode sport.

**+** Silhouette toujours svelte et racée • Version SVR réjouissante • Comportement solide, bonne maniabilité • Habitacle plus convivial et luxueux

**—** Fiabilité parfois aléatoire • Absence d'une version électrifiée • Faible visibilité par la lunette arrière • Valeur de revente incertaine

**JAGUAR F-PACE**

## Données principales

| | |
|---|---|
| Emp. / lon. / lar. / haut. | 2 874 / 4 747 / 2 071 / 1 664 mm |
| Coffre / réservoir | 755 à 1 842 litres / 82 litres |
| Nombre de passagers | 5 |
| Suspension av. / arr. | ind., double triangulation / ind., multibras |
| Pneus avant / arrière | P255/55R19 / P255/55R19 |
| Poids / Capacité de remorquage | 1 822 kg / 2 400 kg (5 290 lb) |

## Composantes mécaniques

### S P250

| | |
|---|---|
| Cylindrée, alim. | 4L 2,0 litres turbo |
| Puissance / Couple | 247 ch / 269 lb-pi |
| Tr. base (opt) / Rouage base (opt) | A8 / Int |
| 0-100 / 80-120 / V. max | 7,3 s (c) / 5,4 s (est) / 217 km/h (c) |
| Type / ville / route / CO₂ | Sup / 10,7 / 8,8 / 227 g/km (est) |

### S P340

| | |
|---|---|
| Cylindrée, alim. | 6L 3,0 litres turbo |
| Puissance / Couple | 335 ch / 354 lb-pi |
| Tr. base (opt) / Rouage base (opt) | A8 / Int |
| 0-100 / 80-120 / V. max | 5,9 s (m) / 4,8 s (m) / 240 km/h (c) |
| Type / ville / route / CO₂ | Sup / 13,3 / 10,0 / 277 g/km (est) |

### R-DYNAMIC S P400

| | |
|---|---|
| Cylindrée, alim. | 6L 3,0 litres turbo |
| Puissance / Couple | 395 ch / 406 lb-pi |
| Tr. base (opt) / Rouage base (opt) | A8 / Int |
| 0-100 / 80-120 / V. max | 5,4 s (c) / 4,2 s (est) / 250 km/h (c) |
| Type / ville / route / CO₂ | Sup / 13,3 / 10,0 / 277 g/km (est) |

### SVR P550

| | |
|---|---|
| Cylindrée, alim. | V8 5,0 litres surcomp. |
| Puissance / Couple | 550 ch / 516 lb-pi |
| Tr. base (opt) / Rouage base (opt) | A8 / Int |
| 0-100 / 80-120 / V. max | 4,0 s (c) / 2,4 s (est) / 286 km/h (c) |
| Type / ville / route / CO₂ | Sup / 14,5 / 11,0 / 303 g/km (est) |

Photos : Jaguar

| | P450 Coupé | R-Dynamic Coupé | R Décapotable |
|---|---|---|---|
| PDSF | 85 500$ | 95 500$ | 121 500$ |
| Loc. | n.d. | n.d. | n.d. |
| Fin. | 1 909$ • 4,90% | 2 125$ • 4,90% | 2 688$ • 4,90% |

**Prix :** 85 500$ à 121 500$
**Transport et prép. :** 1 650$
**Catégorie :** Sportives de luxe
**Garanties :** 4/80, 4/80
**Assemblage :** Royaume-Uni

**Ventes**
Québec 2020
27
▽ 43%

Canada 2020
190
▽ 29%

Sécurité
Consommation

Appréciation générale  Fiabilité prévue  Agrément de conduite

## Équipement

## Sécurité

## Concurrents

Audi TT, BMW Série 4, BMW Z4,
Chevrolet Corvette, Lexus RC,
Nissan GT-R, Porsche 718, Porsche 911

## Nouveau en 2022

Retrait des variantes à moteur 4 cylindres turbo et V6 surcompressé.

# Une espèce menacée

Gabriel Gélinas

Pour 2022, la Jaguar F-Type fait l'objet d'une rationalisation, du moins en Amérique du Nord, puisque les variantes animées par le moteur à 4 cylindres turbocompressé et par le V6 suralimenté par compresseur volumétrique disparaissent du catalogue. Cela ne laisse désormais que celles animées par le V8 suralimenté de 5 litres.

Selon la direction nord-américaine de la marque, ce n'est pas parce que les F-Type à moteurs à 4 et 6 cylindres ne se vendaient pas, mais plutôt parce que Jaguar veut mettre l'accent sur le plus puissant des moteurs pour sa sportive déclinée en coupé et en cabriolet. C'est donc avec deux versions du V8 surcompressé de 5 litres que la F-Type se présente en 2022. Une nouvelle variante P450 développant 444 chevaux avec un rouage de type propulsion ou l'intégral s'alignant aux côtés de la F-Type R à rouage intégral, dont le moteur développe 567 chevaux.

Il faut bien le reconnaître, malheureusement, l'intérêt pour les sportives décline, la clientèle leur préférant souvent des VUS survitaminés. Ces derniers font souvent preuve de performances étincelantes en accélération ainsi que d'un côté pratique qui est largement absent sur un coupé ou un cabriolet à deux places. La F-Type n'est pas la seule à faire les frais de cette tendance, et l'on ne peut blâmer Jaguar de procéder à une rationalisation de sa gamme en Amérique du Nord, la déclinaison à moteur 4 cylindres turbocompressé étant toujours offerte en Europe.

### TOUJOURS SÉDUISANTE

Tout cela nous porte à croire que la F-Type fait maintenant partie de ces espèces menacées, et qu'elle est peut-être en mode survie dorénavant. Pourtant, l'auto a fait l'objet d'une refonte l'an dernier afin d'actualiser son style, et accueille maintenant un écran paramétrable de 12,3 pouces en guise de bloc d'instruments. Il permet notamment d'afficher la carte du système de navigation sur sa pleine surface, directement devant le champ de vision du conducteur. On apprécie également le système de télématique Touch Pro et son écran central de 10 pouces servant d'interface sur la console centrale sur toutes les variantes, ainsi que les sièges Performance offrant plus de maintien pour le haut du corps. Par ailleurs, ces derniers font partie de la dotation de série des F-Type R et sont offerts en option dans les autres versions.

Qu'il s'agisse du coupé ou du cabriolet, la F-Type affiche toujours cette séduisante signature visuelle avec son long capot avant et ses hanches arquées. Le restylage lui a donné une calandre noire plus large et profonde, laquelle est flanquée de prises d'air redessinées, alors que la partie arrière affiche un nouveau design pour les feux. Les deux styles de carrosserie sont disponibles en trois variantes, soit les F-Type, F-Type R-Dynamic et F-Type R.

Les modèles de base sont animés par une version moins performante du V8 suralimenté par compresseur volumétrique jumelé à un rouage de type propulsion. De leur côté, les déclinaisons R-Dynamic reçoivent le même moteur, mais associé au rouage intégral. Au sommet de la pyramide, on retrouve les F-Type R avec rouage intégral et la version la plus performante du V8.

## UN V8 EXPRESSIF

Les F-Type R s'expriment avec un enthousiasme débridé grâce à un système d'échappement à la sonorité très affirmée, laquelle est aussi modulable si l'on souhaite faire preuve d'un peu plus de discrétion. Lorsque l'on permet au V8 de crier pleinement sa joie, on a droit à une férocité peu commune avec détonations et crépitements à volonté, surtout lors du rétrogradage. Élaborée sur une plateforme très rigide, la F-Type R permet de faire le plein de sensations, par contre on regrette que la calibration des liaisons au sol soit aussi ferme. Cela pose parfois un problème lors de la croisée de bosses et dénivellations lorsque l'on négocie un virage.

La direction s'avère à la fois rapide et précise, mais on souhaiterait une meilleure maîtrise des mouvements de la caisse. Pourtant, la F-Type R reçoit des éléments de suspension spécifiques et roule sur des jantes de 20 pouces avec monte pneumatique mixte. Il faut également composer avec la masse élevée des F-Type, laquelle oscille entre 1 705 et 1 790 kilos, ce qui est énorme pour des sportives à deux places dont l'architecture est réalisée en aluminium. Cela a donc une incidence directe sur la dynamique en virages, sans parler de la consommation qui est parfois très élevée lorsque la F-Type R est pilotée avec enthousiasme. Triste constat que celui où des sportives aux performances relevées et au look aguicheur n'ont plus la cote face à la concurrence décalée des VUS de performance. Dans le cas de la F-Type, le charme opère toujours et les sensations sont au rendez-vous, surtout dans le cas des variantes R, mais pour combien de temps encore ?

### Données principales

| Emp. / lon. / lar. / haut. | **Coupé** - 2 622 / 4 470 / 1 923 / 1 311 mm |
| | **Décapotable** - 2 622 / 4 470 / 1 923 / 1 307 mm |
| Coffre / réservoir | **Coupé** - 299 à 509 litres / 70 litres |
| | **Décapotable** - 233 litres / 70 litres |
| Nombre de passagers | 2 |
| Suspension av. / arr. | ind., double triangulation / ind., double triangulation |
| Pneus avant / arrière | P255/35ZR20 / P295/30ZR20 |
| Poids / Capacité de remorquage | **Coupé** - 1 706 kg / non recommandé |
| | **Décapotable** - 1 718 kg / non recommandé |

### Composantes mécaniques

**P450**

| Cylindrée, alim. | V8 5,0 litres surcomp. |
| Puissance / Couple | 444 ch / 428 lb-pi |
| Tr. base (opt) / Rouage base (opt) | A8 / Prop (Int) |
| 0-100 / 80-120 / V. max | 4,6 s (c) / 2,9 s (c) / 285 km/h (c) |
| Type / ville / route / $CO_2$ | Sup / 14,8 / 9,7 / 293 g/km (est) |

**R P575**

| Cylindrée, alim. | V8 5,0 litres surcomp. |
| Puissance / Couple | 567 ch / 516 lb-pi |
| Tr. base (opt) / Rouage base (opt) | A8 / Int |
| 0-100 / 80-120 / V. max | 3,7 s (c) / 2,3 s (c) / 300 km/h (c) |
| Type / ville / route / $CO_2$ | Sup / 15,2 / 9,8 / 299 g/km |

+ Style très réussi •
Sonorité du moteur •
Rouage intégral ou propulsion •
Volume du coffre

− Poids élevé • Peu de
rangement dans l'habitacle •
Fermeté des liaisons au sol (R) •
Fiabilité et valeur de revente

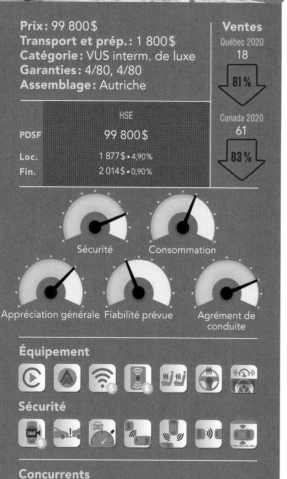

| | HSE |
|---|---|
| **Prix :** 99 800 $ | |
| **Transport et prép. :** 1 800 $ | |
| **Catégorie :** VUS interm. de luxe | |
| **Garanties :** 4/80, 4/80 | |
| **Assemblage :** Autriche | |

| | HSE |
|---|---|
| PDSF | 99 800 $ |
| Loc. | 1 877 $ • 4,90 % |
| Fin. | 2 014 $ • 0,90 % |

**Ventes**
Québec 2020
18
↓ 81 %

Canada 2020
61
↓ 83 %

Sécurité · Consommation
Appréciation générale · Fiabilité prévue · Agrément de conduite

### Équipement

### Sécurité

### Concurrents
Audi e-tron, BMW iX, Tesla Model X

### Nouveau en 2022
Nouveau chargeur embarqué de 11 kW, retouches esthétiques, système multimédia revu, retrait des versions S et SE.

# Une impulsion pour 2022

Gabriel Gélinas

À l'heure actuelle, la célèbre marque britannique entreprend une transition vers la mobilité électrique alors qu'elle traverse une période très difficile sur le plan financier. En effet, les ventes de Jaguar ont baissé de 37 % en 2020 et elles ne comptent plus que pour 22 % des ventes de Jaguar Land Rover. Selon le Français Thierry Bolloré, nouveau patron du groupe, ce n'est rien de moins qu'une rationalisation tous azimuts qui s'impose dès maintenant et les changements seront radicaux. Tous les efforts seront mis du côté de la motorisation électrique, même si le Jaguar I-Pace, commercialisé depuis 2018, n'a pas obtenu le succès commercial souhaité, et ce, malgré les nombreux prix décernés à ce modèle par la presse spécialisée.

Pas facile d'être le premier rival direct du Tesla Model X, mission qui a été celle du Jaguar I-Pace. Alors que la marque américaine compte des légions de fans dédiés à la cause de la mobilité électrique, Jaguar faisait plutôt figure d'*outsider* dans ce créneau du marché, et la fiabilité aléatoire de ses modèles à motorisation thermique a sans doute freiné les ardeurs de la clientèle ciblée.

**SUBTIL RESTYLAGE**

Pour 2022, le Jaguar I-Pace a fait l'objet d'un très léger restylage, comme en témoigne l'adoption d'un pourtour de calandre qui s'affiche maintenant en couleur *Atlas Grey* plutôt qu'en chrome, alors que les jantes en alliage de 20 pouces sont dotées d'un nouveau design. La palette des couleurs de carrosserie a également été revue. Au Canada, le I-Pace n'est disponible qu'en une seule variante appelée HSE, dont le prix de départ se trouve juste sous la barre des 100 000 dollars. Avec ses airs de coupé surélevé, le I-Pace se présente comme une sorte d'amalgame entre une voiture et un VUS. Le style est particulièrement réussi, le I-Pace ayant obtenu le prix du Design de l'année, en 2019, aux *World Car of the Year Awards,* en plus de remporter les honneurs de la Voiture de l'année.

D'autres modifications ont été apportées au I-Pace, pour l'année-modèle 2022, puisque l'habitacle présente le nouveau système de télématique Pivi Pro avec menus simplifiés, qui sera éventuellement partagé avec tous les modèles de la marque. Une interface par ailleurs compatible avec les fonctionnalités Apple CarPlay et Android Auto. Le système de navigation affiche les stations

où des bornes de recharge sont disponibles et fera une sélection de ces bornes en fonction du trajet à parcourir afin de choisir les chargeurs les plus rapides pour réduire le temps de charge. Et puisqu'il est question de recharge, précisons que le nouveau chargeur embarqué du I-Pace revendique une puissance de 11 kW, ce qui permet d'ajouter une centaine de kilomètres d'autonomie en 15 minutes lorsque la voiture est branchée à une borne rapide (100 kW).

## AGRÉABLE À CONDUIRE

Sur la route, le I-Pace fait preuve d'un excellent comportement routier, malgré une direction qui manque de ressenti, et se montre plus dynamique que le Audi e-tron. Avec ses deux moteurs électriques, le Jaguar électrique décolle avec aplomb et atteint 100 km/h en moins de 4,6 secondes mesurées, malgré sa masse supérieure à deux tonnes métriques. Lorsque le parcours devient plus sinueux, le I-Pace témoigne d'une très bonne tenue de route, ce qui le rend très agréable à conduire puisque le véhicule vire à plat et s'accroche au bitume avec une grande stabilité. Le freinage ne manque pas de mordant lui non plus. En conduite urbaine, il est aussi possible de le conduire à une seule pédale, en profitant du freinage régénératif.

Le rayon de braquage court ajoute à la maniabilité lors de manœuvres de stationnement. À ce sujet, précisons que l'apport de la caméra de recul demeure précieux, car la lunette arrière du I-Pace rend la visibilité vers l'arrière plus difficile. On remarque aussi l'absence d'un essuie-glace arrière qui serait le bienvenu, particulièrement en hiver.

L'autonomie conférée par sa batterie de 90 kWh s'affiche à 377 km lorsque les conditions sont idéales, mais peut baisser vers les 300 km si la température ambiante est plus froide. Sous cet aspect précis, bien que le I-Pace fasse un peu mieux que le Audi e-tron, il n'est pas en mesure d'égaler le Tesla Model X.

En conclusion, le modèle 2022 du I-Pace manifeste une belle évolution pour ce qui est de son système multimédia et de sa vitesse de recharge plus rapide. Cela suffira-t-il à convaincre la clientèle de s'y intéresser à une époque où Tesla fait presque figure de choix par défaut et où la concurrence va encore s'intensifier dans ce créneau? On espère pour Jaguar que cette impulsion donnée au I-Pace en 2022 sera suffisante.

### Données principales

| | |
|---|---|
| Emp. / lon. / lar. / haut. | 2 990 / 4 682 / 2 011 / 1 566 mm |
| Coffre | 656 à 1 453 litres |
| Nombre de passagers | 5 |
| Suspension av. / arr. | ind., pneumatique, double triangulation / ind., pneumatique, multibras |
| Pneus avant / arrière | P245/50R20 / P245/50R20 |
| Poids / Capacité de remorquage | 2 170 kg / non recommandé |

### Composantes mécaniques

| | |
|---|---|
| Puissance / Couple | **Av -** 197 ch (147 kW) / 256 lb-pi |
| | **Arr -** 197 ch (147 kW) / 256 lb-pi |
| Tr. base (opt) / Rouage base (opt) | Rapport fixe / Int |
| 0-100 / 80-120 / V. max | 4,6 s (m) / 2,9 s (m) / 200 km/h (c) |
| 100-0 km/h | 38,5 m (m) |
| Consommation équivalente | 3,1 Le/100 km |
| Puissance combinée | 394 ch / 512 lb-pi |
| Type de batterie | Lithium-ion (Li-ion) |
| Énergie | 90,0 kWh |
| Temps de charge (240V) | 13,0 h |
| Autonomie | 377 km |

**+** Excellent comportement routier • Silence de roulement • Recharge maintenant plus rapide

Autonomie moyenne • Visibilité vers l'arrière • Concurrence plus affûtée

Photos : Jaguar

# En manque de caractère

Michel Deslauriers

Michel Deslauriers

**A**u sein de la gamme de cette marque britannique au Canada, il ne reste plus qu'une seule berline. La Jaguar XF est désormais entourée de véhicules utilitaires sur le plancher du concessionnaire, et pour la rendre encore moins intéressante, elle n'est plus disponible qu'en une seule déclinaison.

Dommage, puisque les voitures Jaguar se sont fréquemment distinguées de la concurrence allemande, américaine et japonaise avec leur charme anglais, leurs habitacles somptueux et leurs motorisations, disons, excentriques. Mais bon, tendance et considérations environnementales obligent, l'avenir de Jaguar se concentrera surtout sur des VUS électriques, et la Jaguar XF ne semble plus avoir sa place.

## UNE VERSION, MAIS BIEN ÉQUIPÉE

Trop de choix, c'est comme pas assez, se dit probablement Jaguar en commercialisant la XF au Canada. Pour le millésime 2022, il ne reste plus que la version R-Dynamic SE, le nom évoquant une apparence sportive sans miser sur les performances pures et le caractère rugissant des variantes SVR de la marque. La XF a profité d'un rafraîchissement esthétique l'an dernier, que seul l'œil averti remarquera, comprenant une partie avant plus raffinée et autres détails stylistiques, ainsi que de nouvelles jantes en alliage. En vente dans sa forme actuelle depuis l'année modèle 2016, la XF n'évolue pas aussi rapidement que ses rivales allemandes, soit l'Audi A6, la BMW Série 5 et la Mercedes-Benz Classe E.

En revanche, l'habitacle a gagné en modernité avec une nouvelle architecture électronique, permettant l'intégration du système multimédia Pivi Pro avec un écran tactile flottant de 11,4 pouces. Une connectivité Wi-Fi et un affichage tête haute sont livrables, alors qu'une instrumentation entièrement numérique de 12,3 pouces pour le conducteur et une recharge de téléphones par induction sont livrées de série. La console centrale a également été redessinée pour mieux refléter le prestige et la facture de la XF. Comme toujours, on a droit à une excellente chaîne audio Meridian, à 12 haut-parleurs de série ou ambiophonique à 16 enceintes en option.

On aime le confort des sièges, recouverts d'un cuir de grande qualité avec un choix de quatre teintes, chauffants et dotés de 16 réglages électriques à l'avant. Les fonctions de massage et de ventilation sont disponibles pour

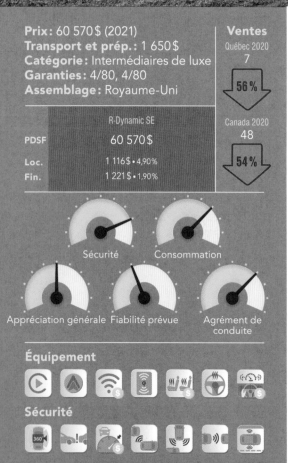

**Prix :** 60 570 $ (2021)
**Transport et prép. :** 1 650 $
**Catégorie :** Intermédiaires de luxe
**Garanties :** 4/80, 4/80
**Assemblage :** Royaume-Uni

**Ventes**
Québec 2020
7
▼ 56 %

Canada 2020
48
▼ 54 %

| | R-Dynamic SE |
|---|---|
| PDSF | 60 570 $ |
| Loc. | 1 116 $ • 4,90 % |
| Fin. | 1 221 $ • 1,90 % |

Sécurité   Consommation

Appréciation générale   Fiabilité prévue   Agrément de conduite

**Équipement**

**Sécurité**

**Concurrents**
Audi A6, Audi A7, BMW Série 5, Genesis G80, Maserati Ghibli, Mercedes-Benz Classe E, Volvo S90

**Nouveau en 2022**
Aucun changement majeur annoncé au moment de mettre sous presse.

quelques centaines de dollars supplémentaires, que l'on recommande, bien entendu. On peut choisir entre diverses boiseries ou garnitures en aluminium, et opter pour un pavillon de toit en tissu ou en suède, un pare-soleil de lunette arrière à commande électrique et des portes à fermeture adoucie, question de rehausser davantage le niveau de luxe de la XF.

## LA TENUE DE ROUTE AVANT TOUT

Sous le capot de la Jaguar XF, on retrouve un 4 cylindres turbocompressé de 2 litres, nommé P300, développant 296 chevaux, assorti d'une boîte automatique à 8 rapports et d'un rouage intégral. Ce bloc offre une puissance intéressante compte tenu de la cylindrée, et même si d'autres choix figuraient au menu, on peut supposer que la majorité des acheteurs trouveraient ce moteur plus que convenable de toute façon.

Néanmoins, plus aucune riposte pour contrer les Audi S6, BMW M550i et Mercedes-Benz AMG E 53, ce qui est fort dommage, puisque la XF propose somme toute une belle tenue de route, grâce à ses réglages de suspension ainsi qu'à sa structure en aluminium, à la fois légère et très rigide. L'ensemble Dynamique de conduite en option équipe la berline d'une gestion électronique et d'amortisseurs à fermeté variable, aiguisant davantage ses réflexes. Jusqu'à tout récemment, Jaguar offrait la XF S avec son moteur suralimenté de 380 chevaux, mais elle semblait manquer de panache pour attirer l'attention de ce type de clientèle.

La bonne nouvelle, c'est que la Jaguar XF affiche un prix très raisonnable compte tenu de l'équipement se trouvant à son bord, et les options sont peu coûteuses. On peut s'en tirer avec une berline luxueuse et raffinée pour environ 70 000 $, soit plusieurs milliers sous le prix d'une berline équivalente chez Audi, BMW et Mercedes-Benz. Ou même la Genesis G80.

La Jaguar XF marque des points pour le confort et la sophistication de son habitacle, son comportement routier et la simplicité de son prix et des options. Toutefois, cette dernière qualité peut aussi s'avérer un défaut pour les acheteurs à la recherche d'un plus grand choix de personnalisation, ou d'une motorisation plus puissante et sonore. Sa réputation de fiabilité pourrait toujours être meilleure, du moins, par rapport à Lexus et Genesis. Ce qui manque surtout à cette berline, c'est du caractère afin de se démarquer de sa concurrence et pour convaincre le consommateur de ne pas suivre le troupeau en se procurant un VUS.

| Données principales | |
|---|---|
| Emp. / lon. / lar. / haut. | 2 960 / 4 962 / 1 982 / 1 456 mm |
| Coffre / réservoir | 540 litres / 74 litres |
| Nombre de passagers | 5 |
| Suspension av. / arr. | ind., double triangulation / ind., multibras |
| Pneus avant / arrière | P245/40R19 / P245/40R19 |
| Poids / Capacité de remorquage | 1 744 kg / non recommandé |

| Composantes mécaniques | |
|---|---|
| Cylindrée, alim. | 4L 2,0 litres turbo |
| Puissance / Couple | 296 ch / 295 lb·pi |
| Tr. base (opt) / Rouage base (opt) | A8 / Int |
| 0-100 / 80-120 / V. max | 6,1 s (c) / 4,0 s (c) / 250 km/h (c) |
| Type / ville / route / CO$_2$ | Sup / 10,6 / 7,6 / 217 g/km |

+ Habitacle confortable •
Système multimédia moderne •
Prix et options raisonnables

− Gamme très réduite •
Manque de caractère •
Réputation de fiabilité perfectible

# Le temps de passer à autre chose

Daniel Melançon

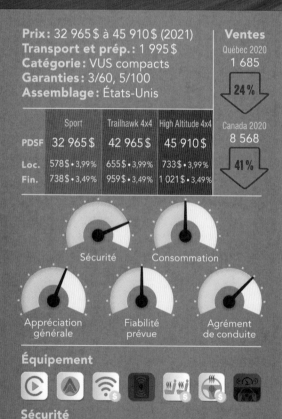

**Prix:** 32 965 $ à 45 910 $ (2021)
**Transport et prép.:** 1 995 $
**Catégorie:** VUS compacts
**Garanties:** 3/60, 5/100
**Assemblage:** États-Unis

**Ventes**

Québec 2020
1 685

⬇ 24 %

Canada 2020
8 568

⬇ 41 %

|  | Sport | Trailhawk 4x4 | High Altitude 4x4 |
|---|---|---|---|
| PDSF | 32 965 $ | 42 965 $ | 45 910 $ |
| Loc. | 578 $ • 3,99 % | 655 $ • 3,99 % | 733 $ • 3,99 % |
| Fin. | 738 $ • 3,49 % | 959 $ • 3,49 % | 1 021 $ • 3,49 % |

Sécurité
Consommation
Appréciation générale
Fiabilité prévue
Agrément de conduite

**Équipement**

**Sécurité**

**Concurrents**

Chevrolet Equinox, Ford Bronco Sport/Escape, GMC Terrain, Honda CR-V, Hyundai Tucson, Jeep Compass, Kia Sportage, Mazda CX-5, Mitsubishi Outlander, Nissan Rogue, Subaru Forester, Toyota RAV4, Volks. Tiguan

**Nouveau en 2022**

Aucun changement majeur annoncé au moment de mettre sous presse.

Il existe une grande variété de véhicules utilitaires sur le marché automobile. Tellement que l'on finit par s'y perdre! Si la majorité de ceux-ci sont parfaitement adaptés à un usage quotidien, peu offrent la capacité de nous transporter en dehors des sentiers battus. C'est dans cette case que niche le Jeep Cherokee 2022.

Ce dernier n'est pas né d'hier. Voilà maintenant huit ans que la génération actuelle du Cherokee parcourt le pays. Certes, on lui a apporté quelques changements en cours de route, mais les signes de vieillesse sont indéniables. Malgré tout, le Cherokee touche la cible en proposant un équilibre entre une utilisation normale sur la route, un côté pratique indéniable et des prouesses hors route reconnues. S'il est vrai que plusieurs rivaux du Cherokee ont des habitacles plus modernes et une meilleure maniabilité, rares sont ceux qui peuvent poursuivre leur chemin convenablement quand il n'y a plus d'asphalte!

### LE V6, DERNIER DE SA RACE

À une ère où le mot d'ordre est à la réduction de la cylindrée des moteurs, les véhicules utilitaires compacts comme le Cherokee sont désormais tous animés par des 4 cylindres, ou même des 3 cylindres comme chez Ford avec l'Escape. Enfin, presque tous, puisque le Jeep Cherokee demeure offert avec un bloc à 6 cylindres sous son capot. C'est l'unique modèle de sa catégorie à proposer une telle configuration, ce qui lui permet une capacité de remorquage intéressante de 4 500 lb. Malgré des performances honnêtes et une fiabilité éprouvée, on se doute que la carrière de ce V6 tire à sa fin. Le groupe Stellantis, dont fait partie la marque Jeep, a maintes et maintes fois martelé son intention de se tourner radicalement vers l'électrification au cours des prochaines années. On peut donc s'attendre à ce que les moteurs plus énergivores passent à la casse, d'autant plus que les réglementations gouvernementales en matière d'émissions polluantes n'iront pas en s'atténuant.

Il existe deux autres moteurs qui peuvent être jumelés au Cherokee pour 2022. Celui d'entrée de gamme, un bloc atmosphérique de 2,4 litres, développe 180 chevaux et réalise des performances très limitées, considérant le gabarit du véhicule. Un moteur turbo de 2 litres est aussi disponible, avec une puissance à peu près équivalente à celle du V6 (270 chevaux). Cependant, celui-ci s'avère plus bruyant à bord de l'habitacle et nous émettons quelques

réserves sur sa fiabilité à long terme. Vaut donc mieux vous tourner vers le V6 pendant qu'il est encore là. Un tantinet plus cher à la pompe, il vous rendra la monnaie de votre pièce avec un bon comportement et une fiabilité généralement sans faille. Enfin, notons que tous les moteurs mentionnés ci-haut sont couplés à une transmission automatique à 9 rapports.

## FIGÉ DANS LE TEMPS

À bord, la présentation vieillissante du Cherokee donne une certaine impression de retour dans le temps. Si le système multimédia UConnect se veut efficace et assez convivial, il est tout de même obsolète. La dernière génération du système n'est pas intégrée au modèle, ce qui nous laisse avec une interface plus désuète. Heureusement, les applications Apple CarPlay et Android Auto sont livrées de série.

L'habitacle en général aurait besoin d'un petit remontant, question de moins se sentir en 2010. Moins de plastique bon marché et des touches plus modernes et remaniées pourraient sans doute aider aux ventes du modèle. Cela dit, la visibilité est bonne et il faut souligner le confort des places avant, et la bonne position de conduite qu'ils offrent. Une bonne note pour l'appuie-bras bien placé qui permet de tenir le volant correctement. C'est malheureusement moins confortable pour les passagers assis derrière. L'espace pour les jambes est juste et on remarquera aussi que le coffre propose moins de volume de chargement que la moyenne de la concurrence. Je pense ici notamment aux Honda CR-V et au Nissan Rogue, qui sont également plus raffinés.

À défaut d'offrir une modernité comparable à celle de ses plus grands rivaux, le Cherokee se reprend avec une gamme étoffée de versions qui permettent de rejoindre un large auditoire. Si vous êtes du type aventurier, la déclinaison Trailhawk est pour vous. Axée sur la conduite hors route avec ses multiples plaques de protection et son système 4x4 *Active Drive Lock*, c'est aussi la mouture la plus réussie esthétiquement. Sinon, les modèles d'entrée de gamme Sport et North pourraient faire l'affaire, mais leur prix demeure relativement élevé compte tenu de l'équipement minimaliste qui y est intégré. Le Jeep Cherokee a encore ses adeptes, mais ses ventes en fort déclin (même avant la pandémie) ne mentent pas. Pas de doute, on est dûs pour une nouvelle génération.

### Données principales

| | |
|---|---|
| Emp. / lon. / lar. / haut. | 2 707 / 4 650 / 1 859 / 1 670 mm |
| Coffre / réservoir | 731 à 1 549 litres / 60 litres |
| Nombre de passagers | 5 |
| Suspension av. / arr. | ind., jambes force / ind., multibras |
| Pneus avant / arrière | P225/60R17 / P225/60R17 |
| Poids / Capacité de remorquage | **2,4L** - 1 629 kg / 907 kg (2 000 lb) |
| | **2,0T** - 1 815 kg / 1 800 kg (4 000 lb) |
| | **3,2L** - 1 798 kg / 2 041 kg (4 500 lb) |

### Composantes mécaniques

**4L - 2,4 LITRES**

| | |
|---|---|
| Cylindrée, alim. | 4L 2,4 litres atmos. |
| Puissance / Couple | 180 ch / 171 lb-pi |
| Tr. base (opt) / Rouage base (opt) | A9 / Tr (Int) |
| 0-100 / 80-120 / V. max | 10,3 s (est) / 8,4 s (est) / n.d. |
| Type / ville / route / CO$_2$ | **Tr** - Ord / 10,8 / 7,5 / 219 g/km |
| | **Int** - Ord / 11,2 / 8,0 / 230 g/km |

**4L - 2,0 LITRES**

| | |
|---|---|
| Cylindrée, alim. | 4L 2,0 litres turbo |
| Puissance / Couple | 270 ch / 295 lb-pi |
| Tr. base (opt) / Rouage base (opt) | A9 / Int |
| 0-100 / 80-120 / V. max | 7,5 s (est) / 5,8 s (est) / n.d. |
| Type / ville / route / CO$_2$ | Ord / 11,2 / 8,0 / 229 g/km |

**V6 - 3,2 LITRES**

| | |
|---|---|
| Cylindrée, alim. | V6 3,2 litres atmos. |
| Puissance / Couple | 271 ch / 239 lb-pi |
| Tr. base (opt) / Rouage base (opt) | A9 / Int |
| 0-100 / 80-120 / V. max | 8,2 s (m) / 6,1 s (m) / n.d. |
| 100-0 km/h | 44,7 m (m) |
| Type / ville / route / CO$_2$ | Ord / 12,2 / 8,6 / 249 g/km |

**+** Bonne capacité de remorquage (V6) •
Peut s'aventurer hors route •
Style accrocheur

**—** Habitacle vieillot •
Moteur turbo bruyant en accélération •
Consommation élevée (V6)

Photos : Jeep

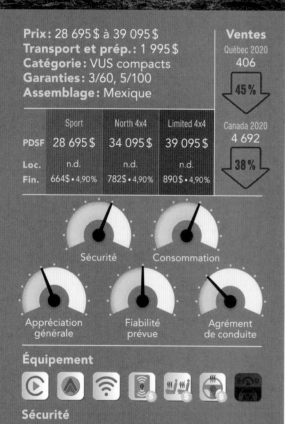

# Jeep — JEEP **COMPASS**

★★★ COTE DU **GUIDE**

**Prix:** 28 695 $ à 39 095 $
**Transport et prép.:** 1 995 $
**Catégorie:** VUS compacts
**Garanties:** 3/60, 5/100
**Assemblage:** Mexique

**Ventes**
Québec 2020
**406**
▼ 45 %

Canada 2020
**4 692**
▼ 38 %

|  | Sport | North 4x4 | Limited 4x4 |
|---|---|---|---|
| PDSF | 28 695 $ | 34 095 $ | 39 095 $ |
| Loc. | n.d. | n.d. | n.d. |
| Fin. | 664 $ • 4,90 % | 782 $ • 4,90 % | 890 $ • 4,90 % |

Sécurité    Consommation

Appréciation générale    Fiabilité prévue    Agrément de conduite

## Équipement

## Sécurité

## Concurrents

Chevrolet Equinox, Ford Bronco Sport/Escape, GMC Terrain, Honda CR-V, Hyundai Tucson, Jeep Cherokee, Kia Sportage, Mazda CX-5, Mitsubishi Outlander, Nissan Rogue, Subaru Forester, Toyota RAV4, Volks. Tiguan

## Nouveau en 2022

Retouches esthétiques, nouvelle présentation intérieure

# Dur, dur de s'appeler Jeep

Luc Gagné

**U**n patronyme peut être un lourd fardeau à porter pour un véhicule. Prenez le Compass, par exemple. Certains experts de 4x4 le dénigrent en prétextant qu'il ne serait pas apte à parcourir de bout en bout la «Jack Rabbit», dans le coin de Montcalm. Entre vous et moi, le conducteur typique de ce Jeep inscrit-il ce genre de virée hors route sur sa liste de choses à faire absolument avant de quitter ce bas monde? Sûrement pas, sinon il conduirait un Wrangler Rubicon. Cet automobiliste veut avant tout se voir sur la route, précédé des lettres J-E-E-P surmontant une calandre à sept fentes verticales.

À l'instar du Renegade, le Compass a été créé pour attirer, chez Jeep, des acheteurs souhaitant troquer une petite voiture pour un VUS réduit. À ses débuts, en 2007, il n'avait même pas de variante «Trail Rated», une appellation imaginée par le marketing de Jeep pour distinguer les modèles taillés pour le tout terrain des autres. Cet oubli a cependant été rectifié quelques années plus tard avec l'ajout d'une version arborant cet emblème.

## PORTE D'ENTRÉE À LA MARQUE

En Amérique du Nord, cette stratégie a porté fruit, pour le Compass du moins. Bon an, mal an, il se maintient dans la moyenne au palmarès des ventes, surtout depuis l'arrivée du modèle actuel. Dévoilé en septembre 2016, ce Compass de seconde génération a gagné en volume et en substance pour se différencier du Renegade, plus petit et nettement moins populaire.

Cette année, Jeep offre aux acheteurs nord-américains un modèle bonifié introduit en Europe en avril 2021. Parions que l'usine de Toluca au Mexique, qui produit nos Compass, ne pouvait être réoutillée aussi vite que celle de Melfi en Italie, qui dessert le vieux continent.

Le profil de la carrosserie est resté intact, mais la calandre, les phares, les feux arrière et les pare-chocs ont subi des retouches esthétiques. Les blocs optiques, entre autres, ont été harmonisés à ceux du nouveau Grand Cherokee L. Les versions Limited et Trailhawk ont d'ailleurs des phares et des antibrouillards à DEL. On peut même désormais parer le Compass Limited, le plus cossu, de roues de 19 pouces en optant pour l'ensemble Elite.

Doté du 4 cylindres atmosphérique de 2,4 litres du Cherokee d'entrée de gamme, le Compass est offert avec deux ou quatre roues motrices. Malheureusement, ce moteur de puissance moyenne manque d'éclat et s'avère gourmand. Un Subaru Crosstrek, qui a quatre roues motrices de série, consomme beaucoup moins de carburant que la déclinaison d'entrée de gamme à deux roues motrices du Jeep. Les utilisateurs de petites remorques voudront aussi savoir que le Compass à deux roues motrices n'est pas conçu pour le remorquage. Pour cela, il faut une variante à quatre roues motrices, qui a une capacité de 2 000 lb.

La suspension a de nouveaux réglages optimisant la douceur de roulement, alors que la direction, moins légère, gagne en précision. Par ailleurs, cette dernière procure toujours un rayon de braquage légèrement inférieur à la version Trailhawk, la seule à porter l'écusson Trail Rated. Voilà pourquoi elle a des plaques protectrices, des crochets de remorquage devant comme derrière et la plus haute garde au sol de la gamme, soit 219 mm. Par contre, c'est quand même 1 mm de moins que le Crosstrek ! Le Trailhawk possède aussi le système d'entraînement Jeep *Active Drive Low* lui donnant un rapport à forte démultiplication de 20:1, ainsi qu'un limiteur de vitesse en descente.

## DU NOUVEAU À L'INTÉRIEUR

L'habitacle spacieux peut accueillir confortablement quatre adultes de taille moyenne. Les seuils de portes hauts compliquent cependant l'embarquement, surtout derrière. En revanche, le coffre transformable rend ce petit utilitaire polyvalent. Son volume utile se compare d'ailleurs à celui d'un Cherokee. Le design du tableau de bord a été revu. Ses formes épurées mettent en valeur, entre autres nouveautés, un écran tactile de 8,4 ou 10,1 pouces, selon la version. Son nouveau système d'exploitation Uconnect 5 incorpore Apple CarPlay et Android Auto, de même qu'un système de reconnaissance vocale.

Face au conducteur, on retrouve un écran numérique de 3,5 ou 7 pouces, selon la version choisie. Le constructeur offre également un impressionnant écran haute définition de 10,25 pouces. Curieusement, il est livré de série uniquement dans le Compass Altitude de gamme moyenne. Pour la plupart des autres versions, même les plus chères, on l'obtient moyennant un supplément.

Enfin, au Canada, ce Compass amélioré offre du jamais vu dans un petit Jeep : un dispositif de conduite semi-autonome de niveau 2.

| Données principales | |
|---|---|
| Emp. / lon. / lar. / haut. | 2 636 / 4 404 / 1 874 / 1 641 mm |
| Coffre / réservoir | 770 à 1 693 litres / 51 litres |
| Nombre de passagers | 5 |
| Suspension av. / arr. | ind., jambes force / ind., multibras |
| Pneus avant / arrière | P215/65R16 / P215/65R16 |
| Poids / Capacité de remorquage | **Tr** - 1 444 kg / non recommandé |
| | **Int** - 1 509 kg / 907 kg (2 000 lb) |

| Composantes mécaniques | |
|---|---|
| Cylindrée, alim. | 4L 2,4 litres atmos. |
| Puissance / Couple | 177 ch / 172 lb-pi |
| Tr. base (opt) / Rouage base (opt) | A6 (A9) / Tr (Int) |
| Type / ville / route / $CO_2$ | **Tr** - Ord / 10,6 / 7,6 / 218 g/km |
| | **Int** - Ord / 10,8 / 7,8 / 222 g/km |

**+** Intérieur spacieux • Coffre polyvalent • Version Trailhawk attrayante

**–** Seuils de portes élevés • Consommation importante • Visibilité arrière réduite

Photos : Jeep

DIESEL

## Caractéristiques

**Prix:** 49 315 $ à 64 105 $ (2021)
**Transport et prép.:** 1 895 $
**Catégorie:** Camionnettes interm.
**Garanties:** 3/60, 5/100
**Assemblage:** États-Unis

**Ventes**
Québec 2020
710
▲ 140 %

Canada 2020
4 481
▲ 129 %

|      | Sport S | Rubicon | High Altitude |
|------|---------|---------|---------------|
| PDSF | 49 315 $ | 56 315 $ | 64 105 $ |
| Loc. | 688 $ • 6,19 % | 811 $ • 6,19 % | 885 $ • 6,19 % |
| Fin. | 1 073 $ • 3,49 % | 1 220 $ • 3,49 % | 1 345 $ • 3,49 % |

Sécurité — Consommation

Appréciation générale — Fiabilité prévue — Agrément de conduite

### Équipement

### Sécurité

### Concurrents
Chevrolet Colorado, Ford Ranger, GMC Canyon, Honda Ridgeline, Nissan Frontier, Toyota Tacoma

### Nouveau en 2022
Aucun changement majeur annoncé au moment de mettre sous presse.

# La meilleure excuse

Marc Lachapelle

La marque Jeep est une des plus fortes sur cette planète, mais elle ne provoque certainement pas toujours les achats les plus rationnels. Souvent le contraire, en fait. L'arrivée du Gladiator fut donc providentielle pour bien du monde. Parce qu'il représente, à la fois, la meilleure excuse pour acheter une camionnette et le meilleur prétexte pour s'offrir un Jeep. Avec une solide valeur de revente en prime. Et la fiabilité ? Sa cote actuelle s'est améliorée. De quoi convaincre aussi le côté rationnel de votre cerveau, ou votre complice.

Il est clair qu'une infime minorité de camionnettes est utilisée constamment au maximum de ses capacités. Alors, tant qu'à se faire plaisir, aussi bien y aller à fond en choisissant la camionnette qui affiche le caractère le plus fort et la silhouette la plus marquante. À ce jeu-là, aucune camionnette ne peut égaler le Gladiator, avec ses lignes résolument carrées, ses grandes roues et sa calandre légendaire, à sept fentes verticales.

Le Gladiator est évidemment le seul, de surcroît, qui sache se transformer en décapotable et dont on peut enlever toutes les portières et même abaisser le pare-brise. Sans compter que son tableau de bord, comme celui de son frère de sang, le Wrangler, est superbement fini et regorge de touches amusantes, originales ou ingénieuses.

Difficile de ne pas tomber sous le charme une fois que l'on a grimpé à bord. Ce que l'on ne réussit jamais sans y mettre l'effort : c'est à croire qu'il faut mériter de rouler en Gladiator ou en Wrangler ! Et on se prend facilement à ce jeu, comme en témoigne la formidable cote d'affection et de loyauté à leur égard. Comment ne pas sourire, par exemple, en voyant la silhouette argentée du Gladiator qui coiffe le sélecteur de la boîte de vitesses automatique à 8 rapports ?

### UNE FAMILLE QUI GRANDIT
Bien sûr, Ford n'a rien à craindre pour la sempiternelle première place de ses camionnettes de Série F au palmarès des ventes. Parce que le Gladiator occupe un créneau unique et que Jeep fait payer cher le privilège d'y accéder. Ce qui ne l'a aucunement empêché d'augmenter ses ventes de 140 % au Québec l'an dernier.

Jeep a multiplié soigneusement les modèles et les variantes spéciales du Gladiator, pour que chaque mordu puisse y trouver son compte. Il faut s'attendre à en voir apparaître bon nombre d'autres.

On s'est ainsi retrouvé, l'an dernier, avec un Gladiator Mojave conçu pour rouler à fond dans les déserts californiens comme celui qui lui prête son nom. Avec d'excellents amortisseurs Fox à réservoir séparé capables d'encaisser le mouvement incessant de ses gros pneus. Sur ce point précis, le Mojave est aussi bien adapté aux sentiers boueux et tortueux du Québec que l'imposant Ford Raptor. Contrairement à l'autre, par contre, il s'y faufilera sans peine et de toute manière, l'amateur sérieux peut se tourner vers un Gladiator Rubicon ou un Sport à boîte manuelle, moins cher et plus léger, pour grimper le long des pylônes, vers Chibougamau.

Prédiction facile : l'ajout prochain de versions 392, animées par le V8 de 6,4 litres et 470 chevaux du Wrangler. Idéalement aussi du 4 cylindres turbo de 2 litres et 270 chevaux pour épauler un V6 Pentastar de 285 chevaux qui fait un excellent boulot. Sans oublier l'EcoDiesel souple et frugal, qui commande en revanche une prime de 7 395 $ comparé à un V6 à essence muni de la boîte automatique.

## COMME UN CHIEN FIDÈLE

Au quotidien, on doit essentiellement apprendre à vivre avec un Gladiator. Il faut s'habituer à sa direction floue et se résigner à une tenue de cap qui va de mauvaise à exécrable, selon le modèle. Le roulement est ferme mais l'aplomb proportionnel. Heureusement. L'essieu arrière rigide sautille toutefois facilement, sur les fentes et bosses. On se surprend aussi à ralentir sur l'autoroute parce que le bruit est vraiment fort à plus de 100 km/h.

Le siège est confortable et la position de conduite est bonne, sauf pour l'absence d'un repose-pied. Le tableau de bord et les commandes sont impeccables, surtout avec l'écran UConnect optionnel de 8,4 pouces. Finition incluse. Les places arrière sont correctes, malgré un dossier très droit. Leur assise se soulève également pour découvrir de grands bacs de rangement. La boîte manuelle est précise, légère et l'embrayage très progressif. Difficile de conduire en douceur, par contre, avec un premier rapport très démultiplié. Et l'automatique est sans reproche, avec l'un ou l'autre des V6. Somme toute, la jeune famille Gladiator se porte plutôt bien. Et qui sait, on en verra peut-être aussi bientôt une version hybride rechargeable.

### Données principales

| | |
|---|---|
| Emp. / lon. / lar. / haut. | 3 487 / 5 539 / 1 875 / 1 907 mm |
| Boîte / réservoir | 1 531 mm / 83 litres |
| Nombre de passagers | 5 |
| Suspension av. / arr. | essieu rigide, multibras / essieu rigide, multibras |
| Pneus avant / arrière | P245/75R17 / P245/75R17 |
| Poids / Capacité de remorquage | 2 109 kg / 3 175 kg (7 000 lb) |

### Composantes mécaniques

**ESSENCE**

| | |
|---|---|
| Cylindrée, alim. | V6 3,6 litres atmos. |
| Puissance / Couple | 285 ch / 260 lb-pi |
| Tr. base (opt) / Rouage base (opt) | M6 (A8) / 4x4 |
| 0-100 / 80-120 / V. max | 8,2 s (m) / 6,0 s (m) / n.d. |
| 100-0 km/h | 41,1 (m) |
| Type / ville / route / $CO_2$ | **Man** - Ord / 14,3 / 10,4 / 296 g/km |
| | **Auto** - Ord / 13,7 / 10,7 / 290 g/km |

**DIESEL**

| | |
|---|---|
| Cylindrée, alim. | V6 3,0 litres turbo |
| Puissance / Couple | 260 ch / 442 lb-pi |
| Tr. base (opt) / Rouage base (opt) | A8 / 4x4 |
| 0-100 / 80-120 / V. max | 8,4 s (m) / 6,3 s (m) / n.d. |
| 100-0 km/h | 45,1 m (m) |
| Type / ville / route / $CO_2$ | Dié / 10,8 / 8,5 / 263 g/km |

+ Silhouette parfaitement unique • Tableau de bord réjouissant • Motorisation réussie • Excellent tout-terrain

− Accès aux sièges toujours difficile • Direction floue au centre • Pas de repose-pied • Bruyant sur l'autoroute

Photos : Marc Lachapelle, Jeep

**Prix:** 49 665 $ à 120 615 $ (2021)
**Transport et prép.:** 1 995 $
**Catégorie:** VUS intermédiaires
**Garanties:** 3/60, 5/100
**Assemblage:** États-Unis

**Ventes**

Québec 2020
2 227

🔻 8 %

Canada 2020
15 521

🔻 20 %

| | Laredo | L Summit | Trackhawk |
|---|---|---|---|
| **PDSF** | 49 665 $ | 74 595 $ | 120 615 $ |
| **Loc.** | 804 $ • 3,99 % | 1 324 $ • 6,19 % | 1 798 $ • 6,19 % |
| **Fin.** | 1 100 $ • 3,49 % | 1 602 $ • 3,49 % | 2 623 $ • 3,49 % |

Infos n.d.
Sécurité
Consommation

Appréciation générale
Fiabilité prévue
Agrément de conduite

**Équipement**

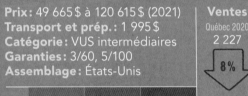

**Sécurité**

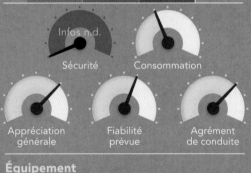

**Concurrents**

Acura MDX, Audi Q7, BMW X5, Cad. XT6, Chevr. Blazer, Ford Edge, GMC Acadia, Honda Passport, Hyund. Santa Fe, Infin. QX60, Kia Sorento, Linc. Aviator, Mercedes GLE, Nissan Murano, Porsche Cayenne, Volks. Atlas

**Nouveau en 2022**

Nouvelle génération du modèle. Grand Cherokee L arrivé en cours d'année 2021, version hybride rechargeable 4xe attendue en 2022.

# Le deuxième grand

Louis-Philippe Dubé

**A**près une décennie sans grands changements, le Jeep Grand Cherokee passe finalement sous le bistouri. Au menu: une présentation modernisée, une intégration technologique nettement supérieure et une nouvelle version à sept passagers. Et ça ne fait que commencer!

Précisons que le Grand Cherokee n'est plus le plus «grand» de sa lignée depuis l'arrivée du Grand Wagoneer qui accapare toute l'attention. La refonte du Grand Cherokee ne passe pas sous silence, mais le nouveau catalogue dans lequel il se classe peut en confondre certains. Cherokee, Grand Cherokee, Grand Cherokee L (version allongée) Wagoneer et Grand Wagoneer, inutile de souligner que le choix est moins difficile pour les fidèles amateurs du Wrangler!

Le Grand Cherokee entame sa cinquième génération avec un mélange de modernité et de tradition. Bien qu'au moment d'écrire ces lignes les seules spécifications disponibles concernent la variante L, les représentants de Stellantis nous ont assurés que les deux moutures seraient assemblées côte à côte, ce qui laisse croire que les données techniques seront très similaires.

**DU NOUVEAU ET DU VIEUX SOUS LE CAPOT**

Les rumeurs laissent entendre que le moteur de l'ultime version Trackhawk pourrait être remplacé par une plus petite cylindrée, et que la déclinaison pourrait simplement être abandonnée. En contrepartie, Jeep a annoncé l'arrivée d'une mouture hybride rechargeable 4xe, laquelle se propagera à travers le catalogue du constructeur au cours des prochaines années.

Pour l'instant, le moteur d'entrée de gamme est – vous l'aurez probablement deviné – le V6 Pentastar! Ce vétéran mécanique développe une fidèle cavalerie de 295 chevaux (290 dans la version L) et 260 lb-pi de couple (257 dans le Grand Cherokee L). Sans surprise, il est jumelé à une boîte de vitesses automatique à 8 rapports. Le moteur V8 de 5,7 litres est également au menu, générant une puissance de 360 chevaux (357 dans le L) et un couple de 390 lb-pi.

Bien que le V6 Pentastar ait une capacité de remorquage de 6 200 lb, ce moteur pourrait s'avérer très juste si cette capacité est mise à l'épreuve ou que l'utilitaire est rempli de passagers. Autrement, cette motorisation fiable déploie des accélérations franches avec suffisamment de couple à bas

régime pour donner l'élan aux 2 168 kg du Grand Cherokee L. On note toutefois un léger essoufflement à haute vitesse. Le V8 de 5,7 litres, plus athlétique, promet quant à lui une meilleure prestation au chapitre de la performance.

Fidèle à ses racines, le Jeep Grand Cherokee offre une série de types de rouages 4x4, selon la variante. Par exemple, le Grand Cherokee L Overland compte sur le dernier système Quadra-Trac II qui permet à l'utilitaire de s'aventurer sur les sentiers comme nul autre. Même s'il est difficile de concevoir que trois rangées de passagers voudraient aller se faire brasser entre des roches et des arbres sur un sentier, le rouage du Grand Cherokee demeure un bon vieux canif suisse avec ses multiples modes de conduite adaptables aux réalités du quotidien familial.

Le Grand Cherokee compte sur une suspension à ressorts hélicoïdaux classiques de base, avec une suspension pneumatique adaptative Quadra-Lift sur certaines variantes. Cette dernière peut adopter un comportement routier apte à faire l'équilibre entre douceur de roulement sur une route en piètre état, tout comme camper l'utilitaire haut sur pattes dans les virages avec un minimum d'effet de roulis.

## UN HABITACLE RENOUVELÉ

Même si l'habitacle du Grand Cherokee sortant était efficace et fonctionnel, il avait grandement besoin de modernité. Après tout, une décennie c'est éternel en âge automobile! Sur le plan du confort, de la finition et de l'ergonomie, c'est réussi, avec un espace un peu restreint dans la troisième rangée. Les textures et matériaux utilisés confèrent à l'habitacle le panache qu'il mérite. Un nouvel écran d'infodivertissement donne accès à la dernière itération du système Uconnect. Malgré les améliorations vantées par le constructeur à l'égard de ce logiciel, l'interface semble plus complexe que l'ancien système, pourtant si simple et intuitif.

Le Grand Cherokee renaît avec un physique paré à rivaliser dans un marché où les utilitaires, spécialement ceux à trois rangées, deviennent de plus en plus cossus. Même s'il conserve de vieux plis comme son moteur V6 Pentastar, il fait preuve d'innovation avec la version hybride rechargeable 4xe prévue en cours d'année 2022. Hélas, plusieurs équipements intéressants se trouvent dans les variantes supérieures avec des tarifs qui les rapprochent du prix de départ du Wagoneer.

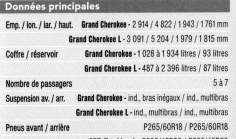

## Données principales

| | | |
|---|---|---|
| Emp. / lon. / lar. / haut. | Grand Cherokee - 2 914 / 4 822 / 1 943 / 1 761 mm | |
| | Grand Cherokee L - 3 091 / 5 204 / 1 979 / 1 815 mm | |
| Coffre / réservoir | Grand Cherokee - 1 028 à 1 934 litres / 93 litres | |
| | Grand Cherokee L - 487 à 2 396 litres / 87 litres | |
| Nombre de passagers | 5 à 7 | |
| Suspension av. / arr. | Grand Cherokee - ind., bras inégaux / ind., multibras | |
| | Grand Cherokee L - ind., multibras / ind., multibras | |
| Pneus avant / arrière | P265/60R18 / P265/60R18 | |
| | SRT, Trackhawk - P295/45R20 / P295/45R20 | |
| Poids / Capacité de remorquage | V6 - 2 098 à 2 307 kg / 2 818 kg (6 200 lb) | |
| | V8 - 2 273 à 2 429 kg / 3 266 kg (7 200 lb) | |

## Composantes mécaniques

### V6 - 3,6 LITRES

| | |
|---|---|
| Cylindrée, alim. | V6 3,6 litres atmos. |
| Puissance / Couple | Grand Cherokee - 295 ch / 260 lb-pi |
| | Grand Cherokee L - 290 ch / 257 lb-pi |
| Tr. base (opt) / Rouage base (opt) | A8 / 4x4 |
| 0-100 / 80-120 / V. max | 7,5 s (m) / 6,1 s (m) / n.d. |
| Type / ville / route / $CO_2$ | Grand Cherokee - Ord / 12,7 / 9,6 / 265 g/km |
| | Grand Cherokee L - Ord / 13,0 / 9,4 / 266 g/km |

### V8 - 5,7 LITRES

| | |
|---|---|
| Cylindrée, alim. | V8 5,7 litres atmos. |
| Puissance / Couple | Grand Cherokee - 360 ch / 390 lb-pi |
| | Grand Cherokee L - 357 ch / 390 lb-pi |
| Tr. base (opt) / Rouage base (opt) | A8 / 4x4 |
| 0-100 / 80-120 / V. max | 6,2 s (est) / 5,0 s (est) / n.d. |
| Type / ville / route / $CO_2$ | Grand Cherokee - Ord / 16,7 / 10,9 / 331 g/km |
| | Grand Cherokee L - Ord / n.d. / n.d. /n.d. |

### SRT

| | |
|---|---|
| Cylindrée, alim. | V8 6,4 litres atmos. |
| Puissance / Couple | 475 ch / 470 lb-pi |
| Tr. base (opt) / Rouage base (opt) | A8 / 4x4 |
| 0-100 / 80-120 / V. max | 5,0 s (est) / 3,7 s (est) / n.d. |
| Type / ville / route / $CO_2$ | Sup / 18,3 / 12,6 / 368 g/km |

### TRACKHAWK

| | |
|---|---|
| Cylindrée, alim. | V8 6,2 litres surcomp. |
| Puissance / Couple | 707 ch / 645 lb-pi |
| Tr. base (opt) / Rouage base (opt) | A8 / 4x4 |
| 0-100 / 80-120 / V. max | 3,8 s (m) / 2,9 s (m) / 289 km/h (c) |
| 100-0 km/h | 36,9 m (m) |
| Type / ville / route / $CO_2$ | Sup / 20,9 / 13,8 / 413 g/km |

**+** Nouveau look réussi • Habitacle confortable et ergonomique • Aptitudes hors route

**–** Nouveau système Uconnect plus complexe • Puissance du moteur V6 un peu juste • Les modèles intéressants sont chers

Photos : Jeep

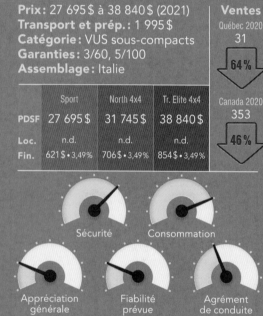

**Prix:** 27 695 $ à 38 840 $ (2021)
**Transport et prép.:** 1 995 $
**Catégorie:** VUS sous-compacts
**Garanties:** 3/60, 5/100
**Assemblage:** Italie

**Ventes**
Québec 2020
31
64 %

Canada 2020
353
46 %

| | Sport | North 4x4 | Tr. Elite 4x4 |
|---|---|---|---|
| **PDSF** | 27 695 $ | 31 745 $ | 38 840 $ |
| **Loc.** | n.d. | n.d. | n.d. |
| **Fin.** | 621 $ • 3,49 % | 706 $ • 3,49 % | 854 $ • 3,49 % |

Sécurité — Consommation

Appréciation générale — Fiabilité prévue — Agrément de conduite

**Équipement**

**Sécurité**

**Concurrents**
Buick Encore GX, Chevrolet Trailblazer, Fiat 500X, Ford EcoSport, Honda HR-V, Hyundai Kona, Kia Niro/Seltos, Mazda CX-30, Mitsubishi Eclipse Cross/RVR, Nissan Qashqai, Subaru Crosstrek, Volkswagen Taos

**Nouveau en 2022**
Aucun changement Jeep majeur annoncé au moment de mettre sous presse.

# Le petit canard boiteux

Luc Gagné

**J**eep est sans conteste l'une des marques les plus prisées à l'échelle mondiale. Sa gamme n'a jamais compté autant de modèles différents qui, de surcroît, suscitent beaucoup d'intérêt dans chacun de leurs créneaux respectifs. Tous? Non, car Jeep a son canard boiteux: le Renegade, le mal-aimé de la famille.

En consultant le palmarès des ventes du marché automobile canadien ou américain, le Renegade figure au bas de la liste. Il est aux antipodes des Hyundai Kona, Mazda CX-30, Subaru Crosstrek et Kia Seltos, les grands favoris de la catégorie. Cela confirme qu'il ne suffit pas d'avoir une calandre à sept fentes verticales et une carrosserie ornée de décorations évoquant les Willys de la Deuxième Guerre mondiale pour convaincre les acheteurs.

Lorsqu'il a fait ses débuts chez les concessionnaires, en avril 2015, on comptait sur ce mini-Jeep d'entrée de gamme pour attirer de nouveaux venus. Après un bon départ, ses ventes ont dégringolé dès l'année suivante. L'arrivée en 2017 du Compass, légèrement plus volumineux, a rogné les ailes du petit canard. Même les subtiles retouches esthétiques réalisées en 2019 n'ont rien changé.

### GAMME DIVERSIFIÉE
La gamme actuelle repose néanmoins sur trois versions: Sport (d'entrée de gamme), North (luxueuse) et Trailhawk (tout-terrain). À cela s'ajoutent des variantes un peu plus cossues aux noms évocateurs que l'on change au gré des ans. En somme, le choix ne manque pas.

La version Sport, qui se veut la plus abordable, et son dérivé, la Jeepster, n'ont que deux roues motrices avant, à moins de débourser un supplément pour obtenir la transmission intégrale proposée en option. Ce système «sur demande», de série pour les autres déclinaisons, a le désavantage de parfois entrer en action avec un brin de lenteur. L'effet de couple causé au train avant par le moteur le confirme. C'est le genre d'irritant que l'on ne ressent pas au volant d'un Subaru Crosstrek, qui a quatre roues motrices permanentes.

### TRAILHAWK, LE PASSE-PARTOUT
À l'opposé de la gamme, le Renegade Trailhawk propose une formule unique dans ce créneau. À la façon d'un Suzuki Samurai d'antan, il est conçu pour une utilisation hors route relativement sérieuse, ce qu'annonce l'écusson Trail Rated sur ses flancs. Il a une garde au sol élevée (220 mm) et un système

Active Drive Low de série avec un rapport à forte démultiplication de 21 à 1. Il dispose aussi d'un limiteur de vitesse en descente, de plaques protectrices sous le châssis et de crochets de remorquage pour le devant et le derrière. Sa suspension bénéficie, enfin, d'un grand débattement (jusqu'à 205 mm). Ce n'est pas un Wrangler Rubicon, mais ses prestations hors route demeurent surprenantes.

Le 4 cylindres à turbocompresseur de 1,3 litre, exclusif au Trailhawk, optimise ses aptitudes. Il produit 3 chevaux de moins que le 4 cylindres atmosphérique de 2,4 litres que les autres modèles partagent avec le Jeep Compass. Cependant, il livre plus de couple (35 lb-pi de plus) à très bas régime (1 750 tr/min), une qualité indéniable quand on doit surmonter un obstacle gênant à pas de tortue. Ces deux moteurs sont toutefois jumelés à une boîte de vitesses automatique à 9 rapports. Le constructeur réserve les boîtes manuelles aux marchés européens.

Cela dit, le Renegade offre une capacité de remorquage de 2 000 lb, du moins s'il est équipé de la transmission intégrale, et ce, quel que soit le moteur. Ce mini Jeep peut alors s'accommoder, par exemple, d'une remorque transportant une motomarine.

La consommation de carburant est cependant son talon d'Achille. Avec deux ou quatre roues motrices, les cotes moyennes de ses motorisations sont plus élevées que celles des modèles rivaux les moins gourmands. Ironiquement, bien qu'il soit légèrement plus lourd, le Compass fait mieux avec le même moteur de 2,4 litres ! En effet, ce dernier consomme 9,5 L/100 km de moyenne, alors qu'un Renegade doté du même moteur affiche une cote de 9,8 L/100 km.

L'intérieur convient à deux adultes et deux enfants, les places arrière offrant peu d'espace pour les jambes. L'insonorisation de l'habitacle est plutôt moyenne. En revanche, la dotation est satisfaisante et comprend, entre autres, les systèmes Apple CarPlay et Android Auto.

Son coffre demeure son point fort. En plus d'offrir un volume utile maximal important, à l'instar du Chevrolet Trax, le dossier du siège du passager est rabattable vers l'avant. Cela permet de transporter des objets longs et encombrants, en dépit de ses dimensions réduites. Malgré tout cela, le Renegade ne convainc pas l'acheteur et son avenir semble peu prometteur sur notre continent, où les gros modèles rencontrent plus de succès.

## Données principales

| | |
|---|---|
| Emp. / lon. / lar. / haut. | 2 570 / 4 232 / 1 886 / 1 689 mm |
| Coffre / réservoir | 523 à 1 438 litres / 48 litres |
| Nombre de passagers | 5 |
| Suspension av. / arr. | ind., jambes force / ind., multibras |
| Pneus avant / arrière | P215/65R16 / P215/65R16 |
| Poids / Capacité de remorquage | Tr - 1 436 kg / non recommandé |
| | Int - 1 509 à 1 602 kg / 907 kg (2 000 lb) |

## Composantes mécaniques

**4L - 2,4 LITRES**

| | |
|---|---|
| Cylindrée, alim. | 4L 2,4 litres atmos. |
| Puissance / Couple | 180 ch / 175 lb-pi |
| Tr. base (opt) / Rouage base (opt) | A9 / Tr (Int) |
| 0-100 / 80-120 / V. max | 10,0 s (m) / 7,4 s (m) / n.d. |
| 100-0 km/h | 43,5 m (m) |
| Type / ville / route / $CO_2$ | Tr - Ord / 10,8 / 7,8 / 222 g/km |
| | Int - Ord / 11,2 / 8,2 / 230 g/km |

**4L - 1,3 LITRE**

| | |
|---|---|
| Cylindrée, alim. | 4L 1,3 litre turbo |
| Puissance / Couple | 177 ch / 210 lb-pi |
| Tr. base (opt) / Rouage base (opt) | A9 / Int |
| 0-100 / 80-120 / V. max | 9,2 s (est) / 6,2 s (est) / n.d. |
| 100-0 km/h | 43,1 m (est) |
| Type / ville / route / $CO_2$ | Ord - 10,1 / 8,1 / 222 g/km |
| | Trailhawk - Ord / 10,8 / 8,7 / 231 g/km |

+ Design très original • Intérieur polyvalent • Grand choix de versions

− Effet de couple gênant • Consommation élevée • Peu d'espace pour les jambes à l'arrière

**JEEP GRAND WAGONEER**

**Prix:** 80 695 $ à 121 695 $
**Transport et prép.:** 2 495 $
**Catégorie:** VUS grand format
**Garanties:** 3/60, 5/100
**Assemblage:** États-Unis

**Ventes**
Québec 2020
n.d.

|       | Wag. II   | Gr. Wag. I | Gr. Wag. II |
|-------|-----------|------------|-------------|
| PDSF  | 80 695 $  | 101 695 $  | 121 695 $   |
| Loc.  | n.d.      | n.d.       | n.d.        |
| Fin.  | 1 838$•5,99% | 2 169$•3,49% | 2 587$•3,49% |

Canada 2020
n.d.

Infos n.d. — **Sécurité**
Infos n.d. — **Consommation**
Infos n.d. — **Appréciation générale**
Infos n.d. — **Fiabilité prévue**
Infos n.d. — **Agrément de conduite**

**Équipement**

**Sécurité**

**Concurrents**
BMW X7, Cadillac Escalade, Chevrolet Suburban
/Tahoe, Ford Expedition, GMC Yukon,
Infiniti QX80, Land Rover Range Rover, Lexus LX,
Lincoln Navigator, Mercedes-Benz GLS,
Nissan Armada, Toyota Sequoia

**Nouveau en 2022**
Nouveaux modèles.

# La naissance d'une nouvelle marque?

Marc-André Gauthier

**V**ous souvenez-vous du temps où Jeep vendait un gros utilitaire avec des panneaux de bois sur les côtés? Eh bien, dites-vous que c'était, à l'époque, ce qui se rapprochait le plus d'un VUS de luxe. On l'appelait le Grand Wagoneer.

Aujourd'hui, les VUS de luxe sont très bien implantés. Mercedes-Benz, Land Rover, Cadillac, Lexus et bien d'autres proposent de gros véhicules équipés à ras bord de technologies, de gadgets et de garnitures dignes d'un palais. Pourtant, Jeep tardait à se joindre à la partie. Certains diront que le Grand Cherokee, disponible en version haut de gamme, jouait un peu ce rôle au sein de la marque. Cela dit, il ne pouvait pas réellement se frotter à des modèles comme le Cadillac Escalade ou le Lincoln Navigator. Il y avait donc un trou à combler sur l'échiquier de Jeep.

C'est désormais chose faite! Jeep se remémore son passé en ramenant son gros VUS avec des panneaux de bois... mais sans le bois! Ainsi, le Grand Wagoneer revient sur le marché, mais il est accompagné: À ses côtés, Jeep lance aussi le Wagoneer tout court, un peu moins ostentatoire. Ils sont plutôt similaires, et devraient permettre à Jeep de se positionner avantageusement dans le segment des VUS de luxe.

### DE LUXUEUX À TRÈS LUXUEUX
Aux premiers abords, les Wagoneer et Grand Wagoneer se ressemblent pas mal. Essentiellement, si vous voulez les différencier, dites-vous que le Grand Wagoneer est plus luxueux... et pas mal plus cher! Ainsi, un Wagoneer coûte au bas mot environ 80 000 $, tandis que le Grand Wagoneer démarre à plus de 100 000 $. La stratégie fait penser à celle empruntée par General Motors avec le Chevrolet Suburban et le Cadillac Escalade. Deux véhicules qui partagent les mêmes éléments structuraux, mais qui se démarquent par leur prestige et leur gamme d'équipement.

L'habitacle du Wagoneer est élégant, inspiré par ce qui se fait de mieux ailleurs, mais rendu d'une manière unique. Sa forme carrée permet d'offrir un espace utile et logeable, que ce soit pour transporter des adultes corpulents ou des meubles Ikea. Quand on le voit, on s'imagine mal ce qu'il peut offrir de plus, et pourtant. Le Grand Wagoneer possède un habitacle au style très similaire à celui du Wagoneer, mais serti des meilleurs matériaux du marché, allant des cuirs les plus fins jusqu'au bois verni au miel!

Les deux VUS sont technos, comprenant toutes les technologies de sécurité modernes, des écrans haute résolution sur la planche de bord et sur le tableau de bord et un système audio McIntosh qui promet des performances haut de gamme. Quand on sait que le Grand Wagoneer est disponible avec un écran individuel pour chaque passager, on comprend mieux le surplus de 20 000 $ demandé par Jeep.

## UNE MÉCANIQUE PAS TRÈS MODERNE

Avant le dévoilement de ces deux nouveaux VUS, certaines rumeurs laissaient croire qu'ils seraient animés par des nouvelles motorisations électrifiées. Pour l'instant, on en est loin! Dans le Wagoneer, on retrouve le V8 HEMI de 5,7 litres, vendu sur notre marché depuis des années. Ici, il développe 392 chevaux et 404 lb-pi de couple, assisté par le système d'hybridation légère e-Torque. La puissance est envoyée aux quatre roues à l'aide d'une transmission automatique à 8 rapports. Le Grand Wagoneer, lui, dispose d'un V8 de 6,4 litres, bon pour 471 chevaux et 455 lb-pi. Il est évidemment doté de la traction intégrale et profite lui aussi d'une boîte automatique qui compte 8 rapports. Pas de turbo, pas de batteries, pas de flafla, seulement de bons vieux V8, qui permettent à ces véhicules d'être pas mal pratiques. Par exemple, le Wagoneer peut remorquer jusqu'à 10 000 lb (9 850 pour le Grand Wagoneer), ce qui en fait le meilleur de sa catégorie. Pour ceux qui rêvent d'une variante électrifiée, la patience est donc de mise.

Une des forces de Jeep, c'est évidemment les capacités hors route de ses véhicules. En fait, le constructeur nous promet des performances supérieures à la concurrence, incluant Land Rover. Pour ce faire, Jeep emploie des différentiels avancés, un ordinateur de bord pour contrôler le comportement des composantes mécaniques, ainsi qu'une suspension pneumatique similaire à celle du Ram 1500. Or, cette suspension devrait justement permettre aux Wagoneer et Grand Wagoneer d'être confortables sur la route tout en ayant un roulement efficace.

On aurait aimé un peu d'innovation, surtout quand on va jouer contre des rivaux bien établis comme le Cadillac Escalade, ou encore les GMC Yukon et Chevrolet Suburban de ce monde. Toutefois, côté style et performance, on semble y être, et il est bien souvent plus judicieux de débuter tranquillement une nouvelle aventure de la sorte. Avec le temps, Wagoneer pourrait même devenir une marque de luxe à part entière, comme Lincoln l'est pour Ford.

### Données principales

| | |
|---|---|
| Emp. / lon. / lar. / haut. | 3 124 / 5 453 / 2 124 / 1 921 mm |
| Coffre / réservoir | 775 à 3 304 litres / 100 litres |
| Nombre de passagers | 7 à 8 |
| Suspension av. / arr. | ind., pneumatique, bras inégaux / ind., pneumatique, multibras |
| Pneus avant / arrière | P275/55R20 / P275/55R20 |
| Poids / Capacité de remorquage | Wagoneer - 2 808 kg / 4 536 kg (10 000 lb) |
| | Grand Wagoneer - 2 876 kg / 4 468 kg (9 850 lb) |

### Composantes mécaniques

**WAGONEER**

| | |
|---|---|
| Cylindrée, alim. | V8 5,7 litres atmos. |
| Puissance / Couple | 392 ch / 404 lb-pi |
| Tr. base (opt) / Rouage base (opt) | A8 / 4x4 |
| 0-100 / 80-120 / V. max | 8,2 s (est) / 6,4 s (est) / n.d. |
| 100-0 km/h | 41,2 m (est) |
| Type / ville / route / $CO_2$ | Ord / 17,4 / 12,1 / 347 g/km (est) |

**MOTEUR ÉLECTRIQUE**

| | |
|---|---|
| Puissance / Couple | 16 ch (12 kW) / 130 lb-pi |
| Type de batterie | Lithium-ion (Li-ion) |

**GRAND WAGONEER**

| | |
|---|---|
| Cylindrée, alim. | V8 6,4 litres atmos. |
| Puissance / Couple | 471 ch / 455 lb-pi |
| Tr. base (opt) / Rouage base (opt) | A8 / 4x4 |
| 0-100 / 80-120 / V. max | 6,3 s (est) / 4,5 s (est) / n.d. |
| 100-0 km/h | 41,2 m (est) |
| Type / ville / route / $CO_2$ | Sup / 19,1 / 13,6 / 387 g/km (est) |

＋ Style réussi • Design de l'habitacle • Capacités hors route prometteuses • Format logeable et pratique

━ Prix élevés • Mécanique à l'ancienne • Pas de version hybride • Fiabilité à prouver

**JEEP WAGONEER**

**JEEP GRAND WAGONEER**

Photos : Jeep

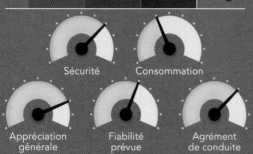

**Prix:** 37 665 $ à 60 155 $ (2021)
**Transport et prép.:** 1 995 $
**Catégorie:** VUS intermédiaires
**Garanties:** 3/60, 5/100
**Assemblage:** États-Unis

**Ventes**
Québec 2020
**3 706**

⬆ 4 %

Canada 2020
**21 262**

⬇ 17 %

|  | Sport | 4xe Unl. Sahara | Unl. Sahara HA |
|---|---|---|---|
| **PDSF** | 37 665 $ | 55 095 $ | 60 155 $ |
| **Loc.** | 510 $ • 6,19 % | 523 $ • 6,19 % | 852 $ • 6,19 % |
| **Fin.** | 830 $ • 3,49 % | 1 068 $ • 3,49 % | 1 300 $ • 3,49 % |

Sécurité     Consommation

Appréciation générale     Fiabilité prévue     Agrément de conduite

**Équipement**

**Sécurité**

**Concurrents**
Ford Bronco, Toyota 4Runner

**Nouveau en 2022**
Ajout des versions 4xe (hybride rechargeable) et Rubicon 392 (moteur V8) en cours d'année 2021.

# Légende et paradoxes

Marc Lachapelle

**L**e Wrangler est le descendant indirect d'un véhicule simple et modeste qui a marqué l'Histoire il y a plus de huit décennies. Entièrement renouvelée il y a quatre ans, cette série est plus complète que jamais. Pourtant, si moderne qu'il soit devenu, on reconnaît instantanément la silhouette anguleuse et à peine dégrossie de cet utilitaire sport costaud et robuste qui est le cœur et l'âme d'une marque légendaire. Et les ventes continuent de suivre et même de croître.

Que l'on choisisse le modèle classique à deux portières ou la version Unlimited à quatre portières qui gonfle sa popularité depuis 15 ans, le Wrangler est livré, de série, avec le V6 Pentastar de 3,6 litres et 285 chevaux, jumelé à la boîte manuelle à 6 rapports. À cette valeur sûre s'ajoutent un 4 cylindres turbo de 2 litres, un V6 diesel de 3 litres, un groupe propulseur hybride rechargeable et même un V8 de 6,4 litres. Sans compter les inévitables versions spéciales, pourvues de motorisations spécifiques.

**LE TRIOMPHE DES BOUTONS**
Les Wrangler n'ont pas honte de leur kyrielle de cadrans, commutateurs et leviers. Leur tableau de bord bien fini, truffé de bidules réjouissants, est même un hommage enjoué à l'âge de la mécanique en cette ère de numérique intégral. Ce qui ne l'empêche nullement d'offrir la meilleure interface multimédia du moment. Votre enfant intérieur en sera ravi, d'une manière comme de l'autre.

L'accès aux sièges est plutôt ardu parce que la marche est haute. Surtout dans les Rubicon. Les poignées sont vraiment utiles pour grimper à bord. Une fois en place, on apprécie le siège bien découpé et on déplore l'absence d'un repose-pied. On aime le volant drapé de cuir lisse et le sélecteur coiffé du profil d'un Jeep argenté sous une pastille transparente.

Les places arrière extérieures sont honnêtes dans les Unlimited. L'assise maintient bien les jambes, malgré un coussin écourté. On accède au coffre en soulevant la lunette en verre, après avoir dégagé la grande porte à laquelle est fixée la roue de rechange. Un bac, sous le plancher, permet de ranger les goujons et chevilles des portières et les panneaux de toit amovibles.

## AU GRÉ DES VENTS

La direction floue est une caractéristique inhérente au Wrangler qui louvoie toujours un peu en ligne droite, sensible de surcroît aux vents obliques. Le roulement est ferme et sautillant, ça claque de partout à l'intérieur et le bruit du vent est déjà fort à 90 km/h. Malgré tout, ce Jeep des puristes est toujours amusant et agréable, sur la route comme en ville. Irrésistible, quoi! Et ses aptitudes pour le tout-terrain tiennent de l'évidence.

Le 4 cylindres est une espèce de retour aux sources pour le Wrangler. Surtout que le spécimen actuel n'est pas le dernier venu. Ce groupe motopropulseur de 2 litres, suralimenté par un turbo, produit 270 chevaux et 295 lb-pi. Il propulse le Wrangler Unlimited Sport de 0 à 100 km/h en 7,53 secondes, jumelé à une boîte automatique à 8 rapports. Une transmission qui se révèle toutefois hésitante et paresseuse en pleine accélération et en reprises. Le mode 4H Auto du rouage Selec-Trac et du Rock-Trac (à prise constante) permet une conduite fluide, même en plein braquage sur l'asphalte. La tenue en virage est correcte, si l'on considère les limites des pneus tout-terrain. Le Unlimited Sport accuse peu de roulis et tient sa trajectoire sans broncher et sans presque faire crisser les pneus, malgré ses 1 903 kg.

## DEUX FRÈRES AUX EXTRÊMES

Dans le Wrangler 4xe à groupe hybride rechargeable, les transitions entre moteur électrique et thermique sont imperceptibles en conduite tranquille. Les 134 chevaux du moteur électrique maintiennent sans peine une vitesse de 100 km/h et fournissent amplement d'accélération. La meilleure recharge a produit une autonomie promise de 43 km. En plus des modes électrique et hybride, le mode E-save permet de conserver l'énergie accumulée ou de recharger la batterie lithium-ion de 17,3 kWh avec le moteur thermique. Le 4xe n'a rien d'une machine de performance. Son rouage hybride de 375 chevaux a été pris de secousses en livrant un chrono de 7,82 secondes pour le 0 à 100 km/h. Il faut dire qu'à 2 369 kg, le 4xe Rubicon est le plus lourd des Wrangler. Le rôle de bolide de la famille revient plutôt au Rubicon 392, propulsé par un V8 de 6,4 litres qui livre 470 chevaux et promet d'atteindre 100 km/h en quelque 4,7 secondes.

Comme quoi Jeep ne veut rater aucune occasion d'accroître le rayonnement et la popularité du véhicule intemporel qui est le cœur de son identité. Le plus dur est de choisir le sien.

### Données principales

| | |
|---|---|
| Emp. / lon. / lar. / haut. | **Wrangler** - 2 460 / 4 260 / 1 875 / 1 868 mm |
| | **Wrangler Unlimited** - 3 008 / 4 785 / 1 875 / 1 868 mm |
| Coffre / réservoir | **Wrangler** - 365 à 898 litres / 66 litres |
| | **Wrangler Unlimited** - 898 à 2 050 litres / 81 litres |
| Nombre de passagers | 4 à 5 |
| Suspension av. / arr. | essieu rigide, multibras / essieu rigide, multibras |
| Pneus avant / arrière | P245/75R17 / P245/75R17 |
| Poids / Capacité de remorquage | **Wrangler** - 1 778 à 1 915 kg / 907 kg (2 000 lb) |
| | **Wrangler Unlimited** - 1 890 à 2 369 kg / 1 588 kg (3 500 lb) |

### Composantes mécaniques

**V6 - 3,6 LITRES**

| | |
|---|---|
| Cylindrée, alim. | V6 3,6 litres atmos. |
| Puissance / Couple | 285 ch / 260 lb-pi |
| Tr. base (opt) / Rouage base (opt) | M6 (A8) / 4x4 |
| 0-100 / 80-120 / V. max | 7,9 s (m) / 6,9 s (m) / n.d |
| Type / ville / route / CO₂ | **Man** - Ord / 13,7 / 9,6 / 277 g/km |
| | **Auto** - Ord / 12,0 / 9,8 / 258 g/km |

**4L - 2,0 LITRES**

| | |
|---|---|
| Cylindrée, alim. | 4L 2,0 litres turbo |
| Puissance / Couple | 270 ch / 295 lb-pi |
| Tr. base (opt) / Rouage base (opt) | A8 / 4x4 |
| 0-100 / 80-120 / V. max | 7,5 s (m) / 5,4 s (m) / n.d |
| Type / ville / route / CO₂ | Ord / 10,7 / 9,8 / 241 g/km |

**WRANGLER 4XE**

| | |
|---|---|
| Cylindrée, alim. | 4L 2,0 litres turbo |
| Puissance / Couple | 270 ch / 295 lb-pi |
| Tr. base (opt) / Rouage base (opt) | A8 / 4x4 |
| 0-100 / 80-120 / V. max | 7,8 s (m) / 5,6 s (m) / n.d |
| Type / ville / route / CO₂ | Ord / 11,6 / 11,9 / 143 g/km |
| Puissance combinée | 375 ch / 470 lb-pi |

**MOTEUR ÉLECTRIQUE**

| | |
|---|---|
| Puissance / Couple | 134 ch (100 kW) / 181 lb-pi |
| Type de batterie / Énergie | Lithium-ion (Li-ion) / 17,3 kWh |
| Temps de charge (240V) / Autonomie | 2,4 h / 35 km |

**V6 - 3,0 LITRES DIESEL**

V6 3,0 L - 260 ch/442 lb-pi - A8 - 0-100: 8,3 s (est) - 10,6/8,1 L/100 km

**RUBICON 392**

V8 6,4 L - 470 ch/470 lb-pi - A8 - 0-100: 4,7 s (est) - n.d/n.d. L/100 km

**+** Tableau de bord original et très complet • Large gamme de motorisations • Capacités en tout-terrain inégalées • Excellente valeur de revente

**—** Bruyant et moyennement stable sur autoroute • Accès aux sièges plutôt acrobatique • Moteur électrique bruyant en marche arrière (4xe) • Absence de repose-pied

Photos : Jeep

**HYBRIDE**

| | GS-6 | GS-6 Luxury | GS-6 Sport |
|---|---|---|---|
| **PDSF** | 96 600 $ | 116 000 $ | 121 000 $ |
| **Loc.** | n.d. | n.d. | n.d. |
| **Fin.** | 2 130 $ • 4,90 % | 2 550 $ • 4,90 % | 2 658 $ • 4,90 % |

**Prix:** 96 600 $ à 121 000 $ (2021)
**Transport et prép.:** 1 800 $
**Catégorie:** Gr. berlines de luxe
**Garanties:** 4/80, 8/128
**Assemblage:** États-Unis

**Ventes**
Québec 2020
n.d.

Canada 2020
n.d.

Sécurité  Consommation

Appréciation générale  Fiabilité prévue  Agrément de conduite

**Équipement**

**Sécurité**

**Concurrents**
Audi A8/e-tron GT, BMW Série 7,
Genesis G90, Lexus LS, Maserati Quattroporte,
Mercedes-Benz Classe S,
Porsche Panamera/Taycan, Tesla Model S

**Nouveau en 2022**
Arrivée d'une variante GSe-6 à motorisation
électrique prévue en cours d'année.

# En avez-vous déjà vu une sur la route?

Gabriel Gélinas

**D**ans le cas présent, poser la question, c'est y répondre. Si vous en voyez une rouler dans le paysage, courez acheter un billet de 6/49! Même si elles sont vendues au compte-goutte, c'est une fascinante saga que celle des Karma Revero GT et GS-6, évolutions de la Karma Revero, née Fisker Karma. Pour bien comprendre la genèse de cette élégante voiture à motorisation hybride rechargeable, il faut remonter à 2010, date à laquelle Henrik Fisker, designer automobile et fondateur de la marque qui porte son nom, dévoile la Fisker Karma au Mondial de l'automobile à Paris.

Henrik Fisker est un designer automobile de renom. C'est le créateur des BMW Z8, Artega GT ainsi que des Aston Martin DB9 et V8 Vantage, en plus d'œuvrer pour une courte période chez Tesla. Dans le monde du design, c'est un *Top Gun*. Lorsqu'il décide de fonder sa propre marque en 2007, il dessine la Fisker Karma, qu'il compte produire à 2 500 exemplaires.

La production en série, qui débute en 2011, est confiée à la compagnie Valmet Automotive en Finlande, laquelle a fabriqué des voitures sport pour d'autres marques dans le passé, notamment la Porsche Boxster de première génération. La motorisation de la Fisker Karma est assurée par deux moteurs électriques entraînant les roues arrière, tandis qu'un 4 cylindres turbocompressé de 2 litres, soit l'Ecotec produit par General Motors, agit comme prolongateur d'économie.

En 2012, Fisker est frappé de plein fouet par deux évènements qui vont le mener à la faillite. La perte de 320 voitures qui furent détruites lors de l'ouragan Sandy, et les problèmes majeurs de rappels affligeant le fournisseur A123 qui produisait les batteries lithium-ion d'une capacité de 20,1 kWh de la Fisker Karma. Fin du premier chapitre.

Le groupe chinois Wanxiang décide de racheter les actifs de Fisker et de A123 pour relancer la production de ce qui devient alors la Karma Revero GT. En février 2021, Karma Automotive dévoile le modèle GS-6 à prix plus abordable. Le moteur thermique servant de prolongateur d'autonomie est toujours le 3 cylindres turbocompressé produit par BMW pour la défunte i8.

## SOUS-COMPACTE DE 5 MÈTRES DE LONG

Ce qui est paradoxal avec cette voiture, c'est qu'elle est considérée comme une sous-compacte par l'EPA (*Environnemental Protection Agency*) aux États-Unis, en raison d'un très faible volume d'espace intérieur, bien qu'elle mesure 5 mètres de long. Si l'habitacle est aussi exigu, c'est à cause de la localisation de la batterie qui occupe un large tunnel central. On ne compte donc que quatre places avec un dégagement très limité, surtout en arrière. Claustrophobes s'abstenir ! Le design de l'habitacle date de 2011, et la Karma est largement déclassée aujourd'hui, malgré la présence d'un écran compatible avec Apple CarPlay et Android Auto. La Karma GS-6 est plutôt chiche concernant le volume du coffre qui n'est que de 182 litres et, contrairement aux Tesla, la Karma n'est pas dotée d'un coffre avant puisque c'est là où réside le moteur BMW.

Selon Ressources naturelles Canada, l'autonomie en mode électrique s'élève à 98 km (87 km avec la GS-6 Sport). La recharge complète sur une borne rapide est maintenant possible en environ 30 minutes. Comme la GS-6 est très longue et très lourde, les performances sont nettement en retrait par rapport à la Tesla Model S et plusieurs rivales à motorisation hybride rechargeable.

## UNE VARIANTE 100 % ÉLECTRIQUE EN APPROCHE

Karma Automotive compte lancer en cours d'année 2022 une variante à motorisation électrique qui répondra à la désignation GSe-6. L'architecture de la voiture demeurera la même, ce qui signifie que la batterie continuera d'occuper le tunnel central, mais aussi la partie avant de la voiture qui sera libérée du moteur thermique. La batterie de cette variante aura une capacité de 110 kWh et l'autonomie est estimée à 480 km, selon Karma.

En fin de compte, il faut se poser de très sérieuses questions sur la fiabilité à long terme et, surtout, sur la valeur de revente de ces modèles dont la marque n'est connue que par les initiés. Il faut également s'interroger sur la viabilité à long terme de Fisker qui n'a ni l'envergure ni la renommée de Tesla, ou les ressources des marques établies pour assurer sa pérennité. Bref, faire le choix de rouler en Karma, c'est faire fi de toutes ces considérations et exprimer son désir de s'afficher au volant d'une voiture dont l'exclusivité relève d'une diffusion limitée au point d'être presque inexistante.

### Données principales

| | |
|---|---|
| Emp. / lon. / lar. / haut. | 3 160 / 5 065 / 2 162 / 1 331 mm |
| Coffre / réservoir | 182 litres / 39 litres |
| Nombre de passagers | 4 |
| Suspension av. / arr. | ind., bras inégaux / ind., bras inégaux |
| Pneus avant / arrière | GS-6, GS-6 Luxury - P245/40R21 / P265/40R21 |
| | GS-6 Sport - P255/35R22 / P285/35R22 |
| Poids / Capacité de remorquage | 2 287 kg / non recommandé |

### Composantes mécaniques

**GS-6, GS-6 LUXURY**

| | |
|---|---|
| Cylindrée, alim. | 3L 1,5 litre turbo |
| Puissance / Couple | 228 ch / n.d. |
| Tr. base (opt) / Rouage base (opt) | Rapport fixe / Prop |
| 0-100 / 80-120 / V. max | 4,7 s (est) / n.d. / 200 km/h (c) |
| Type / ville / route / $CO_2$ | Sup / 8,8 / 9,5 / 44 g/km |
| Puissance combinée | 536 ch / 550 lb-pi |

**MOTEUR ÉLECTRIQUE**

| | |
|---|---|
| Puissance / Couple | **Arr (x2) -** 268 ch (200 kW) / 275 lb-pi |
| Type de batterie / Énergie | Lithium-ion (Li-ion) / 28,0 kWh |
| Temps de charge (240V) / Autonomie | 6,2 h / 98 km |

**GS-6 SPORT**

| | |
|---|---|
| Cylindrée, alim. | 3L 1,5 litre turbo |
| Puissance / Couple | 228 ch / n.d. |
| Tr. base (opt) / Rouage base (opt) | Rapport fixe / Prop |
| 0-100 / 80-120 / V. max | 4,1 s (est) / n.d. / 208 km/h (c) |
| Type / ville / route / $CO_2$ | Sup / 10,7 / 11,0 / 60 g/km |
| Puissance combinée | 536 ch / 634 lb-pi |

**MOTEUR ÉLECTRIQUE**

| | |
|---|---|
| Puissance / Couple | **Arr (x2) -** 268 ch (200 kW) / 317 lb-pi |
| Type de batterie / Énergie | Lithium-ion (Li-ion) / 28,0 kWh |
| Temps de charge (240V) / Autonomie | 6,2 h / 87 km |

+ Style très réussi • Performances intéressantes • Exclusivité conférée par une diffusion hyperlimitée

− Habitacle exigu • Volume très limité du coffre • Valeur de revente et fiabilité incertaine

Photos: Karma

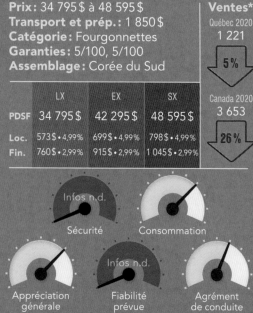

| Prix : 34 795 $ à 48 595 $ | Ventes* |
| --- | --- |
| Transport et prép. : 1 850 $ | Québec 2020 |
| Catégorie : Fourgonnettes | **1 221** |
| Garanties : 5/100, 5/100 | |
| Assemblage : Corée du Sud | |

| | LX | EX | SX |
| --- | --- | --- | --- |
| **PDSF** | 34 795 $ | 42 295 $ | 48 595 $ |
| **Loc.** | 573 $ • 4,99% | 699 $ • 4,99% | 798 $ • 4,99% |
| **Fin.** | 760 $ • 2,99% | 915 $ • 2,99% | 1 045 $ • 2,99% |

**5 %** ⬇

Canada 2020
**3 653**

**26 %** ⬇

Infos n.d. — Sécurité

Consommation

Appréciation générale

Fiabilité prévue — Infos n.d.

Agrément de conduite

**Équipement**

**Sécurité**

**Concurrents**

Chrysler Grand Caravan/Pacifica,
Ford Transit Connect, Honda Odyssey,
Toyota Sienna

**Nouveau en 2022**

Nouveau modèle qui remplace la Sedona.

# Ne pas vouloir être une fourgonnette

Germain Goyer

**Q**uand on a une porte coulissante de chaque côté et que l'on peut accueillir sept ou huit occupants, on est définitivement une fourgonnette. Et pourtant, avec sa Carnival, Kia tente plutôt de nous convaincre qu'on a affaire à un véhicule aux allures d'un utilitaire sport. Ne tombez pas dans le panneau — panneau de 4x8 que peut d'ailleurs transporter la Carnival —, il s'agit d'une fourgonnette dans sa forme la plus stricte.

Pour 2022, Kia débarque avec une nouvelle génération et en profite pour changer la nomenclature. Celle qui portait autrefois le nom Sedona est désormais identifiée par l'appellation Carnival, déjà utilisée dans d'autres contrées. Du même coup, le constructeur coréen en a profité pour bonifier la motorisation. En effet, le V6 de 3,3 litres laisse sa place à un V6 de 3,5 litres. Développant une puissance de 290 chevaux et un couple de 262 lb-pi, la Carnival ne manque pas de souffle. Il s'agit de la seule mécanique, et ce, peu importe la version choisie.

Notons que la transmission automatique compte 8 rapports. Ceux-ci permettent d'obtenir une consommation d'essence raisonnable. Au cours de notre essai, l'ordinateur de bord affichait une moyenne avoisinant les 10 L/100 km. Pas trop mal, pour un véhicule de ce gabarit capable de remorquer jusqu'à 3 500 lb.

Que vous optiez pour une ou l'autre des moutures, à l'exception de la SX, la Carnival est dotée de trois sièges séparés qui forment une banquette à la deuxième rangée. Ainsi, la fourgonnette assemblée en Corée du Sud peut accueillir jusqu'à huit occupants. Nous sommes entièrement d'avis que cette configuration est celle à privilégier pour une famille et qu'elle répond davantage aux besoins de celle-ci.

Avec la version SX se situant au sommet de la gamme, on a droit à deux sièges indépendants à la deuxième rangée. Ceux-ci peuvent être avancés, reculés et même bougés latéralement. On peut également les incliner et ainsi avoir l'impression d'être assis sur son fauteuil dans son salon. C'est bien sympathique, certes, mais assurément inutile pour les familles d'ici. Qui plus est, on demande plus de 50 000 $ pour cette déclinaison. Dans sa variante LX+, dont le prix est légèrement inférieur à 40 000 $, elle représente une offre plus intéressante.

## TRADITIONNELLEMENT TRADITIONNELLE

Malheureusement pour elle, la Carnival évolue dans un segment qui n'est plus au sommet de sa forme. Elle est loin derrière nous, l'époque où presque tous les constructeurs généralistes proposaient une fourgonnette au sein de leur catalogue. On peut penser à General Motors avec ses Lumina APV, Venture, Uplander et leurs dérivés, à Ford avec les Windstar et Freestar, à Nissan avec la Quest, à Mazda avec la MPV, à Hyundai avec l'Entourage et même à Volkswagen avec la Routan. Pour 2022, elles ne sont plus que quatre en excluant le Ford Transit Connect.

De son côté, la Honda Odyssey continue de surfer sur son passé, sur sa réputation de fiabilité difficilement égalable et sa valeur de revente particulièrement élevée. Chez Chrysler avec la Pacifica, autant que chez Toyota avec la Sienna, on a évolué. Au lieu de laisser mourir à petit feu leurs fourgonnettes, ces fabricants ont eu l'idée d'ajouter une motorisation hybride (hybride rechargeable dans le cas de la Pacifica) et d'offrir le rouage intégral. Considérant que la proposition de la Pacifica et de la Sienna est particulièrement alléchante pour le consommateur d'ici, on peut légitimement s'imaginer qu'elles s'empareront des plus grandes parts du gâteau malgré les nouveautés de la Carnival.

## QUEL SUCCÈS LUI PRÉDIT-ON ?

Si Kia se vante d'avoir réussi à maîtriser la décroissance du segment des fourgonnettes et qu'il est persuadé que la Carnival connaîtra un certain succès, il écarte — volontairement ou non —, une donnée importante. En effet, lorsque la précédente Sedona est arrivée en 2015, elle représentait la seule offre sérieuse de véhicules à trois rangées chez Kia. Le Borrego avait été rayé de la carte depuis quelques années déjà et ce n'est pas le Sorento — et sa troisième banquette d'appoint — qui allait satisfaire une famille nombreuse.

De ce fait, on comprend que Kia ait pu conserver une part intéressante dans le créneau des fourgonnettes. Or, depuis ce temps, le constructeur a introduit le Telluride : un véhicule qui n'a pas que l'allure d'un VUS, qui est équipé du rouage intégral, qui est aussi remarquablement bien aménagé à l'intérieur et qui peut remorquer une charge allant jusqu'à 5 000 lb. Notre petit doigt nous dit que bien des consommateurs à la recherche d'un véhicule doté de trois rangées se tourneront vers le Telluride plutôt que la Carnival s'ils tiennent absolument à demeurer dans le giron de Kia.

**+** Moteur V6 convaincant • Ergonomie de l'habitacle • Silence et douceur de roulement • Consommation d'essence raisonnable

**—** Absence de rouage intégral • Pas de motorisation hybride • Version à 7 passagers peu intéressante

### Données principales

| Emp. / lon. / lar. / haut. | EX, EX+ - 3 090 / 5 155 / 1 995 / 1 740 mm |
| | LX, LX+, SX - 3 090 / 5 155 / 1 995 / 1 775 mm |
| Coffre / réservoir | 1 138 à 4 109 litres / 72 litres |
| Nombre de passagers | 7 à 8 |
| Suspension av. / arr. | ind., jambes force / ind., multibras |
| Pneus avant / arrière | EX, EX+ - P235/65R17 / P235/65R17 |
| | LX, LX+, SX - P235/55R19 / P235/55R19 |
| Poids / Cap. de remorquage | 2 039 à 2 140 kg / 1 588 kg (3 500 lb) |

### Composantes mécaniques

| Cylindrée, alim. | V6 3,5 litres atmos. |
| --- | --- |
| Puissance / Couple | 290 ch / 262 lb-pi |
| Tr. base (opt) / Rouage base (opt) | A8 / Tr |
| 0-100 / 80-120 / V. max | 8,9 s (m) / 6,6 s (m) / n.d. |
| 100-0 km/h | 41,5 m (m) |
| Type / ville / route / CO$_2$ | Ord / 12,0 / 8,9 / 252 g/km |

guideautoweb.com/kia/carnival

KIA | 397

**Prix :** 44 995 $ à 54 995 $ (estimé)
**Transport et prép. :** 1 850 $
**Catégorie :** VUS compacts
**Garanties :** 5/100, 5/100
**Assemblage :** n.d.

| | GT-Line | Aut. prolongée | GT TI aut. prol. |
|---|---|---|---|
| PDSF | 44 995 $ | 50 995 $ | 54 995 $ |
| Loc. | n.d. | n.d. | n.d. |
| Fin. | 770 $ • 4,90 % | 898 $ • 4,90 % | 985 $ • 4,90 % |

**Ventes**
Québec 2020
n.d.

Canada 2020
n.d.

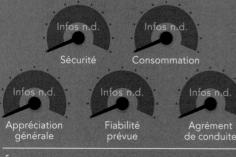

Sécurité — Infos n.d.
Consommation — Infos n.d.
Appréciation générale — Infos n.d.
Fiabilité prévue — Infos n.d.
Agrément de conduite — Infos n.d.

**Équipement**

**Sécurité**

**Concurrents**
Chevrolet Bolt EV/EUV, Ford Mustang Mach-E,
Hyundai IONIQ 5/Kona électrique,
Kia Niro EV, Nissan Ariya, Tesla Model Y,
Volkswagen ID.4

**Nouveau en 2022**
Nouveau modèle.

# Nouvelle offensive électrique

Frédéric Mercier

**A**lors que certains constructeurs travaillent encore à concevoir un premier véhicule électrique, Kia est déjà bien positionné dans ce créneau avec deux modèles, les Soul et Niro EV. Et le fabricant coréen ne prévoit pas en rester là.

Cette année, Kia lance la deuxième phase de son offensive électrique avec un tout nouveau modèle, l'EV6. Ce véhicule sera uniquement livrable avec une motorisation 100 % électrique, contrairement aux Soul et Niro qui proposent aussi des variantes à essence. Au menu, on retrouvera en outre un rouage intégral en option, de même qu'une variante GT de plus de 500 chevaux. Décidément, Kia met les bouchées doubles pour s'approprier de bonnes parts de marché dans le segment des véhicules électriques.

### JUMEAU NON IDENTIQUE

Ce n'est pas un hasard si la Kia EV6 arrive sur le marché au même moment que la Hyundai IONIQ 5, un autre nouveau modèle électrique qui attire beaucoup l'attention. En fait, ces deux véhicules coréens sont fabriqués à partir de la même architecture et sont dotés des mêmes ensembles de batteries.

Cela dit, vous ne remarquerez pas de grandes ressemblances stylistiques entre les deux. Alors que Hyundai a choisi de miser sur des formes très angulaires, Kia présente plutôt un bolide aux lignes fluides. Ce design a d'ailleurs une saveur locale particulière puisque c'est l'œuvre de Karim Habib, un Libanais d'origine ayant grandi à Montréal et ayant étudié à l'Université McGill. Maintenant à la tête du design chez Kia, Monsieur Habib nous a expliqué avoir voulu présenter un style progressif centré sur l'humain. Même lorsqu'elle est immobile, l'EV6 semble en mouvement, prête à bondir à la pression de l'accélérateur. À l'arrière, des feux à DEL la ceinturent sur toute sa largeur, alors que le toit semble flotter dans les airs en raison des piliers noircis.

À l'intérieur, la Kia EV6 continue d'épater avec une présentation futuriste qui n'a rien à voir avec celle des autres déclinaisons de la marque. On remarque tout de suite l'immense écran qui va de la gauche du volant jusqu'au centre de la console, un peu à la manière du Cadillac Escalade. Pratiquement toutes les commandes passent par cette interface numérique, pour le meilleur et pour le pire. Le levier de transmission traditionnel est remplacé par une molette placée entre les deux sièges, ce qui permet de

libérer beaucoup d'espace. Dans le coffre, le volume de chargement de 520 litres s'apparente à celui d'un Hyundai Kona.

## DE GRANDES PROMESSES

Comme l'IONIQ 5, l'EV6 est livrable avec un choix de deux batteries, l'une de 58 kWh et l'autre de 77,4 kWh. Le constructeur n'avait pas encore dévoilé son autonomie officielle au moment d'écrire ces lignes, mais on peut s'attendre à ce que les chiffres soient très similaires à ce qui a été annoncé par Hyundai. On prévoit donc une autonomie avoisinant les 480 km pour la version à deux roues motrices équipée de la plus grosse batterie. En optant pour un modèle à rouage intégral, l'autonomie devrait baisser de quelques dizaines de kilomètres.

Équipée de deux moteurs, la version à quatre roues motrices de l'EV6 permet évidemment des performances plus alléchantes. Avec la batterie de 77,4 kWh, la puissance passe de 225 chevaux, avec les deux roues motrices, à 321 chevaux pour la variante à quatre roues motrices. On peut donc espérer des performances assez épicées merci.

Comme si ce n'était pas assez, Kia a également promis une EV6 GT, et les chiffres annoncés ont de quoi donner froid dans le dos. On annonce une puissance de 577 chevaux et un couple de 546 lb-pi, ce qui serait suffisant pour faire passer le bolide de 0 à 100 km/h en 3,5 secondes. Wow! Pour prouver son point, Kia a même organisé une course d'accélération sur circuit d'un quart de mille mettant l'EV6 GT en compétition face à des modèles d'exception comme la McLaren 570S, la Porsche 911, la Mercedes-AMG GT et la Ferrari California T. Seule la McLaren a eu le dessus sur la coréenne électrique, qui a réussi à éclipser toutes ses autres concurrentes. Disons que ça promet!

Bien entendu, la Kia EV6 n'est pas conçue pour être une voiture sport et son poids élevé risque de la faire moins bien paraitre en virages. Cela dit, pour un véhicule électrique que l'on destine au grand public, il faut avouer que Kia a placé la barre plutôt haut. Reste à voir quel sera le prix de ce modèle, puisque rien n'avait été annoncé par Kia Canada au moment de mettre sous presse. Espérons qu'on aura droit à une version d'entrée de gamme à moins de 45 000 $, ce qui permettrait aux automobilistes québécois de bénéficier d'une subvention totale de 13 000 $ selon les incitatifs actuellement en vigueur.

**+** Autonomie promise intéressante • Design singulier • Rouage intégral

**—** Disponibilité incertaine

### Données principales

| | |
|---|---|
| Emp. / lon. / lar. / haut. | 2 900 / 4 695 / 1 890 / 1 550 mm |
| Coffre | 520 à 1 300 litres |
| Nombre de passagers | 5 |
| Suspension av. / arr. | ind., jambes force / ind., multibras |
| Poids / Capacité de remorquage | n.d. / 1 588 kg (3 500 lb) |

### Composantes mécaniques

**GT-LINE PR**

| | |
|---|---|
| Puissance / Couple | 168 ch (125 kW) / 258 lb-pi |
| Tr. base (opt) / Rouage base (opt) | Rapport fixe / Prop |
| 0-100 / 80-120 / V. max | 6,2 s (c) / n.d. / n.d. |
| Type de batterie | Lithium-ion (Li-ion) |
| Énergie | 58,0 kWh |
| Temps de charge (400V) / Autonomie | 0,3 h / 330 km (est) |

**GT-LINE TI**

| | |
|---|---|
| Puissance / Couple combiné | 232 ch (173 kW) / 446 lb-pi |
| Tr. base (opt) / Rouage base (opt) | Rapport fixe / Int |
| 0-100 / 80-120 / V. max | 5,5 s (est) / n.d. / n.d. |
| Type de batterie | Lithium-ion (Li-ion) |
| Énergie | 58,0 kWh |
| Temps de charge (400V) / Autonomie | 0,3 h / 300 km (est) |

**LONGUE AUTONOMIE TI**

| | |
|---|---|
| Puissance / Couple combiné | 321 ch (240 kW) / 446 lb-pi |
| Tr. base (opt) / Rouage base (opt) | Rapport fixe / Int |
| 0-100 / 80-120 / V. max | 5,1 s (est) / n.d. / n.d. |
| Type de batterie | Lithium-ion (Li-ion) |
| Énergie | 77,4 kWh |
| Temps de charge (400V) / Autonomie | 0,3 h / 430 km (est) |

**GT TI**

| | |
|---|---|
| Puissance / Couple combiné | 577 ch (430 kW) / 546 lb-pi |
| Tr. base (opt) / Rouage base (opt) | Rapport fixe / Int |
| 0-100 / 80-120 / V. max | 3,5 s (c) / n.d. / 260 km/h (c) |

**MOTEURS ÉLECTRIQUES**

| | |
|---|---|
| Puissance / Couple | Av - 214 ch (160 kW) / n.d. |
| | Arr - 362 ch (270 kW) / n.d. |
| Type de batterie | Lithium-ion (Li-ion) |
| Énergie | 77,4 kWh |
| Temps de charge (400V) / Autonomie | 0,3 h / 415 km (est) |

**LONGUE AUTONOMIE PR**

225 ch (168 kW)/258 lb-pi – Rapport fixe – Prop – 0-100 : 6,4 s (est) – 77,4 kWh – 480 km (est)

Photos : Kia

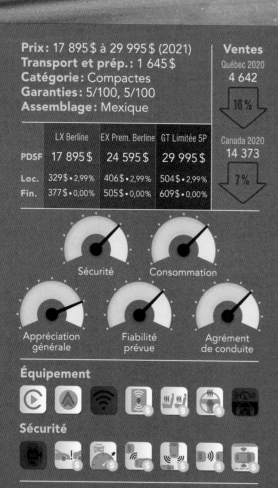

**Prix :** 17 895 $ à 29 995 $ (2021)
**Transport et prép. :** 1 645 $
**Catégorie :** Compactes
**Garanties :** 5/100, 5/100
**Assemblage :** Mexique

**Ventes**
Québec 2020
**4 642**
16 %

Canada 2020
**14 373**
7 %

| | LX Berline | EX Prem. Berline | GT Limitée 5P |
|---|---|---|---|
| PDSF | 17 895 $ | 24 595 $ | 29 995 $ |
| Loc. | 329 $ • 2,99% | 406 $ • 2,99% | 504 $ • 2,99% |
| Fin. | 377 $ • 0,00% | 505 $ • 0,00% | 609 $ • 0,00% |

Sécurité    Consommation

Appréciation générale    Fiabilité prévue    Agrément de conduite

## Équipement

## Sécurité

## Concurrents

Honda Civic/Insight, Hyundai Elantra, Mazda3, Nissan Sentra, Subaru Impreza, Toyota Corolla, Volkswagen Jetta

## Nouveau en 2022

Aucun changement majeur annoncé au moment de mettre sous presse.

# Bien ficelée

Louis-Philippe Dubé

**B**ien que la Forte soit relativement nouvelle, elle n'a jamais réellement été une menace pour les Honda Civic et Toyota Corolla au chapitre de ventes. Ces dernières conservent les faveurs du public, en partie grâce à leur fiabilité incontestée et une valeur résiduelle beaucoup plus avantageuse que les Kia.

Plus bas dans l'échelle, le climat actuel s'apparente à celui de la chaise musicale avec plusieurs modèles au coude à coude. Et la Forte pourrait bien en bénéficier. Par exemple, les rumeurs selon lesquelles elle adoptait l'appellation K3 qui viendrait inévitablement avec un remodelage esthétique de la même saveur que la K5 pourrait potentiellement lui donner l'attention qu'elle mérite. Sans oublier l'arrivée possible de la technologie hybride qui lui permettrait de rivaliser avec les Hyundai Elantra et Corolla hybrides.

Pour le moment, nous en savons peu sur le sort de la Forte et la stratégie qu'adoptera Kia pour la garder dans le coup. Mais nous pouvons nous attendre à ce qu'elle porte le logo renouvelé de Kia qui fait graduellement son apparition sur toute la gamme.

## FINITION ET ERGONOMIE EXEMPLAIRES

Contrairement aux grandes rivales qui priorisent la polyvalence plutôt que la finition, la Forte pourrait attirer l'œil des acheteurs plus exigeants à cet égard. En fait, la marque tente par tous les moyens de défaire les préjugés selon lesquels ses habitacles sont faits entièrement de plastiques durs (ce qui était le cas jadis). La finition intérieure de la Forte n'a rien à envier à la concurrence. Soulignons aussi l'excellente ergonomie générale à bord.

Cet habitacle présente un bon équilibre entre les commandes manuelles et numériques, avec un système d'infodivertissement simple et à portée de main. Les assises à l'avant sont vraiment confortables, surtout dans les versions GT où elles fournissent un maximum de soutien pour le conducteur et son passager. Une position de conduite optimale contribue au sentiment de confiance au volant, notamment avec une visibilité plus qu'adéquate. Le volume de chargement total de 434 litres du coffre de la berline est dans la moyenne du segment. Dans le modèle à hayon, les 741 litres de la Forte5 rendent cette version encore plus polyvalente et logeable.

## UN COMPORTEMENT ROUTIER MODÉRÉMENT RELEVÉ

Avec la boîte manuelle qui tire tranquillement sa révérence, la Forte attire une autre classe d'acheteurs. Et puisque certains constructeurs ont la vilaine habitude d'offrir cette boîte strictement sur les modèles de base armés de la plus petite motorisation, Kia a décidé de la proposer dans les variantes GT.

Pour animer les engrenages de cette transmission manuelle, on fait appel à un 4 cylindres de 2 litres qui développe 147 chevaux et 132 lb-pi de couple dans le modèle de base. Ce bloc est présent dans la majorité de la gamme et peut également être jumelé à une boîte à variation continue que le constructeur appelle IVT. La deuxième option motrice est le 4 cylindres turbocompressé de 1,6 litre qui déballe 201 chevaux et 195 lb-pi dans les versions GT. Livré avec une boîte manuelle à 6 rapports de série, on peut aussi opter pour une transmission automatique à double embrayage qui compte 7 rapports. Et c'est évidement avec ce moteur que la Forte est au sommet de sa forme, lui permettant de flirter avec les déclinaisons sportives de ses rivales.

Sans avoir l'agilité d'une Golf GTI ou être capable des mêmes performances qu'une Mazda3 turbocompressée, la Forte GT ajoute une dose de sportivité amusante. En mode Sport, l'auto se montre fort généreuse dans ses évolutions avec une direction précise et une maniabilité accrue. Nous avons également noté une réponse plus prompte à l'accélérateur. Hélas, le confort de roulement en souffre, pénalisé par des jantes de 18 pouces qui ne se gênent pas pour accentuer les coups causés par les imperfections routières.

Vous l'aurez probablement remarqué, le chiffre «3» rime désormais avec «compacte» dans l'industrie. Ça facilite la tâche pour le consommateur, qui reste parfois perplexe devant les choix de segments. Et avec l'Optima qui a troqué son nom pour «K5», il serait logique d'user de la même nomenclature pour la Forte. Reste à voir si ces changements, toujours spéculatifs à l'heure actuelle, auront un impact positif sur la popularité du modèle, qui a néanmoins plusieurs atouts, un prix alléchant pour l'équipement offert et une garantie de 5 ans/100 000 km, plus longue que ses rivales directes. Il faudra voir si Kia suivra la même route que Hyundai, dont l'Elantra dispose d'une bien plus grande variété de modèles, de l'hybride économique et rationnelle jusqu'à la redoutable sportive N.

## Données principales

| | |
|---|---|
| Emp. / lon. / lar. / haut. | Berline - 2 700 / 4 640 / 1 800 / 1 435 mm |
| | Hatchback - 2 700 / 4 510 / 1 800 / 1 440 mm |
| Coffre / réservoir | Berline - 434 litres / 53 litres |
| | Hatchback - 741 litres / 53 litres |
| Nombre de passagers | 5 |
| Suspension av. / arr. | ind., jambes force / semi-ind., barres torsion |
| GT, GT Limitée - | ind., jambes force / ind., multibras |
| Pneus avant / arrière | LX - P195/65R15 / P195/65R15 |
| | EX - P205/55R16 / P205/55R16 |
| | EX+, EX Premium - P225/45R17 / P225/45R17 |
| | GT, GT Limitée - P225/40R18 / P225/40R18 |
| Poids / Capacité de remorquage | Berline - 1 228 à 1 397 kg / non recommandé |
| | Hatchback - 1 299 à 1 415 kg / non recommandé |

## Composantes mécaniques

### 4L - 2,0 LITRES

| | |
|---|---|
| Cylindrée, alim. | 4L 2,0 litres atmos. |
| Puissance / Couple | 147 ch / 132 lb-pi |
| Tr. base (opt) / Rouage base (opt) | M6 (CVT) / Tr |
| 0-100 / 80-120 / V. max | 9,2 s (est) / 6,5 s (est) / n.d. |
| 100-0 km/h | 42,7 m (est) |
| Type / ville / route / CO$_2$ | Berline man - Ord / 8,6 / 6,4 / 180 g/km |
| | Berline auto - Ord / 7,8 / 5,9 / 164 g/km |
| | Hatchback auto - Ord / 8,0 / 6,0 / 169 g/km |

### 4L - 1,6 LITRE

| | |
|---|---|
| Cylindrée, alim. | 4L 1,6 litre turbo |
| Puissance / Couple | 201 ch / 195 lb-pi |
| Tr. base (opt) / Rouage base (opt) | M6 (A7) / Tr |
| 0-100 / 80-120 / V. max | 7,4 s (m) / 5,1 s (m) / n.d. |
| 100-0 km/h | 42,7 m (m) |
| Type / ville / route / CO$_2$ | Berline auto - Ord / 8,7 / 6,6 / 184 g/km |
| | Hatchback man - Ord / 9,9 / 7,6 / 209 g/km |
| | Hatchback auto - Ord / 8,9 / 6,9 / 190 g/km |

**+** Sportivité appréciable (GT) • Qualité de finition impressionnante • Bonne garantie

**−** Valeur résiduelle faible • Confort de roulement perfectible

Photos: Kia

# KIA K5

**Prix :** 29 595 $ à 39 995 $ (2021)
**Transport et prép. :** 1 750 $
**Catégorie :** Intermédiaires
**Garanties :** 5/100, 5/100
**Assemblage :** États-Unis

**Ventes\***
Québec 2020
354
↓ 13 %

Canada 2020
1 014
↓ 39 %

| | LX | EX | GT |
|---|---|---|---|
| PDSF | 29 595 $ | 32 595 $ | 39 995 $ |
| Loc. | 480 $ • 2,99 % | 530 $ • 2,99 % | 643 $ • 2,99 % |
| Fin. | 619 $ • 0,99 % | 682 $ • 0,99 % | 828 $ • 0,99 % |

Sécurité   Consommation

Appréciation générale   Fiabilité prévue   Agrément de conduite

**Équipement**

**Sécurité**

**Concurrents**
Chevrolet Malibu, Honda Accord,
Hyundai Sonata, Nissan Altima, Subaru Legacy,
Toyota Camry, Volkswagen Passat

**Nouveau en 2022**
Nouvel emblème Kia. Intérieur brun offert en option sur la K5 GT.

# Comme un parfum d'inachevé

Gabriel Gélinas

La Kia K5, élaborée sur l'architecture N3 partagée avec la Hyundai Sonata, a pris le relais de l'Optima l'an dernier. La marque sud-coréenne a décidé d'adopter, pour l'Amérique du Nord, la désignation alphanumérique déjà en usage sur d'autres marchés pour ce nouveau modèle. Il s'agit d'une berline de taille intermédiaire dont la mission est d'en découdre avec les valeurs sûres de la catégorie, comme les Honda Accord, Toyota Camry et Subaru Legacy, entre autres.

On peut s'interroger sur la pertinence de consacrer des ressources importantes au développement d'une nouvelle berline, à l'heure où la tendance vers les VUS semble irréversible. Mais il faut comprendre que ce type de véhicule a toujours la cote en Corée du Sud et c'est en partie pourquoi Hyundai, Kia et maintenant Genesis s'investissent dans ce créneau. L'autre facteur étant la présence de constructeurs japonais dans ces segments du marché automobile.

Côté look, la K5 frappe un grand coup avec une allure plus sportive que celle de la Sonata, comme en témoignent sa calandre en museau de tigre et ses blocs optiques cernés de feux de position ambrés de type DEL, adoptant la forme d'un éclair. À l'instar de la Sonata, la K5 présente un profil de coupé à quatre portes qui crée aussi une certaine filiation avec la Stinger.

### UN MOTEUR QUI MANQUE DE SOUFFLE

Son empattement allongé confère une bonne habitabilité à la K5 dont l'habitacle est très réussi et fait preuve d'un bon souci d'ergonomie. On regrette toutefois le choix du plastique noir lustré qui recouvre de grandes surfaces de l'habitacle, salissant et pas très agréable à l'œil. Évidemment, la dotation d'équipements de série varie entre les différentes versions, mais on est content que le modèle de base LX soit doté d'un volant et de sièges avant chauffants, de même que d'une connectivité sans-fil avec Apple CarPlay et Android Auto. Les déclinaisons LX et EX possèdent un écran de 8 pouces, alors que les GT Line et GT sont pourvues d'un écran multimédia de 10,25 pouces partagé avec plusieurs modèles de la marque dont le VUS Telluride.

À l'exception de la GT, toutes les variantes sont animées par un moteur 4 cylindres turbocompressé de 1,6 litre qui manque de souffle vu la masse et le gabarit de la K5. Les accélérations et les reprises sont tout justes

correctes, sans plus. On aimerait disposer de plus de couple pour faciliter certaines manœuvres comme les dépassements sur les routes secondaires et les entrées sur l'autoroute, par exemple. Au moins, la consommation est raisonnable avec une moyenne observée de 8 L/100 km, ce qui est bon compte tenu du fait qu'il s'agit d'une berline à rouage intégral. Le châssis de la K5 est très rigide et la dynamique ne prête pas flanc à la critique, exception faite d'une direction un peu légère.

## LA CLARTÉ DANS LA CONFUSION

Entre les variantes K5 GT Line et K5 GT, il y a un monde de différences, même si leurs appellations leur prête, à tort, certaines similitudes. Pour apporter un peu de clarté dans la confusion, précisons que la GT Line est simplement la variante la plus équipée de la K5, mais qu'elle n'offre rien de plus que les LX et EX sur le plan mécanique. En effet, elle est, elle aussi, animée par le moteur 4 cylindres turbo-compressé de 1,6 litre et dotée du rouage intégral.

Cependant, la K5 GT est un tout autre animal en raison de la présence sous son capot d'un moteur 4 cylindres turbocompressé de 2,5 litres qui développe 290 chevaux à 5 800 tr/min ainsi qu'un couple de 311 lb-pi dès la barre de 1 650 tr/min. La boîte automatique compte également 8 rapports, mais il s'agit ici d'une boîte à double embrayage beaucoup plus rapide que la boîte automatique conventionnelle qui équipe les autres moutures de la K5. Mais, contrairement aux autres variantes, la K5 GT est dépourvue du rouage intégral et n'est qu'une simple traction, ce qui est une cruelle et amère déception. Au volant de la K5 GT, on apprécie le caractère plus affirmé du moteur ainsi que la précision de la direction. En revanche on regrette beaucoup l'absence d'un rouage intégral qui permettrait de mieux exploiter tout le potentiel de performance de ce 2,5 litres turbocompressé emprunté aux Genesis G80 et GV80. La marque corrigera-t-elle un jour le tir en ce qui a trait au rouage de la K5 GT? On l'espère, mais on sait que ce ne sera malheureusement pas pour 2022.

La K5 est frappante côté design, et sa dotation de série impressionne. Par ailleurs, la présence d'un rouage intégral est le gage d'un comportement routier sûr et prévisible pour trois des quatre variantes de la gamme, mais le cas de la K5 GT reste problématique. Ses performances sont enviables, mais pourquoi nous priver d'un rouage intégral qui la rendrait encore plus efficace? La balle est dans ton camp, Kia...

**+** Style réussi • Bonne habitabilité • Équipement complet • Rouage intégral de série (LX, EX et GT Line)

**—** Puissance un peu juste (LX, EX et GT Line) • Absence du rouage intégral (K5 GT) • Direction un peu légère

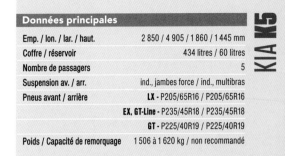

### KIA K5

#### Données principales

| | |
|---|---|
| Emp. / lon. / lar. / haut. | 2 850 / 4 905 / 1 860 / 1 445 mm |
| Coffre / réservoir | 434 litres / 60 litres |
| Nombre de passagers | 5 |
| Suspension av. / arr. | ind., jambes force / ind., multibras |
| Pneus avant / arrière | **LX** - P205/65R16 / P205/65R16 |
| | **EX, GT-Line** - P235/45R18 / P235/45R18 |
| | **GT** - P225/40R19 / P225/40R19 |
| Poids / Capacité de remorquage | 1 506 à 1 620 kg / non recommandé |

#### Composantes mécaniques

**4L - 1,6 LITRE**

| | |
|---|---|
| Cylindrée, alim. | 4L 1,6 litre turbo |
| Puissance / Couple | 180 ch / 195 lb-pi |
| Tr. base (opt) / Rouage base (opt) | A8 / Int |
| 0-100 / 80-120 / V. max | 8,6 s (m) / 5,9 s (m) / n.d. |
| 100-0 km/h | 41,2 m (m) |
| Type / ville / route / CO$_2$ | Ord / 9,2 / 7,0 / 195 g/km |

**4L - 2,5 LITRES**

| | |
|---|---|
| Cylindrée, alim. | 4L 2,5 litres turbo |
| Puissance / Couple | 290 ch / 311 lb-pi |
| Tr. base (opt) / Rouage base (opt) | A8 / Tr |
| 0-100 / 80-120 / V. max | 6,7 s (est) / 5,4 s (est) / n.d. |
| 100-0 km/h | 41,2 m (est) |
| Type / ville / route / CO$_2$ | Ord / 9,9 / 7,3 / 207 g/km |

# KIA **NIRO**

★★★★ COTE DU **GUIDE**

**Prix:** 26 995 $ à 54 695 $ (2021)
**Transport et prép.:** 1 795 $
**Catégorie:** VUS sous-compacts
**Garanties:** 5/100, 5/100
**Assemblage:** Corée du Sud

**Ventes**
Québec 2020
1 490
↓ 17 %

Canada 2020
3 037
↓ 29 %

| | L | EX Prem. | PHEV | EV SX Tour. |
|---|---|---|---|---|
| **PDSF** | 26 995 $ | | 36 495 $ | 54 695 $ |
| **Loc.** | 473 $ • 3,99% | | 494 $ • 3,99% | 580 $ • 3,99% |
| **Fin.** | 559 $ • 0,99% | | 677 $ • 0,99% | 936 $ • 0,99% |

Sécurité   Consommation

Appréciation générale   Fiabilité prévue   Agrément de conduite

**Équipement**

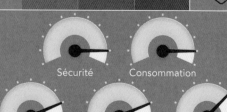

**Sécurité**

**Concurrents**
Buick Encore, Chevrolet Bolt EV/EUV/Trailblazer, Ford EcoSport, Honda HR-V, Hyundai IONIQ 5, Hyundai Kona élec., Jeep Renegade, Kia Seltos, Mazda CX-30, Mitsubishi RVR, Nissan LEAF/Qashqai, Subaru Crosstrek, Volkswagen Taos

**Nouveau en 2022**
Révision de l'équipement et des couleurs, nouvel emblème Kia.

# Trio écolo

Louis-Philippe Dubé

**L**e Kia Niro a fait ses débuts en tant qu'option hybride traditionnelle dans la catégorie des VUS sous-compacts. Toutefois, les cinq dernières années l'ont soumis à beaucoup de concurrence. On peut penser au Mazda CX-30, le plus dynamique du lot, mais également à des membres de sa propre famille comme le Kia Seltos et un cousin fort populaire, le Hyundai Kona.

Aujourd'hui, la famille Niro forme un trio écolo avec une variante hybride traditionnelle, un modèle hybride rechargeable (PHEV) et le Niro EV 100 % électrique. Il doit dorénavant jouer du coude avec des véhicules électriques de plus en plus perfectionnés, comme le Hyundai Kona électrique ou les nouvelles Chevrolet Bolt EV et EUV.

À part le nouveau logo qui ornera presque tous les modèles Kia en 2022, quelques couleurs de carrosserie et des modèles rebaptisés, le Niro ne reçoit pas de changements majeurs pour 2022.

### LEQUEL CHOISIR ?
Parce que le choix entre hybride, PHEV et électrique vient avec ses avantages et inconvénients, il est important de scruter les caractéristiques de chaque modèle et déterminer lequel répond le mieux à vos besoins. Les trois grandes saveurs du Niro sont chacune assorties de leurs propres variantes. L'hybride traditionnel, qui fait office de porte d'entrée à la gamme, est animé par une motorisation 4 cylindres de 1,6 litre. Ce moulin est associé à une batterie et une motorisation électrique qui contribuent à réduire la consommation d'essence. Avec une puissance combinée de 139 chevaux, cette variante recharge sa batterie avec le moteur à essence, ainsi qu'en décélération et au freinage grâce à la récupération d'énergie. Il ne peut pas être branché à une borne. Ce modèle hybride constitue un bon choix pour son prix relativement accessible et si vous effectuez de longues distances sur une base régulière, par exemple.

La deuxième Niro est un hybride rechargeable considérablement plus onéreux sur papier, mais qui est admissible à des rabais gouvernementaux (6 500 $ au total). Il compte sur la même motorisation thermique que l'hybride traditionnel, celle-ci est par contre jumelée à une batterie plus grosse qui peut être branchée sur une borne et rechargée. Il peut parcourir 42 km en mode 100 % électrique, ce qui fait de lui un choix pertinent si vous parcourez

Modèle 2021 illustré

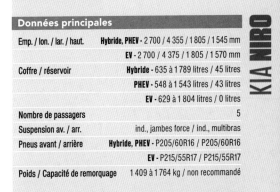

de courtes distances chaque jour et que vous avez accès à une borne de recharge à la maison. Vous pourriez ainsi rouler strictement en mode électrique la majorité du temps sans vous limiter lors des plus longs déplacements.

Le troisième Niro est le modèle 100 % électrique. Sa batterie de 64 kWh le rend éligible aux plus hauts rabais gouvernementaux (13 000 $). Son moteur lui permet d'envoyer 201 chevaux et 291 lb-pi de couple aux roues avant et il s'adapte à presque tous les types de trajets avec ses 385 km d'autonomie. Or, nous avons constaté que ce chiffre est conservateur et que le Niro EV s'avère plus généreux de plusieurs kilomètres en conditions de conduite idéales. D'ailleurs, la thermopompe des modèles EX+ et SX Tourisme est particulièrement efficace pour limiter la diminution d'autonomie hivernale.

Au chapitre de la dynamique de conduite, le Kia Niro s'exécute comme un citadin bien ferré, mais à la puissance limitée dans ses variantes hybrides et PHEV. La maniabilité est adéquate, digne de celle d'un multisegment d'entrée de gamme, mais n'a pas la vocation de fournir des sensations fortes. Hélas, le Niro n'offre la traction intégrale dans aucune de ses déclinaisons.

### UN HABITACLE PRATIQUE ET BIEN ASSEMBLÉ

Selon les versions, le Kia Niro présente généralement une finition intérieure réussie, une ergonomie bien pensée et beaucoup d'espace de rangement. Les sièges procurent un confort particulièrement appréciable, avec un soutien latéral parfaitement adapté à l'avant.

Considérant son format, le Niro est plutôt généreux pour ce qui est du volume de chargement. C'est l'hybride qui en propose le plus derrière la deuxième rangée avec 635 litres, suivi de très près par le Niro EV. Ce dernier, par contre, offre le plus d'espace de chargement total des trois.

Le trio Kia Niro est somme toute bien positionné dans la période automobile actuelle en pleine transition entre les technologies à moteur thermique et l'électrification, un virage qui s'accentue à vitesse grand V. Il devra cependant adapter le prix de sa variante électrique à ses rivaux. La concurrence s'annonce dorénavant très féroce, notamment avec l'arrivée des Bolt EV et EUV renouvelées que l'on peut obtenir sous la barre des 40 000 $ avant les incitatifs.

| Données principales | |
|---|---|
| Emp. / lon. / lar. / haut. | **Hybride, PHEV** - 2 700 / 4 355 / 1 805 / 1 545 mm |
| | **EV** - 2 700 / 4 375 / 1 805 / 1 570 mm |
| Coffre / réservoir | **Hybride** - 635 à 1 789 litres / 45 litres |
| | **PHEV** - 548 à 1 543 litres / 43 litres |
| | **EV** - 629 à 1 804 litres / 0 litres |
| Nombre de passagers | 5 |
| Suspension av. / arr. | ind., jambes force / ind., multibras |
| Pneus avant / arrière | **Hybride, PHEV** - P205/60R16 / P205/60R16 |
| | **EV** - P215/55R17 / P215/55R17 |
| Poids / Capacité de remorquage | 1 409 à 1 764 kg / non recommandé |

| Composantes mécaniques | |
|---|---|
| **HYBRIDE** | |
| Cylindrée, alim. | 4L 1,6 litre atmos. |
| Puissance / Couple | 104 ch / 109 lb-pi |
| Tr. base (opt) / Rouage base (opt) | A6 / Tr |
| 0-100 / 80-120 / V. max | 11,5 s (c) / 8,8 s (c) / 164 km/h (c) |
| 100-0 km/h | 42,7 m (c) |
| Type / ville / route / $CO_2$ | Ord / 4,4 / 4,9 / 110 g/km |
| Puissance combinée | 139 ch / 195 lb-pi |
| **MOTEUR ÉLECTRIQUE** | |
| Puissance / Couple | 43 ch (32 kW) / 125 lb-pi |
| Type de batterie / Énergie | Lithium-ion polymère (Li-Po) / 1,6 kWh |
| **PHEV** | |
| Cylindrée, alim. | 4L 1,6 litre atmos. |
| Puissance / Couple | 104 ch / 109 lb-pi |
| Tr. base (opt) / Rouage base (opt) | A6 / Tr |
| 0-100 / 80-120 / V. max | 10,8 s (c) / 8,1 s (c) / 172 km/h (c) |
| 100-0 km/h | 42,4 m (c) |
| Type / ville / route / $CO_2$ | Ord / 4,9 / 5,3 / 56 g/km |
| Puissance combinée | 139 ch / 195 lb-pi |
| **MOTEUR ÉLECTRIQUE** | |
| Puissance / Couple | 60 ch (45 kW) / 125 lb-pi |
| Type de batterie / Énergie | Lithium-ion polymère (Li-Po) / 8,9 kWh |
| Temps de charge (120V / 240V) | 9,0 h / 2,2 h |
| Autonomie | 42 km |
| **EV** | |
| Puissance / Couple | 201 ch (150 kW) / 291 lb-pi |
| Tr. base (opt) / Rouage base (opt) | Rapport fixe / Tr |
| 0-100 / 80-120 / V. max | 7,8 s (c) / 5,0 s (c) / 167 km/h (c) |
| 100-0 km/h | 41,8 m (c) |
| Type de batterie / Énergie | Lithium-ion polymère (Li-Po) / 64,0 kWh |
| Temps de charge (120V / 240V / 400V) | 59,0 h / 9,6 h / 0,9 h |
| Autonomie | 385 km |

**+** Habitacle pratique et ergonomique • Volume de chargement derrière la deuxième rangée appréciable • Sièges confortables

**—** Variantes électriques dispendieuses • Moteurs anémiques (Hybride et PHEV) • Pas de rouage intégral

Photos: Kia

**Prix :** 17 295 $ à 22 495 $ (2021)
**Transport et prép. :** 1 625 $
**Catégorie :** Sous-compactes
**Garanties :** 5/100, 5/100
**Assemblage :** Mexique

**Ventes**
Québec 2020
2 032

**0 %**

Canada 2020
3 868

**21 %** ⬇

|  | LX+ | LX Premium | EX Premium |
|---|---|---|---|
| **PDSF** | 17 295 $ | 19 995 $ | 22 495 $ |
| **Loc.** | 295 $ • 1,99 % | 312 $ • 1,99 % | 348 $ • 1,99 % |
| **Fin.** | 379 $ • 0,99 % | 431 $ • 0,99 % | 480 $ • 0,99 % |

Sécurité    Consommation

Appréciation    Fiabilité    Agrément
générale    prévue    de conduite

**Équipement**

**Sécurité**

**Concurrents**
Chevrolet Spark, Mitsubishi Mirage,
Nissan Versa

**Nouveau en 2022**
Aucun changement majeur annoncé
au moment de mettre sous presse.

# La meilleure, mais pour combien de temps ?
*Julien Amado*

Face à une concurrence devenue famélique, la Rio continue sa route pour l'année-modèle 2022. Avec l'abandon de la berline en 2021, seule la Rio 5 à hayon demeure disponible au sein de la gamme Kia. Face à elle, on retrouve la Chevrolet Spark, la Mitsubishi Mirage et la Nissan Versa. Et parmi elles, il n'y en a qu'une qui soit en mesure de lui opposer des arguments convaincants.

En effet, la Mitsubishi Mirage, moins performante, à la technologie datée et au prix trop élevé n'est pas armée pour lui mettre des bâtons dans les roues. Légèrement plus performante, plus moderne et amusante à conduire, la Chevrolet Spark n'est toutefois pas de taille elle non plus. Dans le segment des sous-compactes, la Nissan Versa est la seule qui soit capable de donner la réplique à la Rio sur la route. Par contre, son prix, aussi élevé que celui d'une Sentra, lui cause beaucoup de tort.

C'est la même chose face à la Rio, dont les paiements sont plus compétitifs d'environ 50 $ par mois pour les modèles d'entrée et de milieu de gamme. Le modèle de base LX+, à boîte manuelle n'existe que pour afficher un prix plancher, en dessous de 20 000 $ (transport et préparation inclus). Et pour ceux qui ne rechignent pas à utiliser trois pédales, elle est équipée des sièges chauffants et du climatiseur, des équipements prisés par les consommateurs. Les acheteurs disposent également d'Apple CarPlay et Android Auto avec une connexion sans fil de série. Un raffinement habituellement réservé à des véhicules plus coûteux. Cela dit, le véritable modèle de base, c'est la LX+ à boîte automatique, équipée de la même manière, mais vendue 1 200 $ de plus (20 235 $).

En payant 1 500 $ supplémentaires, on accède à la version LX Premium, qui ajoute des feux à DEL, des jantes en alliage, le toit ouvrant, une instrumentation numérique de 4,2 pouces, un volant chauffant et le système de détection des angles morts. Enfin, le modèle haut de gamme EX Premium, vendu 24 235 $ (transport et préparation inclus), complète l'équipement avec le système de prévention des collisions, l'alerte de suivi de voie, la radio satellite et le démarrage sans clé.

**UN MOTEUR, DEUX TRANSMISSIONS**
Sous le capot de la Rio, on retrouve logiquement une seule motorisation. Il s'agit d'un 4 cylindres atmosphérique de 1,6 litre, développant 120 chevaux

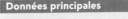
et 113 lb-pi de couple. Des valeurs nettement supérieures à celles de la Mitsubishi Mirage (78 chevaux, 74 lb-pi) et de la Chevrolet Spark (98 chevaux, 94 lb-pi), mais très proches de celles de la Nissan Versa (122 chevaux, 114 lb-pi). Pour transmettre la puissance aux roues avant, il est possible d'opter pour une boîte manuelle à 6 rapports, ou une automatique à variation continue, que Kia appelle IVT plutôt que CVT. Mais ne cherchez pas d'innovation majeure. À part l'appellation, la technologie retenue par Kia est similaire à celle de la concurrence.

Sur la route, vous n'aurez évidemment pas affaire à une fusée, mais les performances du groupe motopropulseur donnent satisfaction. Les accélérations et les relances sont correctes, en dépit d'une boîte IVT qui fait monter fortement le régime moteur lorsque l'on souhaite profiter de toute la puissance disponible. Une fois la bonne vitesse atteinte, le moteur baisse notablement son niveau sonore, qui demeure acceptable, y compris sur voie rapide.

### SIMPLE MAIS EFFICACE

Du côté des capacités dynamiques, la Rio fait du très bon travail. Dotée d'un châssis efficace, on peut compter sur sa direction précise, son train avant correctement guidé ainsi que sur une bonne stabilité dans les courbes. Le freinage, suffisamment mordant et à la puissance adéquate, transmet en plus un bon ressenti à la pédale, ce que certains véhicules plus luxueux peinent à offrir. Globalement, le roulement se montre conciliant, sauf sur des routes très abimées, où les amortisseurs ont du mal à contenir les irrégularités du revêtement.

Dans l'habitacle, les occupants profitent d'un espace adéquat, considérant le format réduit de la Rio. Le dégagement est suffisant à l'avant, que ce soit pour la tête ou les jambes. À l'arrière, tout dépendra de la taille des personnes assises devant eux. Le conducteur profite également de commandes logiques et d'une ergonomie bien pensée. Le coffre, pratique grâce à son hayon, a une contenance de 493 litres, environ 70 de plus que la Nissan Versa.

Finalement, la Kia Rio est une voiture intéressante, qui trône au sommet de la catégorie des sous-compactes. Mais pour combien de temps ? Ces petites autos basiques disparaissant les unes après les autres, il ne serait pas étonnant que Kia remplace la Rio par un petit multisegment qui reprendrait la base technique du Hyundai Venue. L'arrivée de ce dernier ayant précipité le départ de l'Accent, il est possible que la Rio vive sur du temps emprunté.

| Données principales | |
|---|---|
| Emp. / lon. / lar. / haut. | 2 580 / 4 065 / 1 725 / 1 450 mm |
| Coffre / réservoir | 493 à 928 litres / 45 litres |
| Nombre de passagers | 5 |
| Suspension av. / arr. | ind., jambes force / semi-ind., poutre torsion |
| Pneus avant / arrière | P185/65R15 / P185/65R15 |
| Poids / Capacité de remorquage | 1 229 à 1 321 kg / non recommandé |

| Composantes mécaniques | |
|---|---|
| Cylindrée, alim. | 4L 1,6 litre atmos. |
| Puissance / Couple | 120 ch / 113 lb-pi |
| Tr. base (opt) / Rouage base (opt) | M6 (CVT) / Tr |
| 0-100 / 80-120 / V. max | 10,1 s (est) / 7,9 s (est) / n.d. |
| 100-0 km/h | 41,4 m (est) |
| Type / ville / route / $CO_2$ | **Man** - Ord / 7,7 / 6,1 / 166 g/km |
| | **Auto** - Ord / 7,2 / 6,0 / 159 g/km |

**+** Habitacle polyvalent considérant son format réduit • Bonne tenue de route • Ergonomie bien pensée

**—** Moteur bruyant quand il est fortement sollicité • Vit probablement sur du temps emprunté...

**Prix:** 23 395 $ à 32 995 $
**Transport et prép.:** 1 795 $
**Catégorie:** VUS sous-compacts
**Garanties:** 5/100, 5/100
**Assemblage:** Corée du Sud

| | LX | EX TI | SX Turbo |
|---|---|---|---|
| **PDSF** | 23 395 $ | 27 995 $ | 32 995 $ |
| **Loc.** | 358 $ • 2,99 % | 427 $ • 3,49 % | 483 $ • 3,49 % |
| **Fin.** | 498 $ • 0,99 % | 588 $ • 0,99 % | 687 $ • 0,99 % |

| Ventes | |
|---|---|
| Québec 2020 | 5 204 |
| | n.d. |
| Canada 2020 | 13 271 |
| | n.d. |

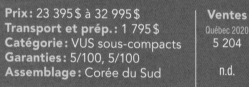

Sécurité   Consommation

Appréciation   Fiabilité   Agrément
générale   prévue   de conduite

**Équipement**

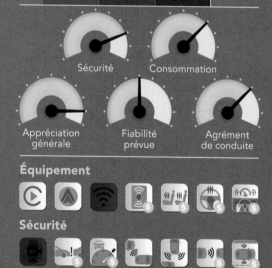

**Sécurité**

**Concurrents**

Buick Encore GX, Chevrolet Trailblazer, Fiat 500X,
Ford EcoSport, Honda HR-V, Hyundai Kona,
Jeep Renegade, Kia Niro, Mazda CX-30,
Mitsubishi Eclipse Cross/RVR, Nissan Qashqai,
Subaru Crosstrek, Toyota Corolla Cross, VW Taos

**Nouveau en 2022**
Nouvel emblème Kia.

# Bourré de talent, mais...

Frédéric Mercier

L e Kia Seltos connaît un bon succès au Québec depuis son
arrivée sur le marché, et on comprend facilement pourquoi.
Ce joli petit VUS offre un espace de chargement supérieur
à celui de la majorité de ses concurrents, une gamme de prix intéressante et un équipement généreux. Quoi demander de mieux?

Malgré ses nombreuses qualités, le Seltos a fait parler de lui pour des
raisons un peu moins glorieuses depuis quelques mois. Plusieurs nouveaux
propriétaires ont fait état de problèmes de fiabilité apparus rapidement
après l'achat du véhicule. Mais avant d'entrer dans ces détails, commençons
par évaluer son comportement routier.

**CONCURRENCE FÉROCE**
Le Kia Seltos se positionne dans la catégorie des véhicules utilitaires
sous-compacts, ces petits «camions» pas plus gros qu'une voiture... et
pas forcément plus pratiques. Fort heureusement, ce n'est pas le cas du
Seltos, qui réussit à proposer un espace très généreux à l'intérieur malgré
ses dimensions assez compactes. Rival direct des modèles comme le
Chevrolet Trailblazer, le Mazda CX-30 ou le Nissan Qashqai, il se démarque
aussi par une présentation extérieure beaucoup plus costaude. Alors que
la majorité des véhicules de cette catégorie adoptent des lignes fluides et
des angles arrondis, le Seltos emprunte une stratégie très différente.

Partageant sa plate-forme et ses composantes mécaniques avec le
Hyundai Kona, le Seltos jouit d'une ligne de toit plus haute qui fera plaisir aux
occupants de la seconde rangée. Le dégagement pour les jambes et la tête
à l'arrière est fort appréciable. Dans le coffre, la capacité de chargement est
chiffrée à 752 litres, tandis qu'elle n'atteint que 544 litres avec le Kona. La
différence est énorme. On aime l'intégration technologique de ce modèle,
dont même la version de base LX est livrée avec un écran tactile de 8 pouces.
Le système d'infodivertissement, très convivial, est compatible avec
Android Auto et Apple CarPlay. Des technologies d'aide à la conduite comme
la surveillance des angles morts et l'alerte de trafic transversal arrière sont
également livrées de série. Bref, le Seltos vient avec beaucoup d'équipements,
et c'est encore plus vrai si vous optez pour les déclinaisons EX Premium et
SX, qui sont notamment munies d'un écran surdimensionné de 10,25 pouces.

Sur la route, on est enchanté par la bonne position de conduite et la visibilité irréprochable qu'elle procure. Le rouage intégral, livré sur toutes les moutures sauf celle d'entrée de gamme, fait du bon travail et permet au VUS de bien se débrouiller en situation hivernale. Le Seltos s'est d'ailleurs classé deuxième dans le cadre d'un match comparatif que vous pouvez consulter dans cet ouvrage. Ceci dit, l'insonorisation du véhicule laisse à désirer et le moteur se fait criard en accélération, particulièrement le bloc de 2 litres jumelé à une boîte automatique à variation continue (CVT).

## UN MOTEUR CAPRICIEUX

Revenons maintenant aux problèmes de fiabilité dont il a été question en début de texte. C'est justement le moteur de 2 litres, celui qui équipe toutes les versions du Seltos à l'exception du SX Turbo, qui est en cause. Plusieurs propriétaires se sont plaints d'un bris de moteur après seulement quelques milliers de kilomètres parcourus. Kia a d'ailleurs émis un rappel à ce sujet au printemps 2021 et tous les véhicules concernés sont réparés sous garantie. Et comme la garantie de Kia est très généreuse (5 ans/100 000 km), il n'y a pas lieu de s'affoler. Reste que le bilan de fiabilité du véhicule est entaché par ce problème, qui affecte d'ailleurs les Forte et Soul ainsi que certains modèles chez Hyundai (dont le Kona).

Il nous est donc difficile de recommander l'achat d'un Seltos les yeux fermés. Il existe bel et bien un autre moteur disponible, mais celui-ci est réservé à la version la plus onéreuse, avec un prix qui dépasse largement les 30 000 $. Ce moteur turbocompressé de 1,6 litre rend le Seltos nettement plus amusant à conduire, gracieuseté d'une puissance de 175 chevaux. La CVT est ici abandonnée pour une boîte automatique à double embrayage à 7 rapports qui fait un bon travail, mais qui doit encore faire ses preuves en matière de fiabilité...

Enfin, des rumeurs laissent entendre qu'une éventuelle variante électrique du Seltos pourrait un jour apparaître sur le marché canadien et possiblement remplacer le Niro chez Kia. Rien de tout cela n'a été confirmé au moment d'écrire ces lignes, mais remarquez que ce serait techniquement réalisable, puisque son jumeau non identique le Hyundai Kona offre déjà une mouture électrique. Quoiqu'il en soit, une version électrique du Seltos serait accueillie à bras ouverts au Québec. À condition que le bilan de fiabilité soit un peu plus convaincant !

### Données principales

| | | |
|---|---|---|
| Emp. / lon. / lar. / haut. | **Tr** - 2 630 / 4 370 / 1 800 / 1 625 mm | |
| | **Int** - 2 630 / 4 370 / 1 800 / 1 630 mm | |
| Coffre / réservoir | 752 à 1 778 litres / 50 litres | |
| Nombre de passagers | 5 | |
| Suspension av. / arr. | **Tr** - ind., jambes force / semi-ind., poutre torsion | |
| | **Int** - ind., jambes force / ind., multibras | |
| Pneus avant / arrière | **LX Tr** - P205/60R16 / P205/60R16 | |
| | **LX TI, EX, EX Premium** - P215/55R17 / P215/55R17 | |
| | **SX** - P235/45R18 / P235/45R18 | |
| Poids / Capacité de remorquage | 1 312 à 1 505 kg / non recommandé | |

### Composantes mécaniques

**4L - 2,0 LITRES**

| | |
|---|---|
| Cylindrée, alim. | 4L 2,0 litres atmos. |
| Puissance / Couple | 146 ch / 132 lb-pi |
| Tr. base (opt) / Rouage base (opt) | CVT / Tr (Int) |
| 0-100 / 80-120 / V. max | 9,7 s (est) / 7,3 s (est) / n.d. |
| 100-0 km/h | 42,4 m (est) |
| Type / ville / route / $CO_2$ | **Tr** - Ord / 8,2 / 7,1 / 182 g/km |
| | **Int** - Ord / 8,8 / 7,6 / 195 g/km |

**4L - 1,6 LITRE**

| | |
|---|---|
| Cylindrée, alim. | 4L 1,6 litre turbo |
| Puissance / Couple | 175 ch / 195 lb-pi |
| Tr. base (opt) / Rouage base (opt) | A7 / Int |
| 0-100 / 80-120 / V. max | 7,8 s (m) / 6,1 s (m) / n.d. |
| 100-0 km/h | 39,6 m (m) |
| Type / ville / route / $CO_2$ | Ord / 9,4 / 7,9 / 205 g/km |

+ Espace de chargement généreux • Gamme de prix attrayante • Bonne visibilité à bord

Insonorisation à revoir • Pas de version électrique ou hybride • Fiabilité problématique

Photos : Kia

# KIA **SORENTO**

★★★☆ **COTE DU GUIDE**

## Pour le meilleur et pour le pire

Antoine Joubert

**Prix :** 33 995 $ à 47 495 $ (2021)
**Transport et prép. :** 1 850 $
**Catégorie :** VUS intermédiaires
**Garanties :** 5/100, 5/100
**Assemblage :** États-Unis, Corée du Sud

**Ventes**
Québec 2020
**3 758**
⬇ 19 %

Canada 2020
**11 062**
⬇ 31 %

| | LX+ | X-Line | SX |
|---|---|---|---|
| PDSF | 33 995 $ | 39 495 $ | 47 495 $ |
| Loc. | 500 $ • 2,99 % | 607 $ • 3,99 % | 713 $ • 3,99 % |
| Fin. | 707 $ • 0,99 % | 857 $ • 0,99 % | 1 022 $ • 0,99 % |

- Sécurité
- Consommation
- Appréciation générale
- Fiabilité prévue
- Agrément de conduite

### Équipement

### Sécurité

### Concurrents

Chevrolet Blazer, Ford Bronco/Edge, Honda Passport, Hyundai Santa Fe, Jeep Grand Cherokee/Wrangler, Nissan Murano, Subaru Outback, Toyota 4Runner, Toyota Venza, Volkswagen Atlas Cross Sport

### Nouveau en 2022

Nouvelles motorisations hybride et hybride rechargeable.

**L**orsque Subaru a annoncé l'abandon de son moteur à 6 cylindres sous le capot de l'Outback, les ventes de ces modèles se sont soudainement mises à grimper. Devenant instantanément plus convoités que jamais, ils affichent d'ailleurs et toujours une valeur de revente incroyable. Alors voilà, le même phénomène se produit aujourd'hui avec le Sorento, qui laissait malheureusement tomber, pour 2021, son réputé moteur V6 au profit d'une mécanique turbocompressée.

À mi-chemin entre les Kia Sportage et Telluride, le Sorento était jusqu'ici considéré comme la solution plus polyvalente à un VUS compact. Ce véhicule proposait plus de confort, de capacités et de polyvalence qu'un Sportage, sans toutefois rejoindre les factures des intermédiaires japonais (Pilot, Highlander, etc.). Pour beaucoup de gens, il s'agit d'un modèle de référence qui a d'ailleurs permis à Kia d'être, pour une première fois, pris au sérieux, tandis que débarquait la première génération en 2003.

### HEUREUX MÉLANGE

De profil, le Sorento rappelle le précédent Acura MDX, avec une portière arrière allongée facilitant l'accès à bord, et aussi en raison d'une ligne sans artifice et un brin générique. Les stylistes auront heureusement eu un meilleur coup de crayon pour la partie avant, très élégante, qui intègre de jolis motifs à sa grille de calandre.

Beaucoup plus impressionnante, la présentation intérieure est très invitante. Non seulement la planche de bord y est moderne, mais la qualité d'assemblage et de finition est telle qu'on pourrait citer Kia en exemple face à l'ensemble de la compétition. Comme seul irritant, on note une quantité considérable d'éléments recouverts d'un plastique noir lustré, qu'il vous faudra nettoyer sur une base régulière puisque tout y paraît. Autrement, vous apprécierez l'ergonomie d'ensemble, les innombrables compartiments de rangement, l'excellente position de conduite et la convivialité du système multimédia.

Besoin d'espace pour la famille ? Sachez que tous les Sorento offrent trois rangées de sièges. Les modèles LX sont par contre les seuls à bénéficier d'une banquette à trois places à la deuxième rangée, capable d'accueillir trois sièges d'appoint pour enfant. En passant aux modèles plus luxueux, vous aurez plutôt droit à deux sièges capitaine à la seconde rangée,

pour un total de six places assises. Bien que les sièges s'avèrent plus confortables, ils demeurent peut-être moins pratiques dans certains contextes familiaux.

Proche cousin du Hyundai Santa Fe, le Sorento reprend l'essentiel de ses composants mécaniques, à la différence qu'il offre le rouage intégral de série pour tous ses modèles. Dans les versions LX+ et LX Premium, on retrouve un 4 cylindres de 2,5 litres au rendement très honnête, jumelé à une automatique à 8 rapports. Dans ce contexte, il s'agit d'un remplaçant intéressant au Toyota RAV4 de milieu de gamme, qui en offre néanmoins bien plus à prix égal. On passe ensuite à la motorisation turbocompressée : un 4 cylindres produisant 281 chevaux, très puissant, et qui impressionne par ses reprises et son souffle constant. Comme Hyundai, Kia aura toutefois fait l'erreur de le jumeler à une boîte séquentielle à double embrayage, laquelle déçoit par son rendement. Au départ initial, le délai à l'accélération est tel qu'il devient un sérieux irritant. Ajoutez à cela une réaction tardive de l'accélérateur électronique et un délai du système arrêt-démarrage et vous avez là un cocktail à faire vivement regretter l'ancien V6. Certes, cette mécanique vous fera économiser environ 10 % de carburant, mais cela implique aussi une capacité de remorquage limitée à 3 500 lb au lieu des 5 000 lb du modèle sortant.

## L'HYBRIDE EN RENFORT

Alors que Hyundai propose une version hybride du Santa Fe depuis déjà un an, on peut considérer que Kia débarque tardivement avec les siennes. Or, la stratégie du constructeur est plutôt de séduire d'emblée avec sa variante hybride rechargeable, laquelle permettrait d'obtenir environ 50 km d'autonomie. C'est un peu moins bien qu'un Toyota RAV4 Prime, en raison d'une batterie de 13,8 kWh. Ce choix technique explique d'ailleurs que les crédits gouvernementaux seront partiels. Sans en avoir eu la confirmation au moment d'écrire ces lignes, attendez-vous, au Québec, à un crédit total de 6 500 $ (provincial/fédéral), ce qui risque de rapprocher le prix de celui d'un modèle hybride régulier. Fait intéressant, c'est d'abord avec sa version PHEV que Kia débarquera cet automne, retardant l'arrivée de l'hybride au cours de l'hiver. Cette dernière sera toutefois dépourvue du rouage intégral.

Bien que la version turbocompressée déçoive par son rendement et ses capacités en baisse, Kia se reprend avec une famille de modèles hybrides qui semblent prometteurs. Sinon, on a droit à un véhicule spacieux, polyvalent et impressionnant sur le plan ergonomique, mais qui n'élève pas les passions avec sa conduite, un brin ennuyeuse.

**+** Habitacle spacieux et ergonomique • Qualité d'assemblage • Nouvelles versions hybrides attrayantes • Garantie rassurante

**—** Transmission DCT désagréable • Capacité de remorquage en baisse • Configuration six places seulement (turbo) • Agrément de conduite quelconque

### Données principales

| | |
|---|---|
| Emp. / lon. / lar. / haut. | 2 815 / 4 800 / 1 900 / 1 700 mm |
| Coffre / réservoir | 357 à 2 139 litres / 67 litres |
| Nombre de passagers | 6 à 7 |
| Suspension av. / arr. | ind., jambes force / ind., multibras |
| Pneus avant / arrière | P235/65R17 / P235/65R17 |
| Poids / Cap. de remorquage 2,5 L Atmos. | 1 735 à 1 761 kg / 1 270 kg (2 800 lb) |
| 2,5 L Turbo | 1 787 à 1 856 kg / 1 588 kg (3 500 lb) |
| Hybride | 1 804 kg / 750 kg (1 650 lb) |

### Composantes mécaniques

**4L - 2,5 LITRES ATMOS.**

| | |
|---|---|
| Cylindrée, alim. | 4L 2,5 litres atmos. |
| Puissance / Couple | 191 ch / 181 lb-pi |
| Tr. base (opt) / Rouage base (opt) | A8 / Int |
| 0-100 / 80-120 / V. max | 10,0 s (c) / 7,1 s (c) / 200 km/h (c) |
| 100-0 km/h | 40,2 m (c) |
| Type / ville / route / CO$_2$ | Ord / 10,1 / 9,2 / 227 g/km |

**4L - 2,5 LITRES TURBO**

| | |
|---|---|
| Cylindrée, alim. | 4L 2,5 litres turbo |
| Puissance / Couple | 281 ch / 311 lb-pi |
| Tr. base (opt) / Rouage base (opt) | A8 / Int |
| 0-100 / 80-120 / V. max | 7,6 s (c) / 4,6 s (c) / 211 km/h (c) |
| 100-0 km/h | 40,2 m (c) |
| Type / ville / route / CO$_2$ | Ord / 11,1 / 8,4 / 233 g/km |

**HYBRIDE**

| | |
|---|---|
| Cylindrée, alim. | 4L 1,6 litre turbo |
| Puissance / Couple | 178 ch / 195 lb-pi |
| Tr. base (opt) / Rouage base (opt) | A6 / Tr |
| 0-100 / 80-120 / V. max | 8,6 s (c) / 5,8 s (c) / 200 km/h (c) |
| 100-0 km/h | 38,1 m (c) |
| Type / ville / route / CO$_2$ | Ord / 6,3 / 6,9 / 170 g/km (est) |
| Puissance combinée | 227 ch / 258 lb-pi |

**MOTEUR ÉLECTRIQUE**

| | |
|---|---|
| Puissance / Couple | 60 ch (45 kW) / 195 lb-pi |
| Type de batterie | Lithium-ion polymère (Li-Po) |
| Énergie | 1,5 kWh |

**PHEV**

258 ch / 261 lb-pi - A6 - Int - 13,8 kWh - 50 km (est)

**Prix:** 21 195 $ à 51 995 $ (2021)
**Transport et prép.:** 1 795 $
**Catégorie:** VUS sous-compacts
**Garanties:** 5/100, 5/100
**Assemblage:** Corée du Sud

**Ventes**

Québec 2020
1 747

↓ 31 % ↓

Canada 2020
7 176

↓ 31 % ↓

| | LX | GT-Line Prem. | EV Limited |
|---|---|---|---|
| PDSF | 21 195 $ | 29 295 $ | 51 995 $ |
| Loc. | 353 $ • 2,99 % | 457 $ • 2,99 % | 542 $ • 2,99 % |
| Fin. | 458 $ • 0,99 % | 617 $ • 0,99 % | 837 $ • 0,99 % |

Sécurité    Consommation

Appréciation générale    Fiabilité prévue    Agrément de conduite

**Équipement**

**Sécurité**

**Concurrents**

Buick Encore, Chevrolet Bolt EV, Chevrolet Trax, Hyundai Kona électrique, Hyundai Venue, Kia Niro EV, Mazda CX-3, MINI Cooper SE, Nissan Kicks, Toyota C-HR

**Nouveau en 2022**

Nouvel emblème Kia, écran tactile de 8 pouces offert de série.

# Racines cubiques

Louis-Philippe Dubé

L a Kia Soul est une survivante du mouvement «cube» de l'automobile. Cette courte période initiée aux alentours de 2010 a certes été brève, mais a démontré qu'il était possible de donner une autre dimension à la sous-compacte en maximisant son espace intérieur vertical et en poussant le style carré à ses limites.

Non seulement ces voitures plaisaient-elles aux conducteurs en besoin d'espace avec un budget limité, mais elles accommodaient également ceux qui voulaient éviter de grimper dans un utilitaire. Elles attiraient donc l'attention d'acheteurs de segments variés.

La Kia Soul a fait ses racines dans ce mouvement, mais a su, au fil du temps, faire le tri entre le bon et le mauvais et en tirer les bonnes leçons. Elle en est déjà à sa troisième génération avec une variante à essence et deux moutures électriques en sol canadien. Aujourd'hui, elle rivalise avec des voitures qui se prennent pour des utilitaires comme le Toyota C-HR et le Hyundai Venue, mais également les électriques comme la Bolt EV/EUV et le Kia Niro.

### DEUX PERSONNALITÉS DISTINCTES

Le moteur thermique de la Kia Soul est un 4 cylindres de 2 litres atmosphérique qui livre 147 chevaux et 132 lb-pi de couple aux roues avant. Ces chiffres peuvent sembler un peu justes sur papier, avec raison. Mais la boîte IVT, soit le nom que Kia a donné à sa transmission à variation continue, fait un travail exemplaire pour canaliser la puissance aux roues. Des signes d'essoufflement se font ressentir à haute vitesse sur l'autoroute, néanmoins, la Soul à moteur thermique demeure une citadine aguerrie. Rappelons que la transmission IVT, relativement récente, a connu des ennuis sur plusieurs modèles au cours des dernières années. Cela prendra un peu de temps avant de savoir si ces petits pépins ont été réglés par le constructeur. Or, ce ne serait pas la première fois qu'un fabricant connaît des problèmes avec une transmission à variation continue!

La Soul donne l'impression d'être pesante à cause de son physique vertical, mais cette morphologie ne semble pas avoir trop de répercussions sur le roulis. La maniabilité est au rendez-vous, malgré une direction plutôt légère. L'autre personnalité de la Kia Soul se manifeste avec ses deux modèles électriques. Dans le plus cossu (Limited), le couple de 291 lb-pi est agréablement

livré très tôt une fois la pédale d'accélérateur enfoncée, ce qui laisse place à des sourires à tous les départs arrêtés. Les 201 chevaux suivent pour déplacer cette petite boîte dans le vent avec une bonne vélocité. Il est également possible de conduire la Soul EV avec une seule pédale grâce au freinage régénératif qui est modulable via les manettes au volant.

Dans les deux cas, l'habitacle logeable de la Soul est une caractéristique notable. Son coffre à deux paliers peut loger jusqu'à 1 758 litres de chargement dans sa variante à moteur thermique (un peu moins avec la EV, à 1 735 litres). Mais ce sont les objets en hauteur qui en profitent particulièrement. Le seuil du coffre bas facilite le chargement et le déchargement desdits objets.

Garni d'assises confortables, l'habitacle se présente en toute intuitivité, tandis que la qualité d'assemblage impressionne pour le segment. Cette année, l'écran du système d'infodivertissement gagne en grosseur dans les versions de base avec 8 pouces de diagonale. Les déclinaisons supérieures et les deux électriques jouissent d'un écran de 10,25 pouces. Le système UVO que ces écrans abritent n'est peut-être pas le plus rapide dans toutes ses fonctions, mais la clarté de l'écran et sa position au beau milieu du tableau de bord l'avantage fortement. Le système Harman/Kardon optionnel qu'il alimente est particulièrement bien calibré.

## BEAUCOUP D'ÉQUIPEMENT POUR LE PRIX

L'un des points forts de la Kia Soul est l'équipement qu'elle fournit pour son prix. Ainsi, le modèle de base vient avec les sièges avant chauffants, Apple CarPlay et Android Auto ainsi qu'un écran de 8 pouces pour le système d'infodivertissement. Sur les versions plus haut de gamme, on retrouve d'autres commodités comme le volant chauffant et la recharge sans fil pour votre téléphone.

En conclusion, la Kia Soul est plus qu'un vestige de la période des boîtes sur roues. Elle est un produit authentique, original, utile et bien assemblé. Sans oublier qu'elle a gagné en audace sur le plan du design depuis son introduction, afin de mieux rivaliser les petits utilitaires. Même si elle pourrait grandement bénéficier d'un rouage intégral, elle offre un ensemble très bien équipé pour le prix dans sa variante à moteur thermique. Et si la version électrique à grande autonomie (383 km au lieu de 248) est dispendieuse, celle-ci possède tout de même l'espace et l'équipement nécessaire au transport familial zéro émission.

### Données principales

| Emp. / lon. / lar. / haut. | **Soul** - 2 600 / 4 195 / 1 800 / 1 600 mm |
| | **Soul EV** - 2 600 / 4 195 / 1 800 / 1 605 mm |
| Coffre / réservoir | **Soul** - 530 à 1 758 litres / 54 litres |
| | **Soul EV** - 530 à 1 735 litres / 0 litres |
| Nombre de passagers | 5 |
| Suspension av. / arr. | ind., jambes force / semi-ind., poutre torsion |
| Pneus avant / arrière | **LX, EX** - P205/60R16 / P205/60R16 |
| | **EV, EX+** - P215/55R17 / P215/55R17 |
| | **EX Premium, GT-Line Limited** - P235/45R18 / P235/45R18 |
| Poids / Capacité de remorquage | **Soul** - 1 290 à 1 393 kg / non recommandé |
| | **Soul EV** - 1 572 à 1 754 kg / non recommandé |

### Composantes mécaniques

**ESSENCE**

| | |
|---|---|
| Cylindrée, alim. | 4L 2,0 litres atmos. |
| Puissance / Couple | 147 ch / 132 lb-pi |
| Tr. base (opt) / Rouage base (opt) | CVT / Tr |
| 0-100 / 80-120 / V. max | 8,7 s (m) / 6,5 s (m) / n.d. |
| Type / ville / route / CO$_2$ | Ord / 8,5 / 7,0 / 187 g/km |

**EV PREMIUM**

| | |
|---|---|
| Puissance / Couple | 134 ch (100 kW) / 291 lb-pi |
| Tr. base (opt) / Rouage base (opt) | Rapport fixe / Tr |
| 0-100 / 80-120 / V. max | 9,6 s (est) / 6,8 s (est) / n.d. |
| Consommation équivalente | 2,0 Le/100km |
| Type de batterie | Lithium-ion polymère (Li-Po) |
| Énergie | 39,2 kWh |
| Temps de charge (120V / 240V / 400V) | 36,0 h / 6,0 h / 0,9 h |
| Autonomie | 248 km |

**EV LIMITED**

| | |
|---|---|
| Puissance / Couple | 201 ch (150 kW) / 291 lb-pi |
| Tr. base (opt) / Rouage base (opt) | Rapport fixe / Tr |
| 0-100 / 80-120 / V. max | 7,1 s (m) / 4,6 s (m) / n.d. |
| Consommation équivalente | 2,1 Le/100km |
| Type de batterie | Lithium-ion polymère (Li-Po) |
| Énergie | 64,0 kWh |
| Temps de charge (120V / 240V / 400V) | 59,0 h / 9,5 h / 1,0 h |
| Autonomie | 383 km |

➕ Format intéressant • Assemblage intérieur réussi • Beaucoup de technologies pour le prix

➖ À quand le rouage intégral ? • Prix élevé de la variante électrique à grande autonomie

## Prix: 25 995 $ à 40 195 $

**Prix:** 25 995 $ à 40 195 $
**Transport et prép.:** 1 850 $
**Catégorie:** VUS compacts
**Garanties:** 5/100, 5/100
**Assemblage:** Corée du Sud

**Ventes**
Québec 2020
3 833

27 %

Canada 2020
10 050

20 %

| | LX | EX S TI | SX TI |
|---|---|---|---|
| PDSF | 25 995 $ | 32 795 $ | 40 195 $ |
| Loc. | 395 $ • 1,99 % | 475 $ • 1,99 % | 575 $ • 1,99 % |
| Fin. | 536 $ • 0,00 % | 668 $ • 0,00 % | 807 $ • 0,00 % |

Sécurité    Consommation

Appréciation générale    Fiabilité prévue    Agrément de conduite

### Équipement

### Sécurité

### Concurrents

Chevrolet Equinox, Ford Bronco Sport/Escape,
GMC Terrain, Honda CR-V, Hyundai Tucson,
Jeep Cherokee/Compass, Mazda CX-5,
Mitsubishi Outlander, Nissan Rogue,
Subaru Forester, Toyota RAV4, Volkswagen Tiguan

### Nouveau en 2022

Édition nocturne. Nouvelle génération
attendue pour l'année-modèle 2023.

# En attente de l'inspiration du mouvement

Louis-Philippe Dubé

**L**e Kia Sportage en est à la toute fin de sa quatrième génération et son constructeur lui donnera un remodelage quasi total pour 2023, avec un design extérieur qui s'inspire davantage de la nouvelle EV6. Comprenez par là qu'il sera doté de lignes beaucoup plus osées et distinctives comparativement à la binette rondelette du modèle actuel.

Le Kia Sportage propose donc la même recette pour 2022. Et pendant que les autres véhicules Kia 2022 adoptent le nouveau logo, le Sportage, lui, devra attendre 2023 avant de recevoir l'emblème dernier cri, signe que le petit VUS en est vraiment à ses derniers kilomètres sous sa forme actuelle. La seule nouveauté concrète pour 2022, c'est l'ajout d'une édition nocturne qui s'inspire de celle du Telluride. Cette déclinaison se positionne juste au-dessus de la variante LX, et apporte notamment des jantes en alliage, une calandre, des longerons de toit et une panoplie d'appliques noircies.

### DES MOTORISATIONS FIDÈLES, MAIS QUELQUE PEU GOURMANDES

Le Kia Sportage offre deux motorisations, un duo composé d'un 4 cylindres de 2,4 litres de 181 chevaux et d'un 4 cylindres de 2 litres turbocompressé qui développe une puissance plus importante de 237 chevaux. Une transmission automatique conventionnelle à 6 rapports s'associe aux deux moteurs. La motorisation de base a amplement d'entregent pour la conduite urbaine, avec une bonne réponse suivie d'accélérations convaincantes pour le format du Sportage. La seconde pousse la note pour une vigueur accrue, plutôt agréable en termes de sensations additionnelles au volant. Cette dernière est offerte exclusivement dans le modèle le plus haut de gamme, SX, qui hérite de plus gros freins à l'avant.

Au-delà des chevaux, le Sportage fait aussi preuve d'une maniabilité impressionnante. Sans le qualifier de sportif, il se montre somme toute compétent dans les virages, et ce comportement est assorti d'une direction précise qui saura vous servir en conditions urbaines. De ce point de vue, le Sportage conserve des capacités dynamiques à la hauteur, en dépit du temps qui passe.

Le problème avec les deux motorisations du Sportage, c'est qu'elles sont gourmandes comparativement aux moulins de ses rivaux les plus économiques.

Même le plus petit moteur est peu frugal côté consommation, avec une moyenne annoncée à 10 L/100 km selon Ressources naturelles Canada (11 L/100 km pour le 2 litres turbo). Cela lui flanque un bilan peu reluisant quand on regarde les coûts d'opération par rapport à des VUS plus récents, qui deviennent de plus en plus frugaux.

## UN HABITACLE SOMME TOUTE PRATIQUE

Avec des éléments de série comme les sièges avant chauffants, les suites Apple CarPlay et Android Auto ainsi qu'un l'écran ACL de 8 pouces avec guidage dynamique pour la caméra de recul, le Sportage LX de base démarre bien la gamme. Nous aurions aimé voir quelques caractéristiques de sécurité avancée, mais l'ensemble est tout de même complet pour le prix payé. Sans être le plus spacieux sur le plan du volume de chargement, le Sportage est néanmoins pensé pour la praticité. Les passagers arrière bénéficient d'amplement d'espace pour les jambes, tandis que le dégagement pour la tête est généreux, peu importe où vous vous assoyez dans le Sportage. Le confort et le soutien sont également appréciables.

Les nouveaux produits Kia présentent un assemblage de qualité supérieure dans l'habitacle au chapitre des matériaux employés et des textures choisies, sans oublier les écrans qui ont été modernisés. Le Sportage tire de la patte à cet égard et peine à cacher ses rides. Mais ce n'est pas nécessairement une mauvaise chose. D'ailleurs, ce que nous préférons étonnamment de la planche de bord, c'est qu'il y a plein de boutons physiques qui viennent en renfort à l'écran tactile. Ces commandes analogiques deviennent une denrée rare dans l'ère automobile moderne. Et quand on constate l'arrivée de commandes tactiles pas toujours faciles à utiliser, le Sportage actuel donne l'opportunité de profiter de cette simplicité volontaire.

Le VUS compact de Kia a été fidèle à ses adeptes au cours de cette génération. En attendant «l'inspiration du mouvement» prescrit par le slogan de la marque, cet utilitaire demeure recommandable pour son bon rapport équipement/prix et son comportement routier appréciable. Bien que nous ayons très peu d'informations sur cette nouvelle génération au moment d'écrire ces lignes, nous savons que Kia lui octroiera probablement des motorisations plus efficaces, ainsi qu'un habitacle à la finition plus recherchée. Sans oublier un bon rapport prix/équipement, comme c'est dorénavant la coutume chez le constructeur coréen!

## Données principales

| | |
|---|---|
| Emp. / lon. / lar. / haut. | 2 670 / 4 485 / 1 855 / 1 635 mm |
| Coffre / réservoir | 868 à 1 703 litres / 62 litres |
| Nombre de passagers | 5 |
| Suspension av. / arr. | ind., jambes force / ind., multibras |
| Pneus avant / arrière | P225/60R17 / P225/60R17 |
| Poids / Capacité de remorquage | 1 631 à 1 813 kg / 907 kg (2 000 lb) |

## Composantes mécaniques

### 4L - 2,4 LITRES

| | |
|---|---|
| Cylindrée, alim. | 4L 2,4 litres atmos. |
| Puissance / Couple | 181 ch / 175 lb-pi |
| Tr. base (opt) / Rouage base (opt) | A6 / Tr (int) |
| 0-100 / 80-120 / V. max | 10,2 s (est) / 8,1 s (est) / n.d. |
| 100-0 km/h | 40,9 m (est) |
| Type / ville / route / $CO_2$ | **Tr** - Ord / 10,1 / 7,6 / 214 g/km |
| | **Int** - Ord / 10,8 / 9,1 / 238 g/km |

### 4L - 2,0 LITRES

| | |
|---|---|
| Cylindrée, alim. | 4L 2,0 litres turbo |
| Puissance / Couple | 237 ch / 260 lb-pi |
| Tr. base (opt) / Rouage base (opt) | A6 / Int |
| 0-100 / 80-120 / V. max | 8,7 s (est) / 6,7 s (est) / n.d. |
| 100-0 km/h | 40,5 m (est) |
| Type / ville / route / $CO_2$ | Ord / 12,1 / 9,6 / 261 g/km |

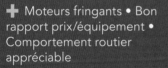

+ Moteurs fringants • Bon rapport prix/équipement • Comportement routier appréciable

− Consommation élevée • Dernière année de cette génération

| | GT Limitée | GT Elite | GT Elite suède |
|---|---|---|---|
| **Prix :** 50 495 $ à 53 295 $ | | | |
| **Transport et prép. :** 1 850 $ | | | |
| **Catégorie :** Grandes berlines | | | |
| **Garanties :** 5/100, 5/100 | | | |
| **Assemblage :** Corée du Sud | | | |
| PDSF | 50 495 $ | 52 995 $ | 53 295 $ |
| Loc. | 773 $ • 3,99 % | 798 $ • 3,99 % | 814 $ • 3,99 % |
| Fin. | 1 087 $ • 2,99 % | 1 139 $ • 2,99 % | 1 145 $ • 2,99 % |

**Ventes**
Québec 2020
279
⬇ 19 %

Canada 2020
1 125
⬇ 28 %

Sécurité    Consommation

Appréciation générale    Fiabilité prévue    Agrément de conduite

**Équipement**

**Sécurité**

**Concurrents**
Chrysler 300, Dodge Charger, Nissan Maxima

**Nouveau en 2022**
Trois chevaux supplémentaires. Nouvelles jantes de 19 pouces. Retrait de la version GT, ajout de la Stinger GT Elite haut de gamme. Nouvel emblème de Kia.

# En phase terminale ?

Germain Goyer

Introduite en 2018, la Kia Stinger était un réel coup d'éclat de la part du constructeur coréen. Elle n'était ni plus ni moins qu'un imposant doigt d'honneur aux gens qui clamaient haut et fort que les véhicules Kia étaient des produits bon marché. Si cette partie du mandat a été dûment remplie, on ne peut en dire autant de la seconde.

En effet, la Stinger avait la prétention de donner du fil à retordre au trio allemand composé des Audi A4/A5, BMW Série 3/Série 4 et Mercedes-Benz Classe C. Mais ne respire pas fort dans le cou de ces berlines qui veut. Proposant une silhouette à couper le souffle, une mécanique absolument foudroyante et une facture raisonnable, la Stinger avait pourtant les bonnes cartes en main pour réussir. Hélas, elle ne peut toujours pas crier victoire.

Plusieurs années après son arrivée sur le marché, la Stinger continue d'épater par sa silhouette. Ne ressemblant à rien d'autre — pas même à la Genesis G70 avec laquelle elle partage bon nombre de ses composantes —, la Stinger demeure sexy et racée. Elle est toujours aussi élégante et singulière. Et tout ça, on le doit à Peter Schreyer et à son talentueux coup de crayon.

Sur le plan de la mécanique, on a affaire à un V6 de 3,3 litres à double turbocompresseur. Celui-ci génère 368 chevaux et un couple de 376 lb-pi. Le tout est accouplé à une transmission automatique à 8 rapports. Par rapport à l'année dernière, il s'agit d'une hausse de 3 chevaux, aussi insignifiante soit-elle. Si certaines rumeurs laissaient sous-entendre la venue d'une transmission manuelle qui aurait pu bonifier l'expérience au volant, on se rend désormais à l'évidence que l'on n'y aura jamais droit. Au Canada, il s'agit de la seule mécanique proposée. Rappelons que par le passé, un moteur turbocompressé à 4 cylindres de 2 litres était offert. Il n'a connu aucun succès sur notre marché et il a aussitôt été retiré du catalogue. De son côté, la Genesis G70, sa presque jumelle, continue d'offrir le choix du 4 cylindres de 2 litres.

Lorsque l'on prend le volant de la Stinger, on ressent un réel plaisir. Quand on active le mode Sport, le soutien latéral des sièges baquets devient plus agressif. On l'apprécie, bien sûr, à condition de ne pas être trop bedonnant. Quant à son châssis, il est suffisamment rigide et à la hauteur des performances

de la mécanique. Soulignons cependant que l'on peut très bien se servir de la voiture sur une base quotidienne.

## DE MAIGRES NOUVEAUTÉS

2022 marque la cinquième année-modèle de la Stinger. Des changements s'imposaient. Hélas, ceux-ci sont trop subtils pour notre marché. Le constructeur a d'abord réduit le nombre de versions pour n'en conserver que deux, les GT Limitée (50 495 $) et GT Élite (52 995 $ à 53 295 $). Forcément, la Stinger voit son prix d'entrée grimper de plusieurs milliers de dollars. En plus de cela, quelques maigres changements figurent au menu. La Stinger est en effet dotée de nouvelles jantes de 19 pouces. On remarque aussi que l'enveloppe du tableau de bord a été modifiée et que maintenant des surpiqûres rouges et des ceintures de la même teinte sont en option, mais tout le reste demeure identique. Notons aussi que la palette de couleurs se voit bonifiée.

On ajoute le vert Ascot et en toute impartialité, force est d'admettre que cette teinte est absolument magnifique. On aurait aimé que l'instrumentation numérique fasse partie de la liste des nouveautés. Il faut avoir un œil de lynx pour soulever ces détails. Chez nos voisins américains, le moteur de base de 2 litres a laissé sa place au moteur turbocompressé de 2,5 litres. Mais il n'en est pas question pour notre marché.

## LE DÉBUT DE LA FIN ?

À sa cinquième année sur le marché, la Stinger aurait mérité davantage de changements et ce manque de volonté de la part du constructeur nous laisse croire qu'il n'attendra pas longtemps avant de la retirer. La Stinger a suscité d'innombrables réactions à son arrivée, elle a fait jaser autant en bien qu'en mal et ceux et celles qui ont été charmés s'en sont procuré une. Kia a démontré qu'il était capable de commercialiser un véhicule de ce calibre.

Or, les acheteurs ne sont malheureusement pas au rendez-vous. Bien que la Stinger demeure plus populaire que la G70 au Canada (1 125 unités contre 962 en 2020), on semble dorénavant mettre l'accent sur celle qui porte le logo de Genesis. Sous le giron d'une marque de prestige, elle jure sans doute moins avec le reste du catalogue que la Stinger. De son côté, la G70 a eu droit à un remodelage beaucoup plus sérieux, ce qui la place devant sa presque jumelle au chapitre de la modernité. Bien qu'elle mériterait un autre sort, la Stinger n'aura été qu'une aventure, prédit-on.

KIA STINGER

### Données principales

| Emp. / lon. / lar. / haut. | 2 905 / 4 830 / 1 870 / 1 400 mm |
|---|---|
| Coffre / réservoir | 660 à 1 158 litres / 60 litres |
| Nombre de passagers | 5 |
| Suspension av. / arr. | ind., jambes force / ind., multibras |
| Pneus avant / arrière | P225/40R19 / P255/35R19 |
| Poids / Capacité de remorquage | 1 873 kg / non recommandé |

### Composantes mécaniques

| Cylindrée, alim. | V6 3,3 litres turbo |
|---|---|
| Puissance / Couple | 368 ch / 376 lb-pi |
| Tr. base (opt) / Rouage base (opt) | A8 / Int |
| 0-100 / 80-120 / V. max | 5,1 s (m) / 3,4 s (m) / 270 km/h (c) |
| 100-0 km/h | 38,0 m (m) |
| Type / ville / route / $CO_2$ | Sup / 13,7 / 9,6 / 280 g/km |

+ Mécanique performante • Silhouette séduisante • Tenue de route efficace

Peu de nouveautés pour 2022 • Prix d'entrée revu à la hausse • Consommation élevée

Photos : Kia

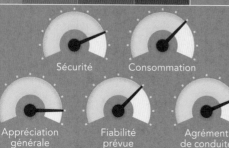

**Prix:** 46 195 $ à 55 695 $ (2021)
**Transport et prép.:** 1 895 $
**Catégorie:** VUS intermédiaires
**Garanties:** 5/100, 5/100
**Assemblage:** États-Unis

| | EX | SX | SX Nocturne |
|---|---|---|---|
| **PDSF** | 46 195 $ | 51 195 $ | 55 695 $ |
| **Loc.** | 775 $ • 4,49% | 867 $ • 4,49% | 928 $ • 4,49% |
| **Fin.** | 996 $ • 2,99% | 1 099 $ • 2,99% | 1 192 $ • 2,99% |

**Ventes**
Québec 2020
567
↓ 24%
Canada 2020
2 853
↓ 4%

Sécurité — Consommation

Appréciation générale — Fiabilité prévue — Agrément de conduite

**Équipement**

**Sécurité**

**Concurrents**

Chevrolet Traverse, Dodge Durango, Ford Explorer, GMC Acadia, Honda Pilot, Hyundai Palisade, Jeep Grand Cherokee L, Mazda CX-9, Nissan Pathfinder, Subaru Ascent, Toyota Highlander, Volkswagen Atlas

**Nouveau en 2022**

Aucun changement majeur annoncé au moment de mettre sous presse.

# Un camion presque parfait

Marc Lachapelle

Rares sont les véhicules au parcours aussi irréprochable que celui du Telluride. Première série entièrement conçue, dessinée, développée et fabriquée en Amérique pour Kia, ce grand VUS a été primé véhicule utilitaire canadien, nord-américain et mondial de l'année à son lancement. Il défend également son titre de meilleur achat de sa catégorie dans *Le Guide de l'auto*. Ce qui est plutôt étonnant, en fait, c'est qu'il n'ait pas anéanti ses rivaux au palmarès des ventes. Du moins, pas encore.

Dessinée et sculptée dans le studio californien de Kia, la silhouette haute, large, anguleuse et imposante du Telluride est tout indiquée pour les centres de ski huppés du genre Tremblant, Sutton, Mont Sainte-Anne ou le repaire de vedettes du Colorado qui lui a donné son nom. Le plus grand des Kia sera tout à fait à l'aise au milieu des Range Rover et Volvo XC90 auxquels cette formule a réussi parfaitement.

On confond même facilement le Telluride avec le XC90 au premier coup d'œil, malgré la différence de prix et de statut, tellement sa silhouette, ses proportions et les détails de sa finition extérieure sont réussis. On peut croire, sans peine, qu'il appartient à une catégorie supérieure en termes de luxe et de prix. Ironiquement, cette perception lui nuit peut-être auprès de certains acheteurs potentiels qui n'en croient pas leurs yeux.

**SIMPLICITÉ ET CONVIVIALITÉ**

Cette impression de luxe et de qualité persiste lorsque l'on ouvre la portière et que l'on grimpe à bord. Le dessin du tableau de bord et de la console du Telluride est simple et dégagé, à la manière européenne ou scandinave. Les grandes poignées de maintien gainées de cuir, fixées de part et d'autre de la console, évoquent celles des Porsche Cayenne et Mercedes-Benz GLE, entre autres. La nacelle oblongue des instruments loge deux grands cadrans classiques clairs qui flanquent un tableau numérique configurable où s'affiche une kyrielle de données.

Les commandes physiques sont claires, complètes, dégagées et disposées avec soin et logique, dans la meilleure tradition coréenne. On les retrouve au centre ou à gauche du tableau de bord, sur les branches horizontales d'un volant bien taillé et sur la console centrale. Une molette dentelée permet de choisir un des cinq modes de conduite ou de verrouiller le rouage en

appuyant au centre. Les designers et stylistes ont multiplié les lignes horizontales pour suggérer l'espace, aidés par le grand écran central tactile de 10,25 pouces qui surplombe trois buses d'aération alignées au milieu de la planche de bord. Et ça fonctionne. L'aspect et la qualité des matériaux utilisés sont impeccables et l'agencement des couleurs et des textures carrément sans reproche.

On peut en dire tout autant des sièges aux trois rangées, confort et maintien inclus. Pour la deuxième, on a le choix entre une banquette dont la place centrale est acceptable ou des sièges individuels. Ces derniers se replient pour favoriser l'accès à la troisième rangée en touchant un seul bouton, sur place ou dans le coffre. La banquette en dernière rangée est correcte et découpée en sections égales que l'on replie en tirant sur des sangles. Ses appuie-tête se mettent à plat pour dégager la vue dans le rétroviseur. Bravo pour ça.

### MOBILITÉ SURTOUT RESPONSABLE
Le Telluride est mû par un V6 à injection directe de 3,8 litres qui fonctionne selon le cycle Atkinson et libère jusqu'à 291 chevaux, sans être trop glouton. La boîte automatique à 8 rapports est douce en conduite normale. Le passage au deuxième rapport était par contre hésitant puis sec, en pleine accélération, sur un SX conduit au cœur de l'hiver.

Le même spécimen s'est montré également sensible au vent oblique, sautillant et bruyant sur chaussée bosselée et franchement un peu pataud, accusant de surcroît une tenue de cap moyenne. Son rouage favorisait aussi nettement les roues motrices avant sur la neige, en mode Normal. Il faut donc le verrouiller pour que le couple soit transmis en portions égales aux essieux avant et arrière. En bref, il était plutôt décevant en conduite alors que les Telluride essayés précédemment s'étaient révélés très maniables et civilisés, sans être pour autant le moindrement sportifs ou stimulants à conduire.

Résolument moderne et raisonnablement puissant, le grand Telluride préfère donc nettement la conduite tranquille aux chevauchées débridées. Soit, puisque son élégance, son confort et son raffinement indéniables, combinés à une fiabilité louable et une garantie solide, en font un excellent choix dans cette catégorie.

| Données principales | |
|---|---|
| Emp. / lon. / lar. / haut. | 2 900 / 5 000 / 1 990 / 1 759 mm |
| Coffre / réservoir | 601 à 2 455 litres / 71 litres |
| Nombre de passagers | 7 à 8 |
| Suspension av. / arr. | ind., jambes force / ind., multibras |
| Pneus avant / arrière | EX - P245/60R18 / P245/60R18 |
| | SX, SX Limited, SX Nocturne - P245/50R20 / P245/50R20 |
| Poids / Capacité de remorquage | 1 970 à 2 033 kg / 2 268 kg (5 000 lb) |

| Composantes mécaniques | |
|---|---|
| Cylindrée, alim. | V6 3,8 litres atmos. |
| Puissance / Couple | 291 ch / 262 lb-pi |
| Tr. base (opt) / Rouage base (opt) | A8 / Int |
| 0-100 / 80-120 / V. max | 7,6 s (m) / 5,1 s (m) / n.d. |
| 100-0 km/h | 39,7 m (est) |
| Type / ville / route / $CO_2$ | Ord / 12,6 / 9,7 / 265 g/km |

| + Silhouette élégante et moderne • Confort et finition impeccables • Habitacle spacieux et pratique • Ergonomie sans faille | — Freinage plutôt sec en amorce • Touche de mise en marche bien cachée • Le rétroviseur gauche bloque la vue en virage • Allergique au vent oblique |
|---|---|

Photos: Kia

## Prix et données

**Prix:** 464 009 $ à 700 238 $
**Transport et prép.:** 2 950 $
**Catégorie:** Exotiques
**Garanties:** 3/ill, 3/ill
**Assemblage:** Italie

**Ventes**
Québec 2020
n.d.

Canada 2020
n.d.

| | S | S Roadster | SVJ Roadster |
|---|---|---|---|
| PDSF | 464 009 $ | 506 982 $ | 700 238 $ |
| Loc. | n.d. | n.d. | n.d. |
| Fin. | 10 108 $ • 4,90% | 11 038 $ • 4,90% | 15 221 $ • 4,90% |

Sécurité  Consommation

Appréciation générale   Fiabilité prévue   Agrément de conduite

Infos n.d.

### Équipement

### Sécurité

### Concurrents
Aston Martin DBS Superleggera, Ferrari 812, McLaren 720S

### Nouveau en 2022
Nouvelle version Ultimae de 770 chevaux.

# La célébration du V12

Gabriel Gélinas

**A**u cours des prochaines années, Lamborghini va s'engager dans la voie de l'électrification de ses modèles. Toutefois, le moteur V12 sera préservé pour 2022, qui sera celle de la « célébration du moteur à combustion », selon la marque italienne qui entamera ensuite son virage vers l'électrification.

Déclinée en deux variantes (S et SVJ) et disponible en configuration coupé et roadster, l'Aventador est actuellement le modèle Lamborghini le plus puissant et le plus rapide. Avec sa silhouette d'avion de chasse furtif, l'Aventador S aimante les regards partout où elle passe, et ses formes demeurent toujours aussi actuelles bien qu'elle soit avec nous depuis quelques années déjà. En se glissant à bord, ce qui exige un peu de flexibilité, on remarque l'habitacle de style cockpit, et surtout le clapet rouge recouvrant le bouton de démarrage.

## L'ÉPREUVE DU CIRCUIT
Au cours d'un essai réalisé à la fois sur des routes publiques et sur un circuit, l'Aventador S s'est révélée féroce, voire bestiale, son V12 atmosphérique s'exprimant avec force jusqu'à sa limite de révolutions élevée de 8 500 tr/min. Sur le circuit, elle est évidement très rapide, mais on est surpris par la maniabilité de ce bolide doté d'une direction active aux quatre roues qui braque les roues arrière en contre-phase, jusqu'à trois degrés, à basse vitesse pour ensuite les braquer dans le même sens que les roues avant, jusqu'à 1,5 degré, dans les virages rapides.

Le principal bémol que l'on peut émettre au sujet de l'Aventador S, c'est qu'elle est équipée d'une boîte à simple embrayage qui met un peu trop de temps à passer les rapports et compromet l'équilibre de la voiture lorsque la cavalerie rapplique à pleine charge. On s'en aperçoit surtout sur circuit, et cela nous fait prendre conscience que l'Aventador serait nettement mieux servie par une boîte à double embrayage plus rapide.

Concernant l'usage au quotidien sur les routes publiques lors de la belle saison, on doit prendre l'habitude d'actionner une touche très souvent. Celle qui commande le système hydraulique qui lève l'avant de la voiture de 40 mm afin d'éviter que la caisse ne touche le sol lorsque l'on quitte la rue pour une entrée de garage, ou quand on doit franchir un dos-d'âne.

Aussi, comme la visibilité est problématique, il faut prendre son temps lors des manœuvres de stationnement.

L'appellation SVJ signifie *Super Veloce Jota*, et cette variante de l'Aventador est animée par une version plus performante du V12 atmosphérique dont la puissance est portée à 759 chevaux, alors que le couple maximal est chiffré à 531 lb-pi à 6 750 tr/min. Par rapport à l'Aventador S, l'appui aérodynamique de la SVJ est augmenté de 40 % grâce à l'ajout de l'aérodynamique active entièrement contrôlée par ordinateur inaugurée sur la Lamborghini Huracán Performante. Les liaisons au sol sont aussi recalibrées, les amortisseurs étant plus fermes dans une proportion de 15 %, alors que les barres antiroulis sont plus rigides de 50 %, toujours par rapport à l'Aventador S.

Enfin, Lamborghini repousse les limites avec une nouvelle version Ultimae, qui devrait être le chant du cygne de l'Aventador avant sa retraite. Celle-ci fait passer la puissance du V12 à 770 chevaux et peut atteindre une vitesse de pointe de 355 km/h! Seulement 350 coupés et 250 roadsters de cette version seront fabriqués.

### DANS LA BOULE DE CRISTAL

En cours d'année 2021, Lamborghini a annoncé son plan en matière d'électrification selon lequel tous les modèles de la marque seront électrifiés par la voie de motorisations hybrides rechargeables d'ici 2024. Un modèle purement électrique verra également le jour en 2025. À ce sujet, il est fort probable que ce nouveau modèle 100 % électrique à venir soit une voiture à deux portes et quatre places élaborée soit sur la plate-forme PPE qui servira de base à d'autres modèles électriques chez Audi et Porsche, ou sur la plate-forme J1 développée pour les Audi e-tron GT et Porsche Taycan actuelles.

La descendante de l'Aventador sera toujours animée par un V12. Mais elle profitera de l'hybridation puisque le moteur thermique sera secondé par un moteur électrique alimenté par batterie. On s'en doute, les techniciens se serviront probablement dans l'arsenal des composantes développées pour les autres marques du groupe Volkswagen en vue d'électrifier la descendante de l'Aventador, qui devrait logiquement conserver la sonorité évocatrice du modèle actuel puisque le V12 sera préservé.

## Données principales

| | |
|---|---|
| Emp. / lon. / lar. / haut. | **S** - 2 700 / 4 797 / 2 098 / 1 136 mm |
| | **SVJ** - 2 700 / 4 943 / 2 098 / 1 136 mm |
| Coffre / réservoir | 140 litres / 85 litres |
| Nombre de passagers | 2 |
| Suspension av. / arr. | ind., leviers triangulés / ind., leviers triangulés |
| Pneus avant / arrière | P255/30R20 / P355/25R21 |
| Poids / Cap. de remorquage | **Coupé** - 1 525 à 1575 kg / non recommandé |
| | **Roadster** - 1 575 à 1 625 kg / non recommandé |

## Composantes mécaniques

**S**

| | |
|---|---|
| Cylindrée, alim. | V12 6,5 litres atmos. |
| Puissance / Couple | 730 ch / 507 lb-pi |
| Tr. base (opt) / Rouage base (opt) | A7 / Int |
| 0-100 / 80-120 / V. max | 2,9 s (c) / n.d. / 350 km/h (c) |
| 100-0 km/h | 31,0 m (c) |
| Type / ville / route / $CO_2$ | Sup / 27,9 / 15,7 / 520 g/km |

**SVJ**

| | |
|---|---|
| Cylindrée, alim. | V12 6,5 litres atmos. |
| Puissance / Couple | 759 ch / 531 lb-pi |
| Tr. base (opt) / Rouage base (opt) | A7 / Int |
| 0-100 / 80-120 / V. max | 2,8 s (c) / n.d. / 350 km/h (c) |
| 100-0 km/h | 30,0 m (c) |
| Type / ville / route / $CO_2$ | Sup / 27,9 / 15,7 / 520 g/km |

**ULTIMAE**

| | |
|---|---|
| Cylindrée, alim. | V12 6,5 litres atmos. |
| Puissance / Couple | 770 ch / 531 lb-pi |
| Tr. base (opt) / Rouage base (opt) | A7 / Int |
| 0-100 / 80-120 / V. max | 2,8 s (c) / n.d. / 355 km/h (c) |
| 100-0 km/h | 30,0 m (c) |

**+** Moteur V12 d'anthologie • Performances exceptionnelles • Tenue de route phénoménale • Style toujours actuel

**—** Prix stratosphérique • Tarif des options • Boîte à simple embrayage • Visibilité problématique

Photos : Lamborghini

# LAMBORGHINI **HURACÁN**

★★★★ COTE DU **GUIDE**

## Le meilleur de Lambo ?

Antoine Joubert

**Prix :** 245 245 $ à 394 217 $
**Transport et prép. :** 2 950 $
**Catégorie :** Exotiques
**Garanties :** 3/ill, 3/ill
**Assemblage :** Italie

**Ventes**
Québec 2020
n.d.

Canada 2020
n.d.

|  | EVO RWD | EVO Spyder | STO |
|---|---|---|---|
| PDSF | 245 245 $ | 336 481 $ | 394 217 $ |
| Loc. | n.d. | n.d. | n.d. |
| Fin. | 5 372 $ • 4,90% | 7 347 $ • 4,90% | 8 597 $ • 4,90% |

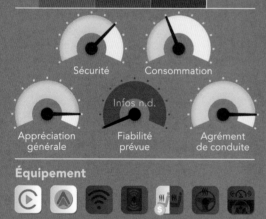

Sécurité — Consommation

Appréciation générale — Fiabilité prévue (Infos n.d.) — Agrément de conduite

### Équipement

### Sécurité

### Concurrents

Acura NSX, Aston Martin Vantage, Audi R8, Ferrari F8, Ferrari Portofino M, Ferrari Roma, McLaren GT, Porsche 911, Tesla Roadster

**Nouveau en 2022**
Version STO débarquée
en cours d'année 2021.

En tant que chroniqueur automobile, il y a des bolides qui nous font vivre de folles journées. Il existe de ces modèles qui dépassent l'imaginaire, qui font rêver, et qu'il est impossible d'analyser de façon rationnelle parce qu'il n'y a rien de tel dans ce genre de voitures et parce que chaque seconde passée en leur compagnie est un spectacle. Voilà donc la conclusion d'un long week-end passé au volant d'une Lamborghini Huracán Evo Spyder, qui ne fut que fort en émotions.

Voilà d'ailleurs ce que propose la Huracán. De l'émotion. Sans nuances, sans sobriété. Cette voiture tape-à-l'œil ravive les sens de son conducteur comme de ceux qui la croisent du regard. En plus, on peut la considérer en voie de disparition puisqu'il s'agit aujourd'hui de l'une des rares à proposer une motorisation à 10 cylindres, sans turbocompression. Sous son capot, le V10 atmosphérique émet une sonorité à en faire dresser les poils sur les bras.

#### MEILLEURE QUE JAMAIS

Je serai franc, l'Aventador est un véhicule qui me laisse sur mon appétit. Ce puissant bolide reste si délicat à conduire qu'on ne s'y sent jamais réellement à l'aise. Bien sûr, il est facile d'être intimidé dans la mesure où les performances, la puissance et les prix peuvent à eux seuls causer des ulcères. Cela dit, et particulièrement depuis l'arrivée des versions Evo, l'Huracán met son conducteur en confiance. Installé au volant, on peut évoluer et tranquillement apprivoiser la voiture qui, grâce à de multiples paramètres, corrigera les erreurs de conduite via d'innombrables dispositifs électroniques. Elle est dotée de quatre roues directionnelles, d'un rouage intégral à vecteur de couple avant et arrière, d'un système d'amortissement intelligent et d'un dispositif d'anticipation des manœuvres, pour une conduite plus facile et rassurante.

Bien qu'intimidante, l'Huracán se montre étonnamment facile à conduire, plus que n'importe quelle autre Lamborghini du passé (exception faite de l'Urus). Naturellement, on atteint rapidement les limites des éléments suspenseurs compte tenu des conditions de nos routes, donnant parfois l'impression qu'un pneu ou qu'un amortisseur vient d'exploser.

Également offerte en version propulsée, qui perd un maigre 29 chevaux au passage, l'Huracán Evo est dotée d'une mécanique empruntée à la

precédente version Performante. Ce V10 de 631 chevaux boucle le 0 à 200 km/h en 9 secondes et vous transperce le corps par sa sonorité exaltante, pour une incomparable partie de plaisir. La boîte séquentielle à double embrayage est également si rapide que l'exercice de passage des rapports se fait littéralement sans délai, comme si elle répondait en temps réel aux commandes de votre cerveau.

Comme il se doit, l'Huracán propose différents modes de conduite, excluant bien sûr les paramètres «Confort» ou «Eco». Le mode *Strada* (rue) est à privilégier sur les routes du Québec alors que les modes *Sport* ou *Corsa* seront davantage appropriés sur un circuit. Besoin de passer un dos-d'âne ou de vous engager dans un stationnement? Lamborghini a évidemment équipé sa voiture d'un système permettant de la soulever à l'avant, évitant ainsi de causer d'importants dommages. Si plusieurs automobiles d'exception déçoivent avec leur système multimédia, il en va autrement de l'Huracán, qui intègre depuis peu un système ultra moderne et on ne peut plus intuitif. L'écran tactile de 8,4 pouces, en format vertical, intègre Apple CarPlay et Android Auto, mais il vous permet aussi de paramétrer la conduite comme bon vous semble, allant jusqu'à gérer l'angle de rotation des roues arrière. Naturellement, le catalogue des options rend possible la personnalisation de l'allure extérieure comme celle de son habitacle. On propose un choix infini de teintes et de matériaux, n'ayant comme limites que celles de votre compte en banque.

## STO...

Un peu plus tôt cette année débarquait une nouvelle déclinaison de l'Huracán, la plus radicale, bien que la puissance ne soit pas majorée par rapport à un modèle à rouage intégral. Il s'agit de la STO, une voiture fortement inspirée des modèles de course GT3, et qui reprend l'essentiel de ses éléments aérodynamiques, en plus d'adopter une carrosserie faite à 75% de fibre de carbone. Elle est munie de roues motrices arrière et on lui a retranché 50 kg par rapport à un coupé EVO RWD. En somme, on a affaire à une véritable voiture de course qui, bien que légale sur la route, est certainement plus agréable en circuit fermé.

N'allez pas croire que ce court exercice littéraire a pour but de vous faire choisir l'Huracán plutôt qu'une Ferrari ou qu'une McLaren. À ce registre, l'émotion prime sur tout. À ce compte, vous êtes seul juge afin de savoir laquelle vous en procure le plus.

### Données principales

| | | |
|---|---|---|
| Emp. / lon. / lar. / haut. | **Coupé** - 2 620 / 4 520 / 1 933 / 1 165 mm | |
| | **Spyder** - 2 620 / 4 520 / 1 933 / 1 180 mm | |
| | **STO** - 2 620 / 4 549 / 1 945 / 1 220 mm | |
| Coffre / réservoir | **Coupé** - 100 litres (38 STO) / 83 litres | |
| Nombre de passagers | 2 | |
| Suspension av. / arr. | ind., double triangulation / ind., double triangulation | |
| Pneus avant / arrière | **EVO RWD** - P245/35R19 / P305/35R19 | |
| | **EVO AWD, STO** - P245/30R20 / P305/30R20 | |
| Poids / Cap. de remorquage | **Coupé** - 1 389 à 1 422 kg / non recommandé | |
| | **Spyder** - 1 509 à 1 542 kg / non recommandé | |
| | **STO** - 1 339 kg / non recommandé | |

### Composantes mécaniques

**EVO RWD**

| | |
|---|---|
| Cylindrée, alim. | V10 5,2 litres atmos. |
| Puissance / Couple | 602 ch / 413 lb-pi |
| Tr. base (opt) / Rouage base (opt) | A7 / Prop |
| 0-100 / 80-120 / V. max | 3,3 s (c) / n.d. / 325 km/h (c) |
| 100-0 km/h | 31,9 m (c) |
| Type / ville / route / $CO_2$ | Sup / 18,0 / 12,9 / 371 g/km |

**EVO AWD, STO**

| | |
|---|---|
| Cylindrée, alim. | V10 5,2 litres atmos. |
| Puissance / Couple | 631 ch / 443 lb-pi |
| Tr. base (opt) / Rouage base (opt) | A7 / Int (Prop) |
| 0-100 / 80-120 / V. max | **EVO AWD** - 2,9 s (c) / n.d. / 325 km/h (c) |
| | **STO** - 3,0 s (c) / n.d. / 310 km/h (c) |
| 100-0 km/h | **EVO AWD** - 31,9 m (c) |
| | **STO** - 30,0 m (c) |
| Type / ville / route / $CO_2$ | Sup / 18,0 / 12,9 / 370 g/km |

**+** Performances ahurissantes • Comportement routier • Habitacle moderne • Étonnamment facile à conduire

**—** Tout ce qui concerne les finances • Plus ou moins adaptée aux routes du Québec • Confort limité

Photos: Antoine Joubert, Lamborghini

**Prix :** 256 986 $ à 285 325 $
**Transport et prép. :** 2 950 $
**Catégorie :** VUS exotiques
**Garanties :** 3/ill, 3/ill
**Assemblage :** Italie

**Ventes**
Québec 2020
n.d.

|  | Urus | Pearl Capsule | Graphite Capsule | Canada 2020 |
|---|---|---|---|---|
| PDSF | 256 986 $ | 281 784 $ | 285 325 $ | n.d. |
| Loc. | n.d. | n.d. | n.d. | |
| Fin. | 5 627 $ • 4,90 % | 6 163 $ • 4,90 % | 6 240 $ • 4,90 % | |

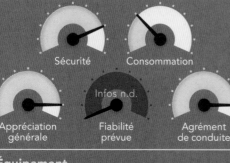

Sécurité    Consommation

Appréciation générale    Infos n.d. Fiabilité prévue    Agrément de conduite

### Équipement

### Sécurité

### Concurrents

Aston Martin DBX, Bentley Bentayga,
Mercedes-Benz Classe G,
Rolls-Royce Cullinan

### Nouveau en 2022

Aucun changement majeur annoncé
au moment de mettre sous presse.

# Taureau ascendant Lion

Marc Lachapelle

**C**omme prévu, l'Urus joue son rôle à la perfection dans la famille Lamborghini depuis son arrivée, il y a quatre ans. Ce projectile trapu de plus de deux tonnes a effectivement doublé les ventes mondiales de la marque et obligé le constructeur à augmenter la taille de son usine de Sant'Agata Bolognese, pour satisfaire la demande. Les capitaux encaissés lui permettent de poursuivre le développement de nouvelles autos sport et l'électrification pressante de sa gamme. Et tant pis pour les puristes.

Le premier signe de cette solide réussite de l'Urus est l'absence quasi totale de modifications ou de retouches dont il a été l'objet depuis son lancement. Il faut dire que le constructeur bolognais a bien choisi ses composantes dès le départ et que ses ingénieurs et stylistes les ont ensuite agencées et transformées avec beaucoup de soin et d'inspiration, en respectant toujours les principes et valeurs uniques de Lamborghini.

### DES BASES SOLIDES

En pigeant parmi les meilleurs morceaux que l'on puisse trouver dans la constellation Volkswagen, au sein de laquelle la marque italienne est jumelée à Audi depuis 1999, l'équipe a d'abord choisi de construire l'Urus sur l'architecture MLB Evo qu'il allait partager avec les cousins rivaux que sont les Audi Q8, Bentley Bentayga et Porsche Cayenne.

Au bout du compte, l'Urus est le plus léger de ce quatuor, grâce à l'abondance d'aluminium utilisé pour le châssis, la suspension, la carrosserie et les jantes forgées, entre autres. On l'a également doté de roues arrière directrices comme celles de l'Aventador, d'une direction rapide (démultipliée à 13,3:1) et de suspensions pneumatiques qui permettent de faire varier la garde au sol de 158 mm à 248 mm, selon le mode de conduite sélectionné.

Ses freins sont aussi les plus grands du moment, avec des disques en carbone-céramique qui mesurent 440 et 370 mm de diamètre aux roues avant et arrière, respectivement, pincés par des étriers à dix et six pistons. Tout ça pour atteindre des objectifs de comportement et de polyvalence pour le moins ambitieux.

Côté moteur, Lamborghini a sagement choisi le V8 biturbo de 4 litres développé à l'origine par Porsche au lieu d'un V12 ou d'un V10. Surtout pour

le couple supérieur à bas régime qui convient parfaitement à cet impressionnant utilitaire sport. Les ingénieurs italiens en ont tiré plus de puissance et une sonorité diabolique en modes Corsa et Sport. Nous en avons tiré des chronos de 3,65 secondes pour le sprint de 0 à 100 km/h et de 11,85 secondes à 190 km/h pour le quart de mille. Prestation exceptionnelle pour un VUS de ce poids, trame sonore à l'appui.

### SANS COMPLEXE

L'Urus est donc assurément digne de porter l'écusson au taureau doré, même s'il est aux antipodes des Lamborghini produites depuis près de six décennies. Parce qu'il dégage, en toute chose, la démesure et l'audace sans retenue qui ont fait la réputation du fabricant au fil du temps. Ce caractère, tout sauf timide, s'impose d'abord par une carrosserie en aluminium et en acier à la fois massive et profilée, dont les multiples détails et contours semblent avoir été taillés au scalpel ou sculptés au ciseau à froid. L'immense calandre, striée de lames finement découpées, les phares allongés et le capot bombé sont du pur Lamborghini. Or, bien que le constructeur évoque des ressemblances avec les Aventador, Countach, Miura, Murciélago et même l'étrange utilitaire LM002, la silhouette de l'Urus est cohérente en elle-même.

La manière et l'esprit Lamborghini sont entièrement respectés aussi dans l'habitacle. On y retrouve des hexagones partout, y compris pour les icônes des deux écrans tactiles intégrés à une interface multimédia efficace dont l'essentiel est partagé avec l'Audi Q8. Le graphisme magnifique de l'écran numérique de 12,3 pouces offert au conducteur se transforme selon le mode de conduite qu'il aura choisi avec un sélecteur «Anima» au fonctionnement inhabituel. Même chose pour le sélecteur de réglages «Ego», et surtout l'étrange palette de la boîte automatique à 8 rapports. Les manettes au volant sont franchement indispensables et on s'habitue au reste.

Une chose est sûre, on est à l'aise dans un Urus et on ne devrait jamais s'ennuyer. Il suffit en effet de modifier quelques réglages pour que la bête passe du ronronnement au rugissement. On peut alors profiter de ses performances féroces et d'une tenue de route sans reproche, modulée par des systèmes électroniques finement réglés. De quoi revoir certaines convictions sur les lois de la physique, au détriment de certaines bonnes résolutions écologiques.

| Données principales | |
|---|---|
| Emp. / lon. / lar. / haut. | 3 003 / 5 112 / 2 016 / 1 638 mm |
| Coffre / réservoir | 616 à 1 596 litres / 85 litres |
| Nombre de passagers | 4 à 5 |
| Suspension av. / arr. | ind., pneumatique, multibras / ind., pneumatique, multibras |
| Pneus avant / arrière | P285/45R21 / P315/40R21 |
| Poids / Capacité de remorquage | 2 200 kg / 3 175 kg (7 000 lb) |

| Composantes mécaniques | |
|---|---|
| Cylindrée, alim. | V8 4,0 litres turbo |
| Puissance / Couple | 641 ch / 627 lb-pi |
| Tr. base (opt) / Rouage base (opt) | A8 / Int |
| 0-100 / 80-120 / V. max | 3,7 s (m) / 3,2 s (m) / 305 km/h (c) |
| 100-0 km/h | 33,7 m (c) |
| Type / ville / route / $CO_2$ | Sup / 19,2 / 14,1 / 384 g/km |

**+** Performances spectaculaires et excitantes • Comportement exceptionnel • Personnalités multiples facilement accessibles • Étonnamment confortable

Sélecteur de modes de conduite peu pratique • Ergonomie des commandes fantaisiste • Consommation souvent gargantuesque • Version hybride retardée

Photos : Lamborghini

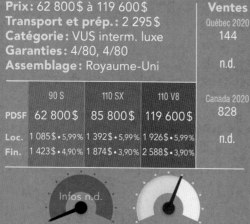

| | 90 S | 110 SX | 110 V8 |
|---|---|---|---|
| **Prix:** 62 800$ à 119 600$ | | | |
| **Transport et prép.:** 2 295$ | | | |
| **Catégorie:** VUS interm. luxe | | | |
| **Garanties:** 4/80, 4/80 | | | |
| **Assemblage:** Royaume-Uni | | | |
| **PDSF** | 62 800$ | 85 800$ | 119 600$ |
| **Loc.** | 1 085$ • 5,99% | 1 392$ • 5,99% | 1 926$ • 5,99% |
| **Fin.** | 1 423$ • 4,90% | 1 874$ • 3,90% | 2 588$ • 3,90% |

**Ventes**
Québec 2020
144

n.d.

Canada 2020
828

n.d.

Infos n.d.
**Sécurité**

**Consommation**

**Appréciation générale**

Infos n.d.
**Fiabilité prévue**

**Agrément de conduite**

## Équipement

## Sécurité

## Concurrents

Acura MDX, Audi Q7, Audi Q8, BMW X5/X6, Buick Enclave, Cadillac XT6, Genesis GV80, Infin. QX60, Lexus GX/RX, Lincoln Aviator/ Nautilus, Maser.Levante, Mercedes Classe G/ GLE, Pors. Cayenne, Tesla Model X, Volvo XC90

## Nouveau en 2022

Versions à moteur V8, nouvel écran tactile optionnel de 11,4 pouces, interface multimédia Pivi Pro.

# Des revenants surdoués

Marc Lachapelle

Le nouveau Defender n'a rien en commun avec l'ancien, à part le nom. Pas un boulon, pas un bouton, pas un piston. Pour remplacer un véhicule aussi robuste qu'inconfortable, qui avait tout d'un tracteur et rien d'une limousine, Land Rover a créé une famille d'utilitaires sport remarquablement polyvalents, raffinés et chics à leur manière, qui savent tout faire et rouler à peu près partout. Pour son deuxième anniversaire, le Defender a droit à un nouveau moteur plus puissant et à de nouvelles technologies. Et qui sait, nous verrons peut-être débarquer bientôt sa version hybride rechargeable.

On les a baptisés Defender 90 et 110 en hommage à l'empattement de leur valeureux ancêtre, mais celui de ces nouveaux Land Rover fait plutôt 102 et 119 pouces. Le premier peut explorer les coins perdus plus facilement avec son angle de rampe de 31 degrés. Le second peut y emmener une famille, avec ses quatre portières et une soute qui gobe 972 litres de bagages, avec le dossier arrière en place, ou 2 277 litres s'il est replié. Les deux profitent de la carrosserie autoporteuse en aluminium de l'architecture D7x qui serait trois fois plus rigide en torsion que le châssis séparé de l'ancien Defender.

### VAISSEAU TERRESTRE

Perché haut derrière le volant des deux frères, dans un siège confortable et juste assez ferme, on ressent une espèce d'invincibilité. Le charme opère et l'on se met à rêver d'expéditions, si farfelu que ça puisse nous sembler. Ces diables de Britanniques ont parfaitement réussi leur coup. Ils offrent d'ailleurs une impressionnante collection d'accessoires conçus pour satisfaire vos projets ou velléités d'aventure, de la banlieue aux confins de la toundra.

L'habitacle joue la carte du fonctionnel avec la poutrelle exposée du tableau de bord et les vis hexagonales qui fixent les moulures des contre-portes et de la grande console en passerelle. Le sélecteur de la boîte automatique, les commandes pour la climatisation et les huit modes de conduite, implantés juste au-dessus, sont simples et efficaces. Les nombreux autres réglages se font sur l'écran tactile rectangulaire de 10 pouces par l'interface multimédia Pivi Pro. Un nouvel écran de 11,4 pouces est livré en option dans les versions cossues. Le conducteur dispose d'un écran de 12,3 pouces où s'affichent des cadrans ronds classiques ainsi qu'une kyrielle de données.

La marche est haute vers la banquette arrière, mais l'accès facilité par les grandes portières du 110. C'est mieux avec les marchepieds optionnels, fixes ou rétractables. L'opération demeure nettement plus acrobatique dans le 90. Dans les deux cas, les places extérieures sont accueillantes et la place centrale est correcte, même si elle reste un peu étroite. La troisième banquette optionnelle est minimaliste par contre.

L'accès à la soute arrière se fait par une grande porte latérale à laquelle est fixée la roue de secours. Elle s'ouvre de la gauche, ce qui n'est pas la solution la plus pratique chez nous. Dans le Defender 110, le dossier arrière se replie en sections 40/20/40 pour former un plancher rigoureusement plat, couvert d'un caoutchouc à l'épreuve de tout et bordé de gros anneaux pour bien arrimer armes et bagages. Dossier replié, il reste une marche d'environ 10 cm dans la soute du Defender 90.

## L'ART ET LA MANIÈRE

Le moteur de base des Defender S est un 4 cylindres turbo de 2 litres et 296 chevaux qui promet des chronos de 7,1 et 7,4 secondes pour le sprint de 0 à 100 km/h aux Defender 90 et 110. À l'autre extrême, le nouveau V8 surcompressé de 5 litres livre 518 chevaux et livrerait des chronos de 5,2 et 5,4 secondes, forte consommation à l'avenant.

Entre les deux, le 6 cylindres en ligne à hybridation légère de 3 litres et 395 chevaux a beaucoup de cœur et de caractère. Il permet des accélérations franches, nimbées d'une belle sonorité, en symbiose avec une boîte automatique à 8 rapports douce, précise et rapide. Avec ce moteur, le Defender 90 sprinte de 0 à 100 km/h en 6,7 secondes, franchit le quart de mille en 14,89 secondes et passe de 80 à 120 km/h 4,35 secondes, alors que la version 110 y parvient en 7,27, 15,32 et 5,45 secondes.

Les Defender 90 et 110 affichent une excellente stabilité sur autoroute, dans un silence louable. Ils ont un bel aplomb et prennent peu de roulis en virage, malgré une hauteur et un poids substantiels. Aucun souci pour la conduite tout-terrain, bien sûr, avec les systèmes électroniques efficaces qui appuient leurs aptitudes naturelles. Surtout la suspension optionnelle qui fait passer la garde au sol de 22,6 cm à 29,1 cm grâce à ses ressorts pneumatiques.

Avec ces nouveaux Defender doués en toute chose, on se demande un peu pourquoi Land Rover s'entête à produire d'autres modèles.

### Données principales

| | |
|---|---|
| Emp. / lon. / lar. / haut. | **90** - 2 587 / 4 583 / 2 008 / 1 974 mm |
| | **110** - 3 022 / 5 018 / 2 008 / 1 967 mm |
| Coffre / réservoir | **90** - 397 à 1 563 litres / 90 litres |
| | **110 5 Places** - 972 à 2 277 litres / 90 litres |
| | **110 7 Places** - 231 à 2 233 litres / 90 litres |
| Nombre de passagers | 5 à 7 |
| Suspension av. / arr. | ind., double triangulation / ind., multibras |
| Pneus avant / arrière | P255/65R19 / P255/65R19 |
| Poids / Cap. de remorquage | **4L** - 2 065 à 2 186 kg / 3 500 kg (7 700 lb) |
| | **6L** - 2 170 à 2 388 kg / 3 720 kg (8 200 lb) |
| | **V8** - 2 445 à 2 550 kg / 3 500 kg (7 700 lb) |

### Composantes mécaniques

#### 4L - 2,0 LITRES

| | |
|---|---|
| Cylindrée, alim. | 4L 2,0 litres turbo |
| Puissance / Couple | 296 ch / 295 lb-pi |
| Tr. base (opt) / Rouage base (opt) | A8 / Int |
| 0-100 / 80-120 / V. max | 7,1 s (c) / 4,9 s (c) / 191 km/h (c) |
| Type / ville / route / $CO_2$ | Sup / 12,8 / 10,9 / 280 g/km (est) |

#### 6L - 3,0 LITRES

| | |
|---|---|
| Cylindrée, alim. | 6L 3,0 litres turbo |
| Puissance / Couple | 395 ch / 406 lb-pi |
| Tr. base (opt) / Rouage base (opt) | A8 / Int |
| 0-100 / 80-120 / V. max | 6,7 s (m) / 4,4 s (m) / 209 km/h (c) |
| 100-0 km/h | 47,5 m (m) |
| Type / ville / route / $CO_2$ | Sup / 13,5 / 10,8 / 289 g/km (est) |

#### V8 - 5,0 LITRES

| | |
|---|---|
| Cylindrée, alim. | V8 5,0 litres surcomp. |
| Puissance / Couple | 518 ch / 461 lb-pi |
| Tr. base (opt) / Rouage base (opt) | A8 / Int |
| 0-100 / 80-120 / V. max | 5,2 s (c) / 3,2 s (c) / 240 km/h (c) |
| Type / ville / route / $CO_2$ | Sup / 15,0 / 11,9 / 330 g/km (est) |

**+** Comportement stable • Silhouette irrésistible • Habitacle spacieux et pratique • Moteur 6 cylindres convaincant

**—** Le rétroviseur gauche bloque la vue en virage • Accès plus difficile sans marchepieds • Consommation assez forte • Fiabilité à confirmer

Photos: Marc Lachapelle, Marc-André Gauthier, Land Rover

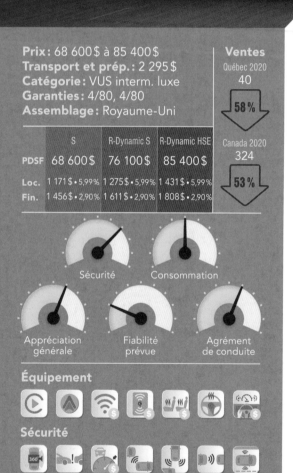

VCB 261

**Prix :** 68 600 $ à 85 400 $
**Transport et prép. :** 2 295 $
**Catégorie :** VUS interm. luxe
**Garanties :** 4/80, 4/80
**Assemblage :** Royaume-Uni

| | S | R-Dynamic S | R-Dynamic HSE |
|---|---|---|---|
| **PDSF** | 68 600 $ | 76 100 $ | 85 400 $ |
| **Loc.** | 1 171 $ • 5,99 % | 1 275 $ • 5,99 % | 1 431 $ • 5,99 % |
| **Fin.** | 1 456 $ • 2,90 % | 1 611 $ • 2,90 % | 1 808 $ • 2,90 % |

**Ventes**
Québec 2020
**40**
⬇ 58 %

Canada 2020
**324**
⬇ 53 %

Sécurité     Consommation

Appréciation générale    Fiabilité prévue    Agrément de conduite

**Équipement**

**Sécurité**

**Concurrents**
Acura MDX, Audi e-tron/Q7/Q8, BMW X5/X6, Buick Enclave, Cadillac XT6, Genesis GV80, Infin. QX60, Lexus GX/RX, Lincoln Aviator/Nautilus, Maser. Levante, Mercedes GLE, Pors. Cayenne, Tesla Model X, Volvo XC90

**Nouveau en 2022**
Changements en cours d'année 2021 (nouveaux moteurs, retouches esthétiques, habitacle partiellement redessiné).

# Dans l'ombre

Antoine Joubert

**P**rofitant de l'engouement sans cesse grandissant pour les VUS, la marque Land Rover — leur étant à 100 % dédiée — ne cesse de multiplier les offres en la matière. Qui aurait dit un jour qu'il y aurait quatre familles de Range Rover, allant de l'Evoque jusqu'au pachyderme à moteur V8 de 575 chevaux ? Pourtant, ils y sont tous, connaissant d'ailleurs beaucoup plus de succès que les deux membres du clan Discovery. Ces derniers constituaient l'an passé les deux produits les moins populaires de la marque, alors que leur côté pratique est pourtant supérieur aux Range Rover équivalents.

N'en soyez pas surpris, les Discovery perdent en popularité en raison d'une image qui n'est pas aussi à la mode. Certes, le « grand » Discovery n'est pas pour toutes les bourses, mais il s'agit du Land Rover le plus rationnel et polyvalent que l'on puisse se procurer.

Rationnel, toute chose étant bien sûr relative, puisqu'à un prix d'entrée avoisinant les 70 000 $, on a déjà vu moins dispendieux. Il faut également savoir que la moyenne des Discovery vendus au Canada affiche un prix frôlant 90 000 $, puisqu'il est très facile de se laisser tenter par le généreux catalogue des options... Cela étant dit, rares sont les VUS de cette trempe atteignant ce niveau de polyvalence.

Avec le Discovery, on découvre un véhicule qui accueille en tout confort jusqu'à sept occupants, dans un habitacle modulable de multiples façons, et proposant des assises en escalier afin d'offrir une bonne visibilité et une position agréable pour tout le monde. En outre, il est capable de remorquer davantage que n'importe lequel de ses rivaux, égalant même des modèles à châssis autonome, comme le GMC Yukon ou le Nissan Armada. Sans oublier ses capacités hors route, supérieures là aussi à celle de toute concurrence, grâce à une suspension pneumatique réglable et un système de gestion électronique hypersophistiqué, baptisé Terrain Response 2. Les talents du Discovery sont tels qu'il pourrait circuler sans broncher dans près d'un mètre d'eau. Imaginez alors ce dont il est capable pour affronter nos conditions hivernales !

## UN 4 CYLINDRES MOINS CONVAINCANT

Depuis l'an dernier, le Discovery est offert avec un choix de deux motorisations. Un 4 cylindres de 296 chevaux (P300) que l'on exploite sur à peu près tous les modèles de la gamme, de même qu'un 6 cylindres turbo de 355 chevaux (P360) accompagné d'une hybridation légère. En effet, on fait appel à une batterie avec un système électrique de 48 volts pour emmagasiner l'énergie récupérée en décélération. Cela permet d'améliorer le rendement énergétique, tout en optimisant le couple et donc, l'agrément de conduite. Cette option mécanique, bien que plus coûteuse, s'avère plus intéressante considérant le poids du véhicule, mais aussi la consommation, à peine plus élevée qu'avec le 4 cylindres.

Il ne s'agit certes pas du plus aguichant des Land Rover, mais sachez que le Discovery vous fait découvrir sa véritable personnalité lorsque vous y montez. À son volant, vous aurez en effet l'impression d'être roi de la route, avec une position de conduite élevée et un confort exceptionnel. Vous remarquerez la grande qualité de finition et l'originalité de l'aménagement, faisant de lui un produit original et distinctif. Il vous est d'ailleurs possible de personnaliser l'habitacle selon vos goûts, avec un vaste choix de teintes, de boiseries et d'éléments décoratifs.

## UN HABITACLE MODERNISÉ

Le poste de conduite intègre désormais une instrumentation numérique moderne et un écran central tactile convivial. Ce dernier intègre de multiples fonctions allant même jusqu'au rabattement des sièges arrière. Volant, planche de bord et console centrale ont aussi été repensés, Land Rover ayant choisi d'éliminer le précédent levier de vitesses rotatif pour un modèle plus traditionnel, bien que compact.

Littéralement vissé au sol malgré une hauteur considérable, le Discovery adopte un comportement routier exemplaire. Solidement construit, il est exempt de tout craquement, démontrant — malgré son poids — une surprenante maniabilité. Bien que dynamique, ne lui cherchez toutefois pas de prétentions sportives, son mandat étant de rejoindre l'acheteur d'un Volvo XC90 plutôt que celui d'un Porsche Cayenne.

C'est un produit qu'il faut donc considérer si vous êtes en quête d'un VUS pour les «vraies» raisons, et non pas pour l'image reflétée. Notez cependant que les coûts — à l'achat comme à l'entretien — ne sont pas minces, et que sa forte dépréciation due à une faible demande explique notamment des mensualités à la location qui ne sont absolument pas compétitives.

| **+** Polyvalence imbattable • Habitacle modernisé • Confort exceptionnel • Très grande qualité de fabrication | **−** Coût et dépréciation • Fiabilité encore délicate • Moteur 4 cylindres mal adapté |
| --- | --- |

Photos : Land Rover

### Données principales

| Emp. / lon. / lar. / haut. | 2 923 / 4 956 / 2 073 / 1 888 mm |
| --- | --- |
| Coffre / réservoir | 258 à 2 391 litres / 90 litres |
| Nombre de passagers | 7 |
| Suspension av. / arr. | ind., pneumatique, bras inégaux / ind., pneumatique, multibras |
| Pneus avant / arrière | P255/55R20 / P255/55R20 |
| Poids / Capacité de remorquage | **4L** - 2 207 kg / 3 500 kg (7 700 lb) |
| | **6L** - 2 341 kg / 3 500 kg (7 700 lb) |

### Composantes mécaniques

**P300**

| Cylindrée, alim. | 4L 2,0 litres turbo |
| --- | --- |
| Puissance / Couple | 296 ch / 295 lb-pi |
| Tr. base (opt) / Rouage base (opt) | A8 / Int |
| 0-100 / 80-120 / V. max | 7,7 s (c) / 5,3 s (c) / 201 km/h (c) |
| Type / ville / route / $CO_2$ | Sup / 12,6 / 10,2 / 275 g/km (est) |

**P360**

| Cylindrée, alim. | 6L 3,0 litres turbo |
| --- | --- |
| Puissance / Couple | 355 ch / 369 lb-pi |
| Tr. base (opt) / Rouage base (opt) | A8 / Int |
| 0-100 / 80-120 / V. max | 6,5 s (c) / 4,1 s (c) / 209 km/h (c) |
| Type / ville / route / $CO_2$ | Sup / 14,7 / 11,2 / 306 g/km (est) |

SBG 894

**Prix:** 51 100 $ à 56 700 $
**Transport et prép.:** 2 295 $
**Catégorie:** VUS compacts luxe
**Garanties:** 4/80, 4/80
**Assemblage:** Royaume-Uni

**Ventes**
Québec 2020
**130**
⬇ 21 %

Canada 2020
**856**
⬇ 20 %

| | R-Dynamic S | R-Dynamic SE | R-Dynamic HSE |
|---|---|---|---|
| **PDSF** | 51 100 $ | 53 300 $ | 56 700 $ |
| **Loc.** | 942 $ • 4,90 % | 980 $ • 4,90 % | 1 039 $ • 4,90 % |
| **Fin.** | 1 000 $ • 0,00 % | 1 042 $ • 0,00 % | 1 107 $ • 0,00 % |

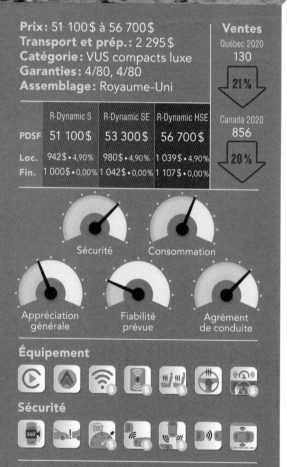

Sécurité  Consommation

Appréciation générale  Fiabilité prévue  Agrément de conduite

**Équipement**

**Sécurité**

**Concurrents**
Acura RDX, Alfa Romeo Stelvio, Audi Q5, BMW X3/X4, Buick Envision, Cadillac XT5, Genesis GV70, Infiniti QX50/QX55, Jaguar F-PACE, Lexus NX, Lincoln Corsair, Mercedes-Benz GLC, Porsche Macan, Volvo XC60

**Nouveau en 2022**
Abandon de la motorisation P290 à hybridation légère.

# Le nouveau patron serre la vis

Jean-François Guay

T
hierry Bolloré, le nouveau directeur général de Jaguar Land Rover, admet que le groupe britannique connaît des problèmes de fiabilité. Cette mauvaise réputation coûte des dizaines de milliers de ventes par année à Land Rover, qui se classe, bon an mal an, toujours au bas du peloton dans les études de J.D. Power. Pour fidéliser la clientèle et attirer de nouveaux acheteurs, le grand patron de Land Rover s'engage dorénavant à privilégier la qualité et la rentabilité des produits plutôt que le volume des ventes. Pour se donner les moyens de ses ambitions, l'ancien patron du Groupe Renault — il avait succédé à Carlos Ghosn en 2018 — a l'intention de simplifier la gamme Land Rover. Cela dit, une lourde tâche l'attend puisque Land Rover n'a jamais compté autant de modèles et de motorisations dans ses rangs.

Pour l'instant, les modèles Land Rover misent sur différentes motorisations à 4, 6 ou 8 cylindres de type conventionnel, hybride léger (MHEV) et hybride rechargeable (PHEV). La marque britannique n'offre plus de moteur diesel en Amérique du Nord même si cette technologie est encore proposée en Europe et ailleurs dans le monde. Les modèles hybrides branchables quittent également le catalogue en 2022. Il faudra aussi attendre un peu pour l'électrification complète puisque le premier Land Rover à moteur tout électrique est attendu en 2024.

## HYBRIDE RECHARGEABLE, MAIS PAS POUR NOUS
Étrangement, les modèles les plus «branchés» des Range Rover et Range Rover Sport qui pouvaient être animés par une motorisation hybride rechargeable (P400e) ne sont pas disponibles sur notre marché. Pourtant, on offre une nouvelle version hybride rechargeable depuis l'an dernier, en Europe. Baptisée P300e, elle combine un 3 cylindres turbo à essence de 1,5 litre (197 chevaux), un moteur électrique à entraînement arrière (107 chevaux) et une batterie lithium-ion (15 kWh) pour produire une puissance combinée de 304 chevaux. On estime l'autonomie en mode électrique à 55 km selon le cycle européen WLTP.

C'est bien dommage, mais cette motorisation n'est qu'un mirage de notre côté de l'Atlantique, où un seul moteur est offert pour l'année-modèle 2022. Il s'agit d'une motorisation à quatre cylindres de 2 litres turbo (P250) développant une puissance de 246 chevaux et un couple de 269 livres-pied.

Ça peut paraitre bien mince comme offre, mais quand on y pense, est-ce que la variante hybride rechargeable aurait vraiment des chances de connaître du succès chez nous ? Sa surprime de 6 000 euros (environ 9 000 $) est assez salée merci, et les subventions gouvernementales ne seraient pas applicables dans ce cas. Il faut dire que le Discovery Sport vendu chez nous esl aussi plutôt agile, gracieuseté d'un poids raisonnable de 1 832 kg (1 910 kg pour la version à 7 places). Le modèle à motorisation hybride rechargeable prend 229 kg supplémentaires, ce qui ne doit certainement pas aider son comportement routier.

## CAPACITÉ DE REMORQUAGE

La capacité de remorquage avec le P250 s'élève à 4 400 lb tandis que celle de la motorisation P300 e européenne est réduite à 3 527 lb. Dans les deux cas, les chiffres sont impressionnants compte tenu des dimensions du Discovery Sport, dont la taille se compare à un celle d'un Toyota RAV4 ou d'un Honda CR-V. Il n'y a pas si longtemps, ce Land Rover ne semblait pas avoir de rival naturel grâce, notamment, à ses trois rangées de sièges (5+2 places) et ses capacités hors route supérieures à la moyenne.

À moins que Land Rover ne décide d'apporter de nouvelles motorisations en Amérique du Nord, le P250 demeurera le seul choix possible pour les acheteurs. En effet, on ne reconduit pas la version HSE P290 dotée de l'hybridation légère qui développait 286 chevaux et 295 lb-pi pour l'année modèle 2022. Il faudra donc se contenter du P250.

L'aménagement des nouveaux habitacles de véhicules est étourdissant pour bon nombre d'automobilistes. En revanche, les conducteurs traditionalistes qui maudissent le fonctionnement des écrans multifonctionnels et des gadgets en tout genre apprécieront le Discovery Sport avec son levier de vitesses positionné à la verticale et la disposition de ses commandes, qui sont faciles à comprendre et à utiliser.

Pas de doute, on se retrouve ici à bord d'un véhicule très niché qui plaira à une poignée d'irréductibles capables de passer outre la réputation de fiabilité exécrable du constructeur.

### Données principales

| | |
|---|---|
| Emp. / lon. / lar. / haut. | 2 741 / 4 597 / 2 069 / 1 727 mm |
| Coffre / réservoir | **5 places** - 1 179 à 1 794 litres / 67 litres |
| | **7 places** - 157 à 1 651 litres / 67 litres |
| Nombre de passagers | 5 à 7 |
| Suspension av. / arr. | ind., jambes force / ind., multibras |
| Pneus avant / arrière | P235/60R18 / P235/60R18 |
| Poids / Capacité de remorquage | 1 832 à 1 910 kg / 2 000 kg (4 400 lb) |

### Composantes mécaniques

| | |
|---|---|
| Cylindrée, alim. | 4L 2,0 litres turbo |
| Puissance / Couple | 246 ch / 269 lb-pi |
| Tr. base (opt) / Rouage base (opt) | A9 / Int |
| 0-100 / 80-120 / V. max | 7,8 s (c) / 5,4 s (c) / 225 km/h (c) |
| Type / ville / route / CO$_2$ | Sup / 12,6 / 9,7 / 266 g/km (est) |

**+** Capacités hors route • Tableau de bord simple • Champ de vision clair

**–** Troisième banquette symbolique (5+2) • Fiabilité incertaine • Une seule motorisation disponible

Photos : Land Rover

# LAND ROVER **RANGE ROVER**

**Prix :** 123 100 $ à 237 000 $
**Transport et prép. :** 2 295 $
**Catégorie :** VUS gr. format luxe
**Garanties :** 4/80, 4/80
**Assemblage :** Royaume-Uni

**Ventes**
Québec 2020
158
⬇ 43 %

Canada 2020
1 152
⬇ 33 %

| | Westminster P400 | Autobio. P525 | SVAutobio. All. |
|---|---|---|---|
| **PDSF** | 123 100 $ | 161 300 $ | 237 000 $ |
| **Loc.** | n.d. | n.d. | n.d. |
| **Fin.** | 2 726 $ • 4,90 % | 3 553 $ • 4,90 % | 5 191 $ • 4,90 % |

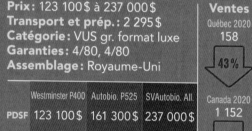

Sécurité    Consommation

Appréciation générale    Fiabilité prévue    Agrément de conduite

## Équipement

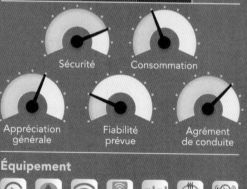

## Sécurité

## Concurrents

BMW X7, Cadillac Escalade, Infiniti QX80,
Jeep Grand Wagoneer, Lexus LX,
Lincoln Navigator, Mercedes-Benz GLS

## Nouveau en 2022

Abandon du moteur diesel et
de la version P400e hybride rechargeable.

# Escalade à l'anglaise

Antoine Joubert

**B**ien avant que ne débarquent les Escalade et Navigator, Land Rover flirtait avec le monde du VUS de grand luxe. Celui du Range Rover, introduit en 1970, auquel Toyota et Lexus ont répliqué avec l'embourgeoisement des Land Cruiser et LX. On peut ainsi dire que Land Rover a ouvert le bal d'un segment aujourd'hui populaire dans le monde du luxe, lequel est également très lucratif.

Le grand Range Rover, puisque sont nées depuis trois autres gammes du même nom (Sport, Evoque, Velar), est actuellement en fin de parcours sous cette forme. Il fête d'ailleurs ses dix ans d'existence, ayant été présenté au Salon de Francfort en septembre 2012. Attendez-vous ainsi à une refonte complète pour le millésime 2023, ce que nous confirment plusieurs photos-espionnes circulant sur le web. Ce dernier reposera sans doute sur cette nouvelle architecture MLA qu'exploite actuellement le Defender, laquelle pourra accueillir diverses applications mécaniques incluant une électrification plus poussée.

### BYE BYE HYBRIDE, BYE BYE DIESEL !

En attendant, le Range Rover nous revient inchangé, voyant toutefois sa gamme simplifiée par l'abandon de deux mécaniques. D'abord, celle du 4 cylindres avec hybridation (P400e) qui permettait une autonomie 100 % électrique d'environ 50 km, ainsi que celle du moteur turbo diesel à 6 cylindres. Soyez-en assuré, ce moteur qui a aussi disparu sous le capot du Range Rover Sport, n'était plus en mesure de satisfaire les normes environnementales, ce qui explique aussi son abandon sous le capot de la camionnette F-150. Un bloc qui avait été rebaptisé Power Stroke par les stratèges de Ford.

Ne reste donc pour cette année que des versions mécaniquement plus exotiques, pour un prix de départ fixé à 123 100 $. D'abord, un 6 cylindres de 3 litres suralimenté avec hybridation légère produisant 395 chevaux (P400), suivi d'une offre de deux V8, également suralimentés, déployant respectivement 518 et 557 chevaux. Histoire de démêler le tout, sachez que le « moins puissant » des V8 est monté dans les versions Westminster et Autobiography, l'autre étant exclusif à la version SV Autobiography dont le prix d'entrée est fixé à 204 000 $ (237 000 $ pour un modèle à empattement allongé).

Avec une telle puissance, ce monstre de 2 500 kg parvient malgré tout à boucler le 0 à 100 km/h en 5,4 secondes, faisant chanter son V8 et son compresseur volumétrique dans une tonalité que vous ne pourrez qu'apprécier, la puissance et le couple étant phénoménaux. Naturellement, la consommation en est conséquente, puisqu'il faut prévoir une moyenne approximative de 18 L/100 km.

Le poids de ce mastodonte, majoré d'environ 90 kg en optant pour une version à empattement allongé, se fait fortement sentir sur la route. Le conducteur en tire donc une impression de solidité et de sécurité, amplifiée par une qualité de construction nettement supérieure à la fiabilité d'ensemble, qui demeure son plus grand défaut. Contrairement au Range Rover Sport, assurément plus dynamique, ce pachyderme vous berce dans un tel confort que vous n'aurez que très rarement envie de le pousser à sa limite. Le plaisir de conduire ce véhicule tient davantage du sentiment de « supériorité » vous habitant lorsque vous êtes à ses commandes. Un peu comme si vous étiez le roi de la circulation !

### EN TOUTE SOBRIÉTÉ

Le Range Rover ne fait pourtant pas dans l'extravagance, avec un déferlement excessif de chromes ou de jeux de lumières aux DEL, façon sapin de Noël. Il adopte plutôt un design intemporel qui plaît à la clientèle. Cette dernière ne pourra qu'être séduite par la grande beauté de l'habitacle et des matériaux le revêtant. Un environnement où la qualité des cuirs impressionne autant que l'odeur qui s'en dégage, et où la technologie ne peut vous décevoir. Il faut dire que Land Rover a su le faire évoluer à ce chapitre, ce que l'on reproche pourtant à plusieurs VUS d'exception.

En terminant, un mot sur les capacités remarquables de ce Range Rover, qui demeure redoutable en conduite hors route (ou hivernale), grâce à une suspension et un système de rouage intégral extrêmement performants. C'est aussi un véhicule capable de remorquer des charges atteignant 7 700 lb, un brin supérieur à ce que peut tracter le Cadillac Escalade. Bref, un modèle d'exception qui excelle dans tout, sauf en ce qui concerne la fiabilité à long terme, les visites chez le concessionnaire se multipliant au gré des saisons...

### Données principales

| Emp. / lon. / lar. / haut. | **Court** - 2 922 / 5 000 / 2 073 / 1 861 mm |
| | **Long** - 3 122 / 5 200 / 2 073 / 1 868 mm |
| Coffre / réservoir | **Court** - 707 à 1 943 litres / 104 litres |
| | **Long** - 900 à 2 142 litres / 104 litres |
| Nombre de passagers | 4 à 5 |
| Suspension av. / arr. | ind., pneumatique, double triangulation / ind., pneumatique, multibras |
| Pneus avant / arrière | P275/45R21 / P275/45R21 |
| Poids / Cap. de remorquage | **Court** - 2 266 à 2 515 kg / 3 500 kg (7 700 lb) |
| | **Long** - 2 451 à 2 606 kg / 3 500 kg (7 700 lb) |

### Composantes mécaniques

**P400**

| | |
| --- | --- |
| Cylindrée, alim. | 6L 3,0 litres turbo |
| Puissance / Couple | 395 ch / 406 lb-pi |
| Tr. base (opt) / Rouage base (opt) | A8 / Int |
| 0-100 / 80-120 / V. max | 6,3 s (c) / 4,1 s (c) / 225 km/h (c) |
| Type / ville / route / $CO_2$ | Sup / 12,2 / 9,4 / 258 g/km (est) |

**P525**

| | |
| --- | --- |
| Cylindrée, alim. | V8 5,0 litres surcomp. |
| Puissance / Couple | 518 ch / 461 lb-pi |
| Tr. base (opt) / Rouage base (opt) | A8 / Int |
| 0-100 / 80-120 / V. max | 5,4 s (c) / 3,4 s (c) / 225 km/h (c) |
| Type / ville / route / $CO_2$ | Sup / 14,4 / 11,2 / 305 g/km (est) |

**P565**

| | |
| --- | --- |
| Cylindrée, alim. | V8 5,0 litres surcomp. |
| Puissance / Couple | 557 ch / 516 lb-pi |
| Tr. base (opt) / Rouage base (opt) | A8 / Int |
| 0-100 / 80-120 / V. max | 5,4 s (c) / 3,4 s (c) / 225 km/h (c) |
| Type / ville / route / $CO_2$ | Sup / 17,1 / 12,6 / 354 g/km (est) |

**+** Symbole d'opulence unique • Grande qualité de finition • Confort remarquable • Puissance et capacités

**−** Fiabilité désastreuse • Coût et dépréciation • Consommation indécente (V8) • Modèle en fin de carrière

Photos : Land Rover

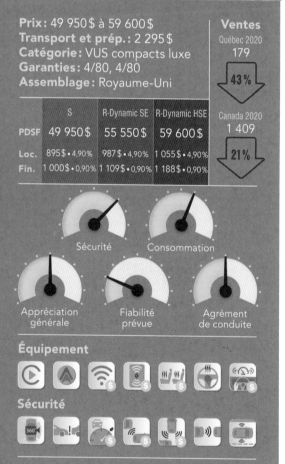

**Prix :** 49 950 $ à 59 600 $
**Transport et prép. :** 2 295 $
**Catégorie :** VUS compacts luxe
**Garanties :** 4/80, 4/80
**Assemblage :** Royaume-Uni

**Ventes**
Québec 2020
179

⬇ 43 %

Canada 2020
1 409

⬇ 21 %

|      | S | R-Dynamic SE | R-Dynamic HSE |
|------|---|--------------|---------------|
| PDSF | 49 950 $ | 55 550 $ | 59 600 $ |
| Loc. | 895 $ • 4,90 % | 987 $ • 4,90 % | 1 055 $ • 4,90 % |
| Fin. | 1 000 $ • 0,90 % | 1 109 $ • 0,90 % | 1 188 $ • 0,90 % |

Sécurité — Consommation

Appréciation générale — Fiabilité prévue — Agrément de conduite

**Équipement**

**Sécurité**

**Concurrents**

Acura RDX, Alfa Romeo Stelvio, Audi Q5, BMW X3/X4, Buick Envision, Cadillac XT5, Genesis GV70, Infiniti QX50, Jaguar F-PACE, Lexus NX, Lincoln Corsair, Mercedes-Benz GLC, Porsche Macan, Volvo XC60

**Nouveau en 2022**

Aucun changement majeur annoncé au moment de mettre sous presse.

# Le précurseur du créneau

Gabriel Gélinas

Conçu afin d'élargir l'offre de la marque et d'y permettre l'accès à moindre prix, l'Evoque a connu beaucoup de succès, et Land Rover en a même produit une variante décapotable pendant quelques années. Toutefois, les ventes n'ont pas été au rendez-vous et ce petit Range est mort au feuilleton avant le début de la présente décennie. L'Evoque de seconde génération a été inauguré en 2018 et poursuit sa route aujourd'hui.

La ceinture de caisse surélevée vers l'arrière donne un look dynamique à l'Evoque, qui partage plusieurs éléments de style avec les autres modèles de la marque comme le toit flottant ou le capot de type *clamshell*. L'as dans la manche de ce Range Rover format réduit, c'est le design de son habitacle, ainsi que l'agencement des couleurs et des textures. L'intégration de l'écran servant d'interface avec le système d'infodivertissement est très réussie, et ce système de télématique Pivi Pro, ajouté en 2021, est plus convivial que l'ancien système InControl Touch Pro.

Les sièges avant sont confortables, mais le dégagement pour les jambes des passagers arrière est limité, et des rivaux comme le BMW X3 et le Volvo XC40 offrent plus d'espace à la seconde rangée. Par contre, le volume du coffre est comparable à celui des rivaux directs avec un peu moins de 600 litres avec tous les sièges en place. Une fois la banquette arrière rabattue, on profite d'un espace de chargement d'un peu moins de 1 400 litres.

**DEUX MOTEURS AU MENU**

Le moteur d'entrée de gamme du Range Rover Evoque demeure le même, soit un 4 cylindres turbocompressé de 2 litres générant 246 chevaux et 269 lb-pi de couple. On le retrouve sous le capot de la variante de base de même que dans la variante R-Dynamic. Il livre des performances tout juste correctes, sans plus. D'autre part, il n'est pas très frugal côté consommation, que ce soit en ville ou sur l'autoroute, malgré sa boîte automatique à 9 rapports. Cette motorisation P250 cohabite avec la P300, un peu plus performante, qui est disponible en option avec la version R-Dynamic. Il s'agit également d'un 4 cylindres turbo de 2 litres, mais qui profite d'une puissance et d'un couple un tantinet plus élevés (296 chevaux et 295 lb-pi). Mais globalement, l'Evoque demeure largement déclassé par à peu près tous ses concurrents directs du côté des motorisations.

Afin de respecter les normes imposées par la Commission européenne en ce qui a trait à la réduction d'émissions de CO2, Land Rover a développé une chaîne de traction hybride rechargeable pour plusieurs des modèles de la marque, incluant l'Evoque. En Europe, la marque anglaise offre donc une variante P300e animée par un 3 cylindres turbocompressé de 1,5 litre. Ce bloc à essence est secondé par un moteur électrique installé sur l'essieu arrière, ce qui en fait un véhicule zéro émission lorsqu'il roule en mode propulsion. Toutefois, cette variante de l'Evoque n'est pas disponible en Amérique du Nord.

La troisième génération du Range Rover Evoque se pointera en 2024, et son gabarit devrait progresser. On s'attend à ce que la motorisation hybride rechargeable P300e soit reconduite à cette occasion, mais les ingénieurs pourraient également décider d'ajouter une motorisation électrique secondée par un moteur thermique jouant un rôle de prolongateur d'autonomie. Aussi, Land Rover proposerait des moutures de l'Evoque à motorisation purement électriques, question de rivaliser directement avec le Volvo XC40 Recharge, entre autres.

## UN SÉRIEUX TALON D'ACHILLE

Du côté du comportement routier, l'Evoque est confortable et silencieux, mais ce n'est pas un véhicule particulièrement dynamique sur des routes balisées. En revanche, c'est un Land Rover, il est donc doté de bonnes aptitudes pour la conduite hors route avec son dispositif Terrain Response 2. Un système qui ajuste en temps réel la calibration des liaisons au sol, de la motorisation, et du système de contrôle électronique de la stabilité selon les conditions d'adhérence.

La fiabilité à long terme est un très sérieux problème pour Land Rover qui continue de se pointer au dernier rang, toutes marques confondues, dans la plus récente étude de la firme spécialisée J.D. Power qui répertorie les problèmes relevés par les propriétaires après trois ans d'usage. Pour vous situer rapidement, le score de Land Rover est de 244 problèmes pour chaque tranche de 100 véhicules, alors que la moyenne de l'industrie est de 121. À l'autre bout du classement, la marque se positionnant au premier rang de cette étude est Lexus avec 81. Bref, si vous êtes séduit par le design de la carrosserie ou de l'habitacle de l'Evoque, on vous conseille de louer un Land Rover et de le remettre au terme du contrat, plutôt que de l'acheter.

**LAND ROVER RANGE ROVER EVOQUE**

### Données principales

| | |
|---|---|
| Emp. / lon. / lar. / haut. | 2 681 / 4 371 / 1 996 / 1 649 mm |
| Coffre / réservoir | 591 à 1 383 litres / 67 litres |
| Nombre de passagers | 5 |
| Suspension av. / arr. | ind., jambes force / ind., multibras |
| Pneus avant / arrière | P235/60R18 / P235/60R18 |
| Poids / Capacité de remorquage | 1 785 kg / 1 800 kg (4 000 lb) |

### Composantes mécaniques

**P250**

| | |
|---|---|
| Cylindrée, alim. | 4L 2,0 litres turbo |
| Puissance / Couple | 246 ch / 269 lb-pi |
| Tr. base (opt) / Rouage base (opt) | A9 / Int |
| 0-100 / 80-120 / V. max | 7,5 s (c) / 5,1 s (c) / 230 km/h (c) |
| Type / ville / route / CO2 | Sup / 11,8 / 8,7 / 245 g/km (est) |

**P300**

| | |
|---|---|
| Cylindrée, alim. | 4L 2,0 litres turbo |
| Puissance / Couple | 296 ch / 295 lb-pi |
| Tr. base (opt) / Rouage base (opt) | A9 / Int |
| 0-100 / 80-120 / V. max | 6,5 s (c) / 4,6 s (c) / 242 km/h (c) |
| Type / ville / route / CO2 | Sup / 11,4 / 8,9 / 242 g/km (est) |

+ Style réussi • Design de l'habitacle • Aptitudes en conduite hors route • Système d'infodivertissement convivial

− Fiabilité atroce • Moteur anémique et soiffard (P250) • Pas de variante hybride rechargeable • Visibilité vers l'arrière

Photos : Land Rover

XCC 768

| | SE P360 | HST P400 | SVR Carbon | |
|---|---|---|---|---|
| **Prix:** 82 200 $ à 155 500 $ | | | **Ventes** | |
| **Transport et prép.:** 2 295 $ | | | Québec 2020 | |
| **Catégorie:** VUS interm. luxe | | | 352 | |
| **Garanties:** 4/80, 4/80 | | | | |
| **Assemblage:** Royaume-Uni | | | | |

| | SE P360 | HST P400 | SVR Carbon | |
|---|---|---|---|---|
| **PDSF** | 82 200 $ | 98 100 $ | 155 500 $ | Canada 2020 |
| | | | | 2 372 |
| **Loc.** | 1 331 $•5,99% | 1 601 $•5,99% | 2 458 $•5,99% | |
| **Fin.** | 1 696 $•2,90% | 2 024 $•2,90% | 3 207 $•2,90% | |

28 %

25 %

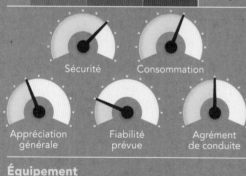

Sécurité   Consommation

Appréciation générale   Fiabilité prévue   Agrément de conduite

## Équipement

## Sécurité

## Concurrents

Acura MDX, Audi Q7/Q8, BMW X5/X6, Buick Enclave, Cadillac XT6, Genesis GV80, Infiniti QX60, Lexus GX/RX, Lincoln Aviator/Nautilus, Maserati Levante, Mercedes GLE, Porsche Cayenne, Volvo XC90

## Nouveau en 2022

Abandon des moteurs diesel et hybride rechargeable.

# L'ambassadeur

Michel Deslauriers

**A**u Canada, le Range Rover Sport est le véhicule le plus vendu du constructeur anglais depuis 2008, et de loin. Il surpasse même le Jaguar F-PACE au palmarès des ventes, et ce, malgré l'âge avancé de cette deuxième génération, introduite pour le millésime 2014.

Inutile de dire qu'il s'agit d'un modèle très important pour la marque, alors que cet utilitaire intermédiaire concurrence, entre autres, les BMW X5/X6, Mercedes-Benz GLE, Audi Q7 et Porsche Cayenne. Un segment rempli d'adversaires puissants, luxueux et prestigieux. Toutefois, malgré les apparences, le Range Rover Sport a reçu quelques mises à jour technologiques ainsi que de nouvelles motorisations au fil du temps.

**DU MÉNAGE SOUS LE CAPOT**
Pour l'année-modèle 2022, Land Rover a envoyé quelques motorisations à la retraite, du moins, en ce qui concerne les marchés canadien et étatsunien. Au revoir, V6 turbodiesel de 254 chevaux. Bonsoir, 4 cylindres turbo avec système hybride rechargeable de 398 chevaux. Si le premier était intéressant pour son généreux couple à bas régime et sa consommation raisonnable, le deuxième n'a vraisemblablement pas trouvé d'acheteurs. Qui voudrait d'un 4 cylindres somme toute écoénergétique dans un gros utilitaire de luxe à caractère sportif ?

Quant au nouveau 6 cylindres en ligne turbodiesel avec hybridation légère, annoncé l'année dernière par Jaguar Land Rover, il ne viendra finalement pas au Canada. Dommage, puisque sur papier, il avait l'air fort intéressant. On se retrouve donc avec un 6 cylindres à essence de 3 litres doté de l'hybridation légère, bon pour 355 chevaux et nommé P360. On retrouve également une variante plus puissante nommée P400 avec 395 chevaux, ainsi que le bon vieux V8 suralimenté de 5 litres, générant 518 chevaux en version P525 et 567 chevaux en version P575.

Les décollages sont francs dans les versions SE et HSE Silver munies du moteur P360, ainsi que dans la HST à moteur P400. Les sensations deviennent carrément grisantes dans les variantes équipées du V8, dont le Range Rover Sport SVR trônant au sommet de la gamme. La grosse cylindrée procure également une sonorité musclée et enivrante, comme il se doit dans un véhicule de cette catégorie.

Comme son nom l'indique, Land Rover lui a conféré un caractère dynamique et un comportement routier engageant, malgré son poids dépassant les 2 300 kg. La version SVR n'est peut-être pas aussi parfaitement équilibrée sur une piste de course que le Porsche Cayenne Turbo ou le BMW X5 M, mais la plupart des propriétaires ne pousseront pas ces machines à la limite de leurs capacités de toute façon.

La marque de commerce du Range Rover Sport, et de Land Rover en général, c'est l'habileté à s'aventurer hors route. Grâce à sa suspension pneumatique et son système de modes conduite Terrain Response figurant de série, on peut se rendre facilement à notre chalet loin dans le bois, même de l'autre côté d'un ruisseau d'une profondeur maximale de 850 mm (33 pouces). En option, le système Terrain Response 2 et le boîtier de transfert électronique à deux vitesses permettent même de franchir des surfaces rocheuses et périlleuses, alors qu'un système de retenue en pente à vitesse réglable inspire également confiance hors des sentiers battus.

### SOPHISTICATION ET CLASSICISME

Bien entendu, le Range Rover Sport propose un habitacle somptueux, avec des sièges en cuir régulier ou semi-aniline ainsi qu'une vaste sélection d'aménagements monochromes ou bicolores. Non seulement profite-t-on de sièges très confortables, mais aussi d'une odeur de richesse et de raffinement. Si la qualité d'assemblage fait parfois défaut dans les Range Rover, le choix des matériaux est sans reproche.

Cette aura de luxe s'agence parfaitement avec la modernité présentée par l'instrumentation numérique de 12,3 pouces pour le conducteur, les deux écrans tactiles superposés sur la planche centrale ainsi que le design sophistiqué des commandes de climatisation. Même si ces dernières sont légèrement distrayantes à utiliser en conduisant. Le système multimédia Touch Duo Pro est beaucoup plus rapide d'exécution que les générations précédentes chez Jaguar Land Rover, et les mélomanes adoreront les excellentes chaînes audio Meridian, la plus coûteuse comprenant 23 haut-parleurs et une puissance de 1 700 watts.

En revanche, côté polyvalence, on a pris du recul au fil des ans alors que les rivaux plus modernes proposent une meilleure habitabilité. L'espace de chargement figure parmi les plus bas dans le segment des utilitaires intermédiaires de luxe. Si le Range Rover pleine grandeur s'avère le porte-étendard de la gamme, le Range Rover Sport fait assurément belle figure comme ambassadeur de la marque.

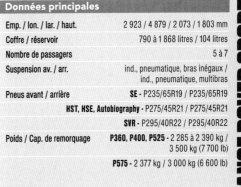

## Données principales

| | |
|---|---|
| Emp. / lon. / lar. / haut. | 2 923 / 4 879 / 2 073 / 1 803 mm |
| Coffre / réservoir | 790 à 1 868 litres / 104 litres |
| Nombre de passagers | 5 à 7 |
| Suspension av. / arr. | ind., pneumatique, bras inégaux / ind., pneumatique, multibras |
| Pneus avant / arrière | **SE** - P235/65R19 / P235/65R19 |
| | **HST, HSE, Autobiography** - P275/45R21 / P275/45R21 |
| | **SVR** - P295/40R22 / P295/40R22 |
| Poids / Cap. de remorquage | **P360, P400, P525** - 2 285 à 2 390 kg / 3 500 kg (7 700 lb) |
| | **P575** - 2 377 kg / 3 000 kg (6 600 lb) |

## Composantes mécaniques

### P360

| | |
|---|---|
| Cylindrée, alim. | 6L 3,0 litres turbo |
| Puissance / Couple | 355 ch / 365 lb-pi |
| Tr. base (opt) / Rouage base (opt) | A8 / Int |
| 0-100 / 80-120 / V. max | 6,6 s (c) / 4,1 s (est) / 209 km/h (c) |
| Type / ville / route / $CO_2$ | Sup / 12,6 / 9,6 / 264 g/km (est) |

### P400

| | |
|---|---|
| Cylindrée, alim. | 6L 3,0 litres turbo |
| Puissance / Couple | 395 ch / 406 lb-pi |
| Tr. base (opt) / Rouage base (opt) | A8 / Int |
| 0-100 / 80-120 / V. max | 6,2 s (c) / 4,0 s (c) / 225 km/h (c) |
| Type / ville / route / $CO_2$ | Sup / 12,6 / 9,6 / 264 g/km (est) |

### P525

| | |
|---|---|
| Cylindrée, alim. | V8 5,0 litres surcomp. |
| Puissance / Couple | 518 ch / 461 lb-pi |
| Tr. base (opt) / Rouage base (opt) | A8 / Int |
| 0-100 / 80-120 / V. max | 5,3 s (c) / 3,3 s (c) / 250 km/h (c) |
| Type / ville / route / $CO_2$ | Sup / 14,1 / 10,7 / 294 g/km (est) |

### P575

| | |
|---|---|
| Cylindrée, alim. | V8 5,0 litres surcomp. |
| Puissance / Couple | 567 ch / 516 lb-pi |
| Tr. base (opt) / Rouage base (opt) | A8 / Int |
| 0-100 / 80-120 / V. max | 4,5 s (c) / 2,8 s (c) / 283 km/h (c) |
| Type / ville / route / $CO_2$ | Sup / 16,2 / 12,0 / 336 g/km (est) |

**+** Moteur V8 suralimenté puissant et sonore • Habitacle somptueux et sophistiqué • Capacités hors route indéniables

**—** Réputation de fiabilité toujours perfectible • Abandon du moteur diesel • Capacité de chargement inférieure à la moyenne

Photos: Land Rover

## Prix, ventes et équipement

| | S P250 | R-Dynamic S | R-Dynamic HSE |
|---|---|---|---|
| **PDSF** | 63 500 $ | 73 200 $ | 83 300 $ |
| **Loc.** | 1 107 $ • 4,90% | 1 323 $ • 4,90% | 1 477 $ • 4,90% |
| **Fin.** | 1 285 $ • 0,90% | 1 475 $ • 0,90% | 1 673 $ • 0,90% |

**Prix :** 63 500 $ à 83 300 $ (2021)
**Transport et prép. :** 2 295 $
**Catégorie :** VUS compacts luxe
**Garanties :** 4/80, 4/80
**Assemblage :** Royaume-Uni

**Ventes**
Québec 2020
215
↓ 22 %

Canada 2020
1 340
↓ 25 %

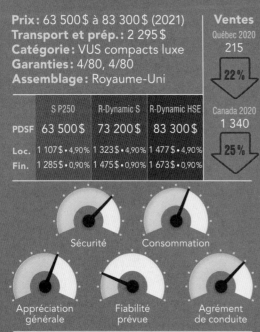

Sécurité — Consommation
Appréciation générale — Fiabilité prévue — Agrément de conduite

### Équipement

### Sécurité

### Concurrents

Acura RDX, Alfa Romeo Stelvio, Audi Q5, BMW X3/X4, Buick Envision, Cadillac XT5, Genesis GV70, Infiniti QX50/QX55, Jaguar F-PACE, Lexus NX, Lincoln Corsair, Mercedes-Benz GLC, Porsche Macan, Volvo XC60

### Nouveau en 2022

Gamme simplifiée (variantes et moteurs).

# Une gueule de star

Gabriel Gélinas

Une semaine avant sa première apparition officielle au Salon de l'auto de Genève en mars 2017, le Land Rover Range Rover Velar a été dévoilé en avant-première au *Design Museum* de Londres en Angleterre. Un endroit de prédilection choisi par la célèbre marque anglaise pour souligner le design avant-gardiste de ce qui était alors son plus récent VUS de luxe. Le Velar est le quatrième membre de la famille des Range Rover, la famille des Discovery et celle des Defender complétant la gamme des VUS Land Rover.

La désignation Velar trouve ses origines dans le mot latin *velaris* qui signifie voiler ou cacher, et elle évoque l'appellation donnée aux premiers prototypes du Range Rover lors d'essais menés par la marque en 1969 avant son lancement officiel. Réductionnisme et minimalisme sont les deux principes fondamentaux du design du Velar qui affiche un métissage entre des éléments classiques de la marque, comme le capot avant de type *clamshell* ou le toit flottant, et des touches plus modernes comme des poignées de portière affleurantes ou des blocs optiques amincis.

### UN SANCTUAIRE SUR QUATRE ROUES

Le thème minimaliste de la carrosserie trouve son écho dans l'habitacle, et c'est un véritable sanctuaire que propose le Range Rover Velar. L'agencement des couleurs et des textures contribue à créer une ambiance calme et sereine. Spécialement dans les modèles où la planche de bord est drapée d'un cuir de couleur claire, surtout que le graphisme à la fois limpide et élégant de l'affichage des deux écrans tactiles ajoute à cet effet, tout comme celui de l'écran paramétrable remplaçant le traditionnel bloc d'instruments. Le système de télématique Pivi Pro est convivial et permet la connectivité Apple CarPlay et Android Auto. Les sièges avant procurent un excellent maintien et sont particulièrement confortables lors des longs trajets, mais les places arrière offrent un dégagement plus limité.

Deux variantes sont au programme, le Velar et le Velar R-Dynamic, qui donnent accès à deux moteurs à essence. La variante Velar P250 est celle d'entrée de gamme avec un 4 cylindres turbocompressé de 2 litres qui livre des performances honnêtes, sans plus. La variante P340, disponible sur le Velar et le Velar R-Dynamic, se montre plus performante avec son 6 cylindres de 3 litres turbo libérant 335 chevaux. De son côté, le R-Dynamic

P400 porte la puissance à 395 chevaux. En Europe, et sur d'autres marchés à l'international, le Velar est aussi disponible avec une motorisation hybride rechargeable composée du 4 cylindres turbocompressé de 2 litres associé à un moteur électrique alimenté par une batterie lithium-ion d'une capacité de 17,1 kWh, mais la venue de cette variante P400 e au Canada n'est pas prévue pour l'année-modèle 2022.

Concernant la dynamique, la direction du Velar se montre trop légère et manque de ressenti, ce qui n'invite pas à la conduite sportive. Ici, c'est plutôt une conduite relaxe et coulée qu'il faut adopter, un comportement en phase avec l'environnement sobre et feutré de l'habitacle.

Aussi, le Velar est loin d'être un poids plume, et sa masse élevée a une incidence directe sur la dynamique en virage, même si les mouvements de la caisse sont relativement bien maîtrisés. Comme tous les véhicules de la marque, le Velar est doté de bonnes aptitudes en conduite hors route, quoiqu'elles soient moins développées que celles des Defender et Range Rover. Mais la clientèle visée n'en aura cure et le Velar sera plus souvent aperçu sur les routes asphaltées que sur les sentiers forestiers.

### TOUJOURS BON DERNIER

Malheureusement, Land Rover continue de languir au dernier rang de toutes les marques répertoriées au classement de l'étude 2021 de la firme spécialisée J.D. Power portant sur la fiabilité des véhicules après trois ans d'usage sur la route. En 2020, Land Rover se classait aussi au dernier rang de cette même étude, alors qu'il occupait l'avant-dernier rang en 2019. Bref, au sujet de la fiabilité à long terme, plus ça change, plus c'est pareil... Tout cela nous invite à vous servir la sérieuse mise en garde suivante. Si vous voulez absolument conduire un Land Rover, mieux vaut en faire la location plutôt que l'achat et remettre le véhicule à la fin du contrat.

Le Velar a de la gueule, et c'est une gueule qui vieillit bien. L'habitacle, à la fois douillet et confortable fait preuve d'une belle qualité de finition, et le confort de roulement est à souligner. On espère simplement que le bilan de fiabilité s'améliore, car le VUS britannique souffre grandement de la comparaison avec ses rivaux directs à ce chapitre.

### Données principales

| | |
|---|---|
| Emp. / lon. / lar. / haut. | 2 874 / 4 797 / 2 041 / 1 683 mm |
| Coffre / réservoir | 735 à 1 798 litres / 82 litres |
| Nombre de passagers | 5 |
| Suspension av. / arr. | ind., double triangulation / ind., multibras |
| Pneus avant / arrière | **P250, P340** - P255/55R19 / P255/55R19 |
| | **P400** - P265/45R21 / P265/45R21 |
| Poids / Capacité de remorquage | **4L** - 1 875 kg / 2 400 kg (5 300 lb) |
| | **6L** - 2 010 à 2 085 kg / 2 500 kg (5 500 lb) |

### Composantes mécaniques

**P250**

| | |
|---|---|
| Cylindrée, alim. | 4L 2,0 litres turbo |
| Puissance / Couple | 246 ch / 269 lb-pi |
| Tr. base (opt) / Rouage base (opt) | A8 / Int |
| 0-100 / 80-120 / V. max | 7,1 s (c) / 5,0 s (c) / 217 km/h (c) |
| Type / ville / route / $CO_2$ | Sup / 11,2 / 8,9 / 238 g/km (est) |

**P340**

| | |
|---|---|
| Cylindrée, alim. | 6L 3,0 litres turbo |
| Puissance / Couple | 335 ch / 354 lb-pi |
| Tr. base (opt) / Rouage base (opt) | A8 / Int |
| 0-100 / 80-120 / V. max | 6,4 s (c) / 4,0 s (c) / 233 km/h (c) |
| Type / ville / route / $CO_2$ | Sup / 11,7 / 9,2 / 250 g/km (est) |

**P400**

| | |
|---|---|
| Cylindrée, alim. | 6L 3,0 litres turbo |
| Puissance / Couple | 395 ch / 406 lb-pi |
| Tr. base (opt) / Rouage base (opt) | A8 / Int |
| 0-100 / 80-120 / V. max | 5,5 s (c) / 3,4 s (est) / 250 km/h (c) |
| Type / ville / route / $CO_2$ | Sup / 12,3 / 9,6 / 262 g/km (est) |

**+** Style très réussi • Qualité de la finition intérieure • Confort de roulement • Confort et maintien des sièges avant

**–** Fiabilité atroce • Pas de variante hybride rechargeable • Direction légère et manque de ressenti • Dégagement limité aux places arrière

# LEXUS ES

★★★★ COTE DU **GUIDE**

**Prix:** 45 250 $ à 51 450 $ (2021)
**Transport et prép.:** 2 115 $
**Catégorie:** Intermédiaires de luxe
**Garanties:** 4/80, 6/110
**Assemblage:** États-Unis

**Ventes**
Québec 2020
180

⬇ **23 %**

Canada 2020
1 395

⬇ **35 %**

|  | ES 250 TI | ES 350 | ES 300h |
|---|---|---|---|
| **PDSF** | 45 250 $ | 49 450 $ | 51 450 $ |
| **Loc.** | 723 $ • 2,90% | 814 $ • 2,90% | 833 $ • 2,90% |
| **Fin.** | 963 $ • 1,90% | 1 074 $ • 1,90% | 1 115 $ • 1,90% |

Sécurité     Consommation

Appréciation générale    Fiabilité prévue    Agrément de conduite

## Équipement

## Sécurité

## Concurrents

Chrysler 300, Dodge Charger, Kia Stinger, Nissan Maxima

## Nouveau en 2022

Lexus Safety System+ 2.5 et détection des angles morts de série. Système multimédia revu, phares à DEL autonivelants.

# Comme un fonds mutuel

Louis-Philippe Dubé

**T**andis que les berlines intermédiaires tombent au combat les unes après les autres, Lexus voit sans doute une opportunité de faire de la ES un choix unique dans le créneau. Mais même si le constructeur lui façonne un bouclier de plus en plus racé à chaque remodelage, ainsi que des éditions spéciales qui empilent les accents noirs et autres détails souvent trop subtils, cette berline intermédiaire de luxe passe plutôt inaperçue.

En contrepartie, sa qualité de finition est irréprochable, et ses mécaniques ont fait leurs preuves. L'infaillible fiabilité Toyota fait donc partie des multiples cordes à son arc, avec tout le caractère monotone qui l'accompagne.

### DES MOTEURS FIABLES,
### MAIS AVEC LEURS LOTS DE COMPROMIS

Un trio de motorisations se propose pour animer la Lexus ES. Le moteur de base se trouve dans la ES 250 et il s'agit d'un 4 cylindres de 2,5 litres atmosphérique qui développe 203 chevaux. Ce moteur est reconnu pour sa fiabilité au sein du clan Toyota, notamment dans l'Avalon et la Camry. La ES 350 est mue par une autre mécanique connue, un V6 de 3,5 litres atmosphérique qui déballe 302 chevaux. Il y a également la ES 300h, le membre hybride de la famille, qui associe un moteur électrique au 4 cylindres de 2,5 litres pour déployer 215 chevaux en puissance combinée.

Le 4 cylindres de base livre une prestation dans les normes, mais peut sembler essoufflé à grande vitesse sur l'autoroute et dans certaines situations de conduite. De fait, le V6 pourrait s'avérer mieux adapté pour ceux qui veulent plus de mordant. Même l'hybride fait un peu mieux sur le plan de la puissance que le plus petit moteur, en plus d'enregistrer une consommation d'essence résolument frugale d'environ 5,5 L/100 km (combiné ville/route).

Peu importe la variante choisie, le confort et le silence de roulement seront au rendez-vous. La Lexus ES fournit le strict nécessaire en matière de dynamique de conduite. Sa suspension est loin d'être amorphe, mais Lexus a su construire un sanctuaire à quatre portes qui amortit autant les imperfections de la route que les nuisances sonores venant de l'extérieur.

La ES a reçu le rouage intégral tout récemment, en 2021. Le hic, c'est que celui-ci est offert exclusivement avec la plus petite option motrice, la ES 250. Ce système avantage les roues avant et, grâce au découplage, peut conserver un rendement très acceptable sur le plan de la consommation. En contrepartie, il peut envoyer 50 % de l'effort aux roues arrière si le besoin se fait sentir. Après avoir mis le système à l'épreuve sur une épaisse couche de neige, nous pouvons confirmer que la ES sait se comporter en ligne droite, mais également pivoter au besoin pour faciliter les manœuvres d'évitement.

## UN ÉCRAN TACTILE… EURÊKA !

L'intérieur de la ES n'a rien de renversant sur le plan du choix des matériaux et des textures. Par contre, on doit féliciter la qualité de finition irréprochable dont tous les habitacles de la marque nippone bénéficient. En d'autres mots, c'est du solide et tout restera en place au fil du temps. La sellerie offre un confort appréciable avec amplement de soutien pour le conducteur et son passager avant. Comme ça a toujours été le cas dans la ES, le dégagement pour les jambes et la tête à l'arrière est convaincant.

Si vous avez déjà eu le malheur de devoir vous servir du pavé tactile dans la console centrale d'un véhicule Lexus, vous savez qu'exécuter une simple commande avec cet outil préhistorique peut s'avérer très complexe… Or, la grande nouveauté pour 2022 est l'ajout d'une fonction tactile sur l'écran. Lexus a également pris soin de rapprocher ses écrans de 8 pouces de série et de 12,3 pouces en option de 110 mm vers le conducteur pour les rendre plus accessibles. Points bonis pour ceux qui ont encore une collection de disques compacts — la ES est munie d'un lecteur situé dans la partie inférieure de la planche de bord.

Caractère conservateur et dynamique peu épicé d'une part, valeur et rendement à long terme de l'autre, la ES est un choix responsable et sensé… un peu comme un fonds mutuel. Malgré les petits accrocs comme le rouage intégral exclusif à la ES 250 forçant l'acheteur à choisir entre performances et habiletés en hiver, cette Lexus conserve sa fiabilité et sa qualité d'assemblage impeccable, le tout à un prix relativement abordable pour une berline intermédiaire de luxe. Le fait qu'elle ait corrigé son principal défaut dans l'habitacle pour 2022, son système d'infodivertissement qui est dorénavant tactile, constitue également un gros plus !

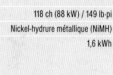

### LEXUS ES

### Données principales

| Emp. / lon. / lar. / haut. | ES 250 AWD - 2 870 / 4 975 / 1 865 / 1 450 mm |
| | ES 300h, ES 350 - 2 870 / 4 975 / 1 865 / 1 445 mm |
| Coffre / réservoir | Essence - 394 litres / 60 litres |
| | Hybride - 394 litres / 50 litres |
| Nombre de passagers | 5 |
| Suspension av. / arr. | ind., jambes force / ind., multibras |
| Pneus avant / arrière | P215/55R17 / P215/55R17 |
| Poids / Capacité de remorquage | 1 655 à 1 695 kg / non recommandé |

### Composantes mécaniques

**ES 250 AWD**

| | |
| --- | --- |
| Cylindrée, alim. | 4L 2,5 litres atmos. |
| Puissance / Couple | 203 ch / 184 lb-pi |
| Tr. base (opt) / Rouage base (opt) | A8 / Int |
| 0-100 / 80-120 / V. max | 8,9 s (est) / 6,9 s (est) / 211 km/h (c) |
| Type / ville / route / $CO_2$ | Ord / 9,5 / 7,0 / 197 g/km |

**ES 350**

| | |
| --- | --- |
| Cylindrée, alim. | V6 3,5 litres atmos. |
| Puissance / Couple | 302 ch / 267 lb-pi |
| Tr. base (opt) / Rouage base (opt) | A8 / Tr |
| 0-100 / 80-120 / V. max | 6,9 s (est) / 5,1 s (est) / 211 km/h (c) |
| Type / ville / route / $CO_2$ | Ord / 10,7 / 7,2 / 213 g/km |

**ES 300H**

| | |
| --- | --- |
| Cylindrée, alim. | 4L 2,5 litres atmos. |
| Puissance / Couple | 176 ch / 163 lb-pi |
| Tr. base (opt) / Rouage base (opt) | CVT / Tr |
| 0-100 / 80-120 / V. max | 8,3 s (est) / 6,4 s (est) / 180 km/h (c) |
| Type / ville / route / $CO_2$ | Ord / 5,5 / 5,2 / 124 g/km |
| Puissance combinée | 215 ch |

**MOTEUR ÉLECTRIQUE**

| | |
| --- | --- |
| Puissance / Couple | 118 ch (88 kW) / 149 lb-pi |
| Type de batterie | Nickel-hydrure métallique (NiMH) |
| Énergie | 1,6 kWh |

**+** Fiabilité irréprochable • Habitacle remarquablement bien assemblé • Confortable

**—** Rouage intégral exclusif à la ES250 • Manque un peu de caractère

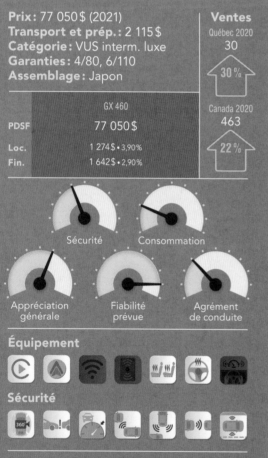

**Prix :** 77 050 $ (2021)
**Transport et prép. :** 2 115 $
**Catégorie :** VUS interm. luxe
**Garanties :** 4/80, 6/110
**Assemblage :** Japon

**Ventes**
Québec 2020
**30**

↑ 30 %

Canada 2020
**463**

↑ 22 %

| | GX 460 |
|---|---|
| PDSF | 77 050 $ |
| Loc. | 1 274 $ • 3,90 % |
| Fin. | 1 642 $ • 2,90 % |

Sécurité — Consommation

Appréciation générale — Fiabilité prévue — Agrément de conduite

**Équipement**

**Sécurité**

**Concurrents**
Acura MDX, Audi Q7/Q8, BMW/X6, Buick
Enclave, Cad. XT6, Genesis GV80, Infin. QX60,
L. Rover Discovery/R. Rover Sport, Lincoln
Aviator/Nautilus, Maser. Levante, Mercedes
GLE, Pors. Cayenne, Tesla Model X, Volvo XC90

**Nouveau en 2022**
Révision des versions et des équipements,
système de divertissement pour les sièges
arrière (Executive), nouvelles couleurs.

# Anachronique

Luc Gagné

**R**X et GX, ça vous dit quelque chose ? Si vous conduisez un utilitaire de luxe de taille moyenne, le premier acronyme est assurément familier, mais le second probablement inconnu. Le palmarès des ventes démontre que ces deux produits Lexus sont aux antipodes : le RX est le modèle le plus recherché de la marque, alors que le GX se vend au compte-gouttes.

La présence de ce dernier sur le marché reste donc un mystère. Face à ses rivaux, il tranche par une conception d'un genre révolu, tandis qu'au sein de la gamme Lexus, il est en porte-à-faux entre le populaire RX et le LX, plus long et plus cher, qui tient le rôle de porte-étendard.

### IMMOBILISME CHRONIQUE
Lancé en 2010, le GX (GX 460 de son vrai nom) a une carrosserie fixée à un châssis à longerons, alors que la plupart de ses rivaux (incluant le RX) ont un châssis monocoque qui les assimile aux automobiles par la douceur du roulement, une meilleure insonorisation et l'absence de vibrations parasites. De plus, au fil des ans, son apparence a peu changé. Pour l'harmoniser aux autres produits Lexus, cet utilitaire a reçu une calandre en forme de sablier en 2014 et, six ans plus tard, des blocs optiques avant actuels à triples DEL.

Côté mécanique, l'immobilisme est aussi de rigueur. Son V8 atmosphérique de 4,6 litres à injection séquentielle, que l'on doit nourrir de super, est aujourd'hui son exclusivité. Face à la concurrence, ses 301 chevaux et 329 lb-pi de couple défavorisent ce mastodonte de 2,4 tonnes en le rendant gourmand et léthargique (surtout en mode « Eco »). Or, pour l'accélération, plusieurs rivaux font mieux même avec un V6. Quant au remorquage, l'exemple du GMC Yukon Denali est révélateur. Son V8 de 6,2 litres, qui se contente de carburant ordinaire, procure 420 chevaux et 460 lb-pi, et autorise le remorquage de charges atteignant 8 000 lb. Le GX, lui, est restreint à 6 500 lb. À tout le moins, sa boîte automatique, qui n'a que 6 rapports, s'avère souple et discrète, ce qui sied bien à un véhicule de luxe.

### COMPORTEMENT ROUTIER DÉSAGRÉABLE
Sur la route, la suspension impose un roulis prononcé, même à basse vitesse. Les mouvements de plongée ressentis au freinage ne sont guère plus rassurants. En outre, la direction à assistance hydraulique est légère

et manque de précision. Il faut cependant savoir que le GX est issu du Toyota Land Cruiser Prado, un tout-terrain pur et dur. Dans cette optique, sa direction légère, qui donne un diamètre de braquage de 11,6 m (contre 13,8 pour le RX à 7 places), facilitera les manœuvres entre deux arbres... ou deux poteaux d'un stationnement souterrain aménagé pour des Yaris!

Sa suspension pneumatique arrière à correcteur de niveau sera avantageuse pour remorquer un bateau de plaisance. Elle offre un mode Normal pour la conduite urbaine et un mode High pour faciliter le franchissement d'obstacles lorsque nécessaire.

Après tout, des porte-à-faux avant et arrière réduits, et un système 4x4 à gamme de vitesses basses permettent au GX d'affronter le chemin boueux d'une érablière artisanale. Cependant, ses roues de 18 pouces chaussées de pneus Bridgestone ou Michelin conçus pour les autoroutes pourraient manquer de mordant dans des ornières boueuses et profondes. Dans ces conditions, l'ensemble optionnel Exécutif pourrait aider avec son sélecteur multiterrain et sa commande de marche lente à 5 modes au nom évocateur : *Crawl Control*. Cet ensemble hétéroclite comprend aussi une caméra avec vue au sol (pratique pour éviter une roche ou une souche), un refroidisseur de liquide de transmission (pratique pour remorquer) et une petite glacière (pratique pour partager des barres Häagen-Dazs en pleine forêt)!

À l'instar des autres produits Lexus, le GX se veut luxueux. Les trois selleries en cuir proposées et la chaîne audio de 330 watts à 17 haut-parleurs le suggèrent. Cependant, l'apparence du vaste habitacle date un peu. Le tableau de bord paraît massif et le lecteur de disques compacts nous ramène en 2010.

En revanche, l'espace à bord abonde et le vaste coffre modulable rend ce véhicule polyvalent. Mais il faut se faire à sa porte arrière. Pour s'ouvrir, elle nécessite beaucoup d'espace libre derrière le véhicule et, en ville, elle bloque le passage vers le trottoir une fois ouverte. Quant à la lunette qui se soulève, elle est haute et peu pratique pour déposer un colis dans le coffre. De plus, en l'utilisant, on risque de se salir en frottant la porte. Bref, l'insuccès du GX paraît justifié puisque la concurrence offre mieux. À moins, bien sûr, que l'aura de fiabilité entourant les produits Toyota ne vous attire plus que tout!

## Données principales

| | |
|---|---|
| Emp. / lon. / lar. / haut. | 2 790 / 4 804 / 1 885 / 1 875 mm |
| Coffre / réservoir | 328 à 1 833 litres / 87 litres |
| Nombre de passagers | 7 |
| Suspension av. / arr. | ind., double triangulation / essieu rigide, pneumatique, multibras |
| Pneus avant / arrière | P265/60R18 / P265/60R18 |
| Poids / Capacité de remorquage | 2 349 kg / 2 948 kg (6 500 lb) |

## Composantes mécaniques

| | |
|---|---|
| Cylindrée, alim. | V8 4,6 litres atmos. |
| Puissance / Couple | 301 ch / 329 lb-pi |
| Tr. base (opt) / Rouage base (opt) | A6 / 4x4 |
| 0-100 / 80-120 / V. max | 9,2 s (m) / 7,1 s (m) / 177 km/h (c) |
| 100-0 km/h | 42,0 m (m) |
| Type / ville / route / $CO_2$ | Sup / 16,2 / 12,3 / 337 g/km |

+ Intérieur luxueux et spacieux • Coffre volumineux • Capacités hors route

− Pas de version électrifiée • Porte arrière peu pratique dans les espaces réduits • Roulis prononcé • Plongée au freinage • Direction imprécise

| | IS 300 | IS 300 TI | IS 500 F SPORT |
|---|---|---|---|
| **PDSF** | 42 950 $ | 53 300 $ | 75 000 $ |
| **Loc.** | 669 $ • 2,90 % | 825 $ • 2,90 % | n.d. |
| **Fin.** | 951 $ • 2,80 % | 1 163 $ • 2,80 % | 1 670 $ • 4,90 % |

**Prix :** 42 950 $ à 75 000 $ (2021)
**Transport et prép. :** 2 115 $
**Catégorie :** Compactes de luxe
**Garanties :** 4/80, 6/110
**Assemblage :** Japon

**Ventes**
Québec 2020
210
↓ 50 %

Canada 2020
1 228
↓ 45 %

Sécurité · Consommation

Appréciation générale · Fiabilité prévue · Agrément de conduite

### Équipement

### Sécurité

### Concurrents

Alfa Romeo Giulia, Audi A4, BMW Série 3, Cadillac CT5, Genesis G70, Infiniti Q50, Mercedes-Benz Classe C, Tesla Model 3, Volvo S60

### Nouveau en 2022

Nouvelle variante IS 500 F SPORT à moteur V8 atmosphérique.

# Un peu plus près du but

Gabriel Gélinas

**D**ans le créneau des berlines sport, la IS de Lexus peine à rejoindre le trio de tête composé des marques allemandes Audi, BMW et Mercedes-Benz. Pour donner une impulsion à ce modèle, Lexus a décidé d'en proposer une nouvelle génération qui se démarque par un châssis plus rigide et des liaisons au sol calibrées en vue d'optimiser la dynamique, mais dont les motorisations demeurent inchangées.

Côté design, on reste en terrain connu, même si les dimensions de la voiture ont progressé par rapport au modèle antérieur. On note également que la calandre est encore plus grande qu'auparavant et que les feux se rejoignent, afin de permettre à cette nouvelle IS de se distinguer de sa devancière. Même constat pour ce qui est de l'habitacle qui conserve à la fois les codes de la marque et l'exécrable pavé tactile servant d'interface avec le système d'infodivertissement dont l'usage demande tellement d'attention en conduisant que cela cause une sérieuse distraction.

Au moins, l'écran devient tactile, mais comme il est localisé plutôt loin du poste de conduite, ça n'aide en rien à l'usage au quotidien, le conducteur devant allonger le bras pour l'atteindre. Android Auto et Apple CarPlay sont finalement au rendez-vous, mais la IS conserve un lecteur CD. Comme anachronisme, difficile de faire mieux...

### LE STATU QUO

Sur la route, cette nouvelle IS fait preuve d'une dynamique améliorée comparée à sa devancière, mais elle n'égale toujours pas les rivales allemandes au chapitre de l'agrément de conduite. Par ailleurs, les motorisations sont les mêmes, l'acheteur ayant le choix entre un moteur 4 cylindres turbocompressé associé à une boîte automatique à 8 rapports et un rouage de type propulsion pour le modèle de base qu'est la IS 300.

Pour passer au rouage intégral, il faut choisir les IS 300 AWD et IS 350 AWD, lesquelles sont animées par deux versions du V6 atmosphérique de 3,5 litres. Dans les deux cas, il est marié à une boîte automatique à 6 rapports, ce qui détonne par rapport à la concurrence dont les modèles disposent souvent huit vitesses. Évidemment, cela affecte inversement la consommation de carburant qui demeure élevée, et tout cela met en lumière le fait que la motorisation hybride, pourtant si chère à Toyota, brille par son absence au sein de la gamme IS. Bref, on s'attendait à plus pour cette nouvelle génération.

Cependant, il faut souligner que Lexus trône toujours au sommet du classement pour ce qui est de la fiabilité de ses modèles après trois ans d'usage sur la route, la marque de luxe japonaise occupant le premier rang de l'étude *Vehicle Dependability Survey* (VDS) de la firme spécialisée J.D. Power pour 2021. La IS est également pourvue de l'ensemble des aides électroniques à la conduite développées par la marque, et elle obtient la note la plus élevée concernant la protection accordée aux occupants en cas d'impact. Tout cela fait de la Lexus IS un choix rationnel, plutôt que passionnel.

## UN V8 ATMOSPHÉRIQUE EN RENFORT

Lexus a entendu les critiques qui déploraient l'absence d'une variante performante de la IS capable de rejoindre les versions les plus puissantes et dynamiques de la concurrence allemande. Pour 2022, la IS 500 F Sport Performance s'ajoute à la gamme avec son V8 atmosphérique de 5 litres générant 472 chevaux et 395 lb-pi de couple.

Ce bloc est jumelé à une boîte automatique à 8 rapports et un rouage de type propulsion, le rouage intégral n'étant pas disponible sur cette variante. Lexus annonce un chrono de 4,6 secondes pour le 0 à 100 km/h grâce au V8 et une cartographie modifiée du moteur et de la boîte visant à optimiser les performances. Au sujet de l'esthétique, la IS 500 F Sport Performance se singularise par son capot surélevé et ses sorties d'échappement à quatre embouts avec tuyères superposées.

Lexus produira également 50 exemplaires *Launch Edition* pour le Canada, toutes peintes d'une couleur gris pâle appelée Incognito et roulant sur des jantes BBS de 19 pouces noir mat à sept rayons. De son côté, l'habitacle sera recouvert d'ultrasuède en deux tons de noir et gris. Selon des rumeurs persistantes, Toyota serait aussi en train d'élaborer une version suralimentée par turbocompresseur de ce moteur V8 pour éventuellement le monter sur des variantes plus performantes de ses modèles, dont la IS. Histoire à suivre.

La nouvelle IS propose une dynamique légèrement bonifiée par rapport au modèle antérieur, mais n'arrive toujours pas à égaler le comportement routier des rivales allemandes. En conclusion, la IS est un choix rationnel qui n'enflamme pas la passion, exception faite de sa variante IS 500 qui ne peut pas recevoir de rouage intégral.

### Données principales

| | |
|---|---|
| Emp. / lon. / lar. / haut. | 2 800 / 4 710 / 1 840 / 1 440 mm |
| Coffre / réservoir | 306 litres / 66 litres |
| Nombre de passagers | 5 |
| Suspension av. / arr. | ind., double triangulation / ind., multibras |
| Pneus avant / arrière | P235/45R18 / P235/45R18 |
| Poids / Capacité de remorquage | 1 685 à 1 765 kg / non recommandé |

### Composantes mécaniques

**IS 300 RWD**

| | |
|---|---|
| Cylindrée, alim. | 4L 2,0 litres turbo |
| Puissance / Couple | 241 ch / 258 lb-pi |
| Tr. base (opt) / Rouage base (opt) | A8 / Prop |
| 0-100 / 80-120 / V. max | 7,1 s (est) / 5,0 s (est) / 230 km/h (c) |
| Type / ville / route / $CO_2$ | Sup / 11,0 / 7,6 / 221 g/km |

**IS 300 AWD**

| | |
|---|---|
| Cylindrée, alim. | V6 3,5 litres atmos. |
| Puissance / Couple | 260 ch / 236 lb-pi |
| Tr. base (opt) / Rouage base (opt) | A6 / Int |
| 0-100 / 80-120 / V. max | 6,3 s (est) / 4,6 s (est) / 230 km/h (c) |
| Type / ville / route / $CO_2$ | Sup / 12,2 / 9,0 / 253 g/km |

**IS 350 AWD**

| | |
|---|---|
| Cylindrée, alim. | V6 3,5 litres atmos. |
| Puissance / Couple | 311 ch / 280 lb-pi |
| Tr. base (opt) / Rouage base (opt) | A6 / Int |
| 0-100 / 80-120 / V. max | 5,9 s (est) / 4,4 s (est) / 230 km/h (c) |
| Type / ville / route / $CO_2$ | Sup / 12,2 / 9,0 / 253 g/km |

**IS 500**

| | |
|---|---|
| Cylindrée, alim. | V8 5,0 litres atmos. |
| Puissance / Couple | 472 ch / 395 lb-pi |
| Tr. base (opt) / Rouage base (opt) | A8 / Prop |
| 0-100 / 80-120 / V. max | 4,6 s (c) / 3,5 s (est) / n.d. |
| Type / ville / route / $CO_2$ | Sup / 14,5 / 9,8 / 287 g/km (est) |

**+** Excellente fiabilité •
Qualité de la finition •
Comportement routier sûr
et prévisible

**–** Conduite aseptisée •
Interface déficiente •
Pas de version hybride

Photos : Lexus

**HYBRIDE**

**Prix:** 103 550$ à 122 500$ (2021)
**Transport et prép.:** 2 115$
**Catégorie:** Sportives de luxe
**Garanties:** 4/80, 6/110
**Assemblage:** Japon

**Ventes**
Québec 2020
**11**

83%

Canada 2020
**107**

44%

|  | LC 500 | LC 500h | LC 500 Décap. |
|---|---|---|---|
| **PDSF** | 103 550$ | 119 400$ | 122 500$ |
| **Loc.** | 1 919$ • 5,50% | 2 253$ • 5,50% | 2 257$ • 5,50% |
| **Fin.** | 2 260$ • 4,20% | 2 597$ • 4,20% | 2 663$ • 4,20% |

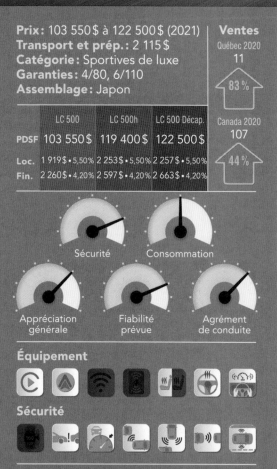

Sécurité  Consommation

Appréciation générale  Fiabilité prévue  Agrément de conduite

**Équipement**

**Sécurité**

**Concurrents**
BMW Série 8, Jaguar F-TYPE,
Mercedes-Benz SL, Polestar 1, Porsche 911

**Nouveau en 2022**
Aucun changement majeur annoncé
au moment de mettre sous presse.

# Un paradigme nommé désir

Jacques Bienvenue

Il fut un temps où la cylindrée du moteur déterminait le niveau de prestige d'un véhicule. Plus, c'était mieux. Les considérations environnementalistes ont inversé cette philosophie. Maintenant, pour bien des créneaux, moins c'est mieux. Tous les créneaux? Non. Pour le haut de gamme, on maintient les références d'antan, même si certains fabricants s'affairent à teinter d'un vert écolo leurs modèles.

La Lexus LC l'illustre bien. Lancée en 2017, elle a comblé un vide engendré par le retrait, en 2010, de la Lexus SC, un coupé-cabriolet en manque de panache. En troquant un *Sport Coupé* pour un *Luxury Coupé*, Lexus a mieux défini, la mission de son porte-étendard. Désormais, l'élégance s'allie habilement à la performance et au raffinement, un constat qui se confirme davantage avec la décapotable.

La joie de voyager à l'air libre dans un habitacle somptueux et climatisé explique sûrement l'engouement à son égard. Mais il faut savoir que cette décapotable est un modèle en soi. Des renforts structurels ajoutés à sa plateforme ont ajouté la rigidité souhaitée pour maintenir stabilité et réactivité. On a aussi prévu une calibration distincte pour les amortisseurs adaptatifs, compte tenu de la répartition différente d'un poids supérieur.

## LE PLAISIR DE SENTIR LE VENT

Le toit souple fait toute la différence. Une fois en place, il ne gâche nullement la silhouette équilibrée de la LC. Puis, la simple pression d'un bouton suffit pour amorcer un élégant ballet mécanique de la capote coordonné avec les vitres latérales et le panneau qui va la recouvrir. Quinze secondes et le tour est joué. Ses concepteurs ont même prévu un système permettant à la capote d'être abaissée ou relevée (en une seconde de plus) en roulant jusqu'à 50 km/h. On n'a pas oublié, non plus, la chaîne audio, digne de mélomanes, dotée d'un égaliseur l'ajustant à l'environnement de conduite, qu'on soit à ciel ouvert ou non.

La décapotable et le coupé LC 500 partagent un puissant V8 atmosphérique mis au point avec Yamaha. Ce moteur de 5 litres produit 471 chevaux que transmet aux roues arrière une boîte de vitesses à 10 rapports à l'action progressive et discrète. C'est une force vive capable de propulser l'élégante Lexus à 100 km/h en 5,4 secondes mesurées.

Avec ce moteur, la LC se compare favorablement à une SL de Mercedes-Benz ou une M850i de BMW. Pas à une AMG ou une M8, non. Chez Lexus, on n'a pas dilué l'image de marque du porte-étendard en créant une « LC F », une variante vouée à la performance comme le coupé RC F. Et c'est mieux ainsi. Une transformation pareille contredirait le sens de l'acronyme LC.

## UNE VERSION « VERTE »

Pour aligner cette Lexus sur son époque, dès ses débuts, on a offert l'option d'une motorisation électrifiée. Une hybride de haut rang. Voilà la meilleure façon de décrire la LC 500h. Sa motorisation mixte, réservée au coupé, est cependant plus sophistiquée que celle d'une Prius. Elle réunit un V6 de 3,5 litres à cycle Atkinson à deux moteurs/générateurs électriques. Semblable au groupe hybride de l'utilitaire RX, celui de la LC livre plus de puissance. Ce sont 354 chevaux qui parviennent aux roues arrière par un tandem de boîtes de vitesses automatiques : une à variation continue et l'autre à 4 rapports. Ensemble, elles allient douceur d'opération et performance selon l'usage que fait le conducteur de sa voiture. Il peut aussi choisir d'exploiter cette horde de chevaux avec le mode manuel commandé par des palettes fixées au volant. L'agrément est assuré ! On s'étonnera, par ailleurs, d'apprendre que ce système hybride, destiné d'abord à fournir une assistance électrique à basse vitesse, permet néanmoins à la LC 500h de se déplacer en propulsion électrique brièvement même à 140 km/h !

Quel pourcentage d'acheteur choisit cette motorisation verte ? Le constructeur ne révèle pas cette information. De toute façon, pour cette voiture d'exception que choisissent chaque année une centaine de Canadiens fortunés, elle serait futile. L'ampleur de la popularité de la décapotable a plus d'importance. En 2020, près de 60 % des acheteurs l'ont préférée au coupé. De plus, au moment d'écrire ces lignes, nos sources chez Lexus Canada estimaient qu'elle serait encore plus populaire en 2021. Or, puisque la motorisation hybride n'est pas offerte pour la décapotable, on peut en déduire que la grande majorité des acheteurs préfère le V8, que ce soit pour les performances ou simplement parce qu'il correspond mieux à l'image de prestige qu'on prête à cette voiture.

Chez Toyota, la popularité du cabriolet semble aussi confirmer l'importance qu'attache la clientèle visée à ce type de carrosserie. De toute évidence, c'est une composante de ce paradigme nommé désir.

### Données principales

| | |
|---|---|
| Emp. / lon. / lar. / haut. | **Coupé** - 2 870 / 4 760 / 1 920 / 1 345 mm |
| | **Cabriolet** - 2 870 / 4 760 / 1 920 / 1 350 mm |
| Coffre / réservoir | **LC 500 Coupé** - 153 litres / 82 litres |
| | **LC 500h** - 132 litres / 84 litres |
| | **Cabriolet** - 96 litres / 82 litres |
| Nombre de passagers | 4 |
| Suspension av. / arr. | ind., multibras / ind., multibras |
| Pneus avant / arrière | **LC 500 Coupé** - P245/45R20 / P275/40R20 |
| | **LC 500 Cabriolet, LC 500h** - P245/40R21 / P275/35R21 |
| Poids / Cap. de remorquage | **Coupé** - 1 969 à 2 130 kg / non recommandé |
| | **Cabriolet** - 2 059 kg / non recommandé |

### Composantes mécaniques

**LC 500**

| | |
|---|---|
| Cylindrée, alim. | V8 5,0 litres atmos. |
| Puissance / Couple | 471 ch / 398 lb-pi |
| Tr. base (opt) / Rouage base (opt) | A10 / Prop |
| 0-100 / 80-120 / V. max | 5,4 s (m) / 4,3 s (m) / 270 km/h (c) |
| 100-0 km/h | 37,1 m (m) |
| Type / ville / route / CO₂ | **Coupé** - Sup / 15,1 / 9,6 / 294 g/km |
| | **Cabriolet** - Sup / 16,0 / 9,5 / 304 g/km |

**LC 500H**

| | |
|---|---|
| Cylindrée, alim. | V6 3,5 litres atmos. |
| Puissance / Couple | 295 ch / 257 lb-pi |
| Tr. base (opt) / Rouage base (opt) | CVT + A4 / Prop |
| 0-100 / 80-120 / V. max | 5,4 s (m) / 4,4 s (m) / 250 km/h (c) |
| 100-0 km/h | 40,6 m (m) |
| Type / ville / route / CO₂ | Sup / 9,0 / 7,1 / 189 g/km |
| Puissance combinée | 354 ch |

**MOTEUR ÉLECTRIQUE**

| | |
|---|---|
| Puissance / Couple | **Arr (2x)** - 177 ch (132 kW) / 221 lb-pi |
| Type de batterie / Énergie | Lithium-ion (Li-ion) / 1,1 kWh |

**+** Conduite très agréable • Motorisations performantes • Finition soignée

**—** Lunette réduite (décapotable) • Très petit coffre • Sièges arrière symboliques

Photos : Lexus

HYBRIDE

**Prix:** 104 750 $ à 133 900 $ (2021)
**Transport et prép.:** 2 115 $
**Catégorie:** Gr. berlines de luxe
**Garanties:** 4/80, 6/110
**Assemblage:** Japon

**Ventes**
Québec 2020
**2**
⬇ 80 %

Canada 2020
**24**
⬇ 65 %

|  | LS 500 | LS 500h |
|---|---|---|
| **PDSF** | 104 750 $ | 133 900 $ |
| **Loc.** | 1 837 $ • 3,90 % | 2 450 $ • 3,90 % |
| **Fin.** | 2 268 $ • 3,90 % | 2 884 $ • 3,90 % |

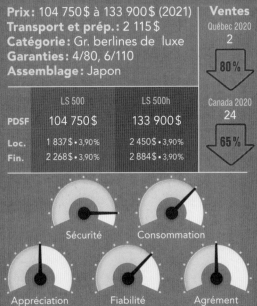

Sécurité    Consommation

Appréciation générale    Fiabilité prévue    Agrément de conduite

## Équipement

## Sécurité

## Concurrents

Audi A8, BMW Série 7, Genesis G90, Karma GS-6/Revero, Maserati Quattroporte, Mercedes-Benz Classe S, Porsche Panamera, Tesla Model S

## Nouveau en 2022

Aucun changement majeur annoncé au moment de mettre sous presse.

# Toujours là ?

Antoine Joubert

Il y a deux ans, Lexus abandonnait sa berline GS, rivale de la BMW Série 5 et de la Mercedes-Benz Classe E. Une voiture efficace, mais perdue dans un marché où les manufacturiers japonais n'ont pas su évoluer. Idem pour le segment des grandes berlines de luxe, qui appartient incontestablement aux constructeurs allemands. Ainsi, comment expliquer la survie d'une Lexus LS, que les concessionnaires n'osent même plus commander, faute d'acheteurs?

Imaginez, à peine 24 ventes à l'échelle nationale l'an dernier, et seulement deux dans la Belle Province! Bien sûr, ces quelques acheteurs peuvent se vanter de conduire une automobile très rare, et qui n'est certainement pas dépourvue de qualités. Parce qu'il est évident que les chiffres de ventes ne s'expliquent pas par l'absence de talent de cette Lexus.

Il faut en fait comprendre que le marché des grandes berlines est en chute libre, qu'importe le constructeur, et particulièrement au Canada. Même Mercedes-Benz observe une très forte transition d'acheteurs vers de gros VUS ou des sportives. Alors, ne soyez pas étonnés de constater des ventes plus importantes pour la gamme LC de Lexus (quoique toujours symboliques), proposant désormais coupé et cabriolet.

### ÉLÉGANCE RELATIVE

À son arrivée en 1989, la Lexus LS révolutionnait littéralement le marché de la grande berline. D'abord, parce qu'il s'agissait de la première voiture asiatique du genre, ensuite parce que ses lignes modernes ne pouvaient que plaire à quiconque s'intéressait à ce genre de véhicule. La presse spécialisée évoquait même un coup de poing au visage de Mercedes-Benz, assené par cette Lexus qui avait mérité d'innombrables prix et éloges.

Aux États-Unis, pas moins de 42 806 Lexus LS avaient d'ailleurs trouvé preneur à sa première année de commercialisation, les ventes n'ayant jamais été aussi impressionnantes par la suite. Dommage que les stylistes de Lexus n'aient pas su faire perdurer cette image avec la LS, avec à peine 3 600 ventes en 2020 chez nos voisins du Sud. Il faut dire que cette dernière génération de la LS, introduite en 2018, propose une ligne nettement plus polarisante que par le passé, et qui ne plaît sûrement pas à tous les acheteurs. Un

design plus chargé, fortement ciselé, auquel se greffe cette disgracieuse calandre malheureusement si chère à Lexus.

Affichant une superbe finition, l'habitacle de la LS impressionne d'abord par le confort de ses sièges. À l'avant, par ces fauteuils desquels on ne souhaite tout simplement plus se relever, et qui nous font immédiatement rêver à un trajet Montréal-Fort Lauderdale. Puis, à l'arrière, par ces baquets inclinables offerts avec l'ensemble Exécutif, qui pourrait aussi vous inciter à employer un chauffeur. Parce qu'évidemment, celui-ci ne fait pas partie du catalogue des options de Lexus !

Sans parler d'une incomparable expérience sensorielle, il est indéniable que cet habitacle nous en met plein la vue au chapitre de la finition, du confort, comme de la technologie. Hélas, la complexité d'utilisation du système d'infodivertissement demeure un irritant majeur. Un système que Lexus baptise *Remote Touch* et qui oblige le conducteur à avoir recours à un pavé tactile ultra sensible et difficile à opérer, surtout sur une route dégradée. Un désagrément tel qu'il pourrait à lui seul expliquer qu'un acheteur rebrousse chemin.

### HYBRIDE, PARCE QU'IL LE FALLAIT

Réputé pour ses avancées technologiques en matière de motorisation hybride, Lexus à logiquement greffer cette technologie à son porte-étendard. Un exercice qui n'impressionne pas du tout, puisqu'en fin de compte, vous économiserez à peine 20 % d'essence, au prix de performances décevantes et d'un manque flagrant de raffinement. L'option la plus viable demeure le V6 biturbo de 3,5 litres d'une LS 500 disponible avec de multiples groupes d'options. Parmi eux, l'ensemble *F SPORT* laissant présager de meilleures performances routières, ce qui n'est toutefois guère le cas. En fait, telle n'est pas la vocation de cette berline, qui cherche d'abord à vous offrir le confort le plus exceptionnel qui soit. Et à ce compte, elle remplit son mandat avec brio.

Au volant, vous n'aurez donc tout simplement pas envie de sélectionner un autre mode de conduite que celui qui vous berce en vous isolant du monde extérieur. Et si l'envie d'une berline un tant soit peu dynamique vous guette, jetez immédiatement votre dévolu sur une voiture allemande. Certes, moins fiable et plus coûteuse à l'entretien, mais qui vous procurera de bien meilleures sensations de conduite.

## Données principales

| | |
|---|---|
| Emp. / lon. / lar. / haut. | 3 125 / 5 235 / 1 900 / 1 460 mm |
| Coffre / réservoir | **LS 500** - 481 litres / 82 litres |
| | **LS 500h** - 430 litres / 84 litres |
| Nombre de passagers | 5 |
| Suspension av. / arr. | ind., multibras / ind., multibras |
| Pneus avant / arrière | P245/50R19 / P245/50R19 |
| Poids / Capacité de remorquage | 2 225 kg / non recommandé |

## Composantes mécaniques

### LS 500

| | |
|---|---|
| Cylindrée, alim. | V6 3,5 litres turbo |
| Puissance / Couple | 416 ch / 442 lb-pi |
| Tr. base (opt) / Rouage base (opt) | A10 / Int |
| 0-100 / 80-120 / V. max | 5,4 s (c) / 4,3 s (est) / 220 km/h (c) |
| Type / ville / route / $CO_2$ | Sup / 13,8 / 8,7 / 269 g/km |

### LS 500H

| | |
|---|---|
| Cylindrée, alim. | V6 3,5 litres atmos. |
| Puissance / Couple | 295 ch / 258 lb-pi |
| Tr. base (opt) / Rouage base (opt) | CVT + A4 / Int |
| 0-100 / 80-120 / V. max | 5,5 s (c) / 4,4 s (est) / 220 km/h (c) |
| Type / ville / route / $CO_2$ | Sup / 10,1 / 8,1 / 213 g/km |
| Puissance combinée | 354 ch |

### MOTEUR ÉLECTRIQUE

| | |
|---|---|
| Puissance / Couple | 177 ch (132 kW) / 221 lb-pi |
| Type de batterie | Lithium-ion (Li-ion) |
| Énergie | 1,1 kWh |

**+** Qualité de fabrication et fiabilité • Finition de haut niveau • Confort exceptionnel • Moteur V6 biturbo bien adapté

**—** Version LS 500h décevante et coûteuse • Système Remote Touch enrageant • Habiletés routières quelconques • Forte dépréciation à prévoir

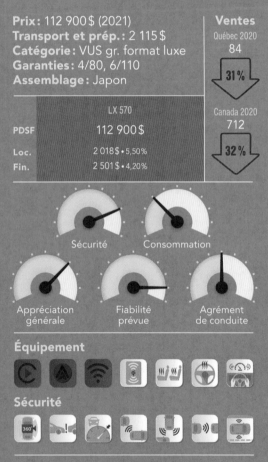

**Prix :** 112 900 $ (2021)
**Transport et prép. :** 2 115 $
**Catégorie :** VUS gr. format luxe
**Garanties :** 4/80, 6/110
**Assemblage :** Japon

**Ventes**
Québec 2020
84
▽ 31 %

Canada 2020
712
▽ 32 %

|  | LX 570 |
|---|---|
| PDSF | 112 900 $ |
| Loc. | 2 018 $ • 5,50 % |
| Fin. | 2 501 $ • 4,20 % |

Sécurité — Consommation

Appréciation générale — Fiabilité prévue — Agrément de conduite

**Équipement**

**Sécurité**

**Concurrents**
BMW X7, Cadillac Escalade,
Infiniti QX80, Jeep Grand Wagoneer,
Land Rover Range Rover, Lincoln Navigator,
Mercedes-Benz GLS

**Nouveau en 2022**
Aucun changement majeur annoncé
au moment de mettre sous presse.
Nouvelle génération du modèle en approche.

# Duplicata de luxe

Jean-François Guay

**S**i vous recherchez un VUS de luxe à sept passagers qu'aucun voisin ou beau-frère ne possède dans son entrée de garage, voici un modèle à considérer. En effet, le Lexus LX est sans conteste l'un des VUS les moins répandus au Québec avec des ventes qui ne dépassent pas une centaine d'unités par année. Qui plus est, le LX ne se classe guère mieux dans le reste du Canada et aux États-Unis où il est battu à plate couture par des véhicules aguerris comme le Cadillac Escalade, le Lincoln Navigator ou le Mercedes-Benz GLS.

À sa défense, il faut mentionner que le design, le châssis, la mécanique et les technologies embarquées de ses rivaux ont été rajeunis au cours des dernières années. Depuis 2007, le LX s'est contenté de retouches esthétiques et mécaniques. C'est tout dire ! Cependant, les choses pourraient changer puisqu'une nouvelle génération serait en préparation.

Au cas où vous l'ignoriez, le Lexus LX est un Toyota Land Cruiser endimanché. On se rappellera que le Land Cruiser a été vendu au Canada jusqu'à la fin des années 1980. D'ailleurs, il était encore offert en commande spéciale aux Canadiens, qui en ont acheté 300 exemplaires en 2020. Quant au Lexus LX, un peu plus de 700 exemplaires ont trouvé preneur au pays en 2020 avec un prix d'environ 112 000 $ avant options. Ce prix est astronomique par rapport à des modèles comme l'Infiniti QX80 et le GMC Yukon Denali dont les tarifs commencent à environ 80 000 $.

### UN NOUVEAU LEXUS LX

Il y a de grandes chances que la future génération du LX soit dévoilée au cours de la prochaine année puisque Toyota vient tout juste de présenter en première mondiale le nouveau Land Cruiser qui a fêté en 2021 son 70e anniversaire. Le Lexus LX a pour sa part été introduit en 1995 sur les bases de la sixième génération du Land Cruiser et propose des capacités hors route similaires et un côté baroudeur relativement unique dans son segment.

Comme les générations antérieures, le nouveau LX partagera ses éléments avec son frère chez Toyota, dont la plate-forme TNGA-F qui conserve une structure de cadre. À cet égard, le châssis et l'ensemble de la structure ont été rigidifiés et le poids a été réduit. Parmi les autres détails, la répartition des masses entre les essieux avant et arrière est mieux équilibrée et le centre

de gravité a été abaissé. Nul doute que ces modifications amélioreront la tenue de route dans les virages et la tenue de cap à vitesse d'autoroute.

Afin de rehausser ses aptitudes en conduite hors route, la robustesse de la suspension et le diamètre de braquage ont été perfectionnés tandis que les dimensions du véhicule — l'empattement, la longueur, la largeur et les angles d'approche, de rampe et de sortie — demeurent presque identiques au modèle précédent. On retrouve également une nouvelle suspension dynamique cinétique à réglages électroniques (e-KDSS) capable d'augmenter le débattement et de désactiver les barres stabilisatrices avant et arrière. En plus, un nouveau moniteur multiterrain affiche instantanément les obstacles autour et sous le véhicule.

### RUMEURS...

Au moment d'écrire ces lignes, aucune information n'avait transpiré concernant la motorisation. D'une part, il serait surprenant que le LX hérite du moteur turbodiesel de 3,3 litres qui équipe le Land Cruiser sur certains marchés. D'autre part, il serait illogique qu'il conserve le vieux V8 de 5,7 litres, quoique certaines rumeurs vont en ce sens. Toutefois, il est plausible que le moteur soit un nouveau V6 biturbo de 3,5 litres développant plus de 400 chevaux et presque 500 lb-pi de couple.

Ce dernier serait arrimé à une boîte automatique à 10 rapports en remplacement de la boîte à huit vitesses. Pour se différencier davantage du Land Cruiser, le LX pourrait aussi accueillir un V8 biturbo à essence de 4 litres qui sera inauguré dans la berline LS F et le coupé LC F. L'arrivée d'un tel engin permettrait au LX de donner la réplique à des modèles comme le Mercedes-AMG GLS 63 et le Range Rover Sport SVR.

Bien entendu, le LX se distingue du Land Cruiser en ayant une carrosserie et un habitacle différents même si les quatre portes et le toit demeurent communs aux deux modèles. Il va sans dire que l'immense calandre fuselée avec un effet tridimensionnel sera de retour pour la prochaine génération. Par contre, le design de celle-ci devrait être raffiné en fonction du style inauguré par son petit frère NX, qui intègre finement les phares dans la partie avant. En outre, de nouvelles jantes s'ajouteront probablement au catalogue.

## Données principales

| | |
|---|---|
| Emp. / lon. / lar. / haut. | 2 850 / 5 081 / 1 982 / 1 910 mm |
| Coffre / réservoir | 462 à 2 302 litres / 93 litres |
| Nombre de passagers | 8 |
| Suspension av. / arr. | ind., double triangulation / essieu rigide, multibras |
| Pneus avant / arrière | P275/50R21 / P275/50R21 |
| Poids / Capacité de remorquage | 2 680 kg / 3 175 kg (7 000 lb) |

## Composantes mécaniques

| | |
|---|---|
| Cylindrée, alim. | V8 5,7 litres atmos. |
| Puissance / Couple | 383 ch / 403 lb-pi |
| Tr. base (opt) / Rouage base (opt) | A8 / Int |
| 0-100 / 80-120 / V. max | 7,6 s (est) / 5,7 s (est) / 220 km/h (c) |
| 100-0 km/h | 42,6 m (est) |
| Type / ville / route / $CO_2$ | Sup / 19,2 / 14,3 / 395 g/km |

**+** Confort et silence de roulement • Capacités hors route accrues • Consommation à la baisse

**–** Tarifs élevés • Diffusion limitée • Valeur de revente

Photos : Lexus

**Prix:** 44 000 $ à 53 000 $ (estimé)
**Transport et prép.:** 2 115 $
**Catégorie:** VUS compacts luxe
**Garanties:** 4/80, 6/110
**Assemblage:** Canada, Japon

**Ventes**
Québec 2020
924
↓ 23 %

|  | NX 250 | NX 350h | NX 450h+ |
|---|---|---|---|
| **PDSF** | 44 000 $ | 50 000 $ | 53 000 $ |
| **Loc.** | n.d. | n.d. | n.d. |
| **Fin.** | 999 $ • 4,90% | 1 128 $ • 4,90% | 1 193 $ • 4,90% |

Canada 2020
6 144
↓ 19 %

Infos n.d.
**Sécurité**

Infos n.d.
**Consommation**

Infos n.d.
**Appréciation générale**

Infos n.d.
**Fiabilité prévue**

Infos n.d.
**Agrément de conduite**

**Équipement**

**Sécurité**

**Concurrents**

Acura RDX, Audi Q5, BMW X3/X4,
Buick Envision, Cadillac XT5,
Infiniti QX50/QX55, Land Rover Discovery
Sport/Evoque, Lincoln Corsair,
Mercedes-Benz GLC, Volvo XC60

**Nouveau en 2022**

Nouvelle génération du modèle.

# Plus électrifié que jamais

Jacques Bienvenue

**N**imble Crossover. Voilà comment la filiale britannique de Toyota définit l'acronyme du Lexus NX. Cette métaphore, qui se traduit par «multisegment agile», décrit adéquatement cet utilitaire compact de luxe devenu un favori de la marque à l'échelle planétaire.

Présent au Canada depuis décembre 2014, il talonne les grands favoris de son créneau: la Sainte Trinité allemande (Audi Q5, BMW X3/X4 et Mercedes-Benz GLC) et l'Acura RDX. Pour ravir une part de leur clientèle, la nouvelle génération du NX mise sur une carrosserie modernisée, un poste de pilotage sophistiqué et un grand choix de motorisations, dont une hybride branchable.

### UNE FORME QUI ÉVOLUE

On comprend que le constructeur n'a pas voulu changer radicalement l'allure de ce modèle populaire, même si 95% de ses pièces sont nouvelles. On a donc modernisé sa silhouette aux courbes fines pour faire le pont avec la version antérieure. Des voies plus larges et l'empattement allongé de sa plateforme TNGA-K ajoutent au dynamisme des formes, alors que des passages de roue saillants permettent aux nouvelles versions *F SPORT* d'avoir des roues de 20 pouces.

À l'avant, la calandre a toujours une forme de sablier, mais sa partie supérieure raccourcie, sa courbure et ses maillons en U donnent l'impression qu'on le voit en contre-plongée, ce qui met en valeur le capot allongé. À l'arrière, des optiques en forme de «L» encadrent une large bande lumineuse dominant le nom Lexus affiché en grosses lettres, une façon de faire qui se généralise dans l'industrie.

L'habitacle de bonnes dimensions bénéficie de places arrière légèrement plus accueillantes et d'un coffre modulable. L'aménagement intérieur repensé place le conducteur face à un écran de 7 pouces et à un affichage «tête haute» de 10 pouces, deux premières pour le NX. À cela s'ajoute, sur sa droite, un écran tactile orienté vers la gauche pour faciliter l'accès aux fonctions du système multimédia et des autres commandes.

L'écran livré de série fait 9,8 pouces, mais le modèle optionnel s'étend sur 14 pouces de diagonale. De plus, on dénote l'absence quasi complète

de commutateurs classiques. Il ne reste que trois commandes rotatives, pour les deux zones de climatisation et le volume du système audio, et deux boutons-pression, pour le désembueur et les dégivreurs. Certes, le coup d'œil est spectaculaire, néanmoins, pour minimiser les risques de distraction qu'engendrent les commandes tactiles, le constructeur a prévu un «assistant virtuel» répondant aux commandes vocales.

### PREMIER HYBRIDE BRANCHABLE

Maintenant assemblé à l'usine Toyota de Cambridge, en Ontario, le NX offre le choix de quatre motorisations pour des modèles ayant tous quatre roues motrices. La déclinaison d'entrée de gamme, le NX 250, ainsi que le NX 350, mieux équipé, renferment des 4 cylindres classiques. Le premier est muni d'un moteur atmosphérique de 2,5 litres et 203 chevaux, alors que le second brille par les 275 chevaux de son moteur turbo de 2,4 litres.

L'attention des acheteurs sera cependant braquée sur les variantes hybrides, à commencer par le NX 350h, celui pour lequel Toyota Canada prévoit la demande la plus forte. Cet hybride non branchable est doté d'une batterie lithium-ion, logée sous la banquette arrière, sans affecter le confort des passagers ou la polyvalence du coffre.

Le NX 450h+, à moteur hybride enfichable suscitera sûrement beaucoup d'intérêt. Sa batterie au lithium-ion de 18,1 kWh (la même que celle du Toyota RAV4 Prime), lui donnerait une autonomie de 58 km en mode tout électrique. De plus, deux heures et demie environ suffiraient pour recharger le véhicule avec une borne de niveau 2 et un chargeur embarqué de 6,6 kW.

Ces deux hybrides partagent le même 4 cylindres atmosphérique de 2,5 litres à cycle Atkinson. Par contre, leurs moteurs électriques avant et arrière sont différents. Plus puissants, ceux du NX 450h+ livrent une puissance nette de 302 chevaux avec le moteur thermique, assez pour abattre le 0 à 100 km/h en 6,2 secondes, selon Lexus. Le NX 350h ferait de même en 7,4 secondes. Enfin, sachez que le NX est doté d'un ensemble de dispositifs d'aide à la conduite complet et profitera d'un habitacle mieux insonorisé, pour lequel un toit ouvrant panoramique est offert pour la première fois.

| Données principales | |
|---|---|
| Emp. / lon. / lar. / haut. | 2 690 / 4 660 / 1 865 / 1 640 mm |
| Coffre / réservoir | n.d. / 55 litres |
| Nombre de passagers | 5 |
| Suspension av. / arr. | ind., jambes force / ind., double triangulation |

### Composantes mécaniques

**NX 250**

| | |
|---|---|
| Cylindrée, alim. | 4L 2,5 litres atmos. |
| Puissance / Couple | 203 ch / 184 lb-pi |
| Tr. base (opt) / Rouage base (opt) | A8 / Int |
| 0-100 / 80-120 / V. max | 8,8 s (c) / 6,4 s (est) / n.d. |
| Type / ville / route / CO2 | Ord / 8,9 / 7,2 / 190 g/km (est) |

**NX 350**

| | |
|---|---|
| Cylindrée, alim. | 4L 2,4 litres turbo |
| Puissance / Couple | 275 ch / 317 lb-pi |
| Tr. base (opt) / Rouage base (opt) | A8 / Int |
| 0-100 / 80-120 / V. max | 7,0 s (c) / 5,3 s (est) / n.d. |
| Type / ville / route / CO2 | n.d. / 10,3 / 8,2 / 218 g/km (est) |

**NX 350H**

| | |
|---|---|
| Cylindrée, alim. | 4L 2,5 litres atmos. + 2 moteurs électriques |
| Puissance combinée | 239 ch |
| Tr. base (opt) / Rouage base (opt) | CVT / Int |
| 0-100 / 80-120 / V. max | 7,4 s (c) / 5,6 s (est) / n.d. |
| Type / ville / route / CO2 | n.d. / 6,2 / 6,8 / 153 g/km (est) |
| Type de batterie | Lithium-ion (Li-ion) |

**NX 450H+**

| | |
|---|---|
| Cylindrée, alim. | 4L 2,5 litres atmos. + 2 moteurs électriques |
| Puissance combinée | 302 ch |
| Tr. base (opt) / Rouage base (opt) | CVT / Int |
| 0-100 / 80-120 / V. max | 6,2 s (c) / 4,4 s (est) /n.d. |
| Type / ville / route / CO2 | n.d. / 6,1 / 6,9 / 61 g/km (est) |
| Type de batterie / Énergie | Lithium-ion (Li-ion) / 18,1 kWh |
| Temps de charge (240V) | 2,5 h |
| Autonomie | 58 km (est) |

+ Nouvelle version hybride branchable attrayante • Intérieur spacieux et polyvalent • Gamme très diversifiée

− Beaucoup de commandes tactiles • Taille réduite de la lunette du hayon

Photos : Lexus

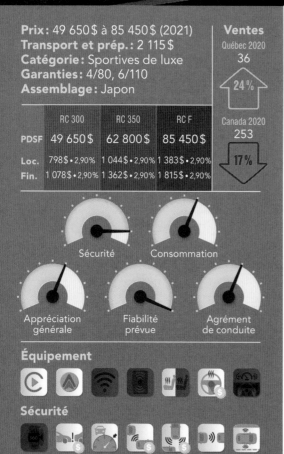

**Prix :** 49 650 $ à 85 450 $ (2021)
**Transport et prép. :** 2 115 $
**Catégorie :** Sportives de luxe
**Garanties :** 4/80, 6/110
**Assemblage :** Japon

**Ventes**
Québec 2020
36
↑ 24 %

Canada 2020
253
↓ 17 %

|  | RC 300 | RC 350 | RC F |
|---|---|---|---|
| **PDSF** | 49 650 $ | 62 800 $ | 85 450 $ |
| **Loc.** | 798 $ • 2,90 % | 1 044 $ • 2,90 % | 1 383 $ • 2,90 % |
| **Fin.** | 1 078 $ • 2,90 % | 1 362 $ • 2,90 % | 1 815 $ • 2,90 % |

Sécurité — Consommation

Appréciation générale — Fiabilité prévue — Agrément de conduite

**Équipement**

**Sécurité**

**Concurrents**
Audi A5, BMW Série 4, Infiniti Q60,
Jaguar F-TYPE, Mercedes-Benz Classe C,
Nissan Z, Porsche 718

**Nouveau en 2022**
Aucun changement majeur annoncé
au moment de mettre sous presse.

# Éternelle figurante

Frédéric Mercier

Lancée en 2015, la Lexus RC n'a jamais réussi à s'imposer dans le créneau très niché des voitures sportives de luxe. En constante baisse, ses ventes ont atteint un triste creux en 2020 avec seulement 253 preneurs dans le Canada entier. On aura beau blâmer la pandémie, reste que tous ses concurrents directs s'en sont mieux sortis...

Comment expliquer un tel désintérêt de la part des consommateurs envers la Lexus RC ? Après tout, le bolide a de la gueule et son V6 de 3,5 litres est à la fois fiable et plutôt performant. Cependant, les acheteurs de véhicules de ce genre écoutent souvent leur cœur avant leur tête. Et Lexus n'a pas encore réussi à égaler l'expérience de conduite que procurent les constructeurs allemands, Audi et BMW en tête, avec leurs excellentes A5 et Série 4.

**TOUTE UNE GUEULE**
Le moins que l'on puisse dire, c'est que Lexus a pesé fort sur le crayon quand est venu le temps de dessiner la RC. Même s'il n'a pas été renouvelé depuis sept ans, le bolide japonais s'avère toujours aussi spectaculaire, comme en ont témoigné les pouces en l'air et les regards admiratifs reçus lors de notre période d'essai. Bien sûr, il faut aimer cette énorme grille de calandre de type sablier à l'avant, ce qui n'est pas le cas de tous. De profil, la ligne fuyante donne une impression de mouvement, même quand le véhicule est stationné. Du beau boulot de la part des designers.

À l'intérieur, toutefois, le charme opère pas mal moins. Dès qu'on prend place à bord, on est confronté à un habitacle un peu vieillot et surtout, beaucoup trop chargé. Les boutons sont partout et l'on ne sait plus trop où donner de la tête, ne serait-ce que pour changer de station de radio. Le système d'infodivertissement est affiché sur un écran placé bien loin du poste de conduite et que l'on doit contrôler à l'aide d'un pavé tactile apposé sur la console centrale. On l'a souvent répété, ce système est l'un des plus mal foutus de toute l'industrie automobile. Même après une période d'adaptation, son utilisation demeure laborieuse, voire dangereuse tant elle requiert l'attention du conducteur.

Au poste de pilotage, on apprécie le support du siège, qui offre tout de même un confort étonnant pour une voiture dont la vocation demeure avant tout sportive. Le volant, bien qu'un peu trop gros, se prend bien en

main et est relié à une direction ferme et communicative. Dans la Lexus RC, on apprécie donc la sportivité dans un certain confort... ce qui n'est pas le cas de tous les modèles de cette catégorie !

### UN V6 GOURMAND, MAIS EFFICACE

Toutes les Lexus RC vendues au Canada sont livrées de série avec un rouage à quatre roues motrices, à l'exception de la très exclusive RC F, une voiture pensée pour la piste et animée par un monstrueux V8 de 472 chevaux. Si ce modèle rarissime et drôlement dispendieux vous intéresse, on vous invite à consulter notre match comparatif des sportives au début de cet ouvrage, où nous l'avons mis en compétition face aux célèbres Chevrolet Corvette et Porsche 911.

Mis à part la RC F, toutes les autres Lexus RC sont animées par un moteur V6 de 3,5 litres. Or, ce moteur affiche une puissance différente selon la version choisie. Le modèle d'entrée de gamme RC 300 propose une cavalerie limitée à 260 chevaux, ce qui est comparable à la puissance des moteurs à 4 cylindres de rivales comme l'Audi A5 et la BMW Série 4. En optant pour la RC 350, on passe soudainement à 311 équidés, comme par magie. Pour un maximum de plaisir au volant, il s'agit du modèle à choisir. Les performances du V6 permettent alors de jolies prouesses, comme en témoigne le chrono de 0 à 100 km/h que nous avons mesuré en 6,4 secondes. Le hic : il faut débourser un supplément de plus de 10 000 $ pour accéder à cette version.

Que vous optiez pour la RC 300 ou la RC 350, le V6 consomme exactement la même quantité d'essence, avec une moyenne combinée ville/route de 10,8 L/100 km. C'est assez élevé pour un véhicule de ce gabarit, et l'on peut rapidement comprendre pourquoi. En plus de ne pas offrir de version d'entrée de gamme avec moteur à 4 cylindres turbo, Lexus s'obstine à conserver une transmission automatique à 6 rapports avec la RC. Cette boîte vieillissante ne réussit pas à aller chercher le meilleur du V6, tant pour ses performances que pour son efficacité énergétique. Pourquoi ne pas utiliser la boîte à 8 rapports qui équipe la RC F ? Peut-être un jour, mais disons que Lexus a l'habitude de prendre son temps...

Parlant de prendre son temps, terminons en spécifiant que la Lexus RC ne reçoit pas de changement majeur cette année, et ce, même si sa jumelle à quatre portes, la berline IS, est arrivée sous une nouvelle génération en 2021. Est-ce que Lexus prépare une nouvelle RC... ou s'apprête-t-on à jeter la serviette ?

| + | − |
|---|---|
| Fiabilité éprouvée • | Intérieur vieillot • |
| Bonne position de conduite • | Système d'infodivertissement |
| Rouage intégral de série | compliqué à utiliser • |
| | Transmission à 6 rapports |
| | dépassée |

Photos : Lexus, Guillaume Fournier

### Données principales

| | |
|---|---|
| Emp. / lon. / lar. / haut. | RC - 2 730 / 4 700 / 1 840 / 1 400 mm |
| | RC F - 2 730 / 4 710 / 1 845 / 1 390 mm |
| Coffre / réservoir | RC - 295 litres / 66 litres |
| | RC F - 286 litres / 66 litres |
| Nombre de passagers | 4 |
| Suspension av. / arr. | ind., double triangulation / ind., multibras |
| Pneus avant / arrière | P235/45R18 / P235/45R18 |
| Poids / Capacité de remorquage | 1 765 kg / non recommandé |

### Composantes mécaniques

**RC 300 TI**

| | |
|---|---|
| Cylindrée, alim. | V6 3,5 litres atmos. |
| Puissance / Couple | 260 ch / 236 lb-pi |
| Tr. base (opt) / Rouage base (opt) | A6 / Int |
| 0-100 / 80-120 / V. max | 6,6 s (est) / 4,6 s (est) / 209 km/h (c) |
| Type / ville / route / CO$_2$ | Sup / 12,2 / 9,0 / 253 g/km |

**RC 350 TI**

| | |
|---|---|
| Cylindrée, alim. | V6 3,5 litres atmos. |
| Puissance / Couple | 311 ch / 280 lb-pi |
| Tr. base (opt) / Rouage base (opt) | A6 / Int |
| 0-100 / 80-120 / V. max | 6,4 s (m) / 4,3 s (m) / 209 km/h (c) |
| 100-0 km/h | 41,7 m (m) |
| Type / ville / route / CO$_2$ | Sup / 12,2 / 9,0 / 253 g/km |

**RC F**

| | |
|---|---|
| Cylindrée, alim. | V8 5,0 litres atmos. |
| Puissance / Couple | 472 ch / 395 lb-pi |
| Tr. base (opt) / Rouage base (opt) | A8 / Prop |
| 0-100 / 80-120 / V. max | 4,5 s (m) / 2,7 s (m) / 270 km/h (c) |
| 100-0 km/h | 35,9 m (m) |
| Type / ville / route / CO$_2$ | Sup / 14,4 / 9,6 / 285 g/km |

★★★★ COTE DU **GUIDE**

**HYBRIDE**

| | RX 350 | RX 450h | RX 450hL |
|---|---|---|---|
| **PDSF** | 56 650 $ | 59 400 $ | 76 700 $ |
| **Loc.** | 872 $ • 2,90 % | 968 $ • 3,90 % | 1 308 $ • 3,90 % |
| **Fin.** | 1 222 $ • 2,90 % | 1 329 $ • 2,90 % | 1 694 $ • 2,90 % |

**Prix :** 56 650 $ à 76 700 $ (2021)
**Transport et prép. :** 2 115 $
**Catégorie :** VUS interm. de luxe
**Garanties :** 4/80, 6/110
**Assemblage :** Canada

**Ventes**
Québec 2020
839

⬇ 10 %

Canada 2020
7 941

⬇ 10 %

Sécurité   Consommation

Appréciation générale   Fiabilité prévue   Agrément de conduite

**Équipement**

**Sécurité**

**Concurrents**

Acura MDX, Audi Q7, BMW X5, Buick Enclave, Cadillac XT6, Genesis GV80, Infiniti QX60, Jeep Grand Cherokee, Land Rover Discovery, Lincoln Aviator/Nautilus, Mercedes-Benz GLE, Volvo XC90

**Nouveau en 2022**

Nouvelle version Black Line, nouvelles couleurs disponibles pour les modèles F SPORT.

# Vive l'hybride

Germain Goyer

**A**u tournant du millénaire, alors que Mercedes-Benz venait de débarquer avec son ML et que BMW était sur le point d'arriver avec le X5, Lexus lançait à son tour son véhicule utilitaire sport de luxe : le RX. Avec le temps, il s'est bâti une solide réputation de confort, de durabilité, et surtout, de fiabilité. Depuis 2016, le modèle en est à sa quatrième génération et tranquillement, l'effet du temps commence à paraître. Bien qu'il ne soit pas le produit le plus moderne de l'industrie et qu'aucune amélioration majeure ne soit prévue pour 2022, il demeure un choix rationnel et sensé dans la catégorie.

Dans sa version d'entrée de gamme, on livre le Lexus RX 350 avec un moteur V6 atmosphérique de 3,5 litres. Bien connu au sein du groupe Toyota, il incarne l'exemple même de la fiabilité. N'étant pas nécessairement à la fine pointe de la technologie, il propose néanmoins une solution qui procure la paix d'esprit à ceux et celles qui s'en procurent un exemplaire. Développant 295 chevaux (290 dans la version L), cette mécanique s'avère légèrement moins puissante que celle de la déclinaison hybride baptisée RX 450h et dont la puissance combinée grimpe à 308 chevaux. On apprécie d'ailleurs l'élan initial rendu possible par l'électricité. Si la variante à essence a droit à une boîte traditionnelle étagée sur 8 rapports, la version hybride jouit plutôt d'une transmission à variation continue qui accomplit bien son mandat. Au passage, soulignons que le RX est assemblé en Ontario, plus précisément à Cambridge, dans les installations de Lexus.

Le Lexus RX se distingue notamment par son confort général. Non seulement les sièges sont bien conçus, mais il en est de même pour les éléments suspenseurs. Notons également que l'insonorisation, sans reproche, fait partie de ses atouts. Parcourir des centaines de kilomètres d'affilée à son volant n'a rien d'effrayant.

Sur une note un peu moins positive, le constructeur japonais a cru bon d'ajouter, sur la console, un pavé tactile pour naviguer dans les innombrables menus du système d'infodivertissement. Heureusement, l'écran est également tactile. Au quotidien, les manipulations sont maintes fois plus faciles et intuitives de cette manière.

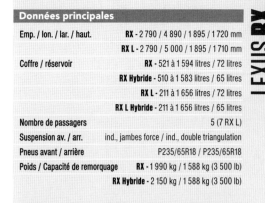
## UN APPÉTIT D'OISEAU, MAIS...

Dans le segment duquel fait partie le Lexus RX, l'hybridation mériterait plus de présence. Lexus en profite, et ce, depuis plusieurs années déjà. Malgré son gabarit relativement imposant, le Lexus RX 450h ne consomme que très peu de carburant. En effet, Ressources naturelles Canada annonce une cote de 7,9 L/100 km en conduite combinée. Au cours de notre essai, nous avons réussi à obtenir une consommation de 8,2 L/100 km, et ce, sans effort particulier. Voilà des données largement inférieures à celles de la concurrence qui propose, dans certains cas, des cylindrées plus petites. Dans la colonne des points négatifs, soulignons que le manufacturier recommande l'essence de type super (niveau d'octane 91), ce qui réduit considérablement les économies réalisées.

Si certains semblaient sceptiques quant à la fiabilité de la technologie hybride lorsque celle-ci est arrivée sur notre marché, il y a une vingtaine d'années, le temps a donné raison à Lexus — et Toyota — de miser sur ce type de motorisation. En plus de permettre d'économiser à la pompe et de procurer un rendement intéressant, elle s'avère immensément fiable.

## UNE VERSION ALLONGÉE INADÉQUATE

Consciente du succès que connaît le RX, Lexus a bonifié son offre en ajoutant au catalogue une variante allongée en 2018. Bien qu'on la décrive comme étant capable d'accueillir jusqu'à sept occupants, cette version n'aurait pas dû dépasser l'étape de la planche à dessin. Non seulement l'accès à la troisième rangée est compliqué, mais ces deux places pourraient difficilement être plus symboliques. On a carrément l'impression de prendre place dans le coffre.

Celui-ci voit d'ailleurs son volume de chargement considérablement réduit dans cette configuration. En revanche, on comprend pourquoi le constructeur japonais fait un pas dans cette direction puisque les plus gros VUS que sont les GX et LX ne sont absolument pas populaires auprès des consommateurs. La déclinaison allongée peut être livrée avec l'une ou l'autre des deux motorisations.

Malheureusement, la version allongée est, elle aussi, dotée de la calandre dont la forme rappelle celle d'un sablier. Ce coup de crayon commence à dater et bien que le produit soit encore solide, convaincant et pertinent, on attend une refonte complète.

| + Fiabilité à toute épreuve • Efficacité de la version hybride • Confort et silence de roulement | − Essence super requise pour la version hybride • Version allongée inutile • Modèle vieillissant |
| --- | --- |

### Données principales

| | |
| --- | --- |
| Emp. / lon. / lar. / haut. | RX - 2 790 / 4 890 / 1 895 / 1 720 mm |
| | RX L - 2 790 / 5 000 / 1 895 / 1 710 mm |
| Coffre / réservoir | RX - 521 à 1 594 litres / 72 litres |
| | RX Hybride - 510 à 1 583 litres / 65 litres |
| | RX L - 211 à 1 656 litres / 72 litres |
| | RX L Hybride - 211 à 1 656 litres / 65 litres |
| Nombre de passagers | 5 (7 RX L) |
| Suspension av. / arr. | ind., jambes force / ind., double triangulation |
| Pneus avant / arrière | P235/65R18 / P235/65R18 |
| Poids / Capacité de remorquage | RX - 1 990 kg / 1 588 kg (3 500 lb) |
| | RX Hybride - 2 150 kg / 1 588 kg (3 500 lb) |

### Composantes mécaniques

**RX 350**

| | |
| --- | --- |
| Cylindrée, alim. | V6 3,5 litres atmos. |
| Puissance / Couple | 295 ch / 267 lb-pi |
| Tr. base (opt) / Rouage base (opt) | A8 / Int |
| 0-100 / 80-120 / V. max | 7,8 s (m) / 6,3 s (m) / 200 km/h (c) |
| 100-0 km/h | 43,4 m (m) |
| Type / ville / route / $CO_2$ | Ord / 12,2 / 9,0 / 252 g/km |

**RX 350 L**

| | |
| --- | --- |
| Cylindrée, alim. | V6 3,5 litres atmos. |
| Puissance / Couple | 290 ch / 263 lb-pi |
| Tr. base (opt) / Rouage base (opt) | A8 / Int |
| 0-100 / 80-120 / V. max | 8,0 s (est) / 6,5 s (est) / 200 km/h (est) |
| 100-0 km/h | 43,8 m (est) |
| Type / ville / route / $CO_2$ | Ord / 13,1 / 9,4 / 268 g/km |

**RX 450H, RX450H L**

| | |
| --- | --- |
| Cylindrée, alim. | V6 3,5 litres atmos. |
| Puissance / Couple | 259 ch / 247 lb-pi |
| Tr. base (opt) / Rouage base (opt) | CVT / Int |
| 0-100 / 80-120 / V. max | 7,9 s (m) / 5,4 s (m) / 180 km/h (c) |
| 100-0 km/h | 43,8 m (m) |
| Type / ville / route / $CO_2$ | RX 450h - Sup / 7,5 / 8,4 / 185 g/km |
| | RX 450h L - Sup / 8,1 / 8,4 / 190 g/km |
| Puissance combinée | 308 ch |
| **MOTEURS ÉLECTRIQUES** | |
| Puissance / Couple | Av - 165 ch (123 kW) / 247 lb-pi |
| | Arr - 67 ch (50 kW) / 103 lb-pi |
| Type de batterie | Nickel-hydrure métallique (NiMH) |
| Énergie | 1,9 kWh |

Photos : Lexus

HYBRIDE

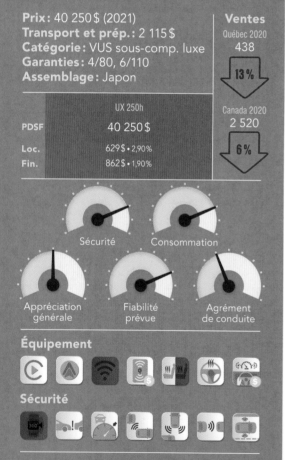

**Prix:** 40 250 $ (2021)
**Transport et prép.:** 2 115 $
**Catégorie:** VUS sous-comp. luxe
**Garanties:** 4/80, 6/110
**Assemblage:** Japon

**Ventes**
Québec 2020
438
▽ 13 %

Canada 2020
2 520
▽ 6 %

|  | UX 250h |
|---|---|
| PDSF | 40 250 $ |
| Loc. | 629 $ • 2,90 % |
| Fin. | 862 $ • 1,90 % |

Sécurité — Consommation

Appréciation générale — Fiabilité prévue — Agrément de conduite

**Équipement**

**Sécurité**

**Concurrents**
Audi Q3, BMW X1/X2, Buick Encore GX,
Cadillac XT4, Jaguar E-PACE,
Mercedes-Benz GLA/GLB, MINI Countryman,
Volvo XC40

**Nouveau en 2022**
Retrait du UX 200 à essence, rappel d'oubli
des sièges arrière, nouvelle version *F SPORT*.

# Ville et banlieue

Michel Deslauriers

**P**our les gens à la recherche d'un petit véhicule pratique, et qui sont prêts à débourser des mensualités plus élevées afin d'obtenir un modèle plus haut de gamme, la marque de luxe japonaise Lexus propose le UX, son multisegment d'entrée de gamme.

Ses dimensions réduites et sa maniabilité sont parfaites pour se faufiler dans la circulation urbaine, sans compter la facilité à lui trouver une place de stationnement. Et même si plusieurs de ses concurrents sont plus puissants et plus performants, le UX se démarque par son efficacité énergétique, son habitacle bien ficelé et, comme tout produit Lexus, sa réputation de fiabilité et sa valeur de revente élevée, qui en font un achat rationnel.

### ÉCOÉNERGÉTIQUE
Jusqu'en 2021, on retrouvait le UX 200, pourvu d'un 4 cylindres atmosphérique de 2 litres, produisant 169 chevaux, et jumelé à une boîte automatique à variation continue. Cette version à essence n'est pas reconduite pour l'année-modèle 2022. Seule la version hybride UX 250h demeure au catalogue. Cette dernière profite d'un système hybride composé du moteur de 2 litres et de deux moteurs électriques, un gros en avant et un petit à l'arrière, créant ainsi un rouage intégral. La puissance totale grimpe à 181 chevaux, lesquels sont gérés par une boîte automatique à gestion électronique.

Si la première motorisation était la plus dynamique des deux, l'hybride s'avère la plus écoénergétique. Avec une consommation mixte ville/route d'environ 6 L/100 km, le UX 250h est de loin le moins énergivore des VUS de luxe sous-compacts. Et en plus, il s'alimente d'essence ordinaire. Dans un segment où les options à moteur hybride se font rares, le Lexus UX peut se vanter d'offrir un moteur fiable qui réduit considérablement la facture de carburant.

En contrepartie, le petit Lexus manque de fougue si on le compare à l'Audi Q3, au BMW X1, au Mercedes-Benz GLA et au MINI Countryman, par exemple, qui profitent de moteurs turbocompressés riches en couple, sans compter des réglages de suspension et de direction nettement plus sportifs. En revanche, le Lexus UX est construit sur une plate-forme solide, procurant évidemment des gains au chapitre du comportement routier, tout en réduisant le bruit, les vibrations et les à-coups dans l'habitacle.

Au moins, en apparence, on peut ajouter une touche d'agressivité au UX avec l'ensemble *F SPORT*. Cet ensemble comprend des jantes uniques de 18 pouces, des éléments de carrosserie au style plus sportif ainsi que des sièges plus enveloppants et des garnitures intérieures exclusives. Le hic, c'est que cette option retire les sièges ventilés qui sont proposés de série. Dans l'habitacle, on apprécie la qualité d'exécution, la solidité des commandes et la planche de bord orientée vers le conducteur, même s'il manque un peu de cohésion en ce qui concerne le design et l'agencement des matériaux. Le volant *F SPORT* dodu permet une bonne emprise et les sièges sont excellents.

## POLYVALENCE TIMIDE

Hélas, tout n'est pas parfait! Le système multimédia, bien que rempli de fonctionnalités, est difficile à utiliser et distrayant en conduisant. Le pavé tactile sur la console centrale est peu intuitif et il faut jeter un regard à l'écran pour s'assurer de sélectionner le bon bouton. Mince consolation, on retrouve des commandes pour ajuster le volume et changer de chanson à la base de l'appuie-bras. La molette pour activer les modes de conduite est éloignée, alors qu'elle serait plus pratique montée au volant ou logée sur la console.

Le grand défaut du Lexus UX, c'est son gabarit. Les places avant sont justes, mais celles d'en arrière sont tout simplement trop petites. Le dégagement pour les jambes est insuffisant, idem pour la tête, et l'on se sent vraiment confiné. À ceux qui envisagent de transporter de jeunes enfants, on conseille de vérifier si leurs sièges d'appoint peuvent s'y loger et être bien ancrés avant d'en faire l'acquisition. Le coffre de 486 litres figure parmi les moins volumineux du segment, ce qui embarrasse le constructeur qui n'ose pas publier une capacité de chargement avec les dossiers arrière rabattus.

Le Lexus UX n'est ni très sportif ni très utilitaire. Cependant, il demeure intéressant pour son niveau d'équipement de série, sa grande fiabilité, sa faible consommation et son raffinement général. Il serait facile de le qualifier de véhicule à vocation urbaine, mais il peut très bien dévorer des kilomètres d'autoroute sans épuiser ses occupants. Ceux assis à l'avant, bien entendu. En revanche, comme véhicule familial, ou pour éveiller les sens sur la route, il existe de bien meilleurs choix dans la catégorie des utilitaires sous-compacts.

**+** Très peu énergivore • Qualité d'assemblage et fiabilité • Beaucoup d'équipements de série

**–** Places arrière étriquées • Petit coffre • Système multimédia à revoir

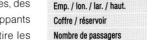

| Données principales | |
|---|---|
| Emp. / lon. / lar. / haut. | 2 639 / 4 494 / 1 839 / 1 539 mm |
| Coffre / réservoir | 486 litres / 40 litres |
| Nombre de passagers | 5 |
| Suspension av. / arr. | ind., jambes force / ind., multibras |
| Pneus avant / arrière | P225/50R18 / P225/50R18 |
| Poids / Capacité de remorquage | 1 635 kg / non recommandé |

| Composantes mécaniques | |
|---|---|
| Cylindrée, alim. | 4L 2,0 litres atmos. |
| Puissance / Couple | 144 ch / 139 lb·pi |
| Tr. base (opt) / Rouage base (opt) | CVT / Int |
| 0-100 / 80-120 / V. max | 9,1 s (m) / 6,5 s (m) / 177 km/h (c) |
| 100-0 km/h | 39,3 m (m) |
| Type / ville / route / $CO_2$ | Ord / 5,7 / 6,2 / 140 g/km |
| Puissance combinée | 181 ch |
| **MOTEURS ÉLECTRIQUES** | |
| Puissance / Couple | **Av -** 107 ch (80 kW) / 149 lb·pi |
| | **Arr -** 7 ch (5 kW) / 41 lb·pi |
| Type de batterie | Nickel-hydrure métallique (NiMH) |
| Énergie | 1,4 kWh |

Photos : Lexus

# LINCOLN **AVIATOR**

HYBRIDE

**Prix :** 69 500 $ à 81 500 $ (2021)
**Transport et prép. :** 2 150 $
**Catégorie :** VUS interm. de luxe
**Garanties :** 4/80, 6/110
**Assemblage :** États-Unis

**Ventes**
Québec 2020
313
▲ 206 %

Canada 2020
1 941
▲ 186 %

|  | Ultra | Grand Tourisme |
|---|---|---|
| **PDSF** | 69 500 $ | 81 500 $ |
| **Loc.** | 1 100 $ • 2,99 % | 1 350 $ • 2,49 % |
| **Fin.** | 1 429 $ • 1,49 % | 1 668 $ • 1,49 % |

Sécurité · Consommation

Appréciation générale · Fiabilité prévue · Agrément de conduite

**Équipement**

**Sécurité**

**Concurrents**
Acura MDX, Audi Q7, BMW X5, Buick Enclave, Cadillac XT6, Genesis GV80, Infiniti QX60, Land Rover Discovery, Lexus GX/RX, Maserati Levante, Mercedes-Benz GLE, Volvo XC90

**Nouveau en 2022**
Aucun changement majeur annoncé au moment de mettre sous presse.

# Un kWh à la fois...

Germain Goyer

Lors de ses plus récentes annonces officielles, Lincoln affirmait son intention d'électrifier l'ensemble de ses modèles d'ici 2030. Si le constructeur entend dévoiler un premier véhicule électrique au cours de la prochaine année, il faut se contenter d'une technologie hybride rechargeable pour le moment. C'est le cas avec l'Aviator Grand Tourisme.

Partageant bon nombre de composantes avec le Ford Explorer, l'Aviator se positionne entre le Nautilus et le Navigator au sein de la famille Lincoln, qui ne compte désormais que des VUS de luxe. Dans sa livrée Ultra, l'Aviator est doté d'un moteur V6 de 3 litres biturbo. Celui-ci déploie 400 chevaux et 415 lb-pi, soit autant que le Ford Explorer ST. Contrairement à l'Explorer, aucune mouture ne peut être équipée d'un moteur à 4 cylindres.

Tel que mentionné ci-haut, une version Grand Tourisme abritant une mécanique hybride rechargeable vient compléter la gamme de l'Aviator. Dans ce cas, on a droit au même V6 biturbo, dont la puissance et le couple passent respectivement à 494 chevaux et 630 lb-pi. Voilà qui suffit pour décoiffer à peu près n'importe qui. Il s'agit d'une combinaison différente de celle de l'Explorer hybride dont la technologie ne permet pas de circuler uniquement avec l'électricité. On couronne les efforts mis de l'avant par Ford et Lincoln pour s'assurer que les deux véhicules ne se pilent pas sur les pieds.

Grâce à la batterie d'une capacité de 13,6 kWh, l'Aviator Grand Tourisme peut parcourir jusqu'à 34 km en mode tout électrique. Alors que des véhicules bien moins haut de gamme, comme la Honda Clarity, affichaient une autonomie électrique d'environ 80 km, on ne peut qu'être déçu dans le cas de cette offre de Lincoln.

Par contre, au chapitre de la consommation de carburant, cette déclinaison de l'Aviator épate. Avec autant de puissance sous le pied droit et un véhicule d'un aussi gros gabarit, il a été impressionnant de constater, au terme de notre essai, que le véhicule n'a consommé en moyenne que 10,4 L/100 km. Notons quand même qu'au freinage, on ressent une forme de résistance ou de friction lorsque l'on module notre action. C'est particulièrement désagréable.

## UN HABITACLE COSSU

Dans l'habitacle, bien que l'on remarque inévitablement que la conception de l'Aviator est la même que celle de l'Explorer, force est d'admettre que l'on a travaillé de manière à distinguer les deux véhicules. Non seulement l'Aviator incorpore des matériaux de qualité supérieure, mais en plus, l'insonorisation a été peaufinée afin de procurer une expérience plus agréable et silencieuse à bord. Les sièges avant sont livrables avec la fonction de massage. On aime aussi pouvoir ajuster la longueur de l'assise afin d'optimiser la position de conduite.

L'Aviator est muni du système d'infodivertissement Sync. Comme toujours, il est très simple à manipuler. En revanche, nous sommes d'avis qu'il y aurait moyen de repenser l'instrumentation sous les yeux du conducteur afin qu'elle soit plus claire.

Histoire d'être de son temps, Lincoln propose l'ensemble Co-Pilot360 Plus. Celui-ci comprend notamment l'aide au maintien dans la voie que l'on peut parfois trouver intrusive, le freinage autonome en marche arrière, le stationnement assisté et l'assistance dans les bouchons de circulation. Cette dernière permet ni plus ni moins que de laisser le véhicule travailler pour soi lorsque les conditions le permettent.

## FAITES DONC LE SAUT VERS UN VUS PLEINE GRANDEUR

Avec un prix d'entrée de près de 70 000 $, l'Aviator ne convient pas à tous les budgets. À cette somme, il faut ajouter 12 000 $ pour acquérir la version Grand Tourisme. Et l'on vous conseille d'y aller mollo sur les options, car en cochant quelques-unes d'entre elles, la facture peut dangereusement frôler le seuil psychologique des 100 000 $. Une fois dans cette sphère, il nous apparaît bien plus logique de faire le saut vers un VUS pleine grandeur. En effet, l'an dernier, General Motors a renouvelé l'ensemble de sa gamme de grands VUS et ils sont plus intéressants que jamais.

Pour environ 84 000 $, vous pouvez vous retrouver derrière le volant d'un Chevrolet Tahoe High Country, la version cossue du modèle. Et ici, il n'est pas question d'un V6 turbocompressé. On a plutôt droit à un V8 traditionnel de 6,2 litres ou encore à l'excellent 6 cylindres en ligne turbodiesel de 3 litres. Ce n'est qu'un exemple, le choix étant quasi infini. Par-dessus le marché, vous profiterez également d'un véritable système 4x4 et d'une troisième banquette plus confortable, doublée d'un accès plus facile.

### Données principales

| | |
|---|---|
| Emp. / lon. / lar. / haut. | 3 025 / 5 063 / 2 022 / 1 767 mm |
| Coffre / réservoir | 519 à 2 201 litres / 76 litres |
| Nombre de passagers | 6 à 7 |
| Suspension av. / arr. | ind., bras inégaux / ind., multibras |
| Pneus avant / arrière | P255/55R20 / P255/55R20 |
| Poids / Capacité de remorquage | **Ultra** - 2 205 kg / 3 039 kg (6 700 lb) |
| | **Grand Tourisme** - 2 573 kg / 2 540 kg (5 600 lb) |

### Composantes mécaniques

**ULTRA**

| | |
|---|---|
| Cylindrée, alim. | V6 3,0 litres turbo |
| Puissance / Couple | 400 ch / 415 lb-pi |
| Tr. base (opt) / Rouage base (opt) | A10 / Int |
| 0-100 / 80-120 / V. max | 6,5 s (m) / 5,3 s (m) / n.d. |
| Type / ville / route / $CO_2$ | Sup / 13,7 / 9,7 / 280 g/km |

**GRAND TOURISME**

| | |
|---|---|
| Cylindrée, alim. | V6 3,0 litres turbo |
| Puissance / Couple | 400 ch / 415 lb-pi |
| Tr. base (opt) / Rouage base (opt) | A10 / Int |
| 0-100 / 80-120 / V. max | 5,7 s (est) / 4,8 s (est) / n.d. |
| Type / ville / route / $CO_2$ | Sup / 10,9 / 9,6 / 130 g/km |
| Puissance / Couple combiné | 494 ch / 630 lb-pi |

**MOTEUR ÉLECTRIQUE**

| | |
|---|---|
| Puissance | 101 ch (75 kW) |
| Type de batterie / Énergie | Lithium-ion (Li-ion) / 13,6 kWh |
| Temps de charge (240V) | 3,5 h |
| Autonomie | 34 km |

**+** Puissance des deux mécaniques • Qualité de finition et des matériaux • Insonorisation

Version hybride trop chère • Options nombreuses et coûteuses • Autonomie de la version hybride

Photos : Lincoln

HYBRIDE

**Prix:** 45 200$ à 58 500$ (2021)
**Transport et prép.:** 2 150$
**Catégorie:** VUS compacts luxe
**Garanties:** 4/80, 6/110
**Assemblage:** États-Unis

**Ventes**

Québec 2020
378

n.d.

|  | Sélect | Ultra | Grand Tourisme | Canada 2020 |
|---|---|---|---|---|
| PDSF | 45 200$ | 50 500$ | 58 500$ | 2 023 |
| Loc. | 732$•2,99% | 725$•2,49% | 800$•2,49% | n.d. |
| Fin. | 935$•0,99% | 1 039$•0,99% | 1 127$•0,99% | |

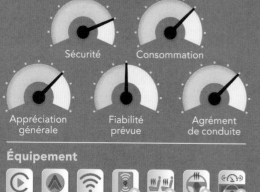

Sécurité          Consommation

Appréciation      Fiabilité       Agrément
générale          prévue          de conduite

**Équipement**

🄯 ◉ 📶 📳 ♨ 📡

**Sécurité**

360 ⚠ 🚗 📶 📡 📶

**Concurrents**

Acura RDX, Alfa Romeo Stelvio, Audi Q5,
BMW X3/X4, Buick Envision, Cadillac XT5,
Infiniti QX50/QX55, Jaguar F-PACE,
Land Rover Discovery Sport, Lexus NX,
Mercedes-Benz GLC, Porsche Macan, Volvo XC60

**Nouveau en 2022**

Aucun changement majeur annoncé
au moment de mettre sous presse.

# Un secret bien gardé

Daniel Melançon

Le Lincoln Corsair poursuit sa route dans la famille Lincoln en 2022. Il se veut toujours le plus petit et le plus abordable des véhicules du constructeur américain, dont la gamme ne se compose désormais que de véhicules utilitaires.

Arrivé en 2020 comme remplaçant du défunt MKC, le Corsair partage toujours la même plateforme que l'Escape chez Ford, mais là s'arrête toute comparaison. Adoptant un look très similaire à celui de l'Aviator, le Corsair a, depuis son arrivée, la difficile tâche de rivaliser avec les modèles allemands établis comme le Mercedes-Benz GLC, le BMW X3 ou l'Audi Q5.

Si vous n'êtes pas familier avec les habitacles Lincoln, vous serez agréablement surpris par un espace confortable et de bon goût. La qualité des matériaux utilisés respire le luxe et tout est présenté de très jolie façon. Ne cherchez pas le levier de vitesses, il est inexistant! On l'a remplacé par une série de boutons situés au-dessus de la console centrale. Bien qu'on s'y habitue rapidement, disons que ce n'est pas optimal comme disposition quand une manœuvre de conduite soudaine s'impose.

### DU CONFORT À REVENDRE

Si le Corsair se trouve dans votre ligne de mire, il faut savoir qu'il est offert en trois versions: Sélect, Ultra et Grand Toursime, toutes munies du rouage intégral. Le Lincoln Corsair peut accueillir facilement quatre passagers et s'avère particulièrement agréable lors de longs trajets. Un séjour prolongé dans les montagnes de Charlevoix a permis de réaliser à quel point le confort est une force du modèle. Selon la déclinaison choisie, il est même possible d'obtenir des sièges massants et ventilés qui transforment les déplacements en véritable séance de relaxation! Des sièges avant ajustables en 24 positions et un système audio Revel muni de 14 haut-parleurs, incluant un caisson de graves, sont également livrables en option pour agrémenter vos périples. Le tableau de bord, clair et sans artifice, se montre parfaitement lisible. À l'arrière, les passagers peuvent incliner la banquette ou alors la faire coulisser sur 15 cm. Cette dernière se divise aussi en deux parties pour accommoder différents types de rangement. Par contre, le coffre propose 781 litres de chargement, ce qui le place dans la moyenne de la catégorie.

Vous aurez compris que confort rime rarement avec sportivité, malheureusement. C'est là où le Corsair s'éloigne de ses rivaux allemand. Disons qu'on est loin d'une direction tranchante et précise comme on peut le sentir, par exemple, sur le Stelvio d'Alfa Romeo. Le constructeur américain mise sur un habitacle silencieux. La présence de pneumatiques de 20 pouces sur notre modèle d'essai permettait, malgré tout, de conserver une bonne douceur de roulement ainsi qu'une tenue de route agréable. En fait, se retrouver derrière le volant du Corsair rassure, peut-être justement parce que sa conduite est prévisible !

### RIEN DE NOUVEAU SOUS LE CAPOT... POUR LE MOMENT !

Chacune des trois versions du Corsair propose une motorisation différente. D'abord, la variante d'entrée de gamme est animée par un bloc à 4 cylindres turbocompressé de 2 litres, qui développe 250 chevaux pour 280 lb-pi de couple. C'est tout à fait correct pour des besoins simples du quotidien comme aller au boulot ou faire ses courses. Si vous recherchez un peu plus de mordant, il faut considérer l'autre moteur 4 cylindres turbo, dont la cylindrée passe à 2,3 litres. Dans ce cas, la cavalerie sera de 295 chevaux pour 310 lb-pi de couple. Fait à noter, les deux versions affichent une capacité de remorquage identique, à 3 000 lb. Le modèle essayé était muni de ce moteur et il était parfaitement adapté à ce véhicule, particulièrement lorsqu'on joue avec les différents modes de conduite. Il est alors possible de rigidifier la suspension et d'obtenir une direction plus ferme et communicative. Néanmoins, ce moteur se montre plus gourmand que son petit frère. Après un trajet de plus de 1 300 km, majoritairement sur de grands axes routiers mais montagneux, la consommation notée à la fin de l'essai flirtait avec les 13 L/100 km.

Si l'idée de brûler autant de carburant vous répugne, sachez que le Corsair est aussi disponible en version Grand Tourisme, laquelle est dotée d'une motorisation hybride rechargeable. Capable de parcourir environ 45 km en mode tout électrique, ce Corsair est muni du même groupe motopropulseur que le Ford Escape PHEV. Or, ces deux modèles, qui devaient arriver en 2021, ont connu de gros problèmes de production, si bien que leur disponibilité demeurait un grand mystère au moment d'écrire ces lignes.

Ceux qui souhaitent un Corsair 100 % électrique devront s'armer de patience. Lincoln assure qu'une telle déclinaison sera produite à l'usine canadienne d'Oakville... en 2026. Cela s'inscrit dans un investissement massif de plus de 30 milliards de dollars visant à électrifier la flotte complète du constructeur Ford-Lincoln d'ici 2030.

### Données principales

| | |
|---|---|
| Emp. / lon. / lar. / haut. | 2 711 / 4 587 / 1 887 / 1 629 mm |
| Coffre / réservoir | 781 à 1 631 litres / 61 litres |
| Nombre de passagers | 5 |
| Suspension av. / arr. | ind., jambes force / ind., multibras |
| Pneus avant / arrière | P225/60R18 / P225/60R18 |
| Poids / Capacité de remorquage | **Corsair -** 1 680 kg / 1 361 kg (3 000 lb) |
| | **Grand Tourisme -** 2 056 kg / 1 361 kg (3 000 lb) |

### Composantes mécaniques

**4L - 2,0 LITRES**

| | |
|---|---|
| Cylindrée, alim. | 4L 2,0 litres turbo |
| Puissance / Couple | 250 ch / 280 lb-pi |
| Tr. base (opt) / Rouage base (opt) | A8 / Int |
| 0-100 / 80-120 / V. max | 7,4 s (m) / 5,1 s (m) / n.d. |
| Type / ville / route / CO$_2$ | Sup / 11,1 / 8,1 / 229 g/km |

**4L - 2,3 LITRES**

| | |
|---|---|
| Cylindrée, alim. | 4L 2,3 litres turbo |
| Puissance / Couple | 295 ch / 310 lb-pi |
| Tr. base (opt) / Rouage base (opt) | A8 / Int |
| 0-100 / 80-120 / V. max | 6,3 s (est) / 4,6 s (est) / n.d. |
| Type / ville / route / CO$_2$ | Sup / 11,1 / 8,3 / 232 g/km |

**GRAND TOURISME**

| | |
|---|---|
| Cylindrée, alim. | 4L 2,5 litres atmos. |
| Puissance / Couple | 165 ch / 155 lb-pi |
| Tr. base (opt) / Rouage base (opt) | CVT / Int |
| 0-100 / 80-120 / V. max | 6,5 s (est) / 5,0 s (est) / n.d. |
| Type / ville / route / CO$_2$ | Ord / 6,9 / 7,3 / 73 g/km |
| Puissance combinée | 266 ch |

**MOTEUR ÉLECTRIQUE**

| | |
|---|---|
| Type de batterie | Lithium-ion (Li-ion) |
| Énergie | 14,4 kWh |
| Temps de charge (120V / 240V) | 10,5 h / 3,5 h |
| Autonomie | 45 km |

**+** Excellent confort •
Insonorisation irréprochable •
Bonnes performances
(moteur 2,3 litres)

**—** Options coûteuses •
Sélecteur de vitesse
peu orthodoxe

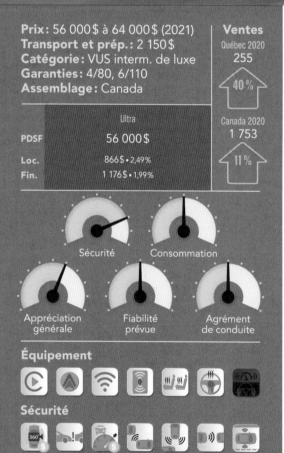

**Prix :** 56 000 $ à 64 000 $ (2021)
**Transport et prép. :** 2 150 $
**Catégorie :** VUS interm. de luxe
**Garanties :** 4/80, 6/110
**Assemblage :** Canada

**Ventes**
Québec 2020
255

⬆ 40 %

| | Ultra |
|---|---|
| **PDSF** | 56 000 $ |
| **Loc.** | 866 $ • 2,49 % |
| **Fin.** | 1 176 $ • 1,99 % |

Canada 2020
1 753

⬆ 11 %

Sécurité    Consommation

Appréciation générale    Fiabilité prévue    Agrément de conduite

**Équipement**

**Sécurité**

**Concurrents**

Acura MDX, Audi Q7, BMW X5, Buick Enclave, Cadillac XT6, Genesis GV80, Infiniti QX60, Land Rover Discovery, Lexus GX/RX, Lincoln Aviator, Maserati Levante, Mercedes-Benz GLE, Porsche Cayenne, Tesla Model Y, Volvo XC90

**Nouveau en 2022**

Aucun changement majeur annoncé au moment de mettre sous presse.

# Un habitacle plus raffiné

Gabriel Gélinas

**D**ans le créneau des VUS intermédiaires de luxe, le Nautilus ne se classe pas au sommet des ventes puisqu'il est largement dominé par le ténor de la catégorie, le Lexus RX, ainsi que par les véhicules concurrents des marques allemandes. Pour relancer l'intérêt envers ce modèle, Lincoln a décidé, l'an dernier, de revoir l'habitacle du Nautilus en vue de le mettre au goût du jour.

Le style extérieur de cette variante a été revu pour l'année-modèle 2019, mais de subtiles retouches ont été apportées à la calandre et au pare-chocs avant pour 2021. Dans la gamme des VUS de la marque, le Nautilus partage une certaine filiation avec les autres déclinaisons en affichant des lignes horizontales qui rappellent celles du Navigator et de l'Aviator.

### L'HORIZON EN GUISE D'INSPIRATION

C'est véritablement du côté de l'habitacle que l'on remarque la métamorphose du Nautilus. Alors que le modèle antérieur affichait une disposition très verticale, le nouveau change carrément d'axe puisque tout, ou à peu près, y est disposé à l'horizontale. Le Nautilus adopte maintenant un écran tactile de 12,3 pouces, reposant sur une planche de bord qui fait toute la largeur du véhicule et sur laquelle on a intégré les buses du système de chauffage/ventilation. Selon les designers de la marque, ce nouvel agencement de l'habitacle évoque l'horizon et contribue à la sérénité des occupants qui prennent place à bord du Nautilus.

Dans la foulée de cette refonte, le Nautilus a aussi adopté la version la plus évoluée du système de télématique de Ford, soit le Sync 4. Pour l'usage au quotidien, précisons que la soute du Nautilus est plus logeable que celle d'un Lexus RX 350, et le volume de chargement, lorsque les dossiers des places arrière sont rabattus, est parfois égal ou supérieur à celui de certains VUS à trois rangées de sièges.

En fait de mécanique, c'est le *statu quo*, le Nautilus continuant de partager sa plateforme et ses motorisations avec le Ford Edge, alors que deux moteurs sont au programme. Le 4 cylindres turbocompressé de 2 litres fait un travail honnête, sans plus. Le choix du V6 turbocompressé de 2,7 litres demeure plus avisé. Ce moteur facilite certaines manœuvres, notamment les dépassements sur les routes secondaires et les entrées sur l'autoroute grâce à un couple

porté à 380 lb-pi (100 de plus que le moteur à 4 cylindres). Les deux moteurs sont jumelés à une boîte automatique à 8 rapports et à un rouage intégral. Pour ce qui est de la consommation, le Nautilus à moteur V6 fait presque aussi bien que le modèle à 4 cylindres, mais le Lexus RX 350 fait mieux.

## SILENCE ET CONFORT

Les cartes maîtresses du Nautilus sont celles du confort et du silence de roulement. Les liaisons au sol adoptent des calibrations souples dans le but d'isoler les occupants des imperfections de la chaussée et l'insonorisation est particulièrement bien réussie. Ces deux facteurs invitent à adopter une conduite relaxe et souple qui s'harmonise avec le caractère de ce VUS, qui n'apprécie pas vraiment une conduite enthousiaste.

En effet, sa dynamique n'a rien à voir avec celle des véhicules rivaux des marques allemandes. Le Nautilus met vraiment l'accent sur le confort plutôt que sur la dynamique, comme tous les autres VUS de Lincoln. Ici, on roule tranquillement, en appréciant la chaîne audio plutôt que la sonorité des moteurs.

En matière de considérations pratiques, mentionnons que le taux de satisfaction des acheteurs de la marque est élevé. Lincoln se classe au neuvième rang sur plus d'une trentaine de marques au classement de la firme spécialisée J.D. Power, mesurant la fiabilité des véhicules après trois ans d'usage sur la route.

Aussi, le Nautilus reçoit une cote cinq étoiles de la part de la *National Highway Traffic Safety Administration* (NHTSA) pour la protection accordée aux occupants en cas d'impact. Le VUS de Lincoln ne se mérite cependant pas la distinction *Top Safety Pick* du *Insurance Institute for Highway Safety* (IIHS) en raison d'une mauvaise note accordée aux phares.

Ayant abandonné la production de berlines, l'offre de Lincoln est aujourd'hui exclusivement composée de VUS et, parmi les modèles de la gamme, le Nautilus reste celui dont le comportement routier émule le plus celui des voitures Lincoln d'autrefois. Si le confort et la fiabilité s'affichent au sommet de vos priorités, le Nautilus est un choix intéressant, mais si vous êtes plus du genre à apprécier la dynamique et les performances, on vous recommande d'aller voir ailleurs.

### Données principales

| | |
|---|---|
| Emp. / lon. / lar. / haut. | 2 849 / 4 827 / 1 934 / 1 681 mm |
| Coffre / réservoir | 1 055 à 1 948 litres / 68 litres |
| Nombre de passagers | 5 |
| Suspension av. / arr. | ind., jambes force / ind., multibras |
| Pneus avant / arrière | P245/60R18 / P245/60R18 |
| Poids / Capacité de remorquage | 1 953 kg / 1 588 kg (3 500 lb) |

### Composantes mécaniques

**4L - 2,0 LITRES**

| | |
|---|---|
| Cylindrée, alim. | 4L 2,0 litres turbo |
| Puissance / Couple | 250 ch / 280 lb-pi |
| Tr. base (opt) / Rouage base (opt) | A8 / Int |
| 0-100 / 80-120 / V. max | 8,4 s (m) / 7,8 s (m) / n.d. |
| 100-0 km/h | 39,6 m (m) |
| Type / ville / route / $CO_2$ | Sup / 12,0 / 9,6 / 252 g/km |

**V6 - 2,7 LITRES**

| | |
|---|---|
| Cylindrée, alim. | V6 2,7 litres turbo |
| Puissance / Couple | 335 ch / 380 lb-pi |
| Tr. base (opt) / Rouage base (opt) | A8 / Int |
| 0-100 / 80-120 / V. max | 6,4 s (est) / 4,7 s (est) / n.d. |
| Type / ville / route / $CO_2$ | Sup / 12,6 / 9,3 / 262 g/km |

**+** Nouveau design de l'habitacle • Confort et silence de roulement • Volume de chargement

**–** Puissance et couple du moteur 4 cylindres • Agrément de conduite absent • Dépréciation supérieure à la moyenne

Photos: Lincoln

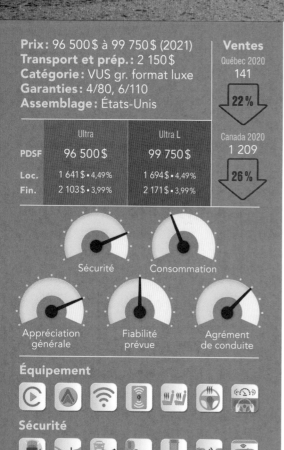

**Prix :** 96 500 $ à 99 750 $ (2021)
**Transport et prép. :** 2 150 $
**Catégorie :** VUS gr. format luxe
**Garanties :** 4/80, 6/110
**Assemblage :** États-Unis

**Ventes**
Québec 2020
**141**
↓ 22 %

Canada 2020
**1 209**
↓ 26 %

| | Ultra | Ultra L |
|---|---|---|
| PDSF | 96 500 $ | 99 750 $ |
| Loc. | 1 641 $ • 4,49 % | 1 694 $ • 4,49 % |
| Fin. | 2 103 $ • 3,99 % | 2 171 $ • 3,99 % |

Sécurité    Consommation

Appréciation générale    Fiabilité prévue    Agrément de conduite

## Équipement

## Sécurité

## Concurrents

BMW X7, Cadillac Escalade, Infiniti QX80, Jeep Grand Wagoneer, Land Rover Range Rover, Lexus LX, Mercedes-Benz GLS

## Nouveau en 2022

Modification de milieu de cycle attendue pour l'année-modèle 2022.

# Prendre le large

Louis-Philippe Dubé

**P**our son opus 2018, le Lincoln Navigator a reçu une refonte empreinte de saveur et de nouveauté. Design modernisé, habitacle redessiné et généreusement saupoudré de technologie et de confort, le Navigator avait hissé ses plus belles voiles.

Au Canada, c'est le Cadillac Escalade qui fait la loi dans ce créneau de mastodontes opulents. Même avec un caractère plutôt désuet qui l'a mené jusqu'à sa refonte en 2021, il jouissait d'une popularité impressionnante. Aujourd'hui, on a renouvelé de fond en comble le rival principal du Navigator avec une offre franchement difficile à égaler. Le Navigator doit sans tarder gagner du coffre pour demeurer pertinent. Avec le départ de la berline Continental — et le triste fait que la nouvelle Zéphyr boude le marché nord-américain, ce Navigator est l'élu pour gouverner la marque Lincoln en tant que porte-étendard.

### UNE MOTORISATION PLUS « BOOST » QU'« ECO »

Le Lincoln Navigator compte sur une seule motorisation pour mouvoir ses quelque 2,7 tonnes, soit le V6 EcoBoost de 3,5 litres qui déballe 450 chevaux et 510 lb-pi de couple. Cette cavalerie regorge d'entregent et s'avère à la hauteur des ambitions de tout type de conducteur, avec des accélérations franches et des reprises convaincantes sur l'autoroute. Le moulin œuvre en duo avec une transmission automatique à 10 rapports bien étagée qui est, somme toute, rapide dans son exécution. Le tout en acheminant le fruit des efforts du moteur au rouage intégral.

Considérant le format du véhicule, le Navigator dispose « d'en masse de jus » sous la pédale de droite. Au moment d'écrire ces lignes, une rumeur avance que le Navigator s'apprêterait à recevoir une seconde motorisation, hybride cette fois, qui serait repêchée dans le clan du F-150. Même si ce n'est pas encore confirmé à ce stade, il s'agirait d'une décision stratégique parce que le Navigator pourrait bénéficier d'un peu de frugalité côté consommation, et proposer un modèle électrifié qui n'existe pas chez son rival, l'Escalade.

Au sujet de la tenue de route, le Navigator s'exécute généralement bien en conduite de tous les jours et sur les voies rapides en bon état. Lorsque son conducteur s'anime, la hauteur et le poids le rattrapent — mais ça, c'est quasi inévitable dans cette classe. En revanche, on s'attendrait à un confort de roulement rehaussé pour un tel véhicule.

## FORMAT CROISIÈRE

Dire que le Lincoln Navigator est gros serait un euphémisme. Ce physique est bénéfique, surtout lorsque vous devez accueillir plusieurs passagers sur de longs trajets avec tout le chargement qui les accompagne. Avec un dégagement pour la tête et les jambes stratosphérique, il déploie un environnement palatial pour l'ensemble des passagers, même pour ceux de la troisième rangée à qui l'on octroie 917 mm de dégagement pour les jambes, ce que l'Escalade ne peut égaler.

Or, si le constructeur dépeint constamment son Navigator comme un véhicule urbain, la réalité de la conduite citadine entre en conflit avec ses dimensions. Par exemple, la hauteur moyenne d'un stationnement souterrain à Montréal est de 6'2". Le Lincoln Navigator a une hauteur totale d'un peu plus de 6'3,5", ce qui signifie qu'il doit souvent être stationné en parallèle dans la rue. Et avec ses 5 334 mm (5 636 mm dans sa version allongée « L »), la manœuvre peut s'avérer épineuse.

Côté technologie, on a agrémenté le poste de conduite d'un bloc d'instrumentation de 12 pouces paramétrable, lequel fait partie des points forts du Navigator. À la fois épuré et d'une clarté cristalline, il a tout à fait sa place dans un véhicule de ce calibre. Toujours au registre des écrans, le système d'infodivertissement, tout de même facile à utiliser, est accessible par l'entremise d'un écran en forme de tablette de 10 pouces qui sort de la planche de bord. Des photos-espionnes nous ont récemment dévoilé un écran renouvelé pour le modèle 2022, mais rien n'a été confirmé à son sujet. Une mention spéciale se doit d'aller à la sellerie du véhicule, particulièrement à l'avant, où le conducteur et son passager profitent de sièges qui étreignent de manière douillette, peu importe leur gabarit et le type de trajets qu'ils entreprennent.

Le Navigator s'exécute en toute serviabilité sur le plan de l'espace et de la puissance, le tout agrémenté d'une prestance stylique à la fois imposante et épatante. Toutefois, ses aptitudes en ce qui concerne la maniabilité et le confort de roulement pourraient être revues, et s'il pouvait calmer sa soif avec une motorisation hybride, il conserverait sa pertinence dans le contexte actuel. Si le Lincoln Navigator figure sur votre liste d'achats potentiels, n'oubliez pas de faire un tour du côté de Cadillac pour essayer l'Escalade. Bien que celui-ci ne soit pas sans lacune, il apporte certaines solutions aux carences du Navigator.

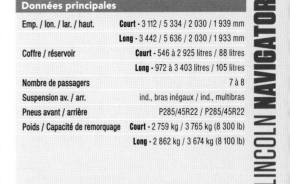

### Données principales

| Emp. / lon. / lar. / haut. | Court - 3 112 / 5 334 / 2 030 / 1 939 mm |
| | Long - 3 442 / 5 636 / 2 030 / 1 933 mm |
| Coffre / réservoir | Court - 546 à 2 925 litres / 88 litres |
| | Long - 972 à 3 403 litres / 105 litres |
| Nombre de passagers | 7 à 8 |
| Suspension av. / arr. | ind., bras inégaux / ind., multibras |
| Pneus avant / arrière | P285/45R22 / P285/45R22 |
| Poids / Capacité de remorquage | Court - 2 759 kg / 3 765 kg (8 300 lb) |
| | Long - 2 862 kg / 3 674 kg (8 100 lb) |

### Composantes mécaniques

| Cylindrée, alim. | V6 3,5 litres turbo |
| Puissance / Couple | 450 ch / 510 lb-pi |
| Tr. base (opt) / Rouage base (opt) | A10 / Int |
| 0-100 / 80-120 / V. max | 6,9 s (m) / 5,4 s (m) / n.d. |
| 100-0 km/h | 42,1 m (m) |
| Type / ville / route / $CO_2$ | Sup / 15,0 / 11,5 / 316 g/km |

+ Moteur puissant •
Style réussi • Intérieur
très spacieux

− Consommation élevée •
Maniabilité perfectible •
Confort de roulement peu
satisfaisant pour le créneau

# LOTUS **EVIJA**

VOITURE ÉLECTRIQUE

**Prix :** 2 850 000 $ (estimé)
**Transport et prép. :** n.d.
**Catégorie :** Exotiques
**Garanties :** 3/60, 3/60
**Assemblage :** Royaume-Uni

| | Evija 2 850 000 $ | |
|---|---|---|
| PDSF | n.d. | |
| Loc. | n.d. | |
| Fin. | 61 687 $ • 4,90 % | |

**Ventes**

Québec 2020
n.d.

Canada 2020
n.d.

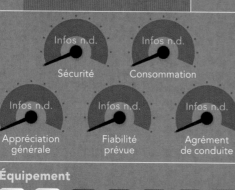

Infos n.d. — **Sécurité**

Infos n.d. — **Consommation**

Infos n.d. — **Appréciation générale**

Infos n.d. — **Fiabilité prévue**

Infos n.d. — **Agrément de conduite**

## Équipement

Info n.d. Info n.d. Info n.d. Info n.d. Info n.d.

## Sécurité

Info n.d. Info n.d. Info n.d. Info n.d. Info n.d. Info n.d. Info n.d.

## Concurrents

Bugatti Chiron, Pagani Huayra, Tesla Roadster

## Nouveau en 2022
Nouveau modèle.

# Un éclair à 320 km/h

Marc-André Gauthier

Il y a de ça plusieurs années, le simple fait d'évoquer Lotus provoquait une vague d'enthousiasme auprès des amateurs d'automobile. La marque britannique est connue pour ses petites voitures légères et performantes, surtout orientées vers la piste.

Depuis l'époque de l'Elise et de l'Evora, Lotus est maintenant en phase de développement. Acquise par la compagnie chinoise Geely, elle semble être sérieuse dans sa tentative de se tourner vers le futur. Ce futur, il se matérialise à travers l'Evija, une automobile qui risque de bouleverser l'industrie, si jamais elle finit par voir le jour.

### ÈVE

Son appellation aurait été inspirée par le nom Ève, afin de désigner la première Lotus électrique à voir le jour, celle de qui tous les autres modèles descendront. L'Evija a tout d'une pionnière. Il n'y a qu'à voir comment son châssis a été travaillé afin de maximiser l'aérodynamisme pour comprendre que les ingénieurs voulaient faire de cette automobile la digne représentante d'une nouvelle ère, celle des supervoitures 100 % électriques.

L'Evija sera produite à seulement 130 unités. Elle pourra être personnalisée à 100 %, que ce soit la couleur de la carrosserie ou le type de fini que vous désirez. Après tout, on s'attend pas mal à ça d'une voiture qui va coûter plusieurs millions, et qui ne devrait même pas pouvoir être conduite sur la route. En effet, elle ne rencontre pas les standards de sécurité des États-Unis, et par conséquent, ceux du Canada.

L'habitacle de l'Evija n'a rien de luxueux : pas de gros écran multimédia, pas de cuirs ou de boiseries, pas de sièges se rapprochant du fauteuil. Lotus est allé à l'essentiel. Un tableau de bord — composé uniquement d'un écran haute définition — et un panneau, entre les deux sièges avant, couverts de boutons pour les diverses commandes. Comme l'Evija ne sera réservée qu'à un usage sur circuit, le confort des sièges importe peu. Ils n'ont pas été pensés pour être douillets, mais enveloppants pour maintenir adéquatement le conducteur.

### DES PERFORMANCES IMPRESSIONNANTES, MAIS...

La première chose qui frappe, concernant l'Evija, c'est sa puissance. Lotus annonce 2 000 chevaux, déployés par quatre moteurs électriques,

un à chaque roue. En fait, comme il s'agit de chevaux européens, cela équivaudrait à 1 973 de nos chevaux, mais on ne s'obstinera pas pour une si petite différence. En matière de couple, on aurait jusqu'à 1 254 lb-pi sous le pied droit. Cette puissance permet à la supervoiture de passer de 0 à 100 km/h en moins de 3 secondes, et d'expédier le 0 à 200 km/h en moins de 6 secondes. La vitesse maximale de cette bombe anglaise dépasserait 320 km/h, tandis que son autonomie serait d'environ 346 km. On emploie le conditionnel, ici, parce que l'on n'a pas vraiment accès à des chiffres vérifiés.

Autre fait intéressant concernant l'Evija, elle conserve la mentalité Lotus, à savoir que «l'ennemi d'une voiture, c'est le poids». Ainsi, elle ne pèserait que 1 680 kg, ce qui en ferait la voiture exotique et électrique la plus légère de l'histoire. Ainsi, l'Evija adoptera une conduite et une tenue de route dignes d'une véritable auto de course, ce qui est plutôt bien quand on considère, encore une fois, que l'on ne pourra pas vraiment la conduire sur nos routes.

Là où l'Evija concerne le commun des mortels, c'est qu'elle met de l'avant une technologie de recharge rapide qui pourrait ouvrir la voie à des innovations applicables sur des voitures vendues à un public plus large. Sur une borne rapide, l'Evija pourrait, selon Lotus, récupérer 80 % de sa charge en 12 minutes, et 100 % de sa charge en 18 minutes! On commence à se rapprocher du temps requis pour mettre de l'essence dans sa voiture...

Cela dit, si les performances de cette auto semblent impressionnantes, elles risquent d'être rapidement mises en désuétude par la Tesla Roadster. Cette dernière bouclerait le 0 à 100 km/h en moins de 2 secondes, et atteindrait une vitesse maximale de près de 400 km/h. Elle disposerait surtout de plus de 800 km d'autonomie, tout en offrant de la place pour quatre personnes. Toutefois, l'Evija cible la conduite sur la piste tandis que la Roadster vise une conduite quotidienne, ce qui n'est pas pareil.

Qu'à cela ne tienne, la présentation d'une voiture exclusive comme l'Evija est une autre belle démonstration que l'avenir de l'automobile est bel et bien électrique. En plus du facteur environnemental, cette technologie fait désormais miroiter des performances absolument phénoménales que nous n'aurions jamais osé imaginer il y a quelques années à peine!

**+** Performances inédites •
Tenue de route digne
d'une auto de course •
Recharge rapide

**—** Disponibilité très limitée •
Prix ridiculement élevé •
Illégale sur nos routes

Photos: Lotus

## LOTUS EVIJA

### Données principales

| | |
|---|---|
| Emp. / lon. / lar. / haut. | n.d. / 4 459 / 2 000 / 1 122 mm |
| Nombre de passagers | 2 |
| Suspension av. / arr. | ind., leviers triangulés / ind., leviers triangulés |
| Pneus avant / arrière | P265/35ZR20 / P325/30ZR21 |
| Poids / Capacité de remorquage | 1 680 kg / non recommandé |

### Composantes mécaniques

| | |
|---|---|
| Puissance / Couple combiné | 1 973 ch (1472 kW) / 1 254 lb-pi |
| Tr. base (opt) / Rouage base (opt) | Rapport fixe / Int |
| 0-100 / 80-120 / V. max | 3,0 s (c) / n.d. / 320 km/h (c) |
| **MOTEURS ÉLECTRIQUES (X4)** | |
| Puissance / Couple | 493 ch (368 kW) / 314 lb-pi |
| Type de batterie | Lithium-ion (Li-ion) |
| Énergie | 70,0 kWh |
| Temps de charge (400V) | 0,2 h |
| Autonomie | 346 km (est) |

## Toujours aussi belle

Jean-François Guay

**D**ans les années 1950, Maserati a remporté plusieurs courses automobiles avec le pilote Juan Manuel Fangio dans son écurie. En 1954, le pilote argentin a remporté les Grand Prix d'Argentine et de Belgique au volant d'une Maserati pour ensuite récidiver, en 1957, avec la légendaire 250F. Cette monoplace lui a permis de gagner quatre courses ainsi que le titre mondial. Dans la foulée de ce championnat du monde, le constructeur de Modène a commencé à offrir des voitures de série comme la Ghibli en 1967.

La première génération de la Ghibli est l'oeuvre du célèbre designer italien Giorgetto Giugiaro. À l'époque, le succès fut instantané avec une production qui s'étira jusqu'à la fin de l'année 1972. Le moteur de la première Ghibli était un V8 de 4,7 litres à carter sec qui développait une puissance de 306 chevaux. L'engin pouvait être couplé à une boîte manuelle à cinq vitesses ou à une boîte automatique à 3 rapports. En 1969, la Ghibli SS améliorait encore les performances, avec un V8 de 4,9 litres développant 330 chevaux.

### VENTES À LA BAISSE

Dévoilée en 2013, la génération actuelle de la Ghibli s'avère aussi belle que le modèle original malgré son format de berline à quatre portes. Vieille d'une décennie, l'actuelle Ghibli n'a pris aucune ride face à ses rivales allemandes plus jeunes. Malgré tout, la Ghibli éprouve quelques difficultés à s'imposer dans son créneau. Ainsi, les ventes mondiales de tous les véhicules Maserati ont reculé drastiquement, en 2020, pour s'établir à 16 900 unités. Ces chiffres sont loin du pic historique de 2017 alors que les usines avaient assemblé 51 500 véhicules. Cela dit, ce n'est sûrement pas la venue d'une Ghibli à moteur hybride (ou électrique) qui va relancer les ventes du constructeur italien. Cette tâche reviendra plutôt au futur VUS compact, baptisé Grecale.

Depuis la fin du contrat entre Maserati et Ferrari concernant la fourniture des moteurs en provenance de Maranello, beaucoup de mystère entoure la prolongation de cette entente. Il va sans dire que la fusion des groupes PSA et FCA, qui sont devenus Stellantis, permet à Maserati d'accéder aux technologies de treize autres marques automobiles. Toutefois, les choses évoluent lentement à ce sujet et les réponses se font attendre.

---

**Prix:** 99 830$ à 131 380$ (2021)
**Transport et prép.:** 2 200$
**Catégorie:** Intermédiaires de luxe
**Garanties:** 4/80, 4/80
**Assemblage:** Italie

**Ventes**
Québec 2020
8
▼ 78 %

Canada 2020
95
▼ 37 %

|  | Modena | Trofeo |
|---|---|---|
| PDSF | 99 830$ | 131 380$ |
| Loc. | n.d. | n.d. |
| Fin. | 2 093$ • 2,70% | 2 740$ • 2,70% |

Sécurité · Consommation

Appréciation générale · Fiabilité prévue · Agrément de conduite

**Équipement**

**Sécurité**

**Concurrents**
Audi A6, BMW Série 5, Cadillac CT5, Genesis G80, Jaguar XF, Mercedes-Benz Classe E, Volvo S90

**Nouveau en 2022**
Révision des déclinaisons: GT, Modena et Trofeo.

Pour l'heure, le moteur de base de la Ghibli demeure le V6 biturbo de 3 litres développant 345 chevaux ou 424 chevaux selon la version. L'an dernier, Maserati a élargi sa gamme Trofeo en greffant le tonitruant V8 biturbo de 3,8 litres à la Ghibli. Ce moteur, construit par Ferrari, développe 572 chevaux et 538 lb-pi de couple. Cet engin propulse l'auto de 0 à 100 km/h en 4,3 secondes avec une vitesse de pointe de 326 km/h. Ces performances éclipsent celles du V6 qui ne sont pas piquées des vers non plus avec un temps de 4,7 secondes pour accélérer de 0 à 100 km/h tandis que la vitesse absolue culmine à 286 km/h.

Quant à la nouvelle motorisation hybride légère offerte sur les marchés européens, elle est composée d'un 4 cylindres turbo de 2 litres, d'un compresseur électrique et d'un alterno-démarreur de 48 volts. La puissance de 330 chevaux permet à la Ghibli hybride de passer de 0 à 100 km/h en 5,7 secondes. Cela dit, il serait surprenant que ce modèle soit offert au Canada puisqu'il s'agit d'une voiture à propulsion, comme la version Trofeo. Il va sans dire que le V6 biturbo de 3 litres avec la traction intégrale demeure un choix plus logique pour rouler dans un pays nordique comme le nôtre.

### UNE ÉDITION SPÉCIALE

Pour souligner son passé en sport automobile, Maserati a dévoilé une version commémorative en 2021, baptisée F Tributo Special Edition. Cette version à tirage limité se reconnaît à ses coloris exclusifs de carrosserie : *Rosso Tributo* (rouge) ou *Azzuro Tributo* (bleu), avec des étriers de freins jaunes. Les couleurs rouge et jaune rappellent la voiture 250F de Fangio tandis que le bleu et le jaune font référence au drapeau de Modène. On retrouve également des jantes de 21 pouces Titano en noir brillant et des écussons de chaque côté des ailes avant et des piliers C de la carrosserie. À l'intérieur, des surpiqûres rouges ou jaunes garnissent les sièges en cuir pleine fleur noir.

La Ghibli n'est peut-être pas la meilleure voiture de luxe de sa catégorie, mais elle est belle, confortable et agréable à conduire, et ce, tout en assurant à son propriétaire une certaine exclusivité due à sa rareté. Il n'y a aucun doute que la sophistication de sa mécanique et les matériaux garnissant l'habitacle correspondent à sa gamme de prix. En revanche, la fiabilité demeure incertaine et le nombre de concessionnaires est trop limité.

## Données principales

| | |
|---|---|
| Emp. / lon. / lar. / haut. | 2 998 / 4 971 / 1 945 / 1 461 mm |
| Coffre / réservoir | 500 litres / 80 litres |
| Nombre de passagers | 5 |
| Suspension av. / arr. | ind., double triangulation / ind., multibras |
| Pneus avant / arrière | P245/45ZR19 / P275/40ZR19 |
| Poids / Capacité de remorquage | 1 870 kg / non recommandé |

## Composantes mécaniques

**GT**

| | |
|---|---|
| Cylindrée, alim. | V6 3,0 litres turbo |
| Puissance / Couple | 345 ch / 369 lb-pi |
| Tr. base (opt) / Rouage base (opt) | A8 / Prop |
| Type / ville / route / $CO_2$ | Sup / 13,4 / 9,4 / 271 g/km |

**MODENA**

| | |
|---|---|
| Cylindrée, alim. | V6 3,0 litres turbo |
| Puissance / Couple | 424 ch / 406 lb-pi |
| Tr. base (opt) / Rouage base (opt) | A8 / Int |
| 0-100 / 80-120 / V. max | 4,7 s (c) / n.d. / 286 km/h (c) |
| 100-0 km/h | 35,0 m (c) |
| Type / ville / route / $CO_2$ | Sup / 14,8 / 9,8 / 293 g/km |

**TROFEO**

| | |
|---|---|
| Cylindrée, alim. | V8 3,8 litres turbo |
| Puissance / Couple | 572 ch / 538 lb-pi |
| Tr. base (opt) / Rouage base (opt) | A8 / Prop |
| 0-100 / 80-120 / V. max | 4,3 s (c) / n.d. / 326 km/h (c) |
| 100-0 km/h | 34,0 m (c) |
| Type / ville / route / $CO_2$ | Sup / 17,4 / 11,9 / 348 g/km |

**+** Voiture élégante • Comportement routier dynamique • Version Trofeo époustouflante • Exclusivité assurée

**–** Fiabilité perfectible • Tarifs corsés • Petit réseau de concessionnaires • L'hybride se fait attendre

Photos: Maserati

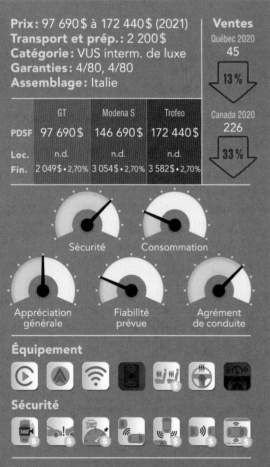

**Prix:** 97 690 $ à 172 440 $ (2021)
**Transport et prép.:** 2 200 $
**Catégorie:** VUS interm. de luxe
**Garanties:** 4/80, 4/80
**Assemblage:** Italie

**Ventes**
Québec 2020
45
▼ 13 %

Canada 2020
226
▼ 33 %

|  | GT | Modena S | Trofeo |
|---|---|---|---|
| PDSF | 97 690 $ | 146 690 $ | 172 440 $ |
| Loc. | n.d. | n.d. | n.d. |
| Fin. | 2 049 $ • 2,70% | 3 054 $ • 2,70% | 3 582 $ • 2,70% |

Sécurité   Consommation

Appréciation générale   Fiabilité prévue   Agrément de conduite

**Équipement**

**Sécurité**

**Concurrents**

Acura MDX, Audi Q7, BMW X5, Buick Enclave, Cadillac XT6, Genesis GV80, Infiniti QX60, L. Rover Discovery/R. Rover Sport, Lexus GX/RX, Lincoln Aviator/Nautilus, Mercedes GLE, Porsche Cayenne, Tesla Model X, Volvo XC90

**Nouveau en 2022**

Révision des déclinaisons: GT, Modena et Trofeo. Arrivée possible de la version hybride.

# Une certaine exclusivité

Gabriel Gélinas

**A**vec sa calandre concave et son look plus expressif que celui de ses rivaux germaniques, le Levante de Maserati permet à l'acheteur de se distinguer côté style, en plus de bénéficier d'une certaine exclusivité en raison d'une diffusion plus faible. Restylé l'an dernier, le Levante poursuit sa route en ajoutant de nouvelles variantes pour 2022.

L'édition spéciale F Tributo rend hommage aux nombreux succès de la marque au trident en sport automobile. Pour souligner sa spécificité, le Maserati Levante F Tributo est disponible en deux couleurs de carrosserie, soit le rouge *Rosso Tributo* et le bleu *Azzurro Tributo*, avec jantes en alliage de 21 pouces de couleur noire et étriers de freins jaunes, ainsi que des écussons apposés sur les ailes avant. Le rouge a été choisi en hommage à la couleur de la première voiture de course de la marque, la Tipo 26 de 1926, alors que le bleu fait référence à la ville de Modène, en Italie, dont le drapeau affiche cette teinte particulière. Finalement, le «F» figure sur la désignation en hommage au célèbre pilote argentin Juan Manuel Fangio qui a longtemps couru pour la marque, et qui a même remporté son dernier titre de champion du monde au volant d'une Maserati 250F.

### V8 FERRARI

Animée par un V8 biturbo de 3,8 litres, dont le bloc provient de chez Ferrari, la variante Trofeo est celle qui se singularise par ses performances inspirées et sa sonorité envoûtante. Surtout lorsque les clapets électroniques du système d'échappement s'ouvrent pour permettre à ce moteur de s'exprimer librement avec un timbre devenant rauque à souhait quand le régime du moteur s'approche des 7 000 tr/min. Les 572 chevaux et 538 lb-pi de couple ont un effet transformateur sur le Levante. Principalement si le mode Corsa est sélectionné, car il permet d'exploiter pleinement le potentiel de performance de la motorisation. Les accélérations deviennent alors plus que toniques, et les relances sont toujours très soutenues, ce qui fait du Levante Trofeo un *bad boy* à l'italienne au caractère aussi expressif qu'affirmé. Le fait que le rouage intégral priorise la livrée du couple au train arrière le dote également d'une dynamique axée sur la sportivité.

Cela étant dit, la masse demeure élevée, par conséquent les freins sont très sollicités en conduite sportive, ce qui devient rapidement un facteur limitatif. La tenue de route est très bonne, grâce à la suspension pneumatique

ainsi qu'à la répartition optimale des masses. Pour épater la galerie après un galop d'essai, rien de mieux que de soulever le capot pour que vos passagers admirent ce V8 biturbo avec ses culasses et collecteurs d'admission peints en rouge. Presque un bijou dans son écrin! À court terme, Maserati ne pourra plus compter sur le V8 biturbo de Ferrari, l'entente entre ces deux fabricants prenant fin dès cette année. Le constructeur pourra cependant se rabattre sur une version bridée de son moteur maison, le V6 biturbo *Nettuno*, qui a été conçu pour la MC20, sportive de haut calibre.

## HYBRIDATION LÉGÈRE

Une nouvelle variante du Levante, dévoilée en première mondiale au Salon de l'auto de Shanghai en 2021, hérite de la motorisation hybride développée pour la berline Ghibli, laquelle est composée du moteur 4 cylindres turbocompressé de 2 litres, emprunté chez Alfa Romeo et d'un système électrique de 48 volts. Il ne s'agit donc pas ici d'une motorisation hybride classique ou rechargeable, mais plutôt de l'hybridation légère puisque cette variante est dotée d'un alterno-démarreur qui permet de récupérer l'énergie lors de la décélération et du freinage pour la redéployer lors de l'accélération.

Tout cela fait en sorte que la puissance est chiffrée à 325 chevaux alors que le couple est de 332 lb-pi pour cette déclinaison. Elle se différencie par des touches de bleu sur la carrosserie, qu'on retrouve sur les trois ouïes sur les ailes, les étriers de frein ainsi que l'emblème de la marque affixé au pilier C. Cette couleur a également été retenue pour les surpiqûres des sièges, de la planche de bord et des contre-portes. En premier lieu, Maserati priorisera le marché européen pour cette mouture. Toutefois, il est possible qu'elle soit disponible en Amérique du Nord en cours d'année 2022.

Toutes les variantes du Levante sont dotées d'un système d'infodivertissement dont le fonctionnement est calqué sur le système UConnect propre aux véhicules du groupe Stellantis. Il s'agit d'un système particulièrement efficace, mais on s'attend à un plus d'originalité dans un véhicule de ce prix. Tout cela nous amène aux considérations pratiques, soit celles du prix, de la valeur de revente et de la fiabilité à long terme, des aspects où le Levante perd beaucoup de points par rapport à la concurrence directe qui est mieux établie.

**+** Style réussi • Variante Trofeo performante • Bon comportement routier

**–** Prix élevé • Faible valeur de revente • Fiabilité aléatoire

### Données principales

| | |
|---|---|
| Emp. / lon. / lar. / haut. | 3 004 / 5 005 / 1 981 / 1 693 mm |
| Coffre / réservoir | 580 à 1 625 litres / 80 litres |
| Nombre de passagers | 5 |
| Suspension av. / arr. | ind., pneumatique, double triangulation / ind., pneumatique, multibras |
| Pneus avant / arrière | P265/50R19 / P265/50R19 |
| Poids / Capacité de remorquage | **GT, Modena** - 2 109 kg /2 700 kg (5 950 lb) |
| | **Modena V8** - 2 170 kg / 1 500 kg (3 300 lb) |

### Composantes mécaniques

**GT**

| | |
|---|---|
| Cylindrée, alim. | V6 3,0 litres turbo |
| Puissance / Couple | 345 ch / 369 lb-pi |
| Tr. base (opt) / Rouage base (opt) | A8 / Int |
| 0-100 / 80-120 / V. max | 6,0 s (c) / n.d. / 251 km/h (c) |
| 100-0 km/h | 36,0 m (c) |
| Type / ville / route / $CO_2$ | Sup / 15,1 / 10,9 / 308 g/km |

**MODENA**

| | |
|---|---|
| Cylindrée, alim. | V6 3,0 litres turbo |
| Puissance / Couple | 424 ch / 428 lb-pi |
| Tr. base (opt) / Rouage base (opt) | A8 / Int |
| 0-100 / 80-120 / V. max | 5,2 s (c) / n.d. / 264 km/h (c) |
| 100-0 km/h | 34,5 m (c) |
| Type / ville / route / $CO_2$ | Sup / 15,1 / 10,9 / 308 g/km |

**MODENA S**

| | |
|---|---|
| Cylindrée, alim. | V8 3,8 litres turbo |
| Puissance / Couple | 542 ch / 538 lb-pi |
| Tr. base (opt) / Rouage base (opt) | A8 / Int |
| 0-100 / 80-120 / V. max | 4,2 s (c) / n.d. / 292 km/h (c) |
| 100-0 km/h | 34,5 m (c) |
| Type / ville / route / $CO_2$ | Sup / 17,4 / 12,0 / 349 g/km |

**TROFEO**

| | |
|---|---|
| Cylindrée, alim. | V8 3,8 litres turbo |
| Puissance / Couple | 572 ch / 538 lb-pi |
| Tr. base (opt) / Rouage base (opt) | A8 / Int |
| 0-100 / 80-120 / V. max | 3,9 s (c) / n.d. / 302 km/h (c) |
| 100-0 km/h | 34,5 m (c) |
| Type / ville / route / $CO_2$ | Sup / 17,4 / 12,0 / 349 g/km |

Photos : Maserati

**Prix :** 255 000 $
**Transport et prép. :** 2 200 $
**Catégorie :** Exotiques
**Garanties :** 4/80, 4/80
**Assemblage :** Italie

| | MC20 | |
|---|---|---|
| PDSF | 255 000 $ | |
| Loc. | n.d. | |
| Fin. | 5 567 $ • 4,90 % | |

**Ventes**

Québec 2020
n.d.

Canada 2020
n.d.

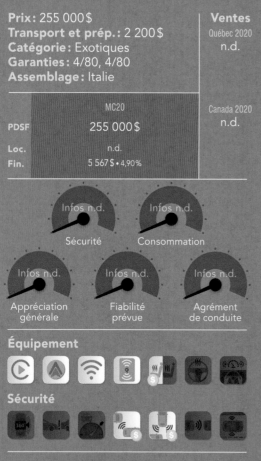

Infos n.d. — **Sécurité**

Infos n.d. — **Consommation**

Infos n.d. — **Appréciation générale**

Infos n.d. — **Fiabilité prévue**

Infos n.d. — **Agrément de conduite**

**Équipement**

**Sécurité**

**Concurrents**

Acura NSX, Aston Martin Vantage, Audi R8,
Ferrari F8, Lamborghini Huracán,
McLaren Artura, Porsche 911, Tesla Roadster

**Nouveau en 2022**
Arrivée d'une variante Spider décapotable.

# Renaissance italienne

Gabriel Gélinas

**C**inq milliards d'euros. C'est le montant qui été a investi dans la renaissance de Maserati, alors que la MC20 à moteur central établit un nouveau jalon pour la marque. La désignation MC évoque *Maserati Corse,* ou course en italien, tandis que le chiffre 20 correspond à 2020, année de la relance.

Sur le plan technique, la MC20 impressionne. Structure monocoque en fibre de carbone pesant moins de 100 kilos, V6 biturbo de 3 litres déployant 621 chevaux et 538 lb-pi de couple et boîte à double embrayage à 8 rapports font partie de l'arsenal de la MC20. Avec une masse limitée à 1 500 kilos, elle n'a besoin que de 2,9 secondes pour passer de 0 à 100 km/h. Sa vitesse de pointe s'élève à 325 km/h.

### UNE LIGNE À COUPER LE SOUFFLE

Les proportions de la MC20 sont sublimes. La partie avant est caractérisée par le célèbre trident s'affichant au centre d'une large calandre, ainsi que par le déflecteur qui court d'un côté à l'autre de la voiture. Vue de profil, la MC20 apparaît très basse, et on remarque autant les portières en élytre que les jantes en alliage de 20 pouces. Ces dernières, réalisées en fibre de carbone, font partie du catalogue des options, tout comme les freins en composite de céramique et le système de levage hydraulique de la caisse. On s'aperçoit également que la MC20 est totalement dépourvue d'éléments aérodynamiques mobiles, et que le symbole du trident se retrouve découpé dans la lunette en polycarbonate qui recouvre le compartiment moteur. Elle a une gueule d'enfer, rien de moins !

En montant à bord, on est étonné de constater que le seuil de la portière de la MC20 est plus étroit que celui d'autres bagnoles exotiques dotées d'une structure monocoque en fibre de carbone, comme les McLaren par exemple. Aussi, le look de l'habitacle est très minimaliste puisque la console centrale, elle aussi en fibre de carbone, ne regroupe que le sélecteur des modes de conduite, le bouton de commande de la boîte de vitesses (avec modes Automatique et Manuel), le bouton permettant d'enclencher la marche arrière, les commandes des vitres latérales, et le bouton du volume de la chaîne audio. Toutes les autres commandes sont accessibles au volant, notamment le démarrage du moteur et l'activation du système de départ canon, ou par l'entremise de l'écran tactile central.

## UN TOUT NOUVEAU MOTEUR SIGNÉ MASERATI

L'entente avec Ferrari, selon laquelle la marque au cheval cabré fournissait des moteurs à celle au trident, devenait caduque en 2021, ce qui a forcé Maserati à développer son propre V6 biturbo répondant à l'appellation *Nettuno*, évoquant Neptune, le dieu de la mer. Sur le plan technique, ce V6 se distingue par un système innovant de combustion à préchambre et double bougie, qui se retrouve pour la première fois sur une voiture de route.

C'est aussi un V6 avec un angle de 90 degrés, où les turbocompresseurs logent sous les rangées de cylindres, afin de réduire le centre de gravité. Le ratio de puissance est plutôt stupéfiant avec 207 chevaux par litre de cylindrée. Comme la MC20 est une propulsion, cette cavalerie est livrée aux seules roues arrière par l'entremise d'une boîte à double embrayage et par un différentiel à glissement limité, mécanique de série ou à commande électronique en option.

Le prix de départ est de 255 000 $, ce qui représente une certaine « aubaine » compte tenu du potentiel de performance de la MC20. Bien évidemment, les options mentionnées précédemment, et celles du programme de personnalisation *Fuoriserie,* auront tôt fait d'élever le montant de la facture à facilement plus de 300 000 $.

Prochainement, l'arrivée de la Spider décapotable permettra à Maserati de doubler son offre. Une autre variante électrique suivra dans un avenir proche. À ce sujet, Maserati a développé une motorisation électrique avec architecture de 800 volts appelée *Folgore*, qui signifie « éclair » en italien. Ce groupe motopropulseur est composé de trois moteurs électriques, un pour le train avant et deux pour le train arrière, ce qui permet d'introduire la notion de la répartition vectorielle du couple.

Il est clair que la MC20 est une voiture exceptionnelle, mais deviendra-t-elle une voiture d'exception ? La rareté aura certainement une incidence sur sa valeur à long terme, mais FCA, aujourd'hui Stellantis, pourra-t-elle continuer à investir les sommes nécessaires pour assurer la pérennité et l'évolution de Maserati ? Cette question ne trouvera sa réponse que dans les prochaines années, qui seront déterminantes pour Maserati.

### Données principales

| | |
|---|---|
| Emp. / lon. / lar. / haut. | 2 700 / 4 669 / 1 965 / 1 221 mm |
| Coffre / réservoir | 101 litres (47 Av.) / 60 litres |
| Nombre de passagers | 2 |
| Suspension av. / arr. | ind., double triangulation / ind., double triangulation |
| Pneus avant / arrière | P245/35R20 / P305/30R20 |
| Poids / Capacité de remorquage | 1 500 kg / non recommandé |

### Composantes mécaniques

| | |
|---|---|
| Cylindrée, alim. | V6 3,0 litres turbo |
| Puissance / Couple | 621 ch / 538 lb-pi |
| Tr. base (opt) / Rouage base (opt) | A8 / Prop |
| 0-100 / 80-120 / V. max | 2,9 s (c) / n.d. / 325 km/h (c) |
| 100-0 km/h | 33,0 m (c) |
| Type / ville / route / $CO_2$ | Sup / 15,4 / 9,5 / 295 g/km |

+ Rapport poids/puissance • Style fabuleux • Technologie moteur de pointe
− Tarif des options • Valeur de revente • Pérennité de la marque

Photos : Maserati

## À quatre pas de la porte

Antoine Joubert

**A**vec le marché des berlines de luxe en forte décroissance, Maserati ne dirige actuellement pas ses énergies sur sa Quattroporte, bien qu'on lui apporte quelques changements mineurs pour 2022. C'est à l'utilitaire Levante et à l'extraordinaire MC20 que revient le mandat de faire miroiter la marque, sous le giron de Stellantis. Une nouvelle entreprise qui semble vouloir redorer le blason de cette prestigieuse marque italienne, s'étant trop longtemps retrouvée sur le respirateur artificiel.

La Quattroporte est assurément celle qui aura le plus souffert du peu d'énergie consacrée à Maserati sous l'ère FCA. Une berline coûteuse et impopulaire, qui ne trouvait qu'à peine 1 000 preneurs à l'échelle nord-américaine au cours de l'exercice 2020, et pour laquelle même les concessionnaires ne fondent plus beaucoup d'espoir. Pour vous donner une idée, au moment d'écrire ces lignes, une seule unité (2021) de cette voiture était disponible dans l'inventaire du concessionnaire montréalais.

### CHARMEUSE

Il est évident qu'en faisant concurrence à BMW ou à Porsche, la Quattroporte n'est techniquement pas de taille. La technologie embarquée ne leur arrive pas à la cheville, tout comme la qualité générale de construction. Par contre, la présentation est magnifique et tout l'intérêt de cette voiture repose sur ce seul élément : le charme. Une berline qui, comme l'ensemble des produits de la marque, plaît par sa grande beauté et par une approche à l'opposé des véhicules allemands. Une voiture à ce point attrayante que l'on oublie momentanément certaines de ses lacunes techniques.

Bien sûr, vous serez d'abord séduit par sa robe, caractérisée par un long capot plongeant et cet interminable empattement, lui donnant d'une grâce sans égal. Selon vos goûts, vous pourrez ensuite jeter votre dévolu sur un habillage *GranLusso* d'apparence plus classique, ou vers une tenue *GranSport*, plus dynamique. Au sommet, la déclinaison Trofeo vous en mettra toutefois plein la vue, combinant un heureux mélange de muscles et d'élégance grâce à une tenue presque intimidante.

L'odeur des cuirs et les très belles textures des différents matériaux choisis à bord se chargent de poursuivre cet exercice de séduction. Le choix des teintes et des divers éléments décoratifs est d'ailleurs si vaste qu'il vous est

---

**Prix :** 115 000 $ à 170 265 $ (est)
**Transport et prép. :** 2 200 $
**Catégorie :** Gr. berlines de luxe
**Garanties :** 4/80, 4/80
**Assemblage :** Italie

**Ventes**
Québec 2020
1
⬇ 87 %

Canada 2020
34
⬇ 52 %

|  | GT | Modena S | Trofeo |
|---|---|---|---|
| **PDSF** | 115 000 $ | 138 215 $ | 170 265 $ |
| **Loc.** | n.d. | n.d. | n.d. |
| **Fin.** | 2 396 $ • 2,70 % | 2 880 $ • 2,70 % | 3 537 $ • 2,70 % |

Sécurité — Consommation

Appréciation générale — Fiabilité prévue — Agrément de conduite

**Équipement**

**Sécurité**

**Concurrents**
Audi A8, BMW Série 7, Genesis G90, Jaguar XJ, Lexus LS, Mercedes-Benz Classe S, Porsche Panamera, Tesla Model S

**Nouveau en 2022**
Révision des déclinaisons : GT, Modena et Trofeo. Régulateur de vitesse adaptatif de série.

possible de personnaliser la voiture dans les moindres détails, pour encore plus d'exclusivité. Cela dit, malgré tous les efforts effectués par l'équipe responsable de la sélection des matériaux et de leur design, la sauce est gâchée à cause des trop nombreux commutateurs et leviers issus de chez Chrysler... Les mêmes que dans un Jeep Cherokee, une Chrysler 300 ou un Dodge Journey. Bonjour le prestige...

### FACTURE À LA BAISSE

Grâce à l'arrivée d'une nouvelle version GT mais aussi dans l'optique d'une réorientation de la gamme, Maserati abaisse le tarif de ses Quattroporte pour 2022. Le prix d'entrée (non confirmé au moment de mettre sous presse) oscillerait donc autour de 115 000 $, bien que les rares acheteurs soient certainement plus attirés vers les modèles hiérarchiquement supérieurs. La Quattroporte est offerte en trois versions : GT, Modena et Trofeo, qui exploitent chacune leur propre motorisation.

Maserati récupère donc le V6 d'entrée de gamme du Levante, un 3 litres biturbo de 345 chevaux pour la version GT. Un moteur qui permet à cette Quattroporte de se mesurer à l'Audi A8 55 TFSI notamment, mais qui, comme sa rivale allemande, sera assurément très rare sur notre marché. Vient ensuite le V6 biturbo de 424 chevaux qui faisait l'an dernier office de moteur d'entrée de gamme, lequel est désormais greffé à la version Modena. Une mécanique certainement plus indiquée pour cette berline longue de 5,3 mètres, lui permettant de réaliser des accélérations frisant l'exotisme. Notez également que cette dernière peut accueillir le rouage intégral, ce que ne fait pas la version GT. Finalement, on intègre à la Trofeo un V8 issu de chez Ferrari, qui vous impressionnera autant par les accélérations qui en découlent que par son exaltante sonorité. Encore une fois, en mode séduction.

Conduire la Quattroporte vous ramène à la raison. Surtout si vous avez simultanément fait l'essai de berlines concurrentes. En effet, bien que cette voiture ait une personnalité unique et d'intéressantes mécaniques, son comportement routier montre de sérieuses lacunes. C'est qu'en fait, nous sommes ici bien loin de la maniabilité et de la précision de conduite d'une Porsche Panamera ou d'une Audi A8, le confort étant par ailleurs affecté par quelques craquements indignes d'une voiture de cette trempe. Ajoutez à cela une fiabilité aléatoire, une très forte dépréciation et une fin de carrière imminente, et vous comprenez ce qui nous pousse à vous recommander une berline rivale, même si vous êtes tombé sous son charme.

**+** Design magnifique • Motorisations envoûtantes (Modena, Trofeo) • Expérience sensorielle unique

**–** Épouvantable dépréciation • Qualité d'assemblage décevante • Voiture technologiquement en retard

### Données principales

| | |
|---|---|
| Emp. / lon. / lar. / haut. | 3 171 / 5 262 / 1 948 / 1 481 mm |
| Coffre / réservoir | 530 litres / 80 litres |
| Nombre de passagers | 5 |
| Suspension av. / arr. | ind., double triangulation / ind., multibras |
| Pneus avant / arrière | P245/40R20 / P285/35R20 |
| Poids / Capacité de remorquage | 1 920 kg / non recommandé |

### Composantes mécaniques

**GT**

| | |
|---|---|
| Cylindrée, alim. | V6 3,0 litres turbo |
| Puissance / Couple | 345 ch / 369 lb-pi |
| Tr. base (opt) / Rouage base (opt) | A8 / Prop |
| Type / ville / route / $CO_2$ | Sup / 14,4 / 9,3 / 281 g/km |

**MODENA**

| | |
|---|---|
| Cylindrée, alim. | V6 3,0 litres turbo |
| Puissance / Couple | 424 ch / 406 lb-pi |
| Tr. base (opt) / Rouage base (opt) | A8 / Int |
| 0-100 / 80-120 / V. max | 4,8 s (c) / n.d. / 288 km/h (c) |
| 100-0 km/h | 35,5 m (c) |
| Type / ville / route / $CO_2$ | Sup / 14,8 / 9,8 / 293 g/km |

**TROFEO**

| | |
|---|---|
| Cylindrée, alim. | V8 3,8 litres turbo |
| Puissance / Couple | 572 ch / 538 lb-pi |
| Tr. base (opt) / Rouage base (opt) | A8 / Prop |
| 0-100 / 80-120 / V. max | 4,5 s (c) / n.d. / 326 km/h (c) |
| 100-0 km/h | 34,0 m (c) |
| Type / ville / route / $CO_2$ | Sup / 17,4 / 11,9 / 348 g/km |

Photos : Maserati

**Prix :** 20 600 $ à 35 700 $ (2021)
**Transport et prép. :** 1 750 $
**Catégorie :** Compactes
**Garanties :** 3/ill, 5/ill
**Assemblage :** Mexique

**Ventes**

Québec 2020
**4 020**

⬇ **39 %**

Canada 2020
**12 769**

⬇ **39 %**

| | GX | Sport GS | Sport GT Turbo TI |
|---|---|---|---|
| PDSF | 20 600 $ | 24 300 $ | 35 700 $ |
| Loc. | 355 $ • 2,95 % | 408 $ • 3,45 % | 545 $ • 3,45 % |
| Fin. | 448 $ • 1,45 % | 522 $ • 1,45 % | 748 $ • 1,45 % |

Sécurité     Consommation

Appréciation générale     Fiabilité prévue     Agrément de conduite

**Équipement**

**Sécurité**

**Concurrents**

Honda Civic, Hyundai Elantra, Kia Forte, Nissan Sentra, Subaru Impreza, Toyota Corolla, Volkswagen Jetta

**Nouveau en 2022**

Connectivité améliorée avec certaines commandes disponibles à distance, cuir rouge avec surpiqûres disponible en option (GT Turbo).

# Désormais la seule

Antoine Joubert

En faisant abstraction de la MX-5, la Mazda3 devient, en 2022, la seule voiture de la gamme, avec l'abandon de la Mazda6. Et si la tendance se maintient, il se pourrait, un jour, que la Mazda3 y passe elle aussi. Je vous rassure, nous n'y sommes pas encore. Cela dit, avec des ventes en baisse de 39 % au Canada comme au Québec, cette compacte connaissait, en 2020, la pire année de son histoire. Comprenez également qu'avec des ventes à peine trois fois plus élevées aux États-Unis qu'au Canada pour une population dix fois plus grande, la situation devient de plus en plus problématique.

Cela ne fait évidemment pas de la Mazda3 un mauvais produit. Bien au contraire. En fait, l'équipe du *Guide de l'auto* s'accorde à dire que jamais cette compacte n'aura été aussi compétente, la recommandant les yeux fermés, et ce, même pour un achat à très long terme. Alors, qu'est-ce qui cloche ?

### 49 $ PAR SEMAINE ? PAS ICI

Tout comme Honda, avec sa nouvelle Civic, Mazda délaisse, depuis quelques années, la stratégie du plus bas prix en ville. « Laissons ça à Nissan et aux Coréens », me mentionnait récemment un vendeur qui, avec raison, adhère à cette nouvelle façon de faire du constructeur. Pour Mazda, il s'agit d'offrir un raffinement, une qualité et un niveau de luxe supérieurs, au lieu de miser sur un plus gros volume de ventes. Le constructeur japonais souhaite aussi améliorer l'expérience d'achat et de possession d'un produit Mazda, auquel on accorde davantage de valeur. Oubliez ainsi la Mazda3 au prix d'un forfait de Vidéotron. Vous débourserez désormais un minimum de 355 $ mensuellement (taxes incluses) pour une location sur un terme de quatre ans. Et la voiture le vaut amplement.

Depuis sa refonte, en 2019, la Mazda3 propose une qualité de fabrication jamais vue, gage d'une durabilité égale à celle d'une Honda Civic ou d'une Toyota Corolla, tout en maintenant des coûts d'entretien et de réparation comparables. Cette qualité ressentie à la seule fermeture des portières constitue un premier argument convaincant du véhicule, solidement construit. La richesse de la présentation et le niveau de finition sans égal que propose la Mazda3 se veulent aussi des facteurs de persuasion, alors que le conducteur prend place sur un siège magnifiquement sculpté et très confortable.

Plusieurs rebrousseront toutefois chemin en constatant l'espace réduit de l'habitacle par rapport à l'ensemble de ses rivales. Et si la visibilité s'avère passable avec la berline, il en va autrement pour la version à hayon (Sport), où la surface vitrée est très faible. Pour compléter le trio des irritants, mentionnons également ce système d'infodivertissement fonctionnant par l'intermédiaire d'une molette, laquelle occupe une place de choix sur la console centrale.

## LA PLUS AMUSANTE

Ne cherchez pas. La Mazda3 est de loin la plus amusante des compactes du marché. On a affaire à une voiture avec laquelle on fait corps et qui redéfinit le plaisir de conduire. Sa tenue de route en virage, sa verve en accélération, sa grande rigidité structurelle et la précision de sa direction font d'elle une voiture qui fait littéralement bande à part dans le segment. Surtout depuis la disparition de la Volkswagen Golf.

D'ailleurs, l'auto demeure l'une des rares à toujours offrir la boîte manuelle sur l'ensemble des versions à roues motrices avant. Il est également possible d'opter pour le rouage intégral, mais uniquement avec la transmission automatique. Optionnelle dans les modèles GS et GT à moteur de 2,5 litres, la traction intégrale est livrée de série avec le moteur turbo, débarqué l'an dernier.

Capable d'offrir jusqu'à 250 chevaux de puissance en utilisant de l'essence super (taux d'octane de 93), la Mazda3 à moteur turbocompressé reste la plus rapide de la gamme. La turbocompression vous fait gagner respectivement 1,2 (traction) et 1,7 seconde (quatre roues motrices) dans l'exercice du 0 à 100 km/h par rapport au modèle à moteur de 2,5 litres atmosphérique. Performant, le rouage intégral contribue lui aussi à un plaisir de conduire rehaussé, vous permettant sans gêne un exercice de comparaison avec des véhicules comme la BMW 228i xDrive ou la Mercedes-Benz Classe A. Dans les faits, ces voitures n'en offrent pas réellement plus, malgré leur prix élevé.

Voilà donc une automobile qui n'est certes pas sans défauts, mais avec laquelle vous aurez chaque jour plus de plaisir à vous rendre au travail. Il s'agit d'une voiture solide, bien construite, plus raffinée que jamais et qui, malgré une facture en hausse, conserve une excellente valeur sur le marché.

**MAZDA3**

### Données principales

| | |
|---|---|
| Emp. / lon. / lar. / haut. | **Berline -** 2 726 / 4 662 / 2 028 / 1 445 mm |
| | **Hatchback -** 2 726 / 4 459 / 2 028 / 1 440 mm |
| Coffre / réservoir | **Berline -** 374 à 940 litres / 48 à 50 litres |
| | **Hatchback -** 569 à 1 334 litres / 48 à 50 litres |
| Nombre de passagers | 5 |
| Suspension av. / arr. | ind., jambes force / semi-ind., poutre torsion |
| Pneus avant / arrière | P205/65R16 / P205/65R16 |
| Poids / Capacité de remorquage | 1 328 à 1 534 kg / non recommandé |

### Composantes mécaniques

**GX, BERLINE GS MANUELLE**

| | |
|---|---|
| Cylindrée, alim. | 4L 2,0 litres atmos. |
| Puissance / Couple | 155 ch / 150 lb-pi |
| Tr. base (opt) / Rouage base (opt) | M6 (A6) / Tr |
| 0-100 / 80-120 / V. max | n.d. / n.d. / n.d. |
| Type / ville / route / $CO_2$ | **Man -** Ord / 8,7 / 6,4 / 180 g/km |
| | **Auto -** Ord / 8,4 / 6,6 / 178 g/km |

**GS, GT**

| | |
|---|---|
| Cylindrée, alim. | 4L 2,5 litres atmos. |
| Puissance / Couple | 186 ch / 186 lb-pi |
| Tr. base (opt) / Rouage base (opt) | M6 (A6) / Tr (Int) |
| 0-100 / 80-120 / V. max | **Man -** 8,3 s (m) / 5,9 s (m) / n.d. |
| | **Auto Tr -** 7,9 s (m) / 5,3 s (m) / n.d. |
| | **Auto Int. -** 8,4 s (m) / 5,8 s (m) / n.d. |
| 100-0 km/h | 40,8 m (m) |
| Type / ville / route / $CO_2$ | **Berline auto -** Ord / 8,9 / 6,5 / 184 g/km |
| | **Sport man -** 9,5 / 7,0 / 197 g/km |
| | **Sport Int -** 9,5 / 7,4 / 200 g/km |
| | **Sport turbo -** 10,1 / 7,5 / 209 g/km |

**GT TURBO**

| | |
|---|---|
| Cylindrée, alim. | 4L 2,5 litres turbo |
| Puissance / Couple | **Ess. Ord -** 227 ch / 310 lb-pi |
| | **Ess. Sup -** 250 ch / 320 lb-pi |
| Tr. base (opt) / Rouage base (opt) | A6 / Int |
| 0-100 / 80-120 / V. max | 6,7 s (m) / 4,7 s (m) / n.d. |
| Type / ville / route / $CO_2$ | **Berline -** Ord / 10,1 / 7,3 / 207 g/km |
| | **Sport -** Ord / 10,1 / 7,5 / 209 g/km |

**+** Plaisir de conduire • Disponibilité du rouage intégral • Design réussi • Grande qualité de fabrication et de finition

**—** Habitacle étroit • Visibilité problématique (Sport) • Système multimédia à revoir • Consommation supérieure à la moyenne

## Pas mort, mais pas fort

Guillaume Rivard

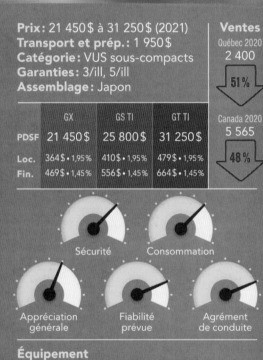

**Prix :** 21 450 $ à 31 250 $ (2021)
**Transport et prép. :** 1 950 $
**Catégorie :** VUS sous-compacts
**Garanties :** 3/ill, 5/ill
**Assemblage :** Japon

**Ventes**
Québec 2020
2 400

51 %

Canada 2020
5 565

48 %

| | GX | GS TI | GT TI |
|---|---|---|---|
| PDSF | 21 450 $ | 25 800 $ | 31 250 $ |
| Loc. | 364 $ • 1,95 % | 410 $ • 1,95 % | 479 $ • 1,95 % |
| Fin. | 469 $ • 1,45 % | 556 $ • 1,45 % | 664 $ • 1,45 % |

Sécurité  Consommation

Appréciation générale  Fiabilité prévue  Agrément de conduite

**Équipement**

**Sécurité**

**Concurrents**

Buick Encore, Chevrolet Trax, Hyundai Venue,
Kia Soul, Nissan Kicks, Toyota C-HR

**Nouveau en 2022**
Révision des équipements livrés de série,
nouvelles couleurs de carrosserie.

**D**epuis l'arrivée du chic et sportif CX-30 en 2020, le Mazda CX-3 semblait voir ses jours comptés. Et effectivement, la compagnie a décidé qu'il ne serait pas de retour pour l'année modèle 2022... aux États-Unis. Véritable échec commercial sur le marché américain, ce petit multisegment survit au Canada où la demande est beaucoup plus forte, toutes proportions gardées.

Or, le CX-3 n'est plus le joueur étoile qu'il était à la suite de son lancement comme modèle 2016. La concurrence frappe plus fort que jamais. Mazda le conserve aux côtés du CX-30 pour essentiellement les mêmes raisons que Chevrolet garde le Trax avec le Trailblazer et que Buick demeure fidèle à l'Encore malgré la venue de l'Encore GX. C'est un produit simple et très abordable qui peut encore séduire de premiers acheteurs ou ceux qui ne veulent pas se tourner vers un véhicule usagé.

**DANS LES LIGUES MINEURES**
Le Mazda CX-3 possède de belles qualités, mais il ne peut plus rivaliser avec les VUS sous-compacts plus modernes, plus spacieux, plus conviviaux et plus compétents en général. Pensons au Subaru Crosstrek ou au Kia Seltos. Ces modèles des ligues majeures, ainsi que le CX-30, relèguent aujourd'hui le CX-3 dans les mineures où il côtoie les Chevrolet Trax et Buick Encore de ce monde. Disponible avec un rouage intégral, il s'agit également d'une solution de rechange aux utilitaires à vocation citadine et exclusivement à traction comme le Hyundai Venue, le Toyota C-HR, le Nissan Kicks et le Kia Soul.

Le CX-3 ne cadre pas vraiment dans la stratégie actuelle de Mazda, qui tend à devenir une marque plus huppée avec des produits raffinés. Prenons son design, par exemple. Il n'est pas laid et on peut dire qu'il a sa personnalité, toutefois, il détonne avec la dernière évolution du langage « Kodo » de Mazda. L'habitacle, lui, n'a à peu près pas changé en six ans. Certes, la présentation et la finition sont louables, mais il n'y a plus d'effet « wow ». Regardez le combiné d'instruments démodé et qui manque d'informations. Au moins, la plupart des commandes sont intuitives et l'écran central n'a pas l'air d'une vulgaire tablette collée à la planche de bord.

Puisque l'on parle de ce dernier, le système d'infodivertissement n'est clairement pas un exemple à suivre. Il est plutôt lent à réagir et requiert des manipulations complexes pour obtenir ce que l'on désire. Ça devient vite

frustrant en plus d'être une cause de distraction au volant. Si vous préférez utiliser Apple CarPlay ou Android Auto, c'est possible de le faire dans toutes les versions.

Une autre raison qui empêche le CX-3 de jouer dans la cour des grands, c'est son manque de confort sur de longues distances et surtout d'espace aux places arrière et dans le coffre. De grâce, n'imposez pas à vos passagers des sorties de plusieurs heures ! Bien sûr, la banquette convient à des enfants, mais en vérité, le CX-3 n'est pas un véhicule familial. Il s'adresse davantage aux célibataires et aux couples, encore faut-il que ceux-ci n'aient pas beaucoup de matériel à transporter, car le volume de chargement avec les dossiers en place frôle le ridicule.

### POUR LA CONDUITE

Là où le Mazda CX-3 continue de dominer bon nombre de ses rivaux, c'est au niveau de l'agrément de conduite et de la maniabilité. Animé par un moteur à 4 cylindres de 2 litres qui répond sans délai quand on le sollicite, il démontre un beau côté fringant. Sa puissance de 148 chevaux et son couple de 146 lb-pi correspondent toujours à la moyenne de la catégorie, exception faite des modèles proposant un second, voire un troisième moteur. Une direction franche combinée à une suspension ferme (trop pour certains, en tout cas sur les chaussées détériorées) encourage aussi la conduite dynamique en ville comme sur les routes sinueuses.

On applaudit par ailleurs le CX-3 pour sa faible consommation d'essence (7,7 L/100 km en moyenne en version à traction ou 8,1 L/100 km avec le rouage intégral). Sa boîte automatique à six rapports est bien calibrée en ce sens et fait du bon boulot en général, malgré de petits accrocs occasionnels dans les premiers rapports. En revanche, le moteur a tendance à se montrer bruyant, constat amplifié par le manque d'insonorisation par rapport aux autres véhicules de Mazda. La garde au sol et la visibilité, sans être mauvaises, nécessitent parfois de redoubler de prudence.

En somme, le Mazda CX-3 est un multisegment frugal, sécuritaire et qui sait plaire aux amateurs de conduite. Cependant, il impose quand même plusieurs sacrifices au quotidien et il est de toute évidence moins raffiné que les nouveaux produits de Mazda. Bien qu'il poursuive sa route au Canada, c'est dans une classe inférieure de VUS sous-compacts qu'il faut le placer.

Données principales

| Emp. / lon. / lar. / haut. | 2 570 / 4 274 / 1 767 / 1 542 mm |
|---|---|
| Coffre / réservoir | 467 à 1 209 litres / 45 à 48 litres |
| Nombre de passagers | 5 |
| Suspension av. / arr. | ind., jambes force / semi-ind., poutre torsion |
| Pneus avant / arrière | P215/60R16 / P215/60R16 |
| Poids / Capacité de remorquage | 1 238 kg / non recommandé |

**Composantes mécaniques**

| Cylindrée, alim. | 4L 2,0 litres atmos. |
|---|---|
| Puissance / Couple | 148 ch / 146 lb-pi |
| Tr. base (opt) / Rouage base (opt) | M6 (A6) / Tr (Int) |
| 0-100 / 80-120 / V. max | 9,2 s (m) / 6,3 s (m) / 192 km/h (est) |
| 100-0 km/h | 42,9 m (m) |
| Type / ville / route / $CO_2$ | Tr Man - Ord / 8,8 / 7,0 / 186 g/km |
| | Tr Auto - Ord / 8,3 / 6,9 / 179 g/km |
| | Int Auto - Ord / 8,6 / 7,4 / 189 g/km |

+ Conduite plaisante •
Faible consommation •
Sécurité primée

− Espace et confort déficients • Système multimédia frustrant • Pas le reflet du « nouveau » Mazda

Photos : Mazda

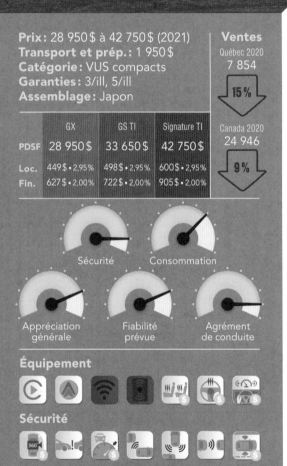

**Prix:** 28 950 $ à 42 750 $ (2021)
**Transport et prép.:** 1 950 $
**Catégorie:** VUS compacts
**Garanties:** 3/ill, 5/ill
**Assemblage:** Japon

**Ventes**
Québec 2020
7 854

15 % ⬇

Canada 2020
24 946

9 % ⬇

| | GX | GS TI | Signature TI |
|---|---|---|---|
| PDSF | 28 950 $ | 33 650 $ | 42 750 $ |
| Loc. | 449 $ • 2,95% | 498 $ • 2,95% | 600 $ • 2,95% |
| Fin. | 627 $ • 2,00% | 722 $ • 2,00% | 905 $ • 2,00% |

Sécurité   Consommation

Appréciation générale   Fiabilité prévue   Agrément de conduite

**Équipement**

**Sécurité**

**Concurrents**

Chevrolet Equinox, Ford Bronco Sport, Ford Escape, GMC Terrain, Honda CR-V, Hyundai Tucson, Jeep Cherokee, Jeep Compass, Kia Sportage, Mitsubishi Outlander, Nissan Rogue, Subaru Forester, Toyota RAV4, Volkswagen Tiguan

**Nouveau en 2022**

Écran tactile (10,3 po) de série, ensemble i-Activsense de série (GX), roues de 19 pouces pour les versions GS 4RM, nouvelle application MyMazda, services Mazda Connected.

# Du style et de la qualité à bon prix

Jacques Bienvenue

**D**ès son arrivée sur notre marché, début 2012, le Mazda CX-5 est devenu un favori des Canadiens. Il l'est toujours aujourd'hui. Ce succès tient à l'agrément de conduite qu'il procure, certes, sans oublier la finition soignée de son habitacle et, pour les versions plus luxueuses, la grande qualité des matériaux employés. Pas surprenant qu'on le compare aux utilitaires de luxe allemands de même taille, bien qu'il n'affiche pas leurs prix déraisonnables!

Ce véhicule dont l'actuelle seconde génération date de 2016 (et pour lequel on prédit l'arrivée de la troisième bientôt) peut accueillir confortablement quatre adultes de taille moyenne, cinq au besoin, dans un intérieur bien insonorisé. Sa dotation de série comprend plusieurs technologies de sécurité active. À cela s'ajoutent certains accessoires généralement réservés aux versions haut de gamme comme des rétroviseurs extérieurs chauffants, des essuie-glaces à capteurs de pluie et des phares à DEL.

Son coffre modulable en fait un véhicule polyvalent. Sachez toutefois que ses cotes de volume de chargement sont inférieures à celles du Toyota RAV4 ou du Honda CR-V, des champions en la matière dans ce créneau. Les cotes du CX-5 s'apparentent à celles du Ford Escape.

### AMÉLIORATIONS RÉCENTES

En milieu d'année 2021, Mazda a apporté certains changements notoires au CX-5. L'écran de 10,3 pouces qui domine désormais le centre du tableau de bord est le plus évident. En plus d'avoir une surface tactile plus grande et plus pratique que l'écran de 8 pouces qu'il remplace, il donne un meilleur coup d'œil à un environnement qui paraissait dénudé. Il affiche une nouvelle interface du système d'infodivertissement Mazda Connect et donne accès aux fonctions prisées de CarPlay d'Apple, d'Android Auto et de Mazda Connected Services. De plus, l'application MyMazda permet maintenant d'actionner à distance le verrouillage et le déverrouillage des portes, de même que le démarrage et l'arrêt du moteur.

Le constructeur a également bonifié la dotation de certaines versions. Avec l'ajout de l'ensemble i-Activesense, le CX-5 GX d'entrée de gamme dispose à peu de chose près des mêmes dispositifs d'aide à la conduite que les déclinaisons les plus coûteuses. En incorporant ainsi les dispositifs essentiels

à la dotation de son modèle le moins cher, Mazda démontre que la sécurité n'est plus une affaire de luxe. Quant au CX-5 GS à quatre roues motrices, comme les versions plus coûteuses, il a maintenant des roues en alliage de 19 pouces au lieu de 17. Rappelons, par ailleurs, que la transmission intégrale demeure une option pour les deux versions les moins chères de la gamme.

Cet utilitaire offre le choix de trois variantes du moteur à 4 cylindres Skyactiv-G de 2,5 litres. Toutes jumelées à une boîte de vitesses automatique à 6 rapports, elles permettent le remorquage de charges atteignant 2 000 lb. Les deux variantes atmosphériques produisent 187 chevaux et 186 lb-pi. Toutes les versions qui en sont munies, la GX exceptée, profitent d'un dispositif désactivant 2 cylindres lorsque le véhicule roule à vitesse constante.

De manière imperceptible, cela en fait un bicylindre moins énergivore. Dans quelle mesure? Selon les cotes de consommation moyenne publiées par le site ÉnerGuide de Ressources naturelles Canada, ce dispositif réduirait la consommation d'environ 3 % comparativement à un GX, tant pour les déclinaisons à deux qu'à quatre roues motrices.

### UN TURBO INSPIRANT

Mazda propose également une variante à turbocompresseur. Réservée à la version haut de gamme Signature et, contre supplément, à la GT, la boîte de vitesses de ce moteur est assortie de palettes de changement de rapports fixées au volant. Ce détail peut paraître anodin. Il annonce toutefois le caractère plus fougueux qu'insuffle ce moteur suralimenté. En effet, il procure au CX-5 de 40 à 63 chevaux additionnels, selon qu'on l'alimente de carburant régulier ou super. En ce qui concerne le couple, ce moteur produit jusqu'à 134 lb-pi de plus (avec du carburant super), et ce, dès qu'il atteint un régime de seulement 2 400 tr/min.

Cela explique les accélérations franches et linéaires ainsi que les reprises soutenues. Car ce moteur turbo abaisse de 3 secondes environ l'exercice d'accélération de 0 à 100 km/h des moteurs atmosphériques. Pour un véhicule qui bénéficie d'un comportement routier sain et prévisible, maîtrisant bien le roulis dans les courbes, ce n'est rien de moins qu'un régal! Ça rappelle le célèbre «Vroum, vroum!» que chuchotait le jeune Micah Kanters dans les publicités de Mazda, au début du XXIe siècle!

**Données principales**

| | |
|---|---|
| Emp. / lon. / lar. / haut. | 2 698 / 4 550 / 2 115 / 1 680 mm |
| Coffre / réservoir | 875 à 1 687 litres / 56 à 58 litres |
| Nombre de passagers | 5 |
| Suspension av. / arr. | ind., jambes force / ind., multibras |
| Pneus avant / arrière | P225/65R17 / P225/65R17 |
| Poids / Capacité de remorquage | 1 559 kg / 907 kg (2 000 lb) |

**Composantes mécaniques**

**GX, GS, KURO, GT**

| | |
|---|---|
| Cylindrée, alim. | 4 L 2,5 litres atmos. |
| Puissance / Couple | 187 ch / 186 lb-pi |
| Tr. base (opt) / Rouage base (opt) | A6 / Tr (Int) |
| 0-100 / 80-120 / V. max | 9,2 s (est) / 6,2 s (est) / n.d. |
| 100-0 km/h | 42,1 m (m) |
| Type / ville / route / $CO_2$ | Tr - Ord / 9,7 / 7,8 / 206 g/km |
| | Int - Ord / 10,2 / 8,2 / 217 g/km |

**GT TURBO, SIGNATURE**

| | |
|---|---|
| Cylindrée, alim. | 4 L 2,5 litres turbo |
| Puissance / Couple | Ess ord - 227 ch / 310 lb-pi |
| | Ess sup - 250 ch / 320 lb-pi |
| Tr. base (opt) / Rouage base (opt) | A6 / Int |
| 0-100 / 80-120 / V. max | 6,9 s (m) / 5,7 s (m) / n.d. |
| 100-0 km/h | 44,3 m (m) |
| Type / ville / route / $CO_2$ | Sup / 10,8 / 8,7 / 230 g/km |

➕ Motorisations performantes
• Tenue de route efficace •
Roulement doux (versions à roues de 17 po)

➖ Pas de version hybride •
Visibilité arrière réduite •
Volume du coffre inférieur aux meilleurs

Photos: Mazda

# MAZDA **CX-9**

★★★⯪ **COTE DU GUIDE**

**Prix :** 40 300 $ à 52 300 $ (2021)
**Transport et prép. :** 1 950 $
**Catégorie :** VUS intermédiaires
**Garanties :** 3/ill, 5/ill
**Assemblage :** Japon

**Ventes**
Québec 2020
948
⬇ 14 %

Canada 2020
3 911
⬇ 11 %

|  | GS | GS-L | Signature |
|---|---|---|---|
| PDSF | 40 300 $ | 44 050 $ | 52 300 $ |
| Loc. | 591 $ • 2,45 % | 631 $ • 2,45 % | 716 $ • 2,45 % |
| Fin. | 856 $ • 2,00 % | 931 $ • 2,00 % | 1 097 $ • 2,00 % |

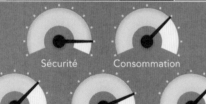

Sécurité  Consommation

Appréciation générale  Fiabilité prévue  Agrément de conduite

## Équipement

## Sécurité

## Concurrents

Chevrolet Blazer, Dodge Durango, Ford Explorer, GMC Acadia, Honda Pilot, Hyundai Palisade, Kia Telluride, Nissan Pathfinder, Subaru Ascent, Toyota Highlander, Volkswagen Atlas

## Nouveau en 2022

Système multimédia amélioré avec écran de 10,25 pouces, services Mazda Connected, ajustements d'équipement.

# Athlète spécialisé en manque de polyvalence

Guillaume Rivard

Les compagnies automobiles qui proposent des VUS intermédiaires à trois rangées doivent répondre aux besoins variés des familles. Fidèle à elle-même, Mazda a voulu se démarquer du lot avec un CX-9 qui mise sur un design affirmé et une conduite dynamique. Est-ce la bonne stratégie ? C'est discutable. Néanmoins, dans un monde où les utilitaires sont légion, on ne pourrait imaginer que tous se ressemblent et remplissent les mêmes fonctions, pas vrai ?

Bien qu'il entame sa septième année sur le marché, le Mazda CX-9 actuel demeure un véhicule attrayant, compétent et satisfaisant à sa manière. Des rides, il n'en a tout simplement pas. Vrai, il se fait éclipser par plusieurs concurrents en ce qui a attrait aux ventes, mais on peut en dire autant du Kia Telluride qui, pourtant, est acclamé par pratiquement l'ensemble des médias automobiles.

### L'AGRÉMENT DE CONDUITE D'ABORD

Même si l'on a une famille qui nécessite trois rangées de sièges, on a le droit de vouloir éprouver certaines sensations au volant. Autrement, il n'y aurait que des fourgonnettes sur la route ! Donc, parmi les consommateurs qui se tournent vers ce genre de VUS, quelques-uns sont encore à la recherche d'une conduite qui se rapproche de celle d'une voiture. À cet égard, aucun compétiteur ne fait mieux que le CX-9.

Le centre de gravité est bas, la direction s'avère aussi communicative que dans les autres modèles de la marque et la suspension permet de belles manœuvres dans les transitions latérales, tout en préservant un roulement doux et silencieux. Précisons aussi que le rouage intégral i-ACTIV est inclus de série et fait du bon boulot. L'expérience de conduite est rehaussée par un poste de pilotage bien pensé et une visibilité somme toute adéquate (un peu moins à l'arrière). Le freinage est correct, aidé par le fait que le CX-9 est le VUS le plus léger de sa catégorie, en revanche une meilleure réponse de la pédale serait souhaitable.

Parlant de légèreté, ce n'est pas un V6 que l'on retrouve sous le capot du grand Mazda, comme la majorité des concurrents, mais plutôt un moteur turbocompressé à 4 cylindres de 2,5 litres. Ce qu'il perd en puissance (227 chevaux avec de l'essence ordinaire, 250 avec de l'essence super), il le compense amplement par un couple robuste (310 ou 320 lb-pi selon le carburant utilisé), qu'on apprécie bien à bas régime.

La boîte automatique qui accompagne ce moteur turbo n'a pas changé. Elle compte 6 rapports à une époque où plusieurs rivaux sont passés à 8 ou même à 10 rapports. Quoi qu'il en soit, cette boîte sait sur quel pied danser et elle maintient la consommation d'essence du CX-9 parmi les plus basses du segment. En revanche, on ne retrouve pas la douceur d'un V6. De plus, un inconvénient qui peut dissuader les familles est la capacité de remorquage limitée à 3 500 lb. Si vous avez une grosse roulotte à tirer, vous serez mieux servi par les nombreux VUS capables de remorquer jusqu'à 5 000 lb, voire plus.

## MOINS PRATIQUE

Aussi chic et raffiné que soit l'habitacle du Mazda CX-9, ses places de troisième rangée demeurent assez restreintes et son coffre ne peut engloutir que 407 litres (ou 2 017 litres quand on rabat tous les dossiers arrière). Ce n'est donc pas juste le véhicule qui est léger : les passagers arrière doivent idéalement être de jeunes enfants et les bagages, peu volumineux. Puis, en repliant les sièges, d'autres compromis s'imposent. Par exemple, dans le modèle à six places avec une console centrale à la deuxième rangée, la surface de chargement n'inspire guère confiance pour transporter un téléviseur de 65 pouces chez le réparateur.

Revenons à l'avant où le CX-9 s'est modernisé en cours d'année 2021 avec un écran central de 10,25 pouces doté de la nouvelle interface du système d'infodivertissement *Mazda Connect,* comme dans les Mazda3 et CX-30. Voilà un vent de fraîcheur apprécié dans un modèle en fin de génération. Toutefois, le système manque de convivialité par rapport à ce que l'on voit ailleurs. Bien sûr, vous avez Android Auto et Apple CarPlay, mais il y aurait moyen de faire plus simple. Bravo tout de même pour l'ajout des services *Mazda Connected,* qui permettent une surveillance et un contrôle à distance par le biais d'un appareil mobile.

En somme, le Mazda CX-9 plaît aux conducteurs et aux familles qui ont bien calculé leurs besoins. Pour plus de flexibilité, de polyvalence et de meilleures capacités de transport/remorquage, optez pour un rival américain ou coréen, ou alors pour le vénérable Honda Pilot. Pas pressé de changer de VUS ? Attendez peut-être la nouvelle génération du CX-9, qui semble en voie d'adopter une nouvelle architecture dite pour grands véhicules et une motorisation à 6 cylindres en ligne. Ça promet !

### Données principales

| | |
|---|---|
| Emp. / lon. / lar. / haut. | 2 930 / 5 065 / 2 207 / 1 753 mm |
| Coffre / réservoir | 407 à 2 017 litres / 74 litres |
| Nombre de passagers | 6-7 |
| Suspension av. / arr. | ind., jambes force / ind., multibras |
| Pneus avant / arrière | P255/60R18 / P255/60R18 |
| Poids / Capacité de remorquage | 1 994 kg / 1 588 kg (3 500 lb) |

### Composantes mécaniques

| | |
|---|---|
| Cylindrée, alim. | 4L 2,5 litres turbo |
| Puissance / Couple | **Ess ord -** 227 ch / 310 lb-pi |
| | **Ess sup -** 250 ch / 320 lb-pi |
| Tr. base (opt) / Rouage base (opt) | A6 / Int |
| 0-100 / 80-120 / V. max | 7,8 s (m) / 5,9 s (m) / n.d. |
| 100-0 km/h | 43,0 m (m) |
| Type / ville / route / $CO_2$ | Ord / 11,6 / 9,1 / 244 g/km |

**+** Allure sportive et élégante • Direction agréable • Bonne tenue de route

**—** Modèle en fin de génération • Espace et chargement limités • Capacité de remorquage inférieure aux meilleurs

Photos : Mazda

**Prix:** 24 700 $ à 34 000 $ (2021)
**Transport et prép.:** 1 950 $
**Catégorie:** VUS sous-compacts
**Garanties:** 3/ill, 5/ill
**Assemblage:** Mexique

**Ventes**
Québec 2020
3 330

n.d.

Canada 2020
9 017

n.d.

|       | GX       | GX TI    | GT TI    |
|-------|----------|----------|----------|
| PDSF  | 24 700 $ | 29 000 $ | 34 000 $ |
| Loc.  | 399 $ • 3,45 % | 447 $ • 3,45 % | 508 $ • 3,45 % |
| Fin.  | 534 $ • 1,45 % | 619 $ • 1,45 % | 719 $ • 1,45 % |

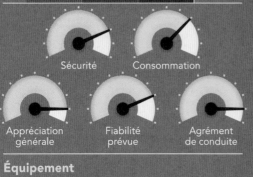

Sécurité · Consommation · Appréciation générale · Fiabilité prévue · Agrément de conduite

**Équipement**

**Sécurité**

**Concurrents**

Buick Encore GX, Chevrolet Trailblazer, Fiat 500X, Ford EcoSport, Honda HR-V, Hyundai Kona, Jeep Renegade, Kia Niro/Seltos, Mitsubishi Eclipse Cross/RVR, Nissan Qashqai, Subaru Crosstrek, Toyota Corolla Cross, Volks. Taos

**Nouveau en 2022**

Connectivité améliorée avec certaines commandes disponibles à distance.

# GLA à rabais ?

Antoine Joubert

**A**u moment d'écrire ces lignes, Mazda Canada avait vendu à peu près le même nombre de CX-30 que de Mazda3. Voilà la preuve d'un marché en pleine transition si l'on considère que la Mazda3 jouit d'une enviable réputation à l'échelle canadienne depuis près de vingt ans. Or, parce que la mode est aux petits utilitaires, mais aussi parce que la stratégie du constructeur a changé, celle qui constituait jadis le pain et le beurre de l'entreprise devient tranquillement un modèle secondaire.

De son côté, le CX-30 fait face à de très féroces concurrents. Parmi eux, on retrouve le Subaru Crosstrek (champion de notre match comparatif), le Kia Seltos, sans oublier le nouveau Toyota Corolla Cross. D'ailleurs, il serait juste de considérer certains véhicules plus prestigieux comme une compétition secondaire. On n'a qu'à penser aux BMW X1 et Mercedes-Benz GLA, pour ne nommer que ceux-là. Des véhicules qui, sur le plan technique comme en matière de luxe et de finition, n'offrent en réalité rien de plus que la version GT turbocompressée du CX-30.

### 15 000 $ POUR UN ÉCUSSON ?

Dans cette livrée, le CX-30 s'affiche à 38 000 $ environ. Grosso modo, de 10 000 $ à 15 000 $ de moins qu'un produit de luxe allemand comparable. Ou, si vous préférez, de 200 $ à 300 $ de moins mensuellement pour une location de quatre ans. Certes, Mazda n'offre pas l'emblème ni le prestige qui l'accompagne. Néanmoins, le véhicule est livré de série avec un équipement ultra complet où seuls les sièges ventilés brillent par leur absence. Admettons-le, le système multimédia n'est pas aussi convivial que du côté du Mercedes-Benz GLA et du Audi Q3. Ce dernier, lent à réagir, requiert l'intermédiaire d'une roulette pour le contrôle des fonctions. Toutefois, la présentation comme la qualité de finition sont exceptionnelles et vous apprécierez certainement le confort des sièges, juste assez fermes et enveloppants.

Quel est le véritable handicap du CX-30 ? Son habitabilité de même que sa faible surface vitrée, qui nuit à la visibilité. Voilà sans doute pourquoi plusieurs acheteurs en quête d'un petit véhicule familial rebroussent chemin. Cela dit, et bien que les laiderons se fassent plutôt rares dans le segment, on réussit, avec un design des plus athlétiques, à séduire l'acheteur, qui pourrait alors accepter de faire quelques compromis d'ordre rationnel. Il faut dire que Mazda se démarque également en fait d'agrément de conduite et de

performances. Il s'agit d'un point sur lequel il faut insister parce que quiconque prendrait simultanément son volant pour ensuite conduire un Hyundai Kona ou un Nissan Qashqai pourrait soudainement redéfinir ses priorités.

En fait, c'est que Mazda parvient avec son CX-30 à offrir un confort remarquable et un niveau de raffinement sans égal, le tout doublé d'une conduite dynamique, voire sportive. L'impression d'un véhicule développé autour de son conducteur est donc palpable, la position de conduite étant irréprochable. Direction précise et suspensions efficacement calibrées font également équipe avec une grande rigidité structurelle afin de maximiser l'agrément. Évidemment, la fougue du moteur turbo permet d'obtenir des performances directement comparables à celles des Audi Q3, BMW X1/X2 et Mercedes-Benz GLA, bouclant le 0 à 100 km/h sous la barre des 7 secondes. Or, même le moteur 2,5 litres atmosphérique est capable de belles prouesses, tout en conservant une moyenne de consommation raisonnable.

L'ayant mis à l'épreuve, au cours de l'hiver, dans un contexte de conduite extrême, nous sommes en mesure de confirmer la grande efficacité de son rouage intégral et du sentiment de sécurité l'accompagnant. Hélas, il est décevant que certains des systèmes d'assistance à la conduite, comme l'antipatinage ou le contrôle dynamique de stabilité, ne puissent être désactivés, Mazda considérant plus prudent de toujours les conserver en fonction. Disons que pour sortir d'un banc de neige, on a déjà vu plus pratique.

### PAS LE MOINS CHER, MAIS...

Avec le CX-30, ne cherchez pas l'aubaine du siècle. Mazda ne souhaite d'ailleurs pas liquider son VUS à prix plancher, mais plutôt à faire vivre une expérience distinctive. Voilà une philosophie bien différente de celle d'il y a quelques années, où le seul objectif était de faire du volume. Cela dit, le constructeur nous sert aujourd'hui un produit beaucoup plus raffiné. Bien qu'il ne convienne pas à l'ensemble des acheteurs et qu'il ne soit pas sans défauts, il offre l'avantage d'une qualité supérieure à la moyenne et d'une expérience sensorielle plus comparable à celle d'un produit de luxe.

À ce propos, bien que la version GT soit évidemment la plus impressionnante, n'allez pas croire qu'une version GX de base déçoive pour autant. Il semble toutefois évident que le meilleur rapport équipement/prix s'applique à la version GS, disponible avec ou sans rouage intégral.

| Données principales | |
| --- | --- |
| Emp. / lon. / lar. / haut. | 2 652 / 4 395 / 2 040 / 1 580 mm |
| Coffre / réservoir | 572 à 1 280 litres / 48 à 51 litres |
| Nombre de passagers | 5 |
| Suspension av. / arr. | ind., jambes force / semi-ind., poutre torsion |
| Pneus avant / arrière | P215/65R16 / P215/65R16 |
| Poids / Capacité de remorquage | 1 414 kg / non recommandé |

| Composantes mécaniques | |
| --- | --- |
| **GX** | |
| Cylindrée, alim. | 4L 2,0 litres atmos. |
| Puissance / Couple | 155 ch / 150 lb-pi |
| Tr. base (opt) / Rouage base (opt) | A6 / Tr (Int) |
| 0-100 / 80-120 / V. max | 9,4 s (est) / 6,6 s (est) / n.d. |
| Type / ville / route / $CO_2$ | **Tr** - Ord / 8,9 / 7,1 / 189 g/km |
| | **Int** - Ord / 9,4 / 7,7 / 202 g/km |
| **GS, GT** | |
| Cylindrée, alim. | 4L 2,5 litres atmos. |
| Puissance / Couple | 186 ch / 186 lb-pi |
| Tr. base (opt) / Rouage base (opt) | A6 / Tr (Int) |
| 0-100 / 80-120 / V. max | 8,8 s (m) / 5,7 s (m) / n.d. |
| Type / ville / route / $CO_2$ | **Tr** - Ord / 9,3 / 7,1 / 194 g/km |
| | **Int** - Ord / 9,9 / 7,7 / 208 g/km |
| **GT TURBO** | |
| Cylindrée, alim. | 4L 2,5 litres turbo |
| Puissance / Couple | **Ess Ord** - 227 ch / 310 lb-pi |
| | **Ess Sup** - 250 ch / 320 lb-pi |
| Tr. base (opt) / Rouage base (opt) | A6 / Int |
| 0-100 / 80-120 / V. max | 6,9 s (m) / 4,6 s (m) / n.d. |
| Type / ville / route / $CO_2$ | Ord / 10,5 / 7,9 / 220 g/km |

**+** Agrément de conduite • Qualité de finition • Puissance étonnante (turbo) • Qualité de construction

**–** Habitabilité restreinte • Visibilité décevante • Système multimédia à revoir • Désactivation de l'antipatinage impossible

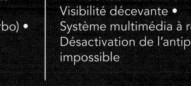

MX-5-RF

**Prix :** 33 200 $ à 43 300 $ (2021)
**Transport et prép. :** 1 850 $
**Catégorie :** Sportives
**Garanties :** 3/ill, 5/ill
**Assemblage :** Japon

**Ventes**
Québec 2020
191
▼ 35 %

Canada 2020
516
▼ 33 %

|  | GS | GS-P | RF GT |
|---|---|---|---|
| **PDSF** | 33 200 $ | 37 200 $ | 43 300 $ |
| **Loc.** | 495 $ • 3,99 % | 532 $ • 3,99 % | 641 $ • 3,99 % |
| **Fin.** | 710 $ • 1,99 % | 791 $ • 1,99 % | 914 $ • 1,99 % |

Sécurité · Consommation

Appréciation générale · Fiabilité prévue · Agrément de conduite

**Équipement**

**Sécurité**

**Concurrents**

Chevrolet Camaro, Dodge Challenger,
Ford Mustang, MINI Cabriolet, Nissan Z,
Subaru BRZ, Toyota GR 86

**Nouveau en 2022**
Nouvelles teintes, nouveaux agencements
de couleurs avec le toit souple.

# Acrobate et magicienne

Marc Lachapelle

La MX-5 est devenue la voiture sport la plus populaire sur cette planète bien avant que la millionième soit produite, il y a six ans déjà. En fait, le miracle s'est produit aussitôt que la première fut lancée, sous le nom de MX-5 Miata, en 1990. La magie s'est ensuite perpétuée au fil de quatre générations. À tel point qu'aujourd'hui encore, les deux versions de la MX-5 n'ont toujours aucune véritable rivale. C'est dire combien la formule est réussie, soigneusement préservée et sans cesse raffinée à Hiroshima.

Six années ont passé déjà depuis le lancement d'une quatrième MX-5 plus svelte et plus légère de près de 70 kg. La MX-5 RF à toit rigide rétractable apparaissait l'année suivante. Les deux atteignirent une sorte d'apogée deux ans plus tard, lorsque la puissance de leur 4 cylindres de 2 litres grimpa à 181 chevaux, avec une hausse proportionnelle du couple.

Les sœurs y gagnaient aussi un volant réglable (enfin !) et une poignée d'autres retouches. Et si les gains en puissance et en couple retranchèrent une bonne seconde des chronos d'accélération, leur effet sur le plaisir de conduite fut carrément spectaculaire, peu importe la vitesse. Les MX-5 n'ont jamais cessé de faire sourire depuis.

### AUSSITÔT QU'ELLE ROULE

Le plaisir a cependant toujours son prix dans une voiture sport, et les MX-5 n'échappent pas à cette règle. L'espace reste juste dans l'habitacle, par exemple, et les grandes tailles y sont à l'étroit. Le rangement est nul, aussi, à part un minuscule bac sous l'accoudoir et un coffret cubique verrouillable entre les dossiers. Il n'y a ni vide-poches dans les portières ni coffre à gants et les porte-gobelets amovibles sont une blague. Le petit coffre arrière s'avère donc une bénédiction.

Le bruit est également intense à 100 km/h dans la roadster, capote en place. Alors, on la déverrouille de la main droite, on la fait basculer vers l'arrière en trois secondes et c'est la joie. Plus tard, on la replace d'une seule main, en cinq secondes. La MX-5 RF est plus silencieuse sur autoroute et son toit rigide se replie ou se replace d'un seul doigt sur une touche, en quinze secondes, jusqu'à 10 km/h. À ciel ouvert, turbulences et bruits sont déjà forts à 90 km/h s'il y a le moindre vent contraire. À d'autres moments, c'est très acceptable, même à 115 km/h.

Il est grand temps, par ailleurs, que Mazda accélère, modernise et simplifie l'interface multimédia des MX-5. L'intégration récente d'Apple CarPlay et d'Android auto, par exemple, est ahurissante. Comme s'il s'agissait d'un corps étranger. L'écran de navigation, surtout décoratif, n'offre pas d'infos en temps réel sur la circulation. La tentation est toujours forte, aussi, de désactiver les moniteurs d'angles morts hyperactifs et le détecteur de franchissement de lignes qui bourdonne sans arrêt. On se console en roulant la nuit, par contre, grâce à des phares pivotants clairs et puissants, au faisceau bien découpé.

## RÉJOUISSANTE

Que se présente la moindre courbe et tout est pardonné. La carrosserie est solide et la conduite, fluide, quelle que soit l'allure, avec une direction merveilleusement précise et tactile. En virage, la MX-5 est vive et réjouissante, avec juste une touche de roulis. Elle se place au volant, le train avant plaqué à l'asphalte et on la fait pivoter et dériver de l'arrière à l'accélérateur. Facilement, à des vitesses raisonnables. La tenue de cap est superbe et la modulation du freinage demeure impeccable.

Le moteur souple, doux et bien musclé est parfaitement à l'aise entre 3 000 et 4 000 tr/min, en conduite normale. Un plaisir qu'on prolonge à volonté avec une boîte manuelle exceptionnelle, vive et précise, couplée à un embrayage merveilleusement léger et progressif. La sonorité, ronde et enjouée à bas et moyen régime, devient juste assez rageuse si on laisse l'aiguille du compte-tours grimper à 7 500 tr/min.

Tout ça est encore plus vrai au volant de la version GS-P dotée du groupe sport qui vaut chacun des 4 400 $ demandés. Cette option ajoute des freins avant Brembo, des étriers rouges pour les quatre disques et des sièges Recaro drapés de cuir et d'Alcantara, en plus de jantes BBS de 17 pouces en alliage forgé, couleur anthracite, chaussées de pneus plus mordants. La GS-P à boîte manuelle profite déjà d'une suspension sport plus ferme avec des amortisseurs Bilstein et une entretoise qui renforce ses tourelles avant, en plus d'un différentiel autobloquant.

Chose certaine, on a encore envie de partir à l'aventure dans une MX-5. Parce que sa magie opère aussitôt qu'elle avance, quel que soit le trajet. Le plus ironique, c'est qu'avec sa fiabilité exemplaire et sa grande frugalité, l'auto s'avère même un achat parfaitement rationnel. Elle a donc réconcilié la cigale et la fourmi de la fable de La Fontaine en croisant les deux espèces. Suffisait d'y penser.

+ Conduite toujours réjouissante • Moteur souple et nerveux • Superbement fiable et frugale • Capote et toit rétractable bien conçus

− Très bruyante à vitesse d'autoroute (toit souple) • Rangement quasiment nul dans l'habitacle • Interface multimédia désuète et brouillonne

Photos : Marc-André Gauthier, Mazda

MX-5

### Données principales

| Emp. / lon. / lar. / haut. | Toit souple - 2 309 / 3 914 / 1 918 / 1 240 mm |
|---|---|
| | RF - 2 309 / 3 914 / 1 918 / 1 245 mm |
| Coffre / réservoir | 130 litres / 45 litres |
| Nombre de passagers | 2 |
| Suspension av. / arr. | ind., bras inégaux / ind., multibras |
| Pneus avant / arrière | P205/45R17 / P205/45R17 |
| Poids / Capacité de remorquage | 1 096 kg / non recommandé |

### Composantes mécaniques

| Cylindrée, alim. | 4L 2,0 litres atmos. |
|---|---|
| Puissance / Couple | 181 ch / 151 lb-pi |
| Tr. base (opt) / Rouage base (opt) | M6 (A6) / Prop |
| 0-100 / 80-120 / V. max | 6,4 s (m) / 4,7 s (m) / n.d. |
| 100-0 km/h | 37,9 m (m) |
| Type / ville / route / $CO_2$ | **Man -** Sup / 9,0 / 7,0 / 189 g/km |
| | **Auto -** Sup / 9,0 / 6,6 / 186 g/km |

MAZDA MX-30

VOITURE ÉLECTRIQUE

| | MX-30 | Prol. Autonomie | |
|---|---|---|---|
| **Prix:** 40 000 $ à 43 000 $ (estimé) | | | **Ventes** |
| **Transport et prép.:** n.d. | | | Québec 2020 |
| **Catégorie:** Électriques | | | n.d. |
| **Garanties:** 3/ill., 5/ill. | | | |
| **Assemblage:** Japon | | | |

| | MX-30 | Prol. Autonomie | |
|---|---|---|---|
| **PDSF** | 40 000 $ | 43 000 $ | Canada 2020 |
| **Loc.** | n.d. | n.d. | n.d. |
| **Fin.** | 629 $ • 4,90 % | 690 $ • 4,90 % | |

Infos n.d. — Sécurité

Infos n.d. — Consommation

Infos n.d. — Appréciation générale

Infos n.d. — Fiabilité prévue

Infos n.d. — Agrément de conduite

**Équipement**

Info n.d. Info n.d. Info n.d. Info n.d. Info n.d. Info n.d. Info n.d.

**Sécurité**

Info n.d. Info n.d. Info n.d. Info n.d. Info n.d. Info n.d. Info n.d.

**Concurrents**

Chevrolet Bolt/Bolt EUV,
Hyundai Kona électrique, Kia Niro EV/Soul EV,
MINI Cooper SE, Nissan Leaf,
Volkswagen ID.4

**Nouveau en 2022**
Nouveau modèle.

# À contre-courant

Gabriel Gélinas

**M**azda n'est pas un constructeur automobile comme les autres. La petite marque japonaise, qui n'a pas l'envergure ou les ressources d'un géant tel que Toyota, a cependant toujours su trouver des solutions innovantes, comme le développement du moteur rotatif. La marque a aussi accompli des exploits assurant son rayonnement à l'échelle planétaire avec une victoire inattendue aux 24 Heures du Mans, la toute première pour une marque japonaise. À cela, on peut ajouter que Mazda a réussi à lui seul à réinventer le créneau des *roadsters* avec la Miata. Bref, Mazda fait les choses différemment des autres, et c'est aussi vrai dans le cas de son premier véhicule électrique, le MX-30.

Premier constat, la capacité de la batterie qui alimente le MX-30 n'est pas très élevée puisqu'elle est chiffrée à 35,5 kWh, ce qui est comparable à celle de la MINI Cooper à motorisation électrique. La taille de cette batterie permet une autonomie de 200 km dans des conditions idéales. Le constructeur affirme que la recharge de 20 à 80 % peut se faire en 36 minutes lorsque le véhicule est branché à une borne de recharge rapide capable de livrer une puissance de 50 kW. Évidemment, la recharge à domicile sur une borne de niveau 2 est également possible.

Cette approche est très différente de celle adoptée par la plupart des autres manufacturiers qui misent à peu près tous sur des batteries de plus grande capacité. À ce sujet, Mazda précise que le choix d'une batterie de moindre capacité nécessite moins de matériaux pour sa production, et que l'autonomie qu'elle confère devrait être suffisante pour un usage journalier avec recharge ponctuelle.

**TRACTION SEULEMENT**
Le MX-30 est un véhicule animé par un seul moteur entraînant les roues avant, comme la MINI Cooper SE ou le Hyundai Kona à motorisation électrique. Le rouage intégral n'est pas au programme, du moins pour l'instant. Avant que le MX-30 n'arrive sur le marché dans sa version finale, j'ai pu conduire un prototype qui était en fait un CX-30 mû par la motorisation électrique du MX-30. Au volant de ce prototype, j'ai été frappé par l'excellente dynamique en virage qui était nettement supérieure à celle d'un véhicule électrique traditionnel en raison d'un poids moins élevé, la batterie étant

de petite taille. Bref, ce prototype faisait preuve de la même dynamique affûtée que les autres véhicules de la marque.

Au cours de cet essai, j'ai également été en mesure d'apprécier la sonorité typée électrique développée spécialement pour ce véhicule, laquelle évoque celle d'un moteur thermique à 4 cylindres doté d'un échappement sport. Le moteur électrique génère une puissance de 107 kW, ce qui équivaut à 144 chevaux, alors que le couple maximal est de 200 lb-pi. Selon les ingénieurs, le MX-30 est capable de faire le 0 à 100 km/h en 9,7 secondes et sa vitesse maximale est de 140 km/h. À la lecture de ce qui précède, on comprend qu'il s'agit ici d'un véhicule à vocation urbaine avant tout.

### UN MOTEUR ROTATIF

Mazda compte aussi ajouter ultérieurement un prolongateur d'autonomie au MX-30, qui prendra la forme d'un moteur rotatif à un seul rotor tournant à un régime constant et servant à produire de l'électricité pour alimenter la batterie en roulant, un peu comme sur la défunte Chevrolet Volt. Avec un plein de carburant et une batterie pleinement chargée, on anticipe que l'autonomie sera alors doublée.

Le MX-30 affiche des formes simples et se démarque par l'adoption de portières antagonistes et l'absence de piliers B permettant un accès plus direct à l'habitacle. Toutefois, les passagers s'installant à l'arrière devront obligatoirement attendre l'ouverture des portières avant pour pouvoir monter à bord ou quitter le véhicule, tout comme sur la BMW i3. Le design de l'habitacle est tout aussi épuré que celui de la carrosserie avec une approche minimaliste comme en témoigne la console flottante avec sélecteur rotatif permettant l'interaction avec l'écran multimédia au sommet de la planche de bord. On remarque aussi des surfaces recouvertes de liège en hommage aux origines de la compagnie qui produisait ce matériau avant de construire des véhicules.

Le MX-30 représente un premier pas vers l'électrification pour les véhicules de la marque. Mazda est très certainement en retard dans la course vers l'électrification et son approche est à contre-courant de la tendance actuelle qui mise sur des batteries de grande capacité afin d'assurer une meilleure autonomie. Il sera intéressant de voir comment le fabricant, qui fait souvent figure d'*outsider,* réussira à tirer son épingle du jeu.

**+** Design réussi •
Dynamique relevée •
Sonorité évocatrice

**–** Autonomie limitée •
Absence de rouage intégral •
Accès aux places arrière

| Données principales | |
| --- | --- |
| Emp. / lon. / lar. / haut. | 2 655 / 4 395 / 1 795 / 1 555 mm |
| Pneus avant / arrière | P215/55R18 / P215/55R18 |
| Emp. / lon. / lar. / haut. | 2 655 / 4 395 / 1 795 / 1 555 mm |
| Pneus avant / arrière | P215/55R18 / P215/55R18 |

| Composantes mécaniques | |
| --- | --- |
| Tr. base (opt) / Rouage base (opt) | CVT / Tr |
| Puissance / Couple | 144 ch (107 kW) / 200 lb-pi |
| Type de batterie | Lithium-ion (Li-ion) |
| Énergie de la batterie | 35,5 kWh |
| Autonomie | 200 km (Est.) |
| 0-100 / V. max | 9,7 s (c) / 140 km/h (c) |

Photos : Mazda

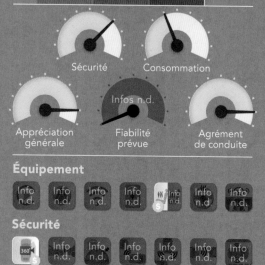

ARTURA

HYBRIDE

**Prix:** 280 000 $ à 364 146 $ (2021)
**Transport et prép.:** 2 500 $
**Catégorie:** Exotiques
**Garanties:** 3/ill, 3/ill
**Assemblage:** Royaume-Uni

**Ventes**
Québec 2020
n.d.

| | Artura | 720S | 720S Spider | Canada 2020 |
|---|---|---|---|---|
| PDSF | 280 000 $ | 339 146 $ | 364 146 $ | n.d. |
| Loc. | n.d. | n.d. | n.d. | |
| Fin. | 5 794 $ • 4,90 % | 7 006 $ • 4,90 % | 7 519 $ • 4,90 % | |

Sécurité          Consommation

Appréciation      Fiabilité        Agrément
générale          prévue           de conduite
                  Infos n.d.

## Équipement

| Info n.d. | Info n.d. | Info n.d. | Info n.d. | Info S | Info n.d. | Info n.d. | Info n.d. |

## Sécurité

| 360 S | Info n.d. | Info n.d. | Info n.d. | Info n.d. | Info n.d. | Info n.d. |

## Concurrents

Aston Martin DBS Superleggera, Ferrari 812, Lamborghini Aventador

## Nouveau en 2022

Nouvelle Artura à groupe propulseur hybride.

# Fuite en avant

Marc Lachapelle

**D**urant sa première décennie, McLaren a connu une progression phénoménale, créant trente voitures différentes et les produisant à plus de 20 000 exemplaires. Parmi elles, cinq voitures de course qui ont multiplié les victoires et une brochette de grandes sportives qui ont repoussé les limites de la performance et du raffinement, assorties de prix dans les sept chiffres, soit les Elva, P1, Senna et Speedtail. Or, le constructeur britannique au nom mythique lance maintenant une voiture entièrement inédite qui amorce pour lui un tout nouveau chapitre, placé résolument sous le signe de l'électrification.

Cette voiture s'appelle Artura, un nom qu'on peut trouver étonnant ou bizarre, qui signifierait «noble» dans la tradition celtique. L'Artura se retrouve dans une série de véhicules, avec les 720S, 720S Spider et 765LT qui marqueront sans doute l'apogée des premières McLaren de l'ère moderne, toutes propulsées par des V8 à double turbo montés en position centrale. Des bolides qui descendent tous de la (MP4) 12C qui a lancé le bal en 2011.

### D'ABORD L'HYBRIDATION

La nouvelle Artura se démarque nettement de ses aînées par son groupe propulseur hybride rechargeable construit autour d'un V6 biturbo de 3 litres, qui est nouveau de la première vis au dernier boulon. Ce moteur se distingue par la disposition à 120 degrés de ses cylindres, une première pour l'automobile. On l'a choisie pour abaisser le centre de gravité et installer les turbos et collecteurs d'échappement au creux du V, question d'améliorer à la fois la gestion thermique et l'efficacité. Un balancier d'équilibrage se charge ensuite d'éliminer les vibrations. Et pour la sonorité mécanique, un conduit fermé par une membrane, comme le tympan d'une oreille, en transmet une partie à l'habitacle.

Le nouveau V6 biturbo est également plus court de 19 cm, plus étroit de 22 cm et plus léger de 50 kg que le V8 biturbo de 4 litres. Il est jumelé à une boîte de vitesses à double embrayage et 8 rapports dont le carter loge le moteur électrique qui assure également la marche arrière. Ses 94 chevaux s'ajoutent aux 577 chevaux du V6, pour une puissance combinée de 671 chevaux, ce qui devrait permettre à l'Artura de passer de 0 à 100 km/h en 3 secondes et de franchir le quart de mille en 10,7 secondes grâce à la motricité du premier

differentiel électronique chez McLaren. Des performances très proches des chronos de 3,06 et 10,46 secondes obtenus au volant de la 720S Spider de 710 chevaux.

Le moteur électrique est alimenté par une batterie lithium-ion de 7,4 kWh qui se recharge à 80 % en 2,5 heures. Logée sous les sièges, vers l'arrière, où elle ajoute à la rigidité structurelle, elle doit permettre 30 km de conduite en mode électrique. Par ailleurs, les ingénieurs n'ont pas doté l'Artura de la récupération d'énergie cinétique au freinage pour ne pas affecter la modulation des grands disques en carbone-céramique. De quoi égaler aussi les 32 mètres de la 720S Spider, la distance la plus courte que nous ayons mesurée à ce jour, pour un freinage à 100 km/h.

## PREMIÈRE D'UNE NOUVELLE LIGNÉE

L'Artura n'a pas les moteurs électriques qui animent les roues avant de la Ferrari SF90 Stradale hybride, mais elle est plus légère de 175 kg et moitié moins chère. La première, aussi, à profiter de la nouvelle architecture MCLA (*McLaren Carbon Lightweight Architecture*), conçue pour les voitures électrifiées qui composeront la totalité de la gamme d'ici la fin de la décennie. Elle combine essentiellement une coque en fibre de carbone et des sous-châssis en aluminium, pour plus de rigidité et de légèreté que sa devancière.

L'accès aux sièges, par les portières en élytre, est facilité par les seuils plus étroits de la nouvelle coque. L'habitacle entièrement redessiné comprend une nacelle fixée à la colonne de direction, pour une vue toujours parfaite des cadrans numériques. Des commandes, de part et d'autre, vous laissent régler la suspension et le comportement d'un côté ainsi que les modes de conduite et de propulsion de l'autre, du bout des doigts. Un écran tactile vertical de 8 pouces permet de contrôler le reste grâce à une architecture électrique allégée et une interface multimédia sous système Android.

L'Artura est offerte en trois présentations différentes: Performance, TechLux et Vision, à 7 960 $ chacune, avec le choix de quinze couleurs de base pour la carrosserie. S'y ajoutent une liste d'ajouts possibles et la série toujours hallucinante des options MSO, dont une sellerie en cuir à 32 510 $ ou une peinture satinée vendue 45 240 $.

Entre-temps, les grands crus que sont les 720S et la 765LT, leur alter ego allongé, plus légère et plus puissante encore, sont toujours au catalogue. La seconde sera évidemment disponible jusqu'à ce que la limite de 765 exemplaires soit atteinte. La suite n'aura sûrement rien de banal.

| ➕ Artura hybride audacieuse et novatrice • Performances époustouflantes (720S) • Tenue de route exceptionnelle • Fabrication rigoureuse et soignée | ➖ Réglages des sièges peu accessibles (720S) • Visibilité arrière à peu près nulle (720S) • Rangement très limité • Le coût des options |
|---|---|

**ARTURA**

## MCLAREN 720S / 765LT / ARTURA

### Données principales

| Emp. / lon. / lar. / haut. | 720S - 2 670 / 4 543 / 2 161 / 1 196 mm |
|---|---|
| | 765LT - 2 670 / 4 600 / 2 161 / 1 193 mm |
| | Artura - 2 640 / 4 539 / 2 080 / 1 193 |
| Coffre / réservoir | 720S Coupé / 765LT - 210 + 150 litres / 72 litres |
| | 720S Spider - 150 + 58 litres / 72 litres |
| | Artura - 160 / 72 litres |
| Nombre de passagers | 2 |
| Suspension av. / arr. | ind., double triangulation / ind., double triangulation |
| Pneus avant / arrière | 720S / 765LT - P245/35R19 / P305/30R20 |
| | Artura - P235/35R19 / P295/35R20 |
| Poids / Capacité de remorquage | 720S Coupé - 1 419 kg / non recommandé |
| | 720S Spider - 1 468 kg / non recommandé |
| | 765LT - 1 339 kg / non recommandé |
| | Artura - 1 498 kg / non recommandé |

### Composantes mécaniques

**720S COUPE, SPIDER, 765LT**

| Cylindrée, alim. | V8 4,0 litres turbo |
|---|---|
| Puissance / Couple | 720S - 710 ch / 568 lb-pi |
| | 765LT - 755 ch / 590 lb-pi |
| Tr. base (opt) / Rouage base (opt) | A7 / Prop |
| 0-100 / 80-120 / V. max | 720S - 3,1 s (m) / 2,6 s (m) / 341 km/h (c) |
| | 765LT - 2,8 s (c) / n.d. / 330 km/h (c) |
| 100-0 km/h | 720S - 32,0 m (m) |
| | 765LT - 29,5 m (c) |
| Type / ville / route / $CO_2$ | Sup / 18,0 / 12,3 / 361 g/km (est) |

**ARTURA**

| Cylindrée, alim. | V6 3,0 litres turbo |
|---|---|
| Puissance / Couple | 577 ch / 431 lb-pi |
| Tr. base (opt) / Rouage base (opt) | A8 / Prop |
| Puissance / Couple combiné | 671 ch/531 lb-pi |

**MOTEUR ÉLECTRIQUE**

| Puissance / Couple | 94 ch / 166 lb-pi |
|---|---|
| Type de batterie | Lithium-Ion |
| 0-100 / 80-120 / V. max | 3,0 s (c) / n.d. / 330 km/h (c) |
| 100-0 km/h | 31,0 m (c) |
| Autonomie | 30 km |

**720S**

**Prix :** 244 271 $ (2021)
**Transport et prép. :** 2 500 $
**Catégorie :** Exotiques
**Garanties :** 3/ill, 3/ill
**Assemblage :** Royaume-Uni

**Ventes**
Québec 2020
n.d.

| | GT | |
|---|---|---|
| PDSF | 244 271 $ | Canada 2020 n.d. |
| Loc. | n.d. | |
| Fin. | 5 061 $ • 4,90 % | |

Infos n.d. — Sécurité
Infos n.d. — Consommation
Infos n.d. — Appréciation générale
Infos n.d. — Fiabilité prévue
Infos n.d. — Agrément de conduite

**Équipement**

**Sécurité**

**Concurrents**

Aston Martin DB11, Bentley Continental, BMW Série 8, Ferrari Roma, Porsche 911

**Nouveau en 2022**
Aucun changement majeur annoncé au moment de mettre sous presse.

# Panthère domestique

Louis-Philippe Dubé

**J**usqu'à tout dernièrement, une McLaren était une voiture de course adaptée de peine et de misère pour la conduite de tous les jours, et qui venait avec son lot d'inconvénients en matière de confort et d'habitabilité. Mais ces carences restent à la base du charme unique d'une voiture assemblée par un petit constructeur à l'âme compétitive. Dans le but de rejoindre davantage d'adeptes sans devoir se «rabaisser» à la conception d'un VUS, McLaren a créé la GT en 2019, une voiture qui veut englober tout le caractère dévergondé d'une McLaren dans un ensemble plus docile et civilisé.

Par définition, une GT doit parfaitement équilibrer la grande puissance, le confort et l'espace pour les longues distances. Et elle doit le faire tout en style. Néanmoins, considérant que l'appellation GT s'apprête à plusieurs sauces dans le monde automobile moderne, il y a toujours place à l'interprétation.

Avec l'arrivée de l'Artura, qui est animée par une motorisation hybride composée d'un V6 et d'un moteur électrique, la GT devient le modèle d'entrée de gamme de la famille. Elle laisse McLaren profiter de la flexibilité du terme GT, en plus de donner l'opportunité aux adeptes de jouir d'une motorisation V8 turbocompressée — un péché mignon éphémère dans le contexte automobile actuel.

### DES PERFORMANCES À SAVEUR UNIQUE

Dans le but de satisfaire la toute première exigence d'une sportive de grand tourisme au sens propre, la McLaren GT est animée par une motorisation V8 de 4 litres turbocompressée qui développe 612 chevaux et 465 lb-pi de couple. Ce moteur est associé à une boîte automatique à 7 rapports et double embrayage. Même si cette cylindrée s'apparente à celle que l'on retrouve dans la 720S, elle a reçu des modifications internes et une paire de turbocompresseurs plus petits qui se traduisent par des prestations plus raffinées. Les changements de vitesse s'effectuent avec une précision chirurgicale grâce aux palettes montées au volant.

La GT est construite sur la plateforme en fibre de carbone MonoCell II-T de McLaren, lui donnant la rigidité et la légèreté qui caractérisent plusieurs modèles McLaren assemblés sur la plateforme MonoCell II, mais avec la lettre «T» (qui signifie Touring). Cette touche finale apporte des modifications spécifiques au modèle et de pair avec un débattement allongé des suspensions,

la GT offre une tenue de route moins ferme. Fidèle au constructeur, la capacité de freinage est vertigineuse malgré le poids plume de la GT. Ce freinage est exécuté grâce à des disques de 367 mm à l'avant pincés par des étriers de quatre pistons à l'avant comme à l'arrière.

## LA PLUS GT DES MCLAREN

Comparativement à ses sœurs d'armes, la McLaren GT a rehaussé la finition intérieure pour remplir sa deuxième condition, soit mettre les passagers à l'aise sans toutefois perdre l'aspect compétition signé McLaren. Avec des assises plus confortables, des matériaux invitants et des technologies embarquées, la GT veut servir son conducteur et son passager sur de plus longues distances. Or, elle a conservé l'écran tactile redoutablement peu intuitif qui équipe les autres modèles de la famille.

La McLaren GT déploie un volume de chargement total de 570 litres divisé en deux compartiments. Le premier est celui que l'on connaît bien chez le constructeur britannique, soit le coffre avant qui peut contenir 150 litres. Le second espace de chargement est disposé entre les sièges et l'arrière de la voiture, coincé entre la chaleur du moteur et les rayons du soleil. Un total de 420 litres y sont disponibles. C'est assez pour des bâtons de golf, mais également des bagages additionnels pour parcourir de plus longues distances — une autre caractéristique d'une GT en bonne et due forme. Si une 720S (ou toute autre créature sortie des écuries du constructeur) n'est pas faite pour la vie de tous les jours, la McLaren GT est légèrement plus apte au quotidien, bien qu'elle remplisse de manière très sommaire les qualités d'une GT.

Pendant que nous mêlons les cartes, la Chevrolet Corvette n'a jamais été considérée comme une GT, principalement à cause de son manque de raffinement. Par contre, dans sa nouvelle génération C8, son moteur central, son confort rehaussé et ses commodités intérieures peuvent en convaincre plus d'un. En plus, elle boucle le sprint de 0 à 100 km/h en approximativement 3,5 secondes, une demi-seconde de plus que la McLaren GT. Certes, passé 100 km/h, la GT prend (de loin) les devants... Or, même si vous pouvez acquérir quelques C8 pour le prix d'une seule GT, il y a un gros bémol : l'exclusivité. Et cette qualité, c'est irremplaçable chez McLaren !

### Données principales

| | |
|---|---|
| Emp. / lon. / lar. / haut. | 2 675 / 4 683 / 2 095 / 1 213 mm |
| Coffre / réservoir | 420 litres (150 Av.) |
| Nombre de passagers | 2 |
| Suspension av. / arr. | ind., double triangulation / ind., double triangulation |
| Pneus avant / arrière | P225/35R20 / P295/30R21 |
| Poids / Capacité de remorquage | 1 535 kg / non recommandé |

### Composantes mécaniques

| | |
|---|---|
| Cylindrée, alim. | V8 4,0 litres turbo |
| Puissance / Couple | 612 ch / 465 lb-pi |
| Tr. base (opt) / Rouage base (opt) | A7 / Prop |
| 0-100 / 80-120 / V. max | 3,2 s (c) / n.d. / 326 km/h (c) |
| 100-0 km/h | 32,0 m (c) |
| Type / ville / route / $CO_2$ | Sup / 17,5 / 10,4 / 335 g/km (est) |

➕ Performances de pointe • Un peu plus docile que les autres McLaren • Style qui fait tourner les têtes

➖ Couvercle de coffre transparent • Système d'infodivertissement peu intuitif

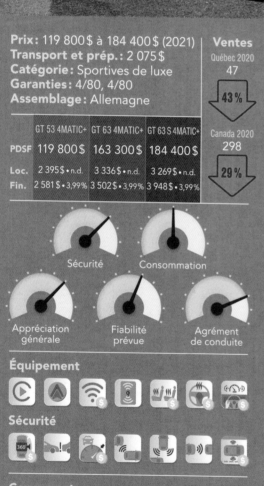

**Prix:** 119 800 $ à 184 400 $ (2021)
**Transport et prép.:** 2 075 $
**Catégorie:** Sportives de luxe
**Garanties:** 4/80, 4/80
**Assemblage:** Allemagne

**Ventes**
Québec 2020
47
▼ 43 %

Canada 2020
298
▼ 29 %

| | GT 53 4MATIC+ | GT 63 4MATIC+ | GT 63 S 4MATIC+ |
|---|---|---|---|
| PDSF | 119 800 $ | 163 300 $ | 184 400 $ |
| Loc. | 2 395 $ • n.d. | 3 336 $ • n.d. | 3 269 $ • n.d. |
| Fin. | 2 581 $ • 3,99 % | 3 502 $ • 3,99 % | 3 948 $ • 3,99 % |

Sécurité  Consommation

Appréciation générale  Fiabilité prévue  Agrément de conduite

**Équipement**

**Sécurité**

**Concurrents**

Audi A7, BMW Série 8, Maserati Quattroporte, Porsche Panamera, Tesla Model S

**Nouveau en 2022**

Nouvelles couleurs, habitacle légèrement modifié, suspension revue. Arrivée possible d'une nouvelle variante 73e.

# La berline *Fastback*

Gabriel Gélinas

**P**résagée par l'AMG GT Concept dévoilé en première mondiale au Salon de l'auto de Genève, en 2017, la Mercedes-AMG GT Coupé à quatre portes est devenue la troisième série entièrement conçue et développée par AMG. Sa mission était d'affronter directement la Porsche Panamera, mais elle rivalise aussi avec l'Audi RS 7 Sportback ainsi que la BMW M8 Gran Coupe, les marques allemandes ayant développé l'habitude d'exploiter tous les créneaux, même les plus exclusifs. Son appellation comporte le mot Coupé, bien qu'il s'agisse d'une berline de grande taille au profil fuyant adoptant un hayon plutôt qu'un coffre conventionnel.

Le concept de produire un modèle à quatre portes capable de performances exceptionnelles n'est pas étranger pour la division de performance de Mercedes-Benz. On se rappellera qu'à ses débuts, AMG a frappé l'imaginaire et acquis une renommée instantanée à l'international en remportant une victoire en catégorie, et une deuxième place au classement général des 24 Heures de Spa-Francorchamps 1971 avec une berline 300 SEL peinte en rouge, animée par un moteur de 6,8 litres développant 422 chevaux, et capable d'une vitesse de pointe de 265 km/h. Lorsque AMG s'est pointé au circuit avec cette berline qui allait courir contre d'authentiques sportives, elle fut surnommée « The Red Pig », 24 heures plus tard, elle était devenue « The Red Giant »...

Élaborée sur une version rigidifiée de l'architecture modulaire MRA servant toutes les berlines de la marque à l'étoile, la Mercedes-AMG GT Coupé à quatre portes se présente en trois variantes. La 53 est animée par un moteur 6 cylindres en ligne turbocompressé ainsi qu'un moteur électrique, alors que les 63 et 63 S comptent sur le V8 biturbo de 4 litres développant respectivement 577 ou 630 chevaux. Le rouage intégral est livré de série dans toutes ces variantes, qui partagent aussi la boîte automatique à 9 rapports.

En prenant place dans l'habitacle, légèrement revu cette année, on constate que l'instrumentation numérique est paramétrable sur plusieurs modes, et que différents thèmes sont proposés pour l'affichage de l'écran du système multimédia MBUX. De plus, il est possible d'afficher les données de télémétrie afin de prendre conscience des valeurs de l'accélération, du freinage ainsi que de l'accélération latérale en virages. L'interface se commande de deux

façons, soit avec le pavé tactile localisé sur la console centrale, peu convivial à l'usage, ou avec les deux commandes localisées sur les branches du volant, ce qui est plus facile au quotidien. Le confort des sièges demeure très bon, et les places avant offrent un excellent soutien latéral en virages.

## UNE HYBRIDE DE PERFORMANCE EN APPROCHE

La masse très élevée affecte inversement la dynamique, mais les AMG GT Coupé sont capables d'une tenue de route impressionnante et de performances explosives dans le cas de la 63 S. Au cours de l'été 2021, AMG a annoncé sa stratégie d'électrification pour les prochaines années, et dévoilé une nouvelle motorisation hybride de performance. Dans cette configuration, le moteur V8 biturbo de 4 litres ainsi que la boîte de vitesses sont localisés à l'avant de la voiture.

Un moteur électrique, la batterie qui l'alimente, ainsi qu'une boîte à deux vitesses servant ce moteur sont montés sur le train arrière. L'ajout du moteur électrique au V8 biturbo fait en sorte que cette motorisation serait en mesure de développer une puissance combinée de plus de 800 chevaux et un couple de plus de 700 lb-pi. On s'attend à ce que cette motorisation anime une éventuelle Mercedes-AMG GT 73e, qui deviendra alors une rivale directe de la Porsche Panamera Turbo S E-Hybrid.

## LA FIN DE LA ROUTE

L'année 2021 aura marqué la fin de la production pour la Mercedes-AMG GT puisque ce modèle ne sera plus construit en 2022, la marque ayant décidé de laisser ce créneau à la nouvelle Mercedes-Benz SL, dont la vocation sera désormais plus sportive. L'arrivée, l'an dernier, de la variante Black Series de la AMG-GT à moteur V8 biturbo de 720 chevaux semblait annoncer que ce modèle était en fin de carrière. Cela étant dit, il est tout à fait possible que Mercedes-AMG se remette à produire un coupé à deux places dans les années à venir.

De son côté, la Mercedes-AMG GT Coupé à quatre portes présente une dichotomie intéressante dans la mesure où elle est à la fois une berline de luxe au comportement civilisé, doublée d'une sportive au potentiel de performance très élevé dans le cas des déclinaisons les plus affûtées. La suite des choses, avec l'arrivée de la nouvelle motorisation hybride, s'annonce vraiment passionnante puisque cette approche permettra à cette voiture d'atteindre un summum de performance.

### Données principales

| | |
|---|---|
| Emp. / lon. / lar. / haut. | 2 951 / 5 060 / 1 947 / 1 455 mm |
| Coffre / réservoir | 535 à 540 litres / 80 litres |
| Nombre de passagers | 4 à 5 |
| Suspension av. / arr. | ind., pneumatique, multibras / ind., pneumatique, multibras |
| Pneus avant / arrière | P255/45R19 / P285/40R19 |
| Poids / Capacité de remorquage | 2 158 kg / non recommandé |

### Composantes mécaniques

**53 4MATIC+**

| | |
|---|---|
| Cylindrée, alim. | 6L 3,0 litres turbo |
| Puissance / Couple | 429 ch / 384 lb-pi |
| Tr. base (opt) / Rouage base (opt) | A9 / Int |
| 0-100 / 80-120 / V. max | 4,5 s (c) / 3,7 s (est) / 280 km/h (c) |
| Type / ville / route / $CO_2$ | Sup / 11,9 / 9,6 / 255 g/km |

**MOTEUR ÉLECTRIQUE**

| | |
|---|---|
| Puissance / Couple | 21 ch (16 kW) / 184 lb-pi |
| Type de batterie | Lithium-ion (Li-ion) |

**63 4MATIC+**

| | |
|---|---|
| Cylindrée, alim. | V8 4,0 litres turbo |
| Puissance / Couple | 577 ch / 590 lb-pi |
| Tr. base (opt) / Rouage base (opt) | A9 / Int |
| 0-100 / 80-120 / V. max | 3,4 s (c) / 3,1 s (est) / 310 km/h (c) |
| Type / ville / route / $CO_2$ | Sup / 15,6 / 11,5 / 322 g/km |

**63 S 4MATIC+**

| | |
|---|---|
| Cylindrée, alim. | V8 4,0 litres turbo |
| Puissance / Couple | 630 ch / 664 lb-pi |
| Tr. base (opt) / Rouage base (opt) | A9 / Int |
| 0-100 / 80-120 / V. max | 3,2 s (c) / 2,9 s (est) / 315 km/h (c) |
| Type / ville / route / $CO_2$ | Sup / 15,1 / 11,1 / 312 g/km |

+ Moteurs performants (63 et 63 S) • Confort de roulement (53) • Très bonne tenue de route

− Prix élevés (63 et 63 S) • Tarif des options • Poids élevé

## Une Classe A plus fougueuse

Antoine Joubert

**Prix :** 43 600 $ à 59 700 $ (2021)
**Transport et prép. :** 2 075 $
**Catégorie :** Sous-comp. de luxe
**Garanties :** 4/80, 4/80
**Assemblage :** Hongrie

**Ventes**
Québec 2020
n.d.

| | CLA 250 | AMG CLA 35 | AMG CLA 45 |
|---|---|---|---|
| PDSF | 43 600 $ | 51 700 $ | 59 700 $ |
| Loc. | 713 $ • n.d. | 835 $ • n.d. | 1 041 $ • n.d. |
| Fin. | 910 $ • 1,49% | 1 071 $ • 1,49% | 1 277 $ • 1,49% |

Canada 2020
3 441

↓ 31 %

Sécurité · Consommation
Appréciation générale · Fiabilité prévue · Agrément de conduite

### Équipement

### Sécurité

### Concurrents

Acura ILX, Audi A3, BMW Série 2,
Cadillac CT4, Mercedes-Benz Classe A

### Nouveau en 2022

Aucun changement majeur annoncé
au moment de mettre sous presse.

**A**ux dires de Mercedes-Benz, la CLA est un coupé. Peut-être dans l'âme, mais il n'en demeure pas moins qu'avec ses quatre portières, on ne peut faire autrement que de la qualifier de berline, tout comme la Classe A à trois volumes. En fait, voyez la CLA comme une berline de Classe A ayant reçu une intéressante chirurgie plastique. Exercice assurément réussi, puisqu'il est effectivement difficile de ne pas tomber sous le charme de ses lignes, plus dynamiques que celles de sa jumelle non identique.

La CLA partage donc l'essentiel de ses composants avec la Classe A, et aussi avec les Classe B (Europe), GLA et GLB. Mercedes-Benz mise donc énormément sur cette plateforme à laquelle se greffent moult technologies des plus intéressantes. Il est d'ailleurs étonnant que le constructeur n'ait offert jusqu'ici aucune version décapotable issue de cette architecture. BMW propose par exemple un cabriolet de Série 2 dans le créneau. Mercedes-Benz nous sert en revanche une très élégante version familiale de la CLA, baptisée Shooting Brake, mais qui n'est hélas pas offerte sur notre marché !

### LA MARCHE SUIVANTE

Si la berline de Classe A constitue un premier pas pour entrer chez Mercedes-Benz, la CLA se situe un palier au-dessus. L'écart de prix pour un modèle de base s'élève à environ 6 000 $, ce qui s'explique d'entrée de jeu par une motorisation plus puissante du côté de la CLA (221 chevaux contre 188). Il s'agit en fait de celle que vous retrouvez dans la Classe A à hayon, qu'une majorité d'acheteurs privilégient dans le segment des compactes chez ce constructeur.

Cela dit, la CLA se distingue par un style effectivement plus raffiné, plus personnel, tout comme par l'offre de trois déclinaisons, toutes dotées du rouage intégral 4MATIC. D'abord, la CLA 250, suivie de deux versions AMG déployant respectivement 302 et 382 chevaux. En somme, voilà tout ce qu'il faut pour riposter à Audi, qui propose ses populaires S3 et RS 3.

Contrairement aux modèles de Classe A, la CLA présente une ligne plus profilée, sans cadre de fenestration. Le pare-brise plus fortement incliné laisse également planer l'impression d'une voiture plus sportive lorsqu'on s'y installe, bien que le poste de conduite soit en tout point identique.

Assurément, il s'agit de l'un des points forts de cette version puisque l'acheteur pourrait craquer pour ce seul élément. En effet, la présentation s'avère riche, moderne et de belle facture, alors que ce double écran greffé de la technologie MBUX impressionne plus que les équivalents de la compétition.

La CLA n'est toutefois pas un modèle à privilégier si vous êtes en quête de confort. Les sièges sont fermes, étroits, bien que plus enveloppants si vous optez pour une déclinaison AMG. L'imposante console centrale affecte aussi le dégagement aux jambes, constituant un sérieux irritant. Sur la route, la suspension sèche vous brasse également le popotin, et davantage avec une version AMG. D'ailleurs, lorsque dotée de roues de 19 pouces, et particulièrement lorsque vous enclenchez le mode sport, vous aurez littéralement l'impression que votre corps fait partie intégrante du châssis. Bref, plus vous montez en gamme et plus le confort est affecté.

### SPORTIVE DE TALENT

Naturellement, les versions AMG démontrent en revanche leur talent pour ce qui est des performances et de la maniabilité. Bien que la AMG 45 soit littéralement hors de prix, celle-ci vous catapulte avec une puissance telle qu'elle vous impressionnera chaque jour. On a affaire à une véritable bombe, qui n'est pas seulement efficace en accélération, mais aussi en matière d'aptitudes routières. La voiture démontre ainsi de belles prouesses en virage et communique efficacement ses exercices au conducteur via une direction rapide et précise. En outre, il est difficile de passer sous silence la grande efficacité de la boîte AMG Speedshift à double embrayage, assurément responsable d'un agrément de conduite rehaussé. Oh! Et n'allez surtout pas croire que vous perdrez au change en optant pour la AMG 35. Au contraire, celle-ci est peut-être justement mieux équilibrée pour une conduite au quotidien, et tout de même capable de boucler le 0 à 100 km/h sous la barre des 5 secondes. En fait, même la CLA 250 demeure très amusante, même si elle ne vous offre pas des accélérations aussi violentes.

Tout compte fait, que reproche-t-on à la CLA? Ses quelques craquements et bruits de caisse, peut-être causés par ces portières sans cadre, de même qu'une suspension qui compose plus difficilement avec les routes du Québec que celle d'une Audi A3. Et puis, il y a le prix, toujours élevé, considérant le fait qu'il faille inévitablement avoir recours au catalogue des options.

**+** Ligne sublime • Performances remarquables (AMG) • Présentation intérieure • Agrément de conduite

**−** Espace restreint • Confort limité/suspension sèche • Facture salée • Quelques bruits de caisse

## Données principales

| | |
|---|---|
| Emp. / lon. / lar. / haut. | 2 729 / 4 688 / 1 830 / 1 444 mm |
| Coffre / réservoir | 460 litres / 51 litres |
| Nombre de passagers | 5 |
| Suspension av. / arr. | ind., jambes force / ind., multibras |
| Pneus avant / arrière | P225/45R18 / P225/45R18 |
| Poids / Capacité de remorquage | 1 580 kg / non recommandé |

## Composantes mécaniques

### 250 4MATIC

| | |
|---|---|
| Cylindrée, alim. | 4L 2,0 litres turbo |
| Puissance / Couple | 221 ch / 258 lb-pi |
| Tr. base (opt) / Rouage base (opt) | A7 / Int |
| 0-100 / 80-120 / V. max | 6,3 s (c) / 3,9 s (est) / 210 km/h (c) |
| Type / ville / route / $CO_2$ | Sup / 9,8 / 7,1 / 201 g/km |

### AMG 35 4MATIC

| | |
|---|---|
| Cylindrée, alim. | 4L 2,0 litres turbo |
| Puissance / Couple | 302 ch / 295 lb-pi |
| Tr. base (opt) / Rouage base (opt) | A7 / Int |
| 0-100 / 80-120 / V. max | 4,9 s (c) / 3,4 s (est) / 250 km/h (c) |
| Type / ville / route / $CO_2$ | Sup / 10,7 / 8,2 / 224 g/km |

### AMG 45 4MATIC+

| | |
|---|---|
| Cylindrée, alim. | 4L 2,0 litres turbo |
| Puissance / Couple | 382 ch / 354 lb-pi |
| Tr. base (opt) / Rouage base (opt) | A8 / Int |
| 0-100 / 80-120 / V. max | 4,3 s (m) / 2,8 s (m) / 270 km/h (c) |
| Type / ville / route / $CO_2$ | Sup / 12,0 / 8,2 / 242 g/km |

Photos : Mercedes-Benz

**Prix :** 84 100 $ à 93 900 $ (2021)
**Transport et prép. :** 2 075 $
**Catégorie :** Intermédiaires de luxe
**Garanties :** 4/80, 4/80
**Assemblage :** Allemagne

**Ventes**
Québec 2020
n.d.

| | CLS 450 | AMG CLS 53 | |
|---|---|---|---|
| **PDSF** | 84 100 $ | 93 900 $ | Canada 2020 |
| **Loc.** | 1 452 $ • n.d. | 1 615 $ • n.d. | n.d. |
| **Fin.** | 1 737 $ • 1,99 % | 1 934 $ • 1,99 % | |

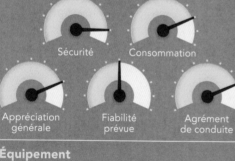

Sécurité — Consommation
Appréciation générale — Fiabilité prévue — Agrément de conduite

## Équipement

## Sécurité

## Concurrents

Audi A6, Audi A7, BMW Série 5, Genesis G80,
Jaguar XF, Maserati Ghibli, Volvo S90

## Nouveau en 2022

Retouches esthétiques, nouvelles jantes,
nouveau volant, Édition limitée avec bandes
de course sur la carrosserie (300 unités).

# Une classe à part

Jean-François Guay

**L**ors de son dévoilement, en 2004, la première génération de la Mercedes-Benz CLS avait révolutionné le design automobile en entremêlant la silhouette d'une berline à celle d'un coupé. Une classe à part était née puisque la CLS s'immisçait entre la Classe E et la Classe S dans la gamme des voitures de Stuttgart.

Il va sans dire que la CLS est une voiture d'exception et que les acheteurs ne se bousculent pas chez les concessionnaires pour s'en procurer une. Plutôt discret à ce sujet, Mercedes ne dévoile pas les chiffres de ventes annuelles de sa grande berline coupé. Malgré tout, le constructeur lève un pan du mystère cette année en faisant savoir que plus de 450 000 unités ont été vendues dans le monde depuis sa création. L'an dernier, la Chine constituait le premier marché de cette berline au style coupé, suivie de la Corée du Sud, des États-Unis et de l'Allemagne.

### RETOUCHES ESTHÉTIQUES

Pour tenter de conserver ses parts de marché qui sont malmenées par les VUS en tout genre et les berlines électriques de haute performance comme la Tesla Model S et la Porsche Taycan, la CLS arbore des changements esthétiques cette année. Toutefois, seul un œil averti décèlera les retouches apportées à la jupe avant avec de nouvelles prises d'air distinctives et à la jupe arrière, ornée d'un nouvel « insert » en forme de diffuseur. On remarquera aussi la présence de nouvelles parures chromées.

La déclinaison AMG 53 4MATIC+ se distingue de la 450 4MATIC en affichant plus clairement sa sportivité avec des éléments de caisse plus incisifs aux jupes avant et arrière, des bas de caisse latéraux et un déflecteur sur le couvercle du coffre. La calandre a d'ailleurs été modifiée en prenant soin d'être spécifique à chacune des deux versions. De même, de nouvelles jantes de 19 et 20 pouces sont également proposées. Tout compte fait, on pourrait reprocher aux stylistes de manquer d'audace en ne transformant pas davantage l'apparence de la CLS. Mais en vérité, la réponse reste toute simple : on ne change pas une icône !

Mercedes a aussi profité de cet exercice d'actualisation pour valoriser l'habitacle. Outre les combinaisons de couleurs renouvelées pour agencer les sièges en cuir, les garnitures intérieures et les boiseries, on retrouve un nouveau

volant multifonction en cuir Nappa, dont les capteurs détectent mieux les mains du conducteur afin d'améliorer la conduite semi-automatisée. Le décor moderne et luxueux est accentué par la technologie MBUX qui comprend un écran tactile multimédia de 12,3 pouces et un écran de même dimension pour l'instrumentation. Le seul hic de ce système est le fonctionnement alambiqué du pavé tactile de la console centrale qui s'avère une source de distraction et de frustration...

## DEUX MOTEURS

Les amateurs de V8 seront déçus d'apprendre que le long capot de la CLS n'abrite plus un ronronnant moteur à 8 cylindres. Depuis le lancement de la troisième génération, en 2019, la CLS se contente d'offrir un 6 cylindres en ligne turbo de 3 litres. Si la sonorité de ce dernier n'est pas aussi enivrante que le tonitruant V8 biturbo de 4 litres équipant la Classe E AMG 63 S+, il n'en demeure pas moins qu'il propulse la CLS 450 de 0 à 100 km/h en moins de 5 secondes. Ce n'est pas assez rapide ? Vous pouvez vous rabattre sur la CLS AMG 53, dont le même moteur turbo de 3 litres est pourvu d'un compresseur électrique qui augmente le nombre de chevaux de 362 à 429. Cette puissance additionnelle permet de retrancher quelques dixièmes de seconde lors du test de 0 à 100 km/h.

Peu importe le choix du moteur, celui-ci est équipé d'un alterno-démarreur de 48 volts. Ce dispositif, qui réunit un démarreur et un alternateur dans un moteur électrique de 21 chevaux, vise à réduire la consommation d'essence tout en alimentant le réseau électrique de la voiture. Du côté de la transmission, la boîte automatique compte neuf vitesses. Cependant, la boîte de la version AMG égrène les rapports plus rapidement. Parmi les autres différences, notons que le rouage intégral 4MATIC+ de l'AMG se distingue du système 4MATIC standard en améliorant la répartition du couple entre les quatre roues selon le type de conduite adopté. De même, la version AMG possède une suspension plus ferme et des pneus plus performants qui dynamisent la tenue de route.

Quel que soit l'avenir de la CLS, une chose reste sûre, l'apparence plantureuse de cette voiture coupé a inspiré l'imagination des stylistes automobiles. En effet, la majorité des berlines d'aujourd'hui ont abandonné les formes équarries d'autrefois pour adopter des lignes effilées avec des pentes de toit inclinées vers l'arrière. Voilà l'héritage de la CLS !

### Données principales

| | |
|---|---|
| Emp. / lon. / lar. / haut. | 2 939 / 4 988 / 1 874 / 1 435 mm |
| Coffre / réservoir | 490 litres / 80 litres |
| Nombre de passagers | 5 |
| Suspension av. / arr. | ind., multibras / ind., multibras |
| Pneus avant / arrière | P245/40R19 / P275/35R19 |
| Poids / Capacité de remorquage | 1 930 kg / non recommandé |

### Composantes mécaniques

**450 4MATIC**

| | |
|---|---|
| Cylindrée, alim. | 6L 3,0 litres turbo |
| Puissance / Couple | 362 ch / 369 lb-pi |
| Tr. base (opt) / Rouage base (opt) | A9 / Int |
| 0-100 / 80-120 / V. max | 4,8 s (c) / 3,7 s (est) / 210 km/h (c) |
| Type / ville / route / CO$_2$ | Sup / 10,5 / 8,1 / 222 g/km |

**MOTEUR ÉLECTRIQUE**

| | |
|---|---|
| Puissance / Couple | 21 ch (16 kW) / 184 lb-pi |
| Type de batterie | Lithium-ion (Li-ion) |

**AMG 53 4MATIC+**

| | |
|---|---|
| Cylindrée, alim. | 6L 3,0 litres turbo |
| Puissance / Couple | 429 ch / 384 lb-pi |
| Tr. base (opt) / Rouage base (opt) | A9 / Int |
| 0-100 / 80-120 / V. max | 4,5 s (c) / 3,0 s (est) / 250 km/h (c) |
| Type / ville / route / CO$_2$ | Sup / 11,3 / 9,0 / 242 g/km |

**MOTEUR ÉLECTRIQUE**

| | |
|---|---|
| Puissance / Couple | 21 ch (16 kW) / 184 lb-pi |
| Type de batterie | Lithium-ion (Li-ion) |

**+** Voiture distinctive • Comportement routier • Finition exemplaire • Version AMG plus intéressante

**—** Absence de V8 • Pavé tactile compliqué • Accès étriqué à l'habitacle • Coût des options

Photos: Mercedes-Benz

## Sage ou délinquante

Marc Lachapelle

Il y a une quinzaine d'années que Mercedes-Benz s'aventure loin des catégories qui ont fait sa renommée pour élargir sa clientèle et gonfler son chiffre d'affaires. Après s'être fait la main avec l'inoffensive Classe B, sans compter l'aventure Smart et l'arrivée du trio CLA, GLA et GLB, le doyen des constructeurs a choisi d'importer la quatrième génération de ses compactes de Classe A, en 2019. Par chance, ses clients canadiens ont accès aux versions à hayon tandis que nos voisins du Sud se satisfont de berlines aux airs de coupé.

Pour dire l'importance de la Classe A, elle fut la première à recevoir l'interface multimédia MBUX alors que la prestigieuse Classe S avait toujours été la pionnière des nouvelles technologies pour la marque à l'étoile, jusque-là. Ce système, gonflé à l'intelligence artificielle, a même volé la vedette lors du lancement de ces voitures, les moins chères de sa gamme.

Chassez le naturel et il revient au galop, par contre. Il faut effectivement débourser 2 950 $ actuellement pour ajouter les deux écrans HD juxtaposés de 10,25 pouces et la reconnaissance vocale adaptative qui permettent de jouir pleinement de l'interface MBUX. Il faut ensuite payer 1 000 $ supplémentaires pour profiter du système de navigation à réalité augmentée, avec alertes de trafic, détecteur de panneaux de signalisation et trois années de mises à jour des cartes. On parle ici, après tout, de compactes de luxe.

À l'usage, le système MBUX est assez complet et efficace, une fois que l'on s'y retrouve. Avec le grand écran tactile et un pavé tactile sur la console, c'est assez vite fait, à défaut d'être limpide et facile. La paire de minuscules carrés tactiles au volant est toutefois étonnamment utile. Surtout pour modifier la configuration des cadrans et choisir les données affichées entre les deux, droit devant.

### UN FAIBLE POUR LE HAYON

Ce sont les versions à hayon qui présentent cette compacte dans son expression la plus éloquente, à l'européenne. Ce sont les plus agiles de la famille, grâce au porte-à-faux arrière nettement plus court qui explique leur longueur totale inférieure de 13 cm. Notez qu'avec cette poupe tronquée, le coffre des versions à hayon concède un avantage de 50 litres à celui des

---

**Prix :** 37 800 $ à 49 800 $ (2021)
**Transport et prép. :** 2 075 $
**Catégorie :** Sous-compactes luxe
**Garanties :** 4/80, 4/80
**Assemblage :** Allemagne, Hongrie

**Ventes**
Québec 2020
n.d.

|  | A 220 Berline | A 250 Hayon | AMG 35 Hayon |
|---|---|---|---|
| PDSF | 37 800 $ | 39 900 $ | 49 800 $ |
| Loc. | n.d. | 686 $ • n.d. | 845 $ • n.d. |
| Fin. | 794 $ • 1,49 % | 836 $ • 1,49 % | 1 033 $ • 1,49 % |

Canada 2020
3 441
↓ 31 %

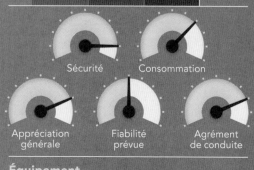

Sécurité    Consommation

Appréciation générale    Fiabilité prévue    Agrément de conduite

### Équipement

### Sécurité

### Concurrents

Acura ILX, Audi A3, BMW Série 2, Cadillac CT4, Mercedes-Benz CLA, MINI 5 Portes

### Nouveau en 2022

Aucun changement majeur annoncé au moment de mettre sous presse.

berlines. On se raisonne en songeant que leur hayon rend leur coffre, dont le volume total est de seulement 370 litres, plus accessible et polyvalent.

Ces mêmes Classe A plus trapues sont aussi plus légères de 17 kg, à motorisation égale. C'est le cas des versions A 35, apprêtées à la sauce AMG. L'avantage de poids de la compacte A 250 à hayon est même de 45 kg par rapport à la berline A 220. Son 4 cylindres turbocompressé de 2 litres livre pourtant 221 chevaux contre les modestes 188 chevaux de la seconde. Les cotes de consommation de la A 250 sont malgré tout meilleures, parce qu'elle est plus légère, compacte et efficace que l'autre.

Cette A 250 passe également de 0 à 100 km/h en 6,4 secondes, bien mesurées, alors que la sage berline A 220 demande presque une seconde de plus, selon le constructeur. Et si vous doutez que la berline A 220 est bien une compacte de luxe, songez seulement que l'on peut faire grimper son prix suggéré de 37 800 $ à 57 915 $ en cochant toutes les options.

### JAMAIS TRANQUILLES

La version A 35 offre le meilleur d'AMG, sans basculer dans la caricature. Autant pour sa carrosserie que pour la présentation de son habitacle. Ergonomie et position de conduite sont impeccables, sauf pour des sièges avant franchement durs et peu confortables. Son roulement est également très ferme, sur des chaussées inégales. C'est de famille, hélas, puisque la suspension et les pneus de la A 250 claquent et réagissent sèchement aux moindres fentes et bosses, même avec les jantes de 18 pouces. Elle s'accroche toutefois vaillamment en virage, sans prise de roulis.

La A 35 fait tout ça en haussant la barre d'un ou deux crans. Elle dévore les virages avec une férocité réjouissante, en vous offrant de belles dérives des quatre roues, faciles à doser au volant et à l'accélérateur, après une amorce en léger sous-virage. On jurerait une Golf R sur stéroïdes! Dans cette turbulente A 35, on savoure les passages de rapports instantanés de la boîte à double embrayage et le caractère bouillant du 4 cylindres turbo de 302 chevaux, joyeuses pétarades incluses, en mode Sport Plus. Elle bondit de 0 à 100 km/h en 4,89 secondes et franchit le quart de mille en 13,23 secondes, avec une pointe à 170,8 km/h, départ canon aidant.

Mercedes-AMG pourrait nous offrir des A 45 à moteur de 382 ou 415 chevaux, mais à prix d'or, sûrement. Or, la A 35 actuelle s'en tire très bien, même si elle n'est jamais reposante. Disons que cela fait partie de son charme.

**+** Tenue solide en virage • Moteurs souples et animés • Écrans numériques clairs et nets • Habitacle bien fini

**—** Roulement sec et bruyant • Sièges durs et peu confortables • Direction trop légère à basse vitesse • Console large et encombrante vers l'avant

## Données principales

| Emp. / lon. / lar. / haut. | Berline - 2 729 / 4 549 / 1 796 / 1 434 mm |
| --- | --- |
| | Hatchback - 2 729 / 4 419 / 1 796 / 1 440 mm |
| Coffre / réservoir | Berline - 420 litres / 51 litres |
| | Hatchback - 370 à 1 210 litres / 51 litres |
| Nombre de passagers | 5 |
| Suspension av. / arr. | ind., jambes force / ind., multibras |
| Pneus avant / arrière | P205/55R17 / P205/55R17 |
| Poids / Capacité de remorquage | Berline - 1 550 kg / non recommandé |
| | Hatchback - 1 505 kg / non recommandé |

## Composantes mécaniques

### 220 4MATIC

| | |
| --- | --- |
| Cylindrée, alim. | 4L 2,0 litres turbo |
| Puissance / Couple | 188 ch / 221 lb-pi |
| Tr. base (opt) / Rouage base (opt) | A7 / Int |
| 0-100 / 80-120 / V. max | 7,2 s (c) / 4,5 s (est) / 210 km/h (c) |
| Type / ville / route / CO2 | Sup / 9,6 / 6,9 / 197 g/km |

### 250 4MATIC

| | |
| --- | --- |
| Cylindrée, alim. | 4L 2,0 litres turbo |
| Puissance / Couple | 221 ch / 258 lb-pi |
| Tr. base (opt) / Rouage base (opt) | A7 / Int |
| 0-100 / 80-120 / V. max | 6,4 s (m) / 3,8 s (m) / 210 km/h (c) |
| Type / ville / route / CO2 | Sup / 9,4 / 6,8 / 193 g/km |

### AMG 35 4MATIC

| | |
| --- | --- |
| Cylindrée, alim. | 4L 2,0 litres turbo |
| Puissance / Couple | 302 ch / 295 lb-pi |
| Tr. base (opt) / Rouage base (opt) | A7 / Int |
| 0-100 / 80-120 / V. max | 4,9 s (m) / 3,9 s (m) / 250 km/h (c) |
| Type / ville / route / CO2 | Sup / 10,7 / 8,2 / 224 g/km |

Photos : Marc Lachapelle, Mercedes-Benz

**Prix:** 55 000 $ (estimé)
**Transport et prép.:** 2 075 $
**Catégorie:** Compactes de luxe
**Garanties:** 4/80, 4/80
**Assemblage:** Allemagne

**Ventes**
Québec 2020
858
▼ 37 %

Canada 2020
3 971
▼ 41 %

| | |
|---|---|
| PDSF | n.d. |
| Loc. | |
| Fin. | |

Infos n.d. — **Sécurité**
Infos n.d. — **Consommation**
Infos n.d. — **Appréciation générale**
Infos n.d. — **Fiabilité prévue**
Infos n.d. — **Agrément de conduite**

**Équipement**

**Sécurité**

**Concurrents**

Acura TLX, Alfa Romeo Giulia, Audi A4, Audi A5, BMW Série 3, Cadillac CT5, Genesis G70, Infiniti Q50, Lexus IS, Tesla Model 3, Volvo S60

**Nouveau en 2022**
Nouvelle génération du modèle.

# Toujours bien classée

Louis-Philippe Dubé

**M**ême si elle s'est fait déclasser du sommet des ventes canadiennes chez Mercedes-Benz par ses cousins utilitaires GLC et GLE, la Classe C reste dans la course. Avec 3 971 unités vendues en 2020, au pays (comparativement à 6 824 en 2019), elle a tout de même pris la tête sur ses éternelles rivales Audi A4 et BMW Série 3. Celles-ci ont également vu leurs ventes prises d'assaut par les VUS, mais, contrairement à la Classe C, elles ont reçu des améliorations considérables au cours des dernières années.

Parce qu'elle n'est ni la plus sportive ni la plus abordable parmi ses rivales, la Classe C ressentait un besoin imminent de se renouveler pour 2022. De fait, dans le cadre de sa 5ᵉ génération, bien que cette luxueuse compacte se fasse discrètement nouvelle de l'extérieur, elle reçoit un habitacle hautement technologique s'inspirant fortement de sa sœur aînée, la Classe S, en plus d'intégrer des technologies hybrides sous le capot.

### DES AIRS DE CLASSE A

Étonnamment, Mercedes-Benz a choisi de donner à la Classe C une mine qui s'apparente à celle du modèle d'entrée de gamme, la Classe A. Elle a pris du gabarit, néanmoins les dimensions intérieures demeurent sensiblement les mêmes, avec légèrement plus d'espace pour la tête et les jambes pour les passagers assis à l'arrière.

Dans l'habitacle, c'est là que la Classe C prend des airs tout autres, soit ceux de la Classe S. Mercedes-Benz lui a donné un nouvel écran multimédia tactile central de 11,9 pouces orienté de manière verticale, en plus d'un tableau de bord numérique indépendant de 12,3 pouces (optionnel), qui permet au conducteur de choisir différents styles d'affichage et d'accéder au système multimédia MBUX (Mercedes-Benz User Experience). Le système MBUX est l'assistant virtuel déjà implanté dans plusieurs modèles de la marque qui répond à des commandes vocales. Celui-ci a d'ailleurs diversifié son offre, avec la capacité de se synchroniser avec votre maison intelligente. Vous pourriez, par exemple, passer une commande vocale dans la voiture pour changer la température dans votre maison, une fonction pratique pour ceux qui tendent à oublier ces petites tâches de la vie quotidienne.

La Classe C donne aussi accès à des fonctionnalités livrables que l'on retrouve dans les utilitaires plus cossus de la gamme. Par exemple, le système

Air Balance peut ioniser l'air ambiant et parfumer l'habitacle en utilisant la fragrance de votre choix. Pour les autres sens, les fonctions d'Energizing Comfort et Energizing Coach peuvent créer des ambiances et trajets revitalisants et relaxants. Il va sans dire que l'assistant virtuel de la Classe C s'implique dans bien des sphères de votre vie.

## PAS DE FAMILIALE, NI D'HYBRIDE ENFICHABLE

La variante C300 4MATIC reste animée par une motorisation 4 cylindres de 2 litres turbocompressée. Celle-ci développe 255 chevaux et 295 lb-pi de couple, une cavalerie identique à celle du modèle sortant, mais avec 22 lb-pi de couple en sus. La grande nouveauté : la Classe C adopte une technologie hybride qui s'est rapidement répandue dans le catalogue Mercedes-Benz. Il s'agit d'un système d'hybridation 48 volts avec alterno-démarreur qui récupère l'énergie, tout en étant capable de diffuser 20 chevaux et 147 lb-pi de couple supplémentaires aux quatre roues pendant une courte période pour contribuer aux accélérations. Comme l'industrie a pris la mauvaise habitude de retirer ses familiales d'Amérique du Nord, Mercedes-Benz a emboîté le pas en nous privant de la Classe C familiale, mais également du modèle hybride enfichable, en tout cas pour l'instant.

Finalement, les amateurs de grosses cylindrées signées AMG seront eux aussi déçus. Les modèles AMG 43 4MATIC, AMG 63 et AMG 63 S devraient recevoir les bonifications de style et intérieures au même titre que la C300 4MATIC. Par contre, on sait que les motorisations V6 et V8 turbocompressées seront radiées du catalogue, confiant au 4 cylindres et à l'électrification la tâche de produire les « mégacavaleries » que les amateurs de la branche AMG désirent.

Ce sera donc la rentrée en classe pour la cinquième génération de la Classe C au premier quart de l'année 2022. Les compromis marquants que Mercedes-Benz a apportés à cette compacte de luxe étaient prévisibles. Les grosses cylindrées tendent à quitter les catalogues de la majorité des constructeurs (Volvo a été l'un des premiers avec un 4 cylindres pour tout, il y a déjà plusieurs années de ça). Les familiales ne reviennent plus en Amérique du Nord non plus. Et certaines variantes hybrides enfichables sont encore timides à faire le saut chez nous.

Il ne reste plus qu'à voir si cette refonte permettra à la Classe C de conserver son avance sur ses concurrentes même avec les compromis, vis-à-vis de ses rivales, mais également face aux VUS de la marque à l'étoile d'argent.

**+** Habitacle modernisé • Consommation raisonnable

**—** Physique se rapprochant de celui de la Classe A plus modeste • Abandon des motorisations V6 et V8 • Pas d'hybride enfichable ni de familiale en Amérique du Nord

**MERCEDES-BENZ CLASSE C**

### Données principales

| | |
|---|---|
| Emp. / lon. / lar. / haut. | 2 865 / 4 751 / 1 820 / 1 438 mm |
| Coffre / réservoir | 455 litres / n.d. |
| Nombre de passagers | 5 |
| Suspension av. / arr. | ind., multibras / ind., multibras |
| Pneus avant / arrière | P225/45R18 / P245/40R18 |

### Composantes mécaniques

**300 4MATIC**

| | |
|---|---|
| Cylindrée, alim. | 4L 2,0 litres turbo |
| Puissance / Couple | 255 ch / 295 lb-pi |
| Tr. base (opt) / Rouage base (opt) | A9 / Int |
| 0-100 / 80-120 / V. max | 6,0 s (c) / 4,5 s (est) / 210 km/h (c) |
| Type / ville / route / $CO_2$ | Sup / 9,5 / 6,7 / 189 g/km (est) |

**MOTEUR ÉLECTRIQUE**

| | |
|---|---|
| Puissance / Couple | 20 ch (15 kW) / 147 lb-pi |
| Type de batterie | Lithium-ion (Li-ion) |

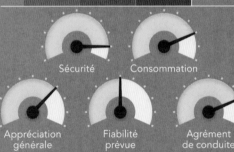

| | E350 berline | E 450 cabriolet | AMG E 63 S fam. |
|---|---|---|---|
| **PDSF** | 64 900 $ | 88 900 $ | 127 900 $ |
| **Loc.** | 1 103 $ • n.d. | 1 543 $ • n.d. | n.d. |
| **Fin.** | 1 350 $ • 1,99 % | 1 857 $ • 2,49 % | 2 752 $ • 3,99 % |

**Prix :** 64 900 $ à 127 900 $ (2021)
**Transport et prép. :** 2 075 $
**Catégorie :** Intermédiaires de luxe
**Garanties :** 4/80, 4/80
**Assemblage :** Allemagne

**Ventes**
Québec 2020
320
▼ 44 %

Canada 2020
1 798
▼ 47 %

Sécurité · Consommation

Appréciation générale · Fiabilité prévue · Agrément de conduite

## Équipement

## Sécurité

## Concurrents

Audi A6, Audi A7, BMW Série 5, Genesis G80, Jaguar XF, Maserati Ghibli, Volvo S90

## Nouveau en 2022

Aucun changement majeur annoncé au moment de mettre sous presse.

# La refonte approche

Charles Jolicœur

La Mercedes-Benz Classe E a vu le jour en 1993 et depuis, plus de 13 millions d'exemplaires ont trouvé preneur à l'échelle mondiale. Sa mission a toujours été de constituer le pont entre les modèles d'entrée de gamme de la marque et ce que Mercedes-Benz fait de mieux en matière de luxe, la Classe S. Plus près de cette dernière en fait de technologie et de raffinement que d'une Classe C, la E ne manque de rien en ce qui a trait à la sécurité ou à la connectivité. La génération actuelle, présentée en 2017 et retouchée l'an dernier, prend cependant de l'âge et l'on s'attend à ce qu'un tout nouveau modèle fasse son entrée prochainement.

Fidèle à la majorité des modèles de la gamme Mercedes-Benz, la Classe E se décline en un nombre étourdissant de versions. Il y a quatre types de carrosserie : berline, coupé, cabriolet et familiale. Il y a aussi quatre moteurs allant d'un 4 cylindres turbo de base discret à un monstre de plus de 600 chevaux dans la Mercedes-AMG E 63 S 4MATIC+. L'avenir des versions coupés et cabriolets demeure incertain, ce qui est malheureux puisque nous avons droit ici à de véritables GT avec un style réussi, un très bon niveau de confort et d'excellentes performances.

### DES VERSIONS POUR TOUS LES GOÛTS
Les déclinaisons familiales sont intéressantes. Introduit l'an dernier, le modèle All-Terrain fait office d'entrée de gamme et propose un style plus robuste avec des plaques de protection sous le véhicule, des pourtours d'ailes noirs et une garde au sol surélevée. Le but est de faire compétition directement à l'Audi A6 Allroad. Un peu plus spacieuse que la Allroad, elle est également un peu plus dispendieuse.

Audi revient dans les parages de la Classe E familiale quand on compare le sommet de la gamme, soit la Mercedes-AMG E 63 S 4MATIC+. Elle doit maintenant rivaliser avec un autre joujou des puristes, l'Audi RS 6 Avant, fraîchement débarquée d'Europe. De prime abord, il n'y a pas de mauvais choix ici. La E 63 S, comme d'autres AMG 63 au sein de Mercedes, s'avère une véritable bombe. Les accélérations sont plus marquantes et la voiture dans son ensemble, plus brutale. On doit accepter de sacrifier du confort, néanmoins on oublie vite les désagréments de la suspension ferme dès qu'on appuie sur l'accélérateur. Si l'on recherche l'équilibre, la RS 6 Avant reste la meilleure option. À l'instar de la version berline de la E 63 S, il est

possible de conduire la E 63 S familiale quotidiennement sans trop de tracas, mais sa suspension ferme ne se fait jamais oublier. Si l'on recherche l'équilibre, la RS 6 Avant reste la meilleure option.

Si nous voulons des performances brutes, le V8 de 4 litres biturbo de 603 chevaux de la E 63 S est tout indiqué. Sinon, Mercedes-AMG offre aussi une version 53 4MATIC+ alimentée par un moteur 6 cylindres en ligne de 3 litres développant 429 chevaux. Les performances demeurent au rendez-vous, mais avec un meilleur niveau de confort.

### COMMENT CHOISIR?

Qu'importent les variantes, familiale, berline, coupé ou cabriolet, la Mercedes-AMG 53 4MATIC+ représente, selon votre humble serviteur, la meilleure version de la gamme Classe E. Le son de l'échappement quadruple est juste assez sportif sans être envahissant, les performances sont juste à point avec un 0 à 100 km/h réalisé en 4,5 secondes environ. Le style ressemble à s'y méprendre à la E 63 S, par contre le confort et le raffinement sont beaucoup plus intéressants lors des balades en ville et sur l'autoroute. Nous n'avons pas d'*autobahn* au Québec et les performances supplémentaires de la E 63 S, livrées au détriment du confort, ne serviront qu'à accélérer la perte de votre permis. À moins que vous comptiez faire beaucoup de piste, la E 63 S est trop extrême.

Quant aux versions E 350 et E 450, vous ne serez pas en reste en ce qui concerne les performances, mais on perd le petit côté aiguisé des AMG. Là encore, on retrouve surtout un grand niveau de luxe qui n'a rien à envier à la Classe S, du moins à l'ancienne génération. L'habitacle de la Classe E ne montre pas son âge et le volant est l'un des mieux réussis de l'industrie, tous segments confondus. Bien que le tableau de bord n'ait pas le côté techno de celui de l'Audi A6, il fait plus haut de gamme que celui de la Série 5. D'ailleurs, de ces trois modèles, la Classe E demeure la plus confortable au quotidien, même si les différences ne sont pas énormes.

La Classe E actuelle a su vieillir avec grâce, et on n'a pas l'impression qu'elle est arrivée il y a si longtemps. Ceci dit, cinq ans, c'est beaucoup dans le monde des voitures de luxe et la prochaine génération offrira certainement encore plus de technologies, de confort et de performances. Par contre, on ne sait pas encore quand elle arrivera, alors entre-temps, une Classe E actuelle mérite toujours considération.

## Données principales

| | | |
|---|---|---|
| Emp. / lon. / lar. / haut. | **Berline** | 2 939 / 4 940 / 1 872 / 1 468 mm |
| | **Coupé / Cabriolet** | 2 873 / 4 835 / 1 857 / 1 439 mm |
| | **Familiale** | 2 939 / 4 947 / 1 872 / 1 497 mm |
| Coffre / réservoir | **Berline** | 540 litres / 80 litres |
| | **Cabriolet** | 285 à 360 litres / 66 litres |
| | **Coupé** | 405 litres / 66 litres |
| | **Familiale** | 640 à 1 820 litres / 80 litres |
| Nombre de passagers | | 5 (4 Coupé et Cabriolet) |
| Suspension av. / arr. | | ind., multibras / ind., multibras |
| Pneus avant / arrière | | P245/45R18 / P245/45R18 |
| Poids / Capacité de remorquage | **Berline** | 1 780 kg / non recommandé |
| | **Cabriolet** | 2 020 kg / non recommandé |
| | **Coupé** | 1 955 kg / non recommandé |
| | **Familiale** | 2 055 kg / non recommandé |

## Composantes mécaniques

**350 4MATIC**

| | |
|---|---|
| Cylindrée, alim. | 4L 2,0 litres turbo |
| Puissance / Couple | 255 ch / 273 lb-pi |
| Tr. base (opt) / Rouage base (opt) | A9 / Int |
| 0-100 / 80-120 / V. max | 6,1 s (c) / 4,6 s (est) / 210 km/h (c) |
| Type / ville / route / CO$_2$ | Sup / 10,7 / 7,8 / 221 g/km |

**450 4MATIC**

| | |
|---|---|
| Cylindrée, alim. | 6L 3,0 litres turbo |
| Puissance / Couple | 362 ch / 369 lb-pi |
| Tr. base (opt) / Rouage base (opt) | A9 / Int |
| 0-100 / 80-120 / V. max | 4,8 s (c) / 3,8 s (est) / 210 km/h (c) |
| Type / ville / route / CO$_2$ | Sup / 10,4 / 7,8 / 217 g/km |

**MOTEUR ÉLECTRIQUE**

| | |
|---|---|
| Puissance / Couple | 21 ch (16 kW) / 184 lb-pi |

**AMG 53 4MATIC+**

| | |
|---|---|
| Cylindrée, alim. | 6L 3,0 litres turbo |
| Puissance / Couple | 429 ch / 384 lb-pi |
| Tr. base (opt) / Rouage base (opt) | A9 / Int |
| 0-100 / 80-120 / V. max | 4,5 s (c) / 3,4 s (est) / 250 km/h (c) |
| Type / ville / route / CO$_2$ | Sup / 10,7 / 8,2 / 225 g/km |

**MOTEUR ÉLECTRIQUE**

| | |
|---|---|
| Puissance / Couple | 21 ch (16 kW) / 184 lb-pi |

**AMG 63 S 4MATIC+**

| | |
|---|---|
| Cylindrée, alim. | V8 4,0 litres turbo |
| Puissance / Couple | 603 ch / 627 lb-pi |
| Tr. base (opt) / Rouage base (opt) | A9 / Int |
| 0-100 / 80-120 / V. max | 3,5 s (m) / 3,1 s (m) / 300 km/h (c) |
| Type / ville / route / CO$_2$ | Sup / 15,0 / 10,1 / 301 g/km |

**+** Grand confort (E 350 et E 450) • Excellent équilibre (AMG E 53) • Performances ahurissantes (AMG E 63 S)

Roulement trop ferme (AMG E 63 S) • Prix élevés des versions familiales • Nouveau modèle à venir

Photos : Mercedes-Benz

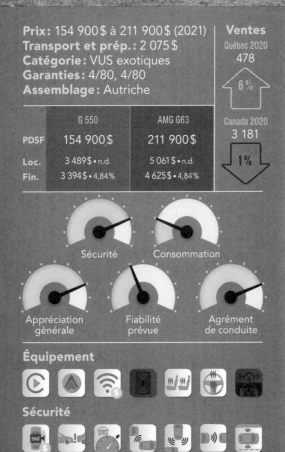

**Prix :** 154 900 $ à 211 900 $ (2021)
**Transport et prép. :** 2 075 $
**Catégorie :** VUS exotiques
**Garanties :** 4/80, 4/80
**Assemblage :** Autriche

**Ventes**
Québec 2020
478
6 %

Canada 2020
3 181
1 %

|  | G 550 | AMG G63 |
|---|---|---|
| PDSF | 154 900 $ | 211 900 $ |
| Loc. | 3 489 $ • n.d. | 5 061 $ • n.d. |
| Fin. | 3 394 $ • 4,84 % | 4 625 $ • 4,84 % |

Sécurité    Consommation

Appréciation générale    Fiabilité prévue    Agrément de conduite

**Équipement**

**Sécurité**

**Concurrents**

Aston Martin DBX, Bentley Bentayga, Lamborghini Urus, Land Rover Range Rover, Rolls-Royce Cullinan

**Nouveau en 2022**
Aucun changement majeur annoncé au moment de mettre sous presse.

# Pour safaris et sorties tranquilles

Marc Lachapelle

I l n'existe pas de *star* de Hollywood plus improbable que cet utilitaire sport de luxe allemand au profil rigoureusement carré, conçu à l'origine comme véhicule militaire, il y a près d'un demi-siècle. Beverly Hills fourmille de Classe G et on le voit rôder aussi sur Crescent et Grande-Allée en temps normal, alors qu'il a tout ce qu'il faut pour escalader une montagne en appuyant sur quelques boutons. Que voulez-vous, il est le chouchou de gens riches et branchés.

Avec sa haute carrosserie aux arêtes à peine adoucies, le Classe G semble avoir été découpé à la hache mais c'est tout le contraire. Cette silhouette toute en angles et en surfaces quasiment planes a été dessinée sous la direction de l'ingénieur et styliste italien Bruno Sacco, dont l'équipe a créé plusieurs classiques tandis qu'il était patron du design chez Mercedes-Benz. La forme du G tient d'abord compte de la nécessité pour un vrai tout-terrain d'afficher des porte-à-faux très courts qui vont lui découper les meilleurs angles d'approche et de dégagement possibles. Des flancs très plats et de grandes surfaces vitrées permettent aussi de passer plus facilement partout et de mieux voir où l'on roule, de tous les côtés. Comme dans un Range Rover, tiens, le seul qui puisse espérer suivre un Classe G en tout-terrain dans cette catégorie très sélecte des VUS dits exotiques.

**MÉTAMORPHOSES VARIABLES**

Après avoir voulu remplacer le Classe G par le GLS en 2006, le doyen des constructeurs a cédé à la clameur outrée des inconditionnels et à une demande soutenue en poursuivant sa production. Il a donc fallu attendre encore douze années avant que Mercedes présente enfin un Classe G entièrement renouvelé, dans le cadre du Salon de Detroit édition 2018. Le dévoilement de ce nouveau G 550 fut suivi, un mois plus tard, par celui du G 63, version la plus chère et toujours la plus populaire.

Bien malin qui sait distinguer le nouveau Classe G de l'ancien au premier coup d'œil, de l'extérieur, même s'il est plus long de 5,3 cm et plus large de 12,1 cm. En fait, les trois seuls éléments conservés sont les lave-phares, les boutons d'ouverture des portières et la coquille pour la roue de rechange, toujours montée sur le battant arrière à ouverture latérale. Ce nouveau G plus grand est pourtant plus léger de près de 170 kg, grâce au recours à l'aluminium pour les ailes, le capot et les portières, entre autres.

À l'intérieur, aucun doute possible sur la transformation puisque l'habitacle a été complètement refait. Le tableau de bord, surtout, a fait un sérieux bond vers l'avant, rattrapant quatre décennies de *statu quo* d'un seul trait. La partie supérieure gauche est dominée par un immense affichage numérique horizontal formé par deux écrans à haute résolution juxtaposés de 12,3 pouces. La partie droite est tactile, appuyée par une molette installée sur la console centrale, surplombée d'un pavé tactile. Tout ça permet de naviguer et fouiller de son mieux à travers les menus et réglages encore nombreux, dispersés et parfois mystérieux de l'interface multimédia.

Les grands cadrans et l'écran d'affichage nichés dans la nacelle du conducteur sont configurables à volonté, grâce à de minuscules pavés tactiles étonnamment efficaces que l'on trouve sur un volant dont la jante gainée de cuir est bien moulée. Tout ce qui est numérique à bord du Classe G est superbement clair et bien présenté. Quatre grandes buses d'aération circulaires évoquent ses phares ronds, encastrés dans de magnifiques moulures d'aluminium qui soulignent et rehaussent la modernité de l'ensemble.

Les baquets avant sont impeccables, la position de conduite haute et juste, les commandes d'une ergonomie très correcte. La banquette arrière n'est pas tellement spacieuse et accueillante, par contre, même si l'habitacle est plus large et que les jambes ont gagné 15 cm d'espace additionnel.

## APLOMB NOUVEAU ET INSOUPÇONNÉ

Sous le capot du G 550, on retrouve le V8 biturbo de 4 litres et 416 chevaux, jumelé à une boîte automatique à 9 rapports qui réduit sa consommation de 4 à 5 L/100 km. Le G 63 est animé par le même moteur, dont la puissance grimpe toutefois à 577 chevaux. Les deux modèles partagent le rouage à quatre roues motrices avec boîtier de transfert à deux plages de rapports et trois différentiels verrouillables. Leurs aptitudes tout-terrain sont sans aucun reproche.

La surprise provient plutôt de la douceur, de la souplesse et de l'agilité du G 550 sur la route, même avec les roues d'alliage optionnelles de 20 pouces. La suspension avant à roues indépendantes et la direction à crémaillère, qui étaient toutes deux inédites, en ont tout le mérite. Il n'y a pas à dire, ce nouveau G est parti pour une autre trentaine d'années.

### Données principales

| | |
|---|---|
| Emp. / lon. / lar. / haut. | 2 890 / 4 817 / 1 931 / 1 969 mm |
| Coffre / réservoir | 454 à 1 246 litres / 100 litres |
| Nombre de passagers | 5 |
| Suspension av. / arr. | ind., double triangulation / essieu rigide, ress. hélicoïdaux |
| Pneus avant / arrière | P275/55R19 / P275/55R19 |
| Poids / Capacité de remorquage | 2 520 kg / 3 500 kg (7 720 lb) |

### Composantes mécaniques

**550**

| | |
|---|---|
| Cylindrée, alim. | V8 4,0 litres turbo |
| Puissance / Couple | 416 ch / 450 lb·pi |
| Tr. base (opt) / Rouage base (opt) | A9 / Int |
| 0-100 / 80-120 / V. max | 6,1 s (m) / 4,1 s (m) / 210 km/h (c) |
| 100-0 km/h | 43,5 m (m) |
| Type / ville / route / $CO_2$ | Sup / 13,6 / 12,4 / 307 g/km |

**AMG 63**

| | |
|---|---|
| Cylindrée, alim. | V8 4,0 litres turbo |
| Puissance / Couple | 577 ch / 627 lb·pi |
| Tr. base (opt) / Rouage base (opt) | A9 / Int |
| 0-100 / 80-120 / V. max | 4,5 s (c) / 3,6 s (est) / 240 km/h (c) |
| 100-0 km/h | 39,8 m (est) |
| Type / ville / route / $CO_2$ | Sup / 18,6 / 15,5 / 396 g/km |

**+** Silhouette unique • Douceur, confort et silence étonnants • Groupe propulseur impeccable • Solidité à toute épreuve

**−** Interface multimédia rébarbative • Places arrière peu spacieuses • Système antidérapage zélé • Consommation encore forte

Photos : Marc Lachapelle, Mercedes-Benz

**Prix :** 123 500 $ à 229 900 $ (2021)
**Transport et prép. :** 2 075 $
**Catégorie :** Gr. berlines de luxe
**Garanties :** 4/80, 4/80
**Assemblage :** Allemagne

**Ventes**
Québec 2020
119
↓ 18 %

Canada 2020
522
↓ 36 %

| | S 500 | S 580 | Maybach S 580 |
|---|---|---|---|
| PDSF | 123 500 $ | 139 900 $ | 229 900 $ |
| Loc. | n.d. | n.d. | n.d. |
| Fin. | 2 715 $ • 4,84 % | 3 069 $ • 4,84 % | 5 014 $ • 4,84 % |

Infos n.d. — Sécurité
Infos n.d. — Consommation
Infos n.d. — Appréciation générale
Infos n.d. — Fiabilité prévue
Infos n.d. — Agrément de conduite

## Équipement

## Sécurité

## Concurrents

Audi A8, BMW Série 7, Genesis G90
Karma GS-6/Revero, Lexus LS,
Maserati Quattroporte, Porsche Panamera,
Tesla Model S

## Nouveau en 2022

Arrivée d'une variante à motorisation
hybride rechargeable.

# Une technologie de pointe

Gabriel Gélinas

L a Classe S de Mercedes-Benz, ainsi nommée depuis 1972 pour « Classe Spéciale », a souvent été la voiture par laquelle les dernières innovations technologiques ont été inaugurées. Dès 1978, la Classe S est devenue la première au monde à être équipée de freins ABS. Trois ans plus tard, le coussin gonflable faisait sa première apparition à bord. En 1995, c'est au tour du système antidérapage ESP (*Electronic Stability Program*) puis, en 1998, c'est le régulateur de vitesse adaptatif qui est lancé sur la grande berline de luxe de Mercedes-Benz.

Dans l'histoire de l'automobile, les innovations technologiques ont souvent été introduites à bord des voitures de luxe pour ensuite se retrouver dans les modèles de monsieur et madame Tout-le-Monde. C'est encore vrai aujourd'hui alors que la récente Classe S, ainsi que la berline à motorisation électrique EQS de la marque à l'étoile, en propose de nouvelles, dont certaines se retrouveront peut-être dans des modèles plus populaires dans un avenir plus ou moins rapproché.

Aujourd'hui, la Classe S de septième génération, lancée à l'automne 2020, continue de jouer son rôle de pionnière en inaugurant le premier coussin gonflable intégré au dossier du siège du conducteur pour protéger les passagers prenant place à l'arrière lors d'une collision frontale.

### AÉRODYNAMIQUE ÉTUDIÉE

Au pays, Mercedes-Benz offre la Classe S en deux configurations, soit la S500 à empattement régulier et moteur 6 cylindres en ligne turbocompressé de 3 litres, ainsi que la S580 animée par un V8 biturbo de 4 litres, laquelle est dotée d'un empattement allongé. Ces deux déclinaisons sont à la fois équipées d'une boîte automatique à 9 rapports ainsi que du rouage intégral de série. Une variante à motorisation hybride rechargeable s'ajoutera au catalogue avec une autonomie anticipée de 100 km en mode électrique.

La Classe S est une grande berline de luxe, mais c'est aussi l'une des voitures les plus aérodynamiques au monde avec un coefficient de traînée de seulement 0,22, ce qui réduit le bruit du vent à vitesse d'autoroute. Pour assurer un confort souverain, la calibration des liaisons au sol de la suspension E-Active Body Control (optionnelle) est ajustée mille fois par seconde, et les quatre roues

directionnelles (aussi optionnelles) bonifient également la maniabilité de cette berline de grand luxe, qui fait plus de cinq mètres en longueur.

Bardée de tous les systèmes de sécurité avancés développés par Mercedes-Benz, la récente Classe S ajoute un dispositif agissant sur la suspension pneumatique. Ce dernier soulève la caisse de 8 cm en quelques dixièmes de secondes si les capteurs détectent que la voiture est sur le point d'être percutée latéralement par un autre véhicule. Cela fait en sorte que le point de contact soit le longeron du châssis, plus solide que la portière.

### UNE OASIS DE CALME ET DE VOLUPTÉ

La Classe S ne propose rien de moins qu'un «troisième espace de vie» après le domicile et le bureau. Il est possible d'opter pour une instrumentation en 3D, une chaîne audio de type *Surround* en 4D comptant trente haut-parleurs, cinq écrans de type OLED, et un éclairage ambiant, composé d'un élément de fibre optique tous les 1,6 cm, pour un total de 250. Sans oublier les sièges avec 19 moteurs pour l'ajustement, la ventilation et les fonctions de massage du siège du conducteur.

Offerte en option, la suite de Première Classe transforme les places arrière en véritable salon, avec dossier inclinable, repose-pied et tablette de travail. Même les appuie-têtes sont doublés d'un oreiller douillet. Avec la commande vocale «Hey Mercedes» permettant d'activer les programmes relaxants ou énergisants qui mettent à contribution la chaîne audio, les fonctions de massage, l'éclairage ambiant et les animations sur les écrans, la Classe S contribue à assurer la zénitude au quotidien...

À l'avant, le conducteur fait face à un écran de 12,3 pouces, lequel remplace le bloc d'instruments, alors qu'un autre écran de type OLED à commande tactile fait 12,8 pouces de diagonale. Ce dernier occupe une bonne partie de la console centrale. La Classe S est aussi livrable avec un dispositif de visualisation tête-haute à réalité augmentée permettant, entre autres, de projeter les flèches indiquant le trajet prévu par le système de guidage directement dans le champ de vision du conducteur.

Pas de doute possible, la Classe S continue d'épater la galerie en suscitant l'émerveillement des passagers qui prendront place à son bord. Elle est encore et toujours à la fine pointe de la technologie, et représente tout le savoir-faire des ingénieurs et des designers de la marque à l'étoile.

**+** Technologie de pointe • Aérodynamique étudiée • Rouage intégral de série • Qualité d'assemblage et de finition

**—** Prix élevé • Tarif des options • Poids élevé

### Données principales

| | |
|---|---|
| Emp. / lon. / lar. / haut. **S 500** | 3 035 / 5 125 / 1 921 / 1 503 mm |
| **S 580** | 3 216 / 5 289 / 1 921 / 1 503 mm |
| **MAYBACH S 580** | 3 396 / 5 496 / 1 956 / 1 510 mm |
| Coffre / réservoir | 510 litres / 76 litres |
| Nombre de passagers | 4 à 5 |
| Suspension av. / arr. | ind., pneumatique, multibras / ind., pneumatique, multibras |
| Pneus avant / arrière | P255/45R19 / P255/45R19 |
| Poids / Capacité de remorquage | 2 091 kg / non recommandé |

### Composantes mécaniques

**500 4MATIC**

| | |
|---|---|
| Cylindrée, alim. | 6L 3,0 litres turbo |
| Puissance / Couple | 429 ch / 384 lb-pi |
| Tr. base (opt) / Rouage base (opt) | A9 / Int |
| 0-100 / 80-120 / V. max | 4,9 s (c) / n.d. / 250 km/h (c) |
| Type / ville / route / $CO_2$ | Sup / 11,2 / 8,4 / 232 g/km (est) |

**MOTEUR ÉLECTRIQUE**

| | |
|---|---|
| Puissance / Couple | 21 ch (16 kW) / 184 lb-pi |
| Type de batterie | Lithium-ion (Li-ion) |

**580 4MATIC/MAYBACH S 580**

| | |
|---|---|
| Cylindrée, alim. | V8 4,0 litres turbo |
| Puissance / Couple | 496 ch / 516 lb-pi |
| Tr. base (opt) / Rouage base (opt) | A9 / Int |
| 0-100 / 80-120 / V. max | 4,6 s (c) / n.d. / 250 km/h (c) |
| Type / ville / route / $CO_2$ | Sup / 13,2 / 9,5 / 271 g/km (est) |

**MOTEUR ÉLECTRIQUE**

| | |
|---|---|
| Puissance / Couple | 21 ch (16 kW) / 184 lb-pi |
| Type de batterie | Lithium-ion (Li-ion) |

Photos : Mercedes-Benz

| Prix : 200 000 $ (estimé) | | **Ventes** |
|---|---|---|
| **Transport et prép. :** 2 075 $ | | Québec 2020 |
| **Catégorie :** Gr. berlines de luxe | | n.d. |
| **Garanties :** 4/80, 4/80 | | |
| **Assemblage :** Allemagne | | |

| | EQS 580 | Canada 2020 |
|---|---|---|
| **PDSF** | 200 000 $ | n.d. |
| **Loc.** | n.d. | |
| **Fin.** | 4 375 $ • 4,90 % | |

| Infos n.d. | Infos n.d. |
|---|---|
| Sécurité | Consommation |

| Infos n.d. | Infos n.d. | Infos n.d. |
|---|---|---|
| Appréciation générale | Fiabilité prévue | Agrément de conduite |

### Équipement
Info n.d. | Info n.d. | Info n.d. | Info n.d. | Info n.d. | Info n.d. | Info n.d.

### Sécurité
Info n.d. | | Info n.d. | | | |

### Concurrents
Audi e-tron GT, Karma GS-6/Revero, Porsche Taycan, Tesla Model S

**Nouveau en 2022**
Nouveau modèle.

# À l'assaut de la Tesla Model S

Gabriel Gélinas

**L**a EQS est la première voiture à motorisation électrique commercialisée par Mercedes-Benz en Amérique du Nord, et devient donc une rivale de taille pour la Tesla Model S. Élaborée sur une toute nouvelle architecture modulaire conçue spécifiquement pour servir de base aux modèles à motorisation électrique de la marque, elle fait son entrée chez nous pour l'année-modèle 2022.

Sur plusieurs marchés, la EQS sera proposée en deux variantes. Il s'agit de la EQS 450, animée par un seul moteur électrique entraînant les roues arrière et de la EQS 580 4MATIC, pourvue d'un rouage intégral électronique puisque deux moteurs électriques l'animent, soit un pour chaque train de roues.

Au Canada, Mercedes-Benz n'offrira que cette dernière variante dont la puissance combinée est chiffrée à 385 kW, ce qui correspond à 516 chevaux, alors que le couple est de 631 lb-pi. Côté performance, Mercedes-Benz annonce un chrono de 4,3 secondes pour le 0 à 100 km/h, ce qui est impressionnant lorsqu'on considère que la EQS 580 4MATIC affiche plus de 2,5 tonnes métriques à la pesée.

La source d'énergie de la EQS 580 4MATIC est sa batterie comptant 12 modules dont la capacité utilisable s'élève à 107,8 kWh. Selon le protocole WLTP (*World Light Vehicle Test Procedure*), l'autonomie de la EQS s'établirait à 700 km. Toutefois, ce protocole reste très optimiste, on peut logiquement s'attendre à une autonomie réelle variant entre 500 et 600 km. La EQS étant dotée d'un chargeur embarqué de 9,6 kW, cela permet une recharge de 10 à 100 % en 10 heures sur une borne de niveau 2. Il est également possible de brancher la EQS à une borne de recharge rapide. Mercedes-Benz avance que 300 km d'autonomie pourront être ajoutés en 15 minutes lorsque branchée à une borne capable de délivrer une puissance de 200 kW.

### LA VOITURE LA PLUS AÉRODYNAMIQUE AU MONDE
0,20. C'est le coefficient de traînée de la Mercedes-Benz EQS qui est maintenant la voiture la plus aérodynamique au monde, ce qui permet de bonifier son autonomie. Côté style, la EQS se démarque par sa ligne de toit très fluide qui rappelle celle d'un arc, ainsi que par ses porte-à-faux très courts. La partie avant affiche une calandre appelée *Black Panel* par

Mercedes-Benz, sur laquelle figure l'étoile de la marque ainsi que des motifs en 3D.

Le gabarit s'avère imposant avec 5,2 mètres en longueur, 1,9 mètre en largeur, et surtout un empattement de plus de 3,2 mètres. Afin de la rendre plus maniable, la EQS 580 4MATIC, pourvue de série de quatre roues directionnelles, est capable de braquer les roues arrière en sens inverse jusqu'à 4,5 degrés, voire jusqu'à 10 degrés avec l'ajout du Pack Premium proposé en option.

La EQS 580 4MATIC est aussi équipée de série d'une suspension pneumatique qui abaisse automatiquement la caisse de 10 mm lorsqu'elle circule à vitesse d'autoroute et, comme il s'agit d'une voiture allemande, les ingénieurs de la marque ont paramétré cette suspension afin qu'elle s'abaisse de 10 mm supplémentaires à 160 km/h, histoire de la rendre encore plus aérodynamique aux vitesses plus élevées permises sur les *autobahns* allemandes.

## UNE VITRINE TECHNOLOGIQUE

La EQS est dotée de série d'un habitacle dont le design se rapproche de celui de la récente Classe S. Mais avec le nouveau dispositif Hyperscreen proposé en option, Mercedes-Benz réinvente le tableau de bord. Cet élément, qui est légèrement incurvé, se déploie sur 1,4 mètre entre les deux buses d'aération circulaires et recouvre trois écrans, dont deux sont tactiles et à réaction haptique, auxquels font face le conducteur ainsi que le passager. Les occupants prenant place à l'arrière ne sont pas en reste puisque deux écrans peuvent être intégrés au dossier des sièges avant, alors qu'une tablette mobile sert d'interface avec les systèmes du véhicule.

La EQS étant une voiture électrique, trois ambiances sonores ont été créées afin d'agrémenter l'expérience de conduite : « Silver Waves », « Vivid Flux » et « Roaring Pulse ». Les deux premières sonorités seront proposées de série aux acheteurs tandis que la troisième pourra être téléchargée directement dans la voiture via Internet. D'autres ambiances sonores seront également disponibles par la suite. Pour Mercedes-Benz, la EQS devient une vitrine technologique ainsi qu'un symbole de l'engagement de la marque allemande envers l'électrification de l'automobile.

### Données principales

| | |
|---|---|
| Emp. / lon. / lar. / haut. | 3 211 / 5 216 / 1 926 / 1 512 mm |
| Coffre | 610 à 1 770 litres |
| Nombre de passagers | 5 |
| Suspension av. / arr. | ind., pneu., multibras / ind., pneu., multibras |
| Poids / Capacité de remorquage | 2 585 kg / non recommandé |

### Composantes mécaniques

**580 4MATIC**

| | |
|---|---|
| Puissance combinée | 516 chevaux / 631 lb·pi |
| Tr. base (opt) / Rouage base (opt) | Rapport fixe / Int |
| 0-100 / 80-120 / V. max | 4,3 s (c) / n.d. / 210 km/h (c) |
| Consommation équivalente | 2,5 Le/100 km (est) |
| Type de batterie | Lithium-ion (Li-ion) |
| Énergie | 107,8 kWh |
| Temps de charge (240V / 400 V) | 10,0 h / 0,5 h |
| Autonomie | 560 km (est) |

+ Rouage intégral électronique • Capacité utilisable de la batterie • Aérodynamique de pointe • Système Hyperscreen innovant

− Prix élevé • Poids élevé • Tarif des options

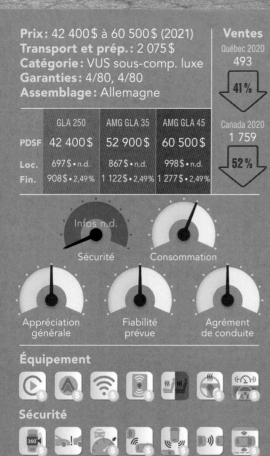

**Prix :** 42 400 $ à 60 500 $ (2021)
**Transport et prép. :** 2 075 $
**Catégorie :** VUS sous-comp. luxe
**Garanties :** 4/80, 4/80
**Assemblage :** Allemagne

**Ventes**
Québec 2020
493
↓ 41 %

Canada 2020
1 759
↓ 52 %

| | GLA 250 | AMG GLA 35 | AMG GLA 45 |
|---|---|---|---|
| PDSF | 42 400 $ | 52 900 $ | 60 500 $ |
| Loc. | 697 $ • n.d. | 867 $ • n.d. | 998 $ • n.d. |
| Fin. | 908 $ • 2,49 % | 1 122 $ • 2,49 % | 1 277 $ • 2,49 % |

Infos n.d.

Sécurité — Consommation

Appréciation générale — Fiabilité prévue — Agrément de conduite

**Équipement**

**Sécurité**

**Concurrents**
Audi Q3, BMW X1/X2, Buick Encore GX, Cadillac XT4, Jaguar E-PACE, Lexus UX, Mini Countryman, Volvo XC40

**Nouveau en 2022**
Aucun changement majeur annoncé au moment de mettre sous presse.

# GLAmour

Antoine Joubert

C omme tout ce qui s'approche d'un VUS, le marché des VUS sous-compacts de luxe gagne en popularité. Un marché qui, rappelons-le, n'a qu'à peine dix ans, puisque BMW ouvrait la voie en 2011 avec son X1. Depuis, les choses ont énormément évolué, bien qu'on ait noté quelques échecs chez certains constructeurs. Parmi eux, le QX30, jumeau technique du GLA, jusqu'à tout récemment commercialisé par Infiniti. Un flop commercial qui, pourtant, n'avait rien de moins à offrir que notre principal intéressé, sauf peut-être l'emblème.

Bien sûr, le GLA s'est renouvelé depuis. Faisant peau neuve l'an dernier, il allait tenter de mieux s'armer afin de rattraper une majorité de concurrents l'ayant surpassé en 2019 et 2020 en fait de ventes. Non seulement du côté d'Audi et de BMW, mais aussi du côté de Cadillac, Lexus et Volvo, qui ont aussi de belles propositions. Mercedes-Benz possède-t-il le produit capable de faire face à cette féroce compétition ?

### PLUS DE VARIANTES

De plus en plus de joueurs jouent la carte écologique dans ce segment. Pensons à MINI et sa Countryman SE hybride rechargeable, à Lexus et l'UX250h ainsi qu'à Volvo et son XC40 Recharge, 100 % électrique. Hélas, Mercedes-Benz n'y adhère pas ! On choisit plutôt d'offrir trois déclinaisons à essence, incluant deux variantes AMG de haute performance. Il s'agit essentiellement des mêmes motorisations que l'on peut retrouver sous le capot des Classe A/CLA/GLB, avec lesquels le GLA partage aussi sa structure.

Sans l'ombre d'un doute, le GLA 250 4MATIC à moteur 2 litres de 221 chevaux se veut le plus convoité parce qu'il s'agit d'un véhicule équilibré, adéquatement performant et bien sûr, plus accessible que les versions AMG, avec lesquelles on perd en confort au profit des performances. Rival de l'Audi Q3 et du BMW X1, équipés tous les deux d'une motorisation unique, le GLA 250 propose malheureusement un rendement plus saccadé en raison de sa transmission à double embrayage qui manque de finesse. Et cette constatation est amplifiée lorsqu'on passe aux versions AMG, lesquelles voient évidemment leur transmission reprogrammée. Certes, cette dernière contribue à de meilleures performances et à l'optimisation des temps d'accélération, mais au prix de violentes secousses dont on se passerait volontiers. Qui plus est, lors d'un départ arrêté, on constate un délai

d'accélération marqué causé par l'entrée en action du système arrêt-démarrage. Bref, cet irritant vient affecter le plaisir au quotidien.

En attendant qu'Audi débarque peut-être un jour avec le RS Q3, Mercedes-Benz est l'unique constructeur à proposer une version haute performance dans ce segment. La variante AMG GLA 45 4MATIC, est capable de boucler le 0 à 100 km/h en 4,4 secondes, tout en vous donnant de véritables sensations de voitures sport. Du moins, en partie, puisque les lois de la physique le rattrapent pour finalement vous rappeler qu'une véritable voiture conserve toujours l'avantage. J'aurai d'ailleurs été à même de le constater en conduisant simultanément CLA 45 et GLA 45, la première affichant une tenue de route et une maniabilité nettement supérieures. Ainsi, bien qu'il soit cocasse d'effectuer un départ canon avec un tel véhicule, l'impression d'un travail inachevé de la part des ingénieurs d'AMG est palpable. D'autant plus qu'en matière de suspension, cette déclinaison nous fait énormément souffrir, sans nous offrir les avantages d'une tenue de route réellement impressionnante de surcroît.

### RÉELLEMENT PRATIQUE ?

Avec un volume de coffre 35 % inférieur à celui de l'Audi Q3, le GLA peut difficilement être qualifié d'utilitaire. En fait, l'espace intérieur se compare davantage à celui d'une Classe A à hayon, preuve qu'il s'agit d'une déclinaison « utilitaire » de cette dernière. L'acheteur en quête d'espace devra donc se tourner vers le GLB s'il ne souhaite pas tourner le dos à la marque.

Cela dit, le GLA propose, comme tous les véhicules de cette grande famille, un poste de conduite franchement séduisant. La présentation est magnifique, la finition, de belle facture, et l'on ne peut qu'être émerveillé par ce double écran combinant l'instrumentation et l'infodivertissement. Ajoutez à cela un superbe rétroéclairage d'ambiance ainsi qu'un heureux mariage des teintes et des matériaux et vous obtenez un habitacle réellement invitant. En revanche, les sièges n'offrent pas le confort de ceux du Audi Q3 ou du Volvo XC40.

Un brin décevant pour ce qui est du comportement, le GLA perd plusieurs des qualités de la Classe A. Certes, il a une belle gueule, affiche un écusson prestigieux et propose l'exclusivité d'une version de très haute performance. Néanmoins, mis à part une planche de bord réellement séduisante, il ne parvient pas à surpasser ou même à égaler les qualités et avantages de plusieurs de ses rivaux. Et cela, en dépit du fait qu'on nous le serve à prix corsé.

**+** Poste de conduite impressionnant • Look sympathique • Puissance remarquable (GLA 45)

**–** Calibration décevante des suspensions (AMG) • Rendement saccadé de la transmission • Confort des sièges • Prix élevé

Photos : Julien Amado, Mercedes-Benz

### Données principales

| | |
|---|---|
| Emp. / lon. / lar. / haut. | 2 729 / 4 410 / 1 834 / 1 611 mm |
| Coffre / réservoir | 435 à 1 430 litres / 51 litres |
| Nombre de passagers | 5 |
| Suspension av. / arr. | ind., jambes force / ind., multibras |
| Pneus avant / arrière | P235/55R18 / P235/55R18 |
| Poids / Capacité de remorquage | 1 585 kg / non recommandé |

### Composantes mécaniques

**250 4MATIC**

| | |
|---|---|
| Cylindrée, alim. | 4L 2,0 litres turbo |
| Puissance / Couple | 221 ch / 258 lb-pi |
| Tr. base (opt) / Rouage base (opt) | A8 / Int |
| 0-100 / 80-120 / V. max | 6,7 s (c) / 4,5 s (est) / 210 km/h (c) |
| Type / ville / route / CO$_2$ | Sup / 9,8 / 7,2 / 203 g/km |

**AMG 35 4MATIC**

| | |
|---|---|
| Cylindrée, alim. | 4L 2,0 litres turbo |
| Puissance / Couple | 302 ch / 295 lb-pi |
| Tr. base (opt) / Rouage base (opt) | A8 / Int |
| 0-100 / 80-120 / V. max | 4,9 s (c) / 3,7 s (est) / 250 km/h (est) |
| Type / ville / route / CO$_2$ | Sup / 10,4 / 8,1 / 219 g/km |

**AMG 45 4MATIC**

| | |
|---|---|
| Cylindrée, alim. | 4L 2,0 litres turbo |
| Puissance / Couple | 382 ch / 354 lb-pi |
| Tr. base (opt) / Rouage base (opt) | A8 / Int |
| 0-100 / 80-120 / V. max | 4,4 s (c) / 3,2 s (est) / 270 km/h (c) |
| Type / ville / route / CO$_2$ | Sup / 11,6 / 8,8 / 243 g/km |

**Prix :** 46 500 $ à 57 500 $ (2021)
**Transport et prép. :** 2 075 $
**Catégorie :** VUS sous-comp. luxe
**Garanties :** 4/80, 4/80
**Assemblage :** Mexique

| | GLB 250 | AMG GLB 35 |
|---|---|---|
| PDSF | 46 500 $ | 57 500 $ |
| Loc. | 774 $ • n.d. | 930 $ • n.d. |
| Fin. | 979 $ • 1,99 % | 1 201 $ • 1,99 % |

**Ventes**
Québec 2020
485

n.d.

Canada 2020
1 775

n.d.

Sécurité  Consommation

Appréciation générale  Fiabilité prévue  Agrément de conduite

## Équipement

## Sécurité

## Concurrents

Audi Q3, BMW X1/X2, Buick Encore GX, Cadillac XT4, Jaguar E-PACE, Lexus UX, MINI Countryman, Volvo XC40

## Nouveau en 2022
Aucun changement majeur annoncé au moment de mettre sous presse.

# Le bon format

Michel Deslauriers

L e GLA est trop petit et le GLC est trop coûteux ? Mercedes-Benz propose un entre-deux drôlement intéressant s'appelant le GLB, qui profite d'un sous-segment de marché très peu exploité jusqu'à maintenant par les marques de luxe.

Il s'agit d'un modèle sous-compact, mais il figure parmi les plus gros et les plus logeables de ce lot grâce à son empattement allongé, sa carrosserie carrée et — en option — une banquette de troisième rangée pour une capacité de sept passagers. De plus, son design extérieur rappelle à la fois celui des modèles plus chics du constructeur, et aussi du GLK, vendu chez nous de 2009 à 2015, que plusieurs appréciaient pour son style distinct.

## POLYVALENCE AU MAX
De série, le Mercedes-Benz GLB propose un aménagement à cinq passagers, avec une assise divisée 60/40 et un dossier divisible 40/20/40. On peut donc rabattre une section pour transporter un objet plus long et permettre à un passager de s'installer à l'arrière, ou de simplement abaisser la partie centrale du dossier, permettant à quatre personnes de se rendre au chalet ou sur les pentes avec leurs skis dans le véhicule. Le siège du passager avant est également rabattable, si jamais l'on a besoin de déménager un escabeau ou un autre objet long.

Il faut l'admettre, les deux places de troisième rangée ne sont pas très accueillantes, mais si c'est pour dépanner, ça passe. La banquette médiane est coulissante, donc si ses occupants veulent bien sacrifier un peu d'espace pour les jambes, des personnes de taille normale pourront s'asseoir dans la troisième rangée. En fait, c'est surtout l'accès qui est problématique. Quant à la contenance du coffre, son volume maximal s'élève à 1 755 litres, ou 560 litres derrière la deuxième rangée, faisant du GLB un modèle plus spacieux que le GLC de taille compacte. Il va sans dire que dans le segment des utilitaires sous-compacts de luxe, il est de loin le plus pratique pour ramasser l'épicerie et avaler des sacs de hockey. On peut également ranger le cache-bagages sous le plancher lorsque la troisième rangée est relevée.

L'instrumentation des petits modèles de Mercedes est fort impressionnante, du moins, lorsque l'on choisit l'Ensemble Haut de gamme. Celui-ci comprend deux écrans numériques de 10,25 pouces côte à côte, dont un affichage du conducteur configurable, et une surface tactile pour le système multimédia

MBUX. Ce dernier est plus facile à utiliser que l'ancienne interface COMAND de Mercedes-Benz, mais toujours quelque peu distrayant en conduisant. L'éclairage d'ambiance compris avec l'Ensemble Haut de gamme embellit joliment l'habitacle, en revanche, il faut absolument choisir ce groupe d'options pour avoir droit à l'intégration Apple CarPlay et Android Auto. Dommage.

### DU NERF SOUS LE CAPOT

Deux déclinaisons du GLB sont disponibles au Canada. Le GLB 250 4MATIC est équipé d'un 4 cylindres turbo de 2 litres, produisant 221 chevaux, géré par une boîte automatique à 8 rapports. Une motorisation vive, parfaitement adaptée au format du véhicule, en plus d'être écoénergétique avec une moyenne mixte ville/route de 9,2 L/100 km. Très peu de rivaux peuvent faire mieux.

Puisque les consommateurs québécois et canadiens sont très friands des produits AMG, on peut jeter notre dévolu sur le GLB 35 4MATIC et son 4 cylindres turbo plus musclé. Avec ses 302 chevaux, cette version du multisegment se propulse de 0 à 100 km/h en 5,2 secondes, alors que sa suspension plus ferme lui confère un comportement routier nettement plus dynamique. Par contre, on doit accepter le compromis d'un confort de roulement réduit à cause de ladite suspension et des pneus de 19 pouces à profil bas. Le GLA 45 AMG génère 382 chevaux au Canada, mais ce moteur très puissant n'est pas disponible dans le GLB.

Le prix de départ du GLB 250 4MATIC est intéressant, alors que l'on a droit à des sièges chauffants à l'avant avec réglages électriques et fonction de mémoire de position, un climatiseur automatique bizone et un toit panoramique de série. Certaines caractéristiques de sécurité avancée sont optionnelles, telles que la surveillance des angles morts et le régulateur de vitesse adaptatif. À l'instar de bien des produits allemands, la facture grimpe rapidement avec les options. Au moins, le volant chauffant est offert à bas prix, ce que l'on recommande fortement pour les mois d'hiver.

À près de 60 000 $, l'AMG GLB 35 n'est pas à la portée de toutes les bourses, et pour à peine une centaine de dollars de plus par mois, on peut se procurer un GLC 43 AMG de 385 chevaux, avec des performances et une sonorité plus enivrantes. Le Mercedes-Benz GLB propose donc un bon format, un bon prix de départ et une excellente polyvalence dans le segment des utilitaires de luxe sous-compacts. Il faut simplement faire preuve de retenue avec les options, sinon ce petit modèle fort intéressant commandera des mensualités trop élevées.

**+** Polyvalence indéniable • Motorisations efficaces et peu énergivores • Technologie à bord impressionnante

**−** Apple CarPlay et Android Auto en option • Système MBUX quelque peu distrayant • Facture qui grimpe rapidement avec les options

### Données principales

| | |
|---|---|
| Emp. / lon. / lar. / haut. | 2 829 / 4 634 / 1 834 / 1 658 mm |
| Coffre / réservoir | 560 à 1 755 litres / 60 litres |
| Nombre de passagers | 5 à 7 |
| Suspension av. / arr. | ind., jambes force / ind., multibras |
| Pneus avant / arrière | P235/55R18 / P235/55R18 |
| Poids / Capacité de remorquage | 1 765 kg / non recommandé |

### Composantes mécaniques

**250 4MATIC**

| | |
|---|---|
| Cylindrée, alim. | 4L 2,0 litres turbo |
| Puissance / Couple | 221 ch / 258 lb-pi |
| Tr. base (opt) / Rouage base (opt) | A8 / Int |
| 0-100 / 80-120 / V. max | 6,9 s (c) / 4,8 s (est) / 210 km/h (c) |
| Type / ville / route / $CO_2$ | Sup / 10,3 / 7,8 / 216 g/km |

**AMG 35 4MATIC**

| | |
|---|---|
| Cylindrée, alim. | 4L 2,0 litres turbo |
| Puissance / Couple | 302 ch / 295 lb-pi |
| Tr. base (opt) / Rouage base (opt) | A8 / Int |
| 0-100 / 80-120 / V. max | 5,2 s (c) / 4,0 s (est) / 250 km/h (c) |
| Type / ville / route / $CO_2$ | Sup / 11,1 / 8,9 / 237 g/km |

Photos : Mercedes-Benz

**Prix :** 49 900 $ à 96 900 $ (2021)
**Transport et prép. :** 2 075 $
**Catégorie :** VUS compacts luxe
**Garanties :** 4/80, 4/80
**Assemblage :** Allemagne

**Ventes**

Québec 2020
**1 380**

⬇ 41 %

Canada 2020
**6 982**

⬇ 35 %

|  | GLC 300 | AMG GLC 43 | AMG GLC 63 Coupé |
|---|---|---|---|
| **PDSF** | 49 900 $ | 65 500 $ | 96 900 $ |
| **Loc.** | 819 $ • n.d. | 1 042 $ • n.d. | n.d. |
| **Fin.** | 1 009 $ • 0,49 % | 1 312 $ • 0,49 % | 2 096 $ • 0,49 % |

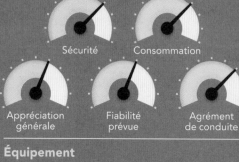

Sécurité

Consommation

Appréciation générale

Fiabilité prévue

Agrément de conduite

## Équipement

## Sécurité

## Concurrents

Acura RDX, Audi Q5, BMW X3/X4, Buick Envision, Cadillac XT5, Infiniti QX50/QX55, Jaguar F-PACE, Land Rover Discovery Sport/Velar, Lexus NX, Lincoln Corsair, Porsche Macan, Volvo XC60

## Nouveau en 2022

Nouvelle couleur Bleu spectral, nouvel ensemble Nuit extra pour le GLC 300 4MATIC.

# Une gamme simplifiée

Gabriel Gélinas

**M**ercedes-Benz suit la tendance actuelle en proposant maintenant une gamme complète de VUS de tous gabarits. C'est d'autant plus vrai depuis que le GLC a été rejoint non seulement par un nouveau modèle GLB, mais aussi par une nouvelle génération du GLA qui s'inscrit résolument dans le créneau des VUS, alors que le modèle antérieur faisait plutôt figure de familiale surélevée malgré son *look* plus typé. Bref, ce n'est pas le choix qui manque chez ce constructeur, surtout dans la gamme GLC qui est composée de deux styles de carrosserie. Un VUS de configuration classique et un de style coupé dont la ligne compromet cependant l'habitabilité ainsi que le volume de chargement.

Peu importe la déclinaison ou la carrosserie, tous les GLC disposent du système multimédia MBUX qui n'est par contre pas du dernier cri puisque l'écran central n'est pas solidaire de celui remplaçant le bloc d'instruments, ce modèle datant déjà de quelques années. En revanche, la résolution de cet écran central est excellente et l'interface est multiple. En effet, il est possible de contrôler ce système en touchant l'écran, par le pavé tactile localisé sur la console centrale, par un bouton situé sur l'une des branches du volant ou encore par la commande vocale.

### PEU DE CHANGEMENTS

La gamme se retrouve largement inchangée en 2022. Et curieusement, le GLC 350e à motorisation hybride rechargeable a été retiré du catalogue l'année dernière, une décision à contre-courant de ce que fait l'industrie actuellement. Pour le reste, Mercedes-Benz ajoute une nouvelle couleur de carrosserie, Bleu spectral, ainsi que l'ensemble Nuit extra. Celui-ci équipe le GLC 300 4MATIC d'un volant sport recouvert en nappa/Dinamica, d'une planche de bord avec appliques en aluminium et boiseries en frêne noir à pores ouverts, d'une sellerie Artico/Dinamica noir avec surpiqûres en rouge, de jantes en alliage AMG noires de 20 pouces et d'un aileron de toit.

Plusieurs motorisations sont proposées pour le GLC et toutes font appel à une boîte automatique à 9 rapports ainsi qu'au rouage intégral. Comme c'est souvent le cas chez les marques rivales, la variante d'entrée de gamme est animée par un 4 cylindres turbocompressé de 2 litres. Dans le cas du GLC 300 4MATIC, il s'agit d'un moteur suralimenté par un turbocompresseur à doubles volutes capable de livrer son couple maximal dès 1 800 tr/min.

À son volant, le comportement routier est sûr et prévisible en toutes circonstances, mais la conduite n'est pas nécessairement inspirée.

## DEUX VARIANTES AMG

Deux variantes du GLC portent la désignation AMG, mais pour le AMG 43 4MATIC, il faut plutôt parler d'une version AMG *light*. En effet, le V6 turbocompressé de 3 litres qui l'anime n'est pas assemblé à la main par un seul technicien, mais a simplement fait l'objet de quelques modifications. Idem pour la boîte automatique à 9 rapports et le rouage intégral qui priorise par défaut la livrée du couple au train arrière dans une proportion de 69 % contre 31 % pour le train avant. Côté style, le AMG 43 4MATIC se démarque par l'adoption de la calandre de style Panamericana à lamelles verticales, maintenant typique des modèles portant l'appellation AMG.

Accro aux amphétamines. Voilà comment on peut caractériser la variante AMG 63 S 4MATIC+ et son fabuleux V8 biturbo de 4 litres assemblé à la main et développant 503 cheveaux et 516 lb-pi de couple. Dans un VUS compact, ça décoiffe! Cela étant dit, cette variante est nettement plus agréable pour le conducteur que pour les passagers, lesquels n'aimeront peut-être pas outre mesure la démonstration des départs canon, ou celle de l'accélération latérale en virage. À son volant, on est soudainement saisi d'une envie de délinquance mesurée en poussant ce VUS compact dopé aux stéroïdes dans les sorties et entrées d'autoroute, où l'on note toutefois que la direction manque un peu de précision et que le freinage pourrait être plus performant. Bref, vous avez compris que, dans le cas de cette variante, la démesure est presque totale tant pour ce qui est des performances que de la dynamique, sans oublier le prix qui dépasse largement la barre des 90 000 $. Ouf!

Par ailleurs, la gamme GLC devrait être renouvelée prochainement, suivant la récente refonte de la Classe C. On s'attend à ce que les dimensions de cette nouvelle génération soient supérieures à celles du modèle actuel, afin de marquer une plus grande différence avec les GLA et GLB, et que le style soit plus affirmé. Aussi, l'habitacle devrait être inspiré de la récente Classe S avec son écran central à l'horizontale. De plus, la variante AMG 63 pourrait ne plus être animée par le V8 biturbo qui laisserait sa place à une évolution du moteur à 4 cylindres survitaminé développé par AMG.

### Données principales

| Emp. / lon. / lar. / haut. | **GLC -** 2 873 / 4 669 / 1 890 / 1 664 mm |
| | **Coupé -** 2 873 / 4 742 / 1 890 / 1 622 mm |
| Coffre / réservoir | **GLC -** 550 à 1 600 litres / 66 litres |
| | **Coupé -** 500 à 1 400 litres / 66 litres |
| Nombre de passagers | 5 |
| Suspension av. / arr. | ind., multibras / ind., multibras |
| Pneus avant / arrière | P235/55R19 / P235/55R19 |
| Poids / Capacité de remorquage | 1 804 kg / 1 588 kg (3 500 lb) |

### Composantes mécaniques

**300 4MATIC**

| Cylindrée, alim. | 4L 2,0 litres turbo |
| Puissance / Couple | 255 ch / 273 lb-pi |
| Tr. base (opt) / Rouage base (opt) | A9 / Int |
| 0-100 / 80-120 / V. max | 6,2 s (c) / 4,7 s (est) / 210 km/h (c) |
| Type / ville / route / $CO_2$ | Sup / 11,3 / 8,5 / 235 g/km |

**AMG 43 4MATIC**

| Cylindrée, alim. | V6 3,0 litres turbo |
| Puissance / Couple | 385 ch / 384 lb-pi |
| Tr. base (opt) / Rouage base (opt) | A9 / Int |
| 0-100 / 80-120 / V. max | 4,9 s (c) / 4,0 s (est) / 250 km/h (c) |
| Type / ville / route / $CO_2$ | Sup / 13,1 / 9,6 / 272 g/km |

**AMG 63 S 4MATIC+**

| Cylindrée, alim. | V8 4,0 litres turbo |
| Puissance / Couple | 503 ch / 516 lb-pi |
| Tr. base (opt) / Rouage base (opt) | A9 / Int |
| 0-100 / 80-120 / V. max | 3,6 s (m) / 3,2 s (m) / 280 km/h (c) |
| 100-0 km/h | 37,8 m (m) |
| Type / ville / route / $CO_2$ | Sup / 15,7 / 10,9 / 319 g/km |

+ Gamme variée • Comportement routier sûr et prévisible • Performances exaltantes (AMG 63 S)

− Prix élevé (AMG 63 S) • Tarif des options • Habitabilité et volume de chargement des coupés

Photos: Mercedes-Benz

## Ratisser large

Louis-Philippe Dubé

**Prix :** 69 900 $ à 135 300 $ (2021)
**Transport et prép. :** 2 075 $
**Catégorie :** VUS interm. de luxe
**Garanties :** 4/80, 4/80
**Assemblage :** États-Unis

**Ventes**
Québec 2020
973
▲ 9 %

Canada 2020
6 149
▲ 7 %

|  | GLE 350 | AMG GLE 53 | AMG GLE 63 Coupé |
|---|---|---|---|
| PDSF | 69 900 $ | 92 500 $ | 135 300 $ |
| Loc. | 1 167 $ • n.d. | 1 592 $ • n.d. | n.d. |
| Fin. | 1 451 $ • 1,99 % | 1 906 $ • 1,99 % | 2 909 $ • 3,99 % |

Sécurité   Consommation

Appréciation générale   Fiabilité prévue   Agrément de conduite

**Équipement**

**Sécurité**

**Concurrents**

Acura MDX, Audi Q7/Q8, BMW X5/X6, Buick Enclave, Cadillac XT6, Genesis GV80, Infiniti QX60, L. Rover Discovery/Range Rover Sport, Lexus GX/RX, Lincoln Aviator, Maser. Levante, Pors. Cayenne, Tesla Model X, Volvo XC90

**Nouveau en 2022**

Aucun changement majeur annoncé au moment de mettre sous presse.

Le Mercedes-Benz GLE a l'étoffe pour être le véhicule à tout faire dans le créneau des VUS de luxe. Mais porter tous ces chapeaux peut à la fois jouer en faveur, et contre le GLE. Avec un PDSF d'environ 70 000 $ qui peut dépasser 135 000 $ (sans les options...), et des cavaleries qui passent de 255 chevaux à 603 chevaux avec l'AMG 63 S en plus de deux configurations de carrosserie (traditionnelle et coupé), la gamme GLE est un buffet aux multiples saveurs. Toutefois, de l'autre côté de la médaille, son manque de personnalité et de vocation se fait sentir.

Avec un moteur 4 cylindres de 2 litres turbocompressé, le modèle d'entrée de gamme GLE 350 4MATIC déploie une cavalerie de 255 chevaux. Ce troupeau est amplement suffisant pour la conduite urbaine et pour les trajets quotidiens plus longs, mais la sportivité perd un peu de sa saveur lorsque l'on s'engage à toute vitesse sur l'autoroute, ou sur une route sinueuse qui requiert un peu plus de vitalité. Par contre, cette mouture se montre très compétente au chapitre de la maniabilité, même si elle occupe un poste à l'entrée de la gamme.

### UNE BROCHETTE DE MOTEURS ÉTONNAMMENT VARIÉE

Pour pallier aux essoufflements momentanés de la motorisation 2 litres turbo, le GLE se décline également en variantes 450 4MATIC, AMG 53 4MATIC+ et la dévergondée AMG 63 S 4MATIC+. Ces dernières sont munies d'une technologie hybride légère EQ Boost, et toutes offrent plus de puissance les unes que les autres.

La dynamique de conduite s'accroît de manière exponentielle dans les variantes AMG, qui transforment ce VUS en baroudeur nerveux et expéditif, une attitude normalement réservée aux véhicules de plus petite taille.

Le Mercedes-Benz GLE règle globalement plusieurs bobos que nous reprochons à certains VUS du créneau. Ainsi, le petit délai irritant quand on enfonce la pédale — généralement présent sur les véhicules modernes munis d'un papillon de gaz activé électroniquement — est pratiquement éliminé avec le GLE, peu importe le moteur que vous choisissez dans la gamme. De fait, la réponse à l'accélérateur est ferme et quasi instantanée, cela contribue à la dynamique de conduite. De pair avec la boîte automatique à 9 vitesses, cette caractéristique agrémente les reprises sur l'autoroute.

## DE LA TECHNO À EN PERDRE LA CARTE

Mercedes-Benz propose son fameux système MBUX (*Mercedes-Benz User Experience*) qui trempe le gros orteil dans le monde de l'intelligence artificielle. Quoique clair sur un écran tout à fait adéquat au chapitre de la résolution et de l'accès tactile général, ce système peut s'avérer plus complexe que les autres. Nous en avons d'ailleurs perdu la carte au sens figuré et propre, parce que les menus du système de navigation sont assez complexes. Or, une panoplie de commandes peut être contrôlée à voix haute, transformant ainsi ce système en assistant personnel, ce qui facilite les choses.

Toujours dans la branche techno, le GLE est livrable avec une infinité d'options, certaines plus utiles que d'autres. Par exemple, le désodorisant *Air Balance* permet de pulvériser une fragrance dans l'habitacle. Un peu plus utile, le *E-Active Body Control* met le système hybride léger de 48 volts au service du châssis en compensant le roulis, mais ce système peut lever ou baisser chaque roue une ou l'autre à la fois. Il peut également faire sautiller le GLE si vous êtes enlisé dans le sable, par exemple.

À l'intérieur, on a droit à une sellerie qui marie bien le support et le confort pour les longs trajets. Avec l'option de la troisième rangée, les passagers qui l'occupent s'y retrouveront plutôt à l'étroit. Simple et épuré, l'habitacle a pour mérite d'être ficelé de manière impeccable, avec un assemblage irréprochable sur le plan de la finition. Du côté de l'espace général, c'est ample en configuration traditionnelle. Mais le modèle de carrosserie « coupé », ce genre de mutant entre le VUS et la berline *sportback* qui tronçonne l'arrière pour conférer une ligne plus racée, ampute 265 litres d'espace de chargement total lorsque les sièges de deuxième rangée sont rabattus.

L'expression « ratisser large » peut paraître péjorative. Cependant, entre sa configuration de coupé superflue, ses multiples options coûteuses et sa variante AMG 63 S qui dépasse les limites de la logique dans le contexte d'un VUS au chapitre du prix et des performances, le GLE ne semble pas suivre un but particulier — ce qui le prive de personnalité. En contrepartie, il incorpore le meilleur du constructeur à l'étoile argentée, avec un confort princier, une conduite agile, affûtée et précise même dans sa variante GLE 350 de base.

+ Comportement agile, même dans la variante de base • Assemblage impeccable • Espace intérieur (sauf coupé)

Coupé au caractère superflu • Prix qui s'emballe rapidement • Système d'infodivertissement parfois complexe

### Données principales

| | |
|---|---|
| Emp. / lon. / lar. / haut. | **GLE** - 2 995 / 4 925 / 1 999 / 1 794 |
| | **Coupé** - 2 935 / 4 961 / 1 999 / 1 720 |
| Coffre / réservoir | **GLE** - 630 à 2 055 litres / 85 litres |
| | **Coupé** - 655 à 1 790 litres / 85 litres |
| Nombre de passagers | 5 à 7 |
| Suspension av. / arr. | ind., multibras / ind., multibras |
| Pneus avant / arrière | P275/50R20 / P275/50R20 |
| Poids / Capacité de remorquage | 2 140 kg / 3 500 kg (7 720 lb) |

### Composantes mécaniques

**350 4MATIC**

| | |
|---|---|
| Cylindrée, alim. | 4L 2,0 litres turbo |
| Puissance / Couple | 255 ch / 273 lb-pi |
| Tr. base (opt) / Rouage base (opt) | A9 / Int |
| 0-100 / 80-120 / V. max | 7,1 s (c) / 4,7 s (est) / 210 km/h (c) |
| Type / ville / route / $CO_2$ | Sup / 12,4 / 9,0 / 254 g/km |

**450 4MATIC**

| | |
|---|---|
| Cylindrée, alim. | 6L 3,0 litres turbo |
| Puissance / Couple | 362 ch / 369 lb-pi |
| Tr. base (opt) / Rouage base (opt) | A9 / Int |
| 0-100 / 80-120 / V. max | 5,7 s (c) / 3,9 s (est) / 210 km/h (c) |
| Type / ville / route / $CO_2$ | Sup / 11,4 / 9,2 / 244 g/km |
| **MOTEUR ÉLECTRIQUE** | |
| Puissance / Couple | 21 ch (16 kW) / 184 lb-pi |

**AMG 53 4MATIC+**

| | |
|---|---|
| Cylindrée, alim. | 6L 3,0 litres turbo |
| Puissance / Couple | 429 ch / 384 lb-pi |
| Tr. base (opt) / Rouage base (opt) | A9 / Int |
| 0-100 / 80-120 / V. max | 5,3 s (c) / 3,7 s (est) / 250 km/h (c) |
| Type / ville / route / $CO_2$ | Sup / 13,2 / 10,8 / 285 g/km |
| **MOTEUR ÉLECTRIQUE** | |
| Puissance / Couple | 21 ch (16 kW) / 184 lb-pi |

**AMG 63 S 4MATIC+**

| | |
|---|---|
| Cylindrée, alim. | V8 4,0 litres turbo |
| Puissance / Couple | 603 ch / 627 lb-pi |
| Tr. base (opt) / Rouage base (opt) | A9 / Int |
| 0-100 / 80-120 / V. max | 3,8 s (c) / 2,9 s (est) / 280 km/h (c) |
| Type / ville / route / $CO_2$ | Sup / 16,2 / 12,5 / 340 g/km |
| **MOTEUR ÉLECTRIQUE** | |
| Puissance / Couple | 21 ch (16 kW) / 184 lb-pi |

# MERCEDES-BENZ GLS / MAYBACH

★★★★ COTE DU GUIDE

**Prix:** 101 900$ à 199 400$ (2021)
**Transport et prép.:** 2 075$
**Catégorie:** VUS grand form. luxe
**Garanties:** 4/80, 4/80
**Assemblage:** États-Unis

**Ventes**
Québec 2020
n.d.

|  | GLS 450 | AMG GLS 63 S | Maybach GLS 600 | Canada 2020 |
|---|---|---|---|---|
| PDSF | 101 900$ | 160 900$ | 199 400$ | n.d. |
| Loc. | 1 897$ • n.d. | 3 097$ • n.d. | 4 412$ • n.d. | |
| Fin. | 2 248$ • 4,84% | 3 523$ • 4,84% | 4 355$ • 4,84% | |

Sécurité

Consommation

Appréciation générale

Fiabilité prévue

Agrément de conduite

## Équipement

## Sécurité

## Concurrents

BMW X7, Cadillac Escalade, Infiniti QX80, Jeep Grand Wagoneer, Land Rover Range Rover, Lexus LX, Lincoln Navigator

## Nouveau en 2022

Aucun changement majeur annoncé au moment de mettre sous presse.

# Le gros luxe équilibré

Charles Jolicœur

L e Mercedes-Benz GLS est un véhicule utilitaire sport imposant à trois rangées de sièges. S'il existe, c'est uniquement pour les banlieues huppées nord-américaines, particulièrement celles des États-Unis et du Canada anglais. Les GLS sont plus rares au Québec et à peu près inexistants en Allemagne.

Alors à qui s'adresse ce gros VUS de luxe redessiné en 2019? Principalement aux familles actives à la recherche d'un véhicule très spacieux, polyvalent et luxueux. Le GLS a comme rival direct le BMW X7, mais le nouveau Cadillac Escalade, le Lincoln Navigator et le Range Rover sont dans la même gamme de prix. Ce segment n'a pas autant d'options que celui des VUS intermédiaires de luxe, mais il existe un modèle pour chaque besoin.

### MÉLANGE DE PERFORMANCES ET DE CONFORT

Ceux et celles qui voudront d'un GLS désirent une conduite un peu plus sportive que celle adoptée par les deux VUS américains et le Range Rover axés surtout sur le confort. Inversement, le GLS est un tantinet plus raffiné que le BMW X7, le plus sportif du segment. En d'autres mots, on peut dire sans se tromper que le GLS est l'option la plus équilibrée de sa catégorie. Il procure à la fois luxe et espace sans donner l'impression d'être lourd dans les virages tout en offrant une direction assez communicative et précise. Un grand choix de moteurs se présente à l'acheteur, bien que la disponibilité des différentes motorisations ne soit pas assurée. Il faut savoir que les concessionnaires Mercedes-Benz du Québec n'auront pas beaucoup de GLS en inventaire. L'acheteur devra peut-être se contenter de ce qui est dans la salle d'exposition ou attendre plusieurs mois pour une commande.

Le GLS est alimenté de série d'un 6 cylindres de 3 litres développant 362 chevaux et 369 lb-pi de couple. Sur papier, ce moteur a plus de puissance que la motorisation de base du BMW X7, mais sur la route le BMW donne l'impression d'être plus vif et rapide. Le GLS 450 à moteur à 6 cylindres accélère correctement, mais disons que la puissance est limitée pour une bête aussi imposante. Le GLS 580 propose une motorisation bien mieux adaptée à un véhicule de ce gabarit, un V8 de 4 litres turbocompressé qui génère 483 chevaux et 516 lb-pi de couple. Encore une fois, il n'est pas aussi réactif que le V8 du X7, vous aurez par contre droit à un moteur plus performant que ce qu'offrent de série les Cadillac Escalade et Lincoln Navigator.

Bref, c'est la meilleure version du GLS. À moins bien sûr que vous désiriez quelque chose d'un peu plus... exotique. Si tel est le cas, le Mercedes-AMG GLS 63 est la solution idéale. Avec 603 chevaux et 627 lb-pi de couple, il atteint 100 km/h en seulement 4,2 secondes. Impossible de ne pas sourire quand on pense à cette mouture et ses accélérations de Porsche 911 malgré un poids de plus de 2,5 tonnes.

Cette année, la gamme GLS ajoute la version ultraluxueuse Maybach, spécifiquement le Mercedes-Maybach GLS 600. Le même V8 du GLS 63 s'occupe de la Maybach, mais avec 550 chevaux. Cette déclinaison est un entre-deux dans le segment des VUS pleine grandeur de luxe. Plus luxueuse que n'importe quel rival direct, la Maybach est tout de même plus abordable qu'un Rolls-Royce Cullinan ou un Bentley Bentayga. Son prix de base, 200 000 $, se justifie par un style plus exclusif, de meilleurs matériaux à l'intérieur, plus d'options de personnalisation, et surtout par un plus grand confort et silence de roulement.

## LA TECHNOLOGIE EST PARTOUT

Fidèle aux modèles haut de gamme de Mercedes-Benz, ce VUS imposant intègre une foule de technologies de sécurité et de connectivité très avancées. On pense tout d'abord au système MBUX qui, grâce à la commande vocale «Hey, Mercedes», permet d'ajuster plusieurs fonctions comme la climatisation. Le système est perfectionné, mais il ne comprend pas toujours les commandes comme c'est généralement le cas avec ce type de dispositif. La majorité des propriétaires utiliseront sans doute les commandes tactiles. Les technologies de sécurité peuvent, quant à elles, avertir et intervenir pour prévenir n'importe quel danger, une sortie de route, un piéton qui traverse ou un véhicule qui freine soudainement. De plus, le GLS peut suivre sa voie de circulation et les autres véhicules, à condition de garder les mains sur le volant.

La climatisation à quatre ou cinq zones (optionnelle), les pare-soleils arrière et les sièges chauffants à toutes les rangées permettent des aventures en famille en tout confort. Ceci dit, le GLS va encore plus loin pour assurer le bien-être des passagers de la deuxième rangée en offrant aussi les fonctions de massage et de ventilation à ces sièges tout comme à l'avant (en option). Si vous avez besoin de beaucoup d'espace mais qu'une minifourgonnette est hors de question, le GLS est une bonne option. Ce n'est pas le plus rapide du segment ni le plus spacieux et certains rivaux comme le Range Rover sont un peu plus confortables. Cependant c'est l'équilibre du GLS qui en fait l'un des modèles les plus attrayants du créneau.

+ Parfait équilibre entre confort et sportivité • Version GLS 63 AMG ahurissante • Sièges de deuxième rangée impressionnants

− Moins d'espace à la troisième rangée que d'autres • Les options font vite grimper la facture...

### Données principales

| | |
|---|---|
| Emp. / lon. / lar. / haut. | 3 135 / 5 207 / 1 956 / 1 823 mm |
| Coffre / réservoir | 355 à 2 400 litres / 90 litres |
| Nombre de passagers | 5 à 7 |
| Suspension av. / arr. | ind., pneumatique, double triangulation / ind., pneumatique, multibras |
| Pneus avant / arrière | P275/45R21 / P315/40R21 |
| Poids / Capacité de remorquage | 2 480 kg / 3 500 kg (7 720 lb) |

### Composantes mécaniques

**450 4MATIC**

| | |
|---|---|
| Cylindrée, alim. | 6L 3,0 litres turbo |
| Puissance / Couple | 362 ch / 369 lb-pi |
| Tr. base (opt) / Rouage base (opt) | A9 / Int |
| 0-100 / 80-120 / V. max | 6,2 s (c) / 4,3 s (est) / 210 km/h (c) |
| Type / ville / route / $CO_2$ | Sup / 12,0 / 9,8 / 257 g/km |

**MOTEUR ÉLECTRIQUE**

| | |
|---|---|
| Puissance / Couple | 21 ch (16 kW) / 184 lb-pi |

**580 4MATIC**

| | |
|---|---|
| Cylindrée, alim. | V8 4,0 litres turbo |
| Puissance / Couple | 483 ch / 516 lb-pi |
| Tr. base (opt) / Rouage base (opt) | A9 / Int |
| 0-100 / 80-120 / V. max | 5,3 s (c) / 3,9 s (est) / 210 km/h (c) |
| Type / ville / route / $CO_2$ | Sup / 14,5 / 11,2 / 305 g/km |

**MOTEUR ÉLECTRIQUE**

| | |
|---|---|
| Puissance / Couple | 21 ch (16 kW) / 184 lb-pi |

**MAYBACH 600 4MATIC**

| | |
|---|---|
| Cylindrée, alim. | V8 4,0 litres turbo |
| Puissance / Couple | 550 ch / 538 lb-pi |
| Tr. base (opt) / Rouage base (opt) | A9 / Int |
| 0-100 / 80-120 / V. max | 4,9 s (c) / 3,5 s (est) / 250 km/h (c) |
| Type / ville / route / $CO_2$ | Sup / 16,6 / 12,5 / 346 g/km |

**MOTEUR ÉLECTRIQUE**

| | |
|---|---|
| Puissance / Couple | 21 ch (16 kW) / 184 lb-pi |

**AMG 63 4MATIC+**

| | |
|---|---|
| Cylindrée, alim. | V8 4,0 litres turbo |
| Puissance / Couple | 603 ch / 627 lb-pi |
| Tr. base (opt) / Rouage base (opt) | A9 / Int |
| 0-100 / 80-120 / V. max | 4,2 s (c) / 3,0 s (est) / 280 km/h (c) |
| Type / ville / route / $CO_2$ | Sup / 16,3 / 12,9 / 347 g/km |

**MOTEUR ÉLECTRIQUE**

| | |
|---|---|
| Puissance / Couple | 21 ch (16 kW) / 184 lb-pi |

Photos : Mercedes-Benz

**Prix :** 39 170 $ à 47 570 $ (2021)
**Transport et prép. :** 2 075 $
**Catégorie :** Fourgonnettes
**Garanties :** 3/60, 5/100
**Assemblage :** Espagne

**Ventes**

Québec 2020
126

43 %

Canada 2020
839

26 %

| | Fourgon 126 po | Fourgon 135 po | Combi |
|---|---|---|---|
| PDSF | 39 170 $ | 40 790 $ | 47 570 $ |
| Loc. | n.d. | n.d. | n.d. |
| Fin. | 853 $ • 2,99 % | 886 $ • 2,99 % | 1 052 $ • 3,99 % |

Sécurité · Consommation

Appréciation générale · Fiabilité prévue · Agrément de conduite

**Équipement**

**Sécurité**

**Concurrents**

Chevrolet Express, Ford Transit Connect, GMC Savana, Ram ProMaster City

**Nouveau en 2022**

Retouches esthétiques apportées en cours d'année 2021.

# Logique, mais pas très sexy

Marc-André Gauthier

Il n'y a pas qu'aux États-Unis que les camionnettes sont populaires. Au Canada, et même au Québec, le véhicule le plus vendu est une camionnette. En fait, on peut comprendre pourquoi : c'est haut, massif, assez confortable, généralement quatre roues motrices, et surtout très pratique ! Avoir un espace de rangement comme une boîte, c'est un avantage important comparé à une voiture.

Il y a aussi toute une clientèle commerciale qui adore les camionnettes. La plupart des entrepreneurs qui ont besoin de déplacer des marchandises vont se tourner vers ce genre de véhicule. Pourtant, il existe d'autres solutions, amplement utilisées dans le monde. Par exemple, il y a les fourgons commerciaux compacts, fort populaires en Europe. Avec un grand espace fermé, une petite cylindrée, et une bonne tenue de route — gracieuseté d'un design monocoque —, on pourrait avancer qu'ils sont plus appropriés que ce que l'on retrouve sur notre marché.

L'un de ces véhicules commerciaux, c'est le Mercedes-Benz Metris, offert chez nous depuis un bon moment. Celui que l'on peut qualifier de « bébé Sprinter » arrive avec quelques innovations qui le rendent plus agréable.

### EMBOURGEOISÉ

Le Metris a été renouvelé en cours d'année 2021. Enfin, il faut le dire vite ! Parce que lorsqu'on le regarde rapidement, il n'a pas l'air d'avoir tant changé. En fait, les différences esthétiques s'observent principalement à l'avant, où l'on découvre une grille retravaillée. Pour le reste, la silhouette demeure la même. Mais ce n'est pas une mauvaise chose, dans la mesure où le Metris est de loin le petit fourgon commercial le plus joli du marché. Du moins, il est le seul qui semble avoir été moindrement travaillé à ce chapitre. N'est-ce pas la devise de Mercedes-Benz, le meilleur ou rien ? On dirait bien que cela s'applique également aux fourgonnettes.

Dans l'habitacle, tant qu'à charger plus cher que les autres pour un produit similaire, Mercedes-Benz a enfin décidé d'être à la hauteur de sa renommée. Ainsi, le Metris 2022 s'ouvre maintenant sur un intérieur au style qui se rapproche pas mal des autres produits Mercedes-Benz, avec, notamment, des bouches de ventilation inspirées de l'aviation, et un écran multimédia haute définition.

En outre, la qualité des matériaux a été rehaussée. Que vous optiez pour la cabine simple avec le gros espace de chargement à l'arrière ou pour la cabine passager permettant d'accueillir huit occupants, vous aurez davantage l'impression d'être dans un produit de luxe. Cela dit, on ne parle pas de la finition d'une Classe S, mais plutôt de quelque chose qui se rapproche d'une Classe A. Considérant que l'ancien Metris était tout en plastique, à l'image des produits commerciaux que Mercedes vend en Europe, ça reste un ajout qui marque les esprits. Parlant de l'espace de rangement, il est plutôt pratique, avec un plancher plat et un design qui ne présente aucun obstacle au chargement. D'ailleurs, il est disponible en deux longueurs : 126 pouces et 135 pouces, selon vos besoins.

## UN COMPORTEMENT ROUTIER PLUTÔT SURPRENANT

Si vous avez déjà conduit de petits véhicules commerciaux dans le genre, vous savez que leur conduite n'a rien de bien surprenant. Après tout, qui achète un Ford Transit Connect pour dévorer les courbes ? À ce chapitre, le Metris est plutôt étonnant. Il n'a rien d'une voiture sport mais on constate que, pour un véhicule du genre, il est plutôt plaisant à conduire. Il est aussi relativement confortable, même durant de longs trajets. Mécaniquement, il n'y a qu'un 4 cylindres de 2 litres turbocompressé bon pour 208 chevaux et 258 lb-pi de couple. Cette cavalerie permet une conduite souple, même lorsque l'on transporte une bonne cargaison à l'arrière.

Nouveauté pour cette génération, on profite désormais d'une boîte automatique à 9 rapports, qui vient remplacer la transmission à 7 rapports. Celle-ci devrait permettre des accélérations plus franches, puisque la puissance du moteur sera utilisée plus adéquatement. Malheureusement, le Metris étant doté d'un rouage à propulsion, il éprouve quelques difficultés dans la neige, surtout quand on roule à vide. Toutefois, le conducteur peut compter sur des aides électroniques efficaces pour lui venir en aide.

Finalement, le Metris offre entre 5,18 m² et 5,64 m² d'espace de chargement si vous optez pour la version commerciale. Considérant qu'il s'agit d'un espace à l'abri des intempéries et des voleurs, on se demande pourquoi tant de gens se tournent encore vers des camionnettes qui exposent leur cargaison aux éléments et aux regards indiscrets.

MERCEDES-BENZ METRIS

### Données principales

| Emp. / lon. / lar. / haut. | Fourgon court - 3 200 / 5 140 / 1 928 / 1 910 mm |
| --- | --- |
| | Fourgon long - 3 430 / 5 370 / 1 928 / 1 910 mm |
| | Combi - 3 200 / 5 140 / 1 928 / 1 890 mm |
| Coffre / réservoir | Fourgon court - 5 180 litres / 70 litres |
| | Fourgon long - 5 640 litres / 70 litres |
| | Combi - 1 060 à 2 755 litres / 70 litres |
| Nombre de passagers | 2 à 8 |
| Suspension av. / arr. | ind., jambes force / ind., multibras |
| Pneus avant / arrière | P235/60R16 / P235/60R16 |
| Poids / Capacité de remorquage | Fourgon - 1 895 kg / 2 268 kg (5 000 lb) |
| | Combi - 2 000 kg / 2 268 kg (5 000 lb) |

### Composantes mécaniques

| Cylindrée, alim. | 4L 2,0 litres turbo |
| --- | --- |
| Puissance / Couple | 208 ch / 258 lb-pi |
| Tr. base (opt) / Rouage base (opt) | A9 / Prop |
| Type / ville / route / $CO_2$ | Fourgon - Sup / 12,6 / 10,0 / 268 g/km |
| | Combi - Sup / 13,3 / 10,8 / 284 g/km |

+ Bon comportement routier • Aides à la conduite efficaces • Bonne mécanique

– Frais d'entretien • Les prix grimpent rapidement • Pas de rouage intégral

Photos : Mercedes-Benz

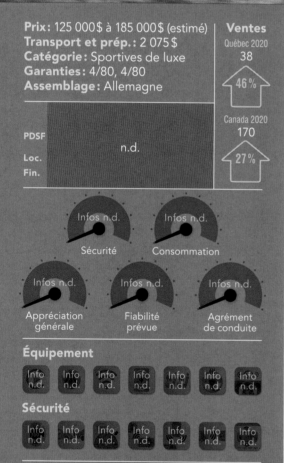

**Prix:** 125 000$ à 185 000$ (estimé)
**Transport et prép.:** 2 075$
**Catégorie:** Sportives de luxe
**Garanties:** 4/80, 4/80
**Assemblage:** Allemagne

**Ventes**

Québec 2020
38
46 %

Canada 2020
170
27 %

PDSF
Loc.
Fin.

n.d.

Sécurité — Infos n.d.
Consommation — Infos n.d.
Appréciation générale — Infos n.d.
Fiabilité prévue — Infos n.d.
Agrément de conduite — Infos n.d.

### Équipement

Info n.d. | Info n.d. | Info n.d. | Info n.d. | Info n.d. | Info n.d. | Info n.d.

### Sécurité

Info n.d. | Info n.d. | Info n.d. | Info n.d. | Info n.d. | Info n.d. | Info n.d.

### Concurrents

Aston Martin Vantage, Audi R8, BMW Série 8, Jaguar F-Type, Lexus LC, Porsche 911

### Nouveau en 2022

Nouvelle génération du modèle, poids à la baisse, rouage 4MATIC+, toit souple, nouvelles motorisations.

# Noces de platine en préparation

Jean-François Guay

Il y a 70 ans, Mercedes-Benz entreprenait les essais de la mythique 300 SL «Gullwing», conçue par le designer allemand Friedrich Geiger qui a aussi dessiné la légendaire 540K des années 1930. Après deux ans de rodage, la SL avait fait ses débuts en 1954 sous la forme d'un coupé avec des portes-papillon et sous celle d'un roadster en 1957. Au cours des décennies suivantes, pas moins de six générations se sont succédées dont la dernière date de 2012. Dix ans plus tard, le temps est venu pour la SL de se redéfinir afin de faire face à des rivales plus modernes. Pour ce faire, les ingénieurs d'AMG à Affalterbach, en Allemagne, travaillent actuellement à la mise au point finale de la septième génération qui se pointera le nez en 2022.

Même si la famille Mercedes-Benz aligne plusieurs classiques dans ses rangs, la SL est assurément le porte-étendard de la marque allemande. On ne retrouve pas d'équivalent chez BMW et Audi, ni chez les marques exotiques italiennes et britanniques. Les seules autres voitures sport en production ayant vécu aussi longtemps sont la Chevrolet Corvette, la Porsche 911 et la Ford Mustang.

### SL POUR SUPER LÉGER

La désignation SL semble universelle puisqu'elle signifie *Super Leicht* en allemand, que l'on pourrait traduire par Super Léger. Si cette appellation avait tout son sens dans les années 1950 face aux grosses voitures de l'époque, la SL a pris du poids au cours des dernières années pour devenir un modèle de grand tourisme. Qu'à cela ne tienne, la nouvelle SL s'avère plus légère que le modèle sortant grâce à l'utilisation de matériaux allégés et à l'abandon du toit rigide rétractable pour une capote souple en tissu. En ce qui concerne les mensurations, il est assuré que l'habitacle a été agrandi puisque la toute dernière cuvée adopte la configuration 2+2 avec une petite banquette arrière comme la Porsche 911 Carrera et la Lexus LC.

Au moment d'écrire ces lignes, la SL 2022 n'avait pas encore été dévoilée de façon officielle. Les photos présentées par Mercedes montrent une SL en tenue de camouflage qui altère légèrement la silhouette. Malgré tout, on peut deviner que le design et les proportions de la carrosserie mélangent les traits du modèle sortant aux récentes tendances stylistiques de la marque à l'étoile. Ainsi, les porte-à-faux avant et arrière apparaissent extrêmement

courts tandis que le capot très long est atypique pour une voiture à propulsion. Au demeurant, la nouvelle SL innove en étant gratifiée, pour la première fois de son histoire, de la traction intégrale 4MATIC+. Malgré l'arrivée de ce dispositif, les algorithmes favoriseront la motricité des roues arrière afin que la conduite sportive demeure le point fort de ce cabriolet grand tourisme.

Pour ce qui est de l'habitacle, Mercedes-Benz a partagé quelques images qui démontrent un virage numérique radical, similaire à ce qu'on retrouve à bord de la berline de Classe S.

La SL 2022 sera assemblée sur une nouvelle plate-forme qui combine un cadre en aluminium et matériaux composites avec une structure autoportante baptisée MSA (*Modular Sport Architecture*). En plus de cette plate-forme, la SL et l'AMG GT de prochaine génération partageront d'autres éléments comme la suspension, la direction et diverses autres pièces mécaniques et électroniques. Par rapport à la SL sortante, la rigidité en torsion de la structure a été augmentée de 18 % et le centre de gravité du châssis a été abaissé.

### MÉCANIQUE AMG

À l'époque où les constructeurs se préoccupaient moins de l'environnement, les moteurs ultimes de la SL étaient le guttural V12 biturbo de 6 litres, et le tonitruant V8 biturbo de 5,5 litres, lesquels ont pris leur retraite en 2019. L'an dernier, il ne restait que le V6 biturbo de 3 litres et le V8 biturbo de 4,7 litres au catalogue. Il va sans dire que ces deux moteurs seront remplacés par de nouvelles motorisations.

On s'attend à ce que la SL 43 soit propulsée par un 6 cylindres en ligne turbocompressé de 3 litres avec un alternodémarreur de 48 volts tandis que la SL 53 utilisera le même moteur pourvu d'un compresseur électrique. Quant à la SL 63, elle devrait utiliser le V8 biturbo de 4 litres. Par ailleurs, une version SL 73 électrifiée avec un V8 hybride rechargeable d'environ 800 chevaux est aussi prévue, mais ce moteur devrait en principe être inauguré par la future AMG GT.

De même, un 4 cylindres turbo de 2 litres, basé sur l'hybridation, figure dans les plans. La puissance de celui-ci pourrait passer de 450 à 650 chevaux grâce à l'ajout d'un moteur électrique. Pour recréer la sonorité associée aux moteurs AMG, les ingénieurs auraient mis au point un générateur de son avec des haut-parleurs pour galvaniser la sonorité de cette petite cylindrée.

**+** Rouage intégral 4MATIC+ • Habitacle 2+2 • Toit souple en tissu

**–** Tarifs élevés et coût des options anticipés • Diffusion limitée

---

**Données principales**

Information non disponible au moment de mettre sous presse.

**Composantes mécaniques\***

**AMG 43 4MATIC**

| | |
|---|---|
| Cylindrée, alim. | 6L 3,0 litres turbo |
| Puissance / Couple | 362 ch / 369 lb-pi |
| Tr. base (opt) / Rouage base (opt) | A9 / Int |

**MOTEUR ÉLECTRIQUE**

| | |
|---|---|
| Puissance / Couple | 21 ch (16 kW) / 184 lb-pi |
| Type de batterie | Lithium-ion (Li-ion) |

**AMG 53 4MATIC+**

| | |
|---|---|
| Cylindrée, alim. | 6L 3,0 litres turbo |
| Puissance / Couple | 429 ch / 384 lb-pi |
| Tr. base (opt) / Rouage base (opt) | A9 / Int |

**MOTEUR ÉLECTRIQUE**

| | |
|---|---|
| Puissance / Couple | 21 ch (16 kW) / 184 lb-pi |
| Type de batterie | Lithium-ion (Li-ion) |

**AMG 63 4MATIC+**

| | |
|---|---|
| Cylindrée, alim. | V8 4,0 litres turbo |
| Puissance / Couple | 603 ch / 627 lb-pi |
| Tr. base (opt) / Rouage base (opt) | A9 / Int |

\*Chiffres non disponibles au moment de mettre sous presse. Les chiffres indiqués ci-dessus ne sont que des suppositions.

Photos: Mercedes-Benz

# MERCEDES-BENZ **SPRINTER**

★★★½ **COTE DU GUIDE**

## Informations

**Prix:** 48 270$ à 76 200$ (2021)
**Transport et prép.:** 2 075 $
**Catégorie:** Fourgonnettes
**Garanties:** 3/60, 5/100
**Assemblage:** Allemagne

**Ventes**
Québec 2020
942
▼ 5%

Canada 2020
4 328
▼ 6%

| | Fourgon 2500 | Equipage 2500 | Combi 2500 4x4 |
|---|---|---|---|
| PDSF | 48 270 $ | 57 210 $ | 76 200 $ |
| Loc. | n.d. | n.d. | n.d. |
| Fin. | 1 067 $ • 3,99% | 1 256 $ • 3,99% | 1 658 $ • 3,99% |

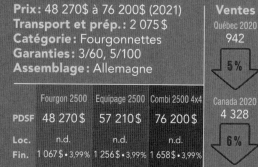

Sécurité • Consommation
Appréciation générale • Fiabilité prévue • Agrément de conduite

### Équipement

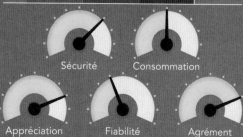

### Sécurité

### Concurrents

Chevrolet Express, Ford Transit,
GMC Savana, Ram ProMaster

### Nouveau en 2022

Aucun changement majeur annoncé
au moment de mettre sous presse.

## Sur la voie de l'électrification

Jacques Bienvenue

Le Sprinter est arrivé en douce sur le marché nord-américain. C'était au tournant du 21e siècle, à l'époque de DaimlerChrysler. Il n'arborait pas l'étoile à trois branches, mais plutôt l'écusson de Freightliner ou celui de Dodge. Bien que sa haute et longue carrosserie détonnait dans le paysage automobile, son utilisateur ne s'en plaignait pas. Il pouvait enfin se tenir debout, à l'intérieur du véhicule. De quoi faire saliver l'habitué de l'Econoline, dans lequel il fallait se plier en deux pour se déplacer!

Après le divorce de l'Allemande et de l'Américaine, ce fourgon est entré chez les concessionnaires Mercedes-Benz du Canada. Mon voisin était interloqué. À ses yeux, Mercedes-Benz symbolisait le luxe, pas le travail. Jusqu'alors au Canada, c'était vrai. Mais ailleurs dans le monde, l'étoile du constructeur ne brillait pas que pour les riches. Des camions, Mercedes-Benz en fabrique depuis toujours. En février 2021, le manufacturier a même célébré ses 125 ans de production de véhicules commerciaux, en rappelant que Gottlieb Daimler, un de ses fondateurs, a présenté son premier camion en 1896.

Le Sprinter affronte une nouvelle génération de fourgons, comme le Ram ProMaster et le Ford Transit, ce dernier ayant éclipsé l'Econoline (rebaptisé E-150) en s'y substituant au sommet du palmarès des ventes.

### GAMME ÉTAYÉE

Dans ce marché où le véhicule doit s'adapter aux besoins de l'opérateur, Mercedes-Benz offre une gamme composée de fourgons tôlés à 2 ou 3 places, de fourgons vitrés à 5 places surnommés «Équipage», de fourgons pour passagers à 12 ou 15 places et, enfin, de versions à châssis-cabine qui n'attendent qu'une carrosserie pour être complétées.

Ce sont 54 variantes qui se distinguent par leur châssis court ou long, leur toit standard ou surélevé et leur carrosserie courte, moyenne ou longue. Les permutations se multiplient en ajoutant les trois motorisations. Le 4 cylindres turbo alimenté à l'essence régulière est jumelé à une boîte automatique à 9 rapports, alors que les deux moteurs diesel partagent une boîte à 7 rapports. Il s'agit d'un V6 turbo de 3 litres et d'un 4 cylindres atmosphérique de 2 litres. Avec ce dernier, le moins gourmand du lot, on obtient les plus hautes charges utiles.

Une transmission intégrale « sur demande » figure parmi les options des fourgons équipés du V6. Le conducteur l'active en appuyant sur un interrupteur situé sur le tableau de bord. Le couple du moteur se répartit alors à 35/65 entre les roues avant et arrière. Ce véhicule à quatre roues motrices a une garde au sol surélevée et de meilleurs angles d'approche et d'attaque. De plus, il est livré avec un différentiel de rapports inférieurs pour la conduite hors route, un contrôle de vitesse en descente et une gestion électronique de la traction.

## UN CHARME À CONDUIRE

Lorsqu'on a connu l'Econoline, conduire un Sprinter, c'est le jour et la nuit. On passe d'une conduite imprécise et d'un habitacle spartiate à un environnement ergonomique bénéficiant de sièges confortables et d'un dégagement généreux pour les jambes et les pieds. On ne se lasse jamais de conduire ce véhicule, surtout avec le V6 débordant de couple.

En outre, le Sprinter se distingue par la panoplie de dispositifs d'aide à la conduite proposés par son constructeur. L'avertisseur de collision frontale et le freinage d'urgence autonome sont désormais livrés de série, et ce, quelle que soit la carrosserie retenue. Et comme n'importe quel utilitaire moderne, il peut être muni d'un système de détection des angles morts avec alerte de circulation arrière transversale, d'un régulateur de vitesse adaptatif, d'un système de caméra à 360 degrés, d'un impressionnant système de stabilisation en cas de vent latéral et plus encore.

Son talon d'Achille, par contre, est un coût d'entretien supérieur à celui de ses rivaux, le Transit et le ProMaster, mais aussi le duo Express/Savana de GM, toujours populaire malgré une conception d'un autre âge. Dans ce créneau en pleine transformation où Ford, BrightDrop (GM), Rivian et Arrival titillent les acheteurs avec l'arrivée prochaine de leurs modèles électriques, Mercedes-Benz a déjà pris ce virage avec... l'eSprinter. C'est le nom donné à la version électrique de son fourgon, un modèle vendu en Europe depuis 2020.

Au Canada, toutefois, c'est la prochaine génération de l'eSprinter que l'on verra. Assemblée à l'usine Mercedes-Benz de North Charleston, en Caroline du Sud, elle serait lancée durant le second semestre 2023. Ce fourgon à roues arrière motrices serait offert avec un choix de deux empattements et des batteries de 60, 80 ou 120 kWh. Cette dernière lui permettrait de parcourir jusqu'à 360 km. Les capacités de charge restent cependant inconnues.

### Données principales

| | |
|---|---|
| Emp. / lon. / lar. / haut. **Court** - 3 658 / 5 931 / 2 019 / 2 446 à 2 987 mm | |
| **Long** - 4 318 / 6 967 / 2 019 / 2 725 à 2 883 mm | |
| **Allongé** - 4 318 / 7 366 / 2 019 / 2 718 à 2 807 mm | |
| Coffre / réservoir **Cargo** - 7 960 à 15 082 litres / 83 à 93 litres | |
| **Passager** - 2 226 à 10 500 litres / 83 à 93 litres | |
| Nombre de passagers | 2 à 15 |
| Suspension av. / arr. | ind., jambes force / ress. à lames |
| Pneus avant / arrière | LT245/75R16 / LT245/75R16 |
| Poids / Cap. de rem. **Cargo** - 2 300 kg (est.) / 2 268 à 3 402 kg (5 000 à 7 500 lb) | |
| **Passager** - 2 500 kg (est.) / 2 268 à 3 402 kg (5 000 à 7 500 lb) | |

### Composantes mécaniques

**ESSENCE**

| | |
|---|---|
| Cylindrée, alim. | 4L 2,0 litres turbo |
| Puissance / Couple | 188 ch / 258 lb-pi |
| Tr. base (opt) / Rouage base (opt) | A9 / Prop |
| Type / ville / route / $CO_2$ | Ord / n.d. / n.d. / n.d. |

**4L DIESEL**

| | |
|---|---|
| Cylindrée, alim. | 4L 2,0 litres atmos. |
| Puissance / Couple | 161 ch / 266 lb-pi |
| Tr. base (opt) / Rouage base (opt) | A7 / Prop |
| Type / ville / route / $CO_2$ | Dié / n.d. / n.d. / n.d. |

**V6 DIESEL**

| | |
|---|---|
| Cylindrée, alim. | V6 3,0 litres turbo |
| Puissance / Couple | 188 ch / 325 lb-pi |
| Tr. base (opt) / Rouage base (opt) | A7 / Prop (4x4) |
| Type / ville / route / $CO_2$ | Dié / n.d. / n.d. / n.d. |

**+** Conduite agréable et sécurisante • Places avant accueillantes et confortables • Portes arrière qui se rabattent sur les flancs du véhicule

**=** Coûts d'entretien élevés • Concessionnaires peu nombreux en région • Prix élevé des ensembles optionnels

Photos : Mercedes-Benz

COOPER SE

VOITURE ÉLECTRIQUE

**Prix:** 24 490 $ à 43 640 $
**Transport et prép.:** 2 135 $
**Catégorie:** Sous-comp. de luxe
**Garanties:** 4/80, 4/80
**Assemblage:** Royaume-Uni

**Ventes**
Québec 2020
763
⬇ 19 %
Canada 2020
2 418
⬇ 23 %

| | Cooper 3P | Cooper SE 3P | JCW Cabriolet |
|---|---|---|---|
| PDSF | 24 490 $ | 40 990 $ | 43 640 $ |
| Loc. | 382 $ • 4,99% | 712 $ • 4,49% | 1 026 $ • 3,99% |
| Fin. | 676 $ • 3,99% | 703 $ • 3,99% | 1 026 $ • 2,99% |

Sécurité — Consommation

Appréciation générale — Fiabilité prévue — Agrément de conduite

### Équipement

### Sécurité

### Concurrents

Acura ILX, Audi A3, BMW Série 2, Cadillac CT4, Chevrolet Bolt EV, Honda Civic Type R, Hyundai IONIQ, Hyundai Veloster, Kia Soul EV, Mercedes-Benz CLA, Mercedes-Benz Classe A, Nissan LEAF, Subaru WRX/STI

### Nouveau en 2022

Modifications esthétiques, infodivertissement et connectivité améliorés, nouvelle suspension adaptative.

# Plus mature que jamais

Guillaume Rivard

Lancée au Canada en 2001, la MINI moderne est maintenant entrée dans la vingtaine et atteint un niveau de maturité qui la rend encore plus crédible et intéressante face à des adversaires qui proviennent de tous les horizons. La génération actuelle, qui date de 2014, a profité d'une importante révision en 2019. Trois ans plus tard, et trois ans avant que soit lancée la dernière MINI exclusivement à essence, la compagnie y va d'une autre mise à jour à ses modèles 3 portes, 5 portes et Cabriolet.

Naturellement, les changements appliqués à l'extérieur ne sont pas drastiques. Seuls les fins connaisseurs pourront les identifier sans placer la voiture aux côtés d'une édition antérieure. Mais vous savez quoi? C'est parfait comme ça. Les designers ont su s'amuser un peu tout en conservant le style charmant de la MINI. Prenez la partie avant remodelée, avec cette grosse garniture noire qui vient englober la calandre et les prises d'air inférieures, le panneau central de couleur assortie à la carrosserie, les minces ouvertures triangulaires à vocation aérodynamique dans les coins et les phares à DEL maintenant inclus de série. Voilà qui ajoute une belle dose de caractère et de fraîcheur, sans parler des nouveaux coloris dans la palette.

Le fait que les feux arrière reproduisant le drapeau britannique soient eux aussi inclus de série prouve que la compagnie est à l'écoute de ses clients. Toutefois, nos deux coups de cœur pour 2022 sont assurément les nouvelles jantes, surtout celles arborant le style « Pulse Spoke » en option, et le fameux toit trois couleurs, une première mondiale. MINI proposait déjà des toits contrastants, mais celui-ci va plus loin en fondant le bleu marine à l'avant à du bleu pâle au milieu, puis du noir à l'arrière.

### HABITACLE PLUS CONVIVIAL ET TECHNO

À l'intérieur, on apprécie tout de suite le volant avec ses commandes plus modernes et plus simples d'utilisation à la fois, ainsi que l'instrumentation numérique de cinq pouces qui est disponible derrière. Les quelques surfaces, commandes et bouches de ventilation actualisées sont certes bienvenues, tout comme les nouvelles options d'éclairage ambiant et d'affichage, mais pas autant que l'écran central de 8,8 pouces avec contour noir lustré qui se retrouve de série et dont le système multimédia a été revu et amélioré. Au fait, les amateurs de personnalisation ne seront pas déçus, car MINI offre plus de choix que jamais. Différents revêtements et garnitures s'ajoutent

aussi au menu, tels que les sièges sport à motif carreauté pâle faits de matériaux 100 % recyclés. Par ailleurs, on s'en voudrait de passer sous silence la nouvelle application mobile qui remplace MINI Connected en proposant une expérience utilisateur simplifiée, mais avec plus de fonctionnalités, d'informations et de services, notamment pour les clients qui possèdent une MINI électrique.

## UNE CONDUITE QUI S'AMÉLIORE ENCORE

Sur un grand nombre de versions, la suspension adaptative livrable avec une nouvelle logique de contrôle rehausse l'agrément de conduite qui définit la marque MINI. En gros, l'amortissement est sensible aux fréquences détectées et peut s'ajuster en moins de 100 millièmes de seconde. Ne vous attendez pas à des miracles, mais c'est un ajout non négligeable pour ceux qui trouvaient la voiture parfois trop ferme. Évidemment, avec une maniabilité aussi exceptionnelle, les défauts de la chaussée sont faciles et même amusants à éviter!

Puisque la prochaine génération ne viendra pas avant 2025, il aurait été sympa que MINI augmente un tant soit peu le rendement des moteurs pour 2022, surtout celui d'entrée de gamme qui se limite toujours à 134 chevaux (mais se reprend avec un couple de 162 lb-pi). De plus, au moment d'écrire ces lignes, le retour de l'édition limitée John Cooper Works GP de 301 chevaux n'était pas confirmé. Cela dit, vous prendrez quand même un malin plaisir à exploiter les 228 chevaux de la JCW ordinaire, qui permettent d'atteindre 100 km/h en six secondes et des poussières, voire les 189 chevaux de la Cooper S, surtout avec le mode Sport qui fait une bonne différence.

Vous préférez les accélérations silencieuses à la sonorité grisante du moteur turbo? La MINI Cooper SE vous comblera en ville... à moins que vous décidiez d'attendre les versions JCW électriques, bien que l'on ne sache pas trop quand elles seront prêtes. Et quand on dit en ville, c'est strictement ça, car l'autonomie de 183 km que procure la batterie de 32,6 kWh (dans des conditions optimales) ne permet pas de faire durer le plaisir sur de longues distances. Pouvez-vous faire ce compromis?

Finalement, malgré ses lacunes d'espace et d'ergonomie persistantes, la MINI se modernise joliment et sa fiabilité continue de grimper. L'ado est devenue une vraie adulte, mais toujours aussi unique.

### Données principales

| | |
|---|---|
| Emp. / lon. / lar. / haut. | **3 Portes** - 2 495 / 3 837 / 1 727 / 1 414 |
| | **5 Portes** - 2 567 / 3 998 / 1 727 / 1 425 |
| | **Cabriolet** - 2 495 / 3 837 / 1 727 / 1 415 |
| Coffre / réservoir | **3 Portes** - 211 à 731 litres / 44 litres |
| | **5 Portes** - 278 à 941 litres / 44 litres |
| | **Cabriolet** - 160 à 215 litres / 44 litres |
| Nombre de passagers | 4 |
| Suspension av. / arr. | ind., jambes force / ind., multibras |
| Pneus avant / arrière | P195/55R16 / P195/55R16 |
| Poids / Capacité de remorquage | 1 225 kg / non recommandé |

### Composantes mécaniques

**COOPER**

| | |
|---|---|
| Cylindrée, alim. | 3L 1,5 litre turbo |
| Puissance / Couple | 134 ch / 162 lb-pi |
| Tr. base (opt) / Rouage base (opt) | M6 (A7) / Tr |
| 0-100 / 80-120 / V. max | 8,1 s (m) / 8,4 s (m) / 210 km/h (c) |
| Type / ville / route / $CO_2$ | Sup / 8,4 / 6,5 / 176 g/km |

**COOPER S**

| | |
|---|---|
| Cylindrée, alim. | 4L 2,0 litres turbo |
| Puissance / Couple | 189 ch / 207 lb-pi |
| Tr. base (opt) / Rouage base (opt) | M6 (A7) / Tr |
| 0-100 / 80-120 / V. max | 7,2 s (m) / 5,0 s (m) / 233 km/h (c) |
| Type / ville / route / $CO_2$ | Sup / 8,9 / 6,6 / 184 g/km |

**JOHN COOPER WORKS**

| | |
|---|---|
| Cylindrée, alim. | 4L 2,0 litres turbo |
| Puissance / Couple | 228 ch / 236 lb-pi |
| Tr. base (opt) / Rouage base (opt) | M6 (A8) / Tr |
| 0-100 / 80-120 / V. max | 6,3 s (c) / 4,4 s (est) / 240 km/h (c) |
| Type / ville / route / $CO_2$ | Sup / 9,2 / 6,9 / 190 g/km |

**COOPER SE**

| | |
|---|---|
| Puissance / Couple | 181 ch (135 kW) / 199 lb-pi |
| Tr. base (opt) / Rouage base (opt) | Rapport fixe / Tr |
| 0-100 / 80-120 / V. max | 7,3 s (c) / 4,6 s (c) / 150 km/h (c) |
| Consommation équivalente | 2,1 Le/100 km |
| Type de batterie / Énergie | Lithium-ion (Li-ion) / 32,6 kWh |
| Temps de charge (120V / 240V) | 26,0 h / 4,0 h |
| Autonomie | 183 km |

**+** Design unique et actualisé • Maniabilité exceptionnelle • Gamme complète

**–** Accès et espace très restreints (3 portes) • Autonomie décevante (Cooper SE) • Attention au prix

COOPER S CABRIOLET

Photos: Marc-André Gauthier, MINI

## De moins en moins pertinent

Michel Deslauriers

**L**a relance de MINI au début des années 2000, y compris son retour sur le marché nord-américain, avait fait couler beaucoup d'encre. L'emblématique marque anglaise, maintenant sous la propriété du groupe BMW, lançait une nouvelle génération de sa petite voiture à hayon.

Séduits par son design éclaté, les consommateurs se sont dirigés chez les concessionnaires nouvellement établis, et aux États-Unis particulièrement, royaume des camions, mais ils partaient sans signer de contrat. Bien que plus grosse que la MINI originale, on jugeait cette mouture trop petite. Pour percer ce marché, il a fallu concocter des MINI surdimensionnés, la deuxième génération de la Clubman et du Countryman.

Dans le cas de la Clubman, on s'est inspiré d'un nom du passé, en le greffant à un type de carrosserie du passé également, soit la familiale dotée de portes doubles à l'arrière. Une caractéristique unique, qui n'apporte toutefois aucun gain en matière de polyvalence par rapport à un hayon s'ouvrant à la verticale. De plus, on se retrouve avec un pilier séparant deux fenêtres, gênant partiellement la visibilité arrière. Pour une familiale, le volume de chargement maximal de 1 250 litres n'est pas très généreux mais, qu'importe, avec le retrait de la Volkswagen Golf familiale et de la Fiat 500 L l'an dernier, la Clubman n'a plus de concurrence directe.

### TOUT EN RONDEURS

La Clubman et le Countryman sont les plus gros produits MINI commercialisés à ce jour, le premier se rangeant dans la catégorie des voitures compactes. Il y a de la place pour cinq passagers, même si celui qui prendra place au centre de la banquette arrière ne sera pas très à l'aise et devra composer avec une assise trop rembourrée et peu de dégagement pour les pieds.

À l'instar du look extérieur, l'habitacle de la Clubman joue avec les formes circulaires et ovales, que ce soit les boutons au volant, l'instrumentation du conducteur ou même la section centrale de la planche de bord abritant l'écran du système multimédia. L'apparence est rafraîchissante dans un monde inondé de voitures au design trop sobre. Le choix des matériaux et la qualité de finition restent plus qu'acceptables, même si certains panneaux de plastique sonnent creux quand on tape dessus.

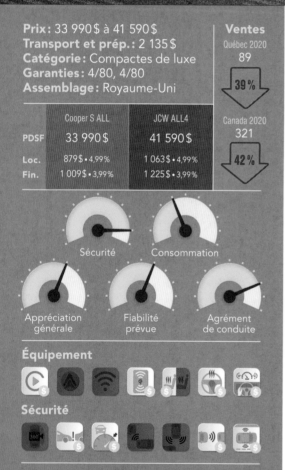

**Prix :** 33 990 $ à 41 590 $
**Transport et prép. :** 2 135 $
**Catégorie :** Compactes de luxe
**Garanties :** 4/80, 4/80
**Assemblage :** Royaume-Uni

**Ventes**
Québec 2020
89
▼ 39 %
Canada 2020
321
▼ 42 %

|  | Cooper S ALL | JCW ALL4 |
|---|---|---|
| PDSF | 33 990 $ | 41 590 $ |
| Loc. | 879 $ • 4,99 % | 1 063 $ • 4,99 % |
| Fin. | 1 009 $ • 3,99 % | 1 225 $ • 3,99 % |

Sécurité • Consommation
Appréciation générale • Fiabilité prévue • Agrément de conduite

**Équipement**

**Sécurité**

**Concurrents**
Audi Q3, BMW X1/X2, Buick Encore GX, Cadillac XT4, Jaguar E-PACE, Lexus UX, Mercedes-Benz GLA, Volvo XC40

**Nouveau en 2022**
Retrait de la version de base Cooper ALL4 et de son moteur 3 cylindres turbo.

L'instrumentation s'avère complète et facile à utiliser en conduisant, de même que le système multimédia fonctionnant à l'aide d'une molette logée sur la console centrale, entouré de boutons pour accéder rapidement aux menus principaux. On a même droit à des interrupteurs à bascule au design rétro, pour certaines commandes, dont le démarrage du moteur. C'est chic, c'est différent, et on aime la possibilité de personnaliser la voiture avec une foule d'accessoires, à l'intérieur comme à l'extérieur.

Toutefois, ce qui manque cruellement à la Clubman et aux produits MINI en général, ce sont les dispositifs de sécurité avancés offerts maintenant de série dans beaucoup de voitures compactes moins chères, comme le freinage autonome d'urgence, la surveillance des angles morts, l'avertissement et la prévention de sortie de voie, par exemple.

### UNE GAMME RÉDUITE

Alors que trois motorisations étaient auparavant offertes, il n'en reste plus que deux pour le millésime 2022. Le 3 cylindres turbo de 1,5 litre, produisant 134 chevaux, a été retiré, faisant augmenter du même coup le prix de base de la Clubman. Il reste la version Cooper S ALL4 et son 4 cylindres turbo de 189 chevaux ainsi que la John Cooper Works Clubman ALL4 et ses 301 chevaux.

Cette dernière est résolument sportive, et ses performances sont relevées grâce à son couple massif de 331 lb-pi entre 1 750 et 4 500 tr/min. Si une boîte manuelle était offerte dans la Clubman il y a quelques années, seule une automatique à 8 rapports demeure pour les deux moteurs. Ladite boîte n'est pas des plus réactives mais, au moins, elle contribue à la faible consommation d'essence. Hélas, le carburant super est exigé, ce qui fait grimper la facture! Même si elle n'a pas l'agilité des petites MINI à hayon, la Clubman se veut maniable à souhait avec une direction vive, une suspension permettant à la voiture de garder son aplomb dans les virages et un caractère enjoué.

La Clubman se démarque dans son segment par son style unique, sa fougue et son plaisir de conduite. Toutefois, il faut débourser au-delà de 35 000 $ pour s'en procurer une, et la liste de caractéristiques de sécurité reste très courte. Une MINI qui n'est pas mini, qui devient de moins en moins abordable, et qui ne propose pas grand-chose de plus que le multisegment Countryman, la Clubman semble de moins en moins pertinente au sein de la gamme, même si le marché nord-américain le trouve suffisamment gros.

| Données principales | |
| --- | --- |
| Emp. / lon. / lar. / haut. | 2 670 / 4 281 / 1 800 / 1 441 mm |
| Coffre / réservoir | 360 à 1 250 litres / 50 litres |
| Nombre de passagers | 5 |
| Suspension av. / arr. | ind., jambes force / ind., multibras |
| Pneus avant / arrière | P225/45R17 / P225/45R17 |
| Poids / Capacité de remorquage | 1 603 kg / non recommandé |

| Composantes mécaniques | |
| --- | --- |
| **COOPER S ALL4** | |
| Cylindrée, alim. | 4L 2,0 litres turbo |
| Puissance / Couple | 189 ch / 207 lb-pi |
| Tr. base (opt) / Rouage base (opt) | A8 / Int |
| 0-100 / 80-120 / V. max | 6,9 s (c) / 5,0 s (est) / 225 km/h (c) |
| 100-0 km/h | 39,1 m (est) |
| Type / ville / route / $CO_2$ | Sup / 10,1 / 7,4 / 207 g/km |
| **JOHN COOPER WORKS ALL4** | |
| Cylindrée, alim. | 4L 2,0 litres turbo |
| Puissance / Couple | 301 ch / 331 lb-pi |
| Tr. base (opt) / Rouage base (opt) | A8 / Int |
| 0-100 / 80-120 / V. max | 5,1 s (m) / 4,3 s (m) / 250 km/h (c) |
| 100-0 km/h | 37,6 m (m) |
| Type / ville / route / $CO_2$ | Sup / 10,1 / 7,6 / 210 g/km |

**+** Plaisir de conduite • Design toujours rafraîchissant • Motorisations puissantes et peu énergivores

**–** Peu de systèmes de sécurité avancés • Visibilité arrière problématique • Exige de l'essence super

Photos : mini

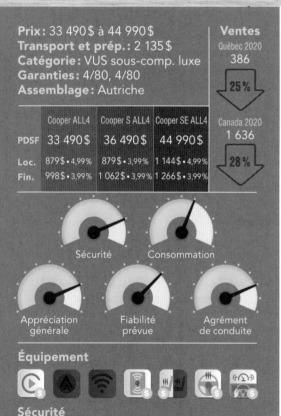

| | Cooper ALL4 | Cooper S ALL4 | Cooper SE ALL4 |
|---|---|---|---|
| **PDSF** | 33 490 $ | 36 490 $ | 44 990 $ |
| **Loc.** | 879 $ • 4,99 % | 879 $ • 3,99 % | 1 144 $ • 4,99 % |
| **Fin.** | 998 $ • 3,99 % | 1 062 $ • 3,99 % | 1 266 $ • 3,99 % |

**Prix :** 33 490 $ à 44 990 $
**Transport et prép. :** 2 135 $
**Catégorie :** VUS sous-comp. luxe
**Garanties :** 4/80, 4/80
**Assemblage :** Autriche

**Ventes**
Québec 2020
386
⬇ 25 %

Canada 2020
1 636
⬇ 28 %

Sécurité — Consommation

Appréciation générale — Fiabilité prévue — Agrément de conduite

### Équipement

### Sécurité

### Concurrents
Audi Q3, BMW X1/X2, Buick Encore GX, Cadillac XT4, Honda HR-V, Hyundai Kona, Jaguar E-PACE, Kia Niro/Seltos, Lexus UX, Mazda CX-30, Mercedes GLA, Mitsubishi Eclipse Cross, Volks. Taos, Volvo XC40

### Nouveau en 2022
Édition limitée Boardwalk.

# La maxi Mini

Gabriel Gélinas

C'est la plus Maxi des MINI. Avec sa structure partagée avec les BMW X1 et X2, la Countryman actuelle est le plus gros modèle jamais produit par la marque anglaise, dont le nom même évoque pourtant la simplicité et le minimalisme. La Countryman est aussi le modèle le plus populaire de la marque, et se retrouve aujourd'hui déclinée en plusieurs variantes, toutes à rouage intégral, dont la Countryman John Cooper Works animée par un moteur de 301 chevaux, ainsi que la Cooper SE ALL4 à motorisation hybride rechargeable.

Le design est rétro à souhait avec ce style *Cool Brittania* qui permet aux voitures produites par MINI de se distinguer dans le paysage automobile. L'an dernier, la Countryman a fait l'objet d'un restylage, et elle affiche maintenant une partie avant redessinée avec phares de type DEL ainsi que des feux à motif *Union Jack*, lesquels ajoutent au charme. Dans la foulée, la Countryman a aussi reçu un écran tactile en couleurs de 8,8 pouces en guise d'interface avec le système d'infodivertissement. Ce dernier permet l'accès sans fil à Apple CarPlay, mais conserve sa série d'interrupteurs inspirés du passé sur le tableau de bord. Les places avant sont très confortables, alors que la banquette arrière convient mieux à deux adultes que trois. Le volume de chargement se situe dans la bonne moyenne de la catégorie.

### 3 OU 4 CYLINDRES
Le rouage intégral est livré de série dans toutes les variantes de la Countryman, de même que la suralimentation par turbocompresseur, laquelle exige du carburant super. Les diverses variantes sont animées par un 3 cylindres de 1,5 litre, dans le cas des Coope et Cooper SE ALL4 à motorisation hybride, ou par des moteurs à 4 cylindres de 2 litres pour les Cooper S ALL4 et John Cooper Works ALL4 qui trônent au sommet de la pyramide.

Avec son moteur de 301 chevaux, la Countryman JCW fait preuve de performances relevées grâce à l'élasticité de son moteur turbo, le couple maximal étant disponible sur une large plage qui s'étend de 1 750 à 4 500 tr/min. Les accélérations et les reprises sont toniques à souhait, et elles sont accompagnées d'un beau feulement provenant des doubles sorties d'échappement. Évidemment, la consommation est à l'avenant avec une moyenne observée de 10,5 L/100 km, ce qui est normal vu les

performances livrées par ce moteur d'exception. L'ajout de la suspension à amortissement adaptatif permet de rehausser la tenue de route tout en composant plus efficacement avec les inégalités du revêtement, mais le roulement demeure ferme, ce qui peut s'avérer lassant au quotidien.

La variante SE à motorisation hybride rechargeable est animée par le 3 cylindres, doublé d'un moteur électrique. La puissance combinée est de 221 chevaux et l'autonomie en mode électrique est plutôt faible puisqu'elle n'est que de 29 km. Compte tenu de son prix élevé, c'est l'une des variantes les moins intéressantes de la gamme. Le choix avisé se porterait plus sur la Cooper S à moteur 4 cylindres turbo pour son rapport performances/prix.

Pour l'année modèle 2022, MINI ajoute une édition limitée appelée Boardwalk à la gamme des Countryman, laquelle est identique à la Cooper S ALL4 sur le plan mécanique. Seulement 64 exemplaires de cette édition seront disponibles au Canada, tous peints en Bleu Laguna et dotés d'éléments de carrosserie noirs, comme les jantes en alliage de 18 pouces et les rétroviseurs latéraux, les sièges étant en cuir noir. La dotation d'équipement est très complète et comprend des phares de type DEL, un toit ouvrant panoramique, un volant et des sièges avant chauffants, une chaîne audio Harman/Kardon, ainsi qu'un dispositif de visualisation tête haute, entre autres.

### FIABILITÉ EN PROGRÈS

La fiabilité à long terme a longtemps été le talon d'Achille pour la marque anglaise dont le classement laissait souvent à désirer. En 2020, l'étude *Vehicle Dependability Survey* (VDS) de la firme spécialisée J.D. Power classait MINI au 21e rang sur 32 marques répertoriées pour ce qui est de la fiabilité des modèles après trois ans d'usage. Or, l'édition 2021 de cette même étude nous apprend que MINI se classe maintenant au 18e rang, signe d'une amélioration continue à ce chapitre.

Lancée sur le marché à la fin des années 50 et relancée sous l'impulsion du Groupe BMW au début des années 2000, la MINI n'est plus seulement un modèle, elle est devenue une marque à part entière. De tous les modèles proposés, la Countryman est la plus pratique au quotidien et la présence du rouage intégral de série lui permet de circuler aisément, quelles que soient les conditions d'adhérence. Avec son style unique, le charme opère encore et toujours.

**+** Agrément de conduite • Style réussi • Consommation raisonnable

**—** Prix des variantes SE et JCW • Roulement ferme (JCW) • Fiabilité toujours perfectible

Photos : MINI

## Données principales

| | |
|---|---|
| Emp. / lon. / lar. / haut. | 2 670 / 4 310 / 1 822 / 1 557 mm |
| Coffre / réservoir | **Countryman** - 450 à 1 390 litres / 61 litres |
| | **SE ALL4** - 450 à 1 275 litres / 36 litres |
| Nombre de passagers | 5 |
| Suspension av. / arr. | ind., jambes force / ind., multibras |
| Pneus avant / arrière | P225/55R17 / P225/55R17 |
| Poids / Capacité de remorquage | 1 654 kg / non recommandé |

## Composantes mécaniques

### COOPER ALL4

| | |
|---|---|
| Cylindrée, alim. | 3L 1,5 litre turbo |
| Puissance / Couple | 134 ch / 162 lb-pi |
| Tr. base (opt) / Rouage base (opt) | A8 / Int |
| 0-100 / 80-120 / V. max | 9,6 s (c) / 10,9 s (est) / 200 km/h (c) |
| Type / ville / route / $CO_2$ | Sup / 10,0 / 7,4 / 206 g/km |

### COOPER S ALL4

| | |
|---|---|
| Cylindrée, alim. | 4L 2,0 litres turbo |
| Puissance / Couple | 189 ch / 207 lb-pi |
| Tr. base (opt) / Rouage base (opt) | A8 / Int |
| 0-100 / 80-120 / V. max | 7,9 s (m) / 6,3 s (m) / 223 km/h (c) |
| Type / ville / route / $CO_2$ | Sup / 10,4 / 7,5 / 212 g/km |

### JOHN COOPER WORKS ALL4

| | |
|---|---|
| Cylindrée, alim. | 4L 2,0 litres turbo |
| Puissance / Couple | 301 ch / 331 lb-pi |
| Tr. base (opt) / Rouage base (opt) | A8 / Int |
| 0-100 / 80-120 / V. max | 5,1 s (c) / 4,4 s (est) / 240 km/h (c) |
| Type / ville / route / $CO_2$ | Sup / 10,0 / 7,8 / 210 g/km |

### COOPER SE ALL4

| | |
|---|---|
| Cylindrée, alim. | 3L 1,5 litre turbo |
| Puissance / Couple | 134 ch / 162 lb-pi |
| Tr. base (opt) / Rouage base (opt) | A6 / Int |
| 0-100 / 80-120 / V. max | 6,8 s (c) / 5,4 s (est) / 197 km/h (c) |
| Type / ville / route / $CO_2$ | Sup / 8,1 / 7,9 / 109 g/km |
| Puissance combinée | 221 ch / 284 lb-pi |

### MOTEUR ÉLECTRIQUE

| | |
|---|---|
| Puissance / Couple | 87 ch (65 kW) / 122 lb-pi |
| Type de batterie / Énergie | Lithium-ion (Li-ion) / 7,6 kWh |
| Temps de charge (120V / 240V) | 7,25 h / 3,25 h |
| Autonomie | 29 km |

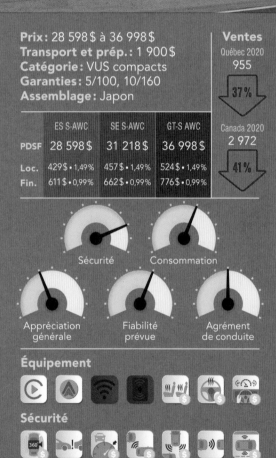

**Prix :** 28 598 $ à 36 998 $
**Transport et prép. :** 1 900 $
**Catégorie :** VUS compacts
**Garanties :** 5/100, 10/160
**Assemblage :** Japon

|  | ES S-AWC | SE S-AWC | GT-S AWC |
|------|----------|----------|----------|
| PDSF | 28 598 $ | 31 218 $ | 36 998 $ |
| Loc. | 429 $ • 1,49 % | 457 $ • 1,49 % | 524 $ • 1,49 % |
| Fin. | 611 $ • 0,99 % | 662 $ • 0,99 % | 776 $ • 0,99 % |

**Ventes**
Québec 2020
955
↓ 37 %

Canada 2020
2 972
↓ 41 %

Sécurité · Consommation

Appréciation générale · Fiabilité prévue · Agrément de conduite

### Équipement

### Sécurité

### Concurrents

Buick Encore GX, Chevrolet Trailblazer, Fiat 500X, Ford EcoSport, Honda HR-V, Hyundai Kona, Jeep Renegade, Kia Niro/Seltos, Mazda CX-30, Nissan Qashqai, Subaru Crosstrek, Volkswagen Taos

### Nouveau en 2022

Retouches esthétiques, dimensions majorées, coffre agrandi. Retrait du pavé tactile dans l'habitacle.

# Coincé

Germain Goyer

Il faut remonter à 2018 pour voir l'arrivée de l'Eclipse Cross au sein du catalogue de Mitsubishi. À ce moment, le constructeur japonais avait suscité de nombreuses et vives réactions en apposant le nom d'un coupé et d'un cabriolet à un véhicule utilitaire sport. C'était en quelque sorte un sacrilège. C'est un peu comme si Ford employait le nom « Mustang » pour désigner un VUS. Ah ! Mauvais exemple... Ford aussi a commis cette faute.

Malheureusement pour lui, l'Eclipse Cross est à cheval entre deux segments, ce qui ne lui donne pas les munitions nécessaires pour être concurrentiel. En effet, quand on s'attarde à la composition de la gamme de Mitsubishi, on compte trois VUS. Assurément, on remarque que le RVR se positionne dans le créneau des VUS sous-compacts et que l'Outlander fait partie du segment des VUS compacts. D'ailleurs, il ne fait désormais plus aucun doute que l'Outlander se classe en tant que compact puisqu'il partage la majorité de ses composantes avec le Nissan Rogue, lui aussi un VUS compact.

Alors, qu'en est-il de l'Eclipse Cross ? Positionné entre le RVR et l'Outlander, il se retrouve finalement dans le vide. Il est plutôt rare qu'on observe ce phénomène, mais actuellement, on peut voir une situation similaire chez Buick avec l'Envision. Les véhicules ne sont pas foncièrement mauvais, ils affichent toutefois un prix trop élevé par rapport au créneau inférieur et ils n'ont pas les caractéristiques recherchées par les consommateurs du segment supérieur. Dans le cas du véhicule qui nous intéresse, il faut débourser environ 28 500 $ pour une version de base. Pour une version GT qui loge au sommet de la gamme, il faut avancer tout près de 37 000 $, ce qui nous paraît injustement élevé dans l'ensemble.

Si Mitsubishi joue une carte très conservatrice sur le plan de la mécanique de manière générale — cela lui permet notamment d'offrir des produits fiables et de la couvrir par une garantie si étendue —, la situation est plus audacieuse dans le cas de l'Eclipse Cross. En effet, peu importe la version choisie, on a droit à un moteur turbocompressé à 4 cylindres de 1,5 litre. Ce dernier développe 152 chevaux et 184 lb-pi. Sans être époustouflant, il n'est pas non plus paresseux. En revanche, on ne peut en dire autant de la transmission à variation continue à laquelle il est jumelé. Comme c'est souvent le cas avec ce type de boîte, elle est particulièrement bruyante lorsque sollicitée et son rendement reste peu intéressant. D'ailleurs,

l'Eclipse Cross est bruyant dans son ensemble. Au cours de notre essai, nous avons relevé que l'insonorisation de l'habitacle était insuffisante.

Hélas, Mitsubishi a peu de cartes dans sa manche pour charmer la clientèle. Heureusement qu'il y a la garantie. En effet, l'Eclipse Cross est couvert pour cinq ans ou 100 000 km. Quant à son groupe motopropulseur, il est garanti pour une durée de dix ans ou 160 000 km.

### UN ROUAGE INTÉGRAL EFFICACE

Bien des VUS compacts, et encore plus de sous-compacts, sont à traction. Certes, tous n'ont pas forcément besoin des quatre roues motrices, mais elles représentent tout de même une caractéristique prisée des consommateurs québécois. À cet effet, il faut savoir que l'Eclipse Cross est équipé de série du système S-AWC (*Super All-Wheel Control*). Efficace et éprouvé depuis belle lurette, celui-ci jouit d'une réputation enviable. Face à la concurrence — aussi floue soit-elle —, ce système représente assurément une valeur ajoutée. Voilà une belle preuve de confiance du manufacturier en ses produits.

### QUELQUES MAIGRES NOUVEAUTÉS

L'Eclipse Cross est présenté comme une nouveauté pour 2022. Par contre, il est loin d'avoir subi la même transformation que son grand frère, l'Outlander, qui a été revu du premier au dernier boulon. Dans le cas de l'Eclipse Cross, il est plus juste de faire état d'un léger remodelage de milieu de cycle. En effet, pour la nouvelle année, on a redessiné les parties avant et arrière, lui permettant ainsi d'intégrer la nouvelle signature stylistique de la marque. Ses feux avant et arrière ont également été retouchés. On nous dit d'ailleurs avoir travaillé de manière à optimiser la rigidité de la structure, ainsi que l'espace disponible, à l'arrière et dans le coffre.

Notons également au passage que Mitsubishi a retiré le pavé tactile de la console centrale. Un véritable éclair de génie! Malgré cette amélioration, les lacunes du système d'infodivertissement demeurent nombreuses. Non seulement l'infographie est très peu esthétique, mais le système n'a rien d'intuitif. Le constructeur aurait grand intérêt à jeter un œil ailleurs, comme le ferait un élève mal préparé à un examen de mathématiques. À notre avis, il ne fait nul doute que l'Eclipse Cross aurait mérité davantage de nouveautés et surtout, un repositionnement plus clair au sein de la gamme.

| Données principales | |
| --- | --- |
| Emp. / lon. / lar. / haut. | 2 670 / 4 547 / 1 806 / 1 689 mm |
| Coffre / réservoir | 657 à 1 419 litres / 60 litres |
| Nombre de passagers | 5 |
| Suspension av. / arr. | ind., jambes force / ind., multibras |
| Pneus avant / arrière | P225/55R18 / P225/55R18 |
| Poids / Capacité de remorquage | 1 575 kg / 907 kg (2 000 lb) |

| Composantes mécaniques | |
| --- | --- |
| Cylindrée, alim. | 4L 1,5 litre turbo |
| Puissance / Couple | 152 ch / 184 lb-pi |
| Tr. base (opt) / Rouage base (opt) | CVT / Int |
| 0-100 / 80-120 / V. max | 9,9 s (m) / 7,7 s (m) / n.d. |
| 100-0 km/h | 43,2 m (m) |
| Type / ville / route / $CO_2$ | Ord / 9,6 / 8,9 / 216 g/km |

**+** Rouage intégral S-AWC efficace • Garantie généreuse

**—** Véhicule égaré entre deux segments • Sensible au vent • Insonorisation insuffisante • Rendement de la transmission à variation continue

Photos : Mitsubishi

## Dans sa plus simple expression

Michel Deslauriers

**I**l n'y a presque plus de petites voitures neuves très abordables sur le marché, et malgré tout ce qui a déjà été dit sur la Mitsubishi Mirage, en bien et en mal, elle est toujours là, fidèle au poste. Elle a même profité d'un autre rafraîchissement esthétique et de quelques améliorations dans l'habitacle pour le millésime 2021.

Le segment des sous-compactes étant maintenant réduit à quelques modèles, c'est l'occasion pour la Mirage d'augmenter ses ventes et de convaincre les consommateurs que l'on peut se rendre du point A au point B à peu de frais et sans tracas.

### LA BOÎTE MANUELLE À PRIVILÉGIER

La Mirage dispose toujours d'un moteur 3 cylindres de 1,2 litre, produisant un modeste 78 chevaux, faisant d'elle la voiture la moins puissante sur le marché. On s'y attend, les accélérations ne sont pas foudroyantes, alors que le moteur s'avère bruyant à plein régime et sa sonorité n'a rien de raffiné. Par rapport à sa rivale directe, la Chevrolet Spark, la Mirage concède une vingtaine de chevaux, ce qui est loin d'être négligeable.

En revanche, lorsque cette petite cylindrée est jumelée à la boîte manuelle, l'expérience n'est pas si pénible. L'embrayage est léger, la course du levier n'est pas trop longue et les décollages sont suffisamment vifs. Et à vitesse de croisière, le moteur de la Mirage est plus silencieux, tournant à moins de 3 000 tr/min quand la voiture file à 100 km/h. Le bruit de la route et du vent prend le dessus de toute façon. La consommation mixte ville/route de la Mirage manuelle s'élève à 6,5 L/100 km, mais nous avons observé une moyenne de 5,8 L/100 km lors d'un essai printanier.

Hélas, l'auto est un peu moins enjouée si elle est munie de la boîte automatique à variation continue. Cette dernière fait crier le moteur plus longtemps lors des accélérations, mais finit par rendre la voiture légèrement moins énergivore à 6,2 L/100 km en moyenne. C'est très bien, et la Mirage peut se vanter d'être l'auto non hybride la plus écoénergétique sur le marché, mais l'écart n'est que de quelques dixièmes de litre par rapport à la Spark, la Nissan Versa et même quelques berlines compactes drôlement plus raffinées.

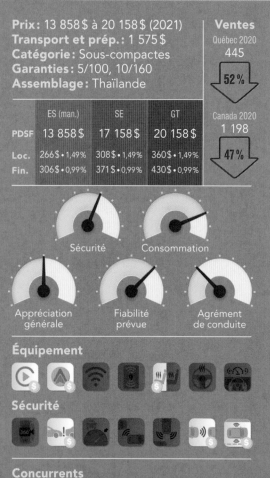

**Prix:** 13 858 $ à 20 158 $ (2021)
**Transport et prép.:** 1 575 $
**Catégorie:** Sous-compactes
**Garanties:** 5/100, 10/160
**Assemblage:** Thaïlande

**Ventes**
Québec 2020
445
▼ 52 %

Canada 2020
1 198
▼ 47 %

| | ES (man.) | SE | GT |
|---|---|---|---|
| PDSF | 13 858 $ | 17 158 $ | 20 158 $ |
| Loc. | 266 $ • 1,49 % | 308 $ • 1,49 % | 360 $ • 1,49 % |
| Fin. | 306 $ • 0,99 % | 371 $ • 0,99 % | 430 $ • 0,99 % |

Sécurité — Consommation

Appréciation générale — Fiabilité prévue — Agrément de conduite

**Équipement**

**Sécurité**

**Concurrents**
Chevrolet Spark, Kia Rio, Nissan Versa

**Nouveau en 2022**
Aucun changement majeur annoncé au moment de mettre sous presse.

Les dimensions réduites de la Mirage la rendent très maniable en circulation urbaine et dans le stationnement du centre commercial, où l'on profite d'un très faible diamètre de braquage. Grâce à sa suspension molle, on a droit à une certaine qualité de roulement, et malgré un léger point mort au centre, la direction est communicative. Si le roulis de caisse était vraiment prononcé dans les premières éditions de la Mirage chez nous, le constructeur a corrigé le tir il y a quelques années, procurant à la Mitsubishi un meilleur comportement routier. Ce n'est pas parfait, mais c'est mieux.

### À L'ABRI DES CYBERATTAQUES

Au fil des ans, Mitsubishi a bonifié la liste d'équipements de série de la Mirage, concurrence oblige. La citadine propose le climatiseur de série, s'avérant donc la voiture la moins chère au Canada équipée de cet accessoire ô combien utile durant l'été, et même l'hiver pour désembuer l'intérieur du pare-brise. On obtient aussi un écran multimédia tactile qui semble avoir été conçu il y a 15 ans, assorti d'une connectivité Bluetooth. Contrairement à la Spark, et comme la Versa, il faut passer à une déclinaison plus onéreuse afin de profiter d'une interface plus moderne ainsi que de l'intégration Apple CarPlay et Android Auto. Vous craignez le jour où les pirates informatiques prendront le contrôle de votre auto? Pas de problème, roulez en Mirage!

La finition et la qualité d'assemblage très basique de l'habitacle ne surprendront ni n'offusqueront personne, compte tenu du prix payé, alors que les sièges avant, très fermes, pourraient être plus confortables pour les longs trajets. Il y a suffisamment de place à l'arrière pour deux adultes, et le coffre est plus spacieux que celui de la Spark. Dans la version de base, l'absence de serrures électriques est un grand désagrément pour ceux qui transportent fréquemment des passagers, et les enfants se demanderont à quoi servent les manivelles installées sur les portes arrière.

En fin de compte, la Mitsubishi Mirage n'est pas un objet de désir, mais un moyen de transport peu coûteux en mensualités, en essence et en frais d'entretien. Sans oublier l'excellente garantie du constructeur et la fiabilité générale de la voiture, alors qu'aucun pépin majeur n'a été déclaré sur cette génération de la Mirage depuis son arrivée au pays. Par contre, cette petite Mitsubishi devrait être choisie dans sa plus simple expression, avec la boîte automatique ou préférablement la manuelle, puisqu'au prix demandé pour les déclinaisons plus équipées, on peut trouver mieux ailleurs, que ce soit dans le neuf ou l'occasion.

**➕ Faibles coûts d'achat et frais d'entretien • Relativement fiable • Peu énergivore**

**➖ Insonorisation perfectible • Accélérations laborieuses, évidemment • Déclinaisons mieux équipées trop chères**

### Données principales

| | |
|---|---|
| Emp. / lon. / lar. / haut. | 2 450 / 3 846 / 1 665 / 1 510 mm |
| Coffre / réservoir | 484 à 1 331 litres / 35 litres |
| Nombre de passagers | 5 |
| Suspension av. / arr. | ind., jambes force / semi-ind., poutre torsion |
| Pneus avant / arrière | P165/65R14 / P165/65R14 |
| Poids / Capacité de remorquage | 920 kg / non recommandé |

### Composantes mécaniques

| | |
|---|---|
| Cylindrée, alim. | 3L 1,2 litre atmos. |
| Puissance / Couple | 78 ch / 74 lb-pi |
| Tr. base (opt) / Rouage base (opt) | M5 (CVT) / Tr |
| 0-100 / 80-120 / V. max | 13,2 s (est) / 10,1 s (est) / n.d. |
| 100-0 km/h | 46,4 m (est) |
| Type / ville / route / CO$_2$ | **Man -** Ord / 7,1 / 5,8 / 151 g/km |
| | **Auto -** Ord / 6,6 / 5,6 / 143 g/km |

Photos : Antoine Joubert

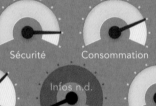

| | ES | LE Premium | PHEV GT S-AWC | |
|---|---|---|---|---|
| **Prix :** 31 998 $ à 52 198 $ | | | | **Ventes** |
| **Transport et prép. :** 1 900 $ | | | | Québec 2020 |
| **Catégorie :** VUS compacts | | | | 2 720 |
| **Garanties :** 5/100, 10/160 | | | | |
| **Assemblage :** Japon | | | | 29 % ⬇ |

| | ES | LE Premium | PHEV GT S-AWC | |
|---|---|---|---|---|
| **PDSF** | 31 998 $ | 38 238 $ | 52 198 $ | Canada 2020 |
| | | | | 7 315 |
| **Loc.** | 481 $ • 1,99 % | 540 $ • 1,99 % | 673 $ • 0,99 % | |
| **Fin.** | 669 $ • 0,99 % | 791 $ • 0,99 % | 969 $ • 0,99 % | 31 % ⬇ |

Sécurité  Consommation

Appréciation générale  Infos n.d. Fiabilité prévue  Agrément de conduite

### Équipement

### Sécurité

### Concurrents

Chevrolet Equinox, Ford Bronco Sport/Escape, GMC Terrain, Honda CR-V, Hyundai Tucson, Jeep Cherokee/Compass, Kia Sportage, Mazda CX-5, Nissan Rogue, Subaru Forester, Toyota RAV4, Volkswagen Tiguan

### Nouveau en 2022

Nouvelle génération du modèle.

# Un vent de fraîcheur

Frédéric Mercier

**L**e Mitsubishi Outlander 2022 représente le début d'une nouvelle époque pour le constructeur japonais. Formant une alliance avec Nissan et Renault, Mitsubishi commence enfin à profiter de certaines technologies partagées avec ces deux géants. L'Outlander est d'ailleurs le premier modèle de la marque à être fabriqué à partir d'une plate-forme développée par cette alliance.

Plus concrètement, cela veut dire que l'Outlander 2022 partage une grande partie de ses composantes avec le Nissan Rogue. Les deux véhicules utilitaires sont construits à partir de la même architecture, faisant également appel à la même motorisation et à une transmission automatique à variation continue provenant de chez Nissan. L'Outlander est donc revampé avec une touche de Nissan, mais les dirigeants de Mitsubishi nous promettent que l'ADN de la marque aux trois diamants a été préservé. Voyons cela de plus près.

### UN DESIGN QUI NE LAISSE PAS INDIFFÉRENT

D'un point de vue esthétique, Mitsubishi a décidément pris les choses en main pour s'assurer que personne ne confonde l'Outlander avec quoi que ce soit d'autre sur la route ! Avec une calandre placée bien haut et ceinturée de grandes garnitures chromées, impossible de demeurer indifférent. Certains adorent et d'autres détestent, mais on ne pourra certainement pas reprocher à Mitsubishi d'avoir manqué d'audace.

À bord, les airs de famille avec le Rogue sont plus faciles à identifier. Les deux véhicules partagent leurs écrans, leur système d'infodivertissement et le même levier de vitesses. Pour Mitsubishi, c'est un immense pas en avant. Alors que la présentation intérieure du modèle d'ancienne génération avait de sérieuses lacunes, le nouvel Outlander surprend par une expérience plus huppée. L'Outlander 2022 démontre un petit côté luxueux que l'on ne lui connaissait pas jusqu'à maintenant grâce à des sièges en cuir à motifs de losanges et à des matériaux agréables au toucher.

Notons toutefois que le système d'infodivertissement nous a déçus par sa mauvaise présentation graphique et la lenteur de son système d'exploitation. C'est bien l'un des seuls reproches que l'on puisse adresser à l'habitacle de l'Outlander. Pour le reste, vous serez charmé par la bonne position de conduite, l'excellent support des sièges et une visibilité sans faille. De série, le Mitsubishi Outlander est livré en configuration à sept passagers... et on

se demande un peu pourquoi. Certes, les deux sièges de la troisième rangée peuvent dépanner en cas d'extrême nécessité, mais le gabarit de l'Outlander ne permet tout simplement pas d'asseoir confortablement autant de gens.

## ADIEU, MOTEUR V6!

Sur la route, cette nouvelle génération du Mitsubishi Outlander est fort convaincante. La direction est juste assez communicative et les accélérations sont assez franches, mais pas épatantes. Le système à quatre roues motrices S-AWC du constructeur japonais est fidèle à lui-même et réalise un excellent travail sur les chaussées enneigées. Le rouage intégral vient d'ailleurs de série dans toutes les versions du modèle, de la mouture de base ES jusqu'à la variante GT, qui intègre aussi des jantes de 20 pouces, un système audio Bose à 10 haut-parleurs et une panoplie de technologies d'aide à la conduite.

Peu importe la version choisie, l'unique motorisation actuellement offerte sous le capot de l'Outlander est la même que celle que l'on retrouve dans le Nissan Rogue. On a donc affaire à un moteur à 4 cylindres de 2,5 litres, bon pour 181 chevaux et 181 lb-pi. La transmission automatique à variation continue, elle aussi empruntée à Nissan, fait un bon travail et débouche sur un compromis intéressant entre l'agrément de conduite et la consommation d'essence. On peut toutefois se questionner sur la durabilité de cette boîte, puisque certains produits Nissan ont éprouvé de sérieux problèmes de transmission au cours des dernières années. Au moins, la généreuse garantie de Mitsubishi demeure applicable!

Même si cette motorisation à 4 cylindres est bien adaptée à l'Outlander, il est dommage de constater l'abandon du moteur V6, qui était optionnel jusqu'à l'an passé. Celui-ci permettait une capacité de remorquage de 3 500 lb, alors qu'elle est limitée à 2 000 lb pour le modèle 2022.

Enfin, un mot sur la version PHEV à motorisation hybride rechargeable. Mitsubishi Canada nous a confirmé qu'un Outlander PHEV basé sur le modèle de nouvelle génération sera dévoilé au cours de l'année 2022, possiblement en tant que modèle 2023. En attendant, l'Outlander PHEV d'ancienne génération demeure disponible chez les concessionnaires. Mitsubishi lui a d'ailleurs apporté des modifications importantes l'an dernier avec un moteur plus puissant et une batterie plus imposante de 13,8 kWh. Cependant, son autonomie de 39 km ne fait pas le poids face à ses principaux rivaux.

**+** Rouage intégral offert de série • Excellente garantie • Confort appréciable

**–** Capacité de remorquage en baisse • Système multimédia décevant • Troisième rangée de sièges inutile

### Données principales

| | |
|---|---|
| Emp. / lon. / lar. / haut. | **Outlander** - 2 706 / 4 710 / 1 897 / 1 745 mm |
| | **PHEV** - 2 670 / 4 695 / 1 800 / 1 710 mm |
| Coffre / réservoir | **Outlander** - 332 à 2 257 litres / 55 litres |
| | **PHEV** - 861 à 1 886 litres / 43 litres |
| Nombre de passagers | 7 (PHEV 5) |
| Suspension av. / arr. | ind., jambes force / ind., multibras |
| Pneus avant / arrière | P235/60R18 / P235/60R18 |
| Poids / Capacité de remorquage | **Outlander** - 1 690 kg / 907 kg (2 000 lb) |
| | **PHEV** - 1 925 kg / 680 kg (1 500 lb) |

### Composantes mécaniques

**4L - 2,5 LITRES**

| | |
|---|---|
| Cylindrée, alim. | 4L 2,5 litres atmos. |
| Puissance / Couple | 181 ch / 181 lb-pi |
| Tr. base (opt) / Rouage base (opt) | CVT / Int |
| 0-100 / 80-120 / V. max | 9,9 s (est) / 7,1 s (est) / n.d. |
| Type / ville / route / $CO_2$ | Ord / 9,5 / 7,5 / 208 g/km (est) |

**PHEV**

| | |
|---|---|
| Cylindrée, alim. | 4L 2,4 litres atmos. |
| Puissance / Couple | 126 ch / 147 lb-pi |
| Tr. base (opt) / Rouage base (opt) | CVT / Int |
| 0-100 / 80-120 / V. max | 10,5 s (est) / 8,4 s (est) / 171 km/h (est) |
| 100-0 km/h | 43,5 m (est) |
| Type / ville / route / $CO_2$ | Ord / 9,2 / 9,0 / 103 g/km |
| Puissance combinée | 221 ch |

**MOTEUR ÉLECTRIQUE**

| | |
|---|---|
| Puissance / Couple | **Av** - 80 ch (60 kW) / 101 lb-pi |
| | **Arr** - 94 ch (70 kW) / 144 lb-pi |
| Type de batterie | Lithium-ion (Li-ion) |
| Énergie | 13,8 kWh |
| Temps de charge (120V / 240V) | 14,5 h / 4,0 h |
| Autonomie | 39 km |

**OUTLANDER PHEV**

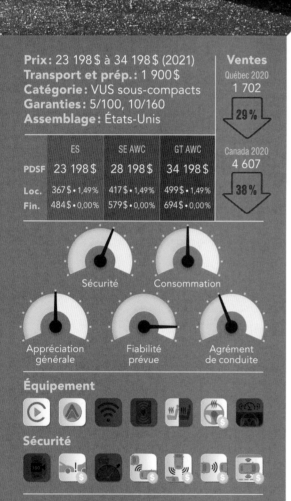

**Prix:** 23 198 $ à 34 198 $ (2021)
**Transport et prép.:** 1 900 $
**Catégorie:** VUS sous-compacts
**Garanties:** 5/100, 10/160
**Assemblage:** États-Unis

**Ventes**
Québec 2020
**1 702**
↓ 29 %

Canada 2020
**4 607**
↓ 38 %

| | ES | SE AWC | GT AWC |
|---|---|---|---|
| PDSF | 23 198 $ | 28 198 $ | 34 198 $ |
| Loc. | 367 $ • 1,49 % | 417 $ • 1,49 % | 499 $ • 1,49 % |
| Fin. | 484 $ • 0,00 % | 579 $ • 0,00 % | 694 $ • 0,00 % |

Sécurité     Consommation

Appréciation générale    Fiabilité prévue    Agrément de conduite

**Équipement**

**Sécurité**

**Concurrents**

Buick Encore GX, Chevrolet Trailblazer, Fiat 500X, Ford EcoSport, Honda HR-V, Hyundai Kona, Jeep Renegade, Kia Niro/Seltos, Mazda CX-30, Mitsubishi Eclipse Cross, Nissan Qashqai, Subaru Crosstrek, Volkswagen Taos

**Nouveau en 2022**

Aucun changement majeur annoncé au moment de mettre sous presse.

# Archaïsme chronique

Louis-Philippe Dubé

Il fut un temps ou Mitsubishi était une marque cool en Amérique du Nord. Avec des modèles comme la 3000 GT, la Lancer Evolution et l'Eclipse, pour ne nommer que ceux-ci, le constructeur accumulait les chevaux, records de piste et admirateurs ici et ailleurs. Hélas, les vestiges de cet héritage semblent morts et enterrés, avec un tristounet catalogue canadien presque entièrement peuplé de VUS — si l'on exclut la petite Mirage, dont l'avenir est incertain comme toutes les autres voitures de son espèce. Mitsubishi ne pouvait rien face à l'engouement pour les VUS. Par contre, le constructeur a jusqu'à aujourd'hui échoué à transférer le talent et le caractère qui jadis ensorcelaient ses voitures à l'époque où la marque présentait une image puissante et redoutée.

La génération actuelle du RVR, le VUS sous-compact de la marque, a plus d'une décennie à son actif. Et dans le segment où il œuvre, il se fait «brasser» pas à peu près. Même s'il a mérité quelques changements comme un bouclier avant aux airs plus audacieux, il ne fait pas peur à ses rivaux qui deviennent plus puissants, plus technologiques et plus modernes.

**DU BON, MAIS DAVANTAGE DE MAUVAIS**

Monter dans le RVR est un retour vers le passé, surtout que cet habitacle n'était déjà pas impressionnant lors de sa conception il y a dix ans. La majorité des rivaux ont depuis longtemps adopté des textures et matériaux plus raffinés, tandis que le RVR offre plutôt le strict nécessaire. Quoique fonctionnel et équipé de certaines technologies désirables comme les fonctions Apple CarPlay et Android Auto pour toutes les variantes, l'interface du système d'infodivertissement s'apparente à celle d'un jeu vidéo du début du millénaire avec la résolution pixélisée et les graphiques rétro qui viennent avec. Une fois sur l'autoroute, c'est la trame sonore du vent qui prend le dessus dans cet habitacle piètrement insonorisé...

Sur le plan de la conduite, le duo mécanique qui loge sous le capot du RVR est composé d'un 4 cylindres de 2 litres qui développe 148 chevaux et d'un 4 cylindres de 2,4 litres de 168 chevaux, lequel est réservé aux versions plus cossues. Bien que la réponse lorsque l'on enfonce l'accélérateur soit réactive et satisfaisante, la cavalerie s'essouffle rapidement dans les deux cas et la transmission à variation continue est d'une élasticité décevante. De plus,

la consommation de ces groupes motopropulseurs est supérieure à celle d'une bonne partie des rivaux.

Côté maniabilité, c'est le strict minimum avec un effet de roulis plutôt prononcé dans les virages, le RVR donnant l'impression d'être plus haut qu'il ne l'est en réalité. Cette maniabilité est en quelque sorte sauvée par la traction intégrale S-AWC de Mitsubishi qui contrôle les quatre roues avec brio.

Cette composante, qui s'avère être une qualité non négligeable du RVR, se distingue par sa précision et sa robustesse lorsque les conditions routières se gâtent. L'une des particularités de ce rouage est qu'il peut être activé ou désactivé à la pression d'un bouton, permettant ainsi de rouler en mode roues motrices avant, quatre roues motrices permanent ou en mode automatique, là où le rouage intégral s'active selon les conditions.

### UNE BONNE GARANTIE POUR SE CONSOLER

Contrairement à certains produits dans le segment, anciens comme nouveaux, votre RVR sera encore sur la route en une pièce dans dix ans. Son coût d'entretien restera minime tout au long de cette décennie et les bris seront rares. C'est le point positif majeur d'une vieille mécanique éprouvée. Celle-ci a fait ses preuves et a gagné ses lettres de noblesse sur le plan de la fiabilité, le constructeur n'a donc pas à craindre de lui donner une garantie de dix ans ou 160 000 km. Pour le reste du véhicule, il est couvert pour cinq ans ou 100 000 km. Si la tranquillité d'esprit est, pour vous, plus importante que la tranquillité dans l'habitacle, le RVR mérite une place sur votre liste d'achats potentiels. D'autant plus que le véhicule conserve une bonne valeur sur le marché de l'occasion.

À l'école, il était rare de qualifier les retardataires comme étant des élèves fiables. Or, c'est le cas du RVR. Son plus gros handicap est son caractère vétuste (sur presque tous les plans), ce qui le désavantage fortement dans un segment où les choix pullulent. Mais on peut toujours compter sur son rouage intégral compétent, peu importe les conditions routières, sur sa robustesse ainsi que sur sa garantie imbattable. Au bout du compte, la sagesse et l'expérience sont les doux fruits de la vieillesse, comme le veut l'adage.

### Données principales

| | |
|---|---|
| Emp. / lon. / lar. / haut. | 2 670 / 4 365 / 1 810 / 1 645 mm |
| Coffre / réservoir | 569 à 1 402 litres / 63 litres |
| Nombre de passagers | 5 |
| Suspension av. / arr. | ind., jambes force / ind., multibras |
| Pneus avant / arrière | P215/70R16 / P215/70R16 |
| Poids / Capacité de remorquage | 1 415 kg / non recommandé |

### Composantes mécaniques

**ES FWD, SE FWD, ES AWC**

| | |
|---|---|
| Cylindrée, alim. | 4L 2,0 litres atmos. |
| Puissance / Couple | 148 ch / 145 lb-pi |
| Tr. base (opt) / Rouage base (opt) | CVT / Tr (Int) |
| 0-100 / 80-120 / V. max | 11,5 (m) / 9,2 (m) / n.d. |
| 100-0 km/h | 41,6 m (est) |
| Type / ville / route / $CO_2$ | **Tr** - Ord / 9,7 / 7,8 / 206 g/km |
| | **Int** - Ord / 10,1 / 8,2 / 213 g/km |

**SE AWC, SEL AWC, LE AWC, GT AWC**

| | |
|---|---|
| Cylindrée, alim. | 4L 2,4 litres atmos. |
| Puissance / Couple | 168 ch / 167 lb-pi |
| Tr. base (opt) / Rouage base (opt) | CVT / Int |
| 0-100 / 80-120 / V. max | 8,5 s (m) / 6,9 s (m) / n.d. |
| 100-0 km/h | 41,6 m (m) |
| Type / ville / route / $CO_2$ | Ord / 10,3 / 8,3 / 218 g/km |

**+** Rouage intégral efficace • Bonne fiabilité • Longue garantie du constructeur

**–** Habitacle bruyant et vétuste • Consommation élevée • Technologie dépassée

Photos : Mitsubishi

## Prix et spécifications

| | Prix : 29 498 $ à 35 498 $ (2021) |
|---|---|
| Transport et prép. : | 1 830 $ |
| Catégorie : | Berlines intermédiaires |
| Garanties : | 3/60, 5/100 |
| Assemblage : | États-Unis |

**Ventes**

Québec 2020
327
↓ 55 %

Canada 2020
1 416
↓ 57 %

| | SE | SR | Platine |
|---|---|---|---|
| PDSF | 29 498 $ | 31 998 $ | 35 498 $ |
| Loc. | 484 $ • 2,50 % | 522 $ • 2,50 % | 576 $ • 2,50 % |
| Fin. | 632 $ • 1,90 % | 682 $ • 1,90 % | 753 $ • 1,90 % |

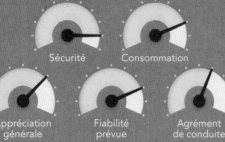

Sécurité · Consommation

Appréciation générale · Fiabilité prévue · Agrément de conduite

**Équipement**

**Sécurité**

**Concurrents**

Chevrolet Malibu, Honda Accord, Hyundai Sonata, Kia K5, Subaru Legacy, Toyota Camry, Volkswagen Passat

**Nouveau en 2022**

Aucun changement majeur annoncé au moment de mettre sous presse.

# Quatre roues motrices qui ne suffisent pas

Germain Goyer

Introduite en 1993 à titre de remplaçante de la Nissan Stanza, l'Altima a incarné sa sixième génération en 2019. Ce moment a été plus que marquant pour la berline intermédiaire japonaise. En effet, au Canada, on disait au revoir aux roues motrices avant pour proposer le rouage intégral dans l'ensemble de la gamme. Encore à ce jour, l'Altima de même que la Subaru Legacy demeurent les seules intermédiaires à ne pas offrir de version à traction.

Si Subaru a su se bâtir une réputation des plus enviables grâce à son rouage intégral, Nissan doit continuer de se retrousser les manches pour atteindre le même niveau, car bien que performant, il n'est pas aussi efficace. Qui plus est, nombreux doivent être les consommateurs à ne pas être au courant que cette caractéristique est de série avec l'Altima alors que c'est une évidence dans le cas de sa rivale, également japonaise. Une chose demeure certaine, lorsque l'Altima s'est vu greffer le système à quatre roues motrices, sa pertinence a bondi d'un cran : pour affronter l'hiver québécois, c'est un atout plus que considérable.

Conscient que les belles années de la berline intermédiaire sont désormais derrière nous, Nissan offre une gamme simplifiée de l'Altima. En effet, une seule mécanique figure au catalogue. Il s'agit d'un moteur atmosphérique à 4 cylindres de 2,5 litres qui est bon pour 182 chevaux et 178 lb-pi. Si certains constructeurs automobiles jouent la carte de la miniaturisation de la cylindrée et compensent avec la turbocompression, Nissan mise, quant à lui, sur l'efficacité pure et simple.

Et jusqu'à présent, cette formule semble être la bonne. Notons tout de même que ce moteur est jumelé à une transmission à variation continue, communément identifiée par l'appellation CVT. Son rendement n'est pas des plus agréables. Par le passé, ce type de boîte a connu des ratés, c'est donc à surveiller de près. Chez nos voisins du Sud, une version turbocompressée à compression variable de 2 litres est livrable avec les Altima à roues motrices avant. Considérant que le volume est bien plus important aux États-Unis que de ce côté-ci de la frontière, on peut comprendre que la gamme soit plus étoffée. Bien que l'on ne puisse s'empêcher de penser qu'une telle mouture pourrait plaire à une poignée de puristes — dont nous faisons partie.

## À QUOI BON AVOIR UN VUS?

L'Altima est déclinée en trois versions: SE, SR et Platine. Depuis l'année dernière, la SE a fait le deuil des enjoliveurs puisqu'elle est désormais livrée avec des jantes en alliage. Tout le monde est ravi d'être enfin au XXIe siècle! Pour le reste, nous sommes d'avis que la SE possède un équipement qui suffit amplement. Il peut également être intéressant de faire le saut vers une SR. En revanche, il nous apparaît déraisonnable de jeter son dévolu sur une version Platine dont le prix de base dépasse les 37 000 $ (transport et préparation inclus). À moins d'un rabais substantiel, aussi bien de passer votre tour.

Hélas, la famille moyenne a dit non à la berline intermédiaire. Pourtant, elle accomplit parfaitement le boulot. Dans le cas de l'Altima, elle peut accueillir cinq individus, dont quatre adultes. Elle jouit d'un coffre caverneux et dispose des quatre roues motrices si utiles l'hiver venu. Tout ce qui lui manque, c'est la position de conduite élevée que tous recherchent. Or, le saut vers un VUS compact ou intermédiaire vous coûtera jusqu'à plusieurs centaines de dollars supplémentaires chaque mois. Dans un budget familial, c'est une somme que l'on ne peut négliger...

L'Altima n'est pas suffisamment considérée par les familles québécoises et pourtant ses caractéristiques intrinsèques font d'elle une candidate sérieuse. De surcroît, soulignons qu'il y a de bonnes affaires à conclure sur le marché d'occasion. En effet, étant donné que ce modèle n'est pas des plus convoités, il y a moyen de mettre la main sur une Altima relativement récente avec un kilométrage raisonnable pour un prix dérisoire comparativement à une neuve.

## LA FRUGALITÉ EST AU RENDEZ-VOUS

D'emblée, l'Altima était directement confrontée à la Legacy. Or, depuis, d'autres constructeurs ont décidé de produire des versions à quatre roues motrices. L'idée est de se démarquer, de rendre la berline intermédiaire plus attrayante que jamais et, surtout, de minimiser les impacts occasionnés par la décroissance du segment. Dans le lot, l'Altima se singularise par une série de facteurs, dont sa faible consommation de carburant. Loin d'être parfaite, la transmission à variation continue permet, notamment, d'optimiser la consommation. En conduite combinée, 7,9 litres lui suffiront pour parcourir 100 km. Cette cote est similaire à celle de la Legacy et meilleure que celles des Kia K5 et Toyota Camry qui s'élèvent toutes les deux à 8,2 L/100 km d'après les données fournies par Ressources naturelles Canada.

| Données principales | |
|---|---|
| Emp. / lon. / lar. / haut. | 2 825 / 4 900 / 1 852 / 1 452 mm |
| Coffre / réservoir | 437 litres / 61 litres |
| Nombre de passagers | 5 |
| Suspension av. / arr. | ind., jambes force / ind., multibras |
| Pneus avant / arrière | P215/55R17 / P215/55R17 |
| Poids / Capacité de remorquage | 1 534 kg / non recommandé |

| Composantes mécaniques | |
|---|---|
| Cylindrée, alim. | 4L 2,5 litres atmos. |
| Puissance / Couple | 182 ch / 178 lb-pi |
| Tr. base (opt) / Rouage base (opt) | CVT / Int |
| 0-100 / 80-120 / V. max | 9,3 s (m) / 6,9 s (m) / n.d. |
| 100-0 km/h | 41,4 m (m) |
| Type / ville / route / CO$_2$ | SE - Ord / 9,1 / 6,5 / 187 g/km |
| | SR, Platine - Ord / 9,3 / 6,7 / 190 g/km |

| + Très faible consommation de carburant • Berline spacieuse et confortable • Traction intégrale livrée de série | − Puissance un peu juste • Absence d'un moteur optionnel plus puissant • Boîte CVT peu inspirante |
|---|---|

Photos: Nissan

**Prix:** 44 995 $ à 56 995 $ (estimé)
**Transport et prép.:** n.d.
**Catégorie:** VUS compacts
**Garanties:** 3/60, 5/100
**Assemblage:** Japon

**Ventes**
Québec 2020
n.d.

Canada 2020
n.d.

PDSF
Loc.
Fin.
n.d.

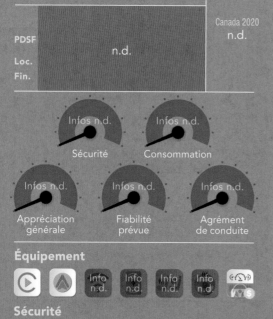

Infos n.d.
**Sécurité**

Infos n.d.
**Consommation**

Infos n.d.
**Appréciation générale**

Infos n.d.
**Fiabilité prévue**

Infos n.d.
**Agrément de conduite**

**Équipement**

**Sécurité**

**Concurrents**
Ford Mustang Mach-E, Hyundai IONIQ 5,
Tesla Model Y, Volkswagen ID.4,
Volvo XC40 Recharge

**Nouveau en 2022**
Nouveau modèle.

# Du prototype au modèle de série

Julien Amado

Lorsque Nissan a présenté l'Ariya Concept au Salon de Tokyo 2019, on nous avait promis un véhicule de série très proche du prototype exposé. En voyant la version définitive du nouveau VUS, il faut reconnaître que Nissan a tenu parole. Que ce soit les phares très minces surmontant la grande calandre en forme de V, la ligne de toit arrondie ou les feux arrière qui courent tout le long du hayon, la ressemblance est frappante. Sans renier le design des modèles qui peuplent la gamme actuelle, il faut admettre que l'Ariya marque une évolution importante.

Plus futuriste, son design extérieur devrait le faire sortir de la masse des véhicules lorsqu'il roulera sur nos routes. À l'intérieur, on retrouve un volant à deux branches, une disposition qui semble revenir à la mode puisque plusieurs véhicules Genesis y ont recours. Le tableau de bord, très épuré, reçoit des boutons à commande haptique. Moins pratiques que des commandes physiques et des boutons rotatifs, il faudra attendre de prendre le volant de l'Ariya avant de vous donner un avis définitif quant à son ergonomie.

### DANS L'AIR DU TEMPS
Face au conducteur, on a droit à une interface numérique de 12,3 pouces. Dans le prolongement de cette dernière, un second écran, faisant également 12,3 pouces de diagonale, s'étire jusqu'au centre de la planche de bord. Cette disposition n'est pas sans rappeler le système MBUX qui existe chez Mercedes-Benz.

Du côté de la connectivité, Apple CarPlay et Android Auto (sans fil) font évidemment partie du voyage, tout comme Alexa, l'assistant d'Amazon qui permet d'améliorer la connectivité. La sécurité n'a pas été oubliée avec le bouclier 360 de Nissan. Il intègre des équipements comme le système de prévention des collisions, le freinage d'urgence automatique avec détection des piétons et plusieurs autres systèmes de sécurité active. Le constructeur annonce également l'assistance à la conduite ProPILOT Assist 2.0.

100 % électrique, le Nissan Ariya rejoint une concurrence féroce. En effet, dans cette catégorie de plus en plus peuplée, on retrouve désormais le Tesla Model Y, le Volkswagen ID.4, le Ford Mustang Mach-E et le Volvo XC40 Recharge. Faisant figure de précurseur au début des années 2010, avec

la LEAF, Nissan compte bien s'imposer chez les VUS électriques. Sur papier, avouons qu'il ne manque pas d'arguments.

## UNE BONNE AUTONOMIE

Du côté des batteries, le véhicule peut être équipé de deux unités différentes, affichant respectivement 66 et 91 kWh. L'autonomie annoncée par Nissan s'échelonne de 321 à 482 km, des chiffres convaincants dans sa catégorie. Avec la plus grosse batterie, la recharge rapide permettrait de récupérer 375 kilomètres en 30 minutes. Nissan n'a pas précisé la puissance requise, mais de toute évidence, une borne BRCC de 50 kW du Circuit électrique ne sera pas capable d'atteindre de tels chiffres.

Le modèle à traction doté de la petite batterie est bon pour 214 chevaux et 221 lb-pi de couple. Les versions à rouage intégral, disposant de deux moteurs, revendiquent pour leur part 389 chevaux et 443 lb-pi de couple avec la plus grosse batterie. Cette mouture passe de 0 à 100 km/h en 5,1 secondes. C'est moins rapide que certains concurrents, bien qu'amplement suffisant au quotidien.

Comme pour la LEAF, on retrouve le système e-Pedal, qui permet d'accélérer et de freiner avec une seule pédale. Testé à bord d'une LEAF, il faut reconnaître que le système se prête très bien à la conduite d'une voiture électrique. On ne touche pratiquement jamais à la pédale de frein, à moins d'être surpris par une manœuvre devant soi.

Pour les modèles dotés du rouage intégral, Nissan annonce l'arrivée du système e-4ORCE, qui répartirait au mieux la traction entre les essieux pour améliorer la tenue de route. Grâce à une gestion électronique de pointe entre les moteurs avant et arrière, les virages se négocieraient aussi plus efficacement. La gestion de la régénération et du frein moteur seraient également optimisés. Des affirmations que nous ne manquerons pas de vérifier lors de nos essais hivernaux avec le véhicule.

Doté d'un design futuriste, d'une autonomie similaire à celle de ses concurrents et de moteurs suffisamment performants, l'Ariya pourrait rencontrer le succès au Québec si les essais routiers confirment les annonces prometteuses du constructeur. Sans oublier son prix de vente, et sa possible qualification pour les rabais gouvernementaux (pouvant aller jusqu'à 13 000 $), qui aura une forte incidence sur les ventes.

**+** Bonne autonomie des batteries • Sièges zéro gravité très confortables • Design distinctif

**—** Ergonomie des commandes à prouver • Tarification encore inconnue

### Données principales

| | |
|---|---|
| Emp. / lon. / lar. / haut. | 2 776 / 4 645 / 1 899 / 1 661 mm |
| Coffre | 646 à 1 691 litres |
| Nombre de passagers | 5 |
| Suspension av. / arr. | ind., jambes force / ind., multibras |
| Pneus avant / arrière | P235/55R19 / P235/55R19 |
| Poids / Capacité de remorquage | Tr - 1 900 kg / n.d. |
| | e-4ORCE - 2 200 kg / n.d. |

### Composantes mécaniques

**AUTONOMIE STANDARD TA**

| | |
|---|---|
| Puissance / Couple | 214 ch (160 kW) / 221 lb-pi |
| Tr. base (opt) / Rouage base (opt) | Rapport fixe / Tr |
| 0-100 / 80-120 / V. max | 7,5 s (c) / n.d. / 160 km/h (c) |
| Énergie | 66,0 kWh |
| Autonomie | 335 km (est) |

**AUTONOMIE STANDARD E-4ORCE**

| | |
|---|---|
| Puissance / Couple combiné | 335 ch (250 kW) / 413 lb-pi |
| Tr. base (opt) / Rouage base (opt) | Rapport fixe / Int |
| 0-100 / 80-120 / V. max | 5,4 s (c) / n.d. / 200 km/h (c) |
| Énergie | 66,0 kWh |
| Autonomie | 321 km (est) |

**LONGUE AUTONOMIE TA**

| | |
|---|---|
| Puissance / Couple | 239 ch (178 kW) / 221 lb-pi |
| Tr. base (opt) / Rouage base (opt) | Rapport fixe / Tr |
| 0-100 / 80-120 / V. max | 7,6 s (c) / n.d. / 160 km/h (c) |
| Énergie | 91,0 kWh |
| Temps de charge (400V) | 0,5 h |
| Autonomie | 482 km (est) |

**LONGUE AUTONOMIE E-4ORCE**

| | |
|---|---|
| Puissance / Couple combiné | 389 ch (290 kW) / 443 lb-pi |
| Tr. base (opt) / Rouage base (opt) | Rapport fixe / Int |
| 0-100 / 80-120 / V. max | 5,1 s (c) / n.d. / 200 km/h (c) |
| Énergie | 91,0 kWh |
| Temps de charge (400V) | 0,5 h |
| Autonomie | 460 km (est) |

Photos: Nissan

**NISSAN ARMADA**

**Prix:** 68 498 $ à 87 998 $ (2021)
**Transport et prép.:** 1 950 $
**Catégorie:** VUS grand format
**Garanties:** 3/60, 5/100
**Assemblage:** Japon

**Ventes***
Québec 2020
189
↓ 2 %

Canada 2020
1 098
↓ 28 %

|  | Armada SL | Armada plat. SC | QX80 ProA 7P |
|---|---|---|---|
| PDSF | 68 498 $ | 76 998 $ | 87 998 $ |
| Loc. | 947 $ • 1,50% | 1 058 $ • 1,50% | 1 407 $ • 1,50% |
| Fin. | 1 424 $ • 1,50% | 1 593 $ • 1,50% | 1 851 $ • 1,50% |

Sécurité — Consommation

Appréciation générale — Fiabilité prévue — Agrément de conduite

**Équipement**

**Sécurité**

**Concurrents**
BMW X7, Cadillac Escalade, Chevrolet Suburban/Tahoe, Ford Expedition, GMC Yukon, Jeep Wagoneer/Grand Wagoneer, Land Rover Range Rover, Lexus LX, Lincoln Navigator, Mercedes-Benz GLS, Toyota Sequoia

**Nouveau en 2022**
Modifications esthétiques et mécaniques apportées au Nissan Armada en cours d'année 2021.

# Grand pas pour le modèle, petit pas pour le segment

Louis-Philippe Dubé

**E**n réponse aux offensives des concurrents tels que le Chevrolet Tahoe et le Ford Expedition, et la venue prochaine de nouveaux joueurs comme les Jeep Wagoneer et Grand Wagoneer, Nissan a donné à l'Armada 2021 quelques chevaux de plus et une modernisation intérieure et extérieure. Une cure dont le modèle avait grandement besoin. Mais un an après cette opération, nous nous demandons encore si celle-ci est suffisante pour garder l'Armada à flot.

### UN BON GROUPE MOTOPROPULSEUR

Une chose qui a toujours fait partie de l'ADN de l'Armada c'est une motorisation qui a du cran. Cette année, les conducteurs de cette montagne sur roues ont droit à toute la férocité d'un V8 de 5,6 litres qui déballe 400 chevaux et 413 lb-pi de couple, la même prestation que le QX80 à ce chapitre. La cavalerie est envoyée à une transmission automatique à 7 rapports, une caractéristique plutôt unique dans la gamme Nissan, qui s'appuie généralement sur des boîtes à variation continue. L'Armada, tout comme le QX80, est armé d'un système 4x4 avec mode Auto, ainsi que des gammes hautes (4H) et basses (4L).

À priori, la puissance et le couple déployés par le V8 sont amplement suffisants pour mouvoir les 6 000 lb de ce «mur dans le vent» qu'est l'Armada. Les changements de rapports se font de manière fluide et les accélérations sont surprenantes considérant le format et l'aérodynamisme discutable. Une capacité de remorquage de 8 500 lb est incluse, soit une donnée impressionnante même dans ce segment.

Là où ça accroche, c'est sur le plan de la dynamique de conduite. L'Armada et le QX80 sont construits sur un châssis en échelle, ce qui constitue un élément garant de robustesse. Par contre, le comportement routier en souffre. Sur des routes saccadées ou sur une autoroute au tablier un peu vieilli, l'Armada procure un confort de roulement raboteux. La direction est également très légère, une caractéristique qu'un VUS de ce format peut se permettre, mais sur l'Armada c'est un peu trop.

Le système 4x4 est compétent sur les sentiers et vous permettra de circuler sur les routes enneigées avec peu de tracas. Sachez cependant qu'il n'offre pas tous les modes dont ses rivaux disposent pour diverses situations, c'est

un système 4x4 de base. Les dispositifs de sécurité active sont nombreux. Certains sont très efficaces, notamment le système de freinage d'urgence, qui a su stopper notre Armada à toute vitesse sur la route avec un freinage brusque, mais sécuritaire, lorsqu'un véhicule s'est immobilisé d'urgence devant nous. L'assistance de maintien sur la voie, elle, est un peu capricieuse et intervient souvent — l'Armada est un véhicule très large, après tout.

## TOUJOURS UN PEU VIEILLOT

Si l'habitacle de l'Armada 2020 avait l'air d'avoir été conçu en 1998, le nouvel intérieur a gagné en modernité. Hélas, mis à part le nouvel écran du système d'infodivertissement qui trône en haut de la planche de bord, cet habitacle ne peut pas être qualifié de moderne. Il ne rejoint pas le calibre de ses rivaux du côté des marques américaines sur ce plan. Pour le QX80, c'est invariablement le fameux design à deux écrans qui règne, un agencement à l'utilité discutable.

Dans l'espace intérieur étonnamment vaste de l'Armada, le conducteur profite d'une position de conduite surélevée dans un siège revêtu d'un cuir matelassé fort confortable, une caractéristique partagée dans l'ensemble de la sellerie du véhicule. Un seul petit irritant dans ce poste de conduite : le volant, qui est anormalement mince, s'apparente à celui d'une compacte. Ceci peut paraître anodin, mais dans un VUS dit cossu de cette grosseur, il serait bon d'avoir une meilleure prise sur le volant.

Les défauts que nous reprochions à l'Armada — le look de son habitacle et son comportement routier rustre — n'ont pas disparu, mais semblent avoir perdu de leur ampleur avec les récentes améliorations apportées au modèle. Au final, lui et son homologue QX80 marient toujours le luxe et l'utilité d'une manière un peu plus primitive que les ténors du segment qui ne font que gagner en modernité, en confort et en valeur.

En revanche, si vous désirez sortir du lot, sachez que ces camions sont moins populaires, donc finalement plus exclusifs en leur genre. Le Nissan Armada survit dans le catalogue Nissan et tente toujours de rivaliser dans le segment des utilitaires grand format pour une autre année, tout comme son cousin plus bourgeois, l'Infiniti QX80. La demande pour ces mastodontes est palpable, et il y a un certain intérêt pour le constructeur nippon à maintenir une présence dans ce créneau.

### Données principales

| | |
|---|---|
| Emp. / lon. / lar. / haut. | **Armada** - 3 075 / 5 305 / 2 030 / 1 925 mm |
| | **QX80** - 3 075 / 5 340 / 2 030 / 1 925 mm |
| Coffre / réservoir | **Armada** - 470 à 2 701 litres / 98 litres |
| | **QX80** - 470 à 2 694 litres / 98 litres |
| Nombre de passagers | 7 à 8 |
| Suspension av. / arr. | ind., double triangulation / ind., double triangulation |
| Pneus avant / arrière | P275/60R20 / P275/60R20 |
| Poids / Capacité de remorquage | **Armada** - 2 731 kg / 3 856 kg (8 500 lb) |
| | **QX80** - 2 687 kg / 3 856 kg (8 500 lb) |

### Composantes mécaniques

| | |
|---|---|
| Cylindrée, alim. | V8 5,6 litres atmos. |
| Puissance / Couple | 400 ch / 413 lb-pi |
| Tr. base (opt) / Rouage base (opt) | A7 / 4x4 |
| Type / ville / route / CO₂ | **Armada** - Ord / 17,5 / 12,9 / 362 g/km |
| | **QX80** - Ord / 17,6 / 12,2 / 356 g/km |

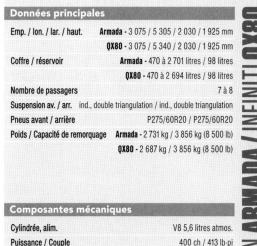

**INFINITI QX80**

➕ Moteur puissant • Nouveau look réussi • Technologies de sécurité active avancées ➖ Habitacle toujours vieillot • Comportement routier quelconque • Pas compétitif dans son segment

**NISSAN ARMADA**

**NISSAN ARMADA**

Photos : Nissan, Infiniti

**Prix :** 30 000 $ à 40 000 $ (estimé)
**Transport et prép. :** n.d.
**Catégorie :** Camionnettes interm.
**Garanties :** 3/60, 5/100
**Assemblage :** États-Unis

**Ventes**
Québec 2020
**n.d.**

Canada 2020
**n.d.**

|       | S King Cab | SV cab. multi | PRO-4X cab. multi |
|-------|-----------|---------------|-------------------|
| PDSF  | 30 000 $  | 33 500 $      | 40 000 $          |
| Loc.  | n.d.      | n.d.          | n.d.              |
| Fin.  | 692 $ • 4,90% | 768 $ • 4,90% | 912 $ • 4,90%  |

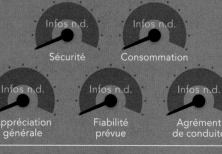

| Infos n.d. | Infos n.d. |
| Sécurité | Consommation |

| Infos n.d. | Infos n.d. | Infos n.d. |
| Appréciation générale | Fiabilité prévue | Agrément de conduite |

**Équipement**

**Sécurité**

**Concurrents**
Chevrolet Colorado, Ford Ranger, GMC Canyon, Honda Ridgeline, Jeep Gladiator, Toyota Tacoma

**Nouveau en 2022**
Nouvelle génération du modèle.

# C'est reparti

Antoine Joubert

**Q**uinze ans. Voilà la durée du cycle de la précédente génération de la camionnette Frontier, qui a connu chez nous beaucoup de succès, bien qu'elle n'ait jamais égalé les ventes de Toyota. C'est une camionnette d'ailleurs toujours très convoitée sur le marché de l'occasion, ce qui s'explique par son prix attrayant et par ses capacités. Seulement, Nissan Canada choisissait, en 2019, d'arrêter momentanément sa commercialisation.

La pandémie, qui a bien sûr changé les plans de tous, allait cependant affecter les délais de conception et de mise en marché du nouveau Frontier, qui débarque finalement comme modèle 2022. Cela explique donc pourquoi Nissan Canada a privé sa clientèle d'une camionnette intermédiaire pendant deux ans, alors que le marché ne faisait que gagner en popularité.

Pour 2022, Nissan arrive heureusement avec une nouvelle génération : une camionnette qui ne dérive pas du Nissan Navara vendu ailleurs dans le monde, le constructeur ayant choisi de développer un produit destiné au marché nord-américain, comme l'a fait Toyota avec le Tacoma. Cela explique d'ailleurs, en partie, pourquoi Nissan a mis tant de temps avant de renouveler son modèle qui, vous vous en doutez, était devenu extrêmement profitable au fil des ans.

### À L'ASSAUT DU TACOMA
Reposant sur un nouveau châssis, le Frontier se décline en trois configurations de carrosserie. D'abord, une version King Cab (cabine allongée) avec caisse de 6 pieds, ainsi que deux variations de modèles Crew Cab (cabine double) avec caisse de 5 ou 6 pieds. Trois niveaux de finition seront également proposés (S, SV et PRO-4X), la version à cabine double n'étant toutefois pas offerte en déclinaison de base.

Considérant le désintérêt des camionnettes à deux roues motrices sur le marché canadien, Nissan a tout simplement choisi d'offrir les quatre roues motrices de série pour l'ensemble de ses modèles. Cette sage décision facilitera aussi la distribution des modèles qui seront tous fortement convoités. Comme seule motorisation, Nissan propose un nouveau V6 de 3,8 litres à injection directe de carburant et jumelé de série à une boîte automatique à 9 rapports. Cette combinaison mécanique avait été intégrée sous le capot de l'ancienne camionnette Frontier, en 2020, exclusivement pour le marché

américain. En somme, il s'agit d'un V6 de 310 chevaux, surpassant ainsi la puissance du Chevrolet Colorado, qui était jusqu'ici le meneur du segment sur ce point.

Vous aurez ainsi compris que Nissan délaisse le 4 cylindres précédemment offert, abandonnant par le fait même le marché de la camionnette de service, des modèles de base à deux roues motrices que certaines entreprises se procuraient comme simple véhicule de livraison. GM sera donc seul à proposer un tel véhicule, avec un prix oscillant autour des 30 000 $. Remarquez, Ford pourrait également développer ce créneau avec le nouveau Maverick, alors que Nissan était jadis très populaire sur ce marché.

## LA SEULE

Ayant aussi abandonné la camionnette Titan pour le marché canadien, en 2021, le Frontier constitue ainsi la seule incursion dans le segment pour Nissan Canada. L'objectif n'est assurément pas de se battre contre les Américains, mais plutôt d'offrir une solution de recharge intéressante à la camionnette Tacoma, dont les prix frisent de plus en plus l'indécence. Voilà une formule dans laquelle on compte offrir un bon rapport équipement/prix, ainsi qu'un habitacle plus moderne et confortable. En ce sens, Nissan propose une cabine ergonomiquement mieux pensée, intégrant des accessoires comme la recharge par induction de l'appareil mobile, les sièges et le volant chauffants de même qu'un tout récent écran tactile de 9 pouces, tous ces accessoires étant toutefois optionnels. Plus spacieuse, la cabine double convient également mieux aux familles, qui y trouveront plus d'astuces en matière de rangement et de confort.

Naturellement, Nissan insiste aussi sur les capacités dynamiques de cette camionnette, notamment la PRO-4X. Cette version accueille des suspensions Bilstein, des plaques de soubassement et un différentiel arrière verrouillable, en plus de tout un tas d'artifices esthétiques. Bref, cette déclinaison rivalisera avec le Tacoma TRD Sport et le Colorado Z71.

Bien que les capacités de charge (1 400 lb) et de remorquage (6 490 lb) ne soient pas les plus impressionnantes du segment, il faut néanmoins s'attendre à ce que Nissan connaisse beaucoup de succès avec sa nouvelle camionnette. Il s'agit d'un produit qui répond aux besoins réels des acheteurs nord-américains, et qui risque de faire mal à une compétition certes populaire, mais de plus en plus vieillissante.

**+** Esthétiquement très attrayant • Nouveau moteur V6 convaincant • Cabine plus moderne et confortable • Choix de longueurs de caisse

**—** Abandon du moteur à 4 cylindres • Capacité de remorquage conservatrice • Boîte manuelle discontinuée

### Données principales

| Emp. / lon. / lar. / haut. | King Cab - 3 550 / 5 692 / 1 853 / 1 829 mm |
| | Cabine courte c. court. - 3 200 / 5 338 / 1 853 / 1 832 mm |
| Boîte | King Cab - 1 862 mm (1 845 Pro-4X) |
| | Cabine double - 1 496 à 1 862 mm |
| Nombre de passagers | 5 |
| Suspension av. / arr. | ind., double triangulation / essieu rigide, ress. à lames |
| Pneus avant / arrière | P265/70R16 / P265/70R16 |
| Poids / Capacité de remorquage | n.d. / 2 944 kg (6 490 lb) |

### Composantes mécaniques

| Cylindrée, alim. | V6 3,8 litres atmos. |
| Puissance / Couple | 310 ch / 281 lb-pi |
| Tr. base (opt) / Rouage base (opt) | A9 / 4x4 |
| Type / ville / route / $CO_2$ | Ord / 13,7 / 10,6 / 288 g/km |

Photos : Nissan

## Le culte de Godzilla

Gabriel Gélinas

Dans l'imaginaire japonais, Godzilla occupe une place de choix. Mais si l'existence de ce monstre marin capable d'anéantir des villes entières relève de la fiction, la voiture qui a reçu le surnom de cette bête est bel et bien réelle. La genèse de la GT-R actuelle, répondant au nom de code R35, remonte à 1969, l'année où la toute première Skyline GT-R a vu le jour au Japon. La lignée de descendantes a été longue, et c'est surtout avec les modèles de cinquième et sixième génération que l'usage du surnom de Godzilla s'est développé chez les amateurs de ce modèle hors normes.

Aujourd'hui, les ventes de la GT-R sont presque confidentielles, ce modèle n'étant que ponctuellement retouché afin de l'actualiser. C'est le cas pour 2022, avec l'arrivée de la GT-R Nismo Special Edition. Cette dernière se démarque par sa peinture *Stealth Gray*, son capot en fibre de carbone qui n'est pas recouvert de peinture, et ses roues en alliage de 20 pouces de couleur noire avec des accents rouges. Côté moteur, cette édition spéciale a droit à la version la plus performante du V6 biturbo de 3,8 litres, qui déploie 600 chevaux et 481 lb-pi de couple.

### UN MOTEUR ASSEMBLÉ À LA MAIN

Il y a plusieurs années, j'ai eu la chance de visiter l'atelier où ces moteurs sont assemblés à la main par des maîtres techniciens triés sur le volet et que l'on appelle des *takumi* au Japon. Ce jour-là, ils étaient cinq, et c'était fascinant de les voir à l'œuvre et de voir chacun d'entre eux apposer une plaque portant leur nom sur le moteur qu'il venait d'assembler, exactement comme chez Mercedes-AMG à Affalterbach en Allemagne.

Sur le circuit, la GT-R se montre d'attaque, et décolle furieusement grâce à la poussée de son V6 biturbo et son rouage intégral, surtout lorsque l'on active la fonction de départ canon qui optimise la motricité. Elle est capable de performances ahurissantes, le freinage est performant et la direction très précise.

Toutefois, son talon d'Achille est sa masse élevée qui la rend moins agile dans les virages et plus sensible lors des transitions latérales à haute vitesse. En sortie de virage, la poussée vers l'avant est soutenue, voire furieuse. Mais on ne fait pas le plein de sensations au volant de la GT-R dont la

---

**Prix:** 130 498 $ à 167 498 $ (2021)
**Transport et prép.:** 2 500 $
**Catégorie:** Sportives de luxe
**Garanties:** 3/60, 5/100
**Assemblage:** Japon

**Ventes**
Québec 2020
**8**
▽ **20 %**

Canada 2020
**39**
▽ **26 %**

| | HDG | Int. HDG | Piste |
|---|---|---|---|
| **PDSF** | 130 498 $ | 135 798 $ | 167 498 $ |
| **Loc.** | 2 572 $ • 5,89 % | 2 674 $ • 5,89 % | 3 336 $ • 5,89 % |
| **Fin.** | 2 902 $ • 5,19 % | 3 017 $ • 5,19 % | 3 708 $ • 5,19 % |

Sécurité    Consommation

Appréciation générale    Fiabilité prévue    Agrément de conduite

**Équipement**

**Sécurité**

**Concurrents**
Acura NSX, Audi R8, BMW Série 8,
Chevrolet Corvette, Jaguar F-TYPE, Porsche 911

**Nouveau en 2022**
Arrivée de la GT-R Nismo Special Edition.

sonorité du moteur est étouffée par les turbocompresseurs. Aussi, la GT-R fait preuve d'une redoutable efficacité sur la piste, même si l'on aimerait qu'elle soit un peu plus homogène.

Sur les routes publiques, il est possible de laisser la boîte à double embrayage (6 rapports) en mode automatique, mais on note que son fonctionnement manque de fluidité. Aussi, il est impératif de sélectionner le mode Confort pour circuler sur les routes du Québec et, même là, on trouve les liaisons au sol trop fermes et la conduite moins confortable. Bref, la Nissan GT-R ne fait pas de compromis. C'est une brute qui mérite amplement son surnom de Godzilla, même si elle est maintenant largement dépassée sur le plan technique.

### UN HABITACLE D'INSPIRATION PLAYSTATION

Lorsque l'on monte dans la GT-R, on remarque immédiatement que, comparativement aux sportives actuelles, le design de l'habitacle date d'une autre époque. Ici, l'écran central est ceinturé de boutons et commutateurs, les plastiques durs abondent, et l'ergonomie est perfectible. Au moins, les sièges sport sont profonds et enveloppants au point où il est parfois plus laborieux de s'en extirper. Tout cela fait en sorte que la GT-R est nettement décalée par rapport à ses rivales.

Au fil des années et des générations, si la GT-R est devenue de plus en plus rapide, elle est aussi devenue très lourde, alors que son prix n'a cessé d'augmenter. Aujourd'hui, c'est un peu une grande oubliée qui se vend au compte-gouttes, et qui souffre de la comparaison directe avec des rivales qui n'ont jamais cessé d'évoluer sur le plan technique et celui du design. De son côté, la GT-R est plutôt demeurée figée dans le temps.

L'arrivée prochaine de la nouvelle génération de la Nissan Z ranime la passion chez les amateurs de performances, mais suffira-t-elle à raviver l'intérêt pour l'autre sportive de la marque qu'est la GT-R ? À notre époque où les constructeurs automobiles se fient aux VUS pour assurer ventes et profits, l'avenir d'un modèle comme la GT-R dans sa forme actuelle est loin d'être garanti. C'est une voiture d'exception qui compte des légions d'admirateurs à travers le monde, cependant ses jours sont peut-être comptés et elle ne résistera peut-être pas longtemps à l'impitoyable rationalisation qui a présentement cours chez plusieurs constructeurs.

### Données principales

| Emp. / lon. / lar. / haut. | 2 780 / 4 710 / 1 895 / 1 370 mm |
|---|---|
| Coffre / réservoir | 249 litres / 74 litres |
| Nombre de passagers | 4 |
| Suspension av. / arr. | ind., double triangulation / ind., multibras |
| Pneus avant / arrière | P255/40ZR20 / P285/35ZR20 |
| Poids / Capacité de remorquage | 1 785 kg / non recommandé |

### Composantes mécaniques

**HAUT DE GAMME, INTÉRIEUR HAUT DE GAMME**

| Cylindrée, alim. | V6 3,8 litres turbo |
|---|---|
| Puissance / Couple | 565 ch / 467 lb-pi |
| Tr. base (opt) / Rouage base (opt) | A6 / Int |
| 0-100 / 80-120 / V. max | 3,4 s (m) / 3,4 s (m) / 315 km/h (est) |
| 100-0 km/h | 36,1 m (m) |
| Type / ville / route / CO$_2$ | Sup / 14,4 / 10,9 / 300 g/km |

**ÉDITION DE PISTE, NISMO SPECIAL EDITION**

| Cylindrée, alim. | V6 3,8 litres turbo |
|---|---|
| Puissance / Couple | 600 ch / 481 lb-pi |
| Tr. base (opt) / Rouage base (opt) | A6 / Int |
| 0-100 / 80-120 / V. max | 3,2 s (est) / 3,2 s (est) / n.d. |
| Type / ville / route / CO$_2$ | Sup / 14,4 / 10,9 / 300 g/km |

**+** Performances spectaculaires • Direction précise • Freinage performant

Poids élevé • Prix élevé • Confort très aléatoire sur les routes publiques

*MEILLEUR ACHAT DE SA CATÉGORIE*

**Prix:** 19 898 $ à 24 998 $ (2021)
**Transport et prép.:** 1 830 $
**Catégorie:** VUS sous-compacts
**Garanties:** 3/60, 5/100
**Assemblage:** Mexique

**Ventes**
Québec 2020
**4 951**
↓ 10 %

Canada 2020
**14 150**
↓ 12 %

| | S | SV | SR Privilège |
|---|---|---|---|
| PDSF | 19 898 $ | 22 898 $ | 24 998 $ |
| Loc. | 287 $ • 2,50 % | 338 $ • 2,50 % | 366 $ • 2,50 % |
| Fin. | 439 $ • 1,90 % | 499 $ • 1,90 % | 542 $ • 1,90 % |

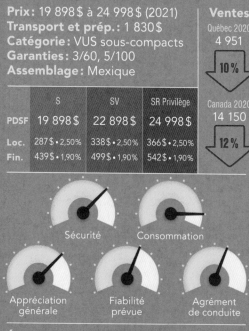

Sécurité — Consommation — Appréciation générale — Fiabilité prévue — Agrément de conduite

**Équipement**

**Sécurité**

**Concurrents**
Buick Encore, Chevrolet Trax, Hyundai Venue, Kia Soul, Mazda CX-3, Toyota C-HR

**Nouveau en 2022**
Aucun changement majeur annoncé au moment de mettre sous presse.

# Proposition intéressante

Julien Amado

Couleurs vives, modèles bicolores, système de son Bose (en option) intégré dans les appuie-têtes, Nissan semble vouloir s'adresser aux jeunes avec son petit multisegment urbain. On le remarque notamment dans les nombreuses publicités diffusées par le constructeur pour ce véhicule. Disponible sur notre marché depuis 2018 et très populaire au Québec, le Kicks a subi une mise à jour de milieu de cycle en cours d'année 2021.

La partie avant reçoit la majorité des modifications, avec des phares amincis ainsi qu'un pare-chocs et une calandre modifiés. À l'arrière, seuls les plus attentifs remarqueront des feux arrière à DEL et un pare-chocs qui n'arbore plus autant de plastique noir qu'avant. Dans l'habitacle, on note également quelques changements, le plus important étant l'arrivée d'un accoudoir plus qualitatif qui n'est désormais plus solidaire du siège du conducteur. Une demande remontée par les clients, qui a donc été entendue par Nissan.

Au centre du tableau de bord, l'écran tactile de 7 pouces (8 pouces en option) intègre Apple CarPlay et Android Auto de série. Une commodité très appréciée par les clients. Enfin, le Kicks n'oublie pas la sécurité en proposant le fameux bouclier de sécurité 360 de Nissan de série.

Un ensemble d'aides à la conduite qui intègre le freinage automatique à l'avant et à l'arrière avec détection des piétons à l'avant, la surveillance des angles morts, l'alerte de sortie de voie et de trafic transversal arrière ainsi que les feux de route automatiques. Un équipement très complet pour un véhicule d'entrée de gamme comme le Kicks. Cela dit, si vous souhaitez une carrosserie bicolore, les sièges chauffants ou le régulateur de vitesse adaptatif, il faudra obligatoirement monter en gamme et opter pour un modèle SV, SR ou SR Privilège.

### VOLONTAIRE MAIS PEU PUISSANT

Côté mécanique, le Kicks conserve le même 4 cylindres de 1,6 litre. La puissance grimpe de 3 chevaux et le couple d'un livre-pied (125 chevaux et 115 lb-pi de couple au total). Ces derniers transitent par une transmission CVT avant de rejoindre les roues avant. En effet, il n'est pas possible d'obtenir un Kicks à quatre roues motrices, même en option. Nissan a aussi décidé de n'offrir qu'une seule option mécanique, deux décisions stratégiques

destinées à ne pas faire d'ombre au Qashqai, situé juste au-dessus du Kicks dans la gamme du constructeur japonais.

À l'usage, le petit bloc de 1,6 litre se montre volontaire et sa boîte à variation continue conserve un agrément acceptable, considérant la faible cavalerie disponible. Si les accélérations et les reprises sont satisfaisantes quand on roule seul, les performances deviennent plus timides une fois le véhicule chargé. Nous en avons fait l'expérience avec quatre personnes à bord et le coffre rempli. Dans ces conditions, il fallait davantage anticiper ses dépassements pour s'insérer correctement dans la circulation. On retrouve le sourire au moment de passer à la pompe avec une consommation de carburant raisonnable. Selon Ressources naturelles Canada, le véhicule se contente de 7,2 L/100 km en moyenne.

Concernant la tenue de route, le Kicks livre une prestation étonnante pour un véhicule à bas prix. Si son aisance en ville est logique, ses aptitudes routières convaincantes méritent d'être soulignées. Réussissant à bien contenir les bruits de vent et de roulement, le multisegment de Nissan demeure suffisamment silencieux à vitesse stabilisée sur voie rapide. Muni d'une direction précise, d'un freinage efficace et d'une bonne stabilité dans les courbes, il nous a davantage convaincus que le Hyundai Venue à ce chapitre.

### PETIT MAIS LOGEABLE

Bien qu'il s'agisse du plus petit modèle à hayon de la gamme Nissan, le Kicks abrite un habitacle accueillant et suffisamment spacieux pour quatre personnes. Que ce soit pour la tête ou les jambes, l'espace est adéquat, y compris pour des adultes. Mais son plus gros atout demeure son coffre, dont la contenance impressionne pour un véhicule d'à peine 4,3 mètres. Et avec un volume utile de 716 litres, il fait mieux que des véhicules de la catégorie supérieure comme le Hyundai Kona, le Mazda CX-30 ou le Subaru Crosstrek.

Bien qu'il ait l'allure d'un VUS sans en être réellement un, le Kicks pourrait se révéler un choix judicieux pour une utilisation quotidienne. Mais si le prix de vente est déterminant dans votre choix et que vous pouvez vous passer de la traction intégrale et d'une position de conduite surélevée, vous pourriez regarder du côté de la Nissan Versa. Possédant la même motorisation et un rouage à traction, elle est vendue à un prix encore plus intéressant.

### Données principales

| | |
|---|---|
| Emp. / lon. / lar. / haut. | 2 620 / 4 309 / 1 760 / 1 609 mm |
| Coffre / réservoir | 716 litres / 41 litres |
| Nombre de passagers | 5 |
| Suspension av. / arr. | ind., jambes force / semi-ind., poutre torsion |
| Pneus avant / arrière | P205/60R16 / P205/60R16 |
| Poids / Capacité de remorquage | 1 224 kg / non recommandé |

### Composantes mécaniques

| | |
|---|---|
| Cylindrée, alim. | 4L 1,6 litre atmos. |
| Puissance / Couple | 125 ch / 115 lb-pi |
| Tr. base (opt) / Rouage base (opt) | CVT / Tr |
| 0-100 / 80-120 / V. max | 10,7 s (m) / 9,4 s (m) / n.d. |
| 100-0 km/h | 43,3 m (m) |
| Type / ville / route / $CO_2$ | Ord / 7,7 / 6,6 / 169 g/km |

| | |
|---|---|
| ✚ Bon espace intérieur • Très grand coffre pour la catégorie • Bien équipé pour le prix payé | Pas de traction intégrale disponible • Performances un peu justes surtout quand le véhicule est chargé |

Photos : Nissan

# Une bonne feuille de route

Louis-Philippe Dubé

**Prix:** 44 298 $ à 52 898 $ (2021)
**Transport et prép.:** 1 950 $
**Catégorie:** Compactes
**Garanties:** 3/60, 5/100
**Assemblage:** États-Unis

**Ventes**
Québec 2020
890
**45 %** ▼

Canada 2020
1 534
**46 %** ▼

|  | SV | S Plus | SL Plus |
|---|---|---|---|
| PDSF | 44 298 $ | 46 898 $ | 52 898 $ |
| Loc. | 509 $ • 3,99 % | 554 $ • 3,99 % | 657 $ • 3,99 % |
| Fin. | 778 $ • 3,99 % | 833 $ • 3,99 % | 960 $ • 3,99 % |

Sécurité · Consommation

Appréciation générale · Fiabilité prévue · Agrément de conduite

**Équipement**

**Sécurité**

**Concurrents**
Chevrolet Bolt EV/Bolt EUV,
Hyundai Kona électrique,
Kia Niro EV/Soul EV, Tesla Model 3

**Nouveau en 2022**
Aucun changement majeur annoncé
au moment de mettre sous presse.

La Nissan Leaf n'est pas la voiture électrique qui fait le plus de bruit ces temps-ci — au sens propre et figuré. Pendant que tous les constructeurs font du tapage concernant de nouveaux modèles électriques, la Leaf poursuit son chemin relativement inchangée pour 2022.

Cette grande pionnière du monde des bagnoles électriques compte de nombreux adeptes aux quatre coins du monde. Mais avec les nouveautés qui envahissent le marché à grands coups de commodités, technologies et autonomie, la Leaf se trouve dans une situation de rivalité compromettante, malgré sa bonne feuille de route.

### MOINS CHAMPIONNE QU'AUTREFOIS

Sur le plan mécanique, le modèle de base SV est armé d'une motorisation qui développe 147 chevaux et 236 lb-pi de couple. Une batterie de 40 kWh dans ce même modèle lui permet de parcourir 240 km. Pour les modèles « Plus », soit les variantes supérieures du catalogue Leaf, on parle d'une puissance de 214 chevaux et d'un couple de 250 lb-pi. Plus d'autonomie est prévue avec ces modèles, jusqu'à 363 km.

Si vous suivez le moindrement l'actualité automobile des derniers mois, vous avez probablement remarqué que ces données sont inférieures à la moyenne des annonces faites par les multiples constructeurs qui font le saut vers l'électrification de leur gamme. Mais soyons réalistes, 363 km, c'est amplement d'autonomie. Et avec un sprint de 0 à 100 km/h pouvant s'exécuter en 8 secondes, la Leaf n'est résolument pas lâche pour sa classe.

Ce qu'on peut lui reprocher, c'est sa dynamique de conduite qui manque de saveur, avec une direction un peu floue dans certaines situations. Conduire la Leaf avec l'e-Pedal, qui permet de ralentir la voiture sans se servir de la pédale de frein, procure un sentiment gratifiant au conducteur (on régénère la batterie et on épargne sur l'usure des plaquettes!)

Une chose qui s'est améliorée au fil des ans sur le plan mécanique, c'est la vitesse de recharge. En effet, la Leaf peut maintenant être complètement rechargée en huit heures (11,5 heures pour le modèle Plus), sur une borne de niveau 2. Si vous enfichez la Leaf sur une borne de niveau 3, elle retrouvera 80 % de sa charge en 40 minutes, tandis que le modèle Plus prendra une

heure pour se rendre au même pourcentage. Rappelons qu'il fallait, selon Nissan, 7 heures sur une borne de niveau 2 pour atteindre 172 km avec le modèle précédent.

Il est impossible de faire l'essai d'un véhicule électrique sans aborder la question de la perte d'autonomie en hiver. La Leaf se comporte de manière similaire à ses rivales, et perd en moyenne 30 à 40 % selon l'utilisation et la température extérieure. Rappelons que l'auto est munie d'une thermopompe qui contribue à limiter la perte d'énergie par grands froids pour réchauffer l'habitacle.

## UN HABITACLE TOUT À FAIT CONFORTABLE

Le point fort de l'habitacle de la Leaf est sans contredit sa sellerie. Avec des sièges rembourrés aux bons endroits qui offrent un confort quasi exemplaire pour une voiture de cette catégorie, passer toute la durée de l'autonomie de la Leaf sur la route ne constitue pas une corvée. Cette qualité va de pair avec l'isolation franchement réussie dans l'habitacle. L'ouverture du hayon à l'arrière fait de la Leaf un excellent allié pour transporter des marchandises, avec un total de 668 litres lorsqu'elle est pleine de passagers, mais qui peut s'étendre jusqu'à 850 litres avec les sièges arrière rabattus.

Par contre, côté technologie, ça se gâte un peu. Avec la prolifération des écrans tactiles surdimensionnés, des finitions travaillées et des groupes d'instruments entièrement numériques, la Leaf demeure un tantinet rudimentaire. La planche de bord est majoritairement composée de plastique dur, et l'écran du système d'infodivertissement ainsi que le bloc d'instruments pourraient gagner en résolution. La combinaison des commandes à l'écran, des boutons analogiques et les commandes au volant rend la Leaf docile sur le plan de l'ergonomie. C'est l'un des avantages du *statu quo* !

La concurrence est en train de dépasser la Leaf sur le plan technique, mais elle a tout de même une bonne feuille de route au cours de sa décennie d'existence — en plus d'avoir été un excellent banc d'essai pour Nissan et la communauté automobile en général de par son expérience sur la route. Elle est polyvalente et confortable pour les longs trajets (dans la mesure de son autonomie). Par contre, *Le Guide de l'auto* contient un tas de nouveaux véhicules électriques qui méritent d'être évalués et comparés avant de faire un choix éclairé !

### Données principales

| | |
|---|---|
| Emp. / lon. / lar. / haut. | 2 700 / 4 480 / 1 790 / 1 560 mm |
| Coffre | 668 à 850 litres |
| Nombre de passagers | 5 |
| Suspension av. / arr. | ind., jambes force / semi-ind., barres torsion |
| Pneus avant / arrière | P215/50R17 / P215/50R17 |
| Poids / Capacité de remorquage | 1 626 kg / non recommandé |

### Composantes mécaniques

**SV**

| | |
|---|---|
| Puissance / Couple | 147 ch (110 kW) / 236 lb-pi |
| Tr. base (opt) / Rouage base (opt) | Rapport fixe / Tr |
| 0-100 / 80-120 / V. max | 8,4 s (m) / 6,3 s (m) / n.d. |
| 100-0 km/h | 43,0 m (m) |
| Consommation équivalente | 2,1 Le/100 km |
| Type de batterie | Lithium-ion (Li-ion) |
| Énergie | 40,0 kWh |
| Temps de charge (120V / 240V / 400V) | 35,0 h / 8,0 h / 0,7 h |
| Autonomie | 240 km |

**S PLUS, SV PLUS, SL PLUS**

| | |
|---|---|
| Puissance / Couple | 214 ch (160 kW) / 250 lb-pi |
| Tr. base (opt) / Rouage base (opt) | Rapport fixe / Tr |
| 0-100 / 80-120 / V. max | 8,0 s (m) / 5,4 s (m) / n.d. |
| 100-0 km/h | 43,0 m (m) |
| Consommation équivalente | 2,2 Le/100 km |
| Type de batterie | Lithium-ion (Li-ion) |
| Énergie | 62,2 kWh |
| Temps de charge (240V / 400V) | 11,0 h / 1,0 h |
| Autonomie | 363 km |

+ Espace de chargement polyvalent • Habitacle confortable

− Technologie dépassée dans l'habitacle • Finition intérieure moins désirable • Autonomie et puissance dorénavant inférieures à plusieurs rivales

Photos : Nissan

## Changement de cap

Charles Jolicœur

**Prix:** 41 440 $ à 46 100 $ (2021)
**Transport et prép.:** 1 830 $
**Catégorie:** Grandes berlines
**Garanties:** 3/60, 5/100
**Assemblage:** États-Unis

**Ventes**

Québec 2020
**104**
↓ 31 %

Canada 2020
**851**
↓ 12 %

|  | SL | SR | Platine |
|---|---|---|---|
| **PDSF** | 41 440 $ | 44 490 $ | 46 100 $ |
| **Loc.** | 592 $ • 2,90 % | 643 $ • 2,90 % | 677 $ • 2,90 % |
| **Fin.** | 872 $ • 1,90 % | 933 $ • 1,90 % | 966 $ • 1,90 % |

Sécurité    Consommation

Appréciation générale    Fiabilité prévue    Agrément de conduite

### Équipement

### Sécurité

### Concurrents
Chrysler 300, Dodge Charger, Kia Stinger

### Nouveau en 2022
Aucun changement majeur annoncé au moment de mettre sous presse.

**M**ême si elle n'est pas dépourvue de qualités, la Maxima voit ses ventes chuter année après année, tout comme les autres grandes berlines de son segment, et son avenir est plus qu'incertain.

Introduite sous sa forme actuelle en 2015 et légèrement retouchée en 2019, la Maxima est sur le point d'être revue, mais on ne sait pas encore ce que l'avenir réserve à ce qui était jadis l'une des voitures phares de la gamme Nissan. Les rumeurs laissent entendre qu'une berline 100 % électrique portant le nom Maxima viendrait remplacer la berline actuelle au courant de 2022, bien que rien ne soit confirmé au moment d'écrire ces lignes. Il vaut donc mieux se concentrer sur la Maxima actuelle, un véhicule qui vise un type d'acheteur particulier à la recherche d'une voiture confortable, spacieuse, et offrant un bon niveau de luxe à un prix relativement accessible. En ce sens, la Maxima demeure un choix intéressant et si vous êtes ce type d'acheteur, elle mérite un essai routier.

### 300 CHEVAUX AUX ROUES AVANT
Il ne faut pas vouloir de rouage intégral cependant, car la Maxima est à traction seulement. Il s'agit d'ailleurs d'un défaut important de la voiture, mais d'un autre côté, elle n'est pas la seule de sa catégorie à être offerte uniquement avec deux roues motrices. Son V6 de 3,5 litres transmet 300 chevaux et 261 lb-pi aux roues avant sans trop d'effet de couple et de manière très linéaire. Les 300 chevaux ne sont pas pressés de se rendre à la route, notamment en raison d'une boîte CVT plutôt axée sur le confort, néanmoins les performances demeurent tout de même bonnes. Mentionnons d'ailleurs que ce V6 a prouvé depuis longtemps sa fiabilité et sa durabilité. La Nissan Maxima n'est pas un véhicule à problème.

Il n'y a aucun doute qu'elle bénéficierait de la traction intégrale, surtout en conduite hivernale. Rien n'équivaut à la stabilité et à la confiance qu'inspire un système à quatre roues motrices sur une route mouillée ou enneigée. De plus, la petite sœur de la Maxima, l'Altima, offre la traction intégrale de série tout en restant confortable et raffinée.

Malgré tout, sur une route dégagée, la Maxima propose une conduite douce avec un silence de roulement intéressant et une suspension bien calibrée. Pour enfiler des centaines de kilomètres sur l'autoroute, la Maxima est un

excellent choix. Elle se débrouille également sur une route sinueuse, sans être nécessairement sportive. Les sièges zéro gravité au support formidable, même après plusieurs heures, sont en cuir, de série. Le volant chauffant, les sièges arrière chauffants et la climatisation à deux zones, tous de série aussi, viennent agrémenter le confort du modèle d'entrée de gamme. Derrière le volant, on remarque la console centrale encore au goût du jour malgré l'âge de la voiture et il ne manque pas trop de technologies de pointe. La Maxima n'est pas équipée de système de conduite assistée du genre ProPILOT, cependant, elle possède tous les systèmes de sécurité active qu'on voudrait comme l'avertisseur de sortie de voie, l'aide au maintien dans la voie, le freinage intelligent avant et arrière et la surveillance des angles morts. On a aussi droit au régulateur de vitesse adaptatif sans frais supplémentaire.

Bref, la Maxima offre un bon niveau d'équipement, même dans le modèle de base. En contrepartie, avec un prix de départ de plus de 43 000 $ (transport et préparation inclus), on s'éloigne d'une aubaine. De plus, la dépréciation importante de sa valeur rend la Maxima assez difficile à revendre. Donc, un démonstrateur ou un véhicule légèrement usagé restent les meilleures options d'un point de vue financier.

## UN STYLE QUI SE DÉMARQUE

Si vous êtes un amateur de voiture, il se peut très bien que vous remarquiez la Nissan Maxima sur la route. Encore aujourd'hui, on peine à croire qu'elle a sept ans. Sa silhouette exige par contre quelques compromis, particulièrement en ce qui a trait à la visibilité aux trois quarts arrière. De plus, le dégagement pour la tête souffre de la ligne de toit plongeante, de sorte que des passagers plus grands devront peut-être replacer leurs cheveux après une longue balade. Le coffre, petit pour une voiture de cette taille — un peu plus de 400 litres seulement — offre moins d'espace de chargement qu'une Nissan Versa.

La Nissan Maxima a déjà été la référence des berlines pleine grandeur et elle a donné beaucoup à son constructeur et à ses propriétaires. Aujourd'hui, les temps évoluent et l'industrie change de cap. La Maxima devra suivre ces changements sinon elle sera portée à disparaître. Cependant, il y a fort à parier que Nissan n'abandonnera pas un modèle avec autant d'histoire. Alors, la rumeur d'une prochaine Maxima électrifiée n'est pas du tout farfelue.

### Données principales

| | |
|---|---|
| Emp. / lon. / lar. / haut. | 2 775 / 4 897 / 1 860 / 1 436 mm |
| Coffre / réservoir | 405 litres / 68 litres |
| Nombre de passagers | 5 |
| Suspension av. / arr. | ind., jambes force / ind., multibras |
| Pneus avant / arrière | P245/45R18 / P245/45R18 |
| Poids / Capacité de remorquage | 1 679 kg / non recommandé |

### Composantes mécaniques

| | |
|---|---|
| Cylindrée, alim. | V6 3,5 litres atmos. |
| Puissance / Couple | 300 ch / 261 lb·pi |
| Tr. base (opt) / Rouage base (opt) | CVT / Tr |
| 0-100 / 80-120 / V. max | 7,3 s (est) / 5,7 s (est) / n.d. |
| 100-0 km/h | 41,7 m (est) |
| Type / ville / route / $CO_2$ | Sup / 11,6 / 7,9 / 233 g/km |

➕ Style et habitacle toujours modernes • Bon confort • Beaucoup d'équipement de série • Moteur performant

➖ Modèle en fin de carrière • Forte dépréciation • Pas de rouage intégral • Pas de moteur hybride

Photos: Nissan

# 20 ans

Antoine Joubert

**Prix:** 34 098 $ à 46 898 $ (2021)
**Transport et prép.:** 1 860 $
**Catégorie:** VUS intermédiaires
**Garanties:** 3/60, 5/100
**Assemblage:** États-Unis

**Ventes**
Québec 2020
**1 510**
↓ **23 %**

Canada 2020
**8 091**
↓ **32 %**

| | S | SV TI | Platine TI |
|---|---|---|---|
| **PDSF** | 34 098 $ | 40 098 $ | 46 898 $ |
| **Loc.** | 457 $ • 2,50 % | 542 $ • 2,50 % | 630 $ • 2,50 % |
| **Fin.** | 707 $ • 0,90 % | 825 $ • 0,90 % | 958 $ • 0,90 % |

Sécurité · Consommation

Appréciation générale · Fiabilité prévue · Agrément de conduite

**Équipement**

**Sécurité**

**Concurrents**

Chevrolet Blazer, Ford Bronco/Edge,
GMC Acadia, Honda Passport,
Hyundai Santa Fe, Jeep Grand Cherokee,
Kia Sorento, Toyota Venza,
Volkswagen Atlas Cross Sport

**Nouveau en 2022**

Aucun changement majeur annoncé
au moment de mettre sous presse.
Renouvellement du modèle prévu en 2023.

---

**L**e Nissan Murano fête ses 20 ans en 2022. On se souviendra qu'à son arrivée au printemps 2002, ce *crossover* (qualificatif jadis à la mode) avait fait sensation avec son design audacieux, ce qui fut aussi le cas pour la berline Altima et l'utilitaire Infiniti FX35. Avouons-le, Nissan avait le vent dans les voiles à ce moment-là, même si la qualité de certains de ses produits laissait à désirer...

Débarqué bien avant la plupart de ses rivaux, le Murano s'est toutefois distingué en étant précurseur d'un segment maintenant très en vogue. En effet, la quasi-totalité de ses concurrents les plus sérieux est apparue plus tard, exception faite de la Subaru Outback, laquelle demeure cependant unique en son genre. Voilà donc sans doute ce qui explique le succès du Murano qui, encore aujourd'hui, possède une ou deux bonnes cartes dans son jeu. Hélas, tout bon joueur de poker vous confirmera qu'il ne suffit pas d'une bonne main pour tirer son épingle du jeu. La stratégie y est aussi pour quelque chose, un point sur lequel Nissan a lamentablement échoué ces dernières années.

### PRATIQUEMENT INCHANGÉ

Du côté du Murano, retenez d'abord que Nissan est tombé dans le piège de la surproduction, affectant conséquemment la valeur de son produit. Plusieurs unités se sont donc retrouvées dans les parcs de location à court terme, lesquels allaient ensuite être écoulés aux encans spécialisés. Cela dit, le fait d'avoir étiré trop longtemps un modèle dont le design comme la technologie a rapidement vieilli, explique sans doute notre déception le concernant. Il faut dire qu'en 2022, le Murano nous revient pratiquement inchangé pour une huitième année, période au cours de laquelle le Kia Sorento s'est par exemple renouvelé à deux reprises.

Bien qu'on lui préfère davantage les Ford Edge, Hyundai Sante Fe ou Toyota Venza, le Murano continue d'intéresser la clientèle. Parmi ses points forts, impossible de ne pas souligner le confort des sièges. Clairement, Nissan se démarque en la matière, et ce, même si la qualité des matériaux les recouvrant ne vaut pas celle de plusieurs rivaux. L'espace aux places arrière représente un atout, car les occupants auront le dégagement nécessaire.

Pour certains, le moteur V6 de 260 chevaux constitue également un atout sérieux, ce dernier proposant une fiabilité qui ne peut être égalée par un

4 cylindres turbocompressé. On ne peut hélas en dire autant de la boîte automatique à variation continue, un des principaux irritants de ce modèle, tant pour l'élasticité de son rendement que sa fiabilité. Ainsi, que vous optiez pour un modèle à deux ou quatre roues motrices, ne vous attendez pas à une conduite très inspirante. Sans compter que la direction est molle, donnant presque l'impression d'être déconnectée de la route.

## DU NEUF AVEC DU VIEUX

Les signes de vieillesse les plus avancés se situent clairement au chapitre de l'habitacle, où la présentation comme les illustrations graphiques ne sont pas dignes d'un tel véhicule vendu en 2022. Oh certes, Nissan nous vante les avantages d'Apple CarPlay et des multiples dispositifs de sécurité active, mais qui n'offre pas aujourd'hui pareilles technologies? Ajoutons que les matériaux utilisés sont de facture ordinaire, certains traversant d'ailleurs plutôt mal l'épreuve du temps. À preuve, il suffit de jeter un œil à un modèle 2015 de 100 000 ou 120 000 km pour parfois constater une usure prématurée de l'habitacle.

Évidemment, ce genre d'observation peut facilement passer au second rang pour quelqu'un qui cible la location ou qui ne recherche que le plus bas prix possible. Un facteur qui a d'ailleurs permis à Nissan d'écouler une quantité considérable de Murano, lesquels se vendent à prix imbattables. À titre d'exemple, vous obtiendrez en location un Murano SV à rouage intégral pour à peine 30 $ par mois de plus qu'un Rogue équivalent, ou au prix d'un Toyota RAV4 XLE AWD, soit pour environ 550 $ taxes incluses, sur un terme de quatre ans.

On peut ainsi comprendre pourquoi plusieurs acheteurs jettent encore leur dévolu sur ce modèle, pour lequel la liste d'avantages s'écourte hélas d'année en année. Fort heureusement, la carrière du Murano actuel s'achève. Il faut donc s'attendre pour 2023 à une toute nouvelle génération sur laquelle on risque fort de voir disparaître le moteur V6. Attendez-vous en fait à ce que l'on y exploite le 4 cylindres de l'Infiniti QX50/55, seul moteur du groupe capable de donner la réplique aux mécaniques turbocompressées de la concurrence.

En attendant, difficile de recommander l'achat d'un véhicule aussi vieillissant et techniquement dépassé, alors que la concurrence féroce — et impressionnante — offre indéniablement mieux. Il n'y a en fait que le prix qui puisse faire pencher en sa faveur, ce qui, bien sûr, demeure un argument de taille.

**+** Prix compétitif • Confort des sièges • Moteur V6 fiable et peu gourmand

Conception dépassée • Rendement et fiabilité de la boîte CVT • Conduite pantouflarde • Capacité de remorquage de seulement 1 500 lb

### Données principales

| | |
|---|---|
| Emp. / lon. / lar. / haut. | 2 825 / 4 890 / 1 916 / 1 722 mm |
| Coffre / réservoir | 880 à 1 897 litres / 72 litres |
| Nombre de passagers | 5 |
| Suspension av. / arr. | ind., jambes force / ind., multibras |
| Pneus avant / arrière | P235/65R18 / P235/65R18 |
| Poids / Capacité de remorquage | 1 734 kg / 680 kg (1 500 lb) |

### Composantes mécaniques

| | |
|---|---|
| Cylindrée, alim. | V6 3,5 litres atmos. |
| Puissance / Couple | 260 ch / 240 lb-pi |
| Tr. base (opt) / Rouage base (opt) | CVT / Tr (Int) |
| 0-100 / 80-120 / V. max | 8,6 s (m) / 6,0 s (m) / n.d. |
| 100-0 km/h | 39,9 m (m) |
| Type / ville / route / CO₂ | **Tr** - Ord / 11,7 / 8,3 / 240 g/km |
| | **Int** - Ord / 12,0 / 8,5 / 245 g/km |

# Enfin une vraie transmission

Germain Goyer

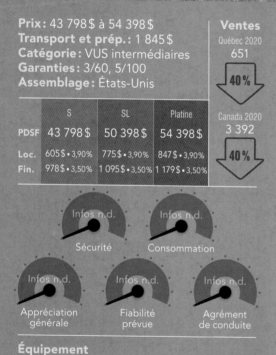

**Prix :** 43 798 $ à 54 398 $
**Transport et prép. :** 1 845 $
**Catégorie :** VUS intermédiaires
**Garanties :** 3/60, 5/100
**Assemblage :** États-Unis

**Ventes**

Québec 2020
651
⬇ 40 %

Canada 2020
3 392
⬇ 40 %

|  | S | SL | Platine |
|---|---|---|---|
| PDSF | 43 798 $ | 50 398 $ | 54 398 $ |
| Loc. | 605 $ • 3,90 % | 775 $ • 3,90 % | 847 $ • 3,90 % |
| Fin. | 978 $ • 3,50 % | 1 095 $ • 3,50 % | 1 179 $ • 3,50 % |

| Infos n.d. | Infos n.d. |
|---|---|
| Sécurité | Consommation |

| Infos n.d. | Infos n.d. | Infos n.d. |
|---|---|---|
| Appréciation générale | Fiabilité prévue | Agrément de conduite |

## Équipement

## Sécurité

## Concurrents

Chevrolet Traverse, Dodge Durango,
Ford Explorer, GMC Acadia, Honda Pilot,
Hyundai Palisade, Kia Telluride,
Mazda CX-9, Subaru Ascent,
Toyota Highlander, Volkswagen Atlas

## Nouveau en 2022

Nouvelle génération du modèle.

**P**ratiquement inchangé depuis 2013, le Pathfinder était plus que dû pour une cure de rajeunissement. Avec le Dodge Durango, il faisait partie des plus vieux véhicules du segment des VUS intermédiaires à trois rangées de sièges. Pour 2022, on a remédié à la situation en débarquant avec la cinquième génération du Pathfinder.

Rappelons qu'il a été dévoilé conjointement avec le nouveau Frontier. Force est d'admettre que ces deux nouveaux produits provoqueront l'effet d'une vague de fraîcheur au sein de la gamme du constructeur japonais, qui en avait bien besoin.

Sous le capot du Pathfinder 2022, la formule est essentiellement la même. Autrement dit, on a droit à un seul moteur : un V6 de 3,5 litres, bon pour 284 chevaux et 259 lb-pi. Malheureusement, le fabricant est demeuré muet sur la possible venue d'une version électrifiée. Cela étant, c'est au chapitre de la transmission que l'on retrouve la principale nouveauté.

La précédente génération du modèle était dotée d'une transmission automatique à variation continue. Largement critiquée pour son rendement et sa fiabilité, elle a été remplacée par une transmission automatique étagée sur 9 rapports. Il sera intéressant de constater l'évolution du comportement du véhicule grâce à ce qui nous paraît être une amélioration majeure.

Côté du design, le Pathfinder représente une évolution comparativement à la génération qui vient de nous quitter. Sans surprise, on retrouve certains éléments stylistiques empruntés au Rogue. Sans étonnement non plus, la partie avant est munie d'une calandre en V, la signature de la marque. Les phares à DEL sont de série. Lorsque l'on pose notre regard sur l'arrière, il est clair qu'il s'agit d'un Pathfinder : les lettres qui composent son nom sont affichées en gros format sur le hayon.

À bord, ce VUS signé Nissan peut accueillir sept ou huit occupants. En effet, bien qu'il soit livré de série avec une banquette coulissante et rabattable à la deuxième rangée, les consommateurs peuvent opter pour des sièges capitaine. Ceux-ci sont séparés par une console centrale amovible. Nous espérons que l'accès à la troisième rangée sera facile.

Notons également que le nouveau Pathfinder peut être équipé d'un tableau de bord numérique de 12,3 pouces en option. Quant au système d'infodivertissement, il est jumelé à un écran tactile de 9 pouces. On croise les doigts pour que son infographie soit plus moderne que par le passé et que son utilisation soit plus conviviale. Le système d'assistance à la conduite ProPILOT et le bouclier de sécurité 360 font partie de l'équipement de série. Mentionnons que les déclinaisons suivantes seront proposées : S, SV, SL et Platine. Elles seront toutes munies du rouage intégral.

### UNE CAPACITÉ DE REMORQUAGE QUI DEMEURE

L'ancienne génération du Pathfinder se démarquait par sa capacité de remorquage de 6 000 lb, ce qui était supérieur à l'offre de la plupart de ses concurrents. Soulignons que pour le modèle de nouvelle génération, cette même capacité est au rendez-vous. Il y a fort à parier que le remorquage pourra se faire de manière plus douce et aisée grâce à la nouvelle transmission automatique.

Rappelons que cette dernière a été introduite pour la première fois avec la camionnette Titan. Bien que le manufacturier affirme que le véhicule puisse remorquer autant, nous vous conseillons de demeurer vigilant lorsque vous remorquez avec le Pathfinder, car il n'est pas rare de croiser des modèles de génération actuelle remorquant une roulotte et de constater que la partie arrière est complètement affaissée.

### À QUAND UN RETOUR VERS L'AUTHENTIQUE 4X4 ?

L'introduction de la quatrième génération en 2013 a été un moment décisif pour le Pathfinder puisqu'il troquait son traditionnel châssis en échelle en échange d'une plate-forme monocoque. Celui qui était un véritable utilitaire robuste est devenu un VUS parmi tant d'autres. En quelque sorte, Nissan a parié qu'il était plus profitable de se mettre à dos une poignée d'irréductibles amateurs d'utilitaires traditionnels et de conquérir le marché des VUS intermédiaires qui brillent par leur confort et l'espace à bord.

C'est une stratégie d'affaires tout à fait défendable. En revanche, Nissan aurait tout intérêt, en ce moment, à rapporter un authentique 4X4 au sein de sa gamme de véhicules. Quand on constate le succès que connaissent les Toyota 4Runner, Jeep Wrangler et Ford Bronco, un Xterra modernisé serait le bienvenu.

| Données principales | |
|---|---|
| Emp. / lon. / lar. / haut. | 2 900 / 5 020 / 1 978 / 1 766 mm |
| Coffre / réservoir | 470 à 2 280 litres / 70 litres |
| Nombre de passagers | 7 à 8 |
| Suspension av. / arr. | ind., jambes force / ind., multibras |
| Pneus avant / arrière | P255/60R18 / P255/60R18 |
| Poids / Capacité de remorquage | 2 031 kg / 2 722 kg (6 000 lb) |

| Composantes mécaniques | |
|---|---|
| Cylindrée, alim. | V6 3,5 litres atmos. |
| Puissance / Couple | 284 ch / 259 lb·pi |
| Tr. base (opt) / Rouage base (opt) | A9 / Int |
| 0-100 / 80-120 / V. max | 7,5 s (est) / 5,6 s (est) / n.d. |
| 100-0 km/h | 40,8 m (est) |
| Type / ville / route / $CO_2$ | Ord / 11,6 / 9,2 / 246 g/km |

+ V6 éprouvé • Transmission automatique au lieu de la CVT • Capacité de remorquage intéressante

− Absence de version électrifiée

## NISSAN **QASHQAI**

★★★☆ COTE DU **GUIDE**

**Prix:** 21 998 $ à 33 998 $ (2021)
**Transport et prép.:** 1 950 $
**Catégorie:** VUS sous-compacts
**Garanties:** 3/60, 5/100
**Assemblage:** Royaume-Uni

**Ventes**
Québec 2020
3 611
⬇ 40 %

Canada 2020
11 073
⬇ 40 %

| | S | SV TI | SL Platine TI |
|---|---|---|---|
| **PDSF** | 21 998 $ | 28 998 $ | 33 998 $ |
| **Loc.** | 328 $ • 1,90 % | 432 $ • 1,90 % | 501 $ • 1,90 % |
| **Fin.** | 472 $ • 0,90 % | 612 $ • 0,90 % | 710 $ • 0,90 % |

Sécurité     Consommation

Appréciation générale    Fiabilité prévue    Agrément de conduite

### Équipement

### Sécurité

### Concurrents

Buick Encore GX, Chevrolet Trailblazer,
Ford EcoSport, Honda HR-V, Hyundai Kona,
Jeep Renegade, Kia Niro/Seltos,
Mazda CX-30, Mitsubishi Eclipse Cross/RVR,
Subaru Crosstrek, Volkswagen Taos

### Nouveau en 2022

Aucun changement majeur. Nouvelle génération
attendue en cours d'année 2022 comme
modèle 2023.

# Année de transition

Frédéric Mercier

**O**n attendait une nouvelle génération du Qashqai pour 2022. Il faudra vraisemblablement patienter encore un peu avant que cela se concrétise, puisque le VUS sous-compact de Nissan nous revient sans changement majeur cette année.

Pourtant, un Qashqai entièrement remodelé roule déjà sur le territoire européen, et ce n'est qu'une question de temps avant de le voir débarquer en Amérique du Nord. Le modèle actuel en est donc à ses derniers tours de roue, et il est légitime de se demander s'il est mieux d'attendre l'arrivée du prochain Qashqai avant de signer un contrat chez votre concessionnaire.

### SÉDUITS PAR SON PRIX

Offert chez nous depuis 2017, le Nissan Qashqai n'a que très peu changé au fil des années, si ce n'est une refonte esthétique assez subtile qu'on lui a apportée en 2020. Il abrite la même motorisation à 4 cylindres de 2 litres, bonne pour 141 chevaux et 147 lb-pi. Les accélérations sont très moyennes, mais le petit VUS se rattrape avec un comportement routier assez vigoureux et une direction communicative que l'on se surprend à apprécier.

Malgré tout, le Qashqai n'est plus la saveur du mois dans sa catégorie. D'autres véhicules plus récents ont désormais une meilleure intégration technologique ainsi qu'un choix de motorisations plus exhaustif. Bref, on ne se tourne pas vers ce modèle pour ses qualités, mais pour son prix. Vendu à un prix de départ d'environ 22 000 $ et généralement accompagné de taux d'intérêt avantageux, le Qashqai fait partie des modèles les plus abordables de son segment. Il est aussi l'un des rares à continuer d'offrir une transmission manuelle, caractéristique qui sera vraisemblablement abandonnée lors de l'avènement de la prochaine génération.

Le Qashqai d'entrée de gamme est donc bon pour le portefeuille, mais il y a de petites concessions à faire. Au prix le plus bas, on n'a droit qu'à une version à deux roues motrices, et il faut débourser un extra de 2 500 $ pour une transmission automatique. C'est alors une boîte à variation continue (CVT) qui s'occupe d'envoyer la puissance du moteur jusqu'aux roues avant. Pour bénéficier du rouage intégral, il faut allonger 4 000 $ supplémentaires par rapport à la version de base S, ou bien choisir les variantes SL ou SL Platine, qui proposent les quatre roues motrices de série. Soulignons

que la boîte manuelle ne peut pas être commandée avec les moutures à rouage intégral. Dommage...

En montant à bord du Qashqai, on est surpris par un espace intérieur plutôt généreux. À l'avant comme à l'arrière, il y a de la place pour les jambes et le dégagement à la tête ne pose aucun problème. L'histoire se répète dans le coffre, où le volume de chargement est plus qu'acceptable pour un véhicule de ce gabarit. Cependant, on comprend rapidement que le véhicule est dû pour un petit rafraîchissement. La présentation intérieure est sobre et les plastiques bon marché sont trop nombreux. Au centre de la console, un système d'infodivertissement désuet vient miner l'expérience utilisateur avec des graphiques dépassés et un système d'exploitation trop lent. Au moins, la connectivité aux applications Android Auto et Apple CarPlay est de série.

## LA SÉCURITÉ AU RENDEZ-VOUS

Malgré quelques rides, le Nissan Qashqai ne donne pas sa place en matière de sécurité. Toutes les versions sont équipées de série de ce que Nissan appelle son bouclier de sécurité 360, qui regroupe plusieurs technologies de sécurité active. Tous les Qashqai sont donc munis d'un système de freinage automatique avec détection des piétons, d'un système de surveillance des angles morts, d'un système de suivi de voie, de feux de route automatiques et d'une alerte de circulation transversale arrière. De nos jours, ce genre de technologies est offert sur à peu près tous les modèles, mais on les retrouve souvent parmi la liste des options. En le proposant de série sur toute sa gamme, le Qashqai joue très bien ses cartes.

Qui plus est, le petit VUS nippon est aussi livrable avec le système d'assistance à la conduite ProPILOT. Le système n'est toutefois pas conçu pour remplacer le conducteur, et celui-ci doit impérativement garder les mains sur le volant en tout temps. On est encore loin de la conduite autonome! Plus concrètement, le Nissan Qashqai nous a également étonnés par l'efficacité de son freinage. Lors de nos essais, nous avons mesuré une distance de 37,4 mètres pour un arrêt de 100 à 0 km/h.

À l'aube d'un renouvellement, le Nissan Qashqai 2022 n'est pas le plus alléchant de sa catégorie. Cela dit, sa facture très raisonnable et son équipement de série généreux en font tout de même un produit qu'il ne faut pas écarter trop vite. Si vous n'êtes pas pressé, on vous recommande d'attendre l'arrivée du modèle de prochaine génération.

| Données principales | |
|---|---|
| Emp. / lon. / lar. / haut. | 2 647 / 4 394 / 1 836 / 1 588 mm |
| Coffre / réservoir | 566 à 1 730 litres / 55 litres |
| Nombre de passagers | 5 |
| Suspension av. / arr. | ind., jambes force / ind., multibras |
| Pneus avant / arrière | P215/65R16 / P215/65R16 |
| Poids / Capacité de remorquage | 1 475 kg / non recommandé |

| Composantes mécaniques | |
|---|---|
| Cylindrée, alim. | 4L 2,0 litres atmos. |
| Puissance / Couple | 141 ch / 147 lb-pi |
| Tr. base (opt) / Rouage base (opt) | M6 (CVT) / Tr (Int) |
| 0-100 / 80-120 / V. max | 10,7 s (m) / 8,4 s (m) / n.d. |
| 100-0 km/h | 37,4 m (m) |
| Type / ville / route / $CO_2$ | **Tr Man** - Ord / 9,9 / 8,0 / 212 g/km |
| | **Tr Auto** - Ord / 8,8 / 7,3 / 191 g/km |
| | **Int Auto** - Ord / 9,0 / 7,6 / 197 g/km |

**+** Espace généreux •
Bon système de freinage •
Plusieurs technologies de
sécurité offertes de série

**−** Habitacle vieillissant •
Interface multimédia
dépassée • Accélérations
ennuyantes (CVT)

Photos: Nissan

# NISSAN **ROGUE**

★ ★ ★ ★ COTE DU **GUIDE**

**Prix :** 28 798 $ à 40 798 $ (2021)
**Transport et prép. :** 1 860 $
**Catégorie :** VUS compacts
**Garanties :** 3/60, 5/100
**Assemblage :** États-Unis, Japon

**Ventes**
Québec 2020
6 202
↓ 35 %

Canada 2020
25 998
↓ 30 %

|  | S | SV TI | SL Platine TI |
|---|---|---|---|
| **PDSF** | 28 798 $ | 34 598 $ | 40 798 $ |
| **Loc.** | 427 $ • 2,90 % | 524 $ • 2,90 % | 622 $ • 2,90 % |
| **Fin.** | 628 $ • 2,50 % | 746 $ • 2,50 % | 873 $ • 2,50 % |

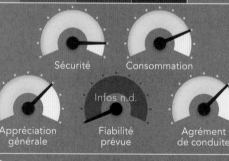

Sécurité     Consommation

Appréciation générale    Fiabilité prévue (Infos n.d.)    Agrément de conduite

## Équipement

## Sécurité

## Concurrents

Chevrolet Equinox, Ford Bronco Sport/Escape, GMC Terrain, Honda CR-V, Hyundai Tucson, Jeep Cherokee/Compass, Kia Sportage, Mazda CX-5, Mitsubishi Outlander, Subaru Forester, Toyota RAV4, Volks. Tiguan

## Nouveau en 2022

Aucun changement majeur annoncé au moment de mettre sous presse.

# À quand l'électrification ?

Jacques Bienvenue

**A**u moment de dévoiler le Rogue original au Salon de Detroit, en janvier 2007, personne chez Nissan ne pouvait prédire l'importance que prendrait ce modèle au fil du temps. Quinze ans plus tard, c'est pourtant lui qui domine, et de loin, les ventes de cette marque au pays.

Pour bien des consommateurs, il est l'alternative aux Toyota RAV4 et Honda CR-V, qui dominent les ventes des utilitaires compacts. Pour conserver ses parts de marché, Nissan a présenté une nouvelle génération du Rogue l'an dernier. Ce modèle revampé mise sur une silhouette au goût du jour, une dotation riche en dispositifs de sécurité et d'aides à la conduite, un comportement routier amélioré et une conception toujours aussi polyvalente. Tout cela repose cependant sur une motorisation unique qui tarde à s'électrifier.

Pour 2022, les formes anguleuses et massives fraîchement repensées restent inchangées. Cela va de soi. Il en va de même pour le choix de peintures deux tons, optionnelles, une fantaisie que le Rogue partage avec le Kicks, plus petit. Pour la version Platine, la plus cossue, un toit noir coiffe alors la carrosserie pour en rehausser l'apparence. Les Rogue S et SV, plus abordables, ne sont pas en reste pour autant. Leur dotation de série s'avère satisfaisante avec, entre autres, des roues en alliage, un climatiseur ainsi que des sièges avant et un volant chauffant.

### SOPHISTICATION TECHNIQUE AU RENDEZ-VOUS

Ces deux moutures disposent d'un ensemble bien fourni de « nounous » de sécurité et d'aides à la conduite : un avertisseur de collision frontale avec freinage automatique, des systèmes de détection de piétons et d'obstacles dans les angles morts, un sonar arrière et une alerte de trafic transversal arrière avec freinage d'urgence assisté. Pas surprenant que l'IIHS ait accordé à cet utilitaire la mention « Top Safety Pick+ », sa meilleure au chapitre de la sécurité. Quant au système de conduite semi-autonome ProPILOT, il demeure l'apanage des versions SV et Platine.

Un coup d'œil à l'habitacle révèle qu'il s'adresse à une clientèle friande de pixels. Un écran tactile « flottant », de 8 ou 9 pouces selon la version, domine le centre du tableau de bord. Derrière le volant, un second écran de 7 pouces indique que l'on conduit un modèle moins coûteux, car dans le Rogue

Platine, il s'étend sur 12,3 pouces. Cette version, enfin, procure aussi au conducteur un affichage tête haute de 10,8 pouces. L'intérieur spacieux convient à quatre adultes de taille moyenne, cinq au besoin. Avec un vaste dégagement pour les jambes et des portières qui s'ouvrent presque à 90 degrés, les places arrière sont particulièrement accueillantes.

Le coffre modulable a des volumes utiles (minimum et maximum) parmi les plus importants de cette catégorie. L'ouverture que découvre son hayon est haute et large, et il n'y a pas de seuil gênant. En outre, la capacité de remorquage atteint 1 350 lb pour toutes les versions du Rogue, qu'elles aient deux ou quatre roues motrices. Pour ceux qui en veulent davantage dans la gamme Nissan, il faudra se tourner vers le Pathfinder, un utilitaire de taille intermédiaire.

Sur la route, on découvre une servodirection au rapport de démultiplication rapide qui limite efficacement les corrections de trajectoire, alors que la suspension indépendante n'impose pas de roulis gênant dans les courbes. Quant au freinage, il donne le mordant voulu pour un véhicule à vocation familiale.

## UN MOTEUR UNIQUE

Cette troisième génération de Rogue est animée par un 4 cylindres de 2,5 litres peu gourmand. Ce moteur atmosphérique à injection directe transmet 181 chevaux aux roues motrices par le biais d'une boîte automatique à variation continue. La programmation de cette dernière simule d'ailleurs des changements de rapport, ce qui, la plupart du temps, évite les montées en régime qui s'éternisent et irritent les automobilistes réfractaires aux nouveaux paradigmes!

Pour certains, cette motorisation unique constitue toutefois le talon d'Achille du Rogue. Plusieurs utilitaires rivaux proposent, en effet, une plus grande variété de moteurs, dont certains sont plus pimpants. À cela s'ajoute la multiplication des modèles munis d'un groupe motopropulseur hybride plus économique. La popularité des RAV4, Tucson et Escape qui en sont dotés est d'ailleurs grandissante. C'est sans compter les variantes hybrides branchables de ces mêmes modèles qui ajoutent à l'économie de carburant une autonomie électrique alléchante. Parions que Nissan n'a pas dit son dernier mot à ce sujet.

| Données principales | |
|---|---|
| Emp. / lon. / lar. / haut. | 2 706 / 4 648 / 1 840 / 1 689 mm |
| Coffre / réservoir | 1 028 à 2 098 litres / 55 litres |
| Nombre de passagers | 5 |
| Suspension av. / arr. | ind., jambes force / ind., multibras |
| Pneus avant / arrière | P235/65R17 / P235/65R17 |
| Poids / Capacité de remorquage | 1 536 kg / 612 kg (1 350 lb) |

| Composantes mécaniques | |
|---|---|
| Cylindrée, alim. | 4L 2,5 litres atmos. |
| Puissance / Couple | 181 ch / 181 lb-pi |
| Tr. base (opt) / Rouage base (opt) | CVT / Tr (Int) |
| 0-100 / 80-120 / V. max | 9,9 s (m) / 7,1 m (s) / n.d. |
| 100-0 km/h | 41,7 m (m) |
| Type / ville / route / $CO_2$ | **Tr** - Ord / 8,9 / 7,0 / 189 g/km |
| | **Int** - Ord / 9,2 / 7,2 / 195 g/km |

+ Moteur peu gourmand • Intérieur spacieux • Coffre volumineux et pratique

— Pas de motorisation électrifiée • Version Platine coûteuse

# NISSAN **SENTRA**

★★★★ COTE DU **GUIDE**

## Maintenant plus qu'un bon prix

Antoine Joubert

**Prix:** 19 198 $ à 26 598 $ (2021)
**Transport et prép.:** 1 670 $
**Catégorie:** Compactes
**Garanties:** 3/60, 5/100
**Assemblage:** États-Unis

**Ventes**

Québec 2020
**2 699**

↑ 1 %

Canada 2020
**6 808**

↓ 11 %

|  | S | SV | SR Prime |
|---|---|---|---|
| **PDSF** | 19 198 $ | 22 298 $ | 26 598 $ |
| **Loc.** | 266 $ • 0,90 % | 310 $ • 0,50 % | 373 $ • 0,90 % |
| **Fin.** | 422 $ • 1,90 % | 484 $ • 1,90 % | 571 $ • 1,90 % |

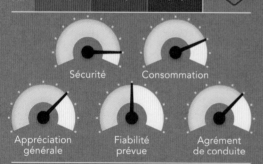

Sécurité  Consommation

Appréciation générale  Fiabilité prévue  Agrément de conduite

### Équipement

### Sécurité

### Concurrents

Honda Civic/Insight, Hyundai Elantra,
Kia Forte, Mazda3, Subaru Impreza,
Toyota Corolla, Volkswagen Jetta

### Nouveau en 2022

Aucun changement majeur annoncé
au moment de mettre sous presse.

**E**n excluant la Subaru Impreza, qui cède tranquillement sa place au Crosstrek, la Nissan Sentra se situait en 2020 au dernier rang des ventes des voitures compactes. Un bien triste bilan, considérant qu'elle se renouvelait cette même année. Il faut néanmoins admettre que la Sentra débarquait au même moment que la pandémie, les efforts des stratèges marketing de la marque s'étant ainsi écroulés comme un château de cartes.

Bien sûr, cette voiture mérite un meilleur sort. Et les ventes, bien que loin de rejoindre celles des meneuses du segment, sont en nette progression. Or, si le positionnement de la Sentra est aujourd'hui si difficile, c'est parce que Nissan a clairement mis trop de temps à la renouveler. Qui plus est, le modèle de précédente génération était à ce point insipide que les ventes ont rapidement fléchi. Nissan n'avait donc comme seul argument qu'un prix attrayant, pour écouler ses exemplaires.

**VENT DE FRAÎCHEUR**

À l'aube d'une troisième année de commercialisation, la Sentra nous semble encore toute nouvelle. Sa ligne dynamique et ses proportions plus musclées nous font oublier le modèle d'antan, proposant de surcroît un coup d'œil plus heureux que celui de bien des rivales. Et puis, avec l'offre d'une peinture deux tons sur sa version SR, Nissan réussit de belle façon à faire tourner les têtes. Sur le plan esthétique, on ne lui reprocherait en fait qu'une trop grande ressemblance avec sa grande sœur, l'Altima.

Joliment dessiné sans être particulièrement audacieux, le poste de conduite de la Sentra est on ne peut plus fonctionnel. Tout est positionné à portée de main alors que l'essentiel des équipements convoités est offert dès la version S. Cela dit, la version SV en offre tellement plus considérant le faible écart de prix (1 400 $ de différence avec une S à boîte CVT), que la très grande majorité des acheteurs la choisissent. Celle-ci permet d'obtenir notamment le volant chauffant, l'écran central de 8 pouces, le régulateur de vitesse intelligent, les jantes en alliage, le démarreur à distance ainsi qu'une sellerie en tissu de meilleure qualité. Des éléments que vous obtiendrez aussi sur la version SR, d'apparence plus sportive.

Concernant l'habitacle, retenez que Nissan propose un très vaste volume intérieur ainsi que des sièges exceptionnellement confortables. La position

de conduite y est d'ailleurs remarquable, bien qu'on reproche à Nissan une visibilité arrière gênée par un troisième feu de freinage extrêmement mal positionné. Il faut aussi avouer que le frein d'urgence au pied date franchement d'une autre époque.

## DES GÈNES BIEN CONNUS

Si la Sentra ne peut espérer se retrouver au sommet des ventes du segment, c'est aussi parce que Nissan ne la propose qu'en berline (pas de version à hayon) et qu'avec une seule option mécanique. Alors non, pas d'hybride, de rouage intégral ou de version plus performante, qui aurait pu rivaliser avec la Civic Si, l'Elantra N Line ou la Jetta GLI. Ici, on ne propose qu'un 4 cylindres atmosphérique de 2 litres développant 149 chevaux.

Une mécanique fiable et frugale qu'on jumelle au choix, à une boîte manuelle (S et SR) ou à l'automatique à variation continue. Issu du Qashqai, ce moteur impressionne par une puissance linéaire mais aussi par sa très faible consommation de carburant, qui peut avoisiner les 6 L/100 km sur route (moyenne combinée d'environ 7 L/100 km).

En conduite, la Sentra est plus stable et précise dans ses manœuvres que la nouvelle Elantra ou la Corolla, bien que sa direction ne soit pas aussi vive que celle d'une Jetta. Il s'agit néanmoins d'une voiture nettement mieux adaptée à de longs trajets autoroutiers que par le passé. Le niveau sonore y est également adéquat. Sachez cependant que le régulateur de vitesse qu'on dit intelligent vous oblige à conserver des distances folles avec le véhicule vous précédant, une fonction dont on se passerait au final. Puis, notez que la version S de la Sentra conserve des freins arrière à tambours. Une économie de bout de chandelle, difficilement justifiable en 2022. Quant à l'amateur de boîte manuelle, il pourrait y trouver son compte avec l'essai d'une version SR. Une berline étonnement amusante, bien que la puissance y soit modeste.

La Sentra ne réinvente donc rien mais constitue aujourd'hui bien plus qu'une aubaine. En fait, voyez-là comme une voiture que vous apprécierez davantage de jour en jour. Pour son confort, son design, sa frugalité, pour son comportement routier et son faible coût de revient. Un achat rationnel, certes, mais avec lequel on se fait également plaisir.

### Données principales

| | |
|---|---|
| Emp. / lon. / lar. / haut. | 2 712 / 4 640 / 1 816 / 1 448 mm |
| Coffre / réservoir | 405 litres / 47 litres |
| Nombre de passagers | 5 |
| Suspension av. / arr. | ind., jambes force / ind., multibras |
| Pneus avant / arrière | P205/60R16 / P205/60R16 |
| Poids / Capacité de remorquage | 1 349 kg / non recommandé |

### Composantes mécaniques

| | |
|---|---|
| Cylindrée, alim. | 4L 2,0 litres atmos. |
| Puissance / Couple | 149 ch / 146 lb-pi |
| Tr. base (opt) / Rouage base (opt) | M6 (CVT) / Tr |
| 0-100 / 80-120 / V. max | 9,5 s (m) / 7,2 s (m) / n.d. |
| 100-0 km/h | 40,8 m (m) |
| Type / ville / route / $CO_2$ | **Man** - Ord / 9,3 / 6,3 / 187 g/km |
| | **Auto** - Ord / 8,0 / 6,0 / 167 g/km |
| | **SR Man** - Ord / 9,4 / 6,5 / 190 g/km |
| | **SR Auto** - Ord / 8,2 / 6,2 / 171 g/km |

➕ Ligne séduisante • Comportement routier étonnant • Sièges les plus confortables du segment • Très faible consommation

➖ Un seul choix mécanique • Visibilité arrière agaçante • Pédale de frein de stationnement gênante

Photos : Marc-André Gauthier

| | S | SV | SR |
|---|---|---|---|
| PDSF | 16 498 $ | 19 498 $ | 20 998 $ |
| Loc. | 265 $ • 1,50% | 309 $ • 1,50% | 330 $ • 1,50% |
| Fin. | 350 $ • 0,00% | 408 $ • 0,00% | 437 $ • 0,00% |

**Prix:** 16 498 $ à 20 998 $ (2021)
**Transport et prép.:** 1 670 $
**Catégorie:** Sous-compactes
**Garanties:** 3/60, 5/100
**Assemblage:** Mexique

**Ventes**
Québec 2020
60

n.d.

Canada 2020
126

n.d.

Sécurité  Consommation

Appréciation générale  Fiabilité prévue  Agrément de conduite

**Équipement**

**Sécurité**

**Concurrents**

Chevrolet Spark, Kia Rio, Mitsubishi Mirage

**Nouveau en 2022**
Aucun changement majeur annoncé au moment de mettre sous presse.

# L'ultime berline citadine ?

Germain Goyer

Chez Nissan, la gamme de berlines pourrait difficilement être plus complète. Depuis la disparition de la Versa à quatre portes en 2014 — pour laisser le champ libre à la Micra —, le créneau de la berline sous-compacte demeurait inoccupé chez le constructeur japonais. Or, depuis l'année passée, Nissan effectue un retour sur ce marché et navigue littéralement à contre-courant puisqu'il offre la seule — et possiblement la dernière — berline sous-compacte du paysage actuel. Rappelons que Kia ne propose plus que la Rio à hayon, tout comme Mitsubishi qui a éliminé la Mirage G4. Sans oublier les Hyundai Accent et Toyota Yaris, tout simplement supprimées du catalogue.

Si au Canada la Versa à quatre portes a disparu de la carte pendant quelques années, ce n'est pas le cas aux États-Unis où la génération actuelle a débarqué dès 2020. Soulignons que les Américains n'ont pas eu droit à la Micra, contrairement à nous. Si l'on pouvait justifier jusqu'à il n'y a pas si longtemps d'avoir une offre différente de voitures sous-compactes de part et d'autre de la frontière, la situation a changé. Dorénavant, nous avons tous droit à la même Versa.

La gamme ne pourrait être plus simple. Une version de base, portant l'appellation S, est vendue à partir d'environ 18 000 $ (transport et préparation inclus). Sous son capot se cache un moteur à 4 cylindres de 1,6 litre qui déploie 122 chevaux et 114 lb-pi. Ce n'est rien de bien généreux, force est de l'admettre. On souhaite toujours une plus grande cavalerie, cependant, on demeure conscient du format de la voiture et, surtout, de sa vocation. Conçue pour vous déplacer du point A au point B en milieu urbain, la Versa accomplit bien le mandat qu'on lui a assigné.

La Versa S est livrée de série avec une boîte manuelle à 5 rapports. Au prix initial, il faut ajouter 1 500 $ pour obtenir la transmission à variation continue. Considérant que l'engouement pour la boîte manuelle est en chute libre, il est légitime de croire qu'une majorité de consommateurs opteront pour la boîte CVT. Cela dit, il est important de savoir que Nissan a connu d'importants ratés avec cette transmission par le passé. Au chapitre de la consommation, notons que la manuelle boit 1 L/100 km de plus, soit 7,7 L/100 km. De la part d'une citadine, on pourrait s'attendre à mieux. Les versions SV et SR figurent aussi au catalogue.

Au cours de notre essai de la Versa, nous avons été enchantés par la taille de son coffre. En effet, bien qu'elle soit une sous-compacte, on peut y loger énormément de choses. Les places arrière ne sont pas extraordinaires, mais conviennent tout à fait. À l'avant, le confort est également rudimentaire. On apprécie quand même l'accoudoir fixé au siège du conducteur. En ce qui a trait au système d'infodivertissement, l'infographie et la présentation des différents menus pourraient être améliorées.

### EST-CE QUE NISSAN VEUT RÉELLEMENT EN VENDRE ?

Malheureusement, il n'est plus rentable en 2022 d'offrir une voiture neuve, aussi dénuée d'options qu'elle soit, à un prix avoisinant les 10 000 $. Il ne reste que la Spark, qui affiche un prix de 12 500 $ (transport et préparation inclus), et encore là, on estime que ses jours sont comptés. Même la Mitsubishi Mirage est étiquetée à plus de 16 000 $! Ça dit tout. Ainsi, il ne faut pas s'étonner de constater que le prix de la Versa dépasse rapidement la barre des 20 000 $.

Et à ce point, la marge est minime pour se tourner vers une berline compacte comme la Sentra, pour rester dans le giron de Nissan. Plus puissante, plus spacieuse, plus confortable et plus polyvalente, elle représente une valeur vraiment plus intéressante pour le consommateur. Au moment d'écrire ces lignes, il en coûtait 309 $ par mois pour une Versa SV à transmission à variation continue sur une durée de 48 mois. Et combien coûte une Sentra SV CVT en location sur une durée de 48 mois ? Exactement 310 $. Certes, on veut bien relever les qualités de la Versa, mais de son côté, le constructeur japonais devra redoubler d'ardeur s'il veut réellement en vendre.

### ON S'ENNUIE DÉJÀ DE LA MICRA

La Micra avait une bouille on ne peut plus sympathique. Elle adoptait aussi un comportement routier fort impressionnant et lorsque l'on optait pour la transmission manuelle, on pouvait ressentir un très haut niveau de plaisir à son volant. Or, on ne retrouve malheureusement aucun de ces attributs avec la Versa. Plus pratique, elle est aussi plus anonyme.

Bien qu'elle soit plus moderne — toute chose étant relative, car la conception de la Micra était carrément archaïque —, la personnalité de la Versa est moins marquante celle de sa devancière. Au Québec, la Micra aura été un véritable succès. S'il est trop tôt pour se prononcer, il demeure toutefois difficile d'imaginer que la Versa brillera autant sur notre territoire.

### Données principales

| | |
|---|---|
| Emp. / lon. / lar. / haut. | 2 620 / 4 495 / 1 740 / 1 457 mm |
| Coffre / réservoir | 416 à 425 litres / 41 litres |
| Nombre de passagers | 5 |
| Suspension av. / arr. | ind., jambes force / semi-ind., poutre torsion |
| Pneus avant / arrière | P195/65R15 / P195/65R15 |
| Poids / Capacité de remorquage | 1 170 kg / non recommandé |

### Composantes mécaniques

| | |
|---|---|
| Cylindrée, alim. | 4L 1,6 litre atmos. |
| Puissance / Couple | 122 ch / 114 lb·pi |
| Tr. base (opt) / Rouage base (opt) | M5 (CVT) / Tr |
| Type / ville / route / CO$_2$ | **Man** - Ord / 8,6 / 6,7 / 181 g/km |
| | **Auto** - Ord / 7,4 / 5,9 / 158 g/km |

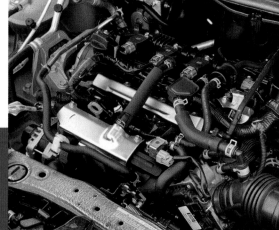

| ✚ Prix de base attrayant •<br>Coffre volumineux | Motorisation un peu juste •<br>Finition bon marché •<br>Prix de certaines versions<br>similaire à la Sentra |
|---|---|

Photos : Nissan, Marc-André Gauthier

MODÈLE CONCEPT ILLUSTRÉ

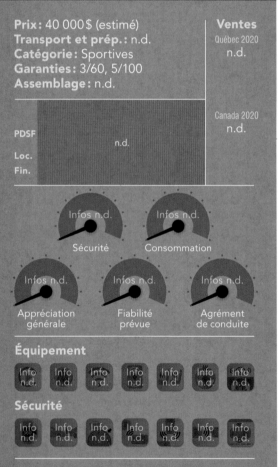

**Prix:** 40 000 $ (estimé)
**Transport et prép.:** n.d.
**Catégorie:** Sportives
**Garanties:** 3/60, 5/100
**Assemblage:** n.d.

**Ventes**
Québec 2020
n.d.

Canada 2020
n.d.

PDSF
n.d.

Loc.
Fin.

Infos n.d.
**Sécurité**

Infos n.d.
**Consommation**

Infos n.d.
**Appréciation générale**

Infos n.d.
**Fiabilité prévue**

Infos n.d.
**Agrément de conduite**

**Équipement**

Info n.d. | Info n.d. | Info n.d. | Info n.d. | Info n.d. | Info n.d. | Info n.d.

**Sécurité**

Info n.d. | Info n.d. | Info n.d. | Info n.d. | Info n.d. | Info n.d. | Info n.d.

**Concurrents**

Chevrolet Camaro, Dodge Challenger, Ford Mustang, Subaru BRZ, Toyota GR 86, Toyota Supra

**Nouveau en 2022**
Nouvelle génération du modèle.

# Le retour du Samouraï

Gabriel Gélinas

**C**'est la Z qui a mis Nissan sur la carte en Amérique du Nord, même si elle était commercialisée chez nous sous la marque Datsun. Lancée sur notre marché en 1970, elle est considérée, à juste titre, comme l'une des meilleures voitures produites par le Japon. La première 240Z a été conçue en utilisant des composantes que l'on retrouvait dans d'autres bagnoles de la marque. Mais son style était très accrocheur et, surtout, son prix était voisin de celui d'une MGB dont le design datait déjà beaucoup.

Bref, c'était une sportive abordable nippone, avec un *look* d'enfer et des performances somme toute assez relevées pour l'époque, ce qui explique la progression fulgurante des ventes de ce modèle aux États-Unis. Au fil des années et des générations, la Z s'est embourgeoisée, et le modèle 370Z, qui perdurait depuis 2009, n'est plus à la page.

Avec sa Z de nouvelle génération, Nissan revient aux sources avec une voiture qui rend hommage à la légendaire sportive. On l'a vu tout de suite lors du dévoilement du concept Z Proto, en septembre 2020. La bonne nouvelle, c'est qu'aujourd'hui les véhicules concepts ne sont plus de simples exercices de style. Au contraire, ce sont souvent des véhicules très proches du modèle de série à venir. Le long capot et les phares de jour circulaires font un clin d'œil à la première Z, alors que la ligne de toit ressemble à celle de la 370Z, et que la partie arrière évoque les 300ZX avec des feux alignés à l'horizontale.

Aussi, l'ajout de l'écusson circulaire sur lequel figure la lettre Z sur les piliers «C» est une très belle touche de design. Côté style, le concept Z Proto représente un vibrant hommage à la lignée de la voiture, hommage qui trouve son écho sur le modèle de série répondant à l'appellation Z35 à l'interne, mais qui pourrait porter le nom de 400Z.

### 400Z POUR 400 CHEVAUX

Si Nissan nomme sa sportive 400Z, ce serait pour évoquer la puissance du V6 biturbo de 3 litres qui anime déjà les Infiniti Q50 et Q60 Red Sport. Au moment d'écrire ces lignes (avant le dévoilement officiel de la nouvelle Z) Nissan n'avait pas encore confirmé officiellement quelle serait la motorisation. Mais les rumeurs les plus persistantes évoquent ce moteur, ce qui serait

logique. Une chose est sûre, cette Z sera une propulsion. La boîte de vitesses de série serait une manuelle à six vitesses, tandis qu'une boîte automatique à 7 rapports pourrait être proposée en option. Avec 400 chevaux, ce V6 permettrait aussi à la Z de faire jeu égal avec la Toyota Supra et son moteur 6 cylindres en ligne turbo-compressé de 3 litres développant 382 chevaux.

De plus, comme la nouvelle Z partage sa plate-forme avec la Q60, il est possible qu'elle puisse être éventuellement équipée d'un rouage intégral. À la lecture de ce qui précède, il est facile de trouver des similitudes avec la Z originale, puisque la nouvelle génération est elle aussi élaborée à partir de composantes déjà existantes chez Nissan/Infiniti.

## UN HABITACLE RÉTRO TECHNO

C'est un heureux métissage entre la technologie moderne et les codes stylistiques des modèles antérieurs qui est proposé dans l'habitacle de la Nissan Z. Le côté techno est assuré par les deux écrans numériques, un de 12,3 pouces remplaçant le bloc d'instruments ainsi qu'un second de 8 pouces, tactile cette fois, qui sert d'interface pour le système d'infodivertissement. On s'attend également à ce que la nouvelle Z soit dotée des systèmes avancés d'aide à la conduite déjà présents sur les autres modèles du constructeur. La filiation avec les Z antérieures est assurée par les trois manomètres localisés au sommet de la planche de bord, une tradition pour ce modèle.

La Nissan Z ne fait pas avancer les choses. Ce n'est pas une voiture à motorisation hybride rechargeable ou électrique, et elle n'est pas dotée d'un rouage intégral ou d'innovations majeures sur le plan technique. C'est plutôt l'interprétation moderne d'une sportive réputée qui évoque parfaitement la glorieuse époque des débuts de ce modèle. Mais surtout, la Z est tout ce que la Toyota Supra n'est pas. C'est une authentique sportive japonaise, pas le produit d'une co-entreprise avec BMW avec tous les compromis que cela entraîne. Son habitacle rapelle celui des Z antérieures, pas être celui d'une Z4 avec quelques changements mineurs.

Bref, pour ce qui est de l'authenticité et du charisme, la Z éclipse largement sa rivale japonaise. Être rétro et cool, c'est aussi ça, et même si les sportives ne se vendent plus comme avant, il est rafraîchissant de voir que Nissan persiste et signe avec cette nouvelle Z, attendue depuis fort longtemps.

### Données principales

| Emp. / lon. / lar. / haut. | n.d. / 4 382 / 1 849 / 1 311 mm |
|---|---|
| Nombre de passagers | 4 |
| Pneus avant / arrière | P255/40R19 / P285/35R19 |

### Composantes mécaniques*

| Cylindrée, alim. | V6 3,0 litres turbo |
|---|---|
| Puissance / Couple | 400 ch / 350 lb-pi |
| Tr. base (opt) / Rouage base (opt) | M6 (A7) / Prop |

*Données techniques projetées

+ Données insuffisantes    − Données insuffisantes

Photos : Nissan

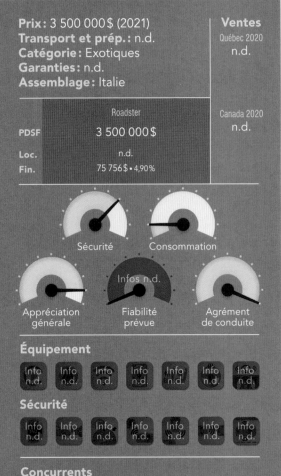

| | | |
|---|---|---|
| **Prix :** 3 500 000 $ (2021) | | **Ventes** |
| **Transport et prép. :** n.d. | | Québec 2020 |
| **Catégorie :** Exotiques | | n.d. |
| **Garanties :** n.d. | | |
| **Assemblage :** Italie | | |

| | Roadster | Canada 2020 |
|---|---|---|
| **PDSF** | 3 500 000 $ | n.d. |
| **Loc.** | n.d. | |
| **Fin.** | 75 756 $ • 4,90 % | |

Sécurité   Consommation

Appréciation générale   Fiabilité prévue   Infos n.d.   Agrément de conduite

**Équipement**

Info n.d.   Info n.d.   Info n.d.   Info n.d.   Info n.d.   Info n.d.   Info n.d.

**Sécurité**

Info n.d.   Info n.d.   Info n.d.   Info n.d.   Info n.d.   Info n.d.   Info n.d.

**Concurrents**
Bugatti Chiron, Lotus Evija

**Nouveau en 2022**
Variante Huayra R pour usage sur circuit seulement

# Arte e Scienza

Gabriel Gélinas

P agani fait partie de ces marques hyper-élitistes, ce club sélect qui comprend les Bugatti, Koenigsegg et Pininfarina. On compte aussi dans ce groupe Ferrari, McLaren, et Lamborghini, entre autres, qui produisent en série très limitée, voire même en commande unique, des voitures d'exception que l'on ne voit que dans les grands salons de l'automobile, celui de Genève par exemple, ou encore lors de concours d'élégance de renom comme celui de Pebble Beach en Californie.

L'Argentin Horacio Pagani a longtemps œuvré chez Lamborghini avant de fonder sa propre marque éponyme en 1988 à Modène, dans ce qu'il est maintenant convenu d'appeler la *Terra dei Motori*, ou Terre des moteurs en français. Une région de l'Émilie-Romagne en Italie où sont établies Ferrari, Maserati, Lamborghini et Ducati. Pour animer ses *hypercars*, Pagani se tourne vers Mercedes-AMG, et c'est ainsi que sont nés des bolides aux courbes vertigineuses et aux performances ahurissantes, dont la Huayra qui est le plus récent modèle de Pagani.

La Huayra, dont le nom évoque le dieu des vents des Aymaras dans les Andes, est exceptionnelle. Sa coque est réalisée en carbotitane, un matériau composé à la fois de fibre de carbone et de titane élaboré par une filiale de Pagani et qui est plus solide, à poids égal, que la seule fibre de carbone. Elle est aussi l'expression la plus pure du mariage entre l'art et la science, avec ses formes hyperstylisées et sa qualité d'assemblage fait à la main rappelle l'orfèvrerie, avec des détails comme les rétroviseurs en fibre de carbone qui ressemblent aux antennes d'un intrigant insecte ou encore les vis siglées du nom de la marque. Du grand art.

D'abord déclinée en coupé, la gamme Huayra a été complétée par l'ajout d'un modèle Roadster qui se découvre au retrait d'un panneau de toit rigide en fibre de carbone. Logé en position centrale, le V12 turbocompressé de 6 litres signé AMG génère 791 chevaux et 774 lb-pi de couple, cette cavalerie étant acheminée aux seules roues arrière par l'entremise d'une boîte robotisée à 7 rapports.

**SUPERNOVA**

C'est ce nom évoquant l'explosion d'une étoile qui a été donné à cet exemplaire unique de la Huayra Roadster BC créé sur commande pour le

collectionneur québécois Olivier Benloulou. Une voiture dont le prix dépasse largement les 3,5 millions de dollars américains qu'exige ce modèle en raison des options de personnalisation qui y ont été ajoutées. Ainsi, cette Supernova se démarque par ses éléments exposés en fibre de carbone qui sont peints de couleur *Oro Rosa* (Or rose).

Ces derniers sont agencés avec d'autres éléments conservant l'aspect traditionnel de la fibre de carbone pour créer un *look* rendu encore plus unique par l'ajout d'accents brillants en or sur les courbes du roadster et sur ses jantes en alliage *Bronzo Chiaro*. L'habitacle est tout aussi frappant avec des sièges mariant le cuir de couleur crème avec un motif de tartan, une planche de bord recouverte d'alcantara noir avec des cadrans dorés, ainsi qu'un levier de vitesses en fibre de carbone et en bois de balsa.

### UNE HUAYRA R POUR LA PISTE SEULEMENT

Pagani produira aussi, à 30 exemplaires seulement, une variante R dont l'usage sera exclusivement réservé au circuit, chacune de ces voitures ayant un prix de départ avoisinant 3,8 millions de dollars. Sur le plan technique, la R se différencie des autres Huayra par son V12 atmosphérique développant 838 chevaux à son régime maximal de 9 000 tr/min. Un bloc fabriqué par la firme spécialisée HWA AG en Allemagne. Ce moteur est doté d'un système d'échappement réalisé en alliage Inconel dont chaque tubulure est de longueur égale afin d'émettre un son évoquant autant d'émotion qu'un V12 atmosphérique qui animait jadis les F1. Dans le but de générer un appui aérodynamique d'une tonne à 320 km/h, la Huayra R est dotée d'un fond plat, d'un diffuseur et d'un aileron mesurant presque toute la largeur de l'auto.

Pas de doute, Pagani n'est pas une marque automobile comme les autres, puisque Horacio Pagani connaît personnellement chacun de ses clients, et qu'il les guide afin qu'ils puissent réaliser leurs rêves les plus fous. Le mariage entre l'art et la science est au cœur de toutes les voitures de la marque, Horacio Pagani ayant été inspiré par l'artiste de la renaissance italienne Leonardo Da Vinci, lui-même versé à la fois dans l'art et la science. La Pagani Huayra, dans toutes ses variantes, est à ce jour l'expression la plus aboutie de cette démarche unique et captivante.

| Données principales | |
|---|---|
| Emp. / lon. / lar. / haut. | 2 795 / 4 605 / 2 035 / 1 169 mm |
| Coffre / réservoir | 85 litres / 74 litres |
| Nombre de passagers | 2 |
| Suspension av. / arr. | ind., double triangulation / ind., double triangulation |
| Pneus avant / arrière | P265/30R20 / P355/25R21 |
| Poids / Cap. de remorquage | **Roadster -** 1 250 kg / non recommandé |
| | **Huayra R -** 1 050 kg / non recommandé |

| Composantes mécaniques | |
|---|---|
| **ROADSTER** | |
| Cylindrée, alim. | V12 6,0 litres turbo |
| Puissance / Couple | 791 ch / 774 lb·pi |
| Tr. base (opt) / Rouage base (opt) | A7 / Prop |
| 0-100 / 80-120 / V. max | 3,0 s (est) / n.d. / 370 km/h (est) |
| Type / ville / route / $CO_2$ | Sup / 23,5 / 16,8 / 470 g/km (est) |
| **HUAYRA R** | |
| Cylindrée, alim. | V12 6,0 litres atmos. |
| Puissance / Couple | 838 ch / 553 lb·pi |
| Tr. base (opt) / Rouage base (opt) | A6 / Prop |
| 0-100 / 80-120 / V. max | 2,8 s (est) / n.d. / 350 km/h (est) |

**+** Puissance phénoménale • Qualité d'assemblage • Souci du détail • Dynamique de très haut niveau

**—** Prix stratosphérique • Peu pratique au quotidien • Pas de rangement pour le panneau de toit (Roadster)

Photos: Pagani

HYBRIDE

| | 1 | |
|---|---|---|
| **Prix:** 197 000 $ (2021) | | **Ventes** |
| **Transport et prép.:** 1 900 $ | | Québec 2020 |
| **Catégorie:** Sportives de luxe | | n.d. |
| **Garanties:** 4/80, 4/80 | | |
| **Assemblage:** Chine | | |

| | 1 | |
|---|---|---|
| | | Canada 2020 |
| **PDSF** | 197 000 $ | n.d. |
| **Loc.** | n.d. | |
| **Fin.** | 3 278 $ • 4,99 % | |

Sécurité — Consommation

Appréciation générale — Fiabilité prévue (Infos n.d.) — Agrément de conduite

## Équipement

## Sécurité

## Concurrents

Acura NSX, Aston Martin Vantage,
Audi e-tron GT/R8, BMW Série 8, Ferrari Roma,
Jaguar F-TYPE, Lamborghini Huracán,
Lexus LC, McLaren GT, Porsche 911/Taycan,
Tesla Roadster

## Nouveau en 2022

Aucun changement majeur annoncé
au moment de mettre sous presse.

# Concept devenu réalité

Antoine Joubert

Avec seulement dix Polestar 1 à vendre pour le Canada en 2021 (500 dans le monde annuellement), inutile de vous dire que l'objectif avec ce modèle n'est pas la rentabilité ! En fait, le constructeur souhaite plutôt démontrer son savoir-faire par le biais d'un véhicule quasi expérimental et de conception unique, mais dont le design date ironiquement de près de dix ans. En effet, c'est au Salon de Francfort à l'automne 2013 que Volvo avait présenté le Concept Coupe, lequel a servi de base pour l'élaboration de cette voiture.

Alors oui, vous aurez compris que Volvo et Polestar sont deux marques dont la proximité est évidente. Tellement proche que l'on se demande même en quoi Polestar se distingue réellement, considérant le virage électrifié de Volvo. Il faut dire que l'image de la marque n'est pas encore clairement définie et que son arrivée en pleine pandémie n'a certainement pas facilité les choses pour les stratèges de la marque, qui auraient sans doute espéré une lancée plus fulgurante.

**DANS LA MIRE DE...**

En étudiant la Polestar 1 de fond en comble, l'impression d'une voiture expérimentale saute aux yeux. D'abord, par le fait que l'on rende visible — dans le coffre — l'étendue de ses artifices technologiques à travers un panneau en verre, mais aussi parce que l'auto hérite d'une carrosserie entièrement en fibre de carbone, matériau également utilisé pour une partie de la structure. Des éléments que l'on ne retrouve pour l'heure que dans certaines bagnoles exotiques.

Pourtant, en analysant le format, les proportions et la puissance disponible, on peut facilement effectuer un exercice de comparaison avec des bêtes comme les coupés BMW M4 et Mercedes-AMG C 63 S. Des voitures moins puissantes, mais légèrement plus rapides que notre sujet, sans doute pour une question de poids. Il ne faut pas oublier qu'avec tout l'attirail technique que l'on y retrouve, la Polestar 1 pèse très lourd. Encore plus lourd que le plus luxueux des Volvo XC90. Au final, comparer la Polestar 1 avec l'outrageuse M4 est assez cocasse. Parce que bien que l'on puisse faire le parallèle, la clientèle cible n'est clairement pas la même. Ici, Polestar propose une exclusivité, un statut. Une voiture de connaisseur qui ne fait pas nécessairement

tourner les têtes, mais qui affiche pourtant des lignes sensationnelles et qui passera avec brio l'épreuve du temps.

Sur le plan technique, Polestar repousse donc les limites d'une technologie introduite avec le XC90, lequel marie un 4 cylindres turbocompressé et surcompressé à un moteur électrique et au rouage intégral. Toutefois, la combinaison se fait ici avec trois moteurs électriques et une batterie de 34 kWh, permettant d'obtenir une autonomie 100 % électrique d'environ 84 km. Évidemment, dans la mesure où vous ne comptez pas exploiter la puissance maximale... chiffrée à 619 chevaux !

Maintenant, si la puissance sur papier fait décrocher la mâchoire, la réalité est un peu différente. Les accélérations, bien qu'exceptionnelles, n'ont rien d'aussi enivrant que celles de la Tesla Model S ou de la Porsche Taycan. En revanche, et bien que l'on ne puisse initialement y croire, le comportement routier est digne d'une grande sportive. Il faut dire que la «1» profite d'un centre de gravité très bas, d'un moteur électrique sur chacune des roues arrière avec gestion de couple en virage ainsi que d'une suspension Öhlins (manuellement ajustable) tout simplement magique. Ajoutez à cela un châssis rigide et des freins ultraperformants pour obtenir tous les ingrédients d'une recette gagnante. Il ne lui manque en fait que les sensations, qui sans être décevantes, n'ont rien de celles d'une Porsche 911.

### OU UNE C90 ?

Hormis l'emblème Polestar au volant, tout l'habitacle nous réfère aux Volvo S90/V90. Même planche de bord, même système multimédia, sans oublier ce levier de vitesses en cristal Orrefors que l'on avait initialement intégré au XC90. Ainsi, et en référence aux voitures Volvo (S pour sedan, V pour vagon), il est clair que ce coupé aurait aussi pu s'appeler C90. Cela dit, il n'y a rien de décevant à bord. Les matériaux y sont sublimes, la présentation est riche et de bon goût, et comme il se doit, les sièges sont magnifiquement sculptés. Soulignons également la luminosité de l'habitacle, résultant du pavillon en verre, ainsi que l'exceptionnelle sonorité du système audio Bowers & Wilkins. En revanche, on aurait bien sûr souhaité bénéficier du système multimédia dernier cri intégré à sa petite sœur, la Polestar 2, avec interface Google.

Pour finir, un mot sur la facture qui dépasse le seuil psychologique des 200 000 $ (avant taxes), si vous choisissez la peinture mate, à 7 500 $. Un montant que l'on attribuerait... à l'exclusivité ?

+ Design élogieux • Heureux mélange entre confort et performance • Autonomie considérable (hybride rechargeable) • Exclusivité garantie

− 3 300 $ par mois... • Trop grande proximité avec les voitures Volvo • Système multimédia d'ancienne génération

## Données principales

| | |
|---|---|
| Emp. / lon. / lar. / haut. | 2 742 / 4 586 / 1 958 / 1 352 mm |
| Coffre / réservoir | 125 litres / 60 litres |
| Nombre de passagers | 4 |
| Suspension av. / arr. | ind., double triangulation / ind., multibras |
| Pneus avant / arrière | P275/30R21 / P295/30R21 |
| Poids / Capacité de remorquage | 2 350 kg / non recommandé |

## Composantes mécaniques

| | |
|---|---|
| Cylindrée, alim. | 4L 2,0 litres turbo + surcomp. |
| Puissance / Couple | 326 ch / 384 lb-pi |
| Tr. base (opt) / Rouage base (opt) | A8 / Int |
| 0-100 / 80-120 / V. max | 4,2 s (c) / 2,3 s (c) / 250 km/h (c) |
| Type / ville / route / $CO_2$ | Sup / 10,5 / 7,6 / 54 g/km |
| Puissance combinée | 619 ch / 738 lb-pi |
| **MOTEURS ÉLECTRIQUES** | |
| Puissance / Couple | **Av** - 69 ch (51 kW) / 119 lb-pi |
| | **Arr (x2)** - 116 ch (87 kW) / 177 lb-pi |
| Type de batterie | Lithium-ion (Li-ion) |
| Énergie | 34,0 kWh |
| Consommation équivalente | 3,9 Le/100 km |
| Temps de charge (240V) | 3,1 h |
| Autonomie | 84 km |

guideautoweb.com/polestar/1/

POLESTAR | 577

# Étoiles montantes

Marc Lachapelle

**Prix :** 51 900 $ (estimé) à 69 900 $
**Transport et prép. :** 1 900 $
**Catégorie :** Compactes de luxe
**Garanties :** 4/80, 4/80
**Assemblage :** Chine

| Ventes | |
|---|---|
| Québec 2020 | n.d. |
| Canada 2020 | n.d. |

| | Long Range Dual Motor |
|---|---|
| PDSF | 69 900 $ |
| Loc. | 856 $ • n.d. |
| Fin. | 1 201 $ • 0,00 % |

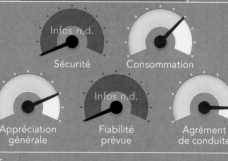

Sécurité — Infos n.d.
Consommation
Appréciation générale
Fiabilité prévue — Infos n.d.
Agrément de conduite

## Équipement

## Sécurité

## Concurrents

Acura TLX, Alfa Romeo Giulia, Audi A4, BMW i4/Série 3/Série 4, Genesis G70, Infiniti Q50, Lexus IS, Mercedes-Benz Classe C, Tesla Model 3, Volvo S60

## Nouveau en 2022

Nouvelles couleurs, nouvelles roues, versions à un seul moteur.

**A**près le feu d'artifice du coupé hybride Polestar 1, la marque sino-suédoise Polestar est passée aux choses sérieuses en présentant, l'an dernier, la Polestar 2, sa première création exclusivement électrique. Cette compacte à hayon s'est d'abord présentée sous les traits d'un modèle de lancement à deux moteurs et transmission intégrale, doté d'un équipement ultra complet. Polestar relance maintenant le jeu avec des variations à moteur unique, de nouveaux groupes d'options et des systèmes qui bonifient l'efficacité, l'autonomie et la convivialité. Tout ça pour rendre la Polestar 2 plus accessible.

Découverte l'an dernier dans sa version la plus puissante et la mieux équipée, la Polestar 2 a impressionné l'équipe du *Guide de l'auto*, au point d'être couronnée Meilleure nouvelle voiture pour 2021. Cette première mouture est restée disponible, par la suite, à un prix inférieur à ce que coûterait une Polestar 2 disposant de tous les groupes et options ajoutés. Or, puisqu'il s'agit malgré tout d'une somme qui la campe résolument dans le registre du luxe, Polestar a créé deux versions inédites, à un seul moteur, qui seront sans doute admissibles aux rabais gouvernementaux.

### MOTEURS ET OPTIONS À LA CARTE

La première de ces voitures dispose d'une motorisation de 221 chevaux branchée sur une batterie de 64 kWh. La seconde est pourvue d'un moteur de 228 chevaux, alimenté par la même batterie lithium-ion de 78 kWh que sa frangine à deux moteurs. Dans les deux cas, la motorisation installée à l'avant en fait évidemment des tractions. Une bonne nouvelle pour la conduite hivernale. L'importateur s'attend toutefois à ce que seulement 10 % des Polestar 2 vendues soient à moteur unique. Nous n'en sommes pas si sûrs, à voir la quantité de tractions électriques américaines ou coréennes qui sillonnent les routes du Québec.

Sans connaître l'autonomie des nouvelles venues, il est raisonnable de présumer qu'elle sera meilleure que celle de la Polestar 2 à deux moteurs et quatre roues motrices, à batterie égale. Or, nous avons obtenu une autonomie projetée de 380 km après des recharges printanières, durant notre essai d'une Polestar 2 à deux moteurs et sa cote officielle est de 375 km. Il s'agit d'une autonomie tout juste correcte, surtout face à la Tesla Model 3, sa rivale la plus sérieuse.

Pour améliorer le choix et l'accessibilité de la Polestar 2, le constructeur a également rassemblé plusieurs éléments inclus à la version de lancement dans une paire de nouvelles options. Le groupe Plus ajoute un toit panoramique, une chaîne audio Harman Kardon à 13 haut-parleurs, un volant, des sièges arrière et des essuie-glaces chauffants, des moulures en frêne noir, la sellerie *WeaveTech* sans matières animales et une pompe à chaleur qui peut allonger l'autonomie de 10 %.

Le groupe Pilot, plutôt axé sur la conduite et la sécurité, inclut des phares à DEL, le régulateur de vitesse adaptatif avec mode de conduite assistée, des caméras à vision périphérique avec sonars de stationnement et la kyrielle familière de capteurs, moniteurs et détecteurs d'obstacles et périls divers. Ces deux groupes viennent rejoindre le groupe Performance de 6 000 $ qui comporte des amortisseurs Öhlins réglables, des freins avant Brembo, des jantes de 20 pouces en alliage forgé, un toit noir et des ceintures dorées. Il abaisse également la carrosserie de 5 mm.

### LE MOUVEMENT PERPÉTUÉ

Juste reflet du savoir-faire de ses créateurs, la grande force de la Polestar 2 à double moteur est une conduite précise et un comportement d'une agilité et d'une stabilité sans faille. Surtout avec le groupe Performance. La direction de la version régulière est vive en braquage, mais un peu vague en position centrale. Sans doute à cause des pneus écolos remplacés par des gommes plus basses et adhérentes avec le groupe Performance. En ville et sous la pluie, par contre, elle reste irréprochable.

Cela dit, leurs performances sont égales. Le temps de 4,8 secondes inscrit par la première pour le sprint de 0 à 100 km/h est meilleur de seulement 2 cm et leur chrono de 13,2 secondes pour le quart de mille est identique. Les réactions de leur rouage de 402 chevaux sont surtout instantanées et linéaires. Côté freinage, par contre, les pneus plus mordants et les freins Brembo permettent une distance d'arrêt de 34,7 mètres à 100 km/h. Presque trois mètres de mieux, quand même.

Les Polestar 2 sont confortables, même pour deux à l'arrière, une fois qu'on a réussi à s'y faufiler. La soute à bagages est pratique et le petit coffre avant aide un peu. L'écran central de 11 pouces et l'interface multimédia développée par Google sont clairs, rapides, efficaces et ne devraient que s'améliorer avec les mises à jour à distance. Tout comme l'application qui permet déjà le démarrage codé et le contrôle de la climatisation avec un cellulaire. Cette compacte cosmopolite est vraiment de son temps.

## Données principales

| | |
|---|---|
| Emp. / lon. / lar. / haut. | 2 735 / 4 606 / 1 859 / 1 479 mm |
| Coffre | 405 à 1 095 litres |
| Nombre de passagers | 5 |
| Suspension av. / arr. | ind., jambes force / ind., multibras |
| Pneus avant / arrière | P245/45R19 / P245/45R19 |
| Poids / Cap. de remorquage | **Dual Motor -** 2 123 kg / 900 kg (1 980 lb) |

## Composantes mécaniques

### SHORT RANGE SINGLE MOTOR

| | |
|---|---|
| Puissance / Couple | 221 ch (165 kW) / n.d. |
| Tr. base (opt) / Rouage base (opt) | Rapport fixe / Tr |
| Type de batterie / Énergie | Lithium-ion (Li-ion) / 64,0 kWh |
| Temps de charge (120V / 240V) | 18,0 h / 6,0 h (est) |
| Autonomie | 335 km (est) |

### LONG RANGE SINGLE MOTOR

| | |
|---|---|
| Puissance / Couple | 228 ch (170 kW) / n.d. |
| Tr. base (opt) / Rouage base (opt) | Rapport fixe / Tr |
| Type de batterie / Énergie | Lithium-ion (Li-ion) / 78,0 kWh |
| Temps de charge (120V / 240V) | 22,0 h / 8,0 h |
| Autonomie | 410 km (est) |

### LONG RANGE DUAL MOTOR

| | |
|---|---|
| Puissance / Couple combiné | 402 ch (300 kW) / 487 lb-pi |
| Tr. base (opt) / Rouage base (opt) | Rapport fixe / Int |
| 0-100 / 80-120 / V. max | 4,8 s (m) / 2,9 s (m) / 205 km/h (c) |
| 100-0 km/h | 34,7 m (m) |
| Consommation équivalente | 2,6 Le/100 km |

### MOTEURS ÉLECTRIQUES

| | |
|---|---|
| Puissance / Couple | **Av -** 201 ch (150 kW) / 243 lb-pi |
| | **Arr -** 201 ch (150 kW) / 243 lb-pi |
| Type de batterie / Énergie | Lithium-ion (Li-ion) / 78,0 kWh |
| Temps de charge (120V / 240V) | 22,0 h / 8,0 h |
| Autonomie | 375 km |

+ Conduite vive et sûre • Performances solides • Interface multimédia conviviale • Visibilité avant et latérale

– Autonomie moyenne • Aération et ventilateur faibles • Visibilité arrière réduite • Roulement ferme et bruyant

Photos : Antoine Joubert

PORSCHE 718 BOXSTER

**Prix:** 67 100$ à 116 000$ (2021)
**Transport et prép.:** 1 500$
**Catégorie:** Sportives de luxe
**Garanties:** 4/80, 4/80
**Assemblage:** Allemagne

|  | Cayman | Boxster S | Cayman GT4 |
|---|---|---|---|
| PDSF | 67 100$ | 84 000$ | 116 000$ |
| Loc. | n.d. | n.d. | n.d. |
| Fin. | 1 507$ • 4,90% | 1 873$ • 4,90% | 2 565$ • 4,90% |

**Ventes**

Québec 2020
141

31%

Canada 2020
551

42%

Sécurité

Consommation

Appréciation
générale

Fiabilité
prévue

Agrément
de conduite

**Équipement**

**Sécurité**

**Concurrents**
Audi TT, BMW Z4, Chevrolet Corvette,
Nissan Z, Toyota GR Supra

**Nouveau en 2022**
Aucun changement majeur annoncé
au moment de mettre sous presse.
Arrivée possible d'une version RS.

# Magnifiques surdouées

Gabriel Gélinas

Chez Porsche, la nouvelle vedette est la Taycan à motorisation électrique. Les modèles les plus vendus sont les VUS Macan et Cayenne, et l'icône de la marque est encore et toujours la 911 Carrera. Tout cela fait en sorte que les 718 Boxster et Cayman sont souvent négligées, par erreur, car plusieurs d'entre elles sont de magnifiques surdouées.

Réalisée sur une architecture à moteur central parfaitement adaptée à la mise au point de voitures sport, la gamme des 718 Boxster et Cayman comprend plusieurs variantes que l'on peut scinder en deux groupes. Celles qui sont animées par le 4 cylindres turbocompressé de 2 ou 2,5 litres, et celles qui sont dotées du fabuleux *flat-6* atmosphérique de 4 litres. Encore une fois chez Porsche, la gamme est large et le choix est vaste pour ces modèles qui font preuve d'une excellente qualité d'assemblage et d'une très bonne fiabilité.

Animées par le moteur de 2 litres, les 718 Boxster et Cayman, ainsi que les versions T (pour Touring), sont les véhicules d'entrée de gamme avec lesquels l'agrément de conduite est assurément au rendez-vous. Les performances sont, cependant, un peu en retrait par rapport aux variantes S dont le moteur développe 50 chevaux de plus. C'est donc avec les moutures S que la magie commence vraiment à opérer, même si la sonorité du 4 cylindres est quelque peu étouffée par les turbocompresseurs, ce qui rend l'option de l'échappement sport presque essentielle. En bref, les meilleurs choix de la gamme 718 sont les variantes S ou GTS 4.0.

### 6 FABULEUX CYLINDRES

Avec un moteur 6 cylindres à plat atmosphérique qui pousse et chante au-delà de 7 500 tr/min, une exquise boîte manuelle à six vitesses et un châssis aussi affûté que volontaire, les Boxster et Cayman GTS 4.0 font preuve d'une vivacité qui met tous vos sens en alerte. Ce moteur est rageur, réactif et adore les hauts régimes. Il n'offre peut-être pas le couple immédiat d'un moteur turbocompressé à bas régime, mais il compense allègrement cette lacune dès que les révolutions passent le cap des 5 000 tr/min. Dur de ne pas devenir accro à ces petites bêtes à la sonorité expressive! Le châssis est surbaissé, la direction est un parangon de précision, et l'amortissement finement calibré, ce qui en fait des bolides exceptionnels sur les

routes sinueuses. L'agrément de conduite est au top et, pourtant, les GTS 4.0 se montrent aussi à l'aise, voire dociles, à petite allure en circulation urbaine.

Une coche au-dessus, la Boxster Spyder ainsi que la Cayman GT4 en rajoutent avec un moteur gonflé à 414 chevaux, une aérodynamique optimisée et l'adoption d'éléments de suspension empruntés à la 911 GT3 de génération antérieure. Sur le plan mécanique, la Spyder et la GT4 sont pratiquement identiques. Seules les calibrations de la suspension active *Porsche Active Suspension Management* (PASM), laquelle fait partie de la dotation de série, sont légèrement différentes sur ces deux variantes. La conduite est presque télépathique puisque ces deux voitures sont équipées d'un différentiel vectoriel qui permet de faire pivoter facilement la bagnole en virage.

La 718 Spyder est toutefois moins conviviale que les autres variantes des Boxster, puisque la manipulation de son toit souple exige qu'elle soit à l'arrêt et que le conducteur quitte l'habitacle pour effectuer plusieurs manipulations. Sur une Boxster conventionnelle, il suffit d'appuyer sur le bouton de commande pour déclencher un véritable ballet mécanique, lequel peut se produire même lorsque la voiture est en mouvement, pourvu que la vitesse ne dépasse pas 50 km/h.

### UNE VERSION RS EN VUE

On s'attend à ce que Porsche lance bientôt une version RS de la 718 Cayman GT4, laquelle deviendrait la plus performante de la gamme avec une puissance portée à 450 chevaux grâce aux bielles en titane empruntées à la 911 GT3 et à l'adoption d'un carter sec, ces deux éléments permettant d'augmenter la limite de révolutions du moteur.

En règle générale, lorsque Porsche présente ses déclinaisons les plus radicales d'un modèle, c'est un signe annonciateur que celui-ci est en fin de carrière et qu'une nouvelle génération est en approche. Si l'on se fie aux photos de prototypes captées récemment sur la boucle nord du circuit du Nürburgring, la prochaine génération des 718 Boxster et Cayman adopterait des voies plus larges et un empattement un peu plus long. Cette nouvelle génération devrait logiquement être du millésime 2024 et se pointer en cours d'année 2023. Il est également possible que l'hybridation soit au programme, ou même que la motorisation électrique soit adoptée pour une variante de la gamme, puisqu'il s'agit là d'une possibilité qui a déjà été évoquée par le PDG de Porsche. Histoire à suivre.

+ Tenue de route exceptionnelle • Moteurs performants (S, GTS, GT4, Spyder) • Freinage puissant • Qualité d'assemblage

■ Prix élevés de certaines variantes • Tarif des nombreuses options • Toit souple de la Boxster Spyder peu convivial

Photos : Porsche, Antoine Joubert
**PORSCHE 718 CAYMAN**

## Données principales

| | |
|---|---|
| Emp. / lon. / lar. / haut. | **Boxster** - 2 475 / 4 379 / 1 801 / 1 280 mm |
| | **Cayman** - 2 475 / 4 379 / 1 801 / 1 276 mm |
| Coffre / réservoir | **Boxster** - 125 litres (150 Av.) / 54 à 64 litres |
| | **Cayman** - 275 litres (150 Av.) / 54 à 64 litres |
| Nombre de passagers | 2 |
| Suspension av. / arr. | ind., jambes force / ind., jambes force |
| Pneus avant / arrière | P235/45R18 / P265/45R18 |
| Poids / Capacité de remorquage | **Boxster** - 1 335 kg / non recommandé |
| | **Cayman** - 1 335 kg / non recommandé |

## Composantes mécaniques

### BOXSTER, BOXSTER T, CAYMAN, CAYMAN T

| | |
|---|---|
| Cylindrée, alim. | H4 2,0 litres turbo |
| Puissance / Couple | 300 ch / 280 lb-pi |
| Tr. base (opt) / Rouage base (opt) | M6 (A7) / Prop |
| 0-100 / 80-120 / V. max | **Man** - 5,1 s (c) / n.d. / 275 km/h (c) |
| | **Auto** - 4,7 s (c) / n.d. / 275 km/h (c) |
| Type / ville / route / CO$_2$ | Sup / 11,2 / 8,7 / 236 g/km |

### BOXSTER S, CAYMAN S

| | |
|---|---|
| Cylindrée, alim. | H4 2,5 litres turbo |
| Puissance / Couple | 350 ch / 309 lb-pi |
| Tr. base (opt) / Rouage base (opt) | M6 (A7) / Prop |
| 0-100 / 80-120 / V. max | **Man** - 4,6 s (c) / n.d. / 285 km/h (c) |
| | **Auto** - 4,5 s (m) / 2,9 s (m) / 285 km/h (c) |
| Type / ville / route / CO$_2$ | Sup / 12,2 / 9,2 / 255 g/km |

### BOXSTER GTS 4.0, CAYMAN GTS 4.0

| | |
|---|---|
| Cylindrée, alim. | H6 4,0 litres atmos. |
| Puissance / Couple | 394 ch / 309 lb-pi (317 lb-pi PDK) |
| Tr. base (opt) / Rouage base (opt) | M6 (A7) / Prop |
| 0-100 / 80-120 / V. max | **Man** - 4,5 s (c) / n.d. / 293 km/h (c) |
| | **Auto** - 4,0 s (c) / n.d. / 288 km/h (c) |
| Type / ville / route / CO$_2$ | Sup / 12,3 / 9,8 / 260 g/km |

### BOXSTER SPYDER, CAYMAN GT4

| | |
|---|---|
| Cylindrée, alim. | H6 4,0 litres atmos. |
| Puissance / Couple | 414 ch / 309 lb-pi (317 lb-pi PDK) |
| Tr. base (opt) / Rouage base (opt) | M6 (A7) / Prop |
| 0-100 / 80-120 / V. max | **Man** - 4,5 s (m) / 3,6 s (m) / 301 km/h (c) |
| | **Auto** - 3,9 s (c) / n.d. / 300 km/h (c) |
| Type / ville / route / CO$_2$ | Sup / 13,0 / 9,9 / 271 g/km |

*Cotes de consommation : Cayman PDK

# PORSCHE 911

★★★★✦ COTE DU **GUIDE**

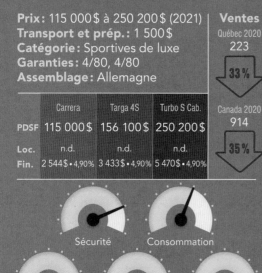

**Prix :** 115 000 $ à 250 200 $ (2021)
**Transport et prép. :** 1 500 $
**Catégorie :** Sportives de luxe
**Garanties :** 4/80, 4/80
**Assemblage :** Allemagne

**Ventes**
Québec 2020
**223**
**33 %** ⬇

Canada 2020
**914**
**35 %** ⬇

|  | Carrera | Targa 4S | Turbo S Cab. |
|---|---|---|---|
| PDSF | 115 000 $ | 156 100 $ | 250 200 $ |
| Loc. | n.d. | n.d. | n.d. |
| Fin. | 2 544 $ • 4,90 % | 3 433 $ • 4,90 % | 5 470 $ • 4,90 % |

Sécurité  Consommation

Appréciation générale  Fiabilité prévue  Agrément de conduite

**Équipement**

**Sécurité**

**Concurrents**

Acura NSX, Aston Martin Vantage,
Audi R8, BMW Série 8, Chevrolet Corvette,
Ferrari Roma, Jaguar F-TYPE,
Lamborghini Huracán, McLaren GT,
Nissan GT-R, Polestar 1

**Nouveau en 2022**

Nouvelles versions GT3, GT3 Touring,
Carrera GTS (coupé et cabriolet), Carrera 4 GTS
(coupé et cabriolet), Targa 4 GTS.

# La meilleure sportive au monde ?

Antoine Joubert

**C**ette année, le débat voulant qu'on nomme à nouveau la Porsche 911 comme la meilleure sportive de son segment allait, pour la première fois, prêter à discussion. De notre point de vue, il s'agit assurément d'un classique intemporel qui ne fait qu'évoluer au fil des ans, à la façon d'un grand cru. Or, l'arrivée d'une nouvelle venue l'an dernier venait brouiller les cartes.

Cette nouvelle venue, ce n'est ni une Audi, une Mercedes-Benz, ni même une McLaren. Il est plutôt question de la Corvette. Oui ! Une Américaine. Une voiture qu'on s'arrache actuellement sur le marché et qu'on vend pour environ 55-60 % du prix de vente moyen d'une 911. Bien sûr, la Corvette adopte une philosophie bien différente de la 911, mais elle est, cette fois, si bonne qu'on doit cette année lui laisser le trône.

Vous vous en doutez, la 911 n'a pourtant jamais été si compétente parce que rares sont les voitures capables d'intégrer un tel niveau de technologie et d'offrir des sensations de conduite aussi exceptionnelles. Sans compter qu'on ne cesse chaque année de multiplier les versions disponibles, qui passent aujourd'hui de 15 à 21. Alors que Chevrolet ne propose pour l'heure que deux variantes de la Corvette, comment peut-on en offrir autant chez Porsche ? Ne cherchez pas. La réponse se trouve dans l'existence des Cayenne et Macan, qui permettent à Porsche de poursuivre le développement de leur modèle phare et de demeurer chef de file en matière de performance.

### GTS, LE GRAND RETOUR

Depuis l'introduction de la nouvelle 992 il y a maintenant trois ans, la déclinaison GTS brillait par son absence. Certes, l'acheteur pouvait opter pour les variantes des Carrera, Targa ou Turbo, de même que pour la sublime GT3. Cinq déclinaisons de la 911 GTS s'ajoutent, en 2022, à deux ou quatre roues motrices. Profitant d'un châssis abaissé de 10 mm et de presque 100 chevaux de plus qu'une version de base, la GTS devrait séduire un maximum d'acheteurs. Elle repousse les limites de la performance, sans tomber dans la démesure à la façon de la Turbo S.

Parce que ce ne sont pas tous les acheteurs de 911 GT3 qui aiment s'exposer avec autant d'extravagance, Porsche introduit également, cette année, une GT3 Touring. L'ultime version de performance, mais en tenue de gala. Sans aileron fixe et arborant une ceinture de fenestration argentée, cette brute

de 503 chevaux est appelée à devenir un objet d'exception hautement collectionné. Peut-être encore plus convoité que la GT3 «normale», adulée par tous ceux qui s'adonnent au plaisir du circuit. Ne vous fiez donc pas à la puissance du moteur pour savoir quelle serait la 911 la plus athlétique parce que la GT3 demeure plus rapide et agile qu'une Turbo S. Cela dit, avec 640 chevaux, la Turbo S impressionne autant par ses accélérations que par sa grande solidité. Cette voiture boucle le quart de mille en 10 secondes à peine, mais elle peut également vous charmer par un niveau de luxe surprenant.

### TURBO... MÊME SI LE NOM NE LE DIT PAS

Depuis déjà plusieurs années, l'ensemble des 911 fait appel au turbocompresseur. La puissance varie de 379 à 640 chevaux alors que la boîte manuelle revient en force. Cette dernière (à 6 rapports) est offerte sur la GT3 alors que l'on propose une boîte à 7 rapports pour les Carrera/Targa S et pour l'ensemble des versions GTS. Vous perdrez chaque fois un ou deux dixièmes de seconde pour l'exercice du 0 à 100 km/h par rapport à l'extraordinaire boîte PDK, mais vous gagnerez en plaisir de conduire.

Que faut-il retenir de la conduite de la 911? D'abord, qu'elle n'intimide pas. Jamais une sportive d'exception n'aura été si facile à conduire. Retenez également qu'aucune autre voiture ne pourrait vous offrir une meilleure position de conduite, considérant d'ailleurs qu'elle peut se montrer confortable pendant de longues heures. Et puis, bien qu'on la sache déjà solide comme le roc, la 911 impressionne par sa très grande qualité de construction, certainement supérieure à celle d'une Corvette. Cela dit, la 911 fait les choses avec une telle facilité qu'elle se classe dans une catégorie bien à elle. Tenue de route incroyable, freinage défiant les lois de la physique et maniabilité sans égal, ces qualités deviendront supérieures si vous choisissez de monter en gamme.

Finition sans reproche, technologie de pointe et poste de conduite aussi moderne que fidèle à la tradition participent également au charme que procure la plus mythique des Porsche. Cette voiture s'avère unique et personne n'a même tenté de l'imiter, bien qu'elle se fasse, cette année, damer le pion par une Corvette tout simplement trop talentueuse compte tenu du prix demandé. Voilà d'ailleurs ce qui explique la surenchère des prix de cette Chevrolet, surenchère que vous ne vivrez pas avec la 911, à moins d'opter pour une GT3 (180 300 $... plus les options).

| Données principales | | | |
|---|---|---|---|
| Emp. / lon. / lar. / haut. | Carrera, Targa - 2 450 / 4 519 / 1 852 / 1 298 mm | | |
| | Turbo - 2 450 / 4 535 / 1 900 / 1 303 mm | | |
| Coffre / réservoir | Cabriolet - 163 litres (132 Av.) / 64 à 67 litres | | |
| | Coupé - 264 litres (132 Av.) / 64 à 67 litres | | |
| | Targa - 132 litres (Av.) / 67 litres | | |
| Nombre de passagers | 4 | | |
| Suspension av. / arr. | ind., jambes force / ind., multibras | | |
| Pneus avant / arrière | P235/40R19 / P295/35R20 | | |
| Poids / Capacité de remorquage | Cabriolet - 1 575 à 1 710 kg / non recommandé | | |
| | Coupé - 1 505 à 1 640 kg / non recommandé | | |
| | Targa - 1 640 à 1 675 kg / non recommandé | | |

### Composantes mécaniques

**CARRERA, CARRERA 4, TARGA 4**

| | |
|---|---|
| Cylindrée, alim. | H6 3,0 litres turbo |
| Puissance / Couple | 379 ch / 332 lb-pi |
| Tr. base (opt) / Rouage base (opt) | A8 / Prop (Int) |
| 0-100 / 80-120 / V. max | 3,8 s (m) / 3,0 s (m) / 293 km/h (c) |
| Type / ville / route / CO$_2$ | Sup / 13,1 / 9,8 / 275 g/km |

**CARRERA S, CARRERA 4S, TARGA 4S**

| | |
|---|---|
| Cylindrée, alim. | H6 3,0 litres turbo |
| Puissance / Couple | 443 ch / 390 lb-pi |
| Tr. base (opt) / Rouage base (opt) | M7 (A8) / Prop (Int) |
| 0-100 / 80-120 / V. max | 3,5 s (c) / 2,8 s (est) / 308 km/h (c) |
| Type / ville / route / CO$_2$ | Sup / 12,9 / 10,2 / 273 g/km |

**CARRERA GTS, CARRERA 4 GTS, TARGA 4 GTS**

| | |
|---|---|
| Cylindrée, alim. | H6 3,0 litres turbo |
| Puissance / Couple | 473 ch / 420 lb-pi |
| Tr. base (opt) / Rouage base (opt) | M7 (A8) / Prop (Int) |
| 0-100 / 80-120 / V. max | 3,3 s (c) / 2,7 s (est) / 311 km/h (c) |
| Type / ville / route / CO$_2$ | Sup / 13,3 / 10,4 / 285 g/km (est) |

**TURBO S**

| | |
|---|---|
| Cylindrée, alim. | H6 3,8 litres turbo |
| Puissance / Couple | 640 ch / 590 lb-pi |
| Tr. base (opt) / Rouage base (opt) | A8 / Int |
| 0-100 / 80-120 / V. max | 2,5 s (m) / 2,4 s (m) / 330 km/h (c) |
| Type / ville / route / CO$_2$ | Sup / 15,3 / 11,8 / 321 g/km |

**GT3, GT3 TOURING**

H6 4,0 l - 503 ch/347 lb-pi - M6 (A7) - 0-100: 3,9 s (c) - n.d. L/100 km

**TURBO**

H6 3,8 l - 572 ch/553 lb-pi - A8 - 0-100: 2,8 s (c) - 15,2/11,9 L/100 km

**+** Plaisir de conduire incomparable • Grande qualité/solidité de construction • Performances exceptionnelles • Retour en force de la boîte manuelle

**—** Options coûteuses et nécessaires • Confort inexistant (GT3) • Lacunes ergonomiques (console centrale)

Photos : Porsche

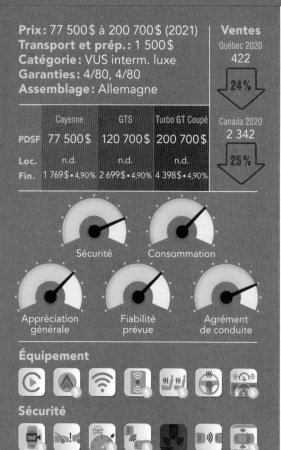

**Prix:** 77 500$ à 200 700$ (2021)
**Transport et prép.:** 1 500$
**Catégorie:** VUS interm. luxe
**Garanties:** 4/80, 4/80
**Assemblage:** Allemagne

**Ventes**
Québec 2020
422
↓ 24%

Canada 2020
2 342
↓ 25%

|  | Cayenne | GTS | Turbo GT Coupé |
|---|---|---|---|
| PDSF | 77 500$ | 120 700$ | 200 700$ |
| Loc. | n.d. | n.d. | n.d. |
| Fin. | 1 769$ • 4,90% | 2 699$ • 4,90% | 4 398$ • 4,90% |

Sécurité
Consommation
Appréciation générale
Fiabilité prévue
Agrément de conduite

## Équipement

## Sécurité

## Concurrents

Acura MDX, Audi Q7/Q8, BMW X5/X6, Buick Enclave, Genesis GV80, Infiniti QX60, Jeep Grand Cherokee, Land Rover Range Rover Sport, Lexus GX/RX, Lincoln Aviator/Nautilus, Maserati Levante, Mercedes-Benz GLE, Volvo XC90

## Nouveau en 2022

Version Turbo GT de 631 chevaux, nouvelle interface multimédia.

# Toujours champions

Marc Lachapelle

**D**ans l'histoire de l'automobile, il y aura un avant et un après le Porsche Cayenne. Pour la santé de la marque de Zuffenhausen, bien sûr, mais également pour celle de ses rivaux huppés. Parce que si le premier Cayenne a choqué les puristes, il n'en a pas moins tracé la voie pour des utilitaires opulents et racés portant le nom des plus grandes marques de sport et de prestige. Porsche est donc aux petits soins avec son Cayenne et n'oublie pas de confirmer, à l'occasion, qu'il est toujours le roi discret de cette catégorie.

C'est ce qu'a fait le constructeur en se présentant au Nürburgring, en juin dernier, avec la plus récente version du Cayenne. L'intention était d'y inscrire le meilleur chrono chez les utilitaires. Ce jour-là, le pilote Lars Kern parcourut la boucle nord de 20,832 km, le fameux Nordschleife, en 7:38,925 minutes au volant du Turbo GT, quelques jours avant son dévoilement. C'était 3 secondes de mieux que le détenteur précédent du record, l'Audi RS Q8, et presque neuf de moins que le Lamborghini Urus. Ces cousins rivaux partageant la même architecture MLB Evo au sein du groupe VW, le message était clair.

**TOUJOURS À L'ESSENTIEL**
Produit uniquement en version Coupé, le Turbo GT vient se percher au sommet d'une série qui compte maintenant 13 modèles. En matière de prix, à tout le moins, puisque la puissance combinée du Turbo S E-Hybrid se chiffre à 670 chevaux. Or, le V8 biturbo de 4 litres du GT déballe 631 chevaux, un gain de 90 équidés par rapport au Turbo Coupé. En revanche, plus léger que le Turbo S hybride d'au moins 300 kg, le Turbo GT atteindrait 100 km/h en 3,3 secondes, soit 0,5 seconde de mieux.

Le muscle supérieur de ce V8 a exigé l'adoption de bielles, pistons, amortisseurs de vibration et chaîne de distribution plus résistants. Même chose pour l'échappement en titane, dont les gros embouts fixés au centre sont exclusifs au Turbo GT. Sa boîte automatique a été retouchée pour changer ses 8 rapports plus rapidement, son antipatinage a été modifié et son boîtier de transfert est maintenant refroidi par liquide.

La carrosserie du GT est également plus basse de 17 mm comparativement au Turbo et ses ressorts pneumatiques, plus fermes de 15%. L'angle de carrossage négatif de ses roues de 22 pouces, chaussées de pneus

Pirelli P Zero Corsa spéciaux, a aussi été augmenté de 0,45 degré pour favoriser l'adhérence en courbe. Les ingénieurs ont d'ailleurs peaufiné la suspension à gestion active (PASM), la servodirection Plus à roues arrière directrices et le système PDCC à stabilisateur antiroulis. Ils ont enfin prescrit des transferts de couple plus forts et confié le freinage aux grands disques carbone-céramique de série, tout simplement.

Le Turbo GT est en outre le premier à profiter du nouveau système de communication de Porsche (PCM). Cette sixième génération qu'on dit plus performante est toujours compatible avec Apple CarPlay, mais intègre désormais les applications Music et Balados d'Apple en plus d'être enfin compatible avec Android Auto. Cela dit, il est amusant de remarquer que le prix d'un Turbo GT doté de toutes les options disponibles rejoint tout juste le prix de base du Lamborghini Urus qu'on peut raisonnablement soupçonner être la cible première de ce nouveau modèle.

### TOUJOURS LA FINE LAME

Quels que soient les exploits du nouveau Turbo GT, on aurait grand tort de négliger le GTS Coupé comme choix de tout premier plan au cœur de cette série. Si les critiques à l'endroit de la silhouette du premier Cayenne, lancé il y a maintenant vingt ans, étaient plutôt justifiées, on ne peut que s'émerveiller, aujourd'hui, devant les formes élégantes du Coupé GTS. Surtout lorsque sa carrosserie d'aluminium porte la superbe couleur Rouge Carmin, qui commande une prime quand même appréciable de 3 590 $. On a bien aimé aussi le tissu pied-de-poule noir et blanc des sièges, les surpiqûres rouges et la finition irréprochable de l'habitacle dans la version mise à l'essai.

En conduite, le GTS Coupé demeure superbement précis et direct, là où tant de VUS ne sont que flous, souples et un peu mous. Il reste merveilleusement agile et maniable aussi, avec une servodirection Plus vive, précise et des roues arrière directrices (optionnelles). Sans parler du rugissement rauque et réjouissant du V8 biturbo de 4 litres et 453 chevaux qui le propulse de 0 à 100 km/h en 4,43 secondes. Les deux places arrière sont faciles d'accès et confortables. Évidemment, la visibilité de trois quarts arrière n'est pas évidente, avec le montant très large de son toit. La visibilité vers l'avant et les côtés est superbe, par contre, avec des rétroviseurs bien détachés et de belles lucarnes à la pointe des glaces latérales.

Les autres versions du Cayenne ont certainement leurs attraits, mais ce GTS Coupé ressort fièrement du lot. En attendant notre premier essai du Turbo GT, bien sûr.

| + Profil élégant et racé (GTS) • Comportement exemplaire • Solidité et qualité de finition • Motorisation exceptionnelle | − Consommation élevée (sauf hybrides) • Autonomie électrique risible (hybrides) • Prix avec options vite faramineux • Sensible aux ornières |
|---|---|

### Données principales

| Emp. / lon. / lar. / haut. | Cayenne - 2 895 / 4 918 / 1 983 / 1 696 mm |
|---|---|
| | Coupé - 2 895 / 4 931 / 1 983 / 1 676 mm |
| Coffre / réservoir | Cayenne - 645 à 1 708 litres / 75 à 90 litres |
| | Coupé - 460 à 1 507 litres / 75 à 90 litres |
| Nombre de passagers | 4 à 5 |
| Suspension av. / arr. | ind., multibras / ind., multibras |
| Pneus avant / arrière | P255/55R19 / P275/50R19 |
| Poids / Capacité de remorquage | 1 985 kg / 3 500 kg (7 700 lb) |
| | Turbo S E-Hybrid - 2 490 kg / 3 000 kg (6 600 lb) |

### Composantes mécaniques

**CAYENNE**

| Cylindrée, alim. | V6 3,0 litres turbo |
|---|---|
| Puissance / Couple | 335 ch / 332 lb-pi |
| Tr. base (opt) / Rouage base (opt) | A8 / Int |
| 0-100 / 80-120 / V. max | 5,9 s (m) / 4,7 s (m) / 245 km/h (c) |
| Type / ville / route / CO$_2$ | Sup / 12,5 / 10,3 / 269 g/km |

**GTS**

| Cylindrée, alim. | V8 4,0 litres turbo |
|---|---|
| Puissance / Couple | 453 ch / 457 lb-pi |
| Tr. base (opt) / Rouage base (opt) | A8 / Int |
| 0-100 / 80-120 / V. max | 4,4 s (m) / 3,4 s (m) / 270 km/h (c) |
| Type / ville / route / CO$_2$ | Sup / 15,8 / 12,3 / 331 g/km |

**TURBO S E-HYBRID**

| Cylindrée, alim. | V8 4,0 litres turbo |
|---|---|
| Puissance / Couple | 541 ch / 568 lb-pi |
| Tr. base (opt) / Rouage base (opt) | A8 / Int |
| 0-100 / 80-120 / V. max | 3,8 s (c) / n.d. / 295 km/h (c) |
| Type / ville / route / CO$_2$ | Sup / 13,8 / 12,1 / 199 g/km |
| Puissance combinée | 670 ch |

**MOTEUR ÉLECTRIQUE**

| Puissance / Couple | 136 ch (101 kW) / 295 lb-pi |
|---|---|
| Type de batterie / Énergie | Lithium-ion (Li-ion) / 17,9 kWh |
| Temps de charge (240V) / Autonomie | 3,0 h / 24 km |

**E-HYBRID**

455 ch / 516 lb-pi - A8 - 0-100: 5,0 s (c) - 11,8/10,6 L/100 km - 27 km

**S**

V6 2,9 L - 434 ch/406 lb-pi - A8 - 0-100: 5,3 s (m) - 13,1/10,5 L/100 km

**TURBO**

V8 4,0 L - 541 ch/568 lb-pi - A8 - 0-100: 3,9 s (c) - 15,6/12,4 L/100 km

**TURBO GT**

V8 4,0 L - 631 ch/626 lb-pi - A8 - 0-100: 3,3 s (c) - V.Max: 300 km/h (c)

Photos : Porsche

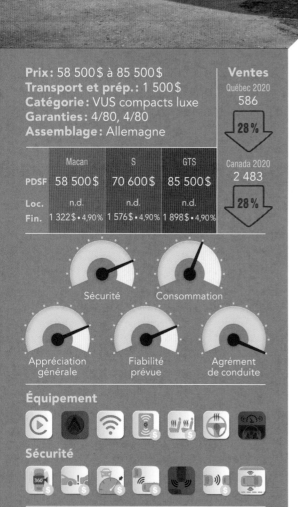

**Prix:** 58 500 $ à 85 500 $
**Transport et prép.:** 1 500 $
**Catégorie:** VUS compacts luxe
**Garanties:** 4/80, 4/80
**Assemblage:** Allemagne

**Ventes**
Québec 2020
586
⬇ 28 %

Canada 2020
2 483
⬇ 28 %

| | Macan | S | GTS |
|---|---|---|---|
| PDSF | 58 500 $ | 70 600 $ | 85 500 $ |
| Loc. | n.d. | n.d. | n.d. |
| Fin. | 1 322 $ • 4,90% | 1 576 $ • 4,90% | 1 898 $ • 4,90% |

Sécurité          Consommation

Appréciation       Fiabilité       Agrément
générale           prévue          de conduite

### Équipement

### Sécurité

### Concurrents

Acura RDX, Alfa Romeo Stelvio, Audi Q5,
BMW X3/X4, Cadillac XT5, Infiniti QX50/QX55,
Jaguar F-PACE, Land Rover Range Rover
Evoque/Velar, Lexus NX, Lincoln Corsair,
Mercedes-Benz GLC, Volvo XC60

### Nouveau en 2022

Retouches esthétiques, châssis revu, moteurs
plus puissants, nouvelle console centrale tactile.

# L'utilitaire vraiment sportif

Julien Amado

**A**près avoir construit des coupés et des cabriolets sportifs durant des décennies, Porsche ne pouvait pas proposer un VUS compact pataud et ennuyeux à conduire. Pour les équipes chargées du Macan, il fallait conserver un ADN typiquement Porsche et des performances de haut niveau, tout en composant avec un véhicule plus haut et plus lourd qu'une voiture sport. Le tout en se basant sur une plateforme commune à d'autres véhicules du groupe Volkswagen. Pas forcément évident...

Les premiers tours de roue dissipent tout doute à propos du Macan, qui propose une conduite inspirée et efficace, au sommet de la catégorie. Bien qu'il existe des différences techniques importantes entre une version de base et un GTS, tous les modèles se démarquent par leur dynamisme, chacun à leur manière. D'autant plus que pour 2022, Porsche annonce quelques améliorations apportées au châssis, des moteurs plus puissants ainsi que quelques ajustements esthétiques, surtout à l'avant.

### UNE RIGUEUR TOUTE GERMANIQUE

Dans tous les modèles, on profite d'une direction à la précision chirurgicale et d'un train avant remarquablement bien guidé. Si les Macan et Macan S proposent déjà une conduite de haut niveau, le modèle GTS profite de sa monte pneumatique majorée et de son moteur plus puissant pour augmenter ses aptitudes en courbe. On note également une vivacité supérieure lorsqu'on passe d'un virage à l'autre.

Derrière le volant, on s'étonne du niveau d'adhérence et d'efficacité du Macan, qui fait remarquablement oublier son poids élevé. Mené de manière enthousiaste, il sera très difficile à suivre sur une route tortueuse, tant qu'elle demeure correctement revêtue. Dès que l'asphalte devient cassant, la fermeté du roulement se fait remarquer. Rien de dramatique si le dynamisme compte plus que le confort à vos yeux. En ce qui concerne le freinage, la puissance de ralentissement est au rendez-vous, même si une meilleure attaque à la pédale n'aurait pas nui.

Pour 2022, Porsche a décidé de remanier ses modèles en éliminant le Macan Turbo, ce qui laisse désormais le GTS au sommet de la gamme. Bien que le constructeur n'ait encore rien annoncé à ce sujet, il y a de grandes chances pour que le Macan Turbo revienne avec encore plus de

puissance dans les mois à venir. Du côté des motorisations, le modèle de base, équipé d'un 4 cylindres de 2 litres, développe désormais 261 chevaux au lieu de 248. Ses performances sont suffisantes pour déplacer le véhicule, sans plus. Pas vraiment impressionnant, il ne fera pas frissonner l'amateur de Porsche. Les performances et l'agrément grimpent nettement avec le Macan S. Héritant désormais du V6 turbo de 2,9 litres au lieu de l'ancien 3 litres, il revendique 375 chevaux, soit 27 de plus qu'en 2021.

Dans les modèles GTS, le bloc utilisé est également un V6 turbo de 2,9 litres. Les performances augmentent notablement avec une puissance culminant à 434 chevaux, la même que celle de l'ancien Macan Turbo. Et avec un 0 à 100 km/h annoncé en 4,3 secondes avec le Pack Sport Chrono optionnel, il y a de quoi s'amuser. Cela dit, bien que le V6 2,9 litres soit énergique, ses accélérations demeurent plutôt linéaires, sans véritable coup de reins à haut régime. C'est surtout le défilement de la vitesse au tableau de bord qui vous montrera à quel point ce modèle se montre performant.

## BELLE FINITION ET OPTIONS À PROFUSION

Dès le modèle de base, on profite d'une qualité de construction et de finition remarquable. Comme toujours chez Porsche, tout est à sa place et respire le sérieux. Sous l'écran de 10,9 pouces, on retrouve désormais une console centrale avec des commandes tactiles au lieu des boutons physiques du modèle sortant. Si la version de base ne brille pas par la richesse de son équipement, il est évidemment possible de tout personnaliser ou presque en piochant dans l'immense catalogue d'options. Faites tout de même attention au prix qui grimpe rapidement lorsqu'on souhaite se faire plaisir.

Les sièges de base offrent déjà un bon maintien, mais on peut opter pour des assises plus enveloppantes et luxueuses. Dans le Macan GTS, les sièges avant, près du corps, proposent un bon compromis entre confort et support latéral. L'espace est amplement suffisant à l'avant. À l'arrière il est un peu plus compté si les occupants assis à l'avant sont grands. L'imposant tunnel central limite également le dégagement pour un cinquième passager, qui se sentira à l'étroit entouré de deux personnes. Enfin, le coffre, au seuil un peu haut, n'offre que 488 litres d'espace lorsque la banquette arrière est utilisée. Une valeur qui place le Macan dans la moyenne basse de la catégorie sur ce point.

### Données principales

| | |
|---|---|
| Emp. / lon. / lar. / haut. | 2 807 / 4 726 / 1 922 / 1 621 mm |
| Coffre / réservoir | 488 à 1 503 litres / 75 litres |
| Nombre de passagers | 5 |
| Suspension av. / arr. | ind., double triangulation / ind., multibras |
| Pneus avant / arrière | P235/55R19 / P255/50R19 |
| Poids / Capacité de remorquage | 1 920 kg / 2 000 kg (4 400 lb) |

### Composantes mécaniques

**MACAN**

| | |
|---|---|
| Cylindrée, alim. | 4L 2,0 litres turbo |
| Puissance / Couple | 261 ch / 295 lb-pi |
| Tr. base (opt) / Rouage base (opt) | A7 / Int |
| 0-100 / 80-120 / V. max | 6,2 s (c) / n.d. / 232 km/h (c) |
| Type / ville / route / $CO_2$ | Sup / n.d. / n.d. / n.d. |

**S**

| | |
|---|---|
| Cylindrée, alim. | V6 2,9 litres turbo |
| Puissance / Couple | 375 ch / 383 lb-pi |
| Tr. base (opt) / Rouage base (opt) | A7 / Int |
| 0-100 / 80-120 / V. max | 4,6 s (c) / n.d. / 259 km/h (c) |
| Type / ville / route / $CO_2$ | Sup / 13,5 / 10,5 / 285 g/km |

**GTS**

| | |
|---|---|
| Cylindrée, alim. | V6 2,9 litres turbo |
| Puissance / Couple | 434 ch / 406 lb-pi |
| Tr. base (opt) / Rouage base (opt) | A7 / Int |
| 0-100 / 80-120 / V. max | 4,3 s (c) / n.d. / 272 km/h (c) |
| Type / ville / route / $CO_2$ | Sup / 13,5 / 11,2 / 293 g/km |

**+** Capacités sportives de haut niveau • Performances convaincantes (S et GTS) • Direction précise et train avant bien guidé • Qualité de finition et de présentation

**—** Roulement un peu ferme • Volume du coffre • Les prix montent rapidement pour l'équiper convenablement

Photos : Porsche

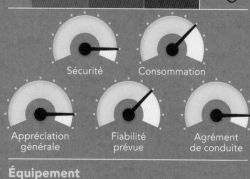

**Prix:** 100 600 $ à 228 900 $ (2021)
**Transport et prép.:** 1 500 $
**Catégorie:** Gr. berlines de luxe
**Garanties:** 4/80, 4/80
**Assemblage:** Allemagne

**Ventes**
Québec 2020
**50**
↓ 54 %

Canada 2020
**268**
↓ 55 %

| | Panamera | GTS Sport Tur. | Turbo S EH Exec. |
|---|---|---|---|
| PDSF | 100 600 $ | 155 900 $ | 228 900 $ |
| Loc. | n.d. | n.d. | n.d. |
| Fin. | 2 232 $ • 4,90% | 3 429 $ • 4,90% | 5 009 $ • 4,90% |

Sécurité    Consommation

Appréciation
générale     Fiabilité
prévue      Agrément
de conduite

**Équipement**

**Sécurité**

**Concurrents**

Audi A8, Audi e-tron GT, BMW Série 7,
Genesis G90, Karma GS-6/Revero, Lexus LS,
Maserati Quattroporte, Mercedes-Benz
Classe S, Porsche Taycan, Tesla Model S

**Nouveau en 2022**

Ajout de la fonctionnalité Android Auto.

# Une gamme pléthorique

Gabriel Gélinas

**V**ingt et une variantes. Voilà l'étendue de la gamme de la Panamera qui est devenue aussi pléthorique que celle de la mythique 911 chez Porsche. À la base de la pyramide, on retrouve la simple Panamera à moteur V6 biturbo, dont le prix de départ dépasse 100 000 $, alors que la Panamera Turbo S E-Hybrid Sport Turismo à motorisation hybride rechargeable trône au sommet avec son prix de près de 230 000 $. Vous voulez une Panamera ? Très bien, mais laquelle ?

Il faut le reconnaître, Porsche est passé maître dans l'art de faire une segmentation très fine entre les différentes déclinaisons de ses modèles, et la Panamera en est un excellent exemple. Ici, l'échelle de prix passe du simple à plus du double, tout en épousant la courbe de puissance qui passe de 325 à 690 chevaux. La Panamera est disponible en trois types de carrosserie, berline à hayon, version Executive à empattement allongé et en variante Sport Turismo de type familial, la plus réussie côté style, et dont la configuration ajoute un peu de polyvalence par rapport à la berline.

### ÉLECTRIFICATION AU PROGRAMME

Avec leur motorisation hybride, composée d'un V8 biturbo de 4 litres et d'un moteur électrique intégré à la boîte de vitesses à double embrayage (8 rapports), les Panamera Turbo S E-Hybrid sont des monstres de puissance et de couple. Aussi, comme ces variantes sont dotées d'un rouage intégral, elles répondent immédiatement lorsque l'on enfonce l'accélérateur avec une poussée aussi linéaire que soutenue. Comptez à peine plus de 3 secondes pour passer de 0 à 100 km/h. La batterie qui alimente le moteur électrique, d'une capacité de 17,9 kWh, permet une autonomie officielle de 27 km en mode électrique. La voiture est même capable d'atteindre 130 km/h sans que le moteur thermique se mette en marche, à condition de ne pas accélérer trop fortement.

Parmi les variantes électrifiées, juste une coche en dessous en fait de performance, on retrouve également les 4S E-Hybrid, dont le moteur thermique est un V6 biturbo de 2,9 litres, secondé par le moteur électrique. Ce groupe motopropulseur livre une puissance combinée de 552 chevaux ainsi qu'un couple de 553 lb-pi. Qu'il s'agisse de la 4S E-hybrid ou de la Turbo S E-Hybrid, on éprouve toujours une belle surprise par rapport à la dualité dont font preuve ces versions électrifiées. Ces autos sont capables

de circuler avec aisance sans consommer de carburant lors de la conduite en ville, pour ensuite se déchaîner avec des accélérations stupéfiantes lors des entrées sur l'autoroute.

Du côté des moteurs thermiques, les Turbo S comptent sur un V8 biturbo de 620 chevaux, ce qui permet à ces variantes de s'intercaler entre les déclinaisons électrifiées au registre des performances. Les versions les plus intéressantes, cependant, restent les GTS et 4S, dont les moteurs développent respectivement 473 et 434 chevaux, ce qui est amplement suffisant dans notre contexte nord-américain.

## UNE EXCELLENTE DYNAMIQUE

Dans tous les cas, les liaisons au sol sont assurées par une suspension à double triangulation à l'avant et de type multibras à l'arrière. La Panamera de base est dotée de ressorts et d'amortisseurs classiques, mais les variantes plus équipées adoptent une suspension pneumatique adaptative qui fait un excellent travail sur nos routes dégradées, surtout lorsque les calibrations les plus souples sont sélectionnées. Aussi, le système *Porsche Dynamic Chassis Control* (PDCC) ajoute une autre dimension à la dynamique des Panamera en agissant sur les barres antiroulis actives et la répartition vectorielle du couple. Sans oublier la direction active aux quatre roues, qui rend la voiture plus maniable à basse vitesse et augmente la stabilité lors des transitions latérales à haute vitesse, comme lors d'une manœuvre de dépassement par exemple.

Peu importe la variante, la Panamera est dotée d'un très grand écran tactile à haute définition et d'une console centrale qui présente des commandes tactiles à ressenti haptique. C'est hautement efficace comme disposition, mais comme les sous-menus sont très détaillés, il faut prendre un certain temps pour se familiariser avec l'éventail de choix qui s'offre à nous, et se munir d'un chiffon en microfibre pour effacer les traces de doigts. Précisons également que la Panamera est maintenant compatible avec Android Auto depuis cette année, Apple CarPlay étant déjà au programme depuis longtemps.

Par sa configuration à quatre portes, la Panamera est une Porsche qui offre une polyvalence accrue par rapport à la 911 Carrera, mais dont la dynamique et les performances sont un peu en retrait par rapport à l'icône de Stuttgart.

**+** Gamme très étendue •
Performances de haut niveau •
Bonne fiabilité

**—** Places arrière serrées •
Tarif des options •
Poids élevé

Photos : Porsche

### Données principales

| Emp. / lon. / lar. / haut. | Panamera - 2 950 / 5 049 / 1 937 / 1 423 mm |
|---|---|
| | Executive - 3 100 / 5 199 / 1 937 / 1 428 mm |
| | Sport Turismo - 2 950 / 5 049 / 1 937 / 1 428 mm |
| Coffre / réservoir | Berline - 403 à 1 483 litres / 75 à 90 litres |
| | Sport Turismo - 487 à 1 384 litres / 75 à 90 litres |
| Nombre de passagers | 4 à 5 |
| Suspension av. / arr. | ind., double triangulation / ind., multibras |
| Pneus avant / arrière | P265/45R19 / P295/40R19 |
| Poids / Capacité de remorquage | 1 860 à 2 445 kg / non recommandé |

### Composantes mécaniques

**4S**

| | |
|---|---|
| Cylindrée, alim. | V6 2,9 litres turbo |
| Puissance / Couple | 434 ch / 405 lb-pi |
| Tr. base (opt) / Rouage base (opt) | A8 / Int |
| 0-100 / 80-120 / V. max | 4,1 s (c) / n.d. / 295 km/h (c) |
| Type / ville / route / $CO_2$ | Sup / 12,8 / 9,8 / 276 g/km |

**GTS**

| | |
|---|---|
| Cylindrée, alim. | V8 4,0 litres turbo |
| Puissance / Couple | 473 ch / 457 lb-pi |
| Tr. base (opt) / Rouage base (opt) | A8 / Int |
| 0-100 / 80-120 / V. max | 3,9 s (c) / n.d. / 300 km/h (c) |
| Type / ville / route / $CO_2$ | Sup / 15,7 / 11,2 / 323 g/km |

**TURBO S E-HYBRID**

| | |
|---|---|
| Cylindrée, alim. | V8 4,0 litres turbo |
| Puissance / Couple | 563 ch / 568 lb-pi |
| Tr. base (opt) / Rouage base (opt) | A8 / Int |
| 0-100 / 80-120 / V. max | 3,2 s (c) / n.d. / 315 km/h (c) |
| Type / ville / route / $CO_2$ | Sup / 13,2 / 10,8 / 171 g/km |
| Puissance combinée | 690 ch |

**MOTEUR ÉLECTRIQUE**

| | |
|---|---|
| Puissance / Couple | 134 ch (100 kW) / 195 lb-pi |
| Type de batterie / Énergie | Lithium-ion (Li-ion) / 17,9 kWh |
| Temps de charge (240V) / Autonomie | 3,0 h / 27 km |

**PANAMERA, PANAMERA 4**

V6 2,9 L - 325 ch/331 lb-pi - A8 - 0-100: 5,4 s (c) - 13,1/9,8 L/100 km

**4 E-HYBRID**

455 ch / 516 lb-pi - A8 - 0-100: 4,4 s (c) - 11,4/10,0 L/100 km - 31 km

**4S E-HYBRID**

552 ch / 553 lb-pi - A8 - 0-100: 3,6 s (m)

**TURBO S**

V8 4,0 L - 620 ch/604 lb-pi - A8 - 0-100: 3,1 s (c) - 15,3/11,2 L/100 km

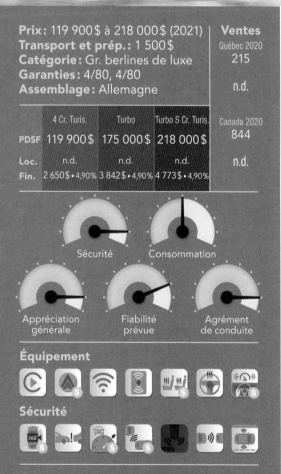

| Prix : 119 900 $ à 218 000 $ (2021) | | | Ventes |
|---|---|---|---|
| Transport et prép. : 1 500 $ | | | Québec 2020 |
| Catégorie : Gr. berlines de luxe | | | 215 |
| Garanties : 4/80, 4/80 | | | |
| Assemblage : Allemagne | | | n.d. |

| | 4 Cr. Turis. | Turbo | Turbo S Cr. Turis. | Canada 2020 |
|---|---|---|---|---|
| PDSF | 119 900 $ | 175 000 $ | 218 000 $ | 844 |
| Loc. | n.d. | n.d. | n.d. | n.d. |
| Fin. | 2 650 $ • 4,90 % | 3 842 $ • 4,90 % | 4 773 $ • 4,90 % | |

Sécurité — Consommation

Appréciation générale — Fiabilité prévue — Agrément de conduite

**Équipement**

**Sécurité**

**Concurrents**

Audi e-tron GT, Karma Revero,
Mercedes-Benz EQS, Polestar 1, Tesla Model S

**Nouveau en 2022**
Nouvelle variante Cross Turismo (mi-2021),
compatibilité avec Android Auto (en option).

# L'âme de Porsche a suivi les batteries

Frédéric Mercier

**D**ans le monde du hockey, les amateurs un peu superstitieux se plaisent à dire que les fantômes des années glorieuses de nos Canadiens n'ont pas suivi l'équipe lorsque celle-ci a quitté le Forum, en 1996.

Difficile de dire si la rumeur s'est rendue jusqu'en Allemagne, mais les amateurs de Porsche avaient des inquiétudes similaires lors de la création du premier modèle 100 % électrique de l'ère moderne. Maintes et maintes fois, les responsables des communications du constructeur ont martelé que la Taycan n'avait peut-être pas de moteur à combustion, mais qu'elle conservait tout de même « l'âme d'une Porsche ». Il faut avoir conduit une Porsche au moins une fois dans sa vie pour saisir l'ampleur de cette déclaration. Parce que tous les modèles de la marque de Stuttgart semblent détenir cette recette spéciale qui les rend si uniques.

**MISSION ACCOMPLIE**
Porsche a donc pris son temps avant de donner la réplique à Tesla avec son premier modèle électrique. L'attente en aura valu la peine, parce que la Taycan est en plein ce que l'on attendait du constructeur. On a ici affaire à une voiture électrique bien construite, amusante à conduire et incroyablement puissante. Par-dessus tout, on se sent indéniablement dans une Porsche derrière son volant ! Évidemment, les puristes s'ennuieront du ronronnement du moteur à 6 cylindres à plat, et on doit composer avec un poids beaucoup plus élevé en raison des batteries. Malgré tout, les ingénieurs de la marque allemande ont fait un sacré boulot pour nous le faire oublier.

D'abord, la présentation intérieure est absolument magnifique, avec une intégration technologique digne d'un film de science-fiction. Même le passager peut avoir son propre écran en option ! Partout autour du poste de conduite, le tactile est à l'honneur. C'est certainement très joli, mais force est d'admettre que c'est parfois agaçant, voire même dérangeant pour le conducteur. A-t-on vraiment besoin d'un écran tactile pour changer les paramètres de la climatisation ? Notons au passage l'ajout d'une intégration d'Android Auto (en option), une nouveauté pour 2022. Il était temps !

Au-delà de la présentation, c'est quand on conduit la Taycan que l'on comprend réellement à quel monstre on a affaire. Même dans sa version de « base » 4S, la berline électrique passe de 0 à 100 km/h en quatre petites

secondes. Les déclinaisons Turbo et Turbo S, développant respectivement 670 et 750 chevaux (avec la fonction départ canon), sont encore plus époustouflantes ! Imaginez, le 0 à 100 km/h peut se boucler en seulement 2,8 secondes, chrono que nous avons confirmé au *Guide de l'auto*. À cette vitesse, vous collez littéralement au fond du siège ! Pas de doute, la Taycan est actuellement la voiture électrique la plus compétente sur le marché. Ceci dit, on n'a pas encore eu l'occasion de conduire la Tesla Model S Plaid de 1 020 chevaux. Celle-ci pourrait venir changer la donne... Reste qu'en matière de qualité de fabrication et d'agrément de conduite, la Tesla ne fait pas le poids contre la Taycan.

En matière d'autonomie, Porsche a des croûtes à manger. Même avec sa batterie optionnelle de 93,4 kWh, la Taycan est limitée à seulement 365 km (4S). Les Turbo et Turbo S font encore moins bonne figure, avec des autonomies respectives de 341 et 323 km. En période hivernale, on ne pourra pas franchir la distance entre Montréal et Québec sans avoir à s'arrêter en chemin. Décevant.

### SUBLIME, LA CROSS TURISMO

En cours d'année 2021, la gamme de la Taycan a été bonifiée d'une variante «familiale», la Cross Turismo. Avec son grand hayon, cette mouture vient corriger l'un des défauts de la berline : l'espace pour les passagers arrière. Le dégagement aux jambes et à la tête est revu à la hausse, et Porsche annonce un espace de chargement pouvant dépasser les 1 200 litres. Outre l'aspect pratique, la Taycan Cross Turismo séduit par une allure plus aventurière qui lui va à ravir.

En plus des versions 4S, Turbo et Turbo S que l'on connaissait déjà avec la Taycan «ordinaire», la Cross Turismo est également livrable en mouture d'entrée de gamme 4, laquelle affiche une puissance de 375 chevaux et un chrono de 0 à 100 km/h en 5,1 secondes. À noter que toutes les Taycan vendues au Canada sont munies de série d'un rouage intégral puisqu'elles sont animées par deux moteurs électriques, un à l'avant et l'autre à l'arrière.

Connaissant Porsche, d'autres variantes de la Taycan s'ajouteront inévitablement à la gamme au cours des prochaines années. Peu importe celle que vous choisirez, une chose demeure claire : même sans moteur à essence, cette voiture mérite l'écusson qui trône sur son capot. Soyez-en assuré, l'âme de Porsche est bel et bien intacte.

**+** Accélérations foudroyantes • Qualité irréprochable des matériaux • Tenue de route sans faille • Version Cross Turismo sublime

**—** Autonomie électrique décevante • Facture salée • Places arrière restreintes (berline)

## Données principales

| Emp. / lon. / lar. / haut. | **Taycan -** 2 900 / 4 963 / 1 966 / 1 379 mm |
| | **Cross Turismo -** 2 904 / 4 974 / 1 967 / 1 409 mm |
| Coffre | **Taycan -** 407 litres (84 Av.) |
| | **Cross Turismo -** 446 à 1 212 litres (84 Av.) |
| Nombre de passagers | 4 à 5 |
| Suspension av. / arr. | ind., pneumatique, double triangulation / ind., pneumatique, multibras |
| Pneus avant / arrière | P225/55R19 / P275/45R19 |
| Poids / Capacité de remorquage | 2 140 à 2 320 kg / non recommandé |

## Composantes mécaniques

**4S BATTERIE PERFORMANCE**

| Puissance combinée | 429 ch (320 kW) / 472 lb-pi (522 ch départ canon) |
| Tr. base (opt) / Rouage base (opt) | A2 / Int |
| 0-100 / 80-120 / V. max | 4,0 s (c) / n.d. / 250 km/h (c) |

**MOTEURS ÉLECTRIQUES**

| Puissance / Couple | **Av -** 201 ch (150 kW) / 221 lb-pi |
| | **Arr -** 362 ch (270 kW) / 251 lb-pi |
| Type de batterie / Énergie | Lithium-ion / 79,2 kWh |
| Temps de charge (240V/400V) / Autonomie | 9,5 h / 0,4 h / 320 km |

**4S BATTERIE PERFORMANCE PLUS, 4S CROSS TURISMO**

| Puissance combinée | 482 ch (360 kW) / 479 lb-pi (562 ch départ canon) |
| Tr. base (opt) / Rouage base (opt) | A2 / Int |
| 0-100 / 80-120 / V. max | 4,1 s (c) / n.d. / 240 km/h (c) |

**MOTEURS ÉLECTRIQUES**

| Puissance / Couple | **Av -** 235 ch (175 kW) / 221 lb-pi |
| | **Arr -** 429 ch (320 kW) / 251 lb-pi |
| Type de batterie / Énergie | Lithium-ion (Li-ion) / 93,4 kWh |
| Temps de charge (240V/400V) / Autonomie | 10,5 h / 0,4 h / 365 km |

**TURBO S, TURBO S CROSS TURISMO**

| Puissance combinée | 616 ch (460 kW) / 774 lb-pi (750 ch départ canon) |
| Tr. base (opt) / Rouage base (opt) | A2 / Int |
| 0-100 / 80-120 / V. max | 2,8 s (m) / 1,9 s (m) / 260 km/h (c) |

**MOTEURS ÉLECTRIQUES**

| Puissance / Couple | **Av -** 255 ch (190 kW) / 295 lb-pi |
| | **Arr -** 449 ch (335 kW) / 406 lb-pi |
| Type de batterie / Énergie | Lithium-ion (Li-ion) / 93,4 kWh |
| Temps de charge (240V/400V) / Autonomie | 10,5 h / 0,4 h / 323 km |

**4 CROSS TURISMO**

375 ch (280 kW)/369 lb-pi (469 ch départ canon) - A2 - 0-100: 5,1 s (c) - 346 km

**TURBO, TURBO CROSS TURISMO**

616 ch (460 kW)/627 lb-pi (670 ch départ canon) - A2 - 0-100: 3,2 s (c) - 341 km

**Prix :** 46 015 $ à 97 965 $ (2021)
**Transport et prép. :** 1 995 $
**Catégorie :** Camion. pleine gr.
**Garanties :** 3/60, 5/100
**Assemblage :** États-Unis

**Ventes\***
Québec 2020
12 017
▽ 13 %

Canada 2020
83 672
▽ 13 %

| | Tradesman 2RM | Sport 4RM | TRX |
|---|---|---|---|
| PDSF | 46 015 $ | 60 815 $ | 97 965 $ |
| Loc. | 723 $ • 3,49 % | 1 007 $ • 3,49 % | 1 379 $ • 6,19 % |
| Fin. | 1 005 $ • 3,49 % | 1 204 $ • 3,49 % | 2 105 $ • 3,49 % |

Sécurité    Consommation

Appréciation    Fiabilité    Agrément
générale    prévue    de conduite

**Équipement**

**Sécurité**

**Concurrents**
Chevrolet Silverado 1500, Ford F-150,
GMC Sierra 1500, Ram 1500 Classic,
Toyota Tundra

**Nouveau en 2022**
Nouvel ensemble G/T de performance
offert sur modèles Sport, Rebel et Laramie.
Édition Limited dixième anniversaire.

# De HEMI à EV ?

Antoine Joubert

De la version Tradesman à la TRX, la camionnette Ram 1500 en offre actuellement pour tous les goûts. Imaginez, on propose pas moins de huit niveaux de finition dans cette gamme, ce à quoi s'ajoutent, cette année, trois variations G/T visant à dynamiser encore davantage les modèles Sport, Rebel et Laramie.

Cela dit, parce que le passage à l'hybridation ou à l'électrification est aujourd'hui nécessaire, Ram confirmait également, au cours de l'été, l'arrivée dès 2024 d'une camionnette pleine grandeur 100 % électrique, laquelle promet encore plus de performance que ses rivaux, les Ford F-150 Lightning et GMC Hummer EV. En somme, ce Ram 1500 EV offrirait environ 800 km d'autonomie, et il serait doté de batteries dont la taille varierait de 159 à 200 kWh. Voilà donc une nouvelle qui risque de consoler ceux qui s'insurgent contre l'existence d'un Ram TRX de 702 chevaux, qui peut assurément être considéré comme le véhicule neuf le plus polluant que vous puissiez vous procurer en 2022.

### TRX

Débarqué au début de l'hiver 2020, le Ram TRX allait dès lors secouer le marché, malgré un prix d'entrée frôlant les 100 000 $. Littéralement, il s'agit de la camionnette de la démesure, surpuissante, ostentatoire sur le plan visuel, et capable de vous procurer des sensations carrément inimaginables. Ce véhicule affiche un niveau de luxe et de finition qui impressionne autant que ses capacités hors route, qui n'ont de limite que l'espace vacant où vous vous aventurerez.

En surenchère parce que limité au registre de la production, le Ram TRX peut atteindre facilement 140 000 $, voire 150 000 $ sur le marché de la revente. Il s'agit d'un véhicule qui se qualifierait pratiquement d'investissement, dans la mesure où ses jours sont assurément comptés parce qu'entre vous et moi, il s'agit d'une catastrophe écologique. Vous n'aurez d'ailleurs aucune difficulté à maintenir une moyenne de consommation dépassant les 25 à 27 L/100 km, et ce, sans rien remorquer.

### « CABINE D'ÉQUIPE »
Voilà le terme maladroitement traduit pour signifier *Crew Cab*, une configuration de cabine à quatre portes, choisie au Canada par plus de 85 % des acheteurs

*Ventes combinées pour l'ensemble de la gamme de camionnettes Ram.

de Ram 1500 (hors Classic), et la seule disponible avec les versions Limited, Limited Longhorn et TRX. Notez qu'il n'existe d'ailleurs pas de cabine régulière sur cette génération du Ram 1500, la seule autre option étant la cabine *Quad* (allongée).

Bien qu'on puisse attribuer à Ford et GM d'innombrables qualités pour leur camionnette respective, il n'existe pas de cabine plus confortable que celle du Ram. Ce dernier peut se vanter d'offrir la plus belle présentation et la plus belle finition intérieure, de même que des places arrière si spacieuses qu'on pourrait presque y camper. Les astuces d'aménagement y sont d'ailleurs très nombreuses, allant des compartiments de rangement à cet écran tactile de 12 pouces, optionnel selon la version retenue. Remarquez, vous serez tout de même très bien servi par l'écran Uconnect de 8,4 pouces, qui demeure l'un des plus conviviaux de l'industrie.

Sur le plan mécanique, Ram propose, sur les moteurs V6 et V8, la technologie eTorque, une hybridation légère permettant d'optimiser le rendement énergétique d'environ 8 %, mais avec laquelle les problèmes ne cessent de se multiplier. Cette constatation revient aussi chez les propriétaires de Ram à moteur EcoDiesel, une mécanique au rendement très agréable, mais qui ne laisse pas présager de bonnes choses à long terme. Vaut donc mieux se tourner vers le V8 HEMI, une mécanique éprouvée, efficace, peu coûteuse en entretien, et qui peut tout de même remorquer de lourdes charges, jusqu'à 12 750 lb avec l'option eTorque et 11 620 lb sans le système.

Soyons toutefois honnêtes, la suspension à ressorts du Ram n'est pas aussi performante que celle de la compétition pour le remorquage. La camionnette s'affaisse davantage et semble souffrir un peu plus, bien qu'elle accomplisse tout de même le travail. En contrepartie, son comportement routier est plus agréable, affichant une meilleure tenue de route et une maniabilité sans égal. Évidemment, la solution, pour encore plus de confort et une meilleure efficacité en remorquage, reste la suspension pneumatique, dans la mesure où elle ne rend pas l'âme toutefois. Hélas, voilà un autre point faible de cette camionnette concernant la fiabilité, qu'il vaudrait mieux éviter.

Le Ram 1500 demeure assurément un véhicule de choix, mais sur lequel certaines options sont à proscrire. Il est solide, agréable et très bien assemblé, en plus de conserver une excellente valeur de revente. Ça reste une bonne nouvelle, considérant une facture de plus en plus salée, qui explique pourquoi tant d'acheteurs se tournent vers le Ram 1500 Classic.

| ➕ | ➖ |
|---|---|
| Excellents moteurs V6 et V8 • Confort et aménagement intérieur • Comportement routier • Qualité d'assemblage | Fiabilité (eTorque, Ecodiesel, susp. pneumatique) • Facture en forte hausse • Empreinte écologique épouvantable (TRX) |

## Données principales

| | |
|---|---|
| Emp. / lon. / lar. / haut. **Cab. d'équipe** - | 3 672 à 3 898 / 5 916 à 6 142 / 2 084 / 1 968 à 1 971 mm |
| **Cab. Quad** - | 3 569 / 5 814 / 2 084 / 1 971 à 1 973 mm |
| **TRX** - | 3 686 / 5 916 / 2 235 / 2 055 mm |
| Boîte / réservoir **Cab. Quad** - | 1 937 mm / 89 à 125 litres |
| **Cab. d'équipe** - | 1 711 à 1 937 mm / 89 à 125 litres |
| **TRX** - | 1 711 mm / 125 litres |
| Nombre de passagers | 5 à 6 |
| Suspension av. / arr. | ind., pneumatique, bras inégaux / essieu rigide, pneumatique, multibras |
| Pneus avant / arrière **Sport - Limited** - | P275/55R20 / P275/55R20 |
| **Trades.-Big Horn-Laramie** - | P275/65R18 / P275/65R18 |
| **TRX** - | LT325/65R18 / LT325/65R18 |
| Poids / Capacité de remorquage (max.) **Cab. d'équipe 2RM** - | 2 368 kg / 5 230 kg (11 530 lb) |
| **Cab. d'équipe 4RM** - | 2 449 kg / 5 121 kg (11 290 lb) |
| **Cab. Quad 2RM** - | 2 180 kg / 5 783 kg (12 750 lb) |
| **Cab. Quad 4RM** - | 2 265 kg / 5 175 kg (11 410 lb) |
| **TRX** - | 2 880 kg / 3 674 kg (8 100 lb) |

## Composantes mécaniques

**ECODIESEL**

| | |
|---|---|
| Cylindrée, alim. | V6 3,0 litres turbo |
| Puissance / Couple | 260 ch / 480 lb-pi |
| Tr. base (opt) / Rouage base (opt) | A8 / Prop (4x4) |
| Type / ville / route / $CO_2$ | Dié / 10,5 / 7,3 / 243 g/km |

**V6 eTORQUE**

| | |
|---|---|
| Cylindrée, alim. | V6 3,6 litres atmos. |
| Puissance / Couple | 305 ch / 269 lb-pi |
| Tr. base (opt) / Rouage base (opt) | A8 / Prop (4x4) |
| Type / ville / route / $CO_2$ | Ord / 11,9 / 9,4 / 253 g/km |

**MOTEUR ÉLECTRIQUE**

| | |
|---|---|
| Puissance / Couple | 12 ch (9 kW) / 90 lb-pi |
| Type de batterie | Lithium-ion (Li-ion) |
| Énergie | 0,4 kWh |

**HEMI**

| | |
|---|---|
| Cylindrée, alim. | V8 5,7 litres atmos. |
| Puissance / Couple | 395 ch / 410 lb-pi |
| Tr. base (opt) / Rouage base (opt) | A8 / Prop (4x4) |
| Type / ville / route / $CO_2$ | Ord / 16,2 / 10,5 / 320 g/km |

**HEMI eTORQUE**

V8 5,7 L - 395 ch/410 lb-pi - Électrique - 12 ch (9 kW)/130 lb-pi - A8 - 0-100: 6,9 (m) - 14,0/10,7 L/100 km

**TRX**

V8 6,2 L - 702 ch/650 lb-pi - A8 - 0-100: 4,53 (m) - 22,4/16,5 L/100 km

# RAM 1500 CLASSIC

★★★★ COTE DU **GUIDE**

**Prix:** 36 900 $ à 56 285 $ (2021)
**Transport et prép.:** 1 995 $
**Catégorie:** Camion. pleine gr.
**Garanties:** 3/60, 5/100
**Assemblage:** États-Unis

**Ventes***
Québec 2020
**12 017**
↓ **13 %**

Canada 2020
**83 672**
↓ **13 %**

| | Tradesman 4x2 | Express 4x4 | Warlock 4x4 |
|---|---|---|---|
| PDSF | 36 900 $ | 44 990 $ | 56 285 $ |
| Loc. | 596 $ • 6,19% | 770 $ • 6,19% | 865 $ • 2,99% |
| Fin. | 817 $ • 3,49% | 983 $ • 3,49% | 1 224 $ • 3,49% |

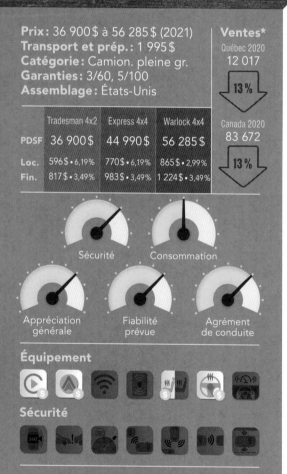

Sécurité    Consommation

Appréciation générale    Fiabilité prévue    Agrément de conduite

**Équipement**

**Sécurité**

**Concurrents**
Chevrolet Silverado 1500, Ford F-150,
GMC Sierra 1500, Ram 1500, Toyota Tundra

**Nouveau en 2022**
Aucun changement majeur annoncé
au moment de mettre sous presse.

# Au prix d'un intermédiaire

Antoine Joubert

**C**hez Stellantis (auparavant Fiat-Chrysler), on maîtrise l'art de prolonger la vie d'un modèle par rapport à ce qui serait considéré comme un cycle normal. Un bon exemple: la Dodge Grand Caravan, abandonnée en fin d'année 2020 qui aurait pourtant dû disparaître à l'arrivée de la Chrysler Pacifica en 2016. Ou encore, le Jeep Grand Cherokee, lancé en 2011 et toujours présent, en 2022, malgré l'arrivée d'une nouvelle génération. Ces stratégies fonctionnent très bien sur le plan commercial, comme le prouve le retour de la camionnette Ram Classic en 2022.

Introduite en cours d'année 2008, cette génération du Ram a connu un succès monstre. À plusieurs reprises, elle allait même chatouiller, au Canada, les ventes combinées des camionnettes Chevrolet et GMC, bien qu'elle n'ait jamais atteint ce deuxième rang (Ford étant toujours premier). Aujourd'hui, Ram a cependant un tout autre mandat avec le 1500 Classic. Il s'agit d'abord d'offrir la camionnette pleine grandeur la moins chère en ville, mais aussi de rivaliser indirectement avec les Chevrolet Colorado/GMC Canyon et autres camionnettes intermédiaires du marché, qui sont en fin de compte vendues à prix équivalent.

Tout le monde ne souhaite évidemment pas s'encombrer d'une camionnette de cette taille, ce qui explique pourquoi l'intermédiaire convient à une grande quantité d'acheteurs. Cela dit, en proposant d'un côté le Jeep Gladiator et de l'autre, le Ram Classic, Stellantis parvient actuellement à combler le vide laissé par le Ram Dakota disparu à la fin de l'année 2011.

**DU CHOIX!**
Cabine régulière, *Quad* ou *Crew*, avec un choix de deux longueurs de caisse et de cinq versions, le Ram Classic offre beaucoup de possibilités. On a toutefois éliminé les modèles les plus luxueux, jadis offerts, au profit des versions plus utilitaires (Tradesman, Express, SLT, Night Edition, Warlock). Parmi ces dernières, les variantes Express et Night Edition sont particulièrement convoitées, offrant à la fois un look intéressant et une bonne valeur. L'édition Warlock propose pour sa part une partie des éléments esthétiques de l'ancien Ram Rebel.

Comme toujours, on a droit à deux options mécaniques: le V6 Pentastar de 305 chevaux et le V8 de 5,7 litres HEMI, déballant 90 chevaux supplémentaires.

*Ventes combinées pour l'ensemble de la gamme de camionnettes Ram.

Dans les deux cas, il s'agit de mécaniques éprouvées qui proposent un rendement exceptionnel, étant jumelées toutes les deux à une automatique à 8 rapports. Sans surprise, le V8 HEMI est celui qui prodigue les meilleures capacités étant, par exemple, capable de remorquer jusqu'à 10 610 lb. Cela implique également une consommation mesurée au moins 20 % supérieure à celle du V6, ainsi qu'une taxe annuelle d'immatriculation majorée de quelques centaines de dollars (au Québec).

Toujours doté d'une suspension arrière à ressorts plutôt qu'à lames, le Ram Classic déploie un niveau de confort étonnant ainsi qu'un comportement routier très agréable au quotidien. Puis, parce que les bobos de jeunesse ont été éliminés un à un au fil des ans, on atteint aujourd'hui une fiabilité des plus honnêtes. Un traitement antirouille est toutefois fortement recommandé dès la première année pour ces modèles, les bas de caisse et tours d'ailes étant particulièrement vulnérables.

### GARE AUX OPTIONS!

Si le prix initial du véhicule peut paraître alléchant, vous constaterez qu'il le devient moins en ajoutant les innombrables options qui sont suggérées. Avec une version Warlock, vous pourriez facilement atteindre le plateau des 60 000 $, ce qui vous amène alors facilement dans une déclinaison de nouvelle génération, plus moderne, plus confortable et mieux insonorisée. Il est donc important d'effectuer un exercice de comparaison, équipement pour équipement, si vous choisissez de lâcher votre fou avec un modèle Classic. À nos yeux, la version Express représente néanmoins la meilleure valeur, tout dépendant bien sûr des rabais et promotions en cours.

Financièrement, un Ram Classic Express 4x4 à cabine *Crew* vous coûtera environ 42 000 $ incluant les rabais, colossaux, certes, mais fixés sur des prix de détail artificiellement gonflés. Qu'à cela ne tienne, la facture finale demeure raisonnable, surtout en effectuant l'exercice de comparaison avec les camions intermédiaires.

Ajoutez à cela une faible dépréciation par rapport au prix payé, et vous comprendrez aisément ce qui pousse tant de gens à opter pour cette version plutôt que pour un modèle DT (nouvelle génération). Bien que Ram ne divulgue pas d'informations à ce sujet, on estime qu'environ 40 % des ventes totales des camionnettes Ram (incluant les modèles HD) sont faites avec les Classic. Ne soyez donc pas étonnés si le constructeur étire la sauce encore plusieurs années.

## Données principales

| Emp. / lon. / lar. / haut. | Simple Court - 3 061 / 5 309 / 2 017 / 1 894 mm |
|---|---|
| | Simple Long - 3 569 / 5 867 / 2 017 / 1 889 mm |
| | Cabine Double - 3 569 / 5 817 / 2 017 / 1 960 mm |
| | Multiplace Court - 3 569 / 5 817 / 2 017 / 1 955 mm |
| | Multiplace Long - 3 795 / 6 042 / 2 017 / 1 951 mm |
| Boîte / réservoir | 1 712 à 2 497 mm / 87 à 121 litres |
| Nombre de passagers | 3 à 6 |
| Suspension av. / arr. | ind., bras inégaux / essieu rigide, ress. hélicoïdaux |
| Pneus avant / arrière | P265/70R17 / P265/70R17 |
| Poids / Cap. de remorquage | Simple 4x2 - 2 050 kg / 4 813 kg (10 610 lb) |
| | Simple 4x4 - 2 142 kg / 4 740 kg (10 450 lb) |
| | Double 4x2 - 2 212 kg / 4 754 kg (10 480 lb) |
| | Double 4x4 - 2 295 kg / 4 663 kg (10 280 lb) |
| | Multiplace 4x2 - 2 238 kg / 4 722 kg (10 410 lb) |
| | Multiplace 4x4 - 2 307 kg / 4 654 kg (10 260 lb) |

## Composantes mécaniques

**V6 - 3,6 LITRES**

| Cylindrée, alim. | V6 3,6 litres atmos. |
|---|---|
| Puissance / Couple | 305 ch / 269 lb-pi |
| Tr. base (opt) / Rouage base (opt) | A8 / Prop (4x4) |
| Type / ville / route / $CO_2$ | 4x2 - Ord / 13,9 / 9,6 / 280 g/km |
| | 4x4 - Ord / 14,5 / 10,2 / 294 g/km |

**HEMI**

| Cylindrée, alim. | V8 5,7 litres atmos. |
|---|---|
| Puissance / Couple | 395 ch / 410 lb-pi |
| Tr. base (opt) / Rouage base (opt) | A8 / Prop (4x4) |
| Type / ville / route / $CO_2$ | 4x2 - Ord / 15,7 / 11,0 / 319 g/km |
| | 4x4 - Ord / 16,2 / 11,6 / 330 g/km |

➕ Prix alléchant • Motorisations efficaces et éprouvées • Comportement routier toujours étonnant • Dépréciation raisonnable

➖ Sensible à la corrosion • Quelques options indispensables • Moteur V8 gourmand

DIESEL

**Prix :** 53 265 $ à 88 265 $ (2021)
**Transport et prép. :** 1 995 $
**Catégorie :** Camion. pleine gr.
**Garanties :** 3/60, 5/100
**Assemblage :** Mexique

**Ventes\***
Québec 2020
**12 017**
⬇ **13 %**

Canada 2020
**83 672**
⬇ **13 %**

|  | 2500 Trade. 2RM | 2500 Lar. 4RM | 3500 Lim. 4RM |
|---|---|---|---|
| **PDSF** | 53 265 $ | 74 265 $ | 88 265 $ |
| **Loc.** | n.d. | n.d. | n.d. |
| **Fin.** | 1 156 $ • 3,49 % | 1 595 $ • 3,49 % | 1 888 $ • 3,49 % |

Sécurité    Consommation

Appréciation générale    Fiabilité prévue    Agrément de conduite

**Équipement**

**Sécurité**

**Concurrents**
Chevrolet Silverado HD, Ford Super Duty, GMC Sierra HD

**Nouveau en 2022**
Aucun changement majeur annoncé au moment de mettre sous presse.

# Pour le Cummins !

Marc-André Gauthier

Les camionnettes pleine grandeur sont tellement populaires, de nos jours, qu'il n'est pas surprenant que certains acheteurs les utilisent pour leurs déplacements quotidiens. Pour les amateurs de robustesse et de travaux lourds, heureusement, il existe toujours la catégorie des camions HD.

HD, ça veut dire « Heavy Duty », ce qui se traduirait par « à toute épreuve ». Chez Ram, cette catégorie, aussi appelée 2500 et 3500, offre une étonnante civilité malgré sa vocation. À tout le moins, beaucoup plus de civilité qu'à l'époque où ces véhicules n'étaient ni plus ni moins que des outils de chantier vendus chez un concessionnaire.

Dans ce segment, les F-250 et F-350 règnent en maîtres. General Motors y tient également une place de choix, avec ses Silverado et Sierra HD. Pour Ram, c'est un peu plus difficile. Cela dit, Ram jouit d'une particularité : il est le seul à offrir des moteurs diesel de marque Cummins, reconnus pour leurs capacités, leur endurance, et qui peuvent compter sur des amateurs dont la fidélité frise le zèle religieux. Pourtant, GM aussi a de bons moteurs diesel avec les Duramax, tout comme Ford, surtout avec les Power Stroke de dernière génération.

**TOUJOURS DANS LE LUXE**

Dans l'univers de la camionnette, la palme du luxe revient à Ram. Cela s'explique partiellement par ses suspensions pneumatiques, qui permettent un confort comparable à celui d'une voiture haut de gamme. Depuis que ces suspensions sont disponibles sur le Ram 2500, il peut, lui aussi, donner une véritable expérience de luxe à son propriétaire, tout en ayant de fortes capacités techniques.

Cela dit, comme le Ram 1500, les Ram 2500 et 3500 sont disponibles en tellement de versions qu'il est difficile de généraliser. Malgré tout, une variante de milieu de gamme d'un Ram 2500 est plus jolie et mieux finie que ses concurrentes. Ram représente vraiment un avantage en ce sens !

On propose les Ram HD essentiellement en deux configurations de cabines, appelées *Crew Cab* et *Mega Cab*. La *Crew*, appelée Cabine d'équipe en français, offre vraiment beaucoup d'espace tandis que la *Mega Cab* transforme votre véhicule en véritable salon roulant. En ce qui concerne la boîte, on a

également deux options, l'une longue de 6,4 pieds et l'autre, de 8 pieds. Malheureusement, si on prend la grosse cabine, on ne peut pas opter pour la boîte de 8 pieds, il faudra se contenter de celle de 6,4 pieds.

## TOUJOURS DES OPTIONS

L'acheteur doit également composer avec plusieurs versions. Seulement pour le modèle 2500, avant même de choisir la taille de la boîte, de la cabine, ainsi que le moteur que l'on souhaite avoir, on doit choisir parmi six niveaux d'équipement, allant du Tradesman au Limited. Sur le 3500, c'est encore bien pire puisqu'on a huit versions différentes…

En fait de moteur, le premier choix est un V8 de 6,4 litres, le même que l'on retrouve dans les produits SRT 392. Pour un peu plus de 9 000 $ en option, vous pouvez en outre opter pour un 6 cylindres en ligne 6,7 litres diesel Cummins. Sur les modèles 3500, on offre même une version un peu plus puissante du moteur diesel, en ajoutant 2 500 $ aux 9 000 $ déjà déboursés. Dans tous les cas, il est jumelé à une boîte automatique traditionnelle à 6 rapports.

Lequel choisir? La souplesse du moteur diesel, tant au quotidien qu'au travail, nous incite à recommander ce moteur, d'autant plus qu'il consomme un peu moins que le V8 à essence. Mais avant tout, faites le calcul! Est-ce que l'économie d'essence vous fera épargner au moins les 9 000 $ que vous aurez dépensés pour l'avoir?

Il faut également souligner que le moteur Cummins a une meilleure capacité de remorquage. Cet élément reste important si vous avez absolument besoin d'un véhicule capable de tracter le plus possible. D'ailleurs, ces capacités varient grandement en fonction de l'équipement choisi. En gros, le moteur V8 de 6,4 litres peut remorquer jusqu'à 17 540 lb, alors que le 6,7 litres Cummins grimpe jusqu'à 37 100 lb.

Tout compte fait, le Ram HD demeure sans doute le plus confortable de sa catégorie et le mieux habillé. Si vous avez besoin d'une flotte de camions dotés de mécaniques éprouvées, les Ram HD pourraient représenter un choix intéressant.

### Données principales

| | |
|---|---|
| Emp. / lon. / lar. / haut. | Cab. simple - 3 560 / 5 892 / 2 120 à 2 450 / 1 981 à 2 042 mm |
| | Cab. d'équipe court - 3 785 / 6 066 / 2 120 à 2 450 / 1 987 à 2 015 mm |
| | Cab. d'équipe long - 4 293 / 6 626 / 2 120 / 1 983 à 2 035 mm |
| | Mega Cab - 4 074 / 6 348 / 2 120 à 2 450 / 2 004 à 2 036 mm |
| Boîte / réservoir | Cab simple / d'équipe - 1 939 à 2 497 mm / 106 à 121 litres |
| | Mega Cab - 1 939 mm / 121 litres |
| Nombre de passagers | 2 à 6 |
| Suspension av. / arr. | ind., ress. hélicoïdaux / essieu rigide, multibras |
| Pneus avant / arrière | Tradesman - LT245/70SR17 / LT245/70SR17 |
| | Big Horn-Laramie - LT275/70R18E / LT275/70R18E |
| | Limited - LT285/60R20E / LT285/60R20E |
| Poids / Cap. de remorquage max | 2500 Cab. simple - 3 164 kg / 9 072 kg (20 000 lb) |
| | 2500 Cab. d'équipe - 3 344 kg / 9 072 kg (20 000lb) |
| | 2500 Mega Cab - 3 203 kg / 7 466 kg (16 480 lb) |
| | 3500 Cab. simple - 3 369 kg / 16 828 kg (37 100 lb) |
| | 3500 Cab. d'équipe - 3 653 kg / 15 477 kg (34 120 lb) |
| | 3500 Mega Cab - 3 900 kg / 14 778 kg (32 580 lb) |

### Composantes mécaniques

**ESSENCE**

| | |
|---|---|
| Cylindrée, alim. | V8 6,4 litres atmos. |
| Puissance / Couple | 410 ch / 429 lb-pi |
| Tr. base (opt) / Rouage base (opt) | A8 / Prop (4x4) |

**DIESEL CUMMINS**

| | |
|---|---|
| Cylindrée, alim. | 6L 6,7 litres turbo |
| Puissance / Couple | 370 ch / 850 lb-pi |
| Tr. base (opt) / Rouage base (opt) | A6 / Prop (4x4) |

**DIESEL CUMMINS HAUT RENDEMENT**

| | |
|---|---|
| Cylindrée, alim. | 6L 6,7 litres turbo |
| Puissance / Couple | 400 ch / 1 000 lb-pi |
| Tr. base (opt) / Rouage base (opt) | A6 / Prop (4x4) |

+ Le plus bel habitacle de sa catégorie • Relativement confortable • Souplesse du moteur Cummins

– Moteurs gourmands • Vieille transmission avec le Cummins • Pas de boîte longue avec la grosse cabine

Photos : Ram

# RAM **PROMASTER**

★★★☆ COTE DU **GUIDE**

## Informations techniques

**Prix:** 40 740 $ à 48 740 $ (2021)
**Transport et prép.:** 1 995 $
**Catégorie:** Fourgonnettes
**Garanties:** 3/60, 5/100
**Assemblage:** Mexique

| | 1500 utilitaire | 3500 utilitaire | 3500 fourgon vitré |
|---|---|---|---|
| **PDSF** | 40 740 $ | 44 040 $ | 48 740 $ |
| **Loc.** | n.d. | n.d. | n.d. |
| **Fin.** | 894 $ • 3,49% | 963 $ • 3,49% | 1 061 $ • 3,49% |

**Ventes**
Québec 2020
**1 097**
▼ 3 %

Canada 2020
**3 518**
▼ 21 %

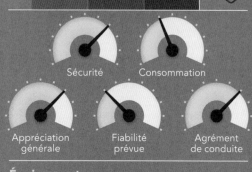

Sécurité · Consommation

Appréciation générale · Fiabilité prévue · Agrément de conduite

**Équipement**

**Sécurité**

**Concurrents**
Chevrolet Express, Ford Transit,
GMC Savana, Mercedes-Benz Sprinter

**Nouveau en 2022**
Aucun changement majeur annoncé
au moment de mettre sous presse.

# Travail tout risque

Antoine Joubert

**D**epuis maintenant huit ans, Ram nous sert son interprétation du Fiat Ducato. Ce véhicule, extrêmement populaire en Europe, est aussi commercialisé là-bas sous les marques Citroën, Peugeot, Opel et Vauxhall. Évidemment, il s'agit d'un produit à usage commercial, qui n'est d'ailleurs plus offert chez nous en configuration passager, ce marché n'étant que symbolique pour Ram.

Naturellement, la COVID-19 aura forcé les gens à opter massivement pour la livraison à domicile, faisant ainsi grimper la valeur comme l'intérêt pour ce genre de véhicule. Les fourgons commerciaux dans le marché d'occasion valent d'ailleurs aujourd'hui plus cher que jamais, toutes marques confondues. Bien sûr, le Promaster n'y échappe pas, offrant l'avantage d'une maniabilité supérieure et d'une consommation jugée fort raisonnable par les utilisateurs.

### L'ATTRACTION DE LA TRACTION

En milieu urbain, un camion de livraison se doit d'être facile à manœuvrer ou à stationner. Les emplacements sont souvent restreints et il faut fréquemment tricoter durement pour s'y faire une place. De conception italienne, ce fourgon a donc été développé par des gens qui vivent quotidiennement avec des contraintes d'espace, dans des villes où les rues sont nettement plus étroites que les nôtres. Voilà pourquoi le Ram Promaster est doté d'un groupe propulseur à roues motrices avant, facilitant les manœuvres et optimisant le diamètre de braquage. Pour le marché nord-américain, on lui greffe toutefois une motorisation bien connue des produits Chrysler, le V6 Pentastar de 3,6 litres qui, dans cette configuration, produit 280 chevaux. Celle-ci est toutefois jumelée à la vieille boîte automatique à 6 rapports qui aura notamment fait carrière dans l'ancienne Dodge Grand Caravan. Cette transmission a hélas connu des ratés en matière de fiabilité et, lorsque sollicitée davantage, elle ne devient que plus fragile.

Sur la route, la traction demeure un avantage. Du moins, lorsque le chargement du fourgon est bien équilibré puisqu'en ajoutant beaucoup de poids à l'arrière, le train avant s'allège, entrainant ainsi le patinage des roues. L'hiver, cet élément peut alors devenir un problème, voilà pourquoi on lui préfère un Mercedes-Benz Sprinter ou un Ford Transit à propulsion. Il est donc important de bien évaluer son utilisation avant d'arrêter son choix.

Autrement, le comportement du véhicule demeure honnête. Certes, la position de conduite est curieuse, mais on s'y adapte. Il est vrai que le Promaster peut être sensible aux vents latéraux, surtout si vous optez pour un modèle à toit surélevé. C'est pourquoi Ram a développé une technologie baptisée Crosswind Assist (stabilisation en fonction des vents latéraux), améliorant ainsi la sécurité.

## DE L'ESPACE À REVENDRE

Sans arbre de transmission, le Promaster voit conséquemment son seuil de plancher abaissé par rapport à la compétition. L'accès à l'espace de chargement est donc plus facile pour l'utilisateur, qui y verra un sérieux avantage au quotidien. Le volume utile maximal dépasse quant à lui les 13 000 litres, s'arrimant avec ce que propose le Ford Transit, qui lui concède sur papier une meilleure capacité de charge. Cela dit, retenons encore une fois qu'avec près de 5 000 lb de charge, le Promaster voit son comportement plus affecté que la concurrence.

Le poste de conduite n'a pour sa part que peu évolué, bien qu'on ait récemment ajouté l'option d'un rétroviseur-caméra franchement pratique pour ce genre de véhicule. Cela dit, on y retrouve toujours cette vieillissante radio multifonction issue de chez Fiat, alors qu'on lui préférerait de beaucoup les interfaces utilisées dans les autres camions Ram. Consolez-vous, toutefois, en vous disant qu'on ne pourrait faire pire qu'avec le Chevrolet Express, qui fête un quart de siècle d'existence sous cette forme.

Quiconque s'intéresse à ce genre de camion a manifestement des besoins commerciaux ou de caravanage. Dans les deux cas, la fiabilité est de rigueur parce qu'un camion qui brise peut coûter très cher à une entreprise et parce qu'il peut aussi gâcher des vacances bien méritées.

Malheureusement, le Promaster s'avère de loin le produit le moins fiable du segment, coûtant également très cher à réparer et à entretenir en raison de nombreux vices de conception. De plus, au moment d'écrire ces lignes, sa disponibilité était compromise au point où l'on anticipait des attentes de plus d'un an pour la commande d'un modèle à toit régulier, sans équipement particulier. S'agit-il d'un problème de disponibilité de pièces ou d'un désintérêt du constructeur à vendre ces modèles chez nous au profit de l'Europe? Qui sait. En ce sens, vaut mieux jeter son dévolu sur le Ford Transit, un véhicule plus répandu, plus fiable, moins coûteux à entretenir et qui a fait ses preuves.

### Données principales

| | |
|---|---|
| Emp. / lon. / lar. / haut. | Emp. court - 2 997 / 4 963 / 2 066 / 3 429 mm |
| | Emp. moyen - 3 454 / 5 415 / 2 066 / 2 362 à 2 632 mm |
| | Emp. long - 4 039 / 6 000 à 6 364 / 2 066 / 2 592 à 2 603 mm |
| Coffre / réservoir | Emp. court - 7 339 litres / 91 litres |
| | Emp. moyen - 8 559 à 9 993 litres / 91 litres |
| | Emp. long - 11 899 à 13 108 litres / 91 litres |
| Nombre de passagers | 2 à 3 |
| Suspension av. / arr. | ind., jambes force / essieu rigide, ress. à lames |
| Pneus avant / arrière | LT225/75R16 / LT225/75R16 |
| Poids / Capacité de remorquage | 2 076 à 2 296 kg / 2 907 à 3 134 kg (6 400 à 6 910 lb) |

### Composantes mécaniques

| | |
|---|---|
| Cylindrée, alim. | V6 3,6 litres atmos. |
| Puissance / Couple | 280 ch / 260 lb·pi |
| Tr. base (opt) / Rouage base (opt) | A6 / Tr |

➕ Maniabilité en milieu urbain • Seuil de plancher plus bas que la moyenne • Moteur éprouvé • Volume cargo impressionnant

➖ Fiabilité désastreuse • Coûts d'entretien/réparations considérables • Patinage des roues avant lorsque lourdement chargé • Disponibilité limitée

Photos : Ram

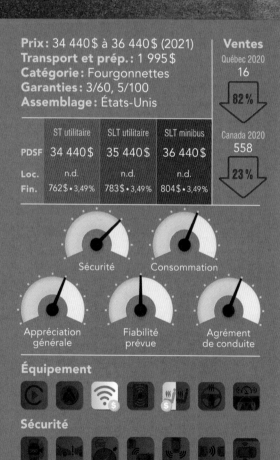

**Prix:** 34 440 $ à 36 440 $ (2021)
**Transport et prép.:** 1 995 $
**Catégorie:** Fourgonnettes
**Garanties:** 3/60, 5/100
**Assemblage:** États-Unis

| | ST utilitaire | SLT utilitaire | SLT minibus |
|---|---|---|---|
| PDSF | 34 440 $ | 35 440 $ | 36 440 $ |
| Loc. | n.d. | n.d. | n.d. |
| Fin. | 762 $ • 3,49 % | 783 $ • 3,49 % | 804 $ • 3,49 % |

**Ventes**
Québec 2020
16
82 %
Canada 2020
558
23 %

Sécurité — Consommation
Appréciation générale — Fiabilité prévue — Agrément de conduite

**Équipement**

**Sécurité**

**Concurrents**
Ford Transit Connect, Mercedes-Benz Metris

**Nouveau en 2022**
Aucun changement majeur annoncé au moment de mettre sous presse.

# Le mal-aimé

Luc Gagné

Le Ram ProMaster City est sans contredit un mal-aimé. Pour les concessionnaires, il devait servir d'alternative au Ford Transit Connect. Au contraire, il est devenu le fourgon commercial le moins populaire au pays, et de loin. Pourtant, a priori, le City ne semble pas dénué d'intérêt. Comparativement au plus petit fourgon de Ford, ce jumeau du Fiat Doblò a des dimensions comparables à quelques millimètres près. D'ailleurs, le terme compact reste relatif puisqu'il est aussi long qu'un Hyundai Santa Fe ou qu'un Jeep Wrangler Unlimited.

Le constat demeure le même pour l'habitacle, du moins en ce qui concerne les versions commerciales biplaces. Ses places avant sont aussi spacieuses que celles d'un Ford. On y trouve également une large tablette de rangement fixée au plafond, près du pare-brise. C'est un fourre-tout très pratique.

Bien que ces fourgons soient recherchés avant tout pour leurs variantes commerciales, le ProMaster City et le Transit Connect proposent également des versions pour passagers. Chez Ram, on l'appelle Microbus. Là, il y a des différences. D'abord, l'embrasure plus étroite des portes coulissantes latérales du Ram (environ une vingtaine de centimètres en moins) complique l'embarquement aux places arrière. De plus, le Microbus offre cinq places, alors que le Ford, six ou sept selon l'aménagement choisi par l'acheteur. Or, on sait combien les consommateurs américains raffolent des véhicules ayant trois rangées de sièges... même si la plus reculée ne sert quasiment jamais!

Le volume maximal de l'aire de chargement favorise marginalement le Ford à hauteur de 5 à 10 %, selon qu'il s'agit d'une version commerciale ou celle pour passagers. Dans les deux cas, par contre, la largeur entre les passages de roues gravite autour de 120 cm et la hauteur du seuil du plancher au niveau des portes arrière est presque égale.

**CHARGE UTILE SUPÉRIEURE**
En revanche, la charge utile du Ram est supérieure. Comparativement au Ford, elle est environ 15 % plus élevée pour sa version commerciale, alors que la différence pour le Microbus est de l'ordre de 6 %. Quant à la capacité de remorquage de ces deux fourgons, elle est égale: 2 000 lb. Elle passe à 1 880 lb cependant pour le Microbus. Fait à noter, pour profiter de cette

capacité de remorquage, dans chaque cas, il faut ajouter un ensemble d'accessoires optionnel valant quelques centaines de dollars.

À l'arrière, le Ram dispose de portes asymétriques (60/40) originales. Elles s'ouvrent d'abord sur 90 degrés. Puis, en enfonçant un bouton sur le loquet de porte, elles poursuivent leur course sur 180 degrés. La porte la plus étroite se trouve du côté du trottoir, ce qui réduit l'encombrement derrière le véhicule et le risque de heurter un piéton en l'ouvrant. Cette formule apparaît plus pratique que les portes symétriques (50/50) ou le hayon optionnel du Transit Connect.

En somme, ces particularités devraient placer ces fourgons sur un pied d'égalité. Mais, l'impopularité du Ram démontre le contraire. Même son moteur, marginalement plus puissant, n'y fait rien. Ce 4 cylindres Tigershark MultiAir atmosphérique de 2,4 litres propose 178 chevaux contre 162 pour le moteur de 2 litres du Ford (169 pour le moteur optionnel de 2,5 litres). Le Tigershark s'avère en outre moins gourmand sur autoroute, mais le 2 litres de Ford fait mieux en ville.

### ÉCUEILS IRRITANTS

Est-ce à dire que le choix du véhicule devrait être dicté par la vocation qu'on lui prête et l'écoperformance du moteur? Logiquement, oui. Mais dans le cas du ProMaster City, il faut aussi prendre en considération la piètre réputation acquise par sa boîte de vitesses automatique à 9 rapports au fil des ans. Certes, cela contribue à l'impopularité de ce fourgon, tout comme son rayon de braquage important.

Au fond, plus que tout ce qui précède, le ProMaster de plus grand format constitue une cause importante de l'insuccès du ProMaster City. Pensez-y. Pour quelques milliers de dollars de plus, le 1500 d'entrée de gamme à empattement court dispose d'un coffre plus volumineux, d'une charge utile deux fois supérieure, d'une capacité de remorquage trois fois plus grande ainsi que d'une motorisation plus puissante et plus coupleuse.

Si le Microbus était abordable, il pourrait présenter un quelconque intérêt, par exemple, pour un artisan souhaitant profiter de sa double personnalité, à la fois utilitaire et familiale. Malheureusement, même cette version est défavorisée par une dotation moins sophistiquée que celle du Transit Connect (peu de dispositifs d'aide à la conduite et de sécurité, pas d'intérieur en cuir, pas de toit ouvrant, etc.). Pas surprenant, donc, qu'il soit mal-aimé...

+ Format pratique •
Portes arrière asymétriques
intéressantes

− Boîte automatique
perfectible • Dotation moins
sophistiquée • Prix élevés

**Données principales**

| Emp. / lon. / lar. / haut. | 3 109 / 4 752 / 2 148 / 1 886 mm |
|---|---|
| Coffre / réservoir | **Fourgon** - 3 729 litres / 61 litres |
| | **Microbus** - 2 098 à 2 880 litres / 61 litres |
| Nombre de passagers | 2 à 5 |
| Suspension av. / arr. | ind., jambes force / ind., multibras |
| Pneus avant / arrière | P215/55R16 / P215/55R16 |
| Poids / Capacité de remorquage | **Fourgon** - 1 587 kg / 907 kg (2 000 lb) |
| | **Microbus** - 1 670 kg / 854 kg (1 880 lb) |

**Composantes mécaniques**

| Cylindrée, alim. | 4L 2,4 litres atmos. |
|---|---|
| Puissance / Couple | 178 ch / 174 lb-pi |
| Tr. base (opt) / Rouage base (opt) | A9 / Tr |
| Type / ville / route / $CO_2$ | Ord / 11,2 / 8,3 / 232 g/km |

Photos: Ram

| | Cullinan | Ventes |
|---|---|---|
| **Prix :** 408 000 $ à 550 000 $ (estimé) | | Québec 2020 |
| **Transport et prép. :** 4 000 $ | | n.d. |
| **Catégorie :** VUS exotiques | | |
| **Garanties :** 4/ill, 4/ill | | |
| **Assemblage :** Royaume-Uni | | |

| | Cullinan | Canada 2020 |
|---|---|---|
| **PDSF** | 408 000 $ | n.d. |
| **Loc.** | n.d. | |
| **Fin.** | 8 918 $ • 4,90 % | |

Sécurité — Consommation

Appréciation générale — Fiabilité prévue (Infos n.d.) — Agrément de conduite

## Équipement

## Sécurité

## Concurrents

Aston Martin DBX, Bentley Bentayga, Lamborghini Urus, Mercedes-Maybach GLS

## Nouveau en 2022

Aucun changement majeur annoncé au moment de mettre sous presse.

# Un diamant sur roues

Gabriel Gélinas

**S**igne des temps, les marques légendaires comme Aston Martin, Lamborghini, Bentley et Rolls-Royce n'échappent pas à la déferlante de VUS qui transforme le paysage automobile. Même Ferrari se lancera bientôt dans la course avec son Purosangue. Plus de doute possible, ce qui était autrefois une lubie de l'esprit est maintenant la nouvelle réalité. Chez Rolls-Royce, détenue par le groupe BMW, le Cullinan est devenu le tout premier VUS paré du *Spirit of Ecstasy* à l'occasion de son lancement en 2018, 50 ans après l'arrivée du premier Range Rover. Et si le célébrissime constructeur anglais bat aujourd'hui des records de vente à l'échelle mondiale, le Cullinan y est pour beaucoup.

Nommé en l'honneur du plus gros diamant brut découvert en 1905 en Afrique du Sud par Sir Thomas Cullinan, le VUS de Rolls-Royce est monté sur la plate-forme *Architecture of Luxury*, réalisée en aluminium et qui sert également de base aux Phantom et Ghost actuelles. Long de plus de 5 mètres et large de 2 mètres, le Cullinan mesure 1,84 mètre en hauteur et pèse 2 753 kg, rien de moins. Les formes sont cubiques et les portes arrière sont à ouverture antagoniste, comme sur plusieurs autres modèles de la marque.

### UNE BOÎTE RELIÉE AU GPS

Le moteur est partagé avec la Ghost et la Phantom, le V12 biturbo de 6,75 litres produit par BMW étant ici jumelé à l'excellente boîte automatique ZF à 8 rapports et au rouage intégral de série. L'une des particularités des modèles de la marque est que la boîte automatique est connectée au système GPS, ce qui permet de toujours sélectionner le rapport approprié selon le profil de la route. Ainsi, à l'approche d'une enfilade de virages, la boîte va commander le rétrogradage et conserver le meilleur rapport pour négocier ce parcours sinueux avant de passer aux rapports supérieurs une fois que le Cullinan roule en ligne droite. Ce qui est fantastique, c'est que ces changements de rapports sont presque imperceptibles, ce qui ajoute au confort de conduite. L'autre dispositif bonifiant le confort, c'est la suspension pneumatique reliée à la caméra qui scrute la surface de la route et ajuste constamment la calibration des liaisons au sol afin de créer cette impression de flotter sur un nuage.

Selon Rolls-Royce, le Cullinan est capable de traverser des gués de 54 cm, mais parions qu'aucun client ne s'avisera de le faire ! Et même si le Cullinan est aussi doté d'un rouage intégral paramétrable permettant de circuler sur du

sable, de la neige ou de la boue, il est fort probable que plusieurs acheteurs rouleront uniquement sur les routes balisées au volant de ce véritable salon sur roues.

Pour les places arrière, deux configurations sont au programme. Le *Lounge Seat* est une banquette pouvant accueillir trois passagers, alors que le *Individual Seat* offre deux sièges séparés par une console centrale fixe comprenant un espace réfrigéré permettant d'y placer une bouteille et des flûtes à champagne ou des verres à whisky. Comme le Cullinan est doté d'un hayon, les concepteurs ont choisi d'intégrer, en option, un vitrage séparant l'habitacle du coffre afin de protéger les occupants des courants d'air lorsque le hayon est en position ouverte.

Pour l'aménagement du coffre, Rolls-Royce offre, en option, le *Recreation Module* permettant d'y ranger les articles de loisir comme un kit de pêche, de chasse, d'escalade, etc. Il suffit de préciser quels sont les articles que vous souhaitez ranger pour que Rolls-Royce crée ce compartiment de rangement aux dimensions exactes. Toujours au catalogue des équipements optionnels, le *Viewing Suite* fait du Cullinan le véhicule le plus huppé pour vos *tailgate partys* puisqu'il suffit d'appuyer sur un bouton pour que deux sièges en cuir et une table à cocktail sortent du plancher. Orientés vers l'arrière, ces fauteuils permettent d'admirer le paysage, que l'on espère bucolique.

### LE CÔTÉ OBSCUR DE LA FORCE

Rolls-Royce propose aussi le Cullinan en version Black Badge qui se démarque par son moteur un peu plus puissant, mais surtout par son style menaçant avec sa carrosserie noire, alors que plusieurs couches de peinture et de laque sont appliquées et polies à la main à dix occasions pendant le processus. Pour souligner sa spécificité, la version Black Badge présente un *Spirit of Ecstasy* réalisé en chrome noir brillant, des jantes en alliage forgées de 22 pouces et des étriers de frein rouges, une première pour la marque.

Dans ce créneau hyperraréfié des VUS de très grand luxe, le Cullinan affronte, entre autres, le Bentley Bentayga, ainsi que la variante Maybach du GLS de Mercedes-Benz. Parions que les multimillionnaires en quête du summum du luxe dans le segment des VUS ne se formaliseront pas trop du tarif des options ou de l'empreinte carbone de ces mastodontes.

**Données principales**

| | |
|---|---|
| Emp. / lon. / lar. / haut. | 3 295 / 5 341 / 2 000 / 1 835 mm |
| Coffre / réservoir | 603 à 1 886 litres / 90 litres |
| Nombre de passagers | 4 à 5 |
| Suspension av. / arr. | ind., pneumatique, double triangulation / ind., pneumatique, multibras |
| Pneus avant / arrière | P255/50R21 / P285/45R21 |
| Poids / Capacité de remorquage | 2 753 kg / 3 300 kg (7 280 lb) |

**Composantes mécaniques**

**CULLINAN**

| | |
|---|---|
| Cylindrée, alim. | V12 6,75 litres turbo |
| Puissance / Couple | 563 ch / 627 lb-pi |
| Tr. base (opt) / Rouage base (opt) | A8 / Int |
| 0-100 / 80-120 / V. max | 5,2 s (c) / n.d. / 250 km/h (c) |
| Type / ville / route / CO₂ | Sup / 20,1 / 12,1 / 386 g/km |

**BLACK BADGE**

| | |
|---|---|
| Cylindrée, alim. | V12 6,75 litres turbo |
| Puissance / Couple | 591 ch / 664 lb-pi |
| Tr. base (opt) / Rouage base (opt) | A8 / Int |
| 0-100 / 80-120 / V. max | 5,1 s (est) / n.d. / 250 km/h (c) |
| Type / ville / route / CO₂ | Sup / 20,1 / 12,1 / 386 g/km |

**+** Rouage intégral de série • Puissance et couple du V12 biturbo • Excellent niveau de confort • Variété infinie d'options de personnalisation

**—** Prix plus élevé que ses rivaux • Tarif des nombreuses options • Consommation très élevée

Photos : Rolls-Royce

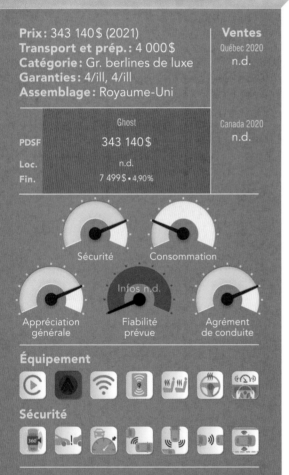

**Prix :** 343 140 $ (2021)
**Transport et prép. :** 4 000 $
**Catégorie :** Gr. berlines de luxe
**Garanties :** 4/ill, 4/ill
**Assemblage :** Royaume-Uni

**Ventes**
Québec 2020
n.d.

| | Ghost | Canada 2020 |
|---|---|---|
| PDSF | 343 140 $ | n.d. |
| Loc. | n.d. | |
| Fin. | 7 499 $ • 4,90 % | |

Sécurité   Consommation

Appréciation
générale   Infos n.d.   Fiabilité
prévue   Agrément
de conduite

**Équipement**

**Sécurité**

**Concurrents**

Bentley Flying Spur, Mercedes-Maybach Classe S

**Nouveau en 2022**

Nouvelle génération du modèle. Les modèles Wraith et Dawn basés sur la même plate-forme devraient suivre sous peu.

# Le confort personnifié

Julien Amado

Lorsqu'il est question de luxe, de raffinement et de confort, deux constructeurs nous viennent immédiatement à l'esprit : Bentley et Rolls-Royce. Deux représentants du grand luxe à l'anglaise, désormais détenus par des groupes allemands, Volkswagen pour le premier, et BMW pour le second.

Bâtie sur une plate-forme inédite en aluminium, la Ghost est présentée comme le véhicule le plus technologique de la marque. Pour rehausser le confort et la précision de conduite, une nouvelle suspension a été développée. Baptisée *Planar Suspension System*, elle améliore encore le confort grâce, entre autres, à une pièce spécifique positionnée sur le triangle de suspension supérieur. Cette dernière assurerait un meilleur confort ainsi qu'une réduction des vibrations parasites lors de la conduite. Ajoutez un rouage intégral permettant de maximiser la traction et quatre roues directrices pour braquer plus court et parfaire la maniabilité et vous obtenez une toute nouvelle Ghost.

Sous le capot, on retrouve un V12 d'origine BMW réalésé à 6,75 litres et affublé de deux turbocompresseurs. Avec une puissance de 563 chevaux et un couple de 627 lb-pi, la cavalerie ne manque pas. Cela dit, il n'en fallait pas moins, puisque l'auto pèse presque aussi lourd que deux Honda Civic réunies...

### PLUS ACCUEILLANTE QU'UN SALON

Entrer dans l'habitacle d'une Rolls-Royce est une expérience en soi. Peu importe l'endroit où se pose le regard, les matériaux sont absolument sublimes, leur agencement n'appelant aucune critique. Cuirs souples et délicieusement odorants, bois précieux, aluminium, difficile de faire plus accueillant que cet intérieur. Bien que cela se joue à quelques détails près, nous avons tout de même noté une qualité de finition un tantinet supérieure à celle offerte chez Bentley.

Le propriétaire pouvant conduire ou être conduit, chaque place procure un confort de très haut niveau. Les ajustements des sièges permettent de trouver une position parfaite et les fonctions de chauffage, de ventilation et de massage sont au rendez-vous. Un petit bémol toutefois, le souffle des sièges ventilés se fait un peu trop entendre quand on sélectionne la position maximale. Rien de majeur, mais à ce prix, on a le droit d'être pointilleux !

En plus des traditionnels parapluies disposés dans les portières, notre modèle d'essai arborait une panoplie d'éléments distinctifs, dont le plus étonnant est sans conteste la reproduction d'un ciel étoilé dans le pavillon. Les lumières dissimulées dans la voûte scintillent de manière plus ou moins forte pour reproduire l'effet visuel d'une nuit claire à l'extérieur. Une thématique qui est aussi reprise sur le tableau de bord face au passager. Un exemple parmi d'autres du souci du détail observé chez Rolls-Royce.

## TRAIN À GRANDE VITESSE SUR QUATRE ROUES

Après avoir refermé la lourde porte grâce à la commande électrique, le conducteur semble isolé du monde extérieur. Le démarrage du moteur ne trouble aucunement cette quiétude, le ronronnement du V12 étant à peine perceptible. Face au conducteur, pas de compte-tours, mais le fameux cadran qui indique le pourcentage de puissance disponible. Délicieusement décalé...

Bien installé dans un siège au confort royal, le conducteur vit une expérience incroyable. Superbement insonorisée, la Ghost conduit ses occupants dans un confort inégalable. D'ailleurs, à haute vitesse sur l'autoroute, il faut faire attention à ne pas dépasser les limitations de vitesse tant le silence trompe vos sens. Il n'y a que si la route devient extrêmement mauvaise que l'on ressent de légères trépidations dans les suspensions et un peu de bruit en provenance des roues. Mais globalement, la prestation fournie par Rolls-Royce frôle la perfection.

Dans cet univers feutré, il faut appuyer à fond sur l'accélérateur pour entendre légèrement le bruit du V12 à haut régime. La boîte de vitesses égrène ses 8 rapports de manière imperceptible. Il n'y a aucun à-coup et pas de temps mort dans les montées en régime qui semblent ne jamais finir. La poussée est franche, mais jamais violente. Comme dans les Bentley de ce monde, les accélérations et les reprises sont étonnantes considérant le gabarit de l'auto. C'est surtout le défilement des graduations de l'indicateur de vitesse qui vous renseigne sur les performances de la voiture. Notre seul bémol concerne la direction, dont la légèreté ne cadre pas vraiment avec le poids de l'auto et qui pourrait se montrer plus communicative.

Pour terminer, et bien que cela n'effraie guère les futurs clients, le prix de base de la Ghost s'élève à un peu plus de 343 000 $. Dans notre modèle d'essai, la facture était gonflée par environ 120 000 $ d'options, ce qui est extrêmement cher dans l'absolu, mais plutôt habituel lorsqu'un acheteur configure une Rolls-Royce à son goût.

**+** Insonorisation qui frôle la perfection • Performances étonnantes • Qualité de finition inégalée

**−** Direction légère • Sièges ventilés un peu bruyants • Prix des options déraisonnable

### Données principales

| | |
|---|---|
| Emp. / lon. / lar. / haut. | **Ghost** - 3 295 / 5 545 / 1 980 / 1 570 mm |
| | **Empattement Allongé** - 3 465 / 5 715 / 1 980 / 1 550 mm |
| Coffre / réservoir | 500 litres / 83 litres |
| Nombre de passagers | 4 à 5 |
| Suspension av. / arr. | ind., pneumatique, double triangulation / ind., pneumatique, multibras |
| Pneus avant / arrière | P255/45R20 / P285/40R20 |
| Poids / Capacité de remorquage | 2 553 kg / non recommandé |

### Composantes mécaniques

**GHOST, GHOST ALLONGÉ**

| | |
|---|---|
| Cylindrée, alim. | V12 6,75 litres turbo |
| Puissance / Couple | 563 ch / 627 lb-pi |
| Tr. base (opt) / Rouage base (opt) | A8 / Int |
| 0-100 / 80-120 / V. max | 4,8 s (c) / n.d. / 250 km/h (c) |
| Type / ville / route / $CO_2$ | Sup / 19,9 / 12,7 / 387 g/km |

**BLACK BADGE**

| | |
|---|---|
| Cylindrée, alim. | V12 6,75 litres turbo |
| Puissance / Couple | 591 ch / 664 lb-pi |
| Tr. base (opt) / Rouage base (opt) | A8 / Int |
| 0-100 / 80-120 / V. max | 4,7 s (c) / n.d. / 250 km/h (c) |
| Type / ville / route / $CO_2$ | Sup / 19,9 / 12,7 / 387 g/km |

Photos: Antoine Joubert, Julien Amado

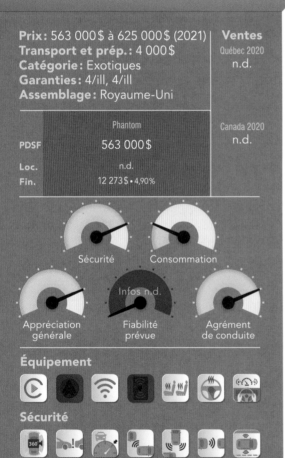

**Prix:** 563 000 $ à 625 000 $ (2021)
**Transport et prép.:** 4 000 $
**Catégorie:** Exotiques
**Garanties:** 4/ill, 4/ill
**Assemblage:** Royaume-Uni

**Ventes**
Québec 2020
n.d.

|  | Phantom | Canada 2020 |
|---|---|---|
|  |  | n.d. |
| PDSF | 563 000 $ |  |
| Loc. | n.d. |  |
| Fin. | 12 273 $ • 4,90 % |  |

Sécurité

Consommation

Appréciation générale

Infos n.d.

Fiabilité prévue

Agrément de conduite

## Équipement

## Sécurité

## Concurrents

La Phantom n'a plus de concurrente directe depuis le retrait de la Bentley Mulsanne.

## Nouveau en 2022

Aucun changement majeur annoncé au moment de mettre sous presse.

# L'œuvre d'art

Michel Deslauriers

**L**a Rolls-Royce Phantom n'est peut-être pas la voiture la plus chère au monde, mais son prestige est indéniable. Par son design carré et massif, son silence de roulement et ses proportions gargantuesques, elle hypnotise les passants et exige le respect. Et c'est pour cette raison que ses propriétaires doivent l'adorer.

Toutefois, avec un peu de créativité et de goût — bon ou mauvais, peu importe —, la Phantom devient aussi un objet d'art, une forme d'expression de la personnalité de l'acheteur. Évidemment, Rolls-Royce vante son service de personnalisation aidant ces riches gens à s'assurer que leur voiture soit unique au monde.

## COMMANDE SPÉCIALE

Il serait honteux d'arriver chez un concessionnaire Rolls-Royce et de demander s'il y a des Phantom en inventaire ! On s'y rend plutôt pour entamer un processus de commande afin de partager nos choix de couleurs, de matériaux et de textures, sans compter les options de personnalisation. Comme la planche de bord *Gallery* abritant une œuvre confectionnée par des artistes minutieux, immortalisée derrière un panneau de verre. On peut admirer quelques exemples sur le site web de la marque, dont celui dans la Phantom Iridescent Opulence présentant une planche de bord garnie de 3 000 plumes de queue d'oiseau, ou celui dans la Phantom Immortal Beauty affichant une planche décorée de roses blanches en porcelaine...

Il existe toutefois quelques exceptions à la règle d'unicité absolue, alors que le constructeur a présenté tôt en 2021 la Phantom Tempus Collection. Produite à seulement 20 exemplaires pour le monde, et déjà vendue avant même d'annoncer sa commercialisation, la collection Tempus arbore une scintillante peinture Bleu kairos et incorpore des garnitures uniques. Puisqu'il faut profiter de chaque instant de notre vie, cette édition n'est pas équipée de la traditionnelle horloge analogique sur la planche de bord.

À l'arrière de la version à empattement allongé, comme si la Phantom « de base » n'était pas assez imposante, on peut choisir une cloison pour s'isoler de la section avant, avec une vitre électrochimique qui devient opaque au toucher d'un bouton. Pour les paresseux, les quatre portes assistées de la voiture peuvent être fermées à l'aide de boutons. Et n'oublions pas le plafond

étoilé, dans lequel se trouvent 1 344 minuscules lumières en fibre optique, pouvant représenter la constellation de n'importe quelle journée dans le temps.

## DANS LE SILENCE

Évidemment, la Phantom est l'une des voitures les mieux insonorisées sur le marché, isolant ses occupants du monde extérieur comme une voûte. Bon, une voûte avec des fenêtres. On vante même le somptueux cuir des sièges qui ne fait aucun bruit lorsque l'on s'y assoit. Entremêlé de riches boiseries, de commandes physiques en métal et d'épaisses moquettes en laine d'agneau, on retrouve un système multimédia moderne, un calque de l'interface iDrive de BMW. Des parapluies peuvent être rangés dans l'intérieur des portes avant, avec des canalisations pour les sécher. On peut faire graver ce que l'on veut sur les plaques de seuil de porte illuminées.

Si les supervoitures au prix démesuré affichent leur caractère avec des motorisations surpuissantes et bruyantes, le V12 biturbo de 6,75 litres de la Rolls-Royce Phantom ronronne comme un chat. Toutefois, on a droit à 563 chevaux ainsi qu'à un couple monstre de 664 lb-pi à partir de 1 700 tr/min, permettant des décollages de 0 à 100 km/h en 5,3 secondes, ce qui est tout de même impressionnant pour une voiture dépassant les 2 600 kg. La puissance se manifeste comme un ouragan, conférant à la Phantom des accélérations et des reprises sans violence. Inexplicablement, c'est la moins énergivore de la gamme Rolls, même si les trois modèles sont passablement ivrognes, ce qui ne dérange vraisemblablement pas les acheteurs.

Et combien doit-on débourser pour cette sublime berline de prestige ? Les gens de Rolls-Royce s'esclaffent chaque fois qu'on leur demande le PDSF de base, car personne ne se commande une Phantom « toute nue, pas d'options ». Disons seulement qu'il vous faudra allonger au-delà de 550 000 $, sans compter les innombrables personnalisations et, bien sûr, les taxes.

Depuis la disparition de la Bentley Mulsanne, la Rolls-Royce Phantom est seule dans sa stratosphère, alors que la Ghost fraîchement redessinée doit se mesurer aux Mercedes-Maybach Classe S et Bentley Flying Spur. Puisque l'on parle de la Ghost, légèrement plus petite avec un design plus élancé, elle risque de faire tout aussi bien paraître son acheteur à moindre coût. En revanche, la Phantom est une voiture incomparable, tant au chapitre de son prix et de son gabarit que de l'assurance d'avoir un exemplaire unique, confectionné selon nos moindres désirs. Et plus elle est chère, plus elle nous étonne, et plus on l'admire, comme une œuvre d'art sur roues.

| + Exclusivité assurée • Innombrables choix de personnalisation • Confort de roulement sublime | − Consommation exagérée • Prix stratosphérique • Côté écologique inexistant |
|---|---|

### Données principales

| Emp. / lon. / lar. / haut. | **Phantom** - 3 552 / 5 770 / 2 018 / 1 646 mm |
|---|---|
| | **Empattement Long** - 3 772 / 5 990 / 2 018 / 1 656 mm |
| Coffre / réservoir | 548 litres / 90 litres |
| Nombre de passagers | 4 à 5 |
| Suspension av. / arr. | ind., pneumatique, double triangulation / ind., pneumatique, multibras |
| Pneus avant / arrière | P255/45R22 / P285/40R22 |
| Poids / Capacité de remorquage | 2 610 kg / non recommandé |

### Composantes mécaniques

| Cylindrée, alim. | V12 6,75 litres turbo |
|---|---|
| Puissance / Couple | 563 ch / 664 lb-pi |
| Tr. base (opt) / Rouage base (opt) | A8 / Prop |
| 0-100 / 80-120 / V. max | 5,3 s (c) / n.d. / 250 km/h (c) |
| Type / ville / route / CO$_2$ | Sup / 20,0 / 11,8 / 382 g/km |

## Un mal nécessaire

Germain Goyer

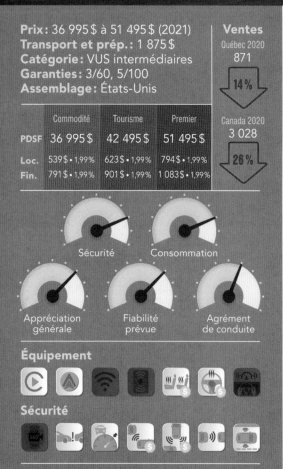

**Prix:** 36 995 $ à 51 495 $ (2021)
**Transport et prép.:** 1 875 $
**Catégorie:** VUS intermédiaires
**Garanties:** 3/60, 5/100
**Assemblage:** États-Unis

**Ventes**
Québec 2020
871
▼ 14 %

Canada 2020
3 028
▼ 26 %

| | Commodité | Tourisme | Premier |
|---|---|---|---|
| PDSF | 36 995 $ | 42 495 $ | 51 495 $ |
| Loc. | 539 $ • 1,99 % | 623 $ • 1,99 % | 794 $ • 1,99 % |
| Fin. | 791 $ • 1,99 % | 901 $ • 1,99 % | 1 083 $ • 1,99 % |

Sécurité · Consommation
Appréciation générale · Fiabilité prévue · Agrément de conduite

**Équipement**

**Sécurité**

**Concurrents**
Chevrolet Traverse, Dodge Durango,
Ford Explorer, GMC Acadia, Honda Pilot,
Hyundai Palisade, Kia Telluride, Mazda CX-9,
Nissan Pathfinder, Toyota Highlander,
Volkswagen Atlas

**Nouveau en 2022**
Ajout de la version Onyx et de la couleur vert
automne. Volant chauffant sur toute la circon-
férence de série (sauf modèle commodité).

J usque dans les années 1980, la famille moyenne se promenait dans une voiture familiale. Si elle était pourvue de bois, c'était encore mieux. Puis, est arrivée la minifourgonnette, qui a déplacé les clans jusqu'au milieu des années 2000 avant que les véhicules utilitaires sport ne se multiplient et deviennent aussi populaires qu'aujourd'hui. C'est dans cette optique et dans le but de profiter de l'effervescence du segment que Subaru commercialise l'Ascent depuis 2019. Pour 2022, il continue son petit bonhomme de chemin sans proposer de grandes nouveautés.

Bien que l'Ascent propose une série de déclinaisons, une seule mécanique est affichée au menu. Il s'agit d'un moteur à 4 cylindres à plat — une signature du constructeur japonais — turbocompressé de 2,4 litres. Il libère une puissance de 260 chevaux et un couple de 277 lb-pi. Sur papier, ces données sont intéressantes, mais la réalité s'avère bien différente. En effet, ce type de motorisation est inapproprié pour la vocation et le format du VUS.

Ce n'est pas un hasard si les Honda Pilot, Toyota Highlander, Kia Telluride, Hyundai Palisade et Volkswagen Atlas proposent des mécaniques à 6 cylindres. Sans oublier le Ford Explorer, même si son V6 plus puissant ne joue pas tout à fait dans la même cour. Rappelons-nous que la capacité de remorquage fait souvent partie des critères de la clientèle. L'Ascent demeure dans la moyenne avec 5 000 lb. Hélas, avec un bloc à 4 cylindres et une transmission à variation continue, on n'assiste pas à un mariage heureux. D'ailleurs, il faut mentionner le rendement particulièrement désagréable de la transmission, assez bruyante et trop lente à réagir.

Si l'on joue la carte d'une petite cylindrée chez Subaru, c'est en raison de la consommation de carburant. À cet effet, le manufacturier recommande l'essence régulière d'indice d'octane 87. Or traditionnellement, les moteurs turbocompressés vieillissent mieux lorsqu'alimentés au carburant super, ce qui n'est généralement pas nécessaire avec un V6 atmosphérique. En bref, il n'y a pas de réelle économie puisque vous débourserez davantage pour chaque litre consommé. L'Ascent a été le premier véhicule à être animé par cette mécanique. Si nous avions certaines réticences face à la fiabilité de cette motorisation qui était autrefois nouvelle, il n'y a pas de nuage à l'horizon pour le moment.

Malgré ces quelques bémols, notons que le seuil de caisse de l'Ascent demeure relativement bas, ce qui facilite l'accès à bord si on le compare à des VUS concurrents. Mentionnons également que les sièges capitaine à la deuxième rangée, de série dans le modèle Premier et optionnels pour les versions Tourisme et Limited, sont particulièrement confortables.

## NOIR, NOIR, NOIR

Si l'apparence chromée comptait plusieurs adeptes au milieu des années 2000, cette époque est vraisemblablement révolue et les constructeurs automobiles commencent à le comprendre. Pour 2022, Subaru ajoute à son catalogue une version Onyx, qui vient se loger entre les Tourisme et Limited au sein de la gamme. À l'instar de ce qui a été réalisé avec l'esthétisme du Crosstrek Outdoor, on a appliqué un revêtement intérieur toutes saisons et on a noirci les jantes de 20 pouces, les coquilles des rétroviseurs, la calandre ainsi que l'ensemble des garnitures extérieures.

Considérant la mode actuelle qui consiste à noircir à peu près tout ce qui est possible sur un véhicule, cette nouvelle version de l'Ascent devrait recevoir un accueil favorable de la part des consommateurs. Au cours des prochains mois, il ne serait pas surprenant de voir une version Wilderness plus radicale s'ajouter au catalogue, comme on l'a vu récemment avec l'Outback.

## UN MARCHÉ DIFFICILE À PERCER

Bien que l'Ascent profite d'une foule de qualités et qu'il soit positionné aux côtés de deux produits convaincants et matures, les Forester et Outback, le constructeur japonais semble avoir bien du mal à percer le marché des VUS intermédiaires à trois rangées. On se rappelle une première tentative, en 2006 avec le B9 Tribeca, devenu tout simplement Tribeca par la suite, qui n'a pas connu le succès escompté. C'est après avoir étudié davantage les besoins et désirs des Nord-Américains qu'est né l'Ascent. Malheureusement pour lui, la mayonnaise n'a pas monté pour les raisons évidentes évoquées plus haut. Quand on jette un œil aux chiffres de ventes des manufacturiers au Canada, on remarque qu'il se situe loin derrière les pionniers du segment que sont les Honda Pilot et Toyota Highlander, mais aussi qu'il est devancé par des joueurs plus récents comme le Hyundai Palisade. Décidément, Subaru a encore du travail à faire pour réellement s'imposer avec l'Ascent.

SUBARU ASCENT

### Données principales

| | |
|---|---|
| Emp. / lon. / lar. / haut. | 2 890 / 4 998 / 1 956 / 1 819 mm |
| Coffre / réservoir | 498 à 2 448 litres / 73 litres |
| Nombre de passagers | 7 à 8 |
| Suspension av. / arr. | ind., jambes force / ind., double triangulation |
| Pneus avant / arrière | Commodité, Tourisme - P245/60R18 / P245/60R18 |
| | Limited, Onyx, Premier - P245/50R20 / P245/50R20 |
| Poids / Capacité de remorquage | 2 043 à 2 081 kg / 2 270 kg (5 000 lb) |
| | Commodité - 2 005 kg / 908 kg (2 000 lb) |

### Composantes mécaniques

| | |
|---|---|
| Cylindrée, alim. | H4 2,4 litres turbo |
| Puissance / Couple | 260 ch / 277 lb-pi |
| Tr. base (opt) / Rouage base (opt) | CVT / Int |
| 0-100 / 80-120 / V. max | 7,4 s (m) / 5,5 s (m) / n.d. |
| 100-0 km/h | 39,9 m (m) |
| Type / ville / route / $CO_2$ | Ord / 11,6 / 9,0 / 244 g/km |

+ Rouage intégral performant • Accès à bord facile • Sièges capitaine confortables dans la deuxième rangée

— Rendement de la transmission à variation continue • 4 cylindres turbo inapproprié pour ce type de véhicule • Direction légère

Photos : Subaru

SUBARU BRZ

**Prix:** 29 000 $ à 33 000 $ (estimé)
**Transport et prép.:** 1 650 $
**Catégorie:** Sportives
**Garanties:** 3/60, 5/100
**Assemblage:** Japon

**Ventes**
Québec 2020
**119**
10 %

Canada 2020
**661**
8 %

|  | BRZ | GR 86 | GR 86 Prem. |
|---|---|---|---|
| PDSF | 29 000 $ | 29 500 $ | 33 000 $ |
| Loc. | n.d. | n.d. | n.d. |
| Fin. | 664 $ • 4,90 % | 677 $ • 4,90 % | 753 $ • 4,90 % |

Infos n.d.
Sécurité

Consommation

Appréciation générale

Infos n.d.
Fiabilité prévue

Agrément de conduite

**Équipement**

Info n.d. · Info n.d. · Info n.d. · Info n.d. · Info n.d. · Info n.d. · Info n.d.

**Sécurité**

Info n.d. · · · · Info n.d. · · ·

**Concurrents**

Chevrolet Camaro, Dodge Challenger, Ford Mustang, Mazda MX-5, Nissan Z

**Nouveau en 2022**
Nouvelle génération des deux modèles.

# Des jumeaux plus vigoureux

Luc Gagné et Germain Goyer

**D**es jumeaux plus vigoureux. Voilà une description simple, mais juste des nouveaux coupés sport compacts BRZ et GR 86 que partagent Subaru et Toyota. Ce duo fait partie d'une espèce motorisée que l'on pourrait croire menacée tant ses ventes annuelles sont limitées. Au Canada, elles se chiffrent à quelques centaines d'unités, tout au plus. Ce qui suit s'adresse donc à un public averti.

Lancés en 2012, ces coupés 2+2 se voulaient une solution de rechange à la Mazda MX-5 avec un surcroît de chevaux et plus d'espace dans un habitacle clos. À l'instar de l'adorable roadster, leur conception était axée sur le conducteur et sur les performances, d'où le moteur à cylindres à plat assurant un centre de gravité bas et les roues arrière motrices. Des ingrédients d'un leitmotiv qui demeure: livrer du plaisir de conduire à l'état pur.

**DES NOUVEAUTÉS ATTENDUES**
Néanmoins, après une décennie de constance technique, malgré des retouches esthétiques discrètes appliquées en 2017, une mise à jour se faisait attendre, surtout du côté mécanique. Cette seconde génération répond à ces attentes. Le profil réussi change à peine (heureusement), tout comme les dimensions. La Toyota, par ailleurs, s'offre un nouveau nom, GR 86, évoquant Gazoo Racing, la filiale sportive de sa marque.

C'est la partie avant qui change radicalement avec un design distinct, servant à différencier chacune de ces sportives. Les flancs plus galbés ont désormais des sorties d'air fonctionnelles pour les roues avant, ce qui rehausse le caractère fougueux de ces coupés. Des roues en alliage de 17 pouces sont toujours de série, mais les versions plus cossues ont maintenant droit à des roues de 18 pouces chaussées de Michelin Pilot Sport 4 offrant plus de mordant.

La nouveauté tant attendue est une version atmosphérique (la première) du moteur de 2,4 litres de l'Ascent, de la Legacy et de l'Outback. Ce 4 cylindres se substitue au 2 litres utilisé jusqu'ici. Il livre 228 chevaux et produit ses 184 lb-pi de couple à 3 700 tours/minute. Cela représente un gain de 23 à 28 chevaux comparativement aux anciens modèles, mais surtout plus de couple à moyen régime. Si nous admettions auparavant qu'il lui manquait un petit quelque chose sous le capot, c'est désormais

réglé. Certains auraient apprécié l'ajout d'un turbocompresseur sur l'ancienne motorisation. Or, le moteur de 2,4 litres convient parfaitement aux BRZ et GR 86. Nous avons l'impression que le parfait équilibre a finalement été atteint.

Deux boîtes de vitesses à 6 rapports figurent au catalogue. Il y a la manuelle à rapports courts, qui se manie comme un charme, et l'automatique à mode manuel avec palettes fixées au volant. L'automatique ne représente qu'une infime portion des ventes des deux jumelles japonaises. Et l'on comprend pourquoi ! En effet, pour profiter de l'expérience la plus totale au volant de l'une ou de l'autre, on se doit d'opter pour la manuelle, qui procure un très grand bonheur. Les rapports sont précis et rapprochés. S'en passer ne devrait même pas être une option.

## CONCEPTION AMÉLIORÉE

Pour limiter la masse, réduite d'une quinzaine de kilos, l'aluminium a été mis à contribution pour le capot, les ailes et le toit. Ces coupés, qui ont une suspension indépendante à grand débattement (favorisant le confort), conservent ainsi leur comportement prévisible en courbe. Avec le volant de petit diamètre et une direction à assistance électrique plus précise, ils sont même prêts pour des épreuves sur pistes.

D'ailleurs, comme leurs contemporaines, elles ont leur petite batterie de dispositifs d'aide à la conduite. Heureusement, le système de contrôle de la stabilité offre cinq niveaux de réglages permettant au conducteur d'ajuster la voiture à ses aptitudes. Il peut même le mettre hors tension le temps d'une virée sur piste. Malgré tout, les BRZ et GR 86 ne manqueront pas de vous rappeler, lorsque la chaussée est humide, que vous conduisez une voiture à propulsion.

À l'intérieur, malgré la nouveauté, l'aménagement paraît familier. On dénote cependant des améliorations notoires, comme ce nouvel écran numérique personnalisable de 7 pouces logé derrière le volant. Toujours dominé par un compte-tours central, il donne enfin un espace décent à l'indicateur de vitesse. L'écran de 4 pouces des modèles antérieurs en faisait un chiffre lilliputien. Sur la droite, un écran tactile de 8 pouces, plutôt que 7, facilite l'emploi des fonctions d'un système d'infodivertissement incorporant Apple CarPlay, Android Auto et Bluetooth. En outre, les nouveaux sièges baquets moulants à dossiers haut demeurent exemplaires pour le confort et le maintien qu'ils procurent.

### Données principales

| | |
|---|---|
| Emp. / lon. / lar. / haut. | 2 575 / 4 265 / 1 775 / 1 310 mm |
| Coffre / réservoir | n.d. / 50 litres |
| Nombre de passagers | 4 |
| Suspension av. / arr. | ind., jambes force / ind., multibras |
| Pneus avant / arrière | P215/45R17 / P215/45R17 |
| Poids / Capacité de remorquage | 1 277 à 1 295 kg / non recommandé |

### Composantes mécaniques

| | |
|---|---|
| Cylindrée, alim. | H4 2,4 litres atmos. |
| Puissance / Couple | 228 ch / 184 lb-pi |
| Tr. base (opt) / Rouage base (opt) | M6 (A6) / Prop |
| 0-100 / 80-120 / V. max | **Man -** 6,3 s (c) / 5,0 s (est) / 230 km/h (est) |
| | **Auto -** 6,8 s (c) / 4,9 s (est) / 230 km/h (est) |
| Type / ville / route / $CO_2$ | Ord / n.d. / n.d. / n.d. |

**TOYOTA GR 86**

+ Direction précise •
Comportement prévisible •
Choix de boîtes de vitesses

− Places arrière symboliques •
Avenir incertain

**SUBARU BRZ**

**SUBARU BRZ**

| | Commodité | Sport | Limited PHEV |
|---|---|---|---|
| PDSF | 23 795 $ | 28 795 $ | 42 595 $ |
| Loc. | 344 $ • 1,99% | 428 $ • 1,99% | 575 $ • 3,49% |
| Fin. | 523 $ • 1,99% | 624 $ • 1,99% | 816 $ • 3,49% |

**Prix:** 23 795 $ à 42 595 $ (2021)
**Transport et prép.:** 1 800 $
**Catégorie:** VUS sous-compacts
**Garanties:** 3/60, 5/100
**Assemblage:** Japon

**Ventes**
Québec 2020
**7 193**
32 %

Canada 2020
**17 266**
13 %

Sécurité  Consommation

Appréciation générale  Fiabilité prévue  Agrément de conduite

## Équipement

## Sécurité

## Concurrents

Buick Encore GX, Chevrolet Trailblazer, Ford EcoSport, Honda HR-V, Hyundai Kona, Jeep Renegade, Kia Niro/Seltos, Mazda CX-30, Mitsubishi Eclipse Cross/RVR, Nissan Qashqai, Volkswagen Taos

## Nouveau en 2022

Aucun changement majeur annoncé au moment de mettre sous presse.

# Les bonnes qualités aux bons endroits

Louis-Philippe Dubé

Contrairement à certaines de ses rivales, la marque Subaru fait très peu de vagues sur la place publique. Ses campagnes publicitaires sont plutôt discrètes, à la télévision comme sur le Web. Or, il n'en demeure pas moins que ses modèles se vendent comme des petits pains chauds dans la Belle Province. Cette vague sur laquelle Subaru surfe allègrement depuis un bon nombre d'années est alimentée par la confiance, ainsi qu'une sorte de notoriété qui ne s'achète pas et que d'autres fabricants envient grandement.

Le Subaru Crosstrek, c'est le représentant du constructeur nippon dans le segment des VUS sous-compacts. L'année 2021 l'a enrichi d'une légère refonte, d'un moteur de 2,5 litres et d'une nouvelle version Outdoor. Mais il a conservé les attributs qui font de lui un choix particulièrement alléchant au Québec, notamment sa traction intégrale à prise constante dont les performances sont très difficiles à émuler, même par ses rivaux ambitieux.

### UN PEU PLUS RUSTRE QUE LES AUTRES

Dans l'habitacle, le Subaru Crosstrek n'est pas le plus minutieux au chapitre de la finition. Des rivaux comme le Kia Seltos ou le Mazda CX-30, par exemple, arborent des matériaux un peu moins rudimentaires et un assemblage plus complexe. Mais le confort et l'espace sont toujours de mise avec des assises qui étreignent adéquatement le conducteur et son passager avant, avec amplement de dégagement pour les jambes à l'arrière. Si vous avez essayé le Crosstrek de première génération, vous avez probablement remarqué le manque d'isolation sonore dans l'habitacle, lequel absorbe maladroitement le bruit du vent, rendant difficile l'entretien d'une simple conversation téléphonique. Avec la génération actuelle, ce défaut est chose du passé.

Sur le plan des technologies, le Crosstrek est muni d'un système d'info-divertissement tout à fait intuitif et fonctionnel, une qualité qui s'applique d'ailleurs à toutes les commandes de la planche de bord.

Les performances réalisées par les modèles armés du moteur 2 litres sont plutôt justes. Mais les amateurs de la troisième pédale seront ravis de savoir que cette motorisation peut être jumelée à une boîte manuelle à 6 rapports. Opter pour la variante Limited ou Outdoor avec le moteur 2,5 litres donnera un meilleur rendement et une prestation qui rivalise avec la concurrence.

Cette boîte se marie exclusivement avec une transmission à variation continue. Quoique moins dynamique que la manuelle, elle est fluide, bien calibrée et très peu élastique comparativement à d'autres boîtes du genre dans le segment.

Le Subaru Crosstrek ne vous fera pas vivre de sensations fortes au volant, mais il offre tout de même une dynamique de conduite très adéquate. Si elle n'est pas aussi pimentée que celle du Mazda CX-30, par exemple, elle déploie le nécessaire en matière de maniabilité et de précision, le tout dans un poste de conduite bien adapté.

Vous l'aurez deviné, le Crosstrek est un champion olympique hivernal. C'est lors de la saison froide qu'il est au sommet de sa forme, spécialement grâce à sa traction intégrale à prise constante offrant une prestation au sommet de la catégorie. Peu importe le banc de neige ou l'axe routier venteux et enneigé sur lequel vous vous trouvez, le Crosstrek vous gardera sur le droit chemin coûte que coûte.

## UNE VARIANTE HYBRIDE DÉCEVANTE

Si les modèles Subaru ne sont pas fabriqués en grandes quantités comme certaines marques concurrentes, la variante hybride du Crosstrek est pratiquement un mythe. Non seulement sa disponibilité est-elle incertaine, mais elle n'est également pas trop performante en tant que modèle rechargeable. En effet, avec une autonomie de seulement 27 km en mode tout électrique, le geste de l'enficher est plus symbolique que pratique. Surtout lorsque l'on prend en compte la surprime que l'on doit débourser pour cette variante. Si Subaru améliorait l'autonomie et les performances de cette déclinaison, il y aurait certainement des parts de marché à voler dans ce créneau.

Le Subaru Crosstrek est une menace pour de nombreux membres du segment, mais également pour sa sœur, la compacte Impreza, qui a des qualités similaires dans un ensemble moins «robuste». Or, contrairement à bon nombre de ses rivaux, le Crosstrek ne fait pas de grands éclats au chapitre du style, ni de la finition ou même en ce qui a trait à la performance et à la dynamique de conduite. Ce VUS épate de manière discrète, s'assurant ainsi le titre de meilleur achat de sa catégorie, parce qu'il a les bonnes qualités aux bons endroits.

## Données principales

| | |
|---|---|
| Emp. / lon. / lar. / haut. | **Crosstrek** - 2 665 / 4 465 / 1 800 / 1 615 mm |
| | **Limited** - 2 665 / 4 485 / 1 800 / 1 615 mm |
| | **Limited PHEV** - 2 665 / 4 485 / 1 800 / 1 595 mm |
| Coffre / réservoir | **Crosstrek** - 588 à 1 565 litres / 63 litres |
| | **PHEV** - 447 à 1 220 litres / 50 litres |
| Nombre de passagers | 5 |
| Suspension av. / arr. | ind., jambes force / ind., double triangulation |
| Pneus avant / arrière | P225/60R17 / P225/60R17 |
| | **Limited** - P225/55R18 / P225/55R18 |
| Poids / Capacité de remorquage | 1 415 à 1 516 kg / 680 kg (1 500 lb) |
| | **PHEV** - 1 704 kg / 453 kg (1 000 lb) |

## Composantes mécaniques

**COMMODITÉ, TOURISME, SPORT**

| | |
|---|---|
| Cylindrée, alim. | H4 2,0 litres atmos. |
| Puissance / Couple | 152 ch / 145 lb-pi |
| Tr. base (opt) / Rouage base (opt) | M6 (CVT) / Int |
| 0-100 / 80-120 / V. max | 9,2 s (m) / 7,6 s (m) / n.d. |
| Type / ville / route / CO$_2$ | **Man** - Ord / 10,5 / 8,1 / 220 g/km |
| | **Auto** - Ord / 8,5 / 7,0 / 185 g/km |

**OUTDOOR, LIMITED**

| | |
|---|---|
| Cylindrée, alim. | H4 2,5 litres atmos. |
| Puissance / Couple | 182 ch / 176 lb-pi |
| Tr. base (opt) / Rouage base (opt) | CVT / Int |
| 0-100 / 80-120 / V. max | 8,2 s (m) / 6,3 s (m) / n.d. |
| Type / ville / route / CO$_2$ | Ord / 8,8 / 7,0 / 188 g/km |

**LIMITED PHEV**

| | |
|---|---|
| Cylindrée, alim. | H4 2,0 litres atmos. |
| Puissance / Couple | 137 ch / 134 lb-pi |
| Tr. base (opt) / Rouage base (opt) | CVT / Int |
| 0-100 / 80-120 / V. max | 8,6 s (est) / 6,8 s (est) / n.d. |
| Type / ville / route / CO$_2$ | Ord / 6,6 / 6,8 / 94 g/km |
| Puissance combinée | 148 ch |

**MOTEUR ÉLECTRIQUE**

| | |
|---|---|
| Puissance / Couple | 118 ch (88 kW) / 149 lb-pi |
| Type de batterie / Énergie | Lithium-ion (Li-ion) / 8,8 kWh |
| Temps de charge (120V / 240V) | 5,0 h / 2,0 h |
| Autonomie | 27 km |

**+** Traction intégrale infaillible • Système d'infodivertissement intuitif • Roulement bien adapté aux routes québécoises • Très bonnes fiabilité et valeur de revente

**—** Moteur 2 litres un peu juste • Consommation plutôt élevée • Version hybride chère et peu intéressante

Photos : Subaru, Marc-André Gauthier

**Prix:** 28 995 $ à 40 095 $ (2021)
**Transport et prép.:** 1 800 $
**Catégorie:** VUS compacts
**Garanties:** 3/60, 5/100
**Assemblage:** Japon

**Ventes**
Québec 2020
2 685

⬆ 8 %

Canada 2020
11 164

⬇ 14 %

| | Forester | Tourisme | Premier |
|---|---|---|---|
| PDSF | 28 995 $ | 34 395 $ | 40 095 $ |
| Loc. | 469 $ • 2,49 % | 565 $ • 2,49 % | 660 $ • 2,49 % |
| Fin. | 636 $ • 2,49 % | 746 $ • 2,49 % | 862 $ • 2,49 % |

Sécurité    Consommation

Appréciation    Fiabilité    Agrément
générale        prévue       de conduite

**Équipement**

**Sécurité**

**Concurrents**

Chevrolet Equinox, Ford Bronco Sport/Escape,
Honda CR-V, Hyundai Tucson, Jeep Cherokee/
Compass, Kia Sportage, Mazda CX-5,
Mitsubishi Outlander, Nissan Rogue,
Toyota RAV4, Volkswagen Tiguan

**Nouveau en 2022**

Retouches esthétiques, nouvelles couleurs
extérieures, version Wilderness, nouvelle
génération du système EyeSight.

# Un phare dans la nuit

Jacques Bienvenue

**D**epuis une vingtaine d'années, le Forester est comme un phare dans la nuit: il maintient son statut d'utilitaire de manière claire et nette. Son constructeur n'a jamais erré en cherchant à réinventer son image.

Pour 2022, l'apparence de ce modèle de cinquième génération subit quelques retouches cosmétiques. La calandre, les phares et les longerons de toit changent de forme. Par contre, le profil et l'allure massive et anguleuse inaugurée avec le Forester 2019 restent intacts. L'habitacle conserve sa surface vitrée généreuse qui procure au conducteur un champ de vision inégalé.

Sensible à la tendance actuelle qui favorise les modèles « costauds » axés sur les loisirs et la nature, Subaru propose une nouvelle version de gamme moyenne supérieure: le Forester Wilderness. Par son prix, il s'insère entre les modèles Sport et Limited. À l'instar de l'Outback du même nom, il a des roues noires en alliage de 17 pouces chaussées de Yokohama Geolandar A/T et des coques de rétroviseurs également noires. Sa garde au sol est considérablement rehaussée et des plaques protègent le moteur, la boîte de vitesses et le différentiel. Ses sièges ont un nouveau revêtement « toutes saisons » et, comme les autres Forester, il bénéficie de la dernière génération du système EyeSight, l'ensemble des dispositifs d'aide à la conduite développé par Subaru.

Les changements apportés aux autres versions se résument à peu de choses. Outre les nouvelles couleurs ajoutées au nuancier, le coffre des Forester Sport, Limited et Premier possède désormais un éclairage à DEL plus efficace. Aussi, les Limited et Premier ont des roues de 18 pouces modernisées, alors que leur système Driver Focus répond maintenant à des commandes gestuelles. Enfin, la version haut de gamme Premier a droit à des phares antibrouillard à DEL redessinés.

### MOTEUR QUE L'ON RECONNAÎT AU SON

On reconnaît le Forester au son rauque du moteur à plat au démarrage, une caractéristique des motorisations de type « boxer » qui en surprend encore quelques-uns. Ce 4 cylindres de 2,5 litres délivre 182 chevaux et 176 lb-pi, des cotes qui ne font sourciller personne. N'empêche que le couple abonde à bas et moyen régime.

Le moteur est jumelé à une boîte de vitesses automatique à variation continue bénéficiant d'une programmation ingénieuse qui incorpore de faux changements de rapports et minimise les montées en régime désagréables. Les amateurs de boîte manuelle aimeront avoir à leur disposition, dans la plupart des moutures, des palettes au volant permettant d'exploiter pleinement le mode manuel de cette automatique. Le seul bémol de cette motorisation, c'est son système d'arrêt-démarrage au ralenti qui manque cruellement de discrétion.

À l'instar des autres véhicules de la marque, exception faite de la BRZ, le Forester peut compter sur un rouage intégral de série. En prise constante, il distribue le couple moteur de manière transparente aux quatre roues selon les besoins du moment. C'est de loin la plus efficace sur le marché des véhicules de grande diffusion. D'ailleurs, les cotes de consommation du Forester, qui se comparent favorablement à celles de ses rivaux, suggèrent que les vertus écoénergétiques attribuées aux transmissions intégrales « sur demande » de la concurrence pourraient être un brin exagérées.

### POUR LES VOYAGES ET LES LOISIRS

Avec une capacité de 1 500 lb, ce véhicule peut tirer une remorque transportant une motoneige ou deux canots. Pour des charges plus lourdes, il faudra opter pour l'Ascent, le grand utilitaire de la marque qui a une capacité de remorquage de 2 000 à 5 000 lb, selon la version. Pour les variantes autres que la Wilderness, la garde au sol de 220 mm, le système de gestion de la traction X-Mode et la suspension à grand débattement autorisent les escapades occasionnelles à l'écart du bitume, là où la direction, plutôt légère, plaira. Celle-ci pourrait par contre être un peu plus ferme sur l'autoroute et dans les courbes.

L'intérieur vaste et polyvalent constitue un des points forts du Forester. Le coffre est volumineux et son hayon découvre une grande ouverture et un plancher bas. Les voyageurs l'adorent. D'ailleurs, quatre grandes personnes trouveront dans l'habitacle le confort souhaité pour de longs périples. La finition est dans la moyenne et le tableau de bord réunit les commandes à portée de main du conducteur. Les versions moins coûteuses se contentent d'un écran tactile de 6,5 pouces, alors que les plus cossues ont un écran de 8 pouces. Parions que le Forester de sixième génération aura un écran plus substantiel, comme celui de 11,6 pouces qu'ont désormais les Legacy et Outback.

### Données principales

| | |
|---|---|
| Emp. / lon. / lar. / haut. | 2 670 / 4 625 / 1 815 / 1 730 mm |
| Coffre / réservoir | 818 à 2 104 litres / 63 litres |
| Nombre de passagers | 5 |
| Suspension av. / arr. | ind., jambes force / ind., double triangulation |
| Pneus avant / arrière | P225/60R17 / P225/60R17 |
| Sport, Limited, Premier - P225/55R18 / P225/55R18 | |
| Poids / Capacité de remorquage | 1 575 à 1 632 kg / 680 kg (1 500 lb) |

### Composantes mécaniques

| | |
|---|---|
| Cylindrée, alim. | H4 2,5 litres atmos. |
| Puissance / Couple | 182 ch / 176 lb·pi |
| Tr. base (opt) / Rouage base (opt) | CVT / Int |
| 0-100 / 80-120 / V. max | 9,1 s (m) / 7,3 s (m) / n.d. |
| 100-0 km/h | 39,4 m (est) |
| Type / ville / route / $CO_2$ | Ord / 9,0 / 7,2 / 192 g/km |

+ Intérieur très spacieux et polyvalent • Excellente transmission intégrale • Consommation raisonnable • Bonne visibilité

− Système d'arrêt-démarrage au ralenti bruyant • Puissance moyenne du moteur • Système d'infodivertissement perfectible • Finition d'apparence moyenne

Photos : Subaru, Guillaume Rivard

# SUBARU IMPREZA

★★★☆ COTE DU **GUIDE**

## En perte de vitesse

Frédéric Mercier

**L**a Subaru Impreza a toujours bénéficié d'une image assez positive au Québec. Après tout, elle demeure l'unique berline compacte d'un constructeur généraliste à bénéficier du rouage intégral de série. Quand on sait que de nombreux Québécois préfèrent les petites voitures et que nos hivers sont tout désignés pour les quatre roues motrices, on peut comprendre l'engouement autour de cette Subaru!

Cependant, le constructeur japonais ne pourra pas se fier éternellement à sa réputation pour convaincre les acheteurs. Au cours de la dernière année, on a vu plusieurs constructeurs rivaux se démener pour attirer les consommateurs vers leurs voitures compactes en modernisant leur design et en intégrant des motorisations hybrides ou plus puissantes. Pendant ce temps, la Subaru Impreza semble faire du surplace.

### LA POLYVALENCE AVANT LE DESIGN

Depuis plusieurs années, on reproche à Subaru de développer des voitures à l'allure un peu trop anonyme. L'Impreza n'y fait pas exception. Que vous lorgniez une berline ou une version à hayon, le style reste très conservateur, pour ne pas dire un peu morose. On comprend que Subaru joue la carte de la discrétion, ce qui plaira assurément à certains. Mais pour d'autres, le design plutôt commun de l'Impreza pourrait être un argument suffisant pour aller voir ailleurs. La nouvelle couleur Bleu saphir nacré, qui s'ajoute au catalogue pour 2022, ajoute un peu de *punch*, mais il faudra éventuellement repenser le design du modèle en profondeur si l'on souhaite demeurer dans le coup.

À l'intérieur, la présentation de l'habitacle est elle aussi assez banale, même vieillotte. En prenant place à bord, on se sent comme dans un véhicule d'occasion âgé de trois ou quatre ans. Certains boutons et molettes ne semblent pas avoir été changés depuis de trop longues années, tandis que l'expérience à bord s'avère très sombre en raison d'une utilisation abusive de plastiques et de tissus noirs. Soulignons tout de même que l'ergonomie ne fait pas défaut et que chaque commande est à sa place. La visibilité représente également un point fort, principalement grâce à une bonne position de conduite et à un espace vitré très généreux. Un écran tactile de 6,5 pouces est livré de série, avec l'option de passer à une taille de 8 pouces. Le système d'infodivertissement STARLINK n'est pas particulièrement réussi

---

**Prix:** 20 995 $ à 31 795 $ (2021)
**Transport et prép.:** 1 675 $
**Catégorie:** Compactes
**Garanties:** 3/60, 5/100
**Assemblage:** États-Unis

**Ventes**
Québec 2020
**2 967**
▽ 31 %

Canada 2020
**5 732**
▽ 36 %

| | Commodité 5P | Sport 5P | Sport-tech 5P |
|---|---|---|---|
| **PDSF** | 20 995 $ | 26 395 $ | 31 795 $ |
| **Loc.** | 352 $ • 1,99 % | 426 $ • 1,99 % | 489 $ • 1,99 % |
| **Fin.** | 464 $ • 1,99 % | 573 $ • 1,99 % | 682 $ • 1,99 % |

Sécurité    Consommation

Appréciation générale    Fiabilité prévue    Agrément de conduite

**Équipement**

**Sécurité**

**Concurrents**

Honda Civic, Hyundai Elantra, Kia Forte, Mazda Mazda3, Nissan Sentra, Toyota Corolla, Volkswagen Jetta

**Nouveau en 2022**

Transmission manuelle abandonnée pour la berline, nouvelle couleur Bleu saphir nacré.

et la qualité de l'affichage pourrait être améliorée. Néanmoins, les menus restent faciles à consulter et la compatibilité avec Apple CarPlay et Android Auto vient de série.

En matière de sécurité, l'Impreza fait bonne figure grâce au système d'aide à la conduite EyeSight, qui s'est attiré les éloges de l'organisation américaine *Insurance Institute for Highwaty Safety* (IIHS). Malheureusement, ce système est offert en option avec l'Impreza, et il faut obligatoirement oublier la boîte manuelle afin d'en bénéficier.

Plus jolie, la mouture à hayon de l'Impreza a nettement gagné en polyvalence avec un volume de chargement pouvant atteindre 1 565 litres lorsque l'on rabat la banquette arrière. C'est presque aussi spacieux qu'un Mazda CX-5! Le supplément de 1 000 $ par rapport à la berline en vaut amplement la peine.

## TIMIDE MOTORISATION

La Subaru Impreza est commercialisée sous quatre déclinaisons: Commodité, Tourisme, Sport et Sport-tech. Celles-ci partagent toutes la même mécanique, soit un moteur 4 cylindres à plat de 2 litres, bon pour 152 chevaux et 145 lb-pi. Pour 2022, on abandonne la boîte manuelle avec la berline, alors qu'elle demeure offerte avec les versions à hayon. De toute façon, cette transmission vieillissante est l'une des rares encore sur le marché à ne compter que 5 rapports. Rendu là, aussi bien opter pour la boîte automatique à variation continue (CVT), qui accomplit un bon boulot tout en permettant d'optimiser la consommation de carburant.

Plaisante à conduire dans la neige en raison de son excellent rouage intégral, l'Impreza perd de son charme une fois l'été venu. Les accélérations se font péniblement et le plaisir de conduire est mitigé malgré une direction assez communicative. Pourquoi ne pas offrir un moteur plus volumineux en option comme on le fait avec le Crosstrek depuis l'an dernier? Cela aiderait certainement l'Impreza à se démarquer face à des rivales qui sont de plus en plus nombreuses à proposer des motorisations plus vigoureuses. Pensez à la Mazda3 ou à la Hyundai Elantra, pour ne nommer que celles-là.

Pour les acheteurs québécois, l'attrait numéro un de la Subaru Impreza demeure son système à quatre roues motrices performant, livré de série dans toutes les versions. Ça, on ne peut pas le lui enlever. Toutefois, la présentation vieillissante et la motorisation trop anémique nous laissent sur notre appétit. Vivement un peu de nouveau!

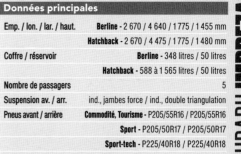

### Données principales

| | |
|---|---|
| Emp. / lon. / lar. / haut. | **Berline** - 2 670 / 4 640 / 1 775 / 1 455 mm |
| | **Hatchback** - 2 670 / 4 475 / 1 775 / 1 480 mm |
| Coffre / réservoir | **Berline** - 348 litres / 50 litres |
| | **Hatchback** - 588 à 1 565 litres / 50 litres |
| Nombre de passagers | 5 |
| Suspension av. / arr. | ind., jambes force / ind., double triangulation |
| Pneus avant / arrière | **Commodité, Tourisme** - P205/55R16 / P205/55R16 |
| | **Sport** - P205/50R17 / P205/50R17 |
| | **Sport-tech** - P225/40R18 / P225/40R18 |
| Poids / Capacité de remorquage | **Berline** - 1 382 à 1 457 kg / non recommandé |
| | **Hatchback** - 1 356 à 1 458 kg / non recommandé |

### Composantes mécaniques

| | |
|---|---|
| Cylindrée, alim. | H4 2,0 litres atmos. |
| Puissance / Couple | 152 ch / 145 lb-pi |
| Tr. base (opt) / Rouage base (opt) | M5 (CVT) / Int |
| 0-100 / 80-120 / V. max | 9,1 s (est) / 7,5 s (est) / n.d. |
| 100-0 km/h | 41,2 m (est) |
| Type / ville / route / CO$_2$ | **Berline auto** - Ord / 8,3 / 6,4 / 174 g/km |
| | **Hatchback man** - Ord / 10,1 / 7,7 / 211 g/km |
| | **Hatchback auto** - Ord / 8,4 / 6,6 / 178 g/km |

**+** Rouage intégral de série • Format polyvalent • Système de sécurité EyeSight efficace

**—** Style générique • Présentation intérieure vieillotte • Boîte manuelle d'une autre époque

Photos: Subaru, Frédéric Mercier

## Un secret trop bien gardé

Marc Lachapelle

**P**ar les temps qui courent, la catégorie des berlines intermédiaires a des allures de créneau spécialisé alors que ce type de voiture était, il n'y a tout de même pas un siècle, l'espèce dominante sur ce continent. Aujourd'hui, on choisit une berline en toute connaissance de cause, pour la somme de ses vertus. Et dans cette discrète loterie, la Legacy actuelle est un numéro gagnant largement méconnu. Surtout si l'on profite à fond des quatre saisons sur les routes du Québec.

N'empêche que Subaru a vendu presque huit fois plus de son utilitaire Outback que de berlines Legacy chez nous, l'année dernière. Pas étonnant que le constructeur présente d'ailleurs la Legacy comme «le VUS des berlines», en se disant sûrement que ça ne peut pas nuire. Ces deux séries, après tout, sont construites sur la même architecture SGP (*Subaru Global Platform*) depuis leur refonte complète, il y a deux ans.

### SEMBLABLES ET TELLEMENT DIFFÉRENTES

Les Legacy et Outback sont pratiquement identiques en longueur, largeur et empattement. Le dernier est plus haut de 18 cm, avec une garde au sol de 22 cm, ce qui lui confère l'assise plus surélevée et l'allure plus costaude qui ont fait son immense réussite, avec l'aide de quelques moulures et renflements additionnels pour sa carrosserie. Sans compter un grand coffre à bagages sous son hayon alors que la Legacy n'est plus offerte en familiale, en raison du succès monstre de l'autre, encore une fois. Son coffre de 428 litres est quand même très correct et s'allonge facilement en repliant le dossier arrière, découpé en portions asymétriques 60/40. On trouve aussi d'autres bacs de rangement, pas très profonds mais pratiques, sous le plancher.

Or, ce que la Legacy concède à l'Outback en hauteur et en impression de sécurité, elle le reprend largement en agilité et en stabilité. Particulièrement sur la neige où le rouage intégral élimine virtuellement tout sous-virage et permet un comportement neutre et une conduite réjouissante en acheminant toujours une part bien mesurée de couple aux roues arrière. La qualité de roulement est également remarquable, comme dans toutes les berlines et tous les utilitaires Subaru, quel que soit l'état de la chaussée.

La visibilité globale est également excellente, grâce aux montants étroits du pavillon, à des rétroviseurs bien détachés et aux lucarnes découpées entre

---

**Prix:** 26 795 $ à 39 595 $
**Transport et prép.:** 1 725 $
**Catégorie:** Intermédiaires
**Garanties:** 3/60, 5/100
**Assemblage:** États-Unis

**Ventes**
Québec 2020
461
↓ 18 %

Canada 2020
1 199
↓ 31 %

| | Commodité | Limited | Premier GT |
|---|---|---|---|
| PDSF | 26 795 $ | 34 895 $ | 39 595 $ |
| Loc. | 476 $ • 4,49% | 614 $ • 4,49% | 700 $ • 4,49% |
| Fin. | 619 $ • 4,49% | 793 $ • 4,49% | 894 $ • 4,49% |

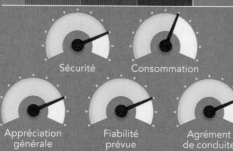

Sécurité · Consommation
Appréciation générale · Fiabilité prévue · Agrément de conduite

### Équipement

### Sécurité

### Concurrents

Chevrolet Malibu, Honda Accord, Hyundai Sonata, Kia K5, Nissan Altima, Toyota Camry, Volkswagen Passat

### Nouveau en 2022

Aides à la conduite raffinées, système anti-distraction (Limited), buses d'aération aux places arrière (Tourisme).

les deux. Depuis sa refonte, la Legacy est disponible avec un 4 cylindres turbocompressé de 2,4 litres qui est plus puissant, souple et frugal que le 6 cylindres de 3,6 litres qu'il a remplacé. À ce compte-là, tant pis pour la jolie sonorité en accélération. Cette nouvelle motorisation réussit d'ailleurs encore mieux à la Legacy GT, plus légère de 66 kg que sa costaude de sœur, à groupe propulseur égal. La GT passe effectivement de 0 à 100 km/h en 6,47 secondes contre 6,71 secondes pour l'Outback XT.

Quant au moteur de base, un vénérable 4 cylindres à plat atmosphérique de 2,5 litres et 182 chevaux, maintenant à injection directe, le mieux que l'on puisse en dire est qu'il fait honnêtement son boulot. Au quotidien, on finit par aimer son grognement caractéristique des motorisations « boxer », sa souplesse convenable et sa bonne fiabilité, à défaut d'une sobriété exceptionnelle. Les deux moteurs sont jumelés à des transmissions à variation continue superbement adaptées qui simulent 8 rapports de manière convaincante.

## ENFIN PLUS CONVIVIALE

La vie à bord est nettement plus agréable, dans cette septième génération un peu plus spacieuse de la Legacy. Principalement parce que la présentation, la qualité des matériaux et la finition de l'habitacle se sont grandement améliorées à la refonte. On passe aussi d'un écran double de 7 pouces dans la version de base à un écran vertical de 11,6 pouces pour les quatre suivantes. Sa résolution est bonne, son graphisme soigné et ses menus clairs et logiques.

Ce sera encore mieux lorsque l'on ramènera vers la surface certaines commandes, dont celles qui désactivent l'antipatinage et l'arrêt-redémarrage automatique du moteur, à défaut d'ajouter des touches physiques. Enfin, Subaru a raffiné les systèmes de sécurité inclus de série dans le groupe EyeSight pour les versions Limited et Limited GT, en plus de les doter de l'excellent système anti-distraction à capteurs infrarouges.

Chose certaine, il faut conduire une Legacy au cœur glacial de l'hiver québécois pour comprendre à quel point ce modèle est bien adapté à ses rigueurs impitoyables. Les jours de tempête, aucune voiture ne lui arrive à la cheville. Pour vous dire, son système de chauffage est peut-être même trop performant. Bien sûr, ne le dites surtout à personne. C'est pour les initiés seulement.

### Données principales

| | |
|---|---|
| Emp. / lon. / lar. / haut. | 2 750 / 4 840 / 1 897 / 1 500 mm |
| Coffre / réservoir | 428 litres / 70 litres |
| Nombre de passagers | 5 |
| Suspension av. / arr. | ind., jambes force / ind., double triangulation |
| Pneus avant / arrière | P225/55R17 / P225/55R17 |
| **Limited, Premier** - P225/50R18 / P225/50R18 | |
| Poids / Capacité de remorquage | 1 591 à 1 719 kg / non recommandé |

### Composantes mécaniques

**H4 - 2,5 LITRES**

| | |
|---|---|
| Cylindrée, alim. | H4 2,5 litres atmos. |
| Puissance / Couple | 182 ch / 176 lb-pi |
| Tr. base (opt) / Rouage base (opt) | CVT / Int |
| 0-100 / 80-120 / V. max | 10,0 s (m) / 7,0 s (m) / n.d. |
| 100-0 km/h | 43,3 m (m) |
| Type / ville / route / $CO_2$ | Ord / 8,9 / 6,7 / 184 g/km |

**H4 - 2,4 LITRES**

| | |
|---|---|
| Cylindrée, alim. | H4 2,4 litres turbo |
| Puissance / Couple | 260 ch / 277 lb-pi |
| Tr. base (opt) / Rouage base (opt) | CVT / Int |
| 0-100 / 80-120 / V. max | 6,5 s (m) / 5,1 s (m) / n.d. |
| 100-0 km/h | 43,3 m (est) |
| Type / ville / route / $CO_2$ | Ord / 9,9 / 7,3 / 205 g/km |

+ Moteur 2,4 litres turbo souple et musclé (GT) • Comportement toutes saisons impeccable • Excellente qualité de roulement • Écran central clair et logique

Sensible au vent latéral • Certains réglages enfouis dans les menus • Repose-pied limité en hauteur • Phares à DEL trop peu puissants

## Jamais égalée

Antoine Joubert

**Prix:** 31 195 $ à 44 195 $
**Transport et prép.:** 1 875 $
**Catégorie:** VUS intermédiaires
**Garanties:** 3/60, 5/100
**Assemblage:** États-Unis

**Ventes**
Québec 2020
**3 578**
↑ 2%

Canada 2020
**10 390**
↓ 5%

|  | Commodité | Wilderness | Premier XT |
|---|---|---|---|
| PDSF | 31 195 $ | 41 995 $ | 44 195 $ |
| Loc. | 528 $ • 4,49 % | 695 $ • 4,49 % | 729 $ • 4,49 % |
| Fin. | 717 $ • 4,49 % | 948 $ • 4,49 % | 995 $ • 4,49 % |

Sécurité · Consommation

Appréciation générale · Fiabilité prévue · Agrément de conduite

### Équipement

### Sécurité

### Concurrents

Chevrolet Blazer, Ford Edge, GMC Acadia,
Honda Passport, Hyundai Santa Fe,
Jeep Wrangler, Kia Sorento,
Nissan Murano, Toyota 4Runner/Venza,
Volkswagen Atlas Cross Sport

### Nouveau en 2022

Révision de certains équipements,
ajout de la version Wilderness
qui remplace l'Outdoor.

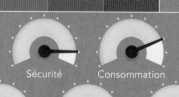

**C**onsidérant le succès exceptionnel de l'Outback, on explique difficilement le fait que les autres constructeurs n'aient pas tenté de le concurrencer directement, avec des produits mieux ciblés.

C'est donc seule sur son trône, entourée d'une mer de VUS plus traditionnels, que l'Outback poursuit sa route. Une carrière qui n'est pas sans tache, puisqu'elle a effectivement connu quelques ennuis de fiabilité à une certaine époque. Or, parce que le constructeur a pris la chose très au sérieux et qu'il a su régler les problèmes, la clientèle lui est généralement demeurée fidèle.

### À QUI S'ADRESSE L'OUTBACK?

À une clientèle de plus en plus large, en quête de polyvalence, d'une bonne valeur et qui ne cherche aucunement à épater la galerie. Les acheteurs de l'Outback pourraient d'ailleurs très souvent se payer des bagnoles nettement plus coûteuses, mais apprécient plutôt l'image discrète et raffinée du produit, de même que cette tranquillité d'esprit qui l'accompagne. Nombreux sont les clients qui proviennent des marques de luxe allemandes et qui font le saut vers ce produit, découvrant un univers auquel ils adhéreront généralement pour très longtemps. Inutile de vous dire que cette observation n'a pas lieu d'être avec ses soi-disant rivaux, que sont par exemple les Ford Edge et Hyundai Santa Fe.

L'Outback, c'est donc une voiture qui offre tous les avantages d'un VUS, sans les inconvénients. Ultraconfortable, stable et maniable, elle impressionne d'abord et avant tout par son comportement routier exceptionnel. Solide comme le roc, on lui préfère évidemment son moteur turbocompressé de 260 chevaux, lequel est mieux adapté au format de la voiture. Une mécanique introduite dans l'Ascent, qui a certes connu quelques petits pépins de jeunesse (soupape de recirculation des gaz, pompe à essence), mais qui a néanmoins su prouver sa fiabilité. Autrement, le moteur atmosphérique de 2,5 litres se montre lui aussi efficace, s'essoufflant toutefois plus rapidement en raison d'une puissance modeste.

Jumelées à une boîte automatique à variation continue (CVT) franchement bien adaptée, ces mécaniques se marient à l'un des meilleurs systèmes de rouage intégral de l'industrie. Un système à prise constante qui

s'accompagne d'une fonction X-Mode, permettant de composer avec les pires conditions, qu'importe la vitesse ou l'inclinaison de la route.

D'ailleurs, pour 2022, Subaru a choisi de repousser les limites de l'Outback en créant une version Wilderness, laquelle s'équipe d'une suspension conçue pour le hors route, voyant également sa garde au sol rehaussée à 241 mm. On la distingue facilement à ses voies élargies, ses pourtours d'aile proéminents et sa bande décorative sur le capot, clairement inspirée de celle des versions Trailhawk de Jeep.

### SENTIMENT DE SÉCURITÉ JUSTIFIÉ

Il serait très long de décrire les divers éléments de sécurité de l'Outback, mais résumons la chose en mentionnant que dans l'ensemble des tests effectués par l'IIHS et la NHTSA, le modèle a eu droit aux meilleurs scores possibles. Puis, avec cette panoplie de dispositifs d'assistance à la conduite, disons que l'erreur humaine est souvent pardonnée. Évidemment, certaines de ces fonctions seront désactivées par la neige et la glace venant obstruer les capteurs, mais sachez que les compétences de l'Outback en saison froide vous feront peut-être découvrir des talents de conducteur que vous ne soupçonniez même pas avoir.

Ayant un immense volume de chargement, de l'espace pour cinq adultes (pour vrai!) et une assise exceptionnelle au niveau des sièges avant, l'Outback s'ouvre sur un habitacle où tout est finement étudié. La présentation y est certes un brin conservatrice, mais l'ajout d'un écran tactile de 11,6 pouces sur la majorité des versions (7 pouces sur le modèle de base) apporte une touche moderne plutôt rafraîchissante. En revanche, ce dernier vient entacher ce parfait bilan ergonomique que l'on attribuerait autrement à la voiture, certaines fonctions primaires se trouvant malheureusement dans les sous-menus.

Vous pourriez comparer l'Outback à une Audi A6 Allroad (deux fois plus chère), au nouveau Mitsubishi Outlander ou encore au Toyota Venza. Et qui plus est, au duo coréen Santa Fe/Sorento, qui propose lui aussi des moteurs turbocompressés. Cela dit, sachez que peu importe votre mesure de comparaison, l'Outback demeure le choix le plus viable. Pour la qualité, la fiabilité, la valeur de revente, mais surtout pour cette expérience de conduite incomparable. Ne soyez donc pas étonné si elle remporte encore une fois cette année le titre de meilleur VUS intermédiaire du *Guide de l'auto*. Car oui, cette voiture se définit mieux que n'importe quelle autre comme véhicule utilitaire sport.

| + Comportement routier exceptionnel • Confort insoupçonné • Polyvalence de l'habitacle • Fiabilité et valeur de revente | − Puissance modeste (2,5 litres) • Ergonomie imparfaite de l'écran central • Pas de version hybride |
|---|---|

### Données principales

| | |
|---|---|
| Emp. / lon. / lar. / haut. | **Outback** - 2 745 / 4 860 / 1 897 / 1 680 mm |
| | **Wilderness** - 2 745 / 4 860 / 1 897 / 1 700 mm |
| Coffre / réservoir | 920 à 2 144 litres / 70 litres |
| Nombre de passagers | 5 |
| Suspension av. / arr. | ind., jambes force / ind., double triangulation |
| Pneus avant / arrière | **Commodité, Tourisme, Wilderness -** P225/65R17 / P225/65R17 |
| | **Limited, Premier -** P225/60R18 / P225/60R18 |
| Poids / Capacité de remorquage | **2,5 L -** 1 656 à 1 711 kg / 1 225 kg (2 700 lb) |
| | **2,4 L Turbo -** 1 780 kg / 1 588 kg (3 500 lb) |

### Composantes mécaniques

**H4 - 2,5 LITRES**

| | |
|---|---|
| Cylindrée, alim. | H4 2,5 litres atmos. |
| Puissance / Couple | 182 ch / 176 lb-pi |
| Tr. base (opt) / Rouage base (opt) | CVT / Int |
| 0-100 / 80-120 / V. max | 9,5 s (m) / 6,9 s (m) / n.d. |
| 100-0 km/h | 39,7 m (est) |
| Type / ville / route / $CO_2$ | Ord / 9,0 / 7,1 / 192 g/km |

**H4 - 2,4 LITRES**

| | |
|---|---|
| Cylindrée, alim. | H4 2,4 litres turbo |
| Puissance / Couple | 260 ch / 277 lb-pi |
| Tr. base (opt) / Rouage base (opt) | CVT / Int |
| 0-100 / 80-120 / V. max | 6,7 s (m) / 4,9 s (m) / n.d. |
| 100-0 km/h | 39,7 m (est) |
| Type / ville / route / $CO_2$ | Ord / 10,1 / 7,9 / 213 g/km |

**SUBARU WRX**

**Prix:** 29 995 $ à 47 895 $ (2021)
**Transport et prép.:** 1 725 $
**Catégorie:** Compactes sportives
**Garanties:** 3/60, 5/100
**Assemblage:** Japon

**Ventes**
Québec 2020
1 076
↑ 10 %

Canada 2020
2 926
↑ 1 %

| | WRX | STI | STI Sport-tech |
|---|---|---|---|
| PDSF | 29 995 $ | 40 395 $ | 47 895 $ |
| Loc. | 448 $ • 3,99% | 589 $ • 3,99% | 744 $ • 3,99% |
| Fin. | 679 $ • 3,99% | 900 $ • 3,99% | 1 058 $ • 3,99% |

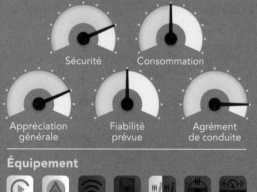

Sécurité  Consommation

Appréciation générale  Fiabilité prévue  Agrément de conduite

**Équipement**

**Sécurité**

**Concurrents**
Honda Civic Type R, Hyundai Elantra N/
Veloster N, MINI Clubman/Cooper JCW,
Volkswagen Golf GTI/R

**Nouveau en 2022**
Nouvelle génération du modèle attendue
prochainement.

# En transition

Julien Amado

**A**pparue en 2015, la berline sportive de Subaru n'a pas connu de modification majeure depuis. Dans l'industrie automobile, six ans d'existence peuvent représenter une éternité, d'autant plus que la concurrence n'est pas restée les bras croisés. Si la Ford Focus RS, arrivée après cette génération de WRX et WRX STI, a rapidement abandonné le combat, les Honda Civic Type R et Hyundai Veloster N sont plus récentes. Sans oublier la Volkswagen Golf R dont l'arrivée est imminente.

Pourtant, la WRX et la WRX STI se défendent encore remarquablement bien. Grâce à leur format pratique, leur coffre logeable (340 litres) et leur habitacle suffisamment spacieux pour accueillir quatre adultes, les deux autos soignent leur polyvalence. Sans oublier le rouage intégral à prise constante, d'une efficacité à toute épreuve, qui les rend efficaces et sûres été comme hiver.

C'est surtout à l'intérieur que les deux berlines peinent à cacher leur âge. L'habitacle, au design plutôt daté, ne peut plus rivaliser avec des modèles plus récents. Au moins, cette simplicité apparente permet de profiter d'une bonne ergonomie, avec des boutons physiques faciles à actionner. En revanche, une fois sur la route, le niveau sonore risque de vous déplaire, les deux modèles souffrant de bruits de roulement trop présents à vitesse d'autoroute.

**TOUJOURS DANS LE COUP**
Sous le capot, on retrouve deux blocs bien connus, dont les pistons sont évidemment disposés à plat. Pour la WRX, le moteur de 2 litres turbocompressé développe 268 chevaux et 258 lb-pi de couple. Ce dernier peut être jumelé à une boîte manuelle à 6 rapports ou à une automatique à variation continue. Habituellement employée sur des véhicules plus utilitaires, la CVT n'est pas vraiment la transmission qui donne le plus de plaisir à son conducteur.

Cela dit, Subaru parvient à déjouer les préjugés dans la WRX. Bien aidée par la force du moteur, la boîte ne fait pas hurler le 4 cylindres inutilement et sa calibration n'appelle aucune critique. Pour ceux qui aiment conduire avec trois pédales, mieux vaut opter pour la manuelle à 6 rapports. Une transmission un peu datée toutefois, qui souffre d'un levier un peu accrocheur et d'une pédale d'embrayage manquant de progressivité.

Modèle 2021 illustré

Du côté de la WRX STI, le moteur retenu est également un 4 cylindres turbocompressé, mais de 2,5 litres. Les performances font logiquement un bond en avant, avec 310 chevaux et 290 lb-pi disponibles sous le pied droit. Pour envoyer toute cette cavalerie aux quatre roues, pas de compromis possibles puisque la boîte manuelle à 6 rapports reste la seule disponible.

Au quotidien, la différence entre les deux motorisations n'est pas énorme. La WRX STI possède plus d'allonge à haut régime et sa puissance maximale est aussi obtenue plus haut (6 000 tr/min contre 5 600 tr/min pour la WRX). La spécificité de la WRX STI se remarque surtout quand on s'attarde sur ses trains roulants. Avec un tarage de suspension nettement plus ferme, elle propose une tenue de route plus tranchante, et se montrera plus rapide en conduite sportive sur des routes sinueuses. Par contre, cette efficacité s'obtient au prix d'un roulement trop dur pour les routes québécoises. Plus fatigante lorsque la route devient mal revêtue, la WRX STI perd des points face à une WRX plus conciliante. Mais n'ayez crainte, peu importe le modèle choisi, les capacités dynamiques demeurent actuelles, la WRX comme sa soeur plus performante étant capables d'adopter un rythme soutenu sans aucune difficulté.

### ET DEMAIN ?

Après six ans de bons et loyaux services, et en dépit de ventes qui demeurent fortes au Québec, il est temps de se renouveler pour ne pas laisser la concurrence prendre ses aises. Le constructeur japonais nous a confirmé qu'une nouvelle WRX s'amènera pour 2022, mais nous n'avons malheureusement pas pu obtenir les informations avant de mettre sous presse. On s'attend toutefois à ce que Subaru frappe un grand coup avec deux nouvelles moutures plus puissantes qui pourraient venir donner une sérieuse réplique à la Golf R et la Veloster N, en conservant évidemment le rouage intégral si cher à Subaru.

Côté design, on suppose que le constructeur rajeunirait son duo mythique en puisant son inspiration du côté du concept VIZIV Performance, aux lignes plutôt radicales et trapues. On s'attend aussi à un habitacle profondément revu, avec une qualité de finition rehaussée et un dessin modernisé. Sans oublier les nouvelles technologies, désormais indispensables, avec un système multimédia remis au goût du jour.

## Données principales

| Emp. / lon. / lar. / haut. | 2 650 / 4 595 / 1 795 / 1 475 mm |
|---|---|
| Coffre / réservoir | 340 litres / 60 litres |
| Nombre de passagers | 5 |
| Suspension av. / arr. | ind., jambes force / ind., double triangulation |
| Pneus avant / arrière | WRX, WRX Sport - P235/45R17 / P235/45R17 |
| | WRX Sport-tech, WRX STI - P245/40R18 / P245/40R18 |
| | WRX STI Sport et Sport-tech - P245/35R19 / P245/35R19 |
| Poids / Capacité de remorquage | WRX - 1 495 à 1 608 kg / non recommandé |
| | WRX STI - 1 551 à 1 600 kg / non recommandé |

## Composantes mécaniques*

**WRX**

| Cylindrée, alim. | | H4 2,0 litres turbo |
|---|---|---|
| Puissance / Couple | | 268 ch / 258 lb-pi |
| Tr. base (opt) / Rouage base (opt) | | M6 (CVT) / Int |
| 0-100 / 80-120 / V. max | **Man** - 5,4 s (c) / 4,7 s (est) / 232 km/h (c) | |
| | **Auto** - 5,9 s (c) / 4,8 s (est) / 240 km/h (c) | |
| 100-0 km/h | | 36,1 m (est) |
| Type / ville / route / $CO_2$ | **Man** - Sup / 11,7 / 8,7 / 243 g/km | |
| | **Auto** - Sup / 12,9 /9,7 / 269 g/km | |

**WRX STI**

| Cylindrée, alim. | H4 2,5 litres turbo |
|---|---|
| Puissance / Couple | 310 ch / 290 lb-pi |
| Tr. base (opt) / Rouage base (opt) | M6 / Int |
| 0-100 / 80-120 / V. max | 4,8 s (c) / 4,2 s (est) / 251 km/h (c) |
| 100-0 km/h | 35,7 m (est) |
| Type / ville / route / $CO_2$ | Sup / 14,4 / 10,8 / 301 g/km |

\* Modèle 2021

SUBARU WRX STI

+ Toujours dans le coup dynamiquement • Moteurs volontaires et performants • Pratique et utilisable toute l'année

– Habitacle daté et bruyant à haute vitesse • Boîte manuelle un peu accrocheuse • Roulement ferme (WRX STI)

SUBARU WRX STI

Photos : Subaru

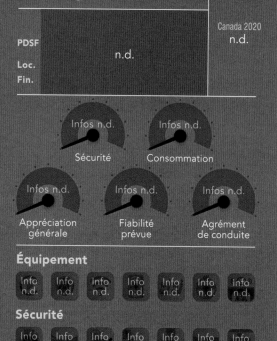

**Prix :** 50 200 $ à 87 850 $ (estimé)
**Transport et prép. :** n.d.
**Catégorie :** Camion. pleine gr.
**Garanties :** n.d.
**Assemblage :** n.d.

**Ventes**

Québec 2020
n.d.

Canada 2020
n.d.

PDSF
n.d.
Loc.
Fin.

| Sécurité | Consommation |
|---|---|
| Infos n.d. | Infos n.d. |

| Appréciation générale | Fiabilité prévue | Agrément de conduite |
|---|---|---|
| Infos n.d. | Infos n.d. | Infos n.d. |

### Équipement

| Info n.d. | Info n.d. | Info n.d. | Info n.d. | Info n.d. | Info n.d. | Info n.d. |
|---|---|---|---|---|---|---|

### Sécurité

| Info n.d. | Info n.d. | Info n.d. | Info n.d. | Info n.d. | Info n.d. | Info n.d. |
|---|---|---|---|---|---|---|

### Concurrents

Ford F-150 Lightning, GMC Hummer EV

### Nouveau en 2022

Nouveau modèle attendu en cours d'année 2022.

# Bienvenue dans le futur

Frédéric Mercier

**T**esla n'a pas l'habitude de faire les choses comme les autres. Et ce n'est pas aujourd'hui que le constructeur californien va commencer ! Pour son premier pas dans le créneau des camionnettes, la firme d'Elon Musk semble s'être inspirée d'un film de *Blade Runner* ou de *Mad Max.* Le résultat, c'est ce *pickup* 100 % électrique au look très controversé, mais dont les performances promises ont de quoi faire saliver.

Précisons d'entrée de jeu que le Tesla Cybertruck n'est pas encore en circulation sur les routes au moment d'écrire ces lignes. Lors de son dévoilement, en novembre 2019, on avait promis que l'on effectuerait les livraisons avant la fin de l'année 2021. Le constructeur s'est toutefois ravisé et assure maintenant que les premiers Cybertruck seront livrés en 2022. Si cet engagement est respecté, le Cybertruck fera partie des premières camionnettes 100 % électriques de grande diffusion sur le marché. De son côté, Ford a déjà lancé l'offensive électrique avec son F-150 Lightning.

### UNE RÉVOLUTION EN DEVENIR ?

Parlant du Lightning, les comparaisons entre le Cybertruck et ce F-150 électrique restent inévitables. Et ce, même si les stratégies empruntées par les deux constructeurs américains pourraient difficilement être plus différentes. Alors que Ford joue la carte du conservatisme avec un produit très similaire aux F-150 à essence, Tesla semble s'être donné le mandat de révolutionner le monde des camionnettes.

Au lieu de la traditionnelle configuration en châssis sur échelle, on a doté le Cybertruck d'une structure monocoque en acier inoxydable « ultra puissant ». Tesla affirme à qui veut l'entendre que cet exosquelette s'avère presque impénétrable et que chaque composant du véhicule est conçu pour offrir une résistance et une endurance supérieures. À l'arrière, une boîte de 6,5 pieds permet au Cybertruck de transporter jusqu'à 3 500 lb d'équipement.

Si le design prêche par l'excès vu de l'extérieur, la présentation intérieure ne manque pas de piment elle non plus. On a droit au fameux demi-volant que le constructeur compte aussi intégrer dans ses Model S et Model X. Pour le reste, absolument toutes les commandes passent par un écran tactile qui trône au centre de la console. Rien de bien surprenant ici étant donné que Tesla utilise la même stratégie dans tous ses autres véhicules. Tout

ça est bien beau, mais il faudra attendre la réponse des consommateurs à cette stratégie. Après tout, les conducteurs de camionnettes sont réputés pour être assez conservateurs et fidèles à la marque du véhicule qu'ils possèdent. Accepteront-ils de se balader au volant d'un bolide aussi excentrique?

## DES CHIFFRES PROMETTEURS

Depuis son dévoilement, le Tesla Cybertruck a fait jaser pour son design, et on peut comprendre pourquoi. Pourtant, ce sont surtout les performances annoncées qui auraient dû retenir l'attention. Si Tesla tient ses promesses, ce camion pourrait bien reléguer les modèles à essence aux oubliettes. Trois variantes seront proposées, dont une équipée de trois moteurs électriques. Oui, trois moteurs! Avec cette version, attachez votre tuque! Tesla annonce une accélération de 0 à 100 km/h en environ trois secondes, une autonomie de 805 km et une capacité de remorquage de 14 000 lb. La recharge, elle, se fera sur des bornes dont la puissance grimpera jusqu'à 250 kW. Pour vous donner une idée, les bornes les plus rapides actuellement mises en place par le Circuit électrique sont de 100 kW.

Dans le cas de la déclinaison de milieu de gamme à deux moteurs, on promet des performances très similaires à celles du F-150 Lightning, avec une capacité de remorquage de 10 000 lb et une autonomie de 485 km. Enfin, une version à une seule motorisation arrivera plus tard sur le marché, bien que Tesla ne semble pas vraiment pressé. Ce Cybertruck, plus abordable, n'entrera pas en production avant 2023. Peu importe la variante, tous les Cybertruck arriveront de série avec une suspension pneumatique adaptative, un système de conduite semi-autonome... et bien sûr, un accès aux bornes Superchargeur du constructeur.

Maintenant, la grande question. Combien pour tout ça? Tesla n'a encore publié aucun chiffre officiel pour le marché canadien. Néanmoins, son patron, Elon Musk, a déjà fait de grandes promesses en annonçant que le prix de départ du modèle à un moteur n'atteindrait pas les 40 000 $ (50 200 $ CAN) aux États-Unis. Même la version à trois moteurs serait offerte à un prix plutôt raisonnable de 69 900 $ (87 850 $ CAN), toujours pour nos voisins américains. Si l'on respecte ces engagements au Canada, attendez-vous à voir beaucoup de Tesla Cybertruck sur nos routes... peu importe son design!

### Données principales

| Emp. / lon. / lar. / haut. | n.d. / n.d. / n.d. / n.d. mm |
|---|---|
| Boîte | 1 981 mm |
| Nombre de passagers | 5 |
| Suspension av. / arr. | Pneumatique adaptative |
| Pneus avant / arrière | n.d. / n.d. |
| Poids / Capacité de remorquage (max) | n.d. / 6 350 kg (14 000 lb) |

### Composantes mécaniques

**MOTEUR UNIQUE**

| Tr. base (opt) / Rouage base (opt) | Rapport fixe / Prop |
|---|---|
| Puissance / Couple | n.d. |
| 0-100 / 80-120 / V. max | 6,7 s (est) / n.d. / n.d. |
| Autonomie | 400 km (estimé) |

**DOUBLE MOTEUR**

| Tr. base (opt) / Rouage base (opt) | Rapport fixe / Int |
|---|---|
| Puissance / Couple | n.d. |
| 0-100 / 80-120 / V. max | 4,7 s (est) / n.d. / n.d. |
| Autonomie | 485 km (estimé) |

**TRIPLE MOTEUR**

| Tr. base (opt) / Rouage base (opt) | Rapport fixe / Int |
|---|---|
| Puissance / Couple | n.d. |
| 0-100 / 80-120 / V. max | 3,1 s (est) / n.d. / n.d. |
| Autonomie | 805 km (estimé) |

➕ Performances annoncées exceptionnelles • Un vent de fraicheur dans le monde des camionnettes

➖ Design discutable • Date d'arrivée encore incertaine

Photos : Tesla

VOITURE ÉLECTRIQUE

| Prix : 44 999 $ à 73 710 $ (2021) | |
|---|---|
| Transport et prép. : 1 280 $ | |
| Catégorie : Compactes de luxe | |
| Garanties : 4/80, 8/192 | |
| Assemblage : États-Unis | |

**Ventes***
Québec 2020
4 915
↑ 4 %
Canada 2020
n.d.

| | Std | Std Plus | perf. TI |
|---|---|---|---|
| **PDSF** | 44 999 $ | 51 710 $ | 73 710 $ |
| **Loc.** | n.d. | 718 $ • n.d. | 1 292 $ • n.d. |
| **Fin.** | 714 $ • 2,49 % | 849 $ • 2,49 % | 1 528 $ • 2,49 % |

Sécurité — Consommation — Appréciation générale — Fiabilité prévue — Agrément de conduite

**Équipement**

**Sécurité**

**Concurrents**
Audi A4, BMW i4/Série 3, Chevrolet Bolt EV/
Bolt EUV, Genesis G70, Hyundai IONIQ 5,
Hyundai Kona électrique, Kia EV6/Niro EV/
Soul EV, Mercedes-Benz Classe C, Nissan
LEAF, Polestar 2

**Nouveau en 2022**
Aucun changement majeur annoncé
au moment de mettre sous presse.
Les configurations et les prix changent
souvent chez Tesla.

# Amour-haine

Antoine Joubert

On ne peut certainement pas remettre en doute le succès de la Model 3 qui, particulièrement au Québec, fait un véritable tabac. L'an dernier, elle était pratiquement deux fois plus populaire que la Chevrolet Bolt, avec pas moins de 4 915 ventes uniquement dans la Belle Province. Tellement populaire qu'elle se hissait, en 2020, au quatrième rang des ventes de voitures derrière les Civic, Corolla et Elantra.

Ce succès serait-il en partie attribuable aux crédits gouvernementaux applicables totalisant 13 000 $ (taxes incluses) pour certaines versions ? Vous pouvez en être certain. En fait, en créant une variante de base sur laquelle on limite l'autonomie à 151 km, Tesla parvient à afficher sa Model 3 à 44 999 $, tout juste sous la barre des 45 000 $, qui trace la ligne d'admissibilité au crédit fédéral. Et c'est grâce à ce modèle de base (très théorique) que la version Standard Plus, avec laquelle l'autonomie passe à 423 km, devient elle aussi admissible.

Se procurer une Tesla, c'est souscrire à un mode de vie. Certes, celui qui implique l'achat d'une voiture électrique, mais également parce qu'on adhère à la philosophie d'une entreprise et d'un homme qui a brillamment choisi de sortir des rangs avec une vision bien distincte de tout ce que l'industrie automobile nous a servi jusqu'ici. Le plus grand tour de force de Tesla demeure assurément le réseau de bornes de recharge, qui permet de s'alimenter aux quatre coins de l'Amérique en récupérant son autonomie en un temps record.

Faisant compétition dans ses déclinaisons Standard/Standard Plus avec des véhicules beaucoup plus pragmatiques (Chevrolet Bolt, Hyundai Kona EV), la Model 3 propose l'avantage d'une ligne beaucoup plus aguichante, celle d'une berline esthétiquement charmante et on ne peut plus aérodynamique, avec un coefficient de traînée de seulement 0,23. Puis, en montant en gamme avec les versions Longue Autonomie et Performance, on rivalise alors avec des BMW Série 3 ou Audi A4, bien que depuis peu, Polestar débarque avec une première véritable riposte, la Polestar 2.

### SIMPLE ET EFFICACE
À bord, le pavillon vitré crée une grande luminosité loin d'être désagréable. Les sièges y sont confortables et l'espace est généreux. Évidemment, le centre

d'attraction demeure cet écran de 15 pouces juché au centre de la planche de bord, lequel constitue une merveille technologique. On y gère la recharge, l'éclairage, la température, la navigation, la musique et les communications, étant constamment branché sur le Web *via* satellite. Cela dit, ce système a aussi le désavantage d'être distrayant, comme n'importe quel écran de cette taille intégré dans une voiture.

Autre avantage de la Tesla? Sa conduite, nettement plus enivrante que celle d'une Kia Soul EV. Il faut dire que même dans sa variante Standard Plus, la Model 3 accélère comme une vraie sportive proposant, de surcroît, une conduite franchement amusante. La position de conduite y est agréable, et bien que la direction ne soit pas un exemple de précision, celle-ci reste rapide et directe. Quant à la version Performance, elle fait mordre la poussière à des modèles aussi puissants que les nouvelles BMW M3 et M4.

### LE POT

Proposant une autonomie imbattable et une technologie électrique rodée qui a fait ses preuves, Tesla continue assurément de tracer la voie de l'électrification dans le marché automobile. L'industrie réagit d'ailleurs à son succès, bien que le produit ne soit manifestement pas sans défauts. Parmi les points les plus sérieux, on note une qualité d'assemblage inégale et digne des pires années de Chrysler en la matière. Cela se traduit par de nombreux craquements et bruits de caisse, par une peinture fragile et une corrosion prématurée, particulièrement au niveau du soubassement.

Ces problèmes ne semblent pas agacer l'entreprise californienne, visiblement indifférente aux nombreuses plaintes des consommateurs, et qui offre malheureusement un service après-vente très inégal. L'achat d'une Tesla Model 3 doit donc impérativement s'accompagner d'un antirouille professionnel, d'une pellicule protectrice semi-complète et d'excellents pneus d'hiver, étant donné que la version Standard Plus est propulsée et donc, sans quatre roues motrices.

La Model 3, c'est donc une merveille d'ingénierie doublée d'une philosophie et d'un mode de vie exceptionnel, mais entachée d'une qualité de construction et d'un sérieux *je-m'en-foutisme* de la part d'une entreprise qui se qualifie davantage comme un concepteur technologique plutôt qu'un véritable constructeur automobile.

### Données principales

| | |
|---|---|
| Emp. / lon. / lar. / haut. | 2 875 / 4 694 / 2 088 / 1 443 mm |
| Coffre | 542 litres |
| Nombre de passagers | 5 |
| Suspension av. / arr. | ind., bras inégaux / ind., multibras |
| Pneus avant / arrière | **Aut. Std.- Longue Aut.** - P235/45R18 / P235/45R18 |
| | **Performance** - P235/35R20 / P235/35R20 |
| Poids / Capacité de remorquage | 1 745 à 1 844 kg / non recommandé |

### Composantes mécaniques

**AUTONOMIE STANDARD / STANDARD PLUS**

| | |
|---|---|
| Puissance / Couple | 283 ch (211 kW) (est)/ n.d. |
| Tr. base (opt) / Rouage base (opt) | Rapport fixe / Int |
| 0-100 / 80-120 / V. max | 5,6 s (c) / n.d. / 225 km/h (c) |
| Consommation équivalente | 1,7 Le/100 km |
| Type de batterie | Lithium-ion (Li-ion) |
| Énergie | 75,0 kWh |
| Temps de charge (120V / 240V) | n.d. / 10,0 h |
| Autonomie | Standard - 151 km |
| | Standard Plus - 423 km |

**LONGUE AUTONOMIE**

| | |
|---|---|
| Puissance / Couple | **Av** - 197 ch (147 kW) (est) / n.d. |
| | **Arr** - 252 ch (188 kW) (est) / n.d. |
| Puissance combinée | 449 ch (est) |
| Tr. base (opt) / Rouage base (opt) | Rapport fixe / Int |
| 0-100 / 80-120 / V. max | 4,4 s (c) / n.d. / 233 km/h (c) |
| Consommation équivalente | 1,8 Le/100 km |
| Type de batterie | Lithium-ion (Li-ion) |
| Énergie | 75,0 kWh |
| Temps de charge (120V / 240V) | n.d. / 10,0 h |
| Autonomie | 568 km |

**PERFORMANCE**

| | |
|---|---|
| Puissance / Couple | **Av** - 197 ch (147 kW) (est) / n.d. |
| | **Arr** - 283 ch (211 kW) (est) / n.d. |
| Puissance combinée | 480 ch (est) |
| Tr. base (opt) / Rouage base (opt) | Rapport fixe / Int |
| 0-100 / 80-120 / V. max | 3,3 s (c) / n.d. / 261 km/h (c) |
| Consommation équivalente | 2,0 Le/100 km |
| Type de batterie | Lithium-ion (Li-ion) |
| Énergie | 75,0 kWh |
| Temps de charge (120V / 240V) | n.d. / 10,0 h |
| Autonomie | 507 km |

**+** Réseau et vitesse de recharge • Agréable à conduire • Puissance exceptionnelle • Ligne aguichante

**—** Qualité de fabrication exécrable • Service après-vente et application de la garantie • Roues motrices arrière (Standard/Standard Plus)

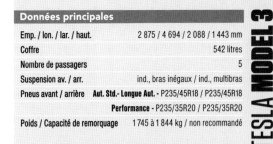

VOITURE ÉLECTRIQUE

| | Longue autonomie | Plaid | |
|---|---|---|---|
| **Prix:** 113 710$ à 168 710$ (2021) | | | |
| **Transport et prép.:** 1 280$ | | | |
| **Catégorie:** Gr. berlines luxe | | | |
| **Garanties:** 4/80, 8/240 | | | |
| **Assemblage:** États-Unis | | | |

**Ventes**
Québec 2020
n.d.

| | Longue autonomie | Plaid | Canada 2020 |
|---|---|---|---|
| **PDSF** | 113 710 $ | 168 710 $ | n.d. |
| **Loc.** | 2 063$ • n.d. | 3 052$ • n.d. | |
| **Fin.** | 2 344 $ • 2,49% | 3 466 $ • 2,49% | |

Sécurité · Consommation

Appréciation générale · Fiabilité prévue · Agrément de conduite

## Équipement

## Sécurité

## Concurrents

Audi A8/e-tron GT, BMW Série 7, Genesis G90, Karma Revero, Lexus LS, Maserati Quattroporte, Mercedes-Benz Classe S/EQS, Porsche Panamera/Taycan

## Nouveau en 2022

Retouches esthétiques, nouveau modèle Plaid haute performance. Les configurations et les options changent souvent chez Tesla.

# En constante évolution

Gabriel Gélinas

Rendons à César ce qui revient à César. Avec la Model S, lancée en 2012, Tesla a complètement chamboulé le marché de la voiture de luxe, d'abord dans certains marchés comme celui de la Californie, puis à l'échelle planétaire. Soudainement, la nouvelle automobile à la mode n'affichait pas un logo Porsche, BMW ou Mercedes-Benz, mais plutôt celui de la marque menée par Elon Musk. Le succès de Tesla, d'abord avec la Model S, puis avec le VUS Model X et surtout avec la Model 3 a forcé les marques établies à relever le défi. Mais force est de reconnaître que le constructeur possède une bonne longueur d'avance.

La Model S, c'est aussi la première véritable voiture produite par Tesla puisque le modèle Roadster, qui l'a précédée, était essentiellement une Lotus Elise convertie à la mobilité électrique. En constante évolution depuis son lancement, la Model S a ajouté une nouvelle variante à la gamme en cours d'année 2021, la Plaid, qui se démarque comme étant la berline la plus rapide sur le quart de mille avec un chrono de 9,23 secondes, éclipsant ceux d'authentiques sportives.

### SPACEBALLS
Si vous vous demandez pourquoi cette variante reçoit la désignation Plaid, sachez qu'il s'agit là d'une référence au film *Spaceballs*. Dans cette comédie délirante, réalisée par Mel Brooks, dont l'action se déroule dans l'espace, les étoiles défilent à très haute vitesse lorsque le vaisseau spatial *Spaceballs 1* atteint la vitesse «Ludicrous» et qu'un motif à carreaux écossais, soit le «Plaid», apparaît à l'écran.

Comme toujours, Elon Musk étonne avec ses références irrévérencieuses et son comportement de collégien, la provenance des désignations *Ludicrous* et *Plaid* en étant de bons exemples.

### UN NOUVEAU MOTEUR ÉLECTRIQUE
Si la Model S Plaid s'avère si rapide, c'est qu'elle est animée par trois moteurs électriques, développant une puissance combinée équivalente à 1 020 chevaux. Cette cavalerie lui permet d'abattre le 0 à 100 km/h en seulement 2,1 secondes! Le premier de ces moteurs est relié aux roues avant, alors que les deux autres entraînent chacune des roues arrière, ce qui permet à la voiture d'être dotée d'une répartition vectorielle de couple. Ces moteurs peuvent tourner

à une vitesse supérieure à 20 000 tr/min, car leurs rotors sont enveloppés de carbone, une première dans l'industrie.

Selon Tesla, l'autonomie de la Model S Plaid se chiffre à 637 km et 322 km d'autonomie s'ajoutent en seulement 15 minutes lorsque la voiture est branchée à un Superchargeur du réseau de recharge de la marque. De plus, la Plaid reçoit une nouvelle pompe à chaleur plus efficace afin d'améliorer l'autonomie lors de la conduite par temps froid. Tesla propose également une variante Longue autonomie de sa Model S, qui est animée par deux moteurs. Ce modèle est aussi très rapide avec un 0 à 100 km/h abattu en 3,2 secondes, et dont l'autonomie atteint 652 km.

La Model S Plaid se démarque également par le fait qu'elle est l'une des voitures les plus aérodynamiques au monde avec un coefficient de 0,208. La silhouette profilée, dessinée par le concepteur Franz Von Holzhausen, a fait l'objet d'essais menés en soufflerie avec les roues en mouvement afin d'optimiser sa pénétration dans l'air. Mais l'élément le plus frappant de la Model S Plaid reste, sans contredit, son volant qui n'en est pas un au sens propre du terme. Il s'apparente plus à une commande d'avion que Tesla appelle justement *yoke,* soit le terme anglais utilisé en aviation. Selon la marque, ce volant original améliore la visibilité et permet de dépouiller l'habitacle puisque les commandes des essuie-glaces, des phares et des clignotants y sont regroupées.

On remarque également que l'écran central se présente maintenant à l'horizontale, plutôt qu'à la verticale, ce qui donne un aspect encore plus aéré à l'habitacle. Les passagers prenant place à l'arrière ont droit à un écran intégré à la console centrale, ce dernier pouvant être connecté à des manettes de jeu sans fil. Les sièges ont en outre été redessinés pour offrir un meilleur maintien, et il est possible de recharger deux téléphones intelligents par induction au moyen d'un compartiment intégré dans l'accoudoir central escamotable.

Voilà pour cette dernière évolution de la Model S, qui demeure à la page malgré le fait qu'elle existe déjà depuis une décennie. On espère toutefois que la qualité d'assemblage des panneaux de carrosserie, celle de la peinture ainsi que la qualité de finition intérieure progressent parce qu'il s'agit là des principaux défauts des voitures de la marque, dont l'assemblage n'est pas aussi rigoureux que celui des marques Audi, Lexus et Mercedes-Benz, par exemple.

### Données principales

| | |
|---|---|
| Emp. / lon. / lar. / haut. | 2 960 / 4 970 / 2 189 / 1 445 mm |
| Coffre | 793 à 1 645 litres |
| Nombre de passagers | 5 |
| Suspension av. / arr. | ind., pneumatique, double triangulation / ind., pneumatique, multibras |
| Pneus avant / arrière | P245/45R19 / P245/45R19 |
| Poids / Capacité de remorquage | 2 069 à 2 162 kg / non recommandé |

### Composantes mécaniques

**LONGUE AUTONOMIE**

| | |
|---|---|
| Puissance / Couple | Av - 259 ch (193 kW) / 247 lb-pi |
| | Arr - 275 ch (205 kW) / 310 lb-pi |
| Puissance combinée | 534 ch |
| Tr. base (opt) / Rouage base (opt) | Rapport fixe / Int |
| 0-100 / 80-120 / V. max | 3,2 s (c) / n.d. / 250 km/h (c) |
| 100-0 km/h | 38,5 m (est) |
| Consommation équivalente | 2,0 Le/100 km |
| Type de batterie | Lithium-ion (Li-ion) |
| Énergie | 100,0 kWh |
| Temps de charge (120V / 240V) | n.d. / 12,0 h |
| Autonomie | 652 km |

**PLAID**

| | |
|---|---|
| Puissance / Couple | Av - 275 ch (205 kW) / 310 lb-pi |
| | Arr - 275 ch (205 kW) / 310 lb-pi |
| | Arr - 503 ch (375 kW) / 531 lb-pi |
| Puissance combinée | 1 020 ch |
| Tr. base (opt) / Rouage base (opt) | Rapport fixe / Int |
| 0-100 / 80-120 / V. max | 2,1 s (c) / n.d. / 322 km/h (c) |
| 100-0 km/h | 38,5 m (est) |
| Consommation équivalente | 2,1 Le/100 km |
| Type de batterie | Lithium-ion (Li-ion) |
| Énergie | 100,0 kWh |
| Temps de charge (120V / 240V) | n.d. / 12,0 h |
| Autonomie | 637 km |

**+** Performances et autonomie • Silhouette aérodynamique • Comportement routier sûr

**–** Qualité d'assemblage et de finition • Direction peu sensible • Visibilité vers l'arrière

Photos : Tesla

# TESLA **MODEL X**

VOITURE ÉLECTRIQUE

**Prix :** 123 710 $ à 158 710 $ (2021)
**Transport et prép. :** 1 280 $
**Catégorie :** VUS interm. de luxe
**Garanties :** 4/80, 8/240
**Assemblage :** États-Unis

**Ventes**
Québec 2020
n.d.

| | Longue autonomie | Plaid | |
|---|---|---|---|
| PDSF | 123 710 $ | 158 710 $ | |
| Loc. | 2 238 $ • n.d. | 2 877 $ • n.d. | |
| Fin. | 2 548 $ • 2,49 % | 3 262 $ • 2,49 % | |

Canada 2020
n.d.

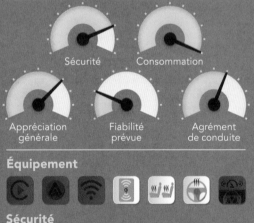

Sécurité     Consommation

Appréciation     Fiabilité     Agrément
générale          prévue       de conduite

**Équipement**

**Sécurité**

**Concurrents**
Audi e-tron, BMW iX, Jaguar I-PACE

**Nouveau en 2022**
Retouches esthétiques, nouveau modèle
Plaid haute performance. Les configurations
et les options changent souvent chez Tesla.

# Du nouveau et 1 000 chevaux

Julien Amado

L'arrivée du Tesla Model X a eu l'effet d'une bombe à sa sortie. En plus de sa connectivité dernier cri et de son grand écran central dérivé de la berline Model S, ce sont surtout les portes arrière qui étonnaient. S'ouvrant vers le haut à la manière d'une DeLorean DMC-12, cela conférait une allure unique à ce VUS.

Quelques années plus tard, l'attrait pour ce gadget est quelque peu retombé. D'autant plus que ces portes « ailes de faucon », qui ouvrent généreusement l'habitacle, s'avèrent plus adaptées à la douceur californienne qu'à l'hiver québécois...

Suivant les modifications apportées à la berline Model S, le Model X a profité d'un certain nombre de changements l'an dernier. Esthétiquement, l'avant a été redessiné dans sa partie basse, le pare-chocs étant désormais plus épuré. On retrouve également de nouvelles jantes, des pneus améliorant la maniabilité ainsi qu'une partie arrière revue, intégrant un diffuseur qui améliore la pénétration dans l'air.

### ÇA CHANGE AUSSI À L'INTÉRIEUR
Dans cette nouvelle mouture, l'écran à la définition améliorée reprend la disposition horizontale inaugurée sur la Model 3 au lieu d'un écran vertical. En revanche, la taille ne varie pas, demeurant à 17 pouces de diagonale.

Connu pour ses habitacles à la fine pointe de la technologie, Tesla a augmenté la puissance de son système multimédia, égalant même celle des consoles de jeux actuelles. Il est d'ailleurs possible de connecter une manette sans fil pour jouer à des jeux vidéo à l'avant ou à l'arrière, où l'on retrouve un second écran pour occuper les enfants. Pour les adultes, on a aussi droit à deux chargeurs sans fil pour téléphones cellulaires à l'avant, ainsi que des prises USB-C, suffisamment puissantes pour recharger des tablettes ou des ordinateurs portables.

Du côté des sièges, il est possible d'opter pour une configuration à cinq, six ou sept passagers. Le Model X vient avec deux rangées de sièges livrées de série. Pour disposer de sept places, il faut débourser 4 600 $ tandis que l'agencement à six places avec les sièges capitaine se coûte 8 500 $ ! À l'usage, les places avant sont très spacieuses, et le pare-brise panoramique baigne l'habitacle de lumière. La deuxième rangée est accueillante elle

aussi, mais l'espace demeure plus limité dans la troisième. Le volume du coffre donne satisfaction, son chargement culminant à 2 577 litres lorsque tous les sièges sont abaissés.

## DES ÉLECTRONS À REVENDRE

Les acheteurs peuvent opter pour deux versions distinctes. La première, appelée Longue autonomie, dispose de deux moteurs et de la traction intégrale. Comparée au modèle précédent, cette nouvelle version gagne 15 km d'autonomie (580 km au lieu de 565) et augmente sensiblement ses performances. En effet, le nouveau Model X n'a besoin que de 3,9 secondes pour boucler le chrono de 0 à 100 km/h.

Ce n'est rien comparé à l'incroyable version Plaid, la plus performante. Dans cette configuration, le plus gros VUS de Tesla propose une autonomie légèrement réduite (547 km). Doté du rouage intégral, il reçoit trois moteurs au lieu de deux pour améliorer sensiblement les accélérations. Au total, le Model X Plaid dispose d'une puissance maximale de 1 020 chevaux. Cette cavalerie lui permet de passer de 0 à 100 km/h en seulement 2,6 secondes! Et le véhicule est visiblement capable de maintenir son effort par la suite puisque Tesla annonce un quart de mille expédié en 9,9 secondes. Vous l'avez compris, il n'y a aucun autre VUS capable d'égaler ou de surpasser le Model X sur le marché, du moins, pour l'instant.

Nous n'avons pas eu l'occasion de conduire le nouveau Model X dans sa version Plaid, mais les performances du modèle Longue autonomie sont déjà amplement suffisantes. À chaque accélération, on s'étonne toujours de voir un véhicule de cette taille se propulser avec une telle force. Et mis à part sa direction à la précision inférieure à celle de la concurrence, la tenue de route est impressionnante. Grâce à son centre de gravité placé très bas, le Model X est capable de passages en courbe musclés en dépit de son poids élevé.

Tout compte fait, son principal défaut demeure son prix, qui débute à 123 710 $ pour un modèle Longue autonomie et qui grimpe à 158 710 $ pour la version Plaid. Sachant qu'à ce tarif, le système de conduite semi-autonome et la troisième rangée de sièges ne sont pas inclus, Tesla fait payer cher ses performances électrisantes et sa débauche technologique.

### Données principales

| | |
|---|---|
| Emp. / lon. / lar. / haut. | 2 965 / 5 036 / 2 271 / 1 684 mm |
| Coffre | 357 à 2 577 litres |
| Nombre de passagers | 5 à 7 |
| Suspension av. / arr. | ind., pneumatique, double triangulation / ind., pneumatique, multibras |
| Pneus avant / arrière | P255/45R20 / P275/45R20 |
| Poids / Capacité de remorquage | 2 604 kg / 2 250 kg (4 960 lb) |

### Composantes mécaniques

**LONGUE AUTONOMIE**

| | |
|---|---|
| Puissance / Couple | Av - 259 ch (193 kW) / 247 lb-pi |
| | Arr - 275 ch (205 kW) / 310 lb-pi |
| Puissance combinée | 534 ch |
| Tr. base (opt) / Rouage base (opt) | Rapport fixe / Int |
| 0-100 / 80-120 / V. max | 3,9 s (c) / n.d. / 240 km/h (c) |
| 100-0 km/h | n.d. |
| Consommation équivalente | 2,2 Le/100 km |
| Type de batterie | Lithium-ion (Li-ion) |
| Énergie | 100,0 kWh |
| Temps de charge (120V / 240V) | n.d. / 12,0 h |
| Autonomie | 580 km |

**PLAID**

| | |
|---|---|
| Puissance / Couple | Av - 275 ch (205 kW) / 310 lb-pi |
| | Arr - 275 ch (205 kW) / 310 lb-pi |
| | Arr - 503 ch (375 kW) / 531 lb-pi |
| Puissance combinée | 1 020 ch |
| Tr. base (opt) / Rouage base (opt) | Rapport fixe / Int |
| 0-100 / 80-120 / V. max | 2,6 s (c) / n.d. / 240 km/h (c) |
| 100-0 km/h | n.d. |
| Consommation équivalente | 2,4 Le/100 km |
| Type de batterie | Lithium-ion (Li-ion) |
| Énergie | 100,0 kWh |
| Temps de charge (120V / 240V) | n.d. / 12,0 h |
| Autonomie | 547 km |

➕ Tenue de route étonnante • Performances de haut vol • Technologies de pointe • Réseau de recharge dédié rapide et pratique

➖ Tarif salé • Les options sont chères • Finition inégale

Photos : Tesla

# TESLA **MODEL Y**

★★★★ COTE DU **GUIDE**

**Prix :** 68 710 $ à 82 710 $
**Transport et prép. :** 1 280 $
**Catégorie :** VUS compacts
**Garanties :** 4/80, 8/192
**Assemblage :** États-Unis

**Ventes***
Québec 2020
**959**

n.d.

| | Longue autonomie | Performance |
|---|---|---|
| PDSF | 68 710 $ | 82 710 $ |
| Loc. | 1 000 $ • n.d. | 1 235 $ • n.d. |
| Fin. | 1 426 $ • 2,49 % | 1 712 $ • 2,49 % |

Canada 2020
n.d.

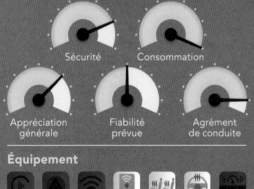

Sécurité  Consommation

Appréciation générale  Fiabilité prévue  Agrément de conduite

**Équipement**

**Sécurité**

**Concurrents**
Ford Mustang Mach-E, Hyundai IONIQ 5,
Kia EV6, Nissan Ariya, Volkswagen ID.4,
Volvo C40 Recharge/XC40 Recharge

**Nouveau en 2022**
Aucun changement majeur annoncé
au moment de mettre sous presse.
Les configurations et les options changent
souvent chez Tesla.

# *Best-seller* en puissance

Marc Lachapelle

Après le lancement réussi de sa berline Model 3 en 2017, Tesla s'est hâté de compléter l'élaboration d'un multisegment de taille comparable. Trois ans plus tard, les premiers Model Y étaient fabriqués et livrés, en pleine pandémie. Depuis, les Québécois apprécient les vertus multiples de la plus jeune série chez Tesla et apprennent à vivre avec ses péchés mignons.

Alors que les routes du Québec fourmillent déjà de Model 3, le Model Y se fait tranquillement plus populaire. Même si l'offre se limite à deux modèles, que le prix d'entrée est plus élevé et que ni l'un ni l'autre des rabais gouvernementaux ne s'applique, ce dernier a déjà doublé la Model 3 au palmarès des ventes en première moitié d'année 2021. Reste à voir s'il va maintenir son élan face aux concurrents sérieux qu'il a dû affronter dans le match comparatif présenté en première partie du livre que vous tenez entre vos mains.

**UN COUSIN COSTAUD PLUS QU'UN FRÈRE**
Le Model Y est plus long qu'une Model 3 de 5,6 cm, plus large de 7,1 cm (sans les rétroviseurs), mais surtout plus haut de 18,1 cm et plus lourd de 102 kg, à mécanique égale. Leurs faces se ressemblent, mais la carrosserie autoporteuse du Model Y est différente et plus évoluée. Le moulage d'aluminium qui forme la presque totalité de sa structure arrière, par exemple, est une véritable innovation. Plusieurs éléments du Model Y ont d'ailleurs permis de raffiner la Model 3, à la manière habituelle de Tesla. Il mériterait toutefois une meilleure insonorisation, surtout avec son habitacle entièrement ouvert. En effet, le bruit est constant lorsque la chaussée est le moindrement rugueuse et la suspension ferme n'aide pas du tout.

L'espace habitable du Model Y profite de ses dimensions légèrement supérieures. L'accès à toutes les places est merveilleusement facile par des portières sans cadre qui claquent cependant fort en se refermant. Les sièges avant n'appellent aucune critique et la banquette arrière s'avère accueillante, malgré une assise courte. La cinquième place est même correcte grâce au plancher plat. Il lui manque seulement un appuie-tête. Une troisième banquette ajoute 4 000 $ à la facture et le confort minimal pour deux adultes reste certainement à démontrer. La version Performance s'en passe, en toute logique.

* Chiffres fournis par l'AVEQ

La soute à bagages est assez vaste et offre un volume total de 2 158 litres lorsqu'on replie le dossier arrière, découpé en sections 40/20/40, parfait pour des skis ou des planches à neige. On trouve des bacs de rangement assez profonds sous les panneaux rigides du plancher et un dernier sous le capot avant.

## POLYVALENT ET DÉGOURDI

Le Model Y peut également tracter jusqu'à 3 500 lb avec les roues de 19 ou 21 pouces et 2 300 lb avec les roues de 20 pouces, pour une remorque non freinée. En net contraste, on proscrit le remorquage pour la Model 3. Tesla affiche toutefois une limite de vitesse de 89 km/h pour le remorquage en terre canadienne, étrangement, et l'attache en acier à haute résistance coûte 1 300 $.

Avec une batterie lithium-ion de 75 kWh et des moteurs d'une puissance combinée de 384 chevaux, le Model Y à autonomie prolongée atteint 100 km/h en 5 secondes et freine de cette vitesse sur 38,4 mètres, une distance très respectable. La version Performance devrait sprinter de 0 à 100 km/h en 3,7 secondes avec une puissance de 456 chevaux. Elle ajoute des roues de 21 pouces avec pneus plus mordants, des freins de performance, une suspension sport et un pédalier en aluminium contre un supplément de 14 000 $. La cote d'autonomie officielle de la première s'affiche à 525 km contre 488 km pour la seconde.

Le poste de conduite du Model Y est remarquablement dépouillé puisque les commandes se trouvent sur l'écran de 15 pouces qui domine le tableau de bord. On s'y fait rapidement parce que les menus sont clairs et les réactions à l'écran, instantanées. Le Model Y affiche une stabilité impeccable sur autoroute et une tenue en virage très correcte, à défaut d'être aussi agile que la Model 3. Il se conduit aussi merveilleusement à une seule pédale, si vous préférez.

Enfin, pour épater vos voisins avec le stationnement à distance ou une conduite assistée avec navigation intégrée étonnamment efficace, même en ville, il faut allonger la bagatelle de 10 600 $. Sinon, après un examen minutieux pour faire corriger les défauts éventuels à la livraison et quelques précautions contre les assauts de la conduite hivernale, vous serez bons pour des années de conduite zéro émission. Et tant pis pour le cuir et le clinquant du salon roulant traditionnel.

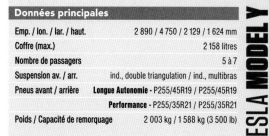

## TESLA MODEL Y

### Données principales

| | |
|---|---|
| Emp. / lon. / lar. / haut. | 2 890 / 4 750 / 2 129 / 1 624 mm |
| Coffre (max.) | 2 158 litres |
| Nombre de passagers | 5 à 7 |
| Suspension av. / arr. | ind., double triangulation / ind., multibras |
| Pneus avant / arrière | **Longue Autonomie** - P255/45R19 / P255/45R19 |
| | **Performance** - P255/35R21 / P255/35R21 |
| Poids / Capacité de remorquage | 2 003 kg / 1 588 kg (3 500 lb) |

### Composantes mécaniques

**LONGUE AUTONOMIE TI**

| | |
|---|---|
| Puissance / Couple | **Av** - 197 ch (147 kW) (est) / n.d. |
| | **Arr** - 283 ch (211 kW) (est) / n.d. |
| Puissance combinée | 384 ch (est) |
| Tr. base (opt) / Rouage base (opt) | Rapport fixe / Int |
| 0-100 / 80-120 / V. max | 5,0 s (m) / 2,8 s (m) / 217 km/h (c) |
| 100-0 km/h | 38,4 m (m) |
| Consommation équivalente | 1,9 Le/100 km |
| Type de batterie | Lithium-ion (Li-ion) |
| Énergie | 75,0 kWh |
| Temps de charge (120V / 240V) | n.d. / 10,0 h |
| Autonomie | 525 km |

**PERFORMANCE**

| | |
|---|---|
| Puissance / Couple | **Av** - 197 ch (147 kW) (est) / n.d. |
| | **Arr** - 283 ch (211 kW) (est) / n.d. |
| Puissance combinée | 456 ch (est) |
| Tr. base (opt) / Rouage base (opt) | Rapport fixe / Int |
| 0-100 / 80-120 / V. max | 3,7 s (c) / n.d. / 250 km/h (c) |
| 100-0 km/h | 38,4 m (est) |
| Consommation équivalente | 2,1 Le/100 km |
| Type de batterie | Lithium-ion (Li-ion) |
| Énergie | 75,0 kWh |
| Temps de charge (120V / 240V) | n.d. / 10,0 h |
| Autonomie | 488 km |

➕ Conduite et performances • Sièges confortables • Excellent rangement • Climatisation ingénieuse et efficace

➖ Commandes toutes à l'écran • Roulement ferme et bruyant • Lunette arrière minuscule • Peinture et finition inégales

Photos : Marc Lachapelle, Tesla

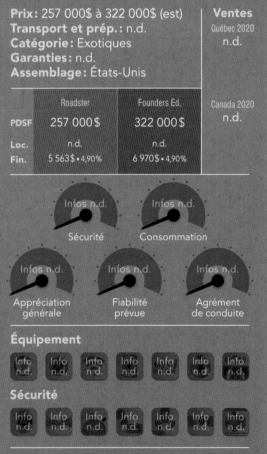

**Prix:** 257 000$ à 322 000$ (est)
**Transport et prép.:** n.d.
**Catégorie:** Exotiques
**Garanties:** n.d.
**Assemblage:** États-Unis

**Ventes**
Québec 2020
n.d.

Canada 2020
n.d.

|  | Roadster | Founders Ed. |
|---|---|---|
| PDSF | 257 000 $ | 322 000 $ |
| Loc. | n.d. | n.d. |
| Fin. | 5 563$ • 4,90% | 6 970$ • 4,90% |

Infos n.d.
Sécurité

Infos n.d.
Consommation

Infos n.d.
Appréciation générale

Infos n.d.
Fiabilité prévue

Infos n.d.
Agrément de conduite

**Équipement**

Info n.d. Info n.d. Info n.d. Info n.d. Info n.d. Info n.d. Info n.d.

**Sécurité**

Info n.d. Info n.d. Info n.d. Info n.d. Info n.d. Info n.d. Info n.d.

**Concurrents**

Acura NSX, Aston Martin DB11, Audi R8,
Ferrari Roma, Jaguar F-TYPE,
Lamborghini Huracán, McLaren GT,
Porsche 911

**Nouveau en 2022**
Nouveau modèle dont l'arrivée
se fait attendre.

# Retour aux sources

Germain Goyer

Si Tesla est aujourd'hui synonyme de véhicules électriques, tout était encore à bâtir en 2008, lorsque la première Roadster a vu le jour. Parce que, rappelons-le, avant les Model S, 3, X et Y, le fabricant californien a plongé dans l'industrie avec une petite voiture décapotable qui reprenait plusieurs composantes de la Lotus Elise. Une excellente base, me direz-vous. On en convient. Mais cette voiture s'adressait à une clientèle on ne peut plus nichée. Une quinzaine d'années plus tard, Tesla nous promet un retour aux sources avec une deuxième génération de la Roadster.

Avec Tesla, on a l'habitude de patienter. En effet, celle qui a été dévoilée pour la toute première fois dans une présentation en ligne — Elon Musk est visionnaire sur plusieurs plans! — en novembre 2017, devait initialement être lancée en 2020. Nous sommes rendus en 2022 et on n'a toujours pas vu la couleur de cette voiture pour laquelle les attentes sont très élevées. Certes, une poignée d'internautes ont pu l'apercevoir, en Californie, alors que les ingénieurs effectuaient une batterie de tests. Mais c'est à peu près tout.

Sur le plan technique, la Tesla Roadster pourrait difficilement épater davantage. En effet, le constructeur américain nous annonce un bolide capable d'accélérer de 0 à 100 km/h en seulement 2,1 secondes, soit quelques dixièmes de moins que la Bugatti Chiron. Rien de moins. Quant à la vitesse maximale avancée, elle dépasse les 400 km/h. Avec des performances aussi extrêmes, on imaginerait que l'autonomie serait entachée puisqu'on ne peut obtenir le beurre, l'argent du beurre et... vous connaissez la suite. Mais ce n'est pas le cas. En effet, Tesla annonce une autonomie de 1 000 km! D'ailleurs, la voiture jouit de la traction intégrale. Il va sans dire, tout ça a un prix. En effet, d'après le site canadien de Tesla, la Roadster coûtera 257 000 $ dans sa version de base.

Si la Roadster de première génération était biplace, la situation est bien différente pour celle qui lui succède. Pas moins de quatre occupants pourront prendre place à bord. Après avoir épluché les photos et vidéos du modèle, on présume que les places arrière seront très exiguës. La Roadster de première génération était pourvue d'un toit souple pour protéger l'habitacle de même que le conducteur et le passager des intempéries. Dans le cas du

modèle tant attendu, on aura droit à un toit en verre qui sera à la fois léger et amovible tel que nous le décrit le manufacturier. Il se rangera facilement dans le coffre.

## EXCLUSIVITÉ

Depuis ses débuts, Tesla récompense les premiers disciples de la marque — ce qui comprend entre autres les hauts dirigeants de l'entreprise, les collaborateurs de même que les premiers clients les plus fidèles — en leur offrant la possibilité d'obtenir leur exemplaire avant le grand public. Cette version porte le nom « Founders Series ». Dans le cas de la Roadster de deuxième génération, on acceptera seulement mille réservations de cette édition.

Pour profiter de cette exclusivité et figurer parmi les premiers à posséder ce modèle convoité, il faudra minimalement débourser 322 000 $. Bien qu'on puisse s'emballer par l'idée de recevoir son véhicule avant les autres, il faut savoir que les premières unités d'un nouveau modèle sont parfois imparfaites, et ce, toutes marques confondues. Ce faisant, si vous désirez obtenir le Saint-Graal, peut-être serait-il plus sage de faire preuve d'un peu plus de patience, histoire que les bobos de jeunesse soient corrigés.

## L'ART ET LA SCIENCE DE NOUS FAIRE RÊVER

Si jadis, le projet de rouler au volant d'une berline de luxe 100 % électrique nous paraissait bien utopique, on ne se retourne désormais plus lorsqu'on croise une Model S. En claquant des doigts, Elon Musk et les siens ont littéralement transformé l'industrie automobile en forçant son évolution. Certes, on aurait fini par aboutir à l'automobile électrique sans cet entrepreneur extravagant qui a su bien s'entourer, mais jamais aussi rapidement. Là où Elon Musk rayonne et là où il continue d'épater, c'est dans sa manière de faire rêver.

Et c'est notamment avec des projets comme celui du retour de la Roadster qu'il y parvient, mais pas uniquement. En effet, les adeptes de la marque autant que les passionnés de véhicules au sens large attendent impatiemment que voient le jour une série de prototypes qui ont été présentés ces dernières années, notamment le semi-remorque et le Cybertruck. Avec ces trois véhicules, tout est en place pour que Tesla chamboule le créneau des super voitures, du transport routier en plus de celui de la camionnette. Voilà de quoi faire rêver à peu près n'importe qui, surtout si l'action de Tesla se trouve dans votre portefeuille.

### Données principales

| | |
|---|---|
| Emp. / lon. / lar. / haut. | n.d. / n.d. / n.d. / n.d. mm |
| Coffre / réservoir | n.d. / n.d. |
| Nombre de passagers | 4 |
| Suspension av. / arr. | n.d. / n.d. |
| Pneus avant / arrière | P265/35ZR20 / P325/30ZR21 |
| Poids / Capacité de remorquage | n.d. / non recommandé |

### Composantes mécaniques

| | |
|---|---|
| Puissance / Couple | n.d. / 7 376 lb-pi |
| Tr. base (opt) / Rouage base (opt) | Rapport fixe / Int |
| 0-100 / 80-120 / V. max | 2,1 s (c) / n.d. / 400 km/h (c) |
| Temps de charge | n.d. |
| Autonomie | 1 000 km |

+ Autonomie impressionnante • Données de performances annoncées hallucinantes

– Facture salée • Temps d'attente exagérément long • Places arrière fort probablement exiguës

Photos : Tesla

| | Trail | Limited | TRD Pro |
|---|---|---|---|
| **PDSF** | 46 200 $ | 55 810 $ | 62 430 $ |
| **Loc.** | 829 $ • 5,69 % | 936 $ • 5,69 % | 1 093 $ • 5,69 % |
| **Fin.** | 1 021 $ • 3,69 % | 1 223 $ • 3,69 % | 1 362 $ • 3,69 % |

**Prix :** 46 200 $ à 62 430 $ (2021)
**Transport et prép. :** 1 860 $
**Catégorie :** VUS intermédiaires
**Garanties :** 3/60, 5/100
**Assemblage :** Japon

**Ventes**
Québec 2020
1 203

12 %

Canada 2020
6 801

17 %

Sécurité  Consommation

Appréciation générale  Fiabilité prévue  Agrément de conduite

**Équipement**

**Sécurité**

**Concurrents**
Ford Bronco, Jeep Wrangler

**Nouveau en 2022**
Arrivée d'une variante TRD Sport, retrait des modèles Nightshade et Venture. Révision des équipements, nouvelle teinte jaune pour les 4Runner TRD Pro.

# Espèce en voie de disparition

Gabriel Gélinas

Le 4Runner actuel a été lancé sur le marché en 2010. En 2014 et en 2021, le modèle a subi deux révisions, histoire de rajeunir son look, mais sur le plan technique il n'a pas vraiment évolué. À une époque où les VUS construits sur des structures monocoques et animés par des motorisations turbocompressées foisonnent, le 4Runner fait presque figure de dinosaure avec son châssis en échelle et son V6 atmosphérique, sans parler de son rouage 4x4 qui n'a rien à voir avec un rouage intégral moderne. Bref, le 4Runner, c'est un VUS à l'ancienne et c'est très bien ainsi...

Très bien, parce que ce type de véhicule réussit encore et toujours à séduire des acheteurs férus d'aventures, ou qui sont obnubilés par la fiabilité et la durabilité légendaire du 4Runner, qui ne compte que le Jeep Wrangler ou le nouveau Ford Bronco comme authentiques concurrents. Le style est très utilitaire avec des lignes carrées, des angles droits, un capot résolument plat et des pneus surdimensionnés.

Sur la version Trail, disponible en seulement deux couleurs de carrosserie (Gris béton et Vert kaki), on remarque la galerie de toit capable de transporter armes et bagages produite par l'équipementier Yakima. On retrouve aussi dans le coffre un très solide plateau coulissant permettant d'accéder au contenu plus facilement. Plateau sur lequel est également fixée une glacière qui semble indestructible. Vous l'avez compris, comme véhicule d'excursions de chasse et pêche, il est difficile de faire mieux que le 4Runner.

### UN VRAI 4X4
Pour la conduite hors route, le 4Runner se démarque par son authentique système 4x4, dont le sélecteur rotatif localisé sur la console centrale permet de choisir entre les gammes de vitesses basses et hautes. Ce rouage 4x4, jumelé à des pneus tout-terrain appropriés, autorise le 4Runner à s'aventurer sur à peu près tous les types de terrain, le seul facteur limitatif devenant la garde au sol, ainsi que les angles d'attaques et de départ lors du franchissement d'obstacles. Aussi, le V6 de 4 litres est un excellent moteur pour la conduite hors route parce qu'il est en mesure de livrer beaucoup de couple à bas régime.

Le système *Hill Descent Control* permet aussi de descendre des pentes abruptes sans que le conducteur n'ait à toucher les freins, la vitesse du

véhicule étant alors contrôlée automatiquement. Donc amenez-en de la *bouette*, du sable ou des roches, tout ça ne posera aucun problème, en montée comme en descente. Cela étant dit, le 4Runner fait partie de ces véhicules qui ont les défauts de leurs qualités, dans la mesure où presque tout ce qui a été conçu pour qu'il évolue avec aisance en conduite hors route devient une sorte de handicap sur des routes balisées. Sur l'asphalte, le 4Runner se comporte en véritable camion, parce que c'est un véritable camion.

## RETOUR VERS LE PASSÉ

Contrairement aux VUS actuels élaborés sur une structure monocoque, le 4Runner est conçu comme une camionnette avec un châssis en échelle sur lequel reposent les éléments mécaniques et la carrosserie. Il s'agit là d'une conception moins avancée sur le plan technique, mais qui a le mérite de doter les véhicules construits de la sorte d'une robustesse accrue, au prix d'un poids souvent plus élevé.

La motorisation du 4Runner date d'une autre époque, comme en témoigne son ventilateur de radiateur monté directement sur le moteur, alors que ceux des véhicules modernes sont à commande électrique. Ce V6 atmosphérique développe 270 chevaux et 278 lb-pi de couple. Comme il est jumelé à une boîte automatique que l'on peut presque qualifier d'antédiluvienne puisqu'elle ne compte que 5 rapports, la consommation d'essence devient rapidement très élevée, tout comme les bruits de moteur, de roulement et de vent à vitesse d'autoroute.

Monter à bord du 4Runner, c'est faire un voyage dans le passé. Avec son tableau de bord et sa console centrale taillés au couteau et recouverts d'un océan de plastique, ainsi que ses gros boutons de contrôle pour le système de chauffage et de ventilation, le 4Runner appartient vraiment à une autre époque. On remarque avec le sourire, l'horloge numérique au pur look Casio qui trône au sommet et en plein centre de la planche de bord, et qui donne le ton. Ici, la seule concession à une certaine modernité est l'intégration des fonctionnalités Apple CarPlay et Android Auto qui permettent de rattraper quelque peu ce retard.

À l'heure de l'électrification, quel est l'avenir du 4Runner ? Comme le véhicule actuel date de la dernière décennie, il est inévitable qu'il soit renouvelé prochainement et que la transformation soit radicale.

### Données principales

| | |
|---|---|
| Emp. / lon. / lar. / haut. | 2 790 / 4 830 / 1 925 / 1 816 mm |
| Coffre / réservoir | 1 337 à 2 540 litres / 87 litres |
| Nombre de passagers | 5 à 7 |
| Suspension av. / arr. | ind., bras inégaux / essieu rigide, multibras |
| Pneus avant / arrière | P265/70R17 / P265/70R17 |
| TRD Sport - Limited - | P245/60R20 / P245/60R20 |
| Poids / Capacité de remorquage | 2 121 kg / 2 268 kg (5 000 lb) |

### Composantes mécaniques

| | |
|---|---|
| Cylindrée, alim. | V6 4,0 litres atmos. |
| Puissance / Couple | 270 ch / 278 lb-pi |
| Tr. base (opt) / Rouage base (opt) | A5 / 4x4 |
| 0-100 / 80-120 / V. max | 8,6 s (m) / 6,7 s (m) / n.d. |
| 100-0 km/h | 44,3 m (m) |
| Type / ville / route / $CO_2$ | Ord / 14,8 / 12,5 / 321 g/km |

**+** Fiabilité légendaire • Aptitudes en conduite hors route • Solidité et robustesse

**—** Consommation très élevée • Aménagement intérieur désuet • Confort aléatoire

# Le mouton noir

Jean-François Guay

**Prix :** 23 950 $ à 29 150 $ (2021)
**Transport et prép. :** 1 860 $
**Catégorie :** VUS sous-compacts
**Garanties :** 3/60, 5/100
**Assemblage :** Turquie

**Ventes**

Québec 2020
**1 861**
⬇ **4 %**

Canada 2020
**6 618**
⬇ **9 %**

|  | LE | XLE Premium | Limited |
|---|---|---|---|
| PDSF | 23 950 $ | 26 550 $ | 29 150 $ |
| Loc. | 382 $ • 2,99 % | 437 $ • 2,99 % | 473 $ • 2,99 % |
| Fin. | 537 $ • 2,49 % | 601 $ • 2,49 % | 655 $ • 2,49 % |

Sécurité · Consommation · Appréciation générale · Fiabilité prévue · Agrément de conduite

**Équipement**

**Sécurité**

**Concurrents**

Buick Encore, Chevrolet Trax, Hyundai Venue, Kia Soul, Mazda CX-3, Nissan Kicks

**Nouveau en 2022**

Aucun changement majeur annoncé au moment de mettre sous presse.

**T**oyota a l'habitude de dominer les segments où ses modèles sont inscrits. Au registre des ventes, la Camry, la Corolla, le Highlander, la Sienna, le RAV4 et le Tacoma sont de gros joueurs dans leur catégorie. En somme, il est plutôt rare qu'un véhicule arborant le logo du géant japonais tire de la patte dans un groupe donné. Pourtant, il en existe un ! Le nom de ce mouton noir : C-HR (pour Coupe High-Rider).

À sa défense, il faut dire que la conception du C-HR remonte au milieu des années 2010 et que ce modèle devait faire partie, à l'époque, de la marque Scion — la division « jeunesse » de Toyota. On connaît la suite… Scion a été dissoute en 2016 et Toyota a récupéré, entre autres, le C-HR et le coupé FR-S (maintenant appelé GR 86) pour les inclure dans sa gamme.

Pourtant, le C-HR a plusieurs atouts pour se faire désirer. Ce VUS sous-compact a une belle gueule, il est fiable et sa conduite s'avère plutôt amusante. En contrepartie, ses tarifs restent corsés et il ne possède pas de rouage intégral (même en option) alors que la plupart de ses rivaux offrent ce dispositif fort apprécié par les automobilistes québécois. Le C-HR vendu en Amérique du Nord ne peut être pourvu d'un rouage intégral puisque son moteur de 2 litres est incompatible avec un tel mécanisme. En Europe, seul le C-HR animé par un moteur turbo de 1,2 litre (116 chevaux) avec une boîte CVT propose (ou a déjà proposé) la traction intégrale sur des marchés ciblés.

**BOUSCULADE EN VUE**

Il y a fort à parier que le C-HR n'aura pas de descendance. D'autant plus qu'avec l'arrivée du nouveau Corolla Cross, il est probable que l'écrasante majorité des acheteurs optent pour le nouveau venu. Quant au Yaris Cross, vendu en Europe, il est peu probable qu'il débarque chez nous puisque la Yaris régulière a été radiée du parc automobile nord-américain l'an dernier. Afin d'évaluer les dimensions des véhicules Toyota les uns par rapport aux autres, sachez que le C-HR mesure 4,35 mètres de long tandis que le Corolla Cross et le Yaris Cross ont une longueur respective de 4,46 mètres et 4,18 mètres. Pour sa part, le RAV4 mesure 4,59 mètres tandis que la Corolla Hatchback fait 4,37 mètres. D'ailleurs, il ne faudrait pas oublier l'arrivée prochaine du bZ4X, un VUS électrique dont la taille s'apparente à celle du RAV4. Bref, une guerre fratricide se pointe à l'horizon chez Toyota…

## COMPORTEMENT ROUTIER ÉTONNANT

Sous le capot d'un véhicule aussi anticonformiste, on pourrait croire que la puissance du 4 cylindres de 2 litres dépasse 144 chevaux... Mais non. Quoi qu'il en soit, la vigueur de ce moteur est amplement suffisante. Ailleurs sur la planète, Toyota propose, une motorisation hybride de 2 litres et 184 chevaux. Il va sans dire que la venue de cette motorisation chez nous donnerait un second souffle à la carrière du C-HR.

La carrosserie a bien vieilli au fil des ans même si le design tarabiscoté de la partie arrière apporte son lot d'inconvénients. En effet, la petitesse des vitres latérales arrière et de la lunette rogne le champ de vision extérieur aux trois quarts arrière. Le conducteur devra y regarder à deux fois avant de faire un dépassement sur l'autoroute. Il va sans dire qu'une caméra latérale d'angle mort serait la bienvenue même si des détecteurs conventionnels équipent les versions plus cossues (XLE et Limited).

Au cours des dernières années, l'agrément de conduite des produits Toyota a fait des progrès notables. Le C-HR fait partie des modèles qui ont amorcé cette nouvelle tendance. Bien campé sur ses pneus de 17 ou 18 pouces, ce petit VUS aborde les virages avec aplomb grâce à un centre de gravité relativement bas. Inutile de dire que ce VUS à vocation urbaine n'a pas été conçu pour rouler en terrain accidenté comme un Jeep Compass ou un Subaru Crosstrek.

Parmi les points forts, mentionnons le confort des sièges, la douceur de la suspension, la bonne insonorisation du soubassement et l'orientation du tableau de bord vers le conducteur. Par contre, le C-HR provoque quelques irritants à cause de la faible hauteur intérieure du coffre à bagages et à l'accès étriqué à la banquette arrière. De même, on ne peut passer sous silence l'emplacement excentrique des poignées de portes arrière, lesquelles accumulent la neige et la glace en hiver, et sont pratiquement inaccessibles aux jeunes enfants. En conclusion, le C-HR souffre de défauts trop marqués pour se montrer compétitif dans une catégorie où les très bons joueurs ne manquent pas. Si vous cherchez un multisegment urbain plus intéressant, regardez plutôt du côté des Nissan Kicks, Mazda CX-3 et Kia Soul qui vous en offriront bien plus pour un prix similaire.

### TOYOTA C-HR

### Données principales

| | |
|---|---|
| Emp. / lon. / lar. / haut. | 2 642 / 4 352 / 1 796 / 1 565 mm |
| Coffre / réservoir | 541 à 1 031 litres / 50 litres |
| Nombre de passagers | 5 |
| Suspension av. / arr. | ind., jambes force / ind., bras inégaux |
| Pneus avant / arrière | LE - P215/60R17 / P215/60R17 |
| | XLE Premium, Limited - P225/50R18 / P225/50R18 |
| Poids / Capacité de remorquage | 1 497 kg / non recommandé |

### Composantes mécaniques

| | |
|---|---|
| Cylindrée, alim. | 4L 2,0 litres atmos. |
| Puissance / Couple | 144 ch / 139 lb-pi |
| Tr. base (opt) / Rouage base (opt) | CVT / Tr |
| Type / ville / route / $CO_2$ | Ord / 8,7 / 7,5 / 189 g/km |

**+** Conduite amusante • Douceur de roulement • Fiabilité éprouvée • Design osé

**—** Visibilité latérale et arrière • Coffre à bagages exigu • Accès à la banquette arrière • Absence d'un rouage intégral

Photos : Toyota

| | LE base | Hybride LE | XLE V6 |
|---|---|---|---|
| **Prix:** 27 250$ à 41 990$ (2021) | | | |
| **Transport et prép.:** 1 790$ | | | |
| **Catégorie:** Intermédiaires | | | |
| **Garanties:** 3/60, 5/100 | | | |
| **Assemblage:** États-Unis | | | |

**Ventes**
Québec 2020
**1 961**
↓ 30%

Canada 2020
**10 178**
↓ 25%

| | LE base | Hybride LE | XLE V6 |
|---|---|---|---|
| **PDSF** | 27 250$ | 30 790$ | 41 990$ |
| **Loc.** | 480$ • 4,49% | 523$ • 3,99% | 744$ • 4,49% |
| **Fin.** | 611$ • 2,99% | 689$ • 3,29% | 915$ • 2,99% |

Sécurité · Consommation

Appréciation générale · Fiabilité prévue · Agrément de conduite

## Équipement

## Sécurité

## Concurrents

Chevrolet Malibu, Honda Accord, Hyundai Sonata, Kia K5, Nissan Altima, Subaru Legacy, Volkswagen Passat

## Nouveau en 2022

Édition Nightshade: coques de rétroviseurs, poignées de portes et aileron arrière peints en noir, jantes en alliage de 18 pouces, nouvelles teintes disponibles.

# Des versions et encore des versions

*Charles Jolicœur*

À voir le nombre de versions dans la gamme de la Toyota Camry, on croirait que le segment des berlines intermédiaires est l'un des plus populaires au Canada. Avec un grand nombre de modèles, trois choix de motorisations incluant l'hybride et la possibilité d'équiper la Camry d'un rouage intégral, il y a une auto pour tous les goûts dans cette gamme. Améliorée en 2021, la Camry domine son segment au chapitre des ventes et demeure une référence.

Cette catégorie, cependant, est en décroissance. Comme plusieurs berlines intermédiaires, la Camry perd des adeptes au profit des VUS. La Toyota a également une réputation de voiture peu amusante à conduire et visant surtout les acheteurs plus âgés.

### TOUJOURS UNE GRANDE ROUTIÈRE

Aussi bien régler la question maintenant. Non, la Toyota Camry n'est pas plate à conduire. Évidemment, tout dépend de notre définition de «plate», mais quand on compare la Camry à ses rivales directes, il n'y a que la Mazda6, récemment abandonnée, qui pouvait se vanter d'être plus sportive. Sinon, la tenue de route et les sensations derrière le volant sont similaires à la Honda Accord, la Subaru Legacy et la Nissan Altima. De plus, la Camry héberge une motorisation hybride que Subaru et Nissan n'ont pas. Nous avons donc droit à une grande routière dont le silence de roulement et le confort des sièges sont toujours légèrement en avance sur ses rivales. Il n'y a que les sièges avant dont l'assise est un peu basse.

Est-ce que la version XSE ajoute quelque chose au niveau sportif? Rien de concret mécaniquement, mais le style se démarque certainement des autres Camry. Les jantes de 19 pouces et des pare-chocs plus bas donnent au modèle une allure distincte au sein de la gamme. Le groupe TRD apporte quant à lui des changements qui ont une incidence directe sur le comportement routier. Une barre antiroulis plus large et rigide et des amortisseurs plus fermes sont combinés à un renfort arrière en V pour améliorer la tenue de route et la stabilité quand on attaque les virages avec plus de vitesse. Les freins sont plus larges de 2,3 cm et les jantes noires sont plus légères de 1,4 kg comparées aux jantes de la XSE. Le résultat est une voiture qui a de l'aplomb et il ne serait pas exagéré de nommer la TRD la berline intermédiaire la plus sportive de son segment.

## PLUSIEURS MOTORISATIONS AU PROGRAMME

La Camry peut être alimentée par un puissant V6 de 3,5 litres développant 301 chevaux et 267 lb-pi de couple. Il n'y a pas d'autres voitures dans cette catégorie qui peuvent se vanter d'offrir plus de 300 chevaux. Dans la TRD, ce moteur complémente bien l'aspect sportif du modèle, mais le 6 cylindres est aussi monté dans plusieurs autres versions et se démarque avec ses accélérations linéaires et surtout, ses reprises rapides. Les V6 ne sont pas aussi populaires qu'auparavant en raison de leur consommation élevée. Une balade aller-retour de près de 12 heures s'est soldée par une consommation de 8,6 L/100 km au volant de la TRD, ce qui est raisonnable. Il est malheureux que l'on ne puisse pas jumeler le rouage intégral au V6, car ce dernier est l'un des plus intéressants sur le marché.

Ceci dit, le moteur hybride de la Camry demeure la meilleure option pour ceux qui roulent beaucoup. Avec une moyenne d'environ 5 L/100 km en ville, la Camry hybride montre sa valeur surtout en milieu urbain. Mais peu importe l'environnement, elle enregistre une consommation étonnante pour une voiture si spacieuse. Le moteur hybride n'a évidemment pas le même pep que le V6, toutefois il est loin d'être lent. Même que, dans certaines situations, il démontre moins d'hésitation. Comme avec le V6, il faut se contenter d'un véhicule à traction alors que Toyota n'a pas cru bon ajouter le rouage intégral aux versions hybrides.

Bref, si l'on veut une Camry à traction intégrale, il faut opter pour le moteur de base, soit un 4 cylindres de 2,5 litres libérant 203 chevaux, ou 206 dans les XSE (non, on ne remarque pas les trois chevaux de plus). De prime abord, la différence de consommation est négligeable avec l'ajout du rouage intégral. Le système exige un déboursé supplémentaire (de 1 800 et 3 300 $ selon les moutures), mais il en vaut vraiment la peine. La confiance ressentie au volant lors d'une tempête vaut à elle seule le surplus pour le système intégral. Sinon, les performances livrées par ce moteur sont correctes et similaires aux motorisations d'entrée de gamme de la concurrence.

La Toyota Camry n'est pas le modèle le plus vendu de sa catégorie par hasard. Elle propose assez de versions pour plaire à n'importe qui, des technologies de pointe en matière de sécurité, un bon niveau de confort et si vous la voyez toujours comme une voiture plate, vous devriez en faire l'essai. Elle a beaucoup changé au cours des dernières années et si Toyota jumelait le rouage intégral au moteur hybride, elle serait presque parfaite.

### Données principales

| | |
|---|---|
| Emp. / lon. / lar. / haut. | 2 825 / 4 880 à 4 895 / 1 840 / 1 445 mm |
| Coffre / réservoir | 428 litres / 49 à 60 litres |
| Nombre de passagers | 5 |
| Suspension av. / arr. | ind., jambes force / ind., bras inégaux |
| Pneus avant / arrière | P215/55R17 / P215/55R17 |
| Poids / Capacité de remorquage | 1 495 à 1 620 kg / non recommandé |

### Composantes mécaniques

**4L 2.5 LITRES (LE, XLE, SE, XSE)**

| | |
|---|---|
| Cylindrée, alim. | 4L 2,5 litres atmos. |
| Puissance / Couple | 203 à 206 ch / 184 lb-pi |
| Tr. base (opt) / Rouage base (opt) | A8 / Tr (Int) |
| 0-100 / 80-120 / V. max | Tr - 8,3 s (m) / 6,4 s (m) / n.d. |
| 100-0 km/h | Tr - 41,6 m (m) |
| Type / ville / route / $CO_2$ | Tr - Ord / 8,6 / 6,3 / 177 g/km |
| | Int - Ord / 9,5 / 7,0 / 197 g/km |

**HYBRIDE (LE, XLE, SE, XSE)**

| | |
|---|---|
| Cylindrée, alim. | 4L 2,5 litres atmos. |
| Puissance / Couple | 176 ch / 163 lb-pi |
| Tr. base (opt) / Rouage base (opt) | CVT / Tr |
| 0-100 / 80-120 / V. max | 8,1 s (est) / 6,0 s (est) / n.d. |
| 100-0 km/h | 43,7 m (est) |
| Type / ville / route / $CO_2$ | Ord / 5,3 / 5,0 / 121 g/km |
| Puisance combinée | 208 ch |

**MOTEUR ÉLECTRIQUE**

| | |
|---|---|
| Puissance / Couple | 118 ch (88 kW) / 149 lb-pi |
| Type de batterie / Énergie | LE - Lithium-Ion (Li-io) / 1,0 kWh |
| | SE / XSE / XLE - NiMH / 1,6 kWh |

**V6 3.5 LITRES (XLE, XSE, TRD)**

| | |
|---|---|
| Cylindrée, alim. | V6 3,5 litres atmos. |
| Puissance / Couple | 301 ch / 267 lb-pi |
| Tr. base (opt) / Rouage base (opt) | A8 / Tr |
| 0-100 / 80-120 / V. max | 7,0 s (m) / 5,4 s (m) / n.d. |
| 100-0 km/h | 38,5 m (m) |
| Type / ville / route / $CO_2$ | Ord / 10,7 / 7,4 / 215 g/km |

**+** Version hybride économique • Moteur V6 performant • Rouage intégral disponible • Excellente fiabilité et sécurité

Pas de traction intégrale avec le V6 ou l'hybride • Habitacle un peu vieillot • Position de conduite un peu basse

Photos: Toyota

HYBRIDE

| | L | Hybride | XSE à hayon |
|---|---|---|---|
| **PDSF** | 19 450 $ | 25 190 $ | 28 540 $ |
| **Loc.** | 290 $ • 0,99 % | 406 $ • 2,49 % | 457 $ • 2,69 % |
| **Fin.** | 427 $ • 1,29 % | 550 $ • 1,29 % | 604 $ • 1,29 % |

**Prix:** 19 450 $ à 28 540 $
**Transport et prép.:** 1 690 $
**Catégorie:** Compactes
**Garanties:** 3/60, 5/100
**Assemblage:** Canada, États-Unis

**Ventes**
Québec 2020
**10 185**
**25 %** ⬇

Canada 2020
**33 181**
**30 %** ⬇

Sécurité     Consommation

Appréciation     Fiabilité     Agrément
générale     prévue     de conduite

## Équipement

## Sécurité

## Concurrents
Honda Civic/Insight, Hyundai Elantra/IONIQ,
Kia Forte, Mazda3, Nissan Sentra,
Subaru Impreza, Toyota Prius,
Volkswagen Jetta

## Nouveau en 2022
Nouvelles couleurs extérieures. Corolla Hatchback:
système audio JBL à 8 haut-parleurs dans les
modèles XSE, l'Édition Nightshade remplace
l'Édition Spéciale.

# Une valeur sûre

Jacques Bienvenue

Tout le monde connaît la Toyota Corolla. En 2013, elle a ravi
à la Coccinelle de Volkswagen le titre de voiture la plus
vendue de tous les temps. La plus récente mise à jour de
ce record le chiffrait à 47,5 millions d'exemplaires produits. Le
constructeur l'a annoncé en 2019, peu de temps avant de présenter
la seizième génération de cette berline à la presse japonaise.
Depuis, le compteur n'a cessé de tourner!

La compacte modernisée dévoilée ce jour-là est aux antipodes de la
sous-compacte chétive lancée en novembre 1966. Dans sa version initiale,
cette berline à propulsion se contentait d'un humble 4 cylindres de 1,1 litre
et 60 chevaux. Aujourd'hui, on a droit à une compacte à traction plus
performante et raffinée.

En cette époque où plusieurs constructeurs ont délaissé le créneau des
voitures compactes, Toyota a choisi de diversifier la gamme de sa célèbre
voiture pour en maintenir l'attrait. Le lancement de la Corolla Cross, à
laquelle *Le Guide de l'auto* 2022 consacre les pages suivantes, en est un
exemple probant.

### LA BERLINE, UNE FAVORITE
En marge de cette nouveauté, Toyota continue d'offrir sa berline avec plusieurs
niveaux de dotation et trois motorisations peu gourmandes, dont une hybride.
À cela s'ajoute une variante à hayon servant d'option polyvalente.

La berline a un habitacle spacieux doublé d'un coffre pratique, parce que
transformable. Ses places arrière se comparent à celles d'une Mazda3.
Pour l'animer, Toyota propose deux 4 cylindres de puissance moyenne. Les
Corolla L et LE, plus abordables, ont un moteur de 1,8 litre produisant
139 chevaux, alors que les Corolla SE et XSE, plus luxueuses, profitent d'un
moteur de 2 litres livrant 30 chevaux additionnels et plus de couple: 151 lb-pi
contre 126.

Plus nerveux, ce moteur s'avère le meilleur choix en matière de consommation.
Grâce à sa boîte de vitesses automatique à variation continue (optionnelle
pour la SE, de série pour la XSE), il fait miroiter une consommation moyenne
de 6,7 et 7 L/100 km, selon la version. Cela dit, le moteur de 1,8 litre n'est
pas beaucoup plus énergivore. Les cotes moyennes de 7,1 et 7,3 L/100 km

qu'il affiche, selon la boîte de vitesse choisie (automatique ou manuelle), le confirment. Notez, enfin, qu'avec la boîte manuelle à 6 rapports, par ailleurs très agréable à utiliser, le moteur 2 litres devient plus gourmand. Les nostalgiques, pour qui elle est offerte, seront avertis.

## HYBRIDE ATTRAYANTE

La Corolla hybride fait miroiter une faible consommation à un prix abordable. Elle est d'ailleurs moins chère que la Prius, dont elle partage le groupe motopropulseur. Il s'agit d'un 4 cylindres à essence de 1,8 litre à cycle Atkinson marié à deux moteurs électriques. Une boîte de vitesses automatique à variation continue transmet les 121 chevaux qu'ils produisent aux roues avant.

Comparativement à une Corolla SE, l'hybride n'est pas un foudre de guerre. Parions que son acheteur se préoccupera davantage de ses records de consommation plutôt que de la force de ses accélérations. À ce titre, la Corolla ne devrait pas décevoir. Avec une moyenne de 4,5 L/100 km, elle fait aussi bien qu'une Prius à deux roues motrices. Elle a aussi l'avantage d'être aussi spacieuse que les autres berlines Corolla. Ses places arrière sont même un peu plus accueillantes que celles d'une Prius. Enfin, les dossiers 60/40 rabattables de sa banquette arrière permettent de moduler un coffre aussi volumineux que celui des Corolla à motorisation thermique.

Cette gamme de voitures compactes serait incomplète sans la Corolla Hatchback. Avec elle, Toyota tente de séduire l'amateur de modèles à hayon sollicité par Mazda, Honda ou Subaru. Plus pratique qu'une berline, ce genre de voiture présente un potentiel commercial non négligeable.

Seul le moteur de 2 litres est offert pour cette Corolla à hayon. La boîte manuelle est de série, mais pour préserver l'image sportive associée à cette voiture, la boîte automatique optionnelle est assortie de palettes de changement de rapports pour presque toutes les versions. Le coffre modulable possède un volume de chargement comparable à celui de la Mazda3 Sport. Cela dit, la Civic à hayon a le coffre le plus volumineux lorsque sa banquette arrière est occupée, alors que l'Impreza offre l'aire à bagages la plus vaste lorsqu'on rabat sa banquette arrière. À vous de choisir !

### Données principales

| | |
|---|---|
| Emp. / lon. / lar. / haut. | **Berline -** 2 700 / 4 635 / 1 780 / 1 435 mm |
| | **Hatchback -** 2 640 / 4 375 / 1 790 / 1 435 mm |
| Coffre / réservoir | **Berline -** 371 litres / 50 litres |
| | **Hatchback -** 504 litres / 50 litres |
| Nombre de passagers | 5 |
| Suspension av. / arr. | ind., jambes force / ind., multibras |
| Pneus avant / arrière | P195/65R15 / P195/65R15 |
| Poids / Capacité de remorquage | **Berline -** 1 425 kg / non recommandé |
| | **Hatchback -** 1 397 kg / non recommandé |

### Composantes mécaniques

**BERLINE L, LE, XLE**

| | |
|---|---|
| Cylindrée, alim. | 4L 1,8 litre atmos. |
| Puissance / Couple | 139 ch / 126 lb-pi |
| Tr. base (opt) / Rouage base (opt) | M6 (CVT) / Tr |
| Type / ville / route / $CO_2$ | **Man -** Ord / 8,0 / 6,0 / 165 g/km |
| | **Auto LE -** Ord / 7,9 / 6,1 / 165 g/km |
| | **Auto XLE -** Ord / 8,1 / 6,3 / 170 g/km |

**BERLINE SE, XSE, HATCHBACK**

| | |
|---|---|
| Cylindrée, alim. | 4L 2,0 litres atmos. |
| Puissance / Couple | 169 ch / 151 lb-pi |
| Tr. base (opt) / Rouage base (opt) | M6 (CVT) / Tr |
| Type / ville / route / $CO_2$ | **Man Berl -** Ord / 8,2 / 6,5 / 173 g/km |
| | **Man Hatch -** Ord / 8,4 / 6,7 / 179 g/km |
| | **Auto Berl -** Ord / 7,6 / 5,8 / 158 g/km |
| | **Auto XSE -** Ord / 7,7 / 6,1 / 164 g/km |
| | **Auto Hatch -** Ord / 7,5 / 5,8 / 158 g/km |

**HYBRIDE**

| | |
|---|---|
| Cylindrée, alim. | 4L 1,8 litre atmos. |
| Puissance / Couple | 95 ch / 105 lb-pi |
| Tr. base (opt) / Rouage base (opt) | CVT / Tr |
| Type / ville / route / $CO_2$ | Ord / 4,4 / 4,5 / 106 g/km |
| Puissance combinée | 121 ch |

**MOTEUR ÉLECTRIQUE**

| | |
|---|---|
| Puissance / Couple | 71 ch (53 kW) / 120 lb-pi |
| Type de batterie | Nickel-hydrure métallique (NiMH) |
| Énergie | 1,3 kWh |

**+** Consommation attrayante (essence et hybride) • Conduite agréable • Bonne consommation (boîte automatique)

**—** Petitesse des commutateurs au tableau de bord • Visibilité de trois quarts arrière réduite (Hatchback) • Banquette arrière peu spacieuse (Hatchback)

Photos : Toyota

## Succès assuré !

Julien Amado

**Prix :** 25 000 $ à 32 000 $ (estimé)
**Transport et prép. :** n.d.
**Catégorie :** VUS sous-compacts
**Garanties :** 3/60, 5/100
**Assemblage :** États-Unis

**Ventes**
Québec 2020
n.d.

|  | L | L TI | XLE TI | Canada 2020 |
|---|---|---|---|---|
| PDSF | 25 000 $ | 27 000 $ | 32 000 $ | n.d. |
| Loc. | n.d. | n.d. | n.d. | |
| Fin. | 582 $ • 4,90 % | 625 $ • 4,90 % | 733 $ • 4,90 % | |

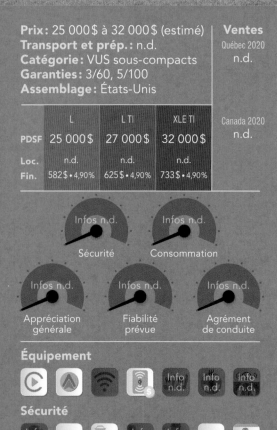

Sécurité · Infos n.d.
Consommation · Infos n.d.
Appréciation générale · Infos n.d.
Fiabilité prévue · Infos n.d.
Agrément de conduite · Infos n.d.

**Équipement**

**Sécurité**

**Concurrents**

Buick Encore GX, Chevrolet Trailblazer, Fiat 500X, Ford EcoSport, Honda HR-V, Hyundai Kona, Jeep Renegade, Kia Niro/Seltos, Mazda CX-30, Mitsubishi Eclipse Cross/RVR, Nissan Qashqai, Subaru Crosstrek, Volkswagen Taos

**Nouveau en 2022**
Nouveau modèle.

**A**u sein de la gamme Toyota, le seul véhicule qui pouvait être assimilé à un VUS sous-compact était le C-HR. Sauf que dans les faits, il s'agit plutôt d'un petit multisegment urbain, qui ne peut être pourvu de la traction intégrale. Si vous ajoutez des performances un peu timides, une visibilité quasi nulle à l'arrière et un habitacle qui peine à accueillir quatre adultes convenablement, vous comprenez aisément pourquoi il n'a pas connu de succès chez nous.

D'autant plus que face au C-HR, on retrouve les Subaru Crosstrek, Mazda CX-30, Kia Seltos et Hyundai Kona de ce monde, des véhicules plus spacieux, proposant tous la traction intégrale de série ou en option, et qui disposent de plusieurs motorisations plus ou moins puissantes. Face à cet insuccès, Toyota se devait de réagir, et le fait avec intelligence avec le tout nouveau Corolla Cross.

D'abord, en misant sur le nom Corolla, à l'excellente réputation, et qui pour beaucoup d'acheteurs est synonyme de qualité de construction et de fiabilité à long terme. Mais aussi et surtout en offrant un espace majoré, ce qui place ce nouveau Corolla Cross entre le C-HR, qui pourrait ne pas survivre longtemps à cette arrivée, et le chouchou des acheteurs québécois, le Toyota RAV4.

**PAS (ENCORE) D'HYBRIDE**
Au moment d'écrire ces lignes, Toyota n'a pas encore annoncé tous les détails techniques concernant son nouveau VUS. Par contre, nous savons tout de même que la mécanique retenue par le constructeur japonais est un 4 cylindres de 2 litres. Dépourvu de turbo, ce bloc est associé à une transmission à variation continue (CVT). Toyota annonce une puissance de 169 chevaux sans préciser le couple. Cela dit, il y a de fortes chances qu'il soit identique à celui monté dans le moteur optionnel de la Corolla berline, qui dispose elle aussi de 169 chevaux, ainsi que de 151 lb-pi.

Livré avec un rouage à traction de série, le Corolla Cross peut aussi transmettre sa puissance aux quatre roues en option. La consommation de carburant annoncée s'élève à 7,4 L/100 km pour les modèles à deux roues motrices, et 7,8 L/100 km pour les versions à traction intégrale. Ces valeurs placent le véhicule parmi les plus économiques de la catégorie, ce que nous ne manquerons pas de vérifier lors de notre premier essai routier.

Bonne nouvelle pour ceux qui souhaitent tracter une (petite) charge, la capacité de remorquage du nouveau Corolla Cross s'élève à 1 500 lb, ce qui le positionne à égalité avec le Subaru Crosstrek, qui trône au sommet de son segment. Un bon point face à la concurrence, car plusieurs rivaux comme le Mazda CX-30, le Hyundai Kona ou le Kia Seltos ne recommandent pas le remorquage.

Mais ce qui nous a le plus surpris lors de l'annonce de l'arrivée du Corolla Cross, c'est l'absence de version hybride. Surtout quand on sait que la berline Corolla en bénéficie déjà... Ce choix est d'autant plus curieux que Toyota nous répète à longueur d'année sa volonté d'électrifier ses véhicules. Et puis, ce ne sont pas les moteurs hybrides qui manquent dans la gamme! Les 4 cylindres montés dans les Prius et Corolla seraient un peu justes pour mouvoir un véhicule de cette taille. Mais le bloc de 2,5 litres du RAV4, dégonflé de quelques chevaux pour ne pas lui faire de l'ombre, serait un moteur optionnel parfaitement adapté. Pour l'heure, le Corolla Cross ne se différencie donc pas de ses concurrents directs, et se positionne même en retrait sur ce point puisqu'il ne propose qu'une seule mécanique... en tout cas pour l'instant.

### TROIS VERSIONS

Toyota a d'ores et déjà annoncé que la gamme Corolla Cross comptera trois modèles : L, LE et XLE. Le constructeur n'a pas encore précisé la totalité des équipements livrés, néanmoins on sait qu'Apple CarPlay et Android Auto font partie de la dotation de série. Une instrumentation numérique de 7 pouces face au conducteur ainsi qu'un écran tactile de 8 pouces seront offerts en option, tout comme la recharge sans fil pour un téléphone cellulaire. Les modèles de base arriveront avec des roues en acier de 17 pouces, tandis que les déclinaisons plus huppées recevront des jantes en alliage de 18 pouces. Et comme toujours chez Toyota, l'ensemble Safety Sense 2.0, intégrant un grand nombre d'équipements de sécurité active, sera livré de série.

Esthétiquement, le Corolla Cross mise sur des lignes consensuelles et, à l'évidence, il ne provoquera pas de torticolis aux passants qui le verront passer dans la rue. Les performances devraient être adéquates considérant les performances annoncées, malgré l'absence de version hybride. En ajoutant son format apprécié des consommateurs québécois et sa mécanique connue et éprouvée, nous prenons peu de risques en vous disant qu'il va certainement rencontrer un grand succès.

**Données principales**

| | |
|---|---|
| Emp. / lon. / lar. / haut. | 2 640 / 4 460 / 1 825 / 1 620 mm (est) |
| Coffre / réservoir | n.d. / n.d. |
| Nombre de passagers | 5 |
| Suspension av. / arr. | n.d. / n.d. |
| Pneus avant / arrière | n.d. / n.d. |
| Poids / Capacité de remorquage | n.d. / 680 kg (1 500 lb) |

**Composantes mécaniques**

| | |
|---|---|
| Puissance / Couple | 169 ch / 151 lb-pi (est) |
| Tr. base (opt) / Rouage base (opt) | CVT / Tr (Int) |
| 0-100 / 80-120 / V. max | n.d. / n.d. / n.d. |
| Type / ville / route / $CO_2$ | n.d. |

**+** Bien plus intéressant qu'un C-HR • Peut remorquer 1 500 lb • Systèmes de sécurité active livrés de série

**—** Pas de version hybride annoncée pour le moment

| | 2.0 | 3.0 |
|---|---|---|
| **PDSF** | 56 390 $ | 67 690 $ |
| **Loc.** | 897 $ • 4,59% | 1 074 $ • 4,59% |
| **Fin.** | 1 234 $ • 3,69% | 1 471 $ • 3,69% |

**Prix :** 56 390 $ à 67 690 $
**Transport et prép. :** 1 790 $
**Catégorie :** Sportives
**Garanties :** 3/60, 5/100
**Assemblage :** Autriche

**Ventes**
Québec 2020
59
↓ 15 %

Canada 2020
333
↑ 32 %

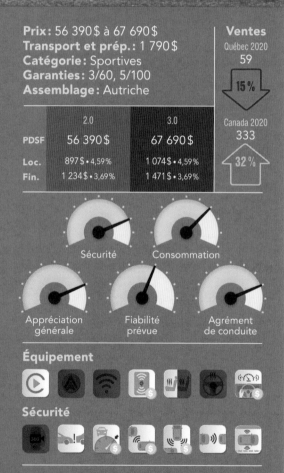

Sécurité · Consommation

Appréciation générale · Fiabilité prévue · Agrément de conduite

**Équipement**

**Sécurité**

**Concurrents**
Audi TT, BMW Z4, Chevrolet Camaro, Chevrolet Corvette, Dodge Challenger, Ford Mustang, Nissan Z, Porsche 718

**Nouveau en 2022**
Intérieur rouge disponible avec l'extérieur gris. Abandon de la version A91.

# Rapide et pondérée

Louis-Philippe Dubé

**U**n rouage à propulsion et un moteur 6 cylindres turbo sont les deux éléments (à quelques détails près), que l'on retrouve à la fois dans la Toyota GR Supra 2022 et la mythique Toyota Supra 1994, vedette du film à succès *Rapides et Dangereux*. Autrement, les deux voitures sont largement distinctes.

Au-delà des flammes pulvérisées depuis le pot d'échappement et des vitesses vertigineuses captées par les caméras du grand écran, il est important de souligner que le fameux moteur de la Supra d'antan produisait moins de puissance à la sortie de l'usine que son équivalent sous le capot de la Supra 2022. Mais la réputation de ce modèle spécifique s'est forgée autour de la personnalisation et du *tuning*, et son moteur était capable d'en prendre. Il n'est pas rare de croiser, encore aujourd'hui, un spécimen bien calibré de ce groupe motopropulseur développant une cavalerie frôlant aisément les 800 chevaux.

### BIEN DES SOURIRES
La GR Supra (GR signifie Gazoo Racing, la division de sport motorisé de la marque) est revenue à la vie en tant qu'homologue de la Z4 du constructeur allemand BMW. En fait, si l'on mettait la Supra en pièces, on retrouverait probablement plus de composantes allemandes que japonaises, ce qui, pour certains, est une atteinte à l'héritage du modèle en soi. En outre, la Supra n'est pas proposée avec une boîte manuelle, ce qui l'éloigne encore plus de l'image sportive qu'elle projetait autrefois.

Au chapitre de la mécanique, la Toyota Supra est livrable avec une motorisation turbocompressée à 6 cylindres de 3 litres qui développe 382 chevaux et 369 lb-pi de couple. Elle est également offerte avec un 4 cylindres turbo de 2 litres qui produit quant à lui 255 chevaux et 295 lb-pi de couple. Les deux moulins se marient à une transmission automatique ZF à 8 rapports.

La motorisation à 6 cylindres, plus performante, fournit amplement de couple à bas régime, avec la totalité des livres-pied livrés à 1 800 tr/min et une réponse à l'accélérateur quasi immédiate. Même si elle ne procure pas l'agrément d'une boîte manuelle à 6 rapports, la boîte automatique effectue des changements de vitesse rapides comme l'éclair, via les palettes montées derrière le volant.

Côté confort de roulement, c'est sans surprise que la Supra n'est pas très docile. Même en mode Normal, les routes québécoises n'épargnent pas cette sportive. En mode Sport, c'est encore plus saccadé. Or, ce compromis calculé sur le confort donne tous ses bénéfices à la tenue de route. La Supra fait preuve d'une agilité hors pair dans les virages, se laissant diriger avec une précision chirurgicale vers le point désiré. Il n'y a pas de doute là-dessus, la Supra rend hommage à son ancêtre sur le plan de la maniabilité.

## UN PETIT HABITACLE BIEN CONÇU

Lorsqu'une marque ressuscite un modèle à succès, le nouvel habitacle fait généralement des clins d'œil à l'ancien. Ce qui détonne avec la Supra 2022, c'est que le sien a une allure plus bavaroise que japonaise.

S'immiscer dans la Toyota GR Supra n'est pas une mince affaire (ou est-ce plutôt une affaire pour les minces ?). L'intérieur s'avère beaucoup plus restreint que la Supra de l'époque. Le volume de chargement à l'arrière est suffisant pour l'épicerie de la semaine ou quelques bagages à main, mais décidément insuffisant pour un sac de golf. On se doit de féliciter les designers pour l'ergonomie du tableau de bord. Par ailleurs, l'écran du système d'infodivertissement est très facilement accessible. Hélas, l'interface qu'il abrite est trop complexe. Il faut parfois quitter la route des yeux pour effectuer des tâches simples à cause de la complexité de ses menus.

Le design de la carrosserie empiète forcément sur la visibilité arrière, mais la Supra a également de gros piliers A à l'avant, et celui du côté conducteur tend à obstruer le champ de vision dans les virages.

La Toyota GR Supra 2022 est rapide, dynamique, maniable et son comportement routier vous garantira des frissons. Toutefois, parce qu'elle est beaucoup moins flamboyante que le modèle de l'époque et qu'elle tend techniquement plus vers BMW que Toyota, elle adopte une attitude plus pondérée et même un peu anodine dans le décor automobile actuel. Cependant, si vous n'êtes pas du genre à vous accrocher au passé, la nouvelle Supra offre une super valeur pour les performances qu'elle réalise.

### Données principales

| | |
|---|---|
| Emp. / lon. / lar. / haut. | 2 469 / 4 382 / 1 854 / 1 298 mm |
| Coffre / réservoir | 290 litres / 53 litres |
| Nombre de passagers | 2 |
| Suspension av. / arr. | ind., jambes force / ind., multibras |
| Pneus avant / arrière | **2,0** - P255/40R18 / P275/40R18 |
| | **3,0** - P255/35R19 / P275/35R19 |
| Poids / Capacité de remorquage | 1 542 kg / non recommandé |

### Composantes mécaniques

**4L - 2,0 LITRES**

| | |
|---|---|
| Cylindrée, alim. | 4L 2,0 litres turbo |
| Puissance / Couple | 255 ch / 295 lb-pi |
| Tr. base (opt) / Rouage base (opt) | A8 / Prop |
| Type / ville / route / $CO_2$ | Sup / 9,4 / 7,3 / 197 g/km |

**6L - 3,0 LITRES**

| | |
|---|---|
| Cylindrée, alim. | 6L 3,0 litres turbo |
| Puissance / Couple | 382 ch / 369 lb-pi |
| Tr. base (opt) / Rouage base (opt) | A8 / Prop |
| 0-100 / 80-120 / V. max | 4,4 s (m) / 2,6 s (m) / n.d. |
| 100-0 km/h | 34,4 m (m) |
| Type / ville / route / $CO_2$ | Sup / 10,6 / 8,0 / 218 g/km |

**+** Moteur 6 cylindres puissant • Dynamique de conduite ultraprécise • Tableau de bord ergonomique

**—** Visibilité perfectible • Habitacle restreint • Confort de roulement saccadé

Photos : Toyota

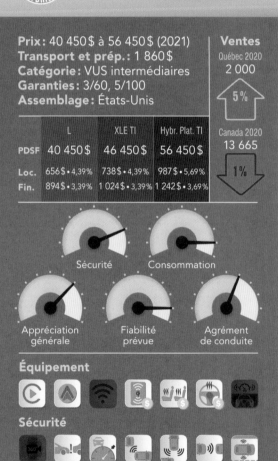

**Prix :** 40 450 $ à 56 450 $ (2021)
**Transport et prép. :** 1 860 $
**Catégorie :** VUS intermédiaires
**Garanties :** 3/60, 5/100
**Assemblage :** États-Unis

**Ventes**
Québec 2020
**2 000**
▲ 5 %
Canada 2020
**13 665**
▼ 1 %

|  | L | XLE TI | Hybr. Plat. TI |
|---|---|---|---|
| **PDSF** | 40 450 $ | 46 450 $ | 56 450 $ |
| **Loc.** | 656 $ • 4,39 % | 738 $ • 4,39 % | 987 $ • 5,69 % |
| **Fin.** | 894 $ • 3,39 % | 1 024 $ • 3,39 % | 1 242 $ • 3,69 % |

Sécurité — Consommation
Appréciation générale — Fiabilité prévue — Agrément de conduite

**Équipement**

**Sécurité**

**Concurrents**
Chevrolet Traverse, Dodge Durango, Ford Explorer, GMC Acadia, Honda Pilot, Hyundai Palisade, Jeep Grand Cherokee L, Kia Telluride, Mazda CX-9, Nissan Pathfinder, Subaru Ascent, Volkswagen Atlas

**Nouveau en 2022**
Nouvelle édition Bronze à motorisation hybride.

# Pratiquement un VUS de luxe

Charles Jolicœur

**T**oyota n'est généralement pas considérée comme une marque de luxe même si certains modèles, le Toyota Highlander par exemple, aiment bien jouer la carte du haut de gamme. Le comportement routier et le confort du Highlander n'ont rien à envier aux rivaux provenant de marques de luxe établies.

Par contre, il faut aussi s'attendre à payer plus pour un Toyota Highlander que pour la majorité des autres VUS intermédiaires de même catégorie. Toyota peut en effet se permettre d'exiger des taux d'intérêt plus élevés que la moyenne en location ou à l'achat. En revanche, l'acheteur profite d'une excellente valeur de revente et d'une fiabilité à toute épreuve. Il est donc possible que l'on soit surpris en comparant le coût mensuel d'un Highlander face à un Mazda CX-9 ou un Kia Telluride, notamment. Mais ce qui compte réellement est ce que nous obtenons pour notre argent. Dans un tel contexte, le Highlander n'a pas à rougir.

### HYBRIDE OU PAS ?

Toyota propose plusieurs moutures de son Highlander incluant un modèle d'entrée de gamme à traction, plusieurs variantes alimentées par un V6 de 3,5 litres et bon nombre de modèles hybrides également. Les versions électrifiées sont alimentées par un moteur 4 cylindres de 2,5 litres jumelé à un duo de moteurs électriques logés sur chacun des essieux. Une batterie de 1,9 kWh s'occupe d'alimenter la motorisation électrique. La puissance totale de ce groupe motopropulseur s'élève à 243 chevaux, soit environ 50 chevaux de moins que le moteur V6 des Highlander traditionnels.

Sur la route, cependant, le conducteur ne verra à peu près pas de différence au niveau des accélérations et des reprises. À basse vitesse, le modèle Hybride donne l'impression d'être un peu plus dynamique que le Highlander à moteur V6 en raison du couple abondant des moteurs électriques. Ce qui étonne le plus de ce moteur, ce n'est pas sa puissance, c'est sa consommation d'essence. Une moyenne annoncée à 6,7 L/100 km, que le conducteur pourra facilement atteindre. C'est surtout en ville que l'on constate les avantages de la motorisation hybride en raison des arrêts plus fréquents, mais le Highlander Hybride consomme malgré tout moins de 7 L/100 km sur l'autoroute.

Aucun compromis sur les performances et une consommation digne d'une berline compacte dans un véhicule à trois rangées de sièges. Il n'est pas surprenant que le Highlander hybride soit si populaire. De plus, la version électrifiée a très peu de concurrence dans le segment. Il faut s'attendre à devoir commander son Highlander Hybride: les modèles ne restent pas très longtemps dans la cour des concessionnaires. Inversement, cette popularité se traduit par une excellente valeur de revente. Pour ce qui est du moteur V6 de 3,5 litres, ce dernier produit 295 chevaux et 263 lb-pi de couple. Il est jumelé de série à une boîte automatique à 8 rapports et permet au Highlander de remorquer 5 000 lb. Le modèle hybride doit pour sa part se contenter de 3 500 lb.

## CONFORT LUXUEUX

Le titre de ce compte-rendu le dit, le Toyota Highlander est pratiquement un véhicule de luxe. Son comportement routier est stable et douillet, le confort et le silence à bord sont notables et la qualité des matériaux et de l'assemblage sont irréprochables. Est-ce que le Highlander est amusant à conduire? Pas nécessairement si vous cherchez un véhicule utilitaire sport avec une tenue de route sportive ou une direction ultraprécise. Mais si vous aimez la quiétude, le raffinement et une conduite apaisante, il est l'une des meilleures options du segment. C'est encore plus vrai quand on opte pour la version Limited, particulièrement avec l'ajout du groupe Platinum. Là, nous ne sommes vraiment plus loin d'un Lexus RX.

L'espace avant est vaste et le Highlander propose plusieurs petits compartiment de rangement ici et là pour se vider les poches. L'espace aux places arrière est bon, tandis que la troisième rangée est pour les petits enfants ou pour dépanner. Une famille qui a besoin des trois rangées de sièges régulièrement trouvera plus spacieux dans le segment alors que le Highlander est plus utile avec la dernière rangée abaissée. Nous avons ainsi droit à 1 150 litres d'espace de chargement tandis qu'avec les trois rangées en place, c'est 453 litres qui sont disponibles. Il est pertinent de noter qu'il n'y a pas de différence d'espace entre le Highlander à moteur V6 et la version hybride.

Le Toyota Highlander n'est pas donné, que ce soit au financement ou à la location, et la disponibilité de plusieurs déclinaisons est limitée. Ceci dit, aucun VUS de cette catégorie ne propose la même valeur de revente et le niveau de confort et de raffinement devrait servir de référence aux autres constructeurs. Puis il y a la version hybride, réellement en avance sur ses rivaux.

+ Version hybride très intéressante • Grand confort • Excellente valeur de revente • Fiabilité exceptionnelle

− Taux d'intérêt élevés • Certains modèles difficiles à trouver • Moins spacieux que certains rivaux à l'arrière

### Données principales

| | |
|---|---|
| Emp. / lon. / lar. / haut. | 2 850 / 4 950 / 1 930 / 1 730 mm |
| Coffre / réservoir | 453 à 2 387 litres / 68 litres (Hyb - 65 litres) |
| Nombre de passagers | 7 à 8 |
| Suspension av. / arr. | ind., jambes force / ind., bras inégaux |
| Pneus avant / arrière | L - LE - XLE - P235/65R18 / P235/65R18 |
| | XSE - Limited - Platinum - P235/55R20 / P235/55R20 |
| Poids / Capacité de remorquage | |
| Essence - 2 000 kg / 2 268 kg (5 000 lb) | |
| Hybride - 2 075 kg / 1 588 kg (3 500 lb) | |

### Composantes mécaniques

**V6 - 3,5 LITRES**

| | |
|---|---|
| Cylindrée, alim. | V6 3,5 litres atmos. |
| Puissance / Couple | 295 ch / 263 lb-pi |
| Tr. base (opt) / Rouage base (opt) | A8 / Tr (Int) |
| Type / ville / route / CO$_2$ | **Tr** - Ord / 11,9 / 8,3 / 240 g/km |
| | **Int** - Ord / 11,8 / 8,6 / 241 g/km |

**HYBRIDE**

| | |
|---|---|
| Cylindrée, alim. | 4L 2,5 litres atmos. |
| Puissance / Couple | 186 ch / 175 lb-pi |
| Tr. base (opt) / Rouage base (opt) | CVT / Int |
| Type / ville / route / CO$_2$ | Ord / 6,6 / 6,8 / 156 g/km |
| Puissance combinée | 243 ch |

**MOTEURS ÉLECTRIQUES**

| | |
|---|---|
| Puissance / Couple | **Av.** - 180 ch (134 kW) / 199 lb-pi |
| | **Arr.** - 54 ch (40 kW) / 89 lb-pi |
| Type de batterie | Nickel-hydrure métallique (NiMH) |
| Énergie | 1,9 kWh |

Photos : Toyota

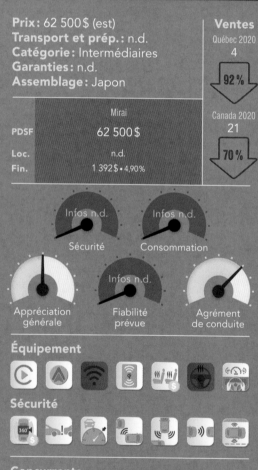

**Prix :** 62 500 $ (est)
**Transport et prép. :** n.d.
**Catégorie :** Intermédiaires
**Garanties :** n.d.
**Assemblage :** Japon

**Ventes**
Québec 2020
**4**
▼ 92 %

Canada 2020
**21**
▼ 70 %

|  | Mirai |
|---|---|
| PDSF | 62 500 $ |
| Loc. | n.d. |
| Fin. | 1 392 $ • 4,90 % |

Infos n.d. — **Sécurité**
Infos n.d. — **Consommation**
**Appréciation générale**
Infos n.d. — **Fiabilité prévue**
**Agrément de conduite**

**Équipement**

**Sécurité**

**Concurrents**
Hyundai Nexo

**Nouveau en 2022**
Groupe motopropulseur plus performant, équipements de confort et de sécurité améliorés. Lancement prévu au début de l'année 2022 au Canada.

# Voiture californienne

Jean-François Guay et Germain Goyer

L a Mirai est une voiture à hydrogène qui fait partie de la stratégie d'électrification de Toyota au même titre que les véhicules hybrides et électriques. Malgré tout, le géant japonais fait bande à part puisque la majorité des constructeurs automobiles investissent actuellement dans les véhicules tout électriques. Or, Toyota a l'habitude de faire cavalier seul.

Toyota a dévoilé la Mirai, en 2015, avec l'intuition que l'hydrogène s'imposerait tôt ou tard. Or, sept ans plus tard… cette voiture demeure plutôt rarissime sur nos routes, voire inexistante.

Pour l'heure, la Mirai se vend essentiellement sur la côte ouest du Canada et des États-Unis parce qu'on retrouve quatre stations à hydrogène en Colombie-Britannique et près d'une cinquantaine en Californie. Chez nous, on retrouve une station dans la ville de Québec où quelques unités ont été écoulées ces dernières années. Force est de constater que pour le moment, l'intérêt demeure absolument marginal. Le constructeur a même admis avoir du mal à se départir des quelques exemplaires encore en stock dans la province. Il y a des projets pour la construction de stations additionnelles, mais le coût d'une station de recharge frise les 3,5 millions de dollars alors qu'une borne de recharge pour véhicule électrique coûte seulement quelques milliers de dollars. Il va sans dire que les gouvernements devront mettre l'épaule à la roue afin d'augmenter le nombre de stations à hydrogène. Autrement, cette technologie est condamnée à demeurer marginale.

### UNE NOUVELLE GÉNÉRATION

Dévoilée l'an dernier, la deuxième génération de la Mirai adopte un design élégant en plus d'étrenner une motorisation plus performante. La ligne épurée de la carrosserie s'inspire d'un coupé avec son long capot et sa ligne de toit fuyante vers l'arrière. L'empattement (+ 14 cm), la longueur (+ 8,5 cm) et la largeur (+ 7 cm) ont été augmentés afin d'agrandir l'habitacle. La faible hauteur de la carrosserie (- 6,5 cm) et la réduction de poids de la voiture (- 79,8 kg) ont permis de diminuer le centre de gravité et de répartir la masse à près de 50/50 entre les essieux avant et arrière. Bien qu'elle soit une berline de grande taille, son coffre demeure restreint en raison du volume consacré aux réservoirs d'hydrogène.

Basée sur la même plateforme que celle des Lexus LC et LS, la nouvelle Mirai n'a plus l'air d'une Prius comme c'était le cas auparavant. Et d'ailleurs, sa conduite n'a rien à voir avec celle d'une Prius non plus. On a carrément l'impression d'être au volant d'un véhicule plus haut de gamme. Son châssis est rigide, son centre de gravité, relativement bas, et ses suspensions, suffisamment souples pour compenser le piètre état des routes de la province.

Si certaines voitures entièrement électriques brillent par leur rapidité, comme c'est le cas avec la gamme présentée par Tesla, la situation diffère pour la Mirai. L'instantanéité de l'accélération demeure la même, en revanche, elle est bien moins foudroyante.

### CENTRALE ÉLECTRIQUE SUR ROUES

Si le monde de l'hydrogène vous est peu familier, sachez qu'un véhicule à pile à combustible génère sa propre électricité pour alimenter son moteur électrique. Ainsi, il n'est pas nécessaire de recharger la batterie pendant de nombreuses heures. Au lieu de cela, il suffit de remplir le réservoir avec de l'hydrogène gazeux comprimé. Le plein se fait en moins de cinq minutes, comme un véhicule à essence.

Le moteur électrique de la Mirai est alimenté par une nouvelle batterie plus performante au lithium-ion qui se trouve à être 20 % plus petite et 50 % plus légère que la pile précédente au nickel-métal-hydrure. La puissance du moteur passe de 151 à 182 chevaux. Les trois réservoirs à haute pression renforcés de fibre de carbone peuvent chacun contenir 5,6 kg de carburant pour une autonomie estimée à 647 km. Par ailleurs, il est important de noter qu'au Québec, il faut compter plus de 15 $ par kg d'hydrogène au moment du ravitaillement. Sachez également qu'une voiture de ce type verra son autonomie moins impactée par l'hiver qu'une voiture électrique.

Au moment d'écrire ces lignes, il est impossible de configurer la nouvelle Mirai sur le site Internet de Toyota Canada. Ce qui est révélateur sur la diffusion de cette voiture au pays. Il faut aller sur le site de Toyota USA pour en savoir plus. Vendue à partir de 49 500 $ US, la toute dernière Mirai coûte 9 000 $ US de moins que l'ancien modèle. À ce montant, Toyota inclut jusqu'à 15 000 $ d'hydrogène gratuit. Ces rabais devraient donner un coup de pouce à ses ventes... en Californie ! D'ici là, il ne restera plus qu'à patienter jusqu'au début de l'année 2022 pour assister à son arrivée si Toyota décide de continuer de naviguer dans cette direction.

### Données principales

| | |
|---|---|
| Emp. / lon. / lar. / haut. | 2 920 / 4 975 / 1 885 / 1 470 mm |
| Coffre / réservoir | 273 litres / 17 kg |
| Nombre de passagers | 5 |
| Suspension av. / arr. | ind. multibras / ind. multibras |
| Pneus avant / arrière | P235/55R19 / P255/55R19 |
| Poids / Capacité de remorquage | 1 930 kg / non recommandé |

* Données du modèle américain

### Composantes mécaniques

| | |
|---|---|
| Puissance / Couple | 182 ch / 221 lb-pi |
| Type de batterie / Énergie | Lithium-Ion (Li-Ion) / 1,24 kWh |
| Tr. base (opt) / Rouage base (opt) | Rapport fixe / Prop |
| 0-100 / 80-120 / V. max | 9,1 sec (est) / n.d. / n.d. |
| Autonomie | 647 km (est) |

* Données du modèle américain

+ Design élégant • Comportement routier amélioré • Autonomie augmentée • Motorisation zéro émission

− Stations à hydrogène presque inexistantes • Utilisation limitée • Technologie embryonnaire

Photos: Toyota

**TOYOTA PRIUS**

HYBRIDE

**Prix:** 29 150 $ à 38 700 $
**Transport et prép.:** 1 790 $
**Catégorie:** Compactes
**Garanties:** 3/60, 5/100
**Assemblage:** Japon

**Ventes\***
Québec 2020
**3 112**
▼ 31%

Canada 2020
**5 754**
▼ 33%

| | Prius | Tech AWD-e | Prime Technologie |
|---|---|---|---|
| **PDSF** | 29 150 $ | 32 490 $ | 38 700 $ |
| **Loc.** | 514 $ • 4,99 % | 538 $ • 4,99 % | 573 $ • 5,49 % |
| **Fin.** | 661 $ • 3,69 % | 732 $ • 3,69 % | 743 $ • 3,69 % |

Sécurité — Consommation

Appréciation générale — Fiabilité prévue — Agrément de conduite

**Équipement**

**Sécurité**

**Concurrents**
Honda Insight, Hyundai Elantra,
Hyundai IONIQ, Toyota Corolla

**Nouveau en 2022**
Prius: antibrouillards de série dans les modèles à
traction, modèles AWD-e disponibles avec une
peinture bicolore (blanche avec toit noir).
Prime: alerte de rappel pour les sièges arrière.

# L'icône verte a pâli

Luc Gagné

**L**orsque vous consulterez *Le Guide de l'Auto 2050* pour choisir un véhicule autonome, vous lirez peut-être un article consacré au 50e anniversaire de l'ère moderne des véhicules électrifiés. Ce récit historique fera sûrement l'éloge d'une Toyota introduite sur notre continent en juillet 2000: la Prius.

L'audace dont a fait preuve le constructeur nippon en lançant ce modèle novateur a permis à des milliers d'automobilistes de découvrir les bienfaits de l'électrification par le biais de motorisations hybrides. Elles combinent l'énergie produite par un moteur à essence à celle de moteurs électriques pour réduire la consommation d'essence et, du même coup, les émissions polluantes émises dans l'air.

La Prius a longtemps dominé le créneau qu'elle a vu naître au point d'en devenir la référence. Mais les modèles hybrides se sont multipliés, même chez Toyota, et son lustre a terni. De quatre modèles différents que comptait la famille Prius il n'y a pas si longtemps, il n'en reste que deux: la Prius et la Prius Prime. Les ventes de ces modèles sont aussi en chute libre. En Amérique du Nord, il s'est vendu un peu plus de 240 000 de modèles Prius en 2012. En 2020, les ventes étaient cinq fois moins grandes.

### UNE COMPACTE COMME LES AUTRES
La Prius «tout court» est l'actuel modèle d'entrée de gamme. Elle est munie d'un 4 cylindres à cycle Atkinson de 1,8 litre et de deux moteurs électriques alimentés par une batterie d'un peu moins d'un kWh. Le premier sert de génératrice et l'autre de moteur d'entraînement. Une boîte de vitesse automatique à variation continue transmet les 121 chevaux produits par tous ces moteurs aux roues avant.

La capacité réduite de sa batterie permet au groupe motopropulseur de la recharger en roulant. Comparativement à la Prius Prime, cette voiture peut donc être qualifiée d'hybride non-branchable. Depuis 2019, Toyota offre aussi une variante à quatre roues motrices unique dans son créneau. Elle possède une batterie à hydrure métallique de nickel de 1,31 kWh et un moteur électrique additionnel qui entraîne les roues arrière de 0 à 10 km/h et, si nécessaire, jusqu'à 70 km/h.

\*Ventes combinées des Toyota Prius et Prius Prime

## PRIME, UN NOM EN DEVENIR

L'autre modèle, la Prius Prime, a une esthétique vaguement différente. Au groupe motopropulseur de la Prius, il ajoute une batterie au lithium-ion de 8,8 kWh qui lui permet de parcourir jusqu'à 40 km sans faire appel au moteur à essence. La batterie de la Prime a cependant une trop grande capacité pour être rechargée en roulant. Pour ce faire, il faut brancher la voiture à une source électrique externe, d'où l'expression hybride branchable. La recharge prend un peu plus de 2 heures avec une borne de 240 volts et environ 5,5 heures avec une prise résidentielle de 120 volts.

La consommation moyenne des différentes Prius est comparable. Elle varie de 4,3 L/100 km pour la Prime à 4,5 ou 4,8 L/100km pour la Prius non branchable, selon qu'elle dispose de deux ou quatre roues motrices. C'est donc le scénario d'un automobiliste ayant environ 40 km à parcourir quotidiennement qui rendrait la Prime plus désirable, d'abord à cause du coût inférieur de l'électricité, comparativement à l'essence, mais aussi parce que les incitatifs gouvernementaux (6 500 $ au total) abaissent son prix au niveau d'une Prius ordinaire !

La Corolla hybride fait aussi perdre des plumes à cette dernière. En effet, la Prius est plus chère, elle consomme davantage sur la route et ses places arrière sont moins accueillantes. Comparativement à cette rivale, la Prius semble n'avoir plus que sa carrosserie à hayon et sa transmission intégrale optionnelle pour se démarquer.

La concurrence vient aussi de Hyundai avec les IONIQ et Elantra hybrides qui font miroiter des prix attrayants, des boîtes automatiques nettement plus discrètes, de bonnes cotes de consommation et même quelques kilomètres additionnels en traction électrique dans le cas de l'IONIQ branchable. Ces coréennes ont aussi des habitacles spacieux et dans le cas des IONIQ, des coffres mieux conçus et plus volumineux.

L'avenir de l'icône « verte » de Toyota semble donc incertain. D'ailleurs, dans un monde où le terme hybride est devenu générique, l'appellation Prime semble promise à de bien meilleurs jours.

### Données principales

| | |
|---|---|
| Emp. / lon. / lar. / haut. | Prius - 2 700 / 4 644 / 1 760 / 1 473 mm |
| | Prius Prime - 2 700 / 4 575 / 1 760 / 1 471 mm |
| Coffre / réservoir | 561 à 697 litres / 42 litres |
| Nombre de passagers | 5 |
| Suspension av. / arr. | ind., jambes force / ind., bras inégaux |
| Pneus avant / arrière | P195/65R15 / P195/65R15 |
| Poids / Capacité de remorquage | 1 380 à 1 530 kg / non recommandé |

### Composantes mécaniques

**PRIUS**

| | |
|---|---|
| Cylindrée, alim. | 4L 1,8 litre atmos. |
| Puissance / Couple | 95 ch / 105 lb-pi |
| Tr. base (opt) / Rouage base (opt) | CVT / Tr |
| Type / ville / route / $CO_2$ | Ord / 4,4 / 4,7 / 106 g/km |
| Puissance combinée | 121 ch |

**MOTEUR ÉLECTRIQUE**

| | |
|---|---|
| Puissance / Couple | 71 ch (53 kW) / 120 lb-pi |
| Type de batterie / Energie | Nickel-hydrure métall. (NiMH) / 0,8 kWh |

**PRIUS AWD-e**

| | |
|---|---|
| Cylindrée, alim. | 4L 1,8 litre atmos. |
| Puissance / Couple | 95 ch / 105 lb-pi |
| Tr. base (opt) / Rouage base (opt) | CVT / Int |
| 0-100 / 80-120 / V. max | 10,8 s (m) / 9,5 s (m) / n.d. |
| 100-0 km/h | 41,4 m (m) |
| Type / ville / route / $CO_2$ | Ord / 4,6 / 5,0 / 111 g/km |
| Puissance combinée | 121 ch |

**MOTEURS ÉLECTRIQUES**

| | |
|---|---|
| Puissance / Couple | Av - 71 ch (53 kW) / 120 lb-pi |
| Puissance / Couple | Arr - 7 ch (5 kW) / 40 lb-pi |
| Type de batterie / Energie | Nickel-hydrure métall. (NiMH) / 1,3 kWh |

**PRIUS PRIME**

| | |
|---|---|
| Cylindrée, alim. | 4L 1,8 litre atmos. |
| Puissance / Couple | 95 ch / 105 lb-pi |
| Tr. base (opt) / Rouage base (opt) | CVT / Tr |
| 0-100 / 80-120 / V.max | 11,4 s (m) / 8,9s (m) / n.d. |
| 100-0 km/h | 46,1m |
| Type / ville / route / $CO_2$ | Ord / 4,3 / 4,4 / 49 g/km |
| Puissance combinée | 121 ch |

**MOTEUR ÉLECTRIQUE**

| | |
|---|---|
| Puissance / Couple | 71 ch (53 kW) / 120 lb-pi |
| Type de batterie / Energie | Lithium-ion (Li-ion) / 8,8 kWh |
| Temps de charge (120V / 240V) | 5,5 h / 2,2 h |
| Autonomie | 40 km |

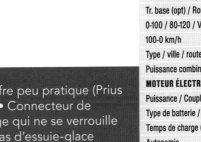

+ Transmission intégrale optionnelle (Prius) • Consommation attrayante • Autonomie électrique intéressante (Prius Prime)

– Coffre peu pratique (Prius Prime) • Connecteur de recharge qui ne se verrouille pas • Pas d'essuie-glace arrière (Prius Prime) • Direction légère

**TOYOTA PRIUS PRIME**

**TOYOTA PRIUS PRIME**

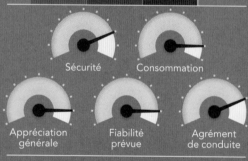

**TOYOTA RAV4**

**Prix :** 28 590 $ à 57 245 $ (2021)
**Transport et prép. :** 1 860 $
**Catégorie :** VUS compacts
**Garanties :** 3/60, 5/100
**Assemblage :** Canada, Japon

**Ventes***
Québec 2020
**14 099**
⬇ 3 %

Canada 2020
**57 972**
⬇ 11 %

| | LE | Hybride XLE TI | Prime XSE Tech |
|---|---|---|---|
| **PDSF** | 28 590 $ | 35 950 $ | 57 245 $ |
| **Loc.** | 478 $ • 4,49 % | 637 $ • 6,09 % | 699 $ • 6,09 % |
| **Fin.** | 651 $ • 3,69 % | 806 $ • 3,69 % | 1 016 $ • 3,69 % |

Sécurité   Consommation

Appréciation générale   Fiabilité prévue   Agrément de conduite

**Équipement**

**Sécurité**

**Concurrents**

Chevrolet Equinox, Ford Bronco Sport/Escape,
GMC Terrain, Honda CR-V, Hyundai Tucson,
Jeep Cherokee/Compass, Kia Sportage,
Mazda CX-5, Mitsubishi Outlander,
Nissan Rogue, Subaru Forester, Volks. Tiguan

**Nouveau en 2022**

Aucun changement majeur annoncé
au moment de mettre sous presse.

# Le petit roi

Marc Lachapelle

Il était clair que le nouveau RAV4 allait dominer sa catégorie lorsqu'il a été dévoilé, au printemps 2018. La gamme était trop complète, solide et variée pour qu'il en soit autrement. Toyota en a remis une couche l'année suivante en lançant le RAV4 Prime à groupe propulseur hybride rechargeable qui devint carrément le véhicule le plus convoité au Québec. Le plus attendu aussi, à cause d'une offre limitée. Le constructeur se retrouve désormais dans la position tout de même enviable de gérer la vie de *star* de son RAV4 et les quelques désagréments qu'elle occasionne.

Le nouveau RAV4 ne s'est pas contenté du premier rang de la catégorie des utilitaires sport compacts, position que son devancier occupait depuis l'ajout d'une version hybride. Il a effectivement surclassé la Civic, *best-seller* de presque toujours côté automobile, au palmarès annuel du Québec. Le RAV4 a même devancé la grande camionnette Ford de série F, première toutes catégories au pays entier depuis 55 années consécutives, pendant le dernier trimestre. Mieux encore, ses ventes ont progressé de 44,8 % durant les trois mois suivants.

**TOUTES CIBLES ATTEINTES OU PRESQUE**

La force imparable de la série RAV4 actuelle, c'est assurément sa variété, avec douze versions distinctes. Elle est ensuite multipliée par la pertinence de ces modèles et la compétence des trois groupes propulseurs offerts. Selon le jeu traditionnel, le constructeur ajoute soigneusement des accessoires, divers systèmes et des touches de luxe à mesure que l'on grimpe dans la hiérarchie. On passe ainsi des LE aux XLE et XSE pour atteindre les Limited, au sommet de la gamme. Toyota n'offre que trois groupes d'options mais une kyrielle d'accessoires utiles et pas trop chers.

Dans tous les cas, l'habitacle est accueillant, douillet et pratique. Les sièges avant fournissent un bon mélange de confort et de maintien. On accède ensuite facilement à des places arrière extérieures qui offrent de bons dégagements et un confort correct, malgré une assise basse. Le tissu affiche un motif banal, même avec le matériau SofTex des versions plus cossues. Les modèles Limited et le Prime XSE, les plus chers, ont droit à une sellerie en cuir, avec des bandes et des surpiqûres contrastées pour ce dernier.

Le coffre à bagages est assez large, avec un seuil de chargement plat. Celui du Prime est peu profond, par contre. Son volume est de 949 litres contre 1 059 litres pour les autres versions. Il fallait bien loger la batterie de 18,1 kWh en plus de la roue de rechange, sous le plancher. Le chargeur portatif est rangé dans un filet, juste au-dessus, ce qui n'est pas tellement commode.

## FIN PRÊT POUR NOS ROUTES

La visibilité vers l'avant et les côtés est excellente, grâce à des rétroviseurs bien dégagés des montants avant et des lucarnes triangulaires. La position de conduite est conviviale, avec un grand repose-pied et un volant bien moulé, gainé de cuir et chauffant dès que l'on accède aux versions XLE.

Le tableau de bord est fonctionnel, sans grand élan de style. L'écran tactile de 7 pouces et ses affichages ont même un air un peu rustique. C'est un peu mieux avec l'écran tactile de 8 pouces des versions Trail, Limited et Prime (optionnel dans le XLE) qui s'accompagne d'un écran d'affichage de 7 pouces plutôt que de 4,2 pouces, entre les deux grands cadrans traditionnels. En bref, ils ne sont pas les champions de l'affichage.

En conduite, les RAV4 n'ont rien de sportif non plus. Même le Prime XSE, que son groupe hybride de 302 chevaux a poussé de 0 à 100 km/h en 6,2 secondes. Il s'est cependant repris en parcourant 82,2 km en mode électrique alors que l'on promet 68 km. De manière générale, leur comportement est sûr mais leur direction peu précise et pas tellement vive. C'est un peu mieux avec les jantes de 18 ou 19 pouces et des pneus à taille plus basse.

En fait, les RAV4 sont des costauds qui ne craignent pas nos chaussées crevassées. La version Trail est la meilleure pour quitter l'asphalte, mais la suspension renforcée du groupe TRD n'en fait pas un tout-terrain pur et dur. Elle peut toutefois tracter jusqu'à 3 500 lb alors que les Prime se limitent à 2 500 lb, les hybrides à 1 750 lb et les modèles à essence à un modeste 1 500 lb.

Chose certaine, excitant ou pas, le règne du RAV4 ne risque pas de se terminer de sitôt. Qui sait, Toyota arrivera peut-être même à hausser la cadence à l'usine japonaise où est produite la version Prime pour enfin satisfaire la demande.

### Données principales

| | |
|---|---|
| Emp. / lon. / lar. / haut. | 2 690 / 4 596 / 1 854 / 1 702 mm |
| Coffre / réservoir | **Essence - Hybride** - 1 059 à 1 977 litres / 55 litres |
| | **Prime** - 949 à 1 790 litres / 55 litres |
| Nombre de passagers | 5 |
| Suspension av. / arr. | ind., jambes force / ind., bras inégaux |
| Pneus avant / arrière | **LE - XLE Tr.** - P225/65R17 / P225/65R17 |
| | **XLE Int - Trail - Limited** - P235/55R19 / P235/55R19 |
| Poids / Capacité de remorquage | |
| | **Trail Essence Int** - 1 635 kg / 1 588 (3 500 lb) |
| | **Limited Hybride Int** - 1 720 kg / 794 kg (1 750 lb) |
| | **XSE Prime Int** - 1 950 kg / 1 134 kg (2 500 lb) |

### Composantes mécaniques

**ESSENCE**

| | |
|---|---|
| Cylindrée, alim. | 4L 2,5 litres atmos. |
| Puissance / Couple | 203 ch / 184 lb-pi |
| Tr. base (opt) / Rouage base (opt) | A8 / Tr (Int) |
| 0-100 / 80-120 / 100-0 | 8,4 s (m) / 6,1 s (m) / 41,4 m (m) |
| Type / ville / route / CO₂ | **Tr** - Ord / 8,8 / 6,8 / 184 g/km |
| | **Int** - Ord 8,7 / 6,9 / 184 g/km |

**HYBRIDE**

| | |
|---|---|
| Cylindrée, alim. | 4L 2,5 litres atmos. |
| Puissance / Couple | 176 ch / 163 lb-pi |
| Tr. base (opt) / Rouage base (opt) | CVT / Int |
| 0-100 / 80-120 / 100-0 | 7,9 s (m) / 5,9 s (m) / 42,6 m (m) |
| Type / ville / route / CO₂ | Ord / 5,8 / 6,3 / 140 g/km |
| Puissance combinée | 219 ch |

**MOTEURS ÉLECTRIQUES**

| | |
|---|---|
| Puissance / Couple | **Av** - 118 ch (88 kW) / 149 lb-pi |
| | **Arr** - 54 ch (40 kW) / 89 lb-pi |
| Type de batterie | Nickel-hydrure métallique (NiMH) |
| Énergie | 1,6 kWh |

**PRIME**

| | |
|---|---|
| Cylindrée, alim. | 4L 2,5 litres atmos. |
| Puissance / Couple | 176 ch / 163 lb-pi |
| Tr. base (opt) / Rouage base (opt) | CVT / Int |
| 0-100 / 80-120 / 100-0 | 6,2 s (m) / 4,4 s (m) / 43,0 m (m) |
| Type / ville / route / CO₂ | Ord / 5,7 / 6,4 / 44 g/km |
| Puissance combinée | 302 ch |

**MOTEURS ÉLECTRIQUES**

| | |
|---|---|
| Puissance / Couple | **Av** - 179 ch (133 kW) / 199 lb-pi |
| Puissance / Couple | **Arr** - 53 ch (40 kW) / 89 lb-pi |
| Type de batterie | Lithium-ion (Li-ion) |
| Énergie | 18,1 kWh |
| Temps de charge (120V / 240V) | 12,0 h / 4,5 h |
| Autonomie | 68 km |

✚ Série très complète et variée • Version Prime rechargeable exceptionnelle • Habitacle confortable et pratique • Consommation très faible (Hybride et Prime)

▬ Écran central tactile plutôt rudimentaire • Version Prime encore peu disponible • Soute à bagages moins profonde (Prime) • Écran aveuglant en marche arrière la nuit

Photos : Toyota

**TOYOTA RAV4 PRIME**

**Prix:** 70 150 $ à 79 300 $ (2021)
**Transport et prép.:** 1 860 $
**Catégorie:** VUS grand format
**Garanties:** 3/60, 5/100
**Assemblage:** États-Unis

**Ventes**
Québec 2020
60
⬇ 33 %

Canada 2020
384
⬇ 29 %

|  | Limited | Platinum | TRD Pro |
|---|---|---|---|
| **PDSF** | 70 150 $ | 79 090 $ | 79 300 $ |
| **Loc.** | 1 227 $ • 4,49 % | 1 420 $ • 4,49 % | 1 424 $ • 4,49 % |
| **Fin.** | 1 566 $ • 3,69 % | 1 754 $ • 3,69 % | 1 759 $ • 3,69 % |

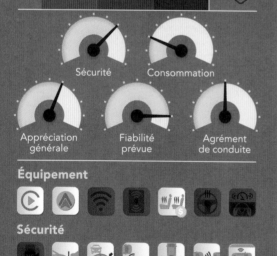

Sécurité    Consommation

Appréciation générale    Fiabilité prévue    Agrément de conduite

**Équipement**

**Sécurité**

**Concurrents**
Chevrolet Suburban, Chevrolet Tahoe,
Ford Expedition, GMC Yukon,
Jeep Wagoneer, Nissan Armada

**Nouveau en 2022**
Nouvelles couleurs.

# Alors que bourgeonne un nouveau Sequoia

Jacques Bienvenue

On pourrait admirer un séquoia géant de la Californie chaque jour de sa vie sans jamais le voir changer. Cela n'a rien de surprenant. Ce conifère, parmi les arbres les plus grands et les plus massifs sur terre, peut vivre 3 000 ans. L'analogie avec le véhicule éponyme va de soi. Dévoilé en novembre 2007, cet utilitaire de Toyota, le plus gros de sa gamme, a si peu changé qu'il faudrait être un observateur aguerri pour avoir noté les rares modifications subies au fil des ans.

Depuis ses débuts, le profil du Sequoia n'a pas changé d'un iota, pas plus que sa partie arrière. Par contre, l'avant de sa carrosserie, calqué sur la camionnette Tundra 2007, a reçu de nouveaux blocs optiques à DEL et des antibrouillards différents... en 2018! Ses ventes marginales expliquent sans doute cet immobilisme. Au pays, depuis une dizaine d'années, Toyota vend quelques centaines de Sequoia par an alors que chez nos voisins du Sud, la moyenne des ventes annuelles tourne autour de 12 500 unités.

Naturellement, les acheteurs de ces véhicules, capables de transporter huit personnes en remorquant une longue roulotte, sont peu nombreux. De plus, jusqu'ici, les constructeurs américains ont mieux fait évoluer leurs produits rivaux. Fraîchement renouvelé, le quatuor de GM (Tahoe, Suburban, Yukon et Yukon XL) le démontre éloquemment en dominant largement ce créneau.

### MI-FIGUE, MI-RAISIN

Le Sequoia offre tout de même certains attributs intéressants. Son vaste habitacle accueille confortablement 7 ou 8 personnes, selon la version, alors que le gargantuesque coffre en fait un véhicule hyperpratique. En outre, l'intérieur, qui n'a guère plus évolué que la carrosserie, a vu sa dotation s'améliorer un peu. Par exemple, elle comporte les systèmes Bluetooth, Apple CarPlay et Android Auto, de même qu'un écran tactile au centre du tableau de bord. Un écran de 7 pouces qui semble perdu dans ce vaste intérieur, je vous l'accorde! Par ailleurs, il est vrai que l'insonorisation perfectible confirme l'âge avancé du véhicule, tout comme les vibrations parasites que transmettent la direction et la suspension.

Cette suspension indépendante aux quatre roues absorbe toutefois très efficacement les défauts du revêtement, mais le roulis demeure prononcé

dans les courbes. Un rayon de braquage réduit rend le Sequoia surprenamment agile, malgré ses 5,2 mètres de long. On regrette toutefois que la servodirection soit légère et impose de fréquents recentrages sur l'autoroute.

Le Sequoia partage la motorisation du Tundra 2021. Ce V8 i-Force de 5,7 litres et 381 chevaux livre 401 lb-pi de couple aux quatre roues par le biais d'une boîte de vitesses à 6 rapports. Dès qu'il tourne à 2 200 tr/min, ce moteur livre déjà 90 % de son couple. On n'en manque donc jamais.

Très souple, la boîte automatique bénéficie d'un mode de remorquage permettant d'optimiser le passage des rapports lorsqu'une lourde charge est arrimée à ce véhicule, dont la capacité maximale atteint 7 100 lb. C'est le cas, du moins, pour les Sequoia TRD Pro et Limited. Plus cossue, la version Platinum est limitée à 7 000 lb. Fait à noter, la dotation comprend aussi l'équipement nécessaire au remorquage.

### RUMEURS, RUMEURS...

Les oracles de l'industrie prédisent cependant que ce Sequoia ne vivra pas... 3 000 ans. Dans leur boule de cristal, ils ont vu que l'année 2022 sera un moment décisif de son histoire avec le dévoilement de sa troisième génération. Ce véhicule serait doté, disent-ils, d'une nouvelle plate-forme à longerons appelée TNGA-F. Une plate-forme qu'il partagera avec le Tundra 2022 et qui servira également à une future camionnette Tacoma, actuellement en gestation.

De plus, pour la première fois, le Sequoia serait offert avec une motorisation hybride, une nouveauté qui corrigerait un de ses points faibles : sa forte consommation de carburant. Avec une cote moyenne de 16,4 L/100 km, le Sequoia actuel fait piètre figure, tout particulièrement face au Ford Expedition. Hébergeant un V6 suralimenté peu gourmand, son rival fait miroiter une moyenne alléchante de 12,6 L/100 km.

Une consommation pareille va naturellement de pair avec la mécanique puissante requise pour tracter de lourdes charges, tâche souvent jugée primordiale par les conducteurs de ces mastodontes. Mais là encore, le Sequoia peine à s'imposer, car ses rivaux ont tous une capacité de remorquage de 1 100 à 1 300 lb supérieure. Or, pour les clients, plus, c'est toujours mieux. Parions que le Sequoia qui bourgeonne corrigera aussi cet écueil.

Données principales

| Données principales | |
|---|---|
| Emp. / lon. / lar. / haut. | 3 100 / 5 210 / 2 030 / 1 955 mm |
| Coffre / réservoir | 535 à 3 401 litres / 100 litres |
| Nombre de passagers | 7 à 8 |
| Suspension av. / arr. | ind., double triangulation / ind., double triangulation |
| Pneus avant / arrière | Limited - Platinum - P275/55R20 / P275/55R20 |
| | TRD Pro - P275/65R18 / P275/65R18 |
| Poids / Capacité de remorquage | |
| | Platinum - 2 721 kg / 3 175 kg (7 000 lb) |
| | Limited - TRD Pro - 2 703 kg / 3 221 kg (7 100 lb) |

Composantes mécaniques

| Composantes mécaniques | |
|---|---|
| Cylindrée, alim. | V8 5,7 litres atmos. |
| Puissance / Couple | 381 ch / 401 lb-pi |
| Tr. base (opt) / Rouage base (opt) | A6 / 4x4 |
| Type / ville / route / $CO_2$ | Ord / 18,5 / 13,9 / 384 g/km |

**＋** Coffre volumineux • Capacité de remorquage importante • Version TRD Pro attrayante

Direction légère • Insonorisation perfectible • Consommation élevée • Roulis prononcé en courbe

★★★★ COTE DU **GUIDE**

---

**Prix :** 39 990 $ à 58 190 $ (2021)
**Transport et prép. :** 1 860 $
**Catégorie :** Fourgonnettes
**Garanties :** 3/60, 5/100
**Assemblage :** États-Unis

**Ventes**
Québec 2020
1 594

⬇ **51 %**

Canada 2020
8 027

⬇ **45 %**

|  | LE | XLE TI | Limited TI |
|---|---|---|---|
| PDSF | 39 990 $ | 45 390 $ | 58 190 $ |
| Loc. | 683 $ • 5,49 % | 767 $ • 5,49 % | 1 015 $ • 5,49 % |
| Fin. | 891 $ • 3,69 % | 1 004 $ • 3,69 % | 1 273 $ • 3,69 % |

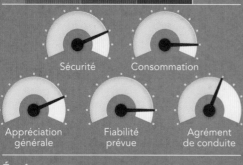

Sécurité   Consommation

Appréciation générale   Fiabilité prévue   Agrément de conduite

**Équipement**

**Sécurité**

**Concurrents**
Chrysler Grand Caravan/Pacifica, Ford Transit Connect, Honda Odyssey, Kia Carnival

**Nouveau en 2022**
Sièges capitaine avec repose-jambes de série dans les modèles AWD Limited à 7 passagers. Rails de toit de série dans les modèles LE et XLE 8 passagers à traction.

---

# Chrysler en rêve

Antoine Joubert

La voici, la nouvelle fourgonnette de premier rang du marché. La plus populaire, la plus convoitée, la plus écoénergétique. Du moins, en excluant la Pacifica hybride rechargeable, que les concessionnaires Chrysler n'écoulent pourtant qu'au compte-gouttes. Sans l'ombre d'un doute, ces derniers pleurent la disparition de la Dodge Grand Caravan, qui leur permettait de demeurer largement en tête des ventes du segment. Or, l'imbattable réputation de fiabilité de Toyota aura eu raison de cette Pacifica.

Toyota ne peut donc que jubiler face à cette situation, elle qui propose depuis l'an dernier une nouvelle formule bien différente du modèle sortant. En effet, la nouvelle génération de la Sienna est désormais dotée d'une motorisation hybride de série. La même qui se cache sous le capot du Highlander hybride et du Venza. Une mécanique capable de maintenir une moyenne de consommation d'à peine 6,5 L/100 km, même en optant pour le rouage intégral. Parce qu'en plus de l'hybridation, Toyota propose aussi cette option, qui permet d'obtenir un produit très intéressant.

**LA CONCURRENCE**

Il n'existe désormais plus que quatre fourgonnettes sur le marché, si l'on excepte le Ford Transit Connect, à la diffusion confidentielle. La Honda Odyssey et la nouvelle Kia Carnival ne proposent qu'un V6 avec les roues motrices avant. Dans la famille Chrysler (Grand Caravan et Pacifica), on peut soit obtenir le rouage intégral, soit l'hybride, les deux ne pouvant pas être jumelés. Toyota peut donc se taper sur les cuisses en constatant que Honda et Chrysler perdent du terrain, pendant que Kia, bien que très sérieuse, poursuit sa route avec une formule traditionnelle.

Évidemment, on troque ici un V6 pour un 4 cylindres qui n'a certainement pas la douceur ou la souplesse d'un moteur à 6 cylindres. La puissance maximale combinée de 245 chevaux ne rejoint pas non plus celle de la compétition. Cela dit, rares sont ceux qui se procurent une fourgonnette dans l'optique d'obtenir les meilleures accélérations. Fait intéressant, la Sienna conserve malgré son passage à l'hybride une bonne capacité de remorquage (3 500 lb), permettant ainsi de transporter la famille et la tente-roulotte.

Soyons francs, la Sienna n'est pas la fourgonnette la plus agréable à conduire. La direction manque de précision, la sonorité mécanique est plutôt

quelconque et l'insonorisation, bien qu'améliorée, n'est pas encore au niveau de la Pacifica ou de la Carnival. Consolez-vous en vous disant qu'il s'agit du prix à payer pour rouler dans une fourgonnette capable d'accueillir huit occupants, tout en ne consommant guère plus que la dernière Toyota Yaris. En somme, une économie de carburant annuelle d'environ 1300 à 1500 $ par rapport à une fourgonnette traditionnelle à essence, sans compter l'impact environnemental.

La Sienna se décline en huit versions. Certaines offrent le nécessaire acceptable pour une famille d'aujourd'hui, alors que d'autres jouent la carte du luxe. On ose même la « sportivité » avec une variante XSE chaussant des pneus de 20 pouces et adoptant une suspension plus ferme. Imaginez ! Heureusement, elles bénéficient toutes d'un environnement bien aménagé, ultra polyvalent, et d'un poste de conduite dont l'ergonomie est sans faille. Certes, on lui préfère encore les systèmes d'infodivertissement offerts chez Chrysler et Kia, mais il ne s'agit pas ici d'un irritant. Puis, inutile de vous mentionner qu'en matière de sécurité, Toyota a mis le paquet. Tout pour protéger ceux qui vous sont chers, avec une technologie qui hélas se montre parfois trop intrusive. Surtout en ce qui concerne ce régulateur de vitesse dit intelligent, qu'on préfère souvent ne pas utiliser.

## ABUSER DE SON SUCCÈS

Au moment d'écrire ces lignes, il y a pénurie de Sienna. Les concessionnaires ne peuvent suffire à la demande, ce qui oblige les consommateurs à patienter des mois et à être conciliants en matière de couleur et d'équipement. Dans un tel contexte, Toyota en profite de manière presque abusive en proposant la Sienna à compter d'un peu plus de 42 000 $ (transport et préparation inclus), facturant de surcroît des taux de financement et de location dignes d'une autre époque.

Bien sûr, on peut se targuer d'offrir la fourgonnette non enfichable la plus éco-énergétique, la moins coûteuse en entretien et probablement la plus fiable, mais n'est-il pas exagéré de proposer des taux de financement ou de location à 5 ou 6%? Remarquez, Honda n'offre guère mieux avec sa vieillissante Odyssey, mais il est clair que l'option d'un financement alternatif (marge de crédit hypothécaire ou autre) peut ici valoir la peine. Cela étant dit, l'achat d'une Sienna, nonobstant sa facture, demeure le plus rationnel qui soit. C'est la raison pour laquelle elle se trouve au sommet de la catégorie.

| Données principales | |
|---|---|
| Emp. / lon. / lar. / haut. | 3 060 / 5 185 / 1 995 / 1 775 mm |
| Coffre / réservoir | 949 à 2 860 litres / 68 litres |
| Nombre de passagers | 7 à 8 |
| Suspension av. / arr. | ind., jambes force / semi-ind., multibras |
| Pneus avant / arrière | P235/65R17 / P235/65R17 |
| Poids / Capacité de remorquage | 2 189 kg / 1 588 kg (3 500 lb) |

| Composantes mécaniques | |
|---|---|
| **TRACTION** | |
| Cylindrée, alim. | 4L 2,5 litres atmos. |
| Puissance / Couple | 186 ch / 175 lb-pi |
| Tr. base (opt) / Rouage base (opt) | CVT / Tr |
| 0-100 / 80-120 / V. max | 8,8 s (m) / 6,2 s (m) / n.d. |
| Type / ville / route / $CO_2$ | Ord / 6,6 / 6,5 / 153 g/km |
| Puissance combinée | 245 ch |
| **MOTEUR ÉLECTRIQUE** | |
| Puissance / Couple | 180 ch (134 kW) / 199 lb-pi |
| Type de batterie | Nickel-hydrure métallique (NiMH) |
| Énergie | 1,9 kWh |
| | |
| **INTÉGRALE** | |
| Cylindrée, alim. | 4L 2,5 litres atmos. |
| Puissance / Couple | 186 ch / 175 lb-pi |
| Tr. base (opt) / Rouage base (opt) | CVT / Int |
| Type / ville / route / $CO_2$ | Ord / 6,8 / 6,6 / 157 g/km |
| Puissance combinée | 245 ch |
| **MOTEURS ÉLECTRIQUES** | |
| Puissance / Couple | **Av** - 180 ch (134 kW) / 199 lb-pi |
| | **Arr** - 54 ch (40 kW) / 89 lb-pi |
| Type de batterie | Nickel-hydrure métallique (NiMH) |
| Énergie | 1,9 kWh |

+ Combinaison hybride et rouage intégral • Très faible consommation d'essence • Entretien/coût de possession à long terme • Faible dépréciation anticipée

— Conduite peu inspirante • Facture et taux de financement/location • Suspension et jantes inadéquates pour le Québec (XSE)

Photos: Toyota

# La maturité a bon goût

Germain Goyer

**Prix :** 38 350 $ à 56 830 $ (2021)
**Transport et prép. :** 1 860 $
**Catégorie :** Camion. interm.
**Garanties :** 3/60, 5/100
**Assemblage :** États-Unis

**Ventes**
Québec 2020
**2 444**
↑ 20 %

Canada 2020
**14 376**
↑ 14 %

| | Accès 4RM | Trail 4RM | TRD Pro 6A |
|---|---|---|---|
| PDSF | 38 350 $ | 44 110 $ | 56 830 $ |
| Loc. | 600 $ • 5,49 % | 681 $ • 5,49 % | 917 $ • 5,99 % |
| Fin. | 856 $ • 3,69 % | 977 $ • 3,69 % | 1 245 $ • 3,69 % |

Sécurité · Consommation

Appréciation générale · Fiabilité prévue · Agrément de conduite

**Équipement**

**Sécurité**

**Concurrents**
Chevrolet Colorado, Ford Ranger, GMC Canyon, Honda Ridgeline, Jeep Gladiator, Nissan Frontier

**Nouveau en 2022**
Plusieurs améliorations aux versions Trail et TRD Pro.

Introduit en 1995, le Tacoma reprenait le flambeau de la petite camionnette Toyota. Et depuis, jamais on n'a cessé sa commercialisation, contrairement à ses rivaux les plus directs que sont notamment les Chevrolet Colorado, GMC Canyon et Ford Ranger. Toyota a toujours cru au segment de la camionnette intermédiaire et a généralement su suivre l'évolution du marché. Depuis 2016, le constructeur japonais nous propose la troisième génération du modèle, qui continue son petit bonhomme de chemin pour la nouvelle année.

Avis à ceux et celles qui sont à la recherche d'une camionnette intermédiaire à roues motrices arrière, ce n'est pas chez Toyota que vous trouverez chaussure à vos pieds. En effet, si des versions à propulsion sont proposées aux États-Unis, seul le rouage 4x4 est offert de ce côté-ci de la frontière. En ce qui a trait à la mécanique, on a droit à un moteur V6 traditionnel de 3,5 litres, bien connu dans l'univers de Toyota. Il développe une puissance de 278 chevaux et un couple de 265 lb-pi. Au cours de notre essai, nous avons noté que le couple à bas régime était insuffisant et qu'il fallait constamment faire révolutionner le moteur pour obtenir un minimum de vigueur. Un 4 cylindres était offert par le passé, mais ce n'est plus le cas désormais.

Il faut également savoir que tout dépendant de la version choisie, les consommateurs ont le choix entre une transmission manuelle à 6 vitesses et une boîte automatique étagée sur autant de rapports. Toutes les deux très robustes, elles ne se distinguent toutefois pas par leur raffinement. Pendant qu'elle est toujours offerte, on vous incite donc à opter pour la manuelle. En choisissant la cabine courte (appelée Cabine Accès), les consommateurs profitent d'une caisse de 6 pieds, tandis que la cabine double permet d'opter pour une longueur de 5 ou 6 pieds selon les versions.

### APPRENDRE À VIVRE AVEC SES DÉFAUTS
Apprécié pour sa robustesse et sa fiabilité, le Tacoma est pourtant bourré de défauts. Quand on monte à bord, ça saute aux yeux. Bien que sa conception ne soit pas aussi archaïque que celle du Tundra avant qu'il subisse sa grande transformation, le Tacoma a vieilli. À bord, les plastiques durs et foncés sont au rendez-vous et le tout est complètement démodé. Il en est de même pour la planche de bord qui rappelle celle d'un véhicule qui serait

âgé d'une quinzaine d'années. Bien qu'il soit compatible avec Apple CarPlay et Android Auto, son système d'infodivertissement demeure tout de même dépassé.

Évidemment, au volant d'une camionnette intermédiaire, il ne faut pas s'attendre au confort d'une Lexus. En revanche, au cours de notre essai du véhicule, il a été bien périlleux d'adopter une position de conduite confortable et agréable. Dans le même ordre d'idée, il ne faut pas non plus s'attendre à la consommation d'une Prius. Avec le Tacoma, Toyota propose un groupe motopropulseur qui n'a rien d'innovateur et ça se ressent au chapitre de la consommation moyenne, qui frôle les 13 L/100 km selon Ressources naturelles Canada (avec la boîte manuelle).

Il est également important de noter que par le passé, le Tacoma était particulièrement sensible à la corrosion. Dans cette optique, nous vous recommandons un traitement antirouille afin que la carrosserie et la structure durent plus longtemps, car pour ce qui est de la mécanique, vous n'en verrez jamais le bout.

Malgré ces défauts marqués, le Tacoma demeure un véhicule coup de cœur autant pour nous que pour les consommateurs qui continuent d'être nombreux à se le procurer. Qui plus est, il brille par sa robustesse, sa fiabilité exceptionnelle et sa valeur de revente qui ferait rougir n'importe quel autre véhicule.

## DEUX VERSIONS REVUES

Chez Toyota, on est tout à fait conscient que le côté aventurier d'un véhicule plaît énormément. Et c'est le cas autant avec le 4Runner que le Tacoma. Pour 2022, le constructeur japonais bonifie l'édition Trail à son catalogue. Cette version jouit d'une suspension relevée de 28 mm à l'avant et de 13 mm à l'arrière. Elle se différencie également par des roues de 16 pouces au fini bronze ainsi que par une calandre et un lettrage assortis. Les angles d'approche et de sortie ont été améliorés.

À la gamme s'ajoute également pour 2022 une version TRD Pro modernisée. Elle profite de suspensions à la même hauteur que la version Trail. Elle est munie d'amortisseurs Fox qui permettent de faciliter le travail hors des sentiers battus. À l'avant, on remarque qu'une plaque de protection a été installée pour préserver le soubassement dans des conditions exceptionnelles. Enfin, l'échappement a aussi été recalibré afin que la sonorité soit davantage gutturale.

### Données principales

| Emp. / lon. / lar. / haut. | Cab. accès - 3 235 / 5 393 / 1 910 / 1 824 mm |
| --- | --- |
| | Cab. double courte - 3 570 / 5 727 / 1 910 / 1 824 mm |
| | Cab. double longue - 3 235 / 5 393 / 1 910 / 1 824 mm |
| Boîte / réservoir | Cab. accès - 1 872 mm / 80 litres |
| | Cab. double courte - 1 537 mm / 80 litres |
| | Cab. double longue - 1 872 mm / 80 litres |
| Nombre de passagers | 4 à 5 |
| Suspension av. / arr. | ind., double triangulation / ress. à lames |
| Pneus avant / arrière | P245/75R16 / P245/75R16 |
| Poids / Capacité de remorquage | |
| | Cab. accès 4RM - 1 957 kg / 2 950 kg (6 500 lb) |
| | Cab. double 4RM - 2 032 kg / 2 903 kg (6 400 lb) |

### Composantes mécaniques

| Cylindrée, alim. | V6 3,5 litres atmos. |
| --- | --- |
| Puissance / Couple | 278 ch / 265 lb·pi |
| Tr. base (opt) / Rouage base (opt) | A6 (M6) / 4x4 |
| 0-100 / 80-120 / V. max | 8,6 s (m) / 6,3 s (m) / n.d. |
| 100-0 km/h | 46,2 m (m) |
| Type / ville / route / $CO_2$ | A6 - Ord / 13,0 / 10,5 / 278 g/km |
| | M6 - Ord / 13,8 / 11,4 / 299 g/km |
| | M6 TRD - Ord / 13,8 / 11,7 / 300 g/km |

+ Fiabilité exemplaire • Choix de transmission • Système 4x4 efficace • Valeur de revente exceptionnelle

− Présentation intérieure datée • Sensibilité à la rouille par le passé • Confort minimaliste

Photos: Toyota

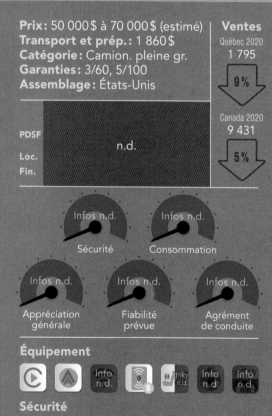

**Prix:** 50 000$ à 70 000$ (estimé)
**Transport et prép.:** 1 860$
**Catégorie:** Camion. pleine gr.
**Garanties:** 3/60, 5/100
**Assemblage:** États-Unis

**Ventes**
Québec 2020
**1 795**
▼ 9%

Canada 2020
**9 431**
▼ 5%

PDSF
Loc. — n.d.
Fin.

Infos n.d. — Sécurité
Infos n.d. — Consommation
Infos n.d. — Appréciation générale
Infos n.d. — Fiabilité prévue
Infos n.d. — Agrément de conduite

**Équipement**

**Sécurité**

**Concurrents**
Chevrolet Silverado 1500, Ford F-150,
GMC Sierra 1500, Ram 1500

**Nouveau en 2022**
Nouvelle génération du modèle.

# À nouveau contemporain?

Germain Goyer

O n l'attendait depuis longtemps, et elle s'apprête enfin à arriver sur nos routes! La nouvelle génération du Toyota Tundra promet une riposte plus sérieuse à ses grands rivaux américains.

Toyota prend son temps avant de révéler les détails concernant le nouveau Tundra 2022. Or, la première photo officielle du modèle que vous pouvez voir sur cette page nous donne l'eau à la bouche! On peut y apercevoir une version TRD Pro à la calandre surdimensionnée, où le lettrage « TOYOTA » est souligné par une barre de lumières à DEL. On y remarque aussi des roues et des pneus pensés pour le hors route, avec une suspension à bon débattement qui semble prête à s'attaquer à n'importe quel type de terrain. Disons que le constructeur a bien su attirer notre attention!

Hélas, en regard à la nouvelle génération, nous sommes dans le néant le plus obscur lorsque vient le temps de penser à la mécanique que renfermera le capot du Tundra. Est-ce que le moteur V8 de 5,7 litres de la génération sortante pourrait effectuer un retour? Si c'est le cas, espérons qu'on modernisera son archaïque transmission à 6 rapports et qu'on proposera également une motorisation plus écoénergétique. Parce qu'avec une moyenne de consommation de 16,3 L/100 km, la mouture actuelle est loin d'être un exemple en la matière... Autrement, il ne serait pas surprenant de voir aboutir le V6 turbocompressé de 3,5 litres aussi utilisé dans le Toyota Land Cruiser, ailleurs dans le monde. On pourrait alors s'attendre à une puissance d'environ 450 chevaux et à un couple frôlant les 500 lb-pi.

Étant donné que tous déplorent le manque d'insonorisation à bord du Tundra depuis sa sortie il y a des lunes, on ose imaginer que des corrections seront apportées à cet égard. Il en est de même pour le confort général à bord. Pour bien des conducteurs de camionnettes, le véhicule fait souvent office de bureau. Inutile que Toyota propose des sièges qui vous massent à l'instar de Ford. Mais un confort digne des temps modernes, ça ne ferait de tort à personne. Dans la même veine, un système d'infodivertissement qui ne rappellerait pas le vieux téléviseur décoré de similibois de vos grands-parents ne serait pas un luxe non plus.

## À TOUTE ÉPREUVE

Les trois géants américains accaparent presque la totalité du marché des camionnettes pleine grandeur. En revanche, Toyota semble avoir développé, au fil du temps, sa propre niche, ce que Nissan n'a su accomplir au Canada avec le Titan. En effet, en adoptant une approche qui était dépassée, on le concède, mais qui était totalement éprouvée, Toyota a su charmer ceux qui n'avaient qu'un critère en tête : la tranquillité d'esprit. Jouissant d'une réputation de fiabilité à toute épreuve, le Tundra propose une véritable valeur ajoutée face aux Ford F-150, Ram 1500 et le duo de GM Silverado/Sierra qui n'ont pas que des qualités.

Bien que les attentes soient très élevées à la venue de la nouvelle génération du Tundra, nous avons bon espoir que Toyota ne mettra pas de côté cette caractéristique qui le distinguait de la forte concurrence. Cela représentera un défi de taille de débarquer avec un produit à la fois fiable et contemporain.

## ENFIN ÉLECTRIFIÉ ?

Avec la technologie hybride, Toyota a joué un véritable rôle de pionnier en introduisant la Prius au tournant du millénaire. Il a su innover et même l'adapter à une panoplie de véhicules du giron. Le constructeur japonais a bonifié l'expérience en rendant possible le jumelage entre l'hybride et les quatre roues motrices tout en étoffant sa gamme avec l'hybride rechargeable. Depuis plusieurs années déjà, les rumeurs en lien avec la nouvelle génération du Tundra sont plus que nombreuses. Et parmi les plus sérieuses d'entre elles, on retrouve l'électrification de ladite camionnette.

Or, on ignore toujours la forme concrète que prendra cette électrification. Rappelons-nous que Toyota entend offrir une version électrifiée de chacun de ses modèles d'ici 2025. Étant donné que le Tundra a évolué à pas de tortue au cours de la dernière quinzaine d'années, on espère qu'il sera électrifié dès l'arrivée de la prochaine génération, soit cette année.

Sur le plan du tout électrique, on a carrément raté le virage au profit des concurrents. S'il ne veut pas se faire damer le pion une fois de plus, Toyota devra donc redoubler d'efforts. En effet, on se souvient que pour 2021, Ford proposait déjà la technologie hybride avec son très populaire F-150. Et en 2022, c'est un modèle 100% électrique qui arrive avec le Lightning.

### Composantes mécaniques*

**V6 - 3,5 LITRES**

| | |
|---|---|
| Cylindrée, alim. | V6 3,5 litres turbo |
| Puissance / Couple | 450 ch / 500 lb-pi (est) |
| Tr. base (opt) / Rouage base (opt) | A10 / 4x4 |

*Informations préliminaires à confirmer.

**+** Données insuffisantes    **—** Données insuffisantes

Photos : Toyota

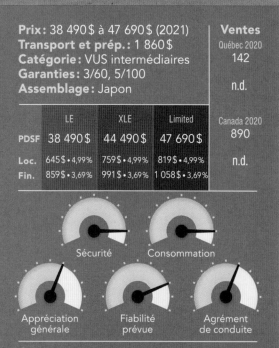

| | LE | XLE | Limited |
|---|---|---|---|
| PDSF | 38 490 $ | 44 490 $ | 47 690 $ |
| Loc. | 645 $ • 4,99% | 759 $ • 4,99% | 819 $ • 4,99% |
| Fin. | 859 $ • 3,69% | 991 $ • 3,69% | 1 058 $ • 3,69% |

**Prix :** 38 490 $ à 47 690 $ (2021)
**Transport et prép. :** 1 860 $
**Catégorie :** VUS intermédiaires
**Garanties :** 3/60, 5/100
**Assemblage :** Japon

**Ventes**
Québec 2020
142

n.d.

Canada 2020
890

n.d.

Sécurité  Consommation

Appréciation générale  Fiabilité prévue  Agrément de conduite

## Équipement

## Sécurité

## Concurrents
Chevrolet Blazer, Ford Bronco, Ford Edge,
Honda Passport, Hyundai Santa Fe,
Jeep Grand Cherokee, Jeep Wrangler,
Kia Sorento, Nissan Murano, Subaru Outback,
Toyota 4Runner, Volks. Atlas Cross Sport

## Nouveau en 2022
Aucun changement majeur annoncé
au moment de mettre sous presse.

# Exclusivement hybride

Jacques Bienvenue

Il s'appelle Venza. Au sein de la gamme Toyota, ce modèle encore nouveau et peu publicisé joue à l'entre-deux. Il se loge entre le RAV4 et le Highlander dans la gamme de VUS du constructeur. Sa version haut de gamme se substitue aussi aux versions les moins chères du Lexus NX hybride, sa dotation étant comparable. Mais à jouer à l'ersatz, on ne bâtit pas une grande notoriété. Ses ventes marginales depuis son arrivée au pays en témoignent.

Curieusement, cette situation n'est pas nouvelle. En janvier 2008, le constructeur nippon dévoilait au Salon de l'auto de Détroit un utilitaire à cinq places de conception et de taille comparables : le Venza 2009. « Ce n'est ni une familiale, ni une fourgonnette, ni une auto. C'est une berline multisegment », clamait alors le patron du marketing de Toyota USA. Avec ce statut embrouillé, le Venza d'alors n'a pas rencontré le succès escompté aux États-Unis, malgré une belle percée au Québec. Sa version 2016 a été la dernière.

Le temps a passé et les utilitaires se sont multipliés, y compris les entre-deux de ce genre. Le marché a changé suffisamment, croit-on, pour faire renaître ce modèle. Aujourd'hui, il côtoie, entre autres, le Chevrolet Blazer, le Honda Passport et le Volkswagen Atlas Cross Sport, tous trois encore relativement nouveaux. Mais rappelons-nous que bien avant qu'on entende parler d'eux, Nissan et Ford offraient déjà des équivalents : le Murano, lancé en 2002, et le Edge, qui a suivi en 2006.

### HYBRIDE ET RIEN D'AUTRE
Pour distinguer le Venza de la concurrence, Toyota a choisi la voie de l'électrification. À son arrivée chez les concessionnaires canadiens, il est devenu le premier utilitaire offert uniquement avec une motorisation hybride non branchable, comme celle de la Prius lancée 20 ans plus tôt.

Fabriqué au Japon, il partage sa motorisation avec le NX 300h 2021, qui lui permet de faire miroiter une consommation moyenne de 6,1 L/100 km. Cette motorisation réunit un 4 cylindres de 2,5 litres à cycle Atkinson, une boîte de vitesses automatique à variation continue et trois moteurs électriques. Un moteur-générateur, un moteur d'entraînement pour les roues avant et un moteur pour les roues arrière. Le conducteur dispose donc d'une

transmission intégrale «sur demande» qui transmet 100 % du couple moteur aux roues avant ou jusqu'à 80 % du couple aux roues arrière si les conditions routières l'exigent. Ces moteurs électriques sont alimentés par une batterie lithium-ion de 0,9 kWh assez petite pour être logée sous la banquette arrière, ce qui explique pourquoi le volume utile du coffre est si grand.

## INTÉRIEUR SPACIEUX

Le Venza accueille confortablement quatre adultes, cinq au besoin. On y trouve des sièges baquets moulants et une banquette arrière bénéficiant d'un dégagement important au niveau des jambes et des pieds. La finition est impeccable et l'insonorisation efficace.

À moins de choisir la version LE, le conducteur doit s'attendre à avoir un environnement composé à 100 % de commandes tactiles. L'écran de 12,3 pouces et les commandes de la climatisation réunies dans la portion centrale du tableau de bord des versions XLE et Limited sont toutes tactiles. L'apparence est moderne, certes, mais l'utilisation de ces équipements nécessite indéniablement plus d'attention de la part du conducteur. L'écran de 8 pouces de la version d'entrée de gamme LE est entouré de plusieurs commutateurs classiques qui, eux, s'emploient de manière plus intuitive.

D'ailleurs, cette version dispose d'un équipement très convenable (phares à DEL, sièges avant chauffants, compatibilité avec Apple CarPlay et Android Auto, système de recharge sans fil, etc.). Cela dit, les mélomanes seront naturellement plus portés vers la version intermédiaire XLE à cause de sa chaîne audio JBL de 1 200 watts disposant de 9 haut-parleurs. Sans compter qu'elle dispose aussi d'un aménagement plus cossu. La version Limited, enfin, mise sur un équipement plus sophistiqué comprenant un affichage tête haute de 10 pouces (très efficace), un rétroviseur intérieur numérique, des essuie-glaces activés par la pluie, etc. Cette version a aussi un toit panoramique dont l'imposante plaque de verre électrochromique change d'opacité en appuyant sur un bouton.

Contrairement à son prédécesseur, ce Venza ne peut pas tirer une remorque. Cet écueil explique peut-être pourquoi un grand nombre d'acheteurs, qui souhaitent marier cette tâche au coffre polyvalent et à la motorisation hybride, optent pour un RAV4 hybride ou un Highlander hybride plutôt que cet entre-deux.

### Données principales

| | |
|---|---|
| Emp. / lon. / lar. / haut. | 2 690 / 4 740 / 1 855 / 1 675 mm |
| Coffre / réservoir | 1 028 litres / 55 litres |
| Nombre de passagers | 5 |
| Suspension av. / arr. | ind., jambes force / ind., multibras |
| Pneus avant / arrière | LE - P225/60R18 / P225/60R18 |
| | XLE - Limited - P225/55R19 / P225/55R19 |
| Poids / Capacité de remorquage | 1 775 kg / non-recommandé |

### Composantes mécaniques

| | |
|---|---|
| Cylindrée, alim. | 4L 2,5 litres atmos. |
| Puissance / Couple | 176 ch / 163 lb-pi |
| Tr. base (opt) / Rouage base (opt) | CVT / Int |
| Type / ville / route / $CO_2$ | Ord / n.d. / n.d. / 137 g/km (est) |
| Puissance combinée | 219 ch |
| **MOTEURS ÉLECTRIQUES** | |
| Puissance / Couple | Av - 118 ch (88 kW) / 149 lb-pi |
| | Arr - 54 ch (40 kW) / 89 lb-pi |
| | Arr - 54 ch (40 kW) / 89 lb-pi |
| Type de batterie | Lithium-Ion (Li-Ion) |
| Énergie | 0,9 kWh |

+ Intérieur spacieux et bien insonorisé • Accès à bord facile • Motorisation souple et roulement doux • Coffre volumineux et polyvalent

− Commandes tactiles très nombreuses (XLE/Limited) • Visibilité arrière réduite

**VOLKSWAGEN ATLAS / ATLAS CROSS SPORT** ★★★ COTE DU GUIDE

**VOLKSWAGEN ATLAS**

**Prix :** 38 995 $ à 55 595 $ (2021)
**Transport et prép. :** 1 950 $
**Catégorie :** VUS intermédiaires
**Garanties :** 4/80, 5/100
**Assemblage :** États-Unis

**Ventes\***
Québec 2020
1 162
⬇ 21 %

Canada 2020
6 685
⬇ 24 %

| | CS Trendline | CS Comf. V6 | Execline |
|---|---|---|---|
| PDSF | 38 995 $ | 45 695 $ | 55 595 $ |
| Loc. | 597 $ • 2,99 % | 699 $ • 2,99 % | 910 $ • 1,99 % |
| Fin. | 815 $ • 0,99 % | 947 $ • 0,99 % | 1 175 $ • 0,99 % |

Sécurité — Consommation

Appréciation générale — Fiabilité prévue — Agrément de conduite

**Équipement**

**Sécurité**

**Concurrents**

Chevrolet Traverse, Dodge Durango, Ford Explorer, GMC Acadia, Honda Passport, Honda Pilot, Hyundai Palisade, Jeep Grand Cherokee, Kia Telluride, Mazda CX-9, Nissan Pathfinder, Subaru Ascent, Toyota Highlander

**Nouveau en 2022**

Aucun changement majeur annoncé au moment de mettre sous presse.

# La qualité n'explique pas le succès

Antoine Joubert

La catégorie des VUS intermédiaires fait partie des plus convoitées par l'industrie, où les profits sont intéressants et où la demande ne cesse d'accroître. Pourquoi ? Parce que les fourgonnettes n'ont plus la cote et parce que leur polyvalence comme leur style plaisent aux acheteurs nord-américains.

Inutile de le dire, Volkswagen ne reviendra pas en Amérique du Nord avec le Touareg, encore vendu du côté de l'Europe. La solution aura donc été de développer l'Atlas, un gros VUS à six ou sept occupants, qui se décline depuis 2020 en version Cross Sport à deux rangées de sièges. Volkswagen fait donc appel aux mêmes bases mécaniques et structurelles pour compétitionner dans deux créneaux pendant que la plupart des constructeurs y jouent avec deux produits bien distincts, par exemple Ford, avec le Edge et l'Explorer.

### BIENVENUE EN AMÉRIQUE !

Aussi vendu ailleurs dans le monde sous le nom de Volkswagen Teramont, l'Atlas nous étant destiné est assemblé au Tennessee. Par les Américains, pour les Américains. N'y cherchez d'ailleurs pas d'identité européenne puisque ce véhicule n'a rien à voir avec ce que vous avez connu de Volkswagen dans le passé, sauf bien sûr si vous avez déjà possédé une fourgonnette Routan ! Cela dit, Volkswagen y exploite néanmoins l'excellente plateforme MQB, également utilisée pour plusieurs autres modèles de la gamme. Une architecture modulaire qui permet d'obtenir une grande rigidité structurelle et un comportement routier franchement étonnant.

Qu'il s'agisse de l'Atlas régulier ou du Cross Sport, l'empattement demeure le même. Le niveau de confort est d'ailleurs très similaire, bien que la longueur hors tout diffère. Chacun d'eux se décline en quatre versions, proposant de série la boîte automatique à 8 rapports et le rouage intégral 4Motion. Curieusement, seule la version Execline de haut de gamme a droit de série au réputé V6 de 3,6 litres, capable de remorquer des charges atteignant 5 000 lb. Autrement, un moteur 2 litres turbo de 235 chevaux se charge de mouvoir la bête, proposant tout de même de belles performances. Et pour cause, un couple pratiquement aussi généreux que celui du V6 est livré à plus bas régime. Bien sûr, voyez-y également l'avantage d'une plus faible consommation, mais uniquement en milieu urbain. En effet, 4 cylindres

\*Ventes combinées des Volkswagen Atlas et Atlas Cross Sport

et V6 consomment à peu près la même chose sur l'autoroute, soit entre 9,5 et 10 L/100 km mesurés. Au passage, sachez que le V6 reste optionnel (2 200 $) sur les versions Comfortline et Highline.

L'Atlas est un véhicule stable, confortable, bien suspendu et qui jouit d'une direction précise et communicative. On peut toutefois lui reprocher son poids considérable, le rendement saccadé de sa boîte automatique ainsi qu'une insonorisation qui pourrait être meilleure. Maintenant, les points les plus décevants concernent assurément l'habitacle ou plutôt, son niveau de finition. Très ordinaire pour ne pas dire bon marché, ce qui est d'autant plus triste considérant que Volkswagen s'est toujours démarqué à ce chapitre. Les plastiques y sont rigides, fragiles, rappelant même cette triste époque des produits GM d'il y a 20 ans. Quoi qu'il en soit, l'espace et la polyvalence de l'habitacle, surtout dans la version à trois rangées, demeurent de sérieux atouts. Un des plus spacieux du segment, devançant sur ce point le Ford Explorer et le Toyota Highlander.

## VENDU SOUS LES 40 000 $, MAIS...

Pour un équipement raisonnable, il faut d'emblée considérer la version Comfortline (la deuxième de quatre), laquelle propose notamment une sellerie en similicuir, le volant chauffant et le hayon à commande électrique. Évidemment, le saut vers les versions supérieures demeure alléchant, surtout si vous souhaitez profiter d'un toit ouvrant panoramique ou encore de cette instrumentation numérique modulable. Des options alléchantes, qui font certainement grimper la facture près des 60 000 $ avec les frais de transport et de préparation. Ironiquement, les versions les plus luxueuses demeurent les plus convoitées, signifiant qu'elles seront plus faciles à revendre.

En proportion du marché, jamais Volkswagen n'aura connu autant de succès avec ses VUS. Et pourtant, jamais la qualité du produit n'aura été si décevante, signe que la clientèle ne cherche pas toujours à tout prix le produit le plus impressionnant. Cela dit, malgré les reproches qu'on peut lui attribuer, l'Atlas est un bon parti. Polyvalent, spacieux et doté d'une mécanique éprouvée, il offre en outre l'avantage d'une meilleure garantie de base que ses rivaux japonais et américains. Or, entre vous et moi, plusieurs compétiteurs proposent mieux. Notamment du côté de Kia, avec un Telluride franchement exceptionnel.

**+** Espace et polyvalence • Bon comportement routier • Moteur V6 éprouvé • Garantie de base de 4 ans/80 000 km

**–** Finition intérieure déplorable • Présentation austère • Poids considérable • Capacité de remorquage limitée (2 litres)

### Données principales

| | | |
|---|---|---|
| Emp. / lon. / lar. / haut. | **Atlas** - 2 980 / 5 097 / 1 990 / 1 780 mm | |
| | **Atlas Cross Sport** - 2 980 / 4 966 / 1 990 / 1 732 mm | |
| Coffre / réservoir | **Atlas** - 583 à 2 741 litres / 74 litres | |
| | **Atlas Cross Sport** - 1 141 à 2 203 litres / 74 litres | |
| Nombre de passagers | 6 à 7 (5 Cross Sport) | |
| Suspension av. / arr. | ind., jambes force / ind., multibras | |
| Pneus avant / arrière | P245/60R18 / P245/60R18 | |
| Poids / Capacité de remorquage | | |
| | **4L 2,0 litres** - 1 943 à 2 014 kg / 907 kg (2 000 lb) | |
| | **V6 3,6 litres** - 2 034 à 2 093 kg / 2 268 kg (5 000 lb) | |

### Composantes mécaniques

**4L - 2,0 LITRES**

| | |
|---|---|
| Cylindrée, alim. | 4L 2,0 litres turbo |
| Puissance / Couple | 235 ch / 258 lb-pi |
| Tr. base (opt) / Rouage base (opt) | A8 / Int |
| 0-100 / 80-120 / V. max | 9,3 s (est) / 6,3 s (est) / n.d. |
| 100-0 km/h | 38,6 m (est) |
| Type / ville / route / $CO_2$ | **Atlas** - Ord / 11,5 / 9,5 / 249 g/km |
| | **Cross Sport** - Ord / 11,6 / 9,7 / 252 g/km |

**V6 - 3,6 LITRES**

| | |
|---|---|
| Cylindrée, alim. | V6 3,6 litres atmos. |
| Puissance / Couple | 276 ch / 266 lb-pi |
| Tr. base (opt) / Rouage base (opt) | A8 / Int |
| 0-100 / 80-120 / V. max | 8,9 s (m) / 6,2 s (m) / n.d. |
| 100-0 km/h | 38,6 m (m) |
| Type / ville / route / $CO_2$ | **Atlas** - Ord / 13,8 / 10,2 / 286 g/km |
| | **Cross Sport** - Ord / 13,1 / 10,0 / 275 g/km |

VOLKSWAGEN ATLAS

VOLKSWAGEN ATLAS CROSS SPORT

Photos : Volkswagen

**VOLKSWAGEN GOLF GTI**

**Prix :** 31 495 $ à 44 995 $
**Transport et prép. :** 1 750 $
**Catégorie :** Compactes sportives
**Garanties :** 4/80, 5/100
**Assemblage :** Allemagne

**Ventes***
Québec 2020
614
↓ 26 %

Canada 2020
1 789
↓ 27 %

| | GTI | GTI Autobahn | R |
|---|---|---|---|
| PDSF | 31 495 $ | 34 995 $ | 44 995 $ |
| Loc. | n.d. | n.d. | n.d. |
| Fin. | 720 $ • 4,90 % | 796 $ • 4,90 % | 1 012 $ • 4,90 % |

Infos n.d. — Sécurité
Infos n.d. — Consommation
Infos n.d. — Appréciation générale
Infos n.d. — Fiabilité prévue
Infos n.d. — Agrément de conduite

**Équipement**

**Sécurité**

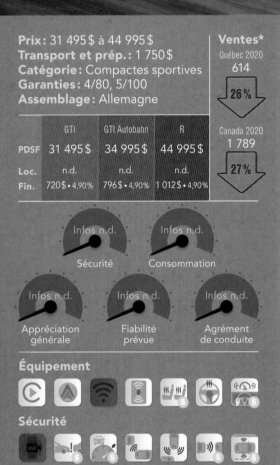

**Concurrents**
Honda Civic Si/Type R,
Hyundai Elantra N/Veloster N, Mazda3 Turbo,
MINI JCW 3 portes/JCW 5 portes,
Subaru WRX/WRX STI

**Nouveau en 2022**
Nouvelle génération des Golf GTI et R.
Abandon des autres versions de la gamme.

# Du plaisir à deux ou quatre roues motrices

Germain Goyer

L'année 2022 marque un tournant chez Volkswagen. En effet, la gamme Golf passe de la septième à la huitième génération. Or, toute la famille ne pourra monter à bord du bateau. Rappelons que Volkswagen a décidé ne pas commercialiser la huitième génération de la Golf « normale » en Amérique du Nord.

Si les États-Unis avaient clairement signifié qu'ils n'avaient aucun intérêt à la vendre sur leur territoire, elle devait tout de même être disponible au Canada. Hélas, en cours de route, on a estimé que le jeu n'en valait pas la chandelle. Non seulement le segment des voitures compactes à hayon est en perte de vitesse, mais la nouvelle Golf aurait dû être vendue beaucoup plus cher que le modèle sortant puisqu'elle est dotée des technologies les plus modernes. Bref, on a dû faire notre deuil de la Golf. Cela étant, les puristes les plus passionnés pourront tout de même continuer de se procurer les sportives de la gamme que sont les Golf GTI et R. Considérablement plus chères que la Golf « normale », elles sont plus rentables pour le constructeur.

Sur le plan mécanique, la Golf GTI ne propose pas de grande révolution. Sous le capot, on retrouve un moteur turbocompressé à 4 cylindres de 2 litres. La puissance et le couple développés ont été bonifiés pour cette nouvelle génération. Ils se chiffrent désormais à 241 chevaux et 273 lb-pi. Bien que la transmission manuelle tende à disparaître au sein de l'industrie, les planificateurs de produit n'ont pas encore commis cette erreur de la retirer du catalogue. En plus de la boîte manuelle à 6 rapports, l'automatique à double embrayage étagée sur 7 rapports est aussi offerte. Il est important de noter que la Golf GTI est dotée d'un différentiel à glissement limité pour optimiser les performances.

À bord, la Golf GTI demeure une... Golf GTI. De série, elle est livrée avec des sièges au motif quadrillé. Un véritable symbole de ce modèle ! Cela étant, le modernisme est également à l'honneur, l'instrumentation étant désormais entièrement numérique. On ne retrouve que trois déclinaisons au catalogue : les versions de base, Autobahn et Performance.

### GOLF R : L'EXCESSIVE ADORÉE
Disparue momentanément depuis 2019, la Golf R est de retour pour 2022. Voilà une nouvelle des plus réjouissantes. Parce qu'on ne change pas une

*Ventes combinées des Volkswagen Golf GTI et Golf R

formule gagnante, la Golf R continue d'adopter la même approche. Son capot renferme le même moteur turbocompressé à 4 cylindres de 2 litres. En comparaison avec la génération sortante, la Golf R gagne 27 chevaux pour un total de 315. Quant au couple, il s'élève à 280 lb-pi lorsqu'on choisit la boîte manuelle et à 295 lb-pi si l'on opte plutôt pour l'automatique à double embrayage (DSG).

Sans rien enlever à l'efficacité et à la convivialité de la boîte DSG, la traditionnelle boîte manuelle prend le dessus au chapitre du plaisir. Et comme les Golf GTI et R sont deux voitures qui misent tout sur cet aspect, profitez donc de l'expérience totale. Sur le plan technique, la Golf R est plus légère qu'auparavant et la fermeté de ses suspensions a été augmentée de 10 %. Par ailleurs, la fonction *Drift* fait partie des modes de conduite proposés par la bombinette. Conçu pour faire valser le train arrière, il y a fort à parier que le plaisir sera au rendez-vous. D'ailleurs, comme c'était le cas par le passé, la Golf R continue d'être munie du système à quatre roues motrices 4Motion.

Si Volkswagen a déjà joué la carte de la personnalisation en offrant notamment plus de 30 choix de couleurs, la situation est bien différente pour l'année 2022. Grosso modo, on n'offre qu'une version unique de la Golf R et deux options figurent au catalogue : la boîte de vitesses DSG et le toit ouvrant. En ce qui a trait à la palette de couleurs, elle pourrait difficilement être plus sommaire : on a le choix entre noir, blanc et bleu. Espérons que ça ne soit que temporaire.

## CONTINUER DE PLAIRE AUX PASSIONNÉS

Malgré les nombreuses améliorations au menu pour 2022, les Golf GTI et R demeurent offertes à un prix similaire à celui de la génération sortante. Volkswagen demande 31 495 $ pour la première et 44 995 $ pour la deuxième. Ce n'est pas donné, mais considérant la qualité du produit, ça demeure raisonnable.

Depuis l'arrivée des Atlas, Atlas Cross Sport, Tiguan de deuxième génération et Taos, Volkswagen est carrément en train de prendre la voie de l'américanisation. Cela étant, en continuant de plaire aux puristes et aux passionnés avec des voitures exceptionnelles comme les Golf GTI et R, le constructeur nous confirme qu'il n'a pas totalement vendu son âme au diable. Voilà une mince consolation.

**+** Plaisir de conduire garanti • Boîte manuelle toujours offerte • Mécanique puissante • Efficacité du système 4Motion

**–** Disparition de la Golf régulière • Fiabilité à prouver

### Données principales

| Emp. / lon. / lar. / haut. | Golf GTI - 2 631 / 4 287 / 1 788 / 1 463 mm |
| | Golf R - 2 629 / 4 290 / 1 788 / 1 466 mm |
| Coffre / réservoir | 564 à 977 litres / n.d. |
| Nombre de passagers | 5 |
| Suspension av. / arr. | ind., jambes force / ind., multibras |
| Pneus avant / arrière | GTI - P225/45R17 / P225/45R17 |
| | GTI Autobahn - P225/40R18 / P225/40R18 |
| | GTI Performance, Golf R - P235/35R19 / P235/35R19 |
| Poids / Capacité de remorquage | n.d. / non recommandé |

### Composantes mécaniques

**GOLF GTI**

| Cylindrée, alim. | 4L 2,0 litres turbo |
| Puissance / Couple | 241 ch / 273 lb-pi |
| Tr. base (opt) / Rouage base (opt) | M6 (A7) / Tr |
| 0-100 / 80-120 / V. max | 6,4 s (c) / n.d. / 250 km/h (c) |
| Type / ville / route / $CO_2$ | **Man** - Sup / 9,8 / 6,9 / 198 g/km |
| | **Auto** - Sup / 9,6 / 6,7 / 193 g/km (est) |

**GOLF R**

| Cylindrée, alim. | 4L 2,0 litres turbo |
| Puissance / Couple | **Man** - 315 ch / 280 lb-pi |
| | **Auto** - 315 ch / 295 lb-pi |
| Tr. base (opt) / Rouage base (opt) | M6 (A7) / Int |
| 0-100 / 80-120 / V. max | 4,7 s (c) / n.d. / 250 km/h (c) |
| Type / ville / route / $CO_2$ | **Man** - Sup / 11,8 / 8,3 / 237 g/km |
| | **Auto** - Sup / 10,3 / 7,7 / 213 g/km |

**VOLKSWAGEN GOLF R**

**VOLKSWAGEN GOLF GTI**

**VOLKSWAGEN GOLF R**

Photos : Volkswagen

**Prix:** 44 995 $ à 49 995 $ (2021)
**Transport et prép.:** 1 950 $
**Catégorie:** VUS compacts
**Garanties:** 4/80, 5/100
**Assemblage:** Allemagne

**Ventes**
Québec 2020
n.d.

Canada 2020
n.d.

|  | Pro | Pro 4RM |
|---|---|---|
| PDSF | 44 995 $ | 49 995 $ |
| Loc. | 596 $ • 6,49 % | 678 $ • 6,49 % |
| Fin. | 776 $ • 4,49 % | 883 $ • 4,49 % |

Infos n.d. — Sécurité
Consommation

Appréciation générale
Infos n.d. — Fiabilité prévue
Agrément de conduite

**Équipement**

**Sécurité**

**Concurrents**

Chevrolet Bolt EUV, Ford Mustang Mach-E, Hyundai IONIQ 5, Kia EV6, Nissan Ariya, Tesla Model Y, Volvo C40/XC40 Recharge

**Nouveau en 2022**
Nouveau modèle arrivé tard comme année-modèle 2021.

# Un nouveau chapitre

Frédéric Mercier

**V**olkswagen nous avait promis une révolution électrique pour faire oublier le scandale sur ses moteurs diesel. Le mot révolution est peut-être un peu fort, mais le constructeur de Wolfsburg fait un premier pas en ce sens avec l'arrivée de l'ID.4, premier-né d'une nouvelle famille de véhicules entièrement électriques qui gagneront petit à petit les salles d'exposition des concessionnaires québécois.

Le Volkswagen ID.4 est un utilitaire compact, une gamme de véhicules à la mode et dont les versions électrifiées se font de plus en plus nombreuses. Pour faire sa place, Volkswagen mise sur deux facteurs déterminants: le prix et l'autonomie. Capable de parcourir jusqu'à 400 kilomètres en une charge et disponible à un prix tout juste en deçà de 45 000 $, l'ID.4 peut aller loin pour pas trop cher, puisqu'il est éligible aux pleines subventions, totalisant 13 000 $ pour les conducteurs québécois. Rendu là, la différence entre la facture d'un ID.4 et d'un Tiguan bien équipé est plutôt mince!

### BEAU, BON, PAS CHER
L'aspect financier est assurément l'un des points forts de l'ID.4, malgré des taux de financement élevés au moment d'écrire ces lignes. Ses concurrents directs sont tous plus dispendieux, à l'exception peut-être du Chevrolet Bolt EUV qui n'offre malheureusement pas l'option d'un rouage intégral. Dans le cas de l'ID.4, les quatre roues motrices sont au menu pour un supplément fort raisonnable de 5 000 $. Volkswagen s'attend d'ailleurs à ce que la presque totalité des ID.4 vendus au Québec soient dotés du rouage intégral. En plus de meilleures compétences hivernales, les versions à quatre roues motrices procurent des accélérations plus senties, puisque l'on y trouve deux moteurs au lieu d'un seul. La puissance passe ainsi de 201 à 300 chevaux, et le chrono de 0 à 100 km/h est réduit d'environ deux secondes. Bref, vous en avez pour votre argent.

Outre le type de rouage, la seule autre option que l'on peut commander avec l'ID.4 est regroupée sous un ensemble baptisé *Statement*. Cela inclut notamment un toit panoramique en verre, des roues de 20 pouces, un hayon électrique, un plus gros écran tactile et des sièges électriques ajustables en 12 réglages. Cette option de 8 000 $ est certes intéressante, mais pas essentielle pour vous faire profiter des réelles aptitudes de ce véhicule électrique.

Quelle que soit la version choisie, le Volkswagen ID.4 offre un espace de chargement pratique, avec une capacité de 858 litres dans le coffre. Les places arrière sont spacieuses et comme le plancher est entièrement plat, on peut même y loger un passager dans le milieu sans trop de difficulté. À l'avant, le confort des sièges est relativement bon, quoique pas exceptionnel. On apprécie néanmoins l'excellente visibilité, notamment grâce à l'absence de cadrans traditionnels derrière le volant. Au lieu de ça, on retrouve un minuscule écran qui réussit à présenter efficacement les informations importantes comme la vitesse, la charge de la batterie, etc.

Malheureusement, les choses se gâtent quand vient le temps d'explorer le système d'infodivertissement. Au lieu d'utiliser la même interface que les autres produits de la marque, l'ID.4 fait appel à un nouvel ensemble. Pour l'occasion, Volkswagen a accouché d'un système assez sobre et surtout ridiculement lent. Alors que presque toutes les fonctionnalités sont centralisées à partir de l'écran, celui-ci met un temps fou avant de répondre aux commandes de notre index, rendant l'expérience utilisateur absolument désastreuse. Il s'agit là de la plus grande faiblesse de ce modèle.

### AMUSANT, MAIS PAS INSPIRANT

Avant même l'arrivée des premiers ID.4 sur nos routes, Volkswagen avait placé la barre bien haute en criant à qui voulait l'entendre que ce nouveau véhicule électrique serait fidèle à ses racines. Certaines comparaisons avec la Golf GTI ont fait surface. Cependant, ne vous emballez pas trop vite. L'ID.4 est rapide en accélération, mais le véhicule est aussi très lourd, avec sa grosse batterie de 82 kWh. Cela vient évidemment compromettre sa maniabilité et son comportement en virage.

Lors de notre essai qui s'est déroulé sur une distance d'environ 350 kilomètres, l'ID.4 a fait preuve d'une belle frugalité, avec une consommation d'énergie de 17,4 kWh/100 km. Sur une borne à recharge rapide de 125 kW, on peut passer de 5% à 80% de la charge en 38 minutes. Mentionnons aussi que les propriétaires d'ID.4 pourront bénéficier d'un accès aux bornes Electrify Canada, actuellement mises en place partout au pays, mais encore assez rares sur le territoire québécois.

Sans révolutionner le monde, le nouvel ID.4 représente un grand pas en avant pour Volkswagen. Son prix attrayant risque de convaincre plusieurs acheteurs qui décideront de faire le saut vers l'électrique. Reste à voir si Volkswagen saura répondre à la demande...

**+** Prix attrayant •
Espace généreux •
Direction communicative

**–** Système d'infodivertissement lent et pas intuitif •
Disponibilité incertaine

## Données principales

| | |
|---|---|
| Emp. / lon. / lar. / haut. | 2 766 / 4 584 / 1 852 / 1 637 mm |
| Coffre | 858 à 1 818 litres |
| Nombre de passagers | 5 |
| Suspension av. / arr. | ind., jambes force / ind., multibras |
| Pneus avant / arrière | P235/55R19 / P255/50R19 |
| Poids / Capacité de remorquage | **Pro -** 2 068 kg / 998 kg (2 200 lb) |
| | **Pro TI -** n.d. / 1 225 kg (2 700 lb) |

## Composantes mécaniques

**PRO**

| | |
|---|---|
| Puissance / Couple | 201 ch (150 kW) / 229 lb-pi |
| Tr. base (opt) / Rouage base (opt) | Rapport fixe / Prop |
| 0-100 / 80-120 / V. max | 8,3 s (m) / 6,2 s (m) / n.d. |
| 100-0 km/h | 41,3 m (m) |
| Type de batterie / Énergie | Lithium-ion (Li-ion) / 82,0 kWh |
| Temps de charge (240V / 400V) | 7,5 h / 0,6 h |
| Autonomie | 400 km |

**PRO TI**

| | |
|---|---|
| Puissance combinée | 300 ch (224 kW) |
| Tr. base (opt) / Rouage base (opt) | Rapport fixe / Int |
| 0-100 / 80-120 / V. max | 6,0 s (est) / 4,4 s (est) / n.d. |
| Type de batterie / Énergie | Lithium-ion (Li-ion) / 82,0 kWh |
| Temps de charge (240V / 400V) | 7,5 h / 0,6 h |
| Autonomie | 386 km |

Photos: Guillaume Fournier, Volkswagen

**Prix :** 21 595 $ à 30 995 $ (2021)
**Transport et prép. :** 1 750 $
**Catégorie :** Compactes
**Garanties :** 4/80, 5/100
**Assemblage :** Mexique

**Ventes**
Québec 2020
3 393
36 %

Canada 2020
10 552
38 %

| | Comfortline | Highline | GLI |
|---|---|---|---|
| PDSF | 21 595 $ | 25 495 $ | 30 995 $ |
| Loc. | 365 $ • 2,49 % | 421 $ • 2,49 % | 497 $ • 2,99 % |
| Fin. | 470 $ • 0,00 % | 547 $ • 0,99 % | 655 $ • 0,99 % |

Sécurité    Consommation

Appréciation générale    Fiabilité prévue    Agrément de conduite

**Équipement**

**Sécurité**

**Concurrents**

Honda Civic, Hyundai Elantra, Kia Forte, Mazda3, Nissan Sentra, Subaru Impreza, Toyota Corolla

**Nouveau en 2022**

Retouches de milieu de cycle prévues en cours d'année 2022.

# La compacte de plus en plus intermédiaire

Germain Goyer

**F**aisant partie du paysage depuis déjà quelques décennies, la Jetta a su traverser les époques. Depuis 2019, le constructeur propose la septième génération de la berline compacte allemande, qui devrait recevoir quelques retouches en cours d'année 2022. De plus en plus imposante, la Jetta tend à être de moins en moins allemande et de plus en plus... américaine. Mais quand on prend quelques instants pour étudier attentivement le paysage automobile actuel, la Jetta demeure tout de même un excellent prix de consolation.

Animée par un bloc turbocompressé à 4 cylindres de 1,4 litres, elle peut compter sur une puissance de 147 chevaux. Si ça semble peu a priori, sachez que le couple est, quant à lui, bien présent avec 184 lb-pi. Et on adore ça pour une si petite cylindrée. Si on opte pour une version Comfortline ou Highline, on a le choix entre une boîte manuelle à 6 rapports ou une transmission automatique à 8 rapports. À l'ère au cours de laquelle la transmission manuelle est de plus en plus abandonnée, on ne peut que se réjouir du fait qu'elle demeure disponible avec la Jetta. En ce qui concerne la version la plus cossue, portant l'appellation Execline, elle ne peut être livrée qu'avec l'automatique. Celle-ci est d'ailleurs munie d'une instrumentation numérique facile à consulter et qui lui confère une touche de modernité. En revanche, nous sommes d'avis qu'une version Comfortline ou Highline conviendra à la majorité de consommateurs. À plus de 31 000 $, l'Execline propose une facture trop salée.

Si elle demeure une voiture agréable à conduire notamment grâce à sa mécanique qui est au point, la Jetta a toutefois perdu du mordant au fil du temps. En effet, nous avons trouvé que les suspensions, particulièrement à l'avant, étaient mollasses. C'était correct sur une Chrysler Sebring en 2004, mais pas sur une Jetta en 2022.

Pour la nouvelle année, notons que sa consommation demeure des plus raisonnables. Au terme de notre essai, l'ordinateur de bord affichait une moyenne de 7,1 L/100 km, soit exactement celle annoncée par Ressources naturelles Canada. Comptez deux dixièmes de moins avec la boîte manuelle. Voilà une rare application contemporaine d'une manuelle qui consomme moins qu'une automatique. Comme par le passé, soulignons

la configuration et le volume de son coffre, qui n'a pas grand-chose à envier à celui d'une intermédiaire.

## LA DERNIÈRE COMPACTE ALLEMANDE ABORDABLE

Comme vous le savez possiblement, Volkswagen ne commercialisera pas la Golf de huitième génération en Amérique du Nord, à l'exception des modèles sportifs GTI et R. S'il était d'abord question qu'elle ne soit offerte qu'au Canada, les hauts dirigeants en ont décidé autrement. Les ventes de la Golf chez nos voisins du Sud étaient symboliques et le volume de ventes de la Jetta est maintes fois plus élevé. Les Américains ayant toujours préféré la configuration d'une berline plutôt que d'un hayon, c'est la Jetta qui continuera d'être offerte. La rentabilité est reine, une fois de plus. Il faut également savoir que la Jetta est assemblée à Puebla, au Mexique, et que les coûts liés à sa fabrication sont bien moins élevés que ceux des modèles qui étaient assemblés en Allemagne. Ainsi, sur le plan des affaires, il était tout à fait logique de ne conserver que la Jetta. Cela dit, on ne s'ennuiera pas moins de la Golf pour autant.

## POUR LES AMATEURS DE PERFORMANCE

La GLI est à la Jetta ce que la GTI est à la Golf, c'est-à-dire une version à vocation sportive qui propose des performances plus relevées. Sous le capot, on retrouve un moteur turbocompressé à 4 cylindres de 2 litres. Ce dernier déploie une puissance de 228 chevaux et un couple de 258 lb-pi. Ce bloc est jumelé de série à une transmission manuelle à 6 rapports. Pendant qu'il est encore temps, on vous incite à opter pour celle-ci car c'est elle qui vous offrira le plus de plaisir au volant. En ajoutant 1 400 $ au prix de base, on obtient une transmission automatique à double embrayage (7 rapports) qui travaille bien. En bref, la Jetta GLI vous donnera du plaisir à la pelletée sans pour autant sacrifier l'aspect pratique des places arrière confortables et du coffre caverneux. Cette sportive pourrait donc convenir à une petite famille. Voilà une denrée rare.

Si certaines compactes à la prétention sportive ont eu la fâcheuse habitude de proposer par le passé des ensembles esthétiques ostentatoires et souvent de mauvais goût, la Jetta GLI opte, quant à elle, pour une approche plus sobre. De cette manière, on s'assure une certaine pérennité du style. L'idée n'est pas de décrocher la mâchoire des adolescents, mais plutôt d'offrir un véhicule de qualité et fort plaisant à un conducteur mature.

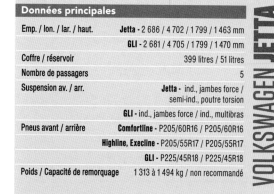

### Données principales

| Emp. / lon. / lar. / haut. | Jetta - 2 686 / 4 702 / 1 799 / 1 463 mm |
| --- | --- |
| | GLI - 2 681 / 4 705 / 1 799 / 1 470 mm |
| Coffre / réservoir | 399 litres / 51 litres |
| Nombre de passagers | 5 |
| Suspension av. / arr. | Jetta - ind., jambes force / semi-ind., poutre torsion |
| | GLI - ind., jambes force / ind., multibras |
| Pneus avant / arrière | Comfortline - P205/60R16 / P205/60R16 |
| | Highline, Execline - P205/55R17 / P205/55R17 |
| | GLI - P225/45R18 / P225/45R18 |
| Poids / Capacité de remorquage | 1 313 à 1 494 kg / non recommandé |

### Composantes mécaniques

**JETTA**

| Cylindrée, alim. | 4L 1,4 litre turbo |
| --- | --- |
| Puissance / Couple | 147 ch / 184 lb-pi |
| Tr. base (opt) / Rouage base (opt) | M6 (A8) / Tr |
| 0-100 / 80-120 / V. max | 8,7 s (est) / 6,7 s (est) / n.d. |
| 100-0 km/h | 42,9 m (est) |
| Type / ville / route / $CO_2$ | **Man** - Ord / 7,9 / 5,8 / 162 g/km |
| | **Auto** - Ord / 8,0 / 6,0 / 165 g/km |

**GLI**

| Cylindrée, alim. | 4L 2,0 litres turbo |
| --- | --- |
| Puissance / Couple | 228 ch / 258 lb-pi |
| Tr. base (opt) / Rouage base (opt) | M6 (A7) / Tr |
| 0-100 / 80-120 / V. max | 6,6 s (m) / 4,5 s (m) / n.d. |
| 100-0 km/h | 41,6 m (m) |
| Type / ville / route / $CO_2$ | **Man** - Ord / 9,1 / 6,4 / 186 g/km |
| | **Auto** - Ord / 9,0 / 6,5 / 185 g/km |

**+** Performances de la version GLI • Coffre caverneux • On continue d'offrir la boîte manuelle • Consommation très raisonnable

**−** Souplesse des suspensions • Absence de port USB régulier • Facture salée pour la version Execline

Photos : Volkswagen

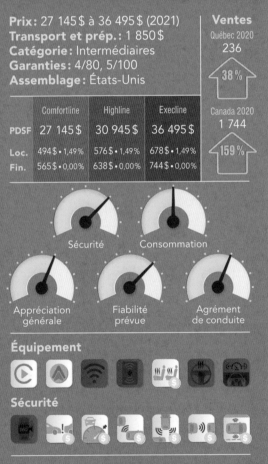

**Prix :** 27 145 $ à 36 495 $ (2021)
**Transport et prép. :** 1 850 $
**Catégorie :** Intermédiaires
**Garanties :** 4/80, 5/100
**Assemblage :** États-Unis

**Ventes**
Québec 2020
236
▲ 38 %

Canada 2020
1 744
▲ 159 %

|  | Comfortline | Highline | Execline |
|---|---|---|---|
| **PDSF** | 27 145 $ | 30 945 $ | 36 495 $ |
| **Loc.** | 494 $ • 1,49 % | 576 $ • 1,49 % | 678 $ • 1,49 % |
| **Fin.** | 565 $ • 0,00 % | 638 $ • 0,00 % | 744 $ • 0,00 % |

Sécurité    Consommation

Appréciation générale    Fiabilité prévue    Agrément de conduite

**Équipement**

**Sécurité**

**Concurrents**
Chevrolet Malibu, Honda Accord,
Hyundai Sonata, Kia K5, Nissan Altima,
Subaru Legacy, Toyota Camry

**Nouveau en 2022**
Retrait du modèle après l'année-modèle 2022.

# Chronique d'une mort annoncée

Guillaume Rivard

**L**es berlines intermédiaires ne sont plus le véhicule de choix qu'elles étaient pour les familles. Tout le monde ou presque s'arrache les utilitaires. Volkswagen, qui avait revu et amélioré sa Passat en Amérique du Nord, pour 2020, a compris que le temps est venu de passer à autre chose.

Ainsi, des deux côtés de l'océan Atlantique, la berline Passat cessera sa production en 2022. En Europe, seule la familiale sera renouvelée. Chez nous, l'usine de Chattanooga, au Tennessee, va se concentrer sur les Atlas et Atlas Cross Sport de même que sur le nouveau VUS électrique ID.4, dont la fabrication à cet endroit débutera en 2022. Il faut savoir que le constructeur allemand investit un peu plus d'un milliard de dollars afin de préparer son usine américaine pour l'ID.4, un modèle sur lequel il mise énormément. Conserver la Passat n'aurait pas beaucoup de sens.

### EN MANQUE D'INSPIRATION ET DE MODERNITÉ

Depuis sa plus récente mise à jour, la Passat se débrouille pourtant assez bien si l'on regarde les ventes. Au moment d'écrire ces lignes, elle se trouvait au beau milieu du peloton, devant les Kia K5, Mazda6, Nissan Altima et Subaru Legacy. L'attrait des voitures allemandes y est-il pour quelque chose ?

Bien que l'extérieur soit élégant, il n'a rien à voir avec le style percutant des coréennes et de certaines japonaises. La Passat joue toujours une carte conservatrice et elle manque d'inspiration. L'unique façon de lui ajouter du piquant est d'opter pour la version haut de gamme Execline, qui propose le choix d'une carrosserie Rouge aurore ainsi qu'un ensemble R-Line, dont les jantes à elles seules valent presque le détour. La présentation de l'habitacle reste relativement soignée, mais la Passat n'a pas autant de cachet et ne donne pas cette impression de modernité comme le fait la concurrence (excepté la vieillissante Chevrolet Malibu). Certaines commandes sont démodées, avouons-le, tandis que la fausse boiserie sur la planche de bord ne réussit pas vraiment à créer l'effet de luxe recherché.

L'écran tactile intègre les dernières technologies d'infodivertissement et de connectivité, sauf qu'il est petit (6,3 pouces) selon les standards actuels et ses caractères le sont tout autant. De plus, sa position basse complique la lecture, car en ayant les mains à 9 h et 3 h sur le volant, une partie de l'écran est obstruée. D'un autre côté, on apprécie l'espace généreux aux deux rangées,

sans oublier le coffre de 450 litres, pratique pour les grosses emplettes ou les voyages de plusieurs jours. Le système audio Fender optionnel mérite également des éloges. Quant aux sièges, les baquets avant sont confortables de prime abord, bien que trop serrés dans la partie supérieure, ce qui devient pénible pour le haut du dos sur de longues distances. La banquette arrière est, pour sa part, trop ferme pour une berline intermédiaire de ce rang.

## UNE MÉCANIQUE PEU ENVIABLE

Un autre signe évident que Volkswagen lance la serviette dans le cas de la Passat, c'est l'offre mécanique très limitée. L'unique moteur au catalogue est un 4 cylindres turbocompressé de 2 litres qui développe une puissance de 174 chevaux. Il n'y a rien de plus performant dans la gamme depuis l'abandon du V6 et les seules roues motrices se retrouvent à l'avant. Pendant ce temps, un nombre grandissant de berlines proposent deux ou trois motorisations et se dotent d'un rouage intégral.

Le couple de 206 lb-pi sert quand même bien la Passat en général. Par contre, la boîte automatique ne compte toujours que 6 rapports et elle produit parfois des accélérations saccadées, surtout à basse vitesse avec les premiers rapports. La consommation d'essence moyenne de 8,3 L/100 km n'est guère reluisante non plus, quoique Volkswagen mentionne que son moteur turbo peut se contenter de carburant ordinaire.

La Passat se rattrape en procurant un bel agrément de conduite assuré par une direction franche et un freinage efficace. Ce ne sont pas les dispositifs de sécurité de pointe qui manquent (on peut en dire autant de toutes ses adversaires), mais attention au système de maintien dans la voie qui donne parfois des coups dans le volant sans raison apparente. Aussi, les pneus à profil bas en option engendrent un roulement plus sec sur les chaussées endommagées.

En somme, il faut être un irréductible de la marque allemande pour considérer la Passat, qui ne trouve aucune véritable façon de se démarquer. La fiabilité demeure un point d'interrogation (heureusement, la garantie de base couvre quatre ans) et la dépréciation ne fera que s'accélérer à partir de maintenant. Toutes les rivales asiatiques, Toyota Camry en tête, représentent un meilleur achat. Enfin, Volkswagen nous a confirmé que les modèles 2022 seront réservés à des flottes et ne seront plus vendus au détail. Donc, si l'auto vous intéresse, il faudra regarder du côté des modèles 2021 encore en stock chez les concessionnaires.

**+** Beaucoup d'espace • Direction franche • Garantie de base de quatre ans

**—** Trop conservatrice • Groupe motopropulseur décevant • Sièges perfectibles

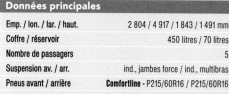

### Données principales

| | |
|---|---|
| Emp. / lon. / lar. / haut. | 2 804 / 4 917 / 1 843 / 1 491 mm |
| Coffre / réservoir | 450 litres / 70 litres |
| Nombre de passagers | 5 |
| Suspension av. / arr. | ind., jambes force / ind., multibras |
| Pneus avant / arrière | **Comfortline** - P215/60R16 / P215/60R16 |
| | **Highline** - P215/55R17 / P215/55R17 |
| | **Execline** - P235/45R18 / P235/45R18 |
| Poids / Capacité de remorquage | 1 503 kg / non recommandé |

### Composantes mécaniques

| | |
|---|---|
| Cylindrée, alim. | 4L 2,0 litres turbo |
| Puissance / Couple | 174 ch / 206 lb-pi |
| Tr. base (opt) / Rouage base (opt) | A6 / Tr |
| 0-100 / 80-120 / V. max | 8,0 s (est) / 6,2 s (est) / n.d. |
| Type / ville / route / $CO_2$ | Ord / 9,7 / 6,6 / 196 g/km |

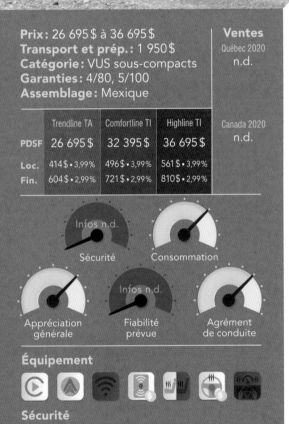

**Prix:** 26 695 $ à 36 695 $
**Transport et prép.:** 1 950 $
**Catégorie:** VUS sous-compacts
**Garanties:** 4/80, 5/100
**Assemblage:** Mexique

**Ventes**
Québec 2020
n.d.

Canada 2020
n.d.

|  | Trendline TA | Comfortline TI | Highline TI |
|---|---|---|---|
| PDSF | 26 695 $ | 32 395 $ | 36 695 $ |
| Loc. | 414 $ • 3,99 % | 496 $ • 3,99 % | 561 $ • 3,99 % |
| Fin. | 604 $ • 2,99 % | 721 $ • 2,99 % | 810 $ • 2,99 % |

Infos n.d.
**Sécurité**

**Consommation**

**Appréciation générale**

Infos n.d.
**Fiabilité prévue**

**Agrément de conduite**

### Équipement

### Sécurité

### Concurrents

Buick Encore GX, Chev. Trailblazer, Fiat 500X, Ford EcoSport, Honda HR-V, Hyundai Kona, Jeep Renegade, Kia Niro/Seltos, Mazda CX-30, Mitsu. Eclipse Cross/RVR, Nissan Qashqai, Subaru Crosstrek, Toyota Corolla Cross

### Nouveau en 2022
Nouveau modèle.

# Faire oublier la Golf

Julien Amado et Germain Goyer

Il n'est jamais facile de succéder à un véhicule emblématique. Une mission qui peut s'avérer d'autant plus périlleuse quand il s'agit de remplacer la Golf. En effet, Volkswagen a décidé d'éliminer sa voiture la plus célèbre, du moins dans ses versions «normales». Les seules compactes à hayon conservées par le constructeur allemand sont les modèles sportifs GTI et R. Mais pour les clients qui espéraient remplacer leur Golf actuelle par un modèle de huitième génération, c'est désormais du côté du Taos qu'il faudra regarder... si vous souhaitez rester chez Volkswagen.

Alors qu'il aurait été possible de faire cohabiter deux Tiguan de taille différente comme en Europe, Volkswagen a finalement décidé d'apporter une variante inédite chez nous. Un VUS sous-compact qui conserve tout de même des mensurations plutôt généreuses pour la catégorie, à la manière d'un Kia Seltos dont c'est également la force.

### ADAPTÉ AUX FAMILLES
Présenté comme un modèle sous-compact, sa longueur le rapproche de certains VUS compacts puisqu'il ne mesure que 8 cm de moins qu'un Mazda CX-5. Face à ses rivaux directs, on constate qu'il surpasse la majorité, à l'image du Hyundai Kona, du Mazda CX-30 et même du Kia Seltos. Il n'y a que le Subaru Crosstrek qui le dépasse de quelques millimètres en longueur totale.

En revanche, le Taos écrase littéralement la concurrence en ce qui a trait au volume de chargement. Lorsque la banquette arrière est utilisée, la contenance maximale s'élève à 790 litres. Il s'agit tout simplement du plus gros coffre de la catégorie. Le Subaru Crosstrek (588 litres), le Hyundai Kona (544 litres), le Mazda CX-30 (572 litres) et le Chevrolet Traiblazer (716 litres) ne peuvent pas rivaliser. Même le Kia Seltos, qui caracolait en tête jusqu'à maintenant (752 litres), doit s'avouer vaincu. Dommage que ces chiffres flatteurs rentrent quelque peu dans le rang dans la version à rouage intégral. Avec 705 litres, soit 85 de moins que le modèle à traction, le volume utile du Taos 4Motion baisse notablement.

Sachant que la version à quatre roues motrices sera certainement la plus vendue au Québec, la majorité des acheteurs québécois devront composer avec ce volume réduit, bien qu'il demeure dans le haut du classement.

Dans l'habitacle, on retrouve un design classique typique des Volkswagen actuelles. Même chose pour les trois commandes rotatives, en tout point identiques à celles d'un Atlas. Face au conducteur, les traditionnelles aiguilles laissent leur place à un cockpit virtuel, livré dans tous les modèles sans surcoût. Malgré cette dose de technologie franchement appréciée, on reste sur notre appétit quant aux matériaux utilisés. En effet, les plastiques durs et foncés sont très présents à l'intérieur. Sachez que le Taos est également livré de série avec des phares à DEL, des jantes en alliage de 17 pouces, des sièges avant chauffants et un intérieur bicolore (noir/gris).

## UN SEUL MOTEUR ET UN PRIX ÉLEVÉ

Pendant que la majorité de ses concurrents proposent plusieurs mécaniques, Volkswagen a fait le choix d'une seule motorisation pour le Taos. Il s'agit d'un 4 cylindres turbo de 1,5 litre, dérivé du bloc de 1,4 litre qui équipe actuellement la Jetta. Dans cette configuration, il développe 158 chevaux et 184 lb-pi de couple. Puisqu'il s'agit tout de même d'une nouvelle motorisation, nous nous devons de mettre un bémol quant à la fiabilité à long terme. Nous devrons laisser vieillir cette mécanique avant de pouvoir la recommander les yeux fermés. Le bloc peut être jumelé à deux transmissions différentes. Les modèles à traction reçoivent une automatique conventionnelle à 8 rapports, tandis que les Taos 4Motion sont équipés d'une boîte à double embrayage (DSG) comptant 7 rapports. Au cours de notre essai d'une version dotée du système à quatre roues motrices, nous avons remarqué une certaine lenteur au démarrage de la boîte DSG. Elle entachait quelque peu l'expérience à son volant.

Les performances sont conformes à ce que propose la concurrence, du moins dans les versions d'entrée et de milieu de gamme. Bien que la cavalerie soit relativement restreinte et qu'aucun moteur plus puissant ne soit offert en option, nous avons tout de même apprécié le couple généreux de la petite cylindrée. Cela dit, ce manque de diversité mécanique pourrait jouer des tours au Taos face à ses concurrents. À titre d'exemple, le 2,5 litres du Subaru Crosstrek développe 182 chevaux, celui du Mazda CX-30 revendique 186 chevaux et le Kia Seltos dispose de 175 chevaux.

D'autre part, un Taos Highline, au sommet de la gamme, débute à 36 695 $, un tarif trop élevé. Surtout quand on constate que son rapport poids/puissance se rapproche de celui d'un Chevrolet Trailblazer à moteur 1,3 litre, alors que son prix équivaut à celui d'un Mazda CX-30 GT turbo, dont la puissance culmine à 250 chevaux.

| + | − |
|---|---|
| Dimensions généreuses pour un VUS sous-compact • Habtiacle et coffre spacieux • Moteur coupleux | Pas de moteur optionnel plus puissant • Plus cher que ses rivaux directs |

### Données principales

| Emp. / lon. / lar. / haut. | Traction - 2 689 / 4 466 / 1 841 / 1 636 mm |
|---|---|
| | 4MOTION - 2 681 / 4 466 / 1 841 / 1 640 mm |
| Coffre / réservoir | Traction - 790 à 1 866 litres / 50 litres |
| | 4MOTION - 705 à 1 705 litres / 55 litres |
| Nombre de passagers | 5 |
| Suspension av. / arr. | Traction - ind., jambes force / semi-ind., poutre torsion |
| | 4MOTION - ind., jambes force / ind., multibras |
| Pneus avant / arrière | P215/65R17 / P215/65R17 |
| Poids / Capacité de remorquage | 1 440 à 1 556 kg / n.d. |

### Composantes mécaniques

| Cylindrée, alim. | 4L 1,5 litre turbo |
|---|---|
| Puissance / Couple | 158 ch / 184 lb-pi |
| Tr. base (opt) / Rouage base (opt) | A8 / Tr |
| | A7 / Int |
| Type / ville / route / $CO_2$ | Tr - Ord / 8,4 / 6,6 / 178 g/km |
| | Int - Ord / 9,5 / 7,4 / 200 g/km |

Photos : Antoine Joubert, Volkswagen

## Les comptables ont gagné

Julien Amado

**L**a génération actuelle du Tiguan marque une rupture pour Volkswagen. Plébiscitée pour sa conduite dynamique et ses bonnes performances, la première mouture ressemblait à une grosse Golf. Ce modèle a bel et bien connu une descendance, mais pas chez nous. En Europe, il y a désormais deux Tiguan qui cohabitent au sein de la gamme, avec une version plus grande baptisée *Allspace*. C'est cette dernière qui a traversé l'océan pour être vendue au Canada.

Un modèle plus grand, plus spacieux et qui convient mieux aux réalités nord-américaines. Précisons également que ne pas importer un plus petit Tiguan permet de faire de la place pour le Taos, et ainsi éviter une concurrence néfaste au sein de la gamme. D'ailleurs, la stratégie élaborée par Volkswagen fonctionne puisque les ventes du Tiguan se portent bien ces dernières années, malgré une baisse marquée en 2020 en raison des mesures de confinement liées à la COVID-19. Mais cela se fait au prix d'une conduite nettement moins engageante, un trait de caractère qui faisait pourtant partie de l'ADN du constructeur. De ce point de vue, les comptables et leurs fichiers Excel ont gagné la partie face aux «trippeux».

### CHERCHE AGRÉMENT DÉSESPÉRÉMENT
Pour ceux qui aimaient la conduite dynamique et enjouée de leur Tiguan de première génération, il va peut-être falloir regarder ailleurs au moment de changer de véhicule. En effet, le modèle actuel ne se démarque aucunement sur ce point. Dès les premiers mètres, la légèreté de sa direction surprend, surtout que son dosage fait partie des points forts des autres modèles Volkswagen. Plutôt pataud dans les changements de direction, le véhicule souffre de la comparaison face à ses concurrents. Capable de vous conduire au travail ou à l'épicerie, le VUS germanique s'acquitte honorablement de sa tâche, sans plus. Au quotidien, son confort de roulement demeure sa principale qualité. Même sur des routes parsemées de nids-de-poule, le Tiguan ménage ses occupants, ce qui est appréciable sur nos chaussées mal entretenues...

S'il n'est pas très dynamique mais confortable pour une conduite de tous les jours, pourquoi être aussi critique à son égard? À cause de son groupe motopropulseur, au fonctionnement erratique et qui semble tout droit sorti d'un prototype mal dégrossi. Cela commence dès le démarrage, où les

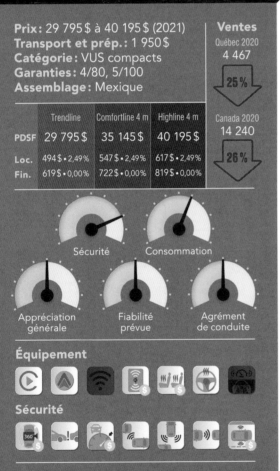

**Prix:** 29 795 $ à 40 195 $ (2021)
**Transport et prép.:** 1 950 $
**Catégorie:** VUS compacts
**Garanties:** 4/80, 5/100
**Assemblage:** Mexique

**Ventes**
Québec 2020
4 467
▼ 25 %

Canada 2020
14 240
▼ 26 %

|  | Trendline | Comfortline 4 m | Highline 4 m |
|---|---|---|---|
| PDSF | 29 795 $ | 35 145 $ | 40 195 $ |
| Loc. | 494 $ • 2,49 % | 547 $ • 2,49 % | 617 $ • 2,49 % |
| Fin. | 619 $ • 0,00 % | 722 $ • 0,00 % | 819 $ • 0,00 % |

Sécurité — Consommation

Appréciation générale — Fiabilité prévue — Agrément de conduite

**Équipement**

**Sécurité**

**Concurrents**

Chevrolet Equinox, Ford Bronco Sport/Escape, GMC Terrain, Honda CR-V, Hyundai Tucson, Jeep Cherokee/Compass, Kia Sportage, Mazda CX-5, Mitsubishi Outlander, Nissan Rogue, Subaru Forester, Toyota RAV4

**Nouveau en 2022**

Mise à jour esthétique, révision des équipements.

claquements à froid rappellent un moteur diesel. Cela s'améliore un peu une fois le moteur en température, mais la réputation d'agrément des mécaniques allemandes en prend un sacré coup...

Le bloc retenu est un 4 cylindres de 2 litres turbocompressé. Mais alors que l'ancien modèle développait 200 chevaux, il n'y en a plus que 184 dans le modèle actuel. Rien de dramatique en soi, surtout que les motoristes ont augmenté le couple (14 lb-pi supplémentaires) qui culmine à 221 lb-pi. En théorie, diminuer légèrement la puissance au profit du couple n'a rien de choquant, ce choix technique pouvant améliorer la réponse à bas régime. Malheureusement, cet argument est balayé à la conduite. Souffrant d'un temps de réponse du turbo à bas régime, le bloc s'essouffle ensuite rapidement et n'apprécie que modérément les hauts régimes.

La transmission automatique, souffrant d'à-coups marqués à basse vitesse, se montre parfois hésitante et nécessite un gros appui sur l'accélérateur pour rétrograder. Ajoutez à cela un système d'arrêt-redémarrage perfectible, et vous obtenez un des groupes motopropulseurs les moins plaisants de la catégorie. Face à ce moteur dénué d'agrément, nous avons pensé que ces performances en demi-teinte étaient peut-être dictées par une volonté d'économiser du carburant. Mais le Tiguan ne peut même pas jouer cette carte, puisque la consommation de carburant n'a rien de compétitif. Avec une moyenne annoncée à 9,9 L/100 km, il n'y a vraiment pas de quoi se vanter...

### TROIS RANGÉES ET DE L'ESPACE

Le VUS allemand se rattrape dans l'habitacle. L'augmentation de l'empattement de presque 20 cm a permis d'accroître l'espace dévolu aux passagers. Le dégagement est amplement suffisant à l'avant comme à l'arrière, même si davantage d'espace pour la tête lorsque des adultes sont assis à l'arrière aurait été souhaitable. Un des atouts du Tiguan, c'est aussi la possibilité de disposer d'une troisième rangée de sièges. Deux places à réserver à des petits trajets, d'autant plus qu'elles empiètent largement sur la contenance du coffre, par ailleurs très logeable. Grâce à un volume de 1 065 litres, on profite de suffisamment d'espace, qui monte même jusqu'à 2 081 litres une fois les sièges rabattus (1 860 avec le modèle 7 places).

En conclusion, si le Tiguan vous intéresse, nous vous recommandons vivement de faire un essai routier avant de signer votre contrat. Au-delà de sa conduite moins enjouée, c'est surtout le fonctionnement bancal de son moteur que vous devez évaluer.

### Données principales

| | |
|---|---|
| Emp. / lon. / lar. / haut. | 2 790 / 4 702 / 1 839 / 1 685 mm |
| Coffre / réservoir | **5 places** - 1 065 à 2 081 litres / 62 litres |
| | **7 places** - 340 à 1 860 litres / 62 litres |
| Nombre de passagers | 5 à 7 |
| Suspension av. / arr. | ind., jambes force / ind., multibras |
| Pneus avant / arrière | P215/65R17 / P215/65R17 |
| Poids / Capacité de remorquage | 1 730 kg / 680 kg (1 500 lb) |

### Composantes mécaniques

| | |
|---|---|
| Cylindrée, alim. | 4L 2,0 litres turbo |
| Puissance / Couple | 184 ch / 221 lb-pi |
| Tr. base (opt) / Rouage base (opt) | A8 / Int |
| 0-100 / 80-120 / V. max | 9,1 s (m) / 6,8 s (m) / n.d. |
| 100-0 km/h | 39,2 m (m) |
| Type / ville / route / CO$_2$ | **Tiguan** - Ord / 10,6 / 8,0 / 222 g/km |
| | **R-Line** - Ord / 11,0 / 8,3 / 229 g/km |

**+** Habitacle spacieux et coffre logeable • Suspensions confortables • Troisième rangée de sièges en option

**—** Moteur bruyant et en manque d'agrément • Boîte au fonctionnement saccadé • Conduite sans éclat

Photos : Volkswagen

VOLVO C40 RECHARGE

**Prix :** 64 950 $ à 66 000 $ (estimé)
**Transport et prép. :** 2 015 $
**Catégorie :** VUS sous-comp. luxe
**Garanties :** 4/80, 4/80
**Assemblage :** Belgique

| | XC40 Recharge | C40 Recharge |
|---|---|---|
| PDSF | 64 950 $ | 66 000 $ |
| Loc. | 1 122 $ • 3,90 % | n.d. |
| Fin. | 1 427 $ • 3,90 % | 1 475 $ • 4,90 % |

**Ventes**
Québec 2020
n.d.

Canada 2020
n.d.

Sécurité
Consommation

Appréciation générale
Infos n.d.
Fiabilité prévue
Agrément de conduite

**Équipement**

**Sécurité**

**Concurrents**
Ford Mustang Mach-E, Hyundai IONIQ 5, Kia EV6, Nissan Ariya, Tesla Model Y, Volkswagen ID.4

**Nouveau en 2022**
Nouveau modèle (C40).

# Catapultes scandinaves

Julien Amado

L'arrivée du Volvo XC40 Recharge, au cours de l'année 2021, marque une rupture pour Volvo. D'abord parce qu'il s'agit du premier véhicule 100 % électrique à intégrer la gamme du constructeur suédois. Mais aussi parce que le modèle inaugure une nouvelle appellation : Recharge. En effet, jusqu'à maintenant, les véhicules hybrides rechargeables s'appelaient Polestar. Le problème, c'est qu'entre-temps, la marque Polestar a fait son apparition avec les modèles 1 et 2, ajoutant une certaine confusion entre les deux entités. Pour y remédier, Volvo appellera désormais tous ses véhicules électrifiés Recharge, le nom Polestar étant réservé aux modèles de la marque éponyme.

Bâti sur une plateforme modulaire partagée avec la Polestar 2 et le XC40 à essence, le modèle Recharge conserve un design quasiment identique à celui alimenté au pétrole. Si vous êtes particulièrement observateur, vous aurez tout de même remarqué que la calandre est maintenant pleine, la batterie nécessitant moins de refroidissement que le 4 cylindres de 2 litres. Puisqu'il est question de la batterie, elle possède une capacité de 78 kWh, une taille déjà respectable. Pourtant, l'autonomie annoncée n'est pas très impressionnante, avec seulement 335 km. Lors de nos différents essais, nous avons pu constater que le véhicule est capable de parcourir cette distance en été. En hiver, avec une température extérieure de -15 °C, nous avons perdu un tiers de l'autonomie promise, avec environ 200 km disponibles.

**DES ÉLECTRONS SOUS LA PÉDALE**
Le XC40 Recharge est doté de deux moteurs électriques, un par essieu. La puissance totale s'élève à 402 chevaux, qui répondent toujours présents. Comme beaucoup de véhicules électriques puissants, le XC40 est une véritable catapulte qui vous satellise à haute vitesse en moins de temps qu'il n'en faut pour l'écrire. Et grâce à sa double motorisation, le conducteur profite de la traction intégrale. Il s'agit d'un rouage particulièrement efficace, comme nous avons pu le constater lors de notre essai routier réalisé au mois de février. Même sur des chaussées enneigées ou glacées, le XC40 conservait une très bonne motricité, en dépit de nos appuis répétés sur l'accélérateur pour essayer de le prendre en défaut.

Volvo laisse le choix à son conducteur qui peut conduire à une ou deux pédales, selon ses préférences. La conduite à une pédale fonctionne

globalement bien, sauf lorsqu'on arrive sur de la neige ou de la glace à une intersection. Dans ce cas précis, il arrive que le ralentissement important déclenche le système ABS quand on conduit à une seule pédale. Sur la route, le XC40 Recharge se démarque par des capacités dynamiques de premier plan. Grâce à sa direction précise, qui remonte adéquatement les informations au conducteur, on se régale à enchaîner les virages, la prise de roulis demeurant limitée. Efficace dans les courbes, le VUS scandinave conserve tout de même un roulement bien calibré, qui ne maltraite pas ses occupants, même lorsque la route est mal revêtue.

À l'intérieur, l'habitacle propose une ambiance typiquement Volvo, qui ne vous dépaysera pas si vous connaissez déjà la marque suédoise. L'espace dévolu est amplement suffisant pour quatre personnes, que ce soit pour les pieds ou pour la tête. Le coffre n'est pas immense, mais sa contenance demeure correcte et son format carré, plutôt pratique. Enfin, on se réjouit de retrouver une mise à jour du système multimédia, désormais doté d'une interface faisant appel à Google. Plus besoin de naviguer dans les sous-menus pas toujours faciles à débusquer, il suffit de dire « Ok Google » et votre voix commande directement ce que vous souhaitez.

### C40 RECHARGE : L'ÉLECTRIQUE COUPÉ

En plus du XC40, Volvo a présenté un second modèle 100 % électrique, le C40 Recharge, un véhicule présenté comme un multisegment, mais qui est en réalité doté des mêmes composantes techniques. Volvo annonce une autonomie de plus de 320 km, sans plus de précisions. On note également que le C40 propose un design modernisé du XC40. La principale différence étant la partie arrière tronquée, très à la mode auprès des acheteurs de VUS. Autre changement notable, il ne sera pas possible d'opter pour un intérieur en cuir.

Pour conclure, le XC40 Recharge propose un bon rendement d'ensemble et des performances convaincantes, bien que sa disponibilité demeure très limitée. Il fait aussi payer trop cher ses bonnes dispositions, d'autant plus qu'il ne peut prétendre à aucun rabais gouvernemental. Ces défauts le pénalisent, surtout face à une concurrence déjà affûtée, comme vous pouvez le voir dans notre match comparatif. Et bien que le prix du C40 Recharge n'ait pas encore été annoncé au moment d'écrire ces lignes, il est probable qu'il ne soit pas éligible aux rabais et que sa disponibilité soit également réduite...

| Données principales | | |
|---|---|---|
| Emp. / lon. / lar. / haut. | **C40 -** 2 702 / 4 431 / 2 035 / 1 582 mm | |
| | **XC40 -** 2 702 / 4 425 / 2 034 / 1 658 mm | |
| Coffre | **C40 -** 413 à 489 litres | |
| | **XC40 -** 578 à 1 328 litres | |
| Nombre de passagers | 5 | |
| Suspension av. / arr. | ind., jambes force / ind., multibras | |
| Pneus avant / arrière | P235/50R19 / P235/50R19 | |
| Poids / Capacité de remorquage | **C40 -** 2 185 / 1 800 kg (3 968 lb) | |
| | **XC40 -** 2 150 / 907 kg (2 000 lb) | |

| Composantes mécaniques | |
|---|---|
| Puissance / Couple | **Av -** 201 ch (150 kW) / 243 lb-pi |
| | **Arr -** 201 ch (150 kW) / 243 lb-pi |
| Tr. base (opt) / Rouage base (opt) | Rapport fixe / Int |
| 0-100 / 80-120 / V. max | 4,9 s (est) / n.d. / 180 km/h (c) |
| Consommation équivalente | 3,0 Le (est) |
| Puissance / Couple combiné | 402 ch / 486 lb-pi |
| Type de batterie | Lithium-ion (Li-ion) |
| Énergie | 78,0 kWh |
| Temps de charge (120V / 240V) | n.d. / 7,5 h (est) |
| Autonomie | **C40 -** 320 km |
| | **XC40 -** 335 km |

**VOLVO XC40 RECHARGE**

+ Accélérations et reprises vigoureuses • Traction intégrale efficace • Tenue de route convaincante • Roulement confortable

− Trop cher pour accéder aux rabais (XC40) • Autonomie limitée comparée aux meilleurs • Consommation électrique élevée

**VOLVO C40 RECHARGE**

VOLVO S60

HYBRIDE

**Prix :** 45 250 $ à 83 200 $ (2021)
**Transport et prép. :** 2 015 $
**Catégorie :** Compactes de luxe
**Garanties :** 4/80, 4/80
**Assemblage :** États-Unis

**Ventes**
Québec 2020
**458**
⯆ **28 %**

Canada 2020
**1 280**
⯆ **35 %**

|        | S60 T5 Mom. | V60 T5 R-D TI | V60 Polestar |
|--------|-------------|---------------|--------------|
| PDSF   | 45 250 $    | 55 550 $      | 83 200 $     |
| Loc.   | 715 $ • 2,90 % | 803 $ • 2,90 % | 1 315 $ • 2,90 % |
| Fin.   | 938 $ • 0,90 % | 1 199 $ • 2,90 % | 1 769 $ • 2,90 % |

Sécurité    Consommation

Appréciation    Fiabilité    Agrément
générale    prévue    de conduite

**Équipement**

**Sécurité**

**Concurrents**

Acura TLX, Alfa Romeo Giulia, Audi A4,
BMW Série 3, Cadillac CT5, Genesis G70,
Infiniti Q50, Lexus IS, Mercedes-Benz Classe C,
Tesla Model 3

**Nouveau en 2022**

Aucun changement majeur annoncé
au moment de mettre sous presse.

# Tellement polies et trop sages

Marc Lachapelle

Les Volvo S60 et V60 actuelles sont un peu effacées, dans une catégorie qui compte son lot de divas extraverties. Ce sont pourtant de belles voitures, surtout les familiales, longues et basses. Et la V60 Cross Country, légèrement surélevée, se distingue par sa silhouette profilée, dans un segment où l'abus de moulures et renflements en plastique est monnaie courante. Chose certaine, ces berlines et familiales ont beaucoup à offrir et gagnent à être découvertes.

Au volant d'une berline S60 T5, on remarque immédiatement la direction légère et néanmoins précise. C'est un élément essentiel de la conduite fluide des rejetons de l'architecture SPA qui sous-tend les Volvo actuelles, moyennes et grandes. Le 4 cylindres turbo de 250 chevaux est souple et animé. La boîte automatique à 8 rapports est particulièrement douce, mais il est agaçant de devoir toujours agiter son sélecteur deux fois pour enclencher les marches avant ou arrière.

Une Volvo, c'est également la joie en hiver. La S60 T6, par exemple, tire le meilleur profit de sa belle motricité dans 30 cm de neige fraîche. L'accord entre son moteur turbo et surcompressé de 316 chevaux, sa boîte automatique à 8 rapports et son rouage intégral est parfait pour de telles conditions. Cette S60 s'est aussi révélée agile, souple et confortable sur les rues inondées et bosselées d'après-tempête.

### PUISSANCE, ÉLÉGANCE ET QUELQUES CAPRICES

Les S60 et V60 Polestar Engineered sont les plus puissantes et rapides de la famille. Leur groupe propulseur rechargeable de 415 chevaux mène la berline de 0 à 100 km/h en 5 secondes alors que la familiale, plus lourde de 24 kg, y met 5,16 secondes. Le roulement est ferme, sans excès. Elles sont même douces et raffinées, en conduite tranquille. À vrai dire, leur caractère sportif pourrait être plus affirmé. Côté écolo, leur batterie de 11,6 kWh promet 35 km d'autonomie mais nous avons vu jusqu'à 40 km en mode Pure (électrique), en janvier.

Dans tous les modèles, l'interface multimédia est lente à s'activer, au démarrage. On se fait vite à sa manipulation qui consiste à balayer l'écran vertical de 9 pouces vers le bas pour les menus généraux et vers la gauche ou la droite pour des commandes spécifiques. Ce système trahit toutefois son âge par ses

caprices. Le jumelage ardu des cellulaires, notamment. Espérons que les S60 et V60 hériteront bientôt d'une interface rapide et solide comme celle du XC40 Recharge, qui profite de l'architecture et des applications de Google.

Comme toujours chez Volvo, les sièges avant sont magnifiques et la position de conduite sans faille. Le volant, exempt de fioritures « sport », est parfait. À l'arrière, l'assise est assez courte et creusée, pour la garde au toit. Confort et maintien sont moyens et la place centrale est compromise par le tunnel central et l'empiètement de la console. En fait, la garde au toit est abondante et il serait génial de relever l'assise pour la rendre plus accueillante. Et si le coffre des familiales et des berlines est peu profond, la première est au moins assez longue, avec un bon passe-skis au centre.

La présentation R-Design, sobre et moderne, est particulièrement réussie. Dans l'habitacle, les moulures en aluminium offrent un contraste réjouissant avec les surfaces en cuir qui les entourent. Et les boiseries aux fines textures des autres versions sont splendides et originales. Jamais rien de criard ou choquant dans les Volvo actuelles. Seulement le meilleur du design scandinave, loin des clichés d'antan.

## UN FAIBLE POUR LES FAMILIALES ET LEUR COUSINE

La familiale V60 T5 est délicieusement moderne et raffinée, conduite et performances incluses, et c'est la moins chère. Ses sièges en tissu sont chics et les selleries en cuir le sont tout autant. La T6, plus cossue et puissante, prouve que les V60 sont des routières impeccables. Très silencieuses, elles ont une tenue de cap fine et précise dont vos mains sont constamment et discrètement informées, en temps réel, par la direction.

Au volant de la V60 Cross Country, même avec 6,8 cm supplémentaires de garde au sol, on retrouve le même excellent roulement, ferme et maîtrisé. L'habitacle est classe, bien sûr, et le siège du pilote sans reproche. Cette Cross Country T5 est équilibrée, complète, confortable et pratique, pour les raisons et vertus essentielles qui précèdent. Il est difficile, cependant, de résister à certains systèmes et accessoires facultatifs. Les caméras de vue arrière et périphérique, par exemple, sont parmi les meilleures. Or, elles se retrouvent avec l'affichage tête haute, la recharge sans fil et le régulateur de vitesse adaptatif dans le groupe Supérieur vendu 2 550 $. Dans ce cas et quelques autres, il n'y a surtout aucun mal à se gâter dans ces sveltes bagnoles suédoises.

| + Silhouettes toujours élégantes • Habitacle sobre et superbement fini • Excellents sièges avant • Groupes motopropulseurs souples et linéaires | − Dégivreur arrière un peu lent (S60) • Autonomie électrique limitée (Recharge) • Interface multimédia lente et parfois capricieuse |

VOLVO V60

### Données principales

| Emp. / lon. / lar. / haut. | **S60** - 2 872 / 4 761 / 2 040 / 1 431 mm |
| | **V60** - 2 872 / 4 761 / 2 040 / 1 432 mm |
| Coffre / réservoir | **S60** - 436 litres / 60 litres |
| | **V60** - 658 à 1 441 litres / 60 litres |
| Nombre de passagers | 5 |
| Suspension av. / arr. | ind., bras inégaux / ind., multibras |
| Pneus avant / arrière | P235/45R18 / P235/45R18 |
| Poids / Capacité de remorquage | 2 029 kg / 907 kg (2 000 lb) |

### Composantes mécaniques

**T6**

| Cylindrée, alim. | 4L 2,0 litres turbo + surcomp. |
| Puissance / Couple | 316 ch / 295 lb-pi |
| Tr. base (opt) / Rouage base (opt) | A8 / Int |
| 0-100 / 80-120 / V. max | 5,6 s (c) / n.d. / 180 km/h (c) |
| 100-0 km/h | 35,0 m (c) |
| Type / ville / route / $CO_2$ | Sup / 11,0 / 7,4 / 219 g/km |

**RECHARGE**

| Cylindrée, alim. | 4L 2,0 litres turbo + surcomp. |
| Puissance / Couple | 313 ch / 295 lb-pi |
| Tr. base (opt) / Rouage base (opt) | A8 / Int |
| 0-100 / 80-120 / V. max | 5,0 s (m) / 3,8 s (m) / 180 km/h (c) |
| 100-0 km/h | 35,0 m (c) |
| Type / ville / route / $CO_2$ | Sup / 8,4 / 7,0 / 94 g/km |
| Puissance combinée | 400 ch |

**MOTEUR ÉLECTRIQUE**

| Puissance / Couple | 87 ch (65 kW) / 177 lb-pi |
| Type de batterie | Lithium-ion (Li-ion) |
| Énergie | 11,6 kWh |
| Temps de charge (120V / 240V) | n.d. / 3,0 h |
| Autonomie | 35 km |

**T5**

4L 2,0 L - 250 ch/258 lb-pi - A8 - 0-100: 6,5 s (c) - 10,5/7,1 L/100 km

**POLESTAR ENGINEERED**

4L 2,0 L - 328 ch/317 lb-pi - Électrique - 87 ch (65 kW)/177 lb-pi - A8 - 0-100: 5,0 s (m) - 8,4/7,0 L/100 km - 3,2 Le/100 km

**Prix :** 69 100 $ à 76 050 $ (2021)
**Transport et prép. :** 2 015 $
**Catégorie :** Intermédiaires luxe
**Garanties :** 4/80, 4/80
**Assemblage :** Chine

|  | T6 Inscription | Recharge Inscription |
|---|---|---|
| PDSF | 69 100 $ | 76 050 $ |
| Loc. | 978 $ • 2,90 % | 1 126 $ • 2,90 % |
| Fin. | 1 478 $ • 2,90 % | 1 621 $ • 2,90 % |

**Ventes**
Québec 2020
25
108 %

Canada 2020
130
41 %

Sécurité   Consommation

Appréciation générale   Fiabilité prévue   Agrément de conduite

### Équipement

### Sécurité

### Concurrents
Audi A6, Audi A7, BMW Série 5,
Genesis G80, Jaguar XF, Maserati Ghibli,
Mercedes-Benz Classe E

### Nouveau en 2022
Aucun changement majeur annoncé
au moment de mettre sous presse.

# Mourir à petit feu

Antoine Joubert

**U**n an après son introduction sur le marché nord-américain, la berline S90 allait subir un premier changement d'importance, sans que personne ne le réalise vraiment. En effet, la production initialement faite du côté de Göteborg en Suède allait rapidement être transférée en Chine, le constructeur Volvo ayant dû ajuster ses stratégies de production suite aux taxes d'importations imposées par les États-Unis. Volvo, qui commercialisait déjà en Chine une version allongée de la S90 (S90 L), allait donc de ce fait supprimer le modèle initial pour ne nous offrir que cette berline allongée de 120 mm.

Cette curieuse décision allait ensuite être suivie deux ans plus tard par l'élimination de la splendide familiale V90 et de la Cross Country, deux voitures qui, dans cet océan de VUS, ne trouvaient plus leur place. Cela dit, avec à peine 130 ventes en 2020 au pays, et moins de 2 000 sur le marché américain, la S90 s'est pratiquement transformée en une rare pièce de collection. Alors, comment expliquer un tel désintérêt de la part du public ?

### CONÇUE POUR LA CHINE
Évidemment, attribuons d'abord la faute à cette décision de n'offrir que cette version à empattement allongé. Car si, du côté de la Chine, ce genre de configuration a la cote, il en va tout autrement chez nous. Il faut dire que là-bas, il est de coutume de se faire conduire par un chauffeur lorsque l'on se procure une berline de luxe. Mais chez nous, les acheteurs de ce genre de berline la conduisent eux-mêmes et n'embarquent ironiquement que rarement des passagers. Ainsi, inutile de vous dire que le seul avantage d'un empattement allongé qui réside en l'optimisation de l'espace aux places arrière va à l'encontre du désir des acheteurs nord-américains. Et cela se fait au prix d'une maniabilité et d'une rigidité structurelle affectées, bien qu'on y gagne quelque peu en confort.

On peut en outre attribuer le désintérêt du public par la présence sous le capot d'un moteur à 4 cylindres. Une mécanique certes aussi puissante que les V6 de la concurrence, mais qui n'offre certainement pas cette souplesse que recherchent les acheteurs de berlines de luxe traditionnelles. Cela dit, cette élégante voiture devient soudainement intéressante lorsque l'on s'attarde à la version Recharge, hybride rechargeable. Une technologie introduite en 2016 sur le XC90, et que l'on exploite depuis sur une majorité

de modèles de la gamme. Ainsi, en plus de bénéficier du 4 cylindres turbocompressé et surcompressé, on profite d'un moteur électrique de 65 kW et d'une batterie de 11,6 kWh, permettant d'obtenir 400 chevaux de puissance et une autonomie 100 % électrique de 34 km.

Dans ce contexte, le rouage intégral diffère complètement de celui de la version T6, puisque l'on achemine la puissance aux roues arrière via ce moteur électrique logé directement sur l'essieu, le 4 cylindres se chargeant bien sûr du train avant. L'arbre de transmission disparaît donc au profit du bloc de batterie, qui n'affecte aucunement le volume habitable.

Confortable à souhait et particulièrement silencieuse, la S90 Recharge fait également preuve d'une fougue insoupçonnée en accélération. Le couple initial généré par le moteur électrique combiné au souffle du compresseur volumétrique permet d'obtenir de fortes accélérations, bien que l'on soit encore loin de la Polestar 1, forte de 619 chevaux. Cela dit, la S90 vous offrira l'expérience la plus impressionnante en mode Confort, cette berline n'étant certainement pas celle à choisir pour celui qui recherche d'abord une conduite dynamique.

### CONFORT DE RÊVE, CAUCHEMAR FINANCIER

À bord, on ne peut qu'applaudir le confort des sièges, fidèle à la réputation du constructeur en la matière. La position de conduite y est d'ailleurs exceptionnelle, l'ergonomie d'ensemble étant elle aussi remarquable. Au non-initié, il faudra toutefois une petite période d'adaptation pour apprivoiser le système Sensus, cette interface multimédia fort bien pensée, mais qui diffère de ce que nous propose la concurrence. Bien sûr, on aurait préféré bénéficier de l'expérience multimédia fournie par Google, introduite dans la Polestar 2 et le XC40 Recharge, à citer en exemple. Peut-être l'offrira-t-on prochainement ?

Affichant un prix d'entrée avoisinant 70 000 $ et pouvant atteindre 90 000 $ avec les options, la S90 est malheureusement un cauchemar financier. Très coûteuse à la location en raison d'une faible valeur résiduelle, elle se transige en moyenne pour à peine 35-40 % du prix initial après quatre ans. L'achat d'un modèle d'occasion pourrait donc devenir alléchant, mais sa fiabilité quelconque doublée de coûts d'entretien élevés la rend soudainement moins attirante. Voilà une autre raison qui explique la très faible popularité de ce modèle, qui vit clairement sur du temps emprunté.

**+** Confort royal • Design toujours distinctif • Présentation intérieure • Puissance et rendement énergétique (T8)

**–** Empattement allongé impertinent • Dépréciation alarmante • Fiabilité hasardeuse

## Données principales

| | |
|---|---|
| Emp. / lon. / lar. / haut. | 3 061 / 5 090 / 2 019 / 1 450 mm |
| Coffre / réservoir | 436 litres / 60 litres |
| Nombre de passagers | 5 |
| Suspension av. / arr. | ind., bras inégaux / ind., multibras |
| Pneus avant / arrière | P255/40R19 / P255/40R19 |
| Poids / Capacité de remorquage | 2 092 kg / non recommandé |

## Composantes mécaniques

**T6**

| | |
|---|---|
| Cylindrée, alim. | 4L 2,0 litres turbo + surcomp. |
| Puissance / Couple | 316 ch / 295 lb-pi |
| Tr. base (opt) / Rouage base (opt) | A8 / Int |
| 0-100 / 80-120 / V. max | 6,3 s (c) / n.d. / 180 km/h (c) |
| 100-0 km/h | 35,0 m (c) |
| Type / ville / route / $CO_2$ | Sup / 11,3 / 7,5 / 224 g/km |

**RECHARGE**

| | |
|---|---|
| Cylindrée, alim. | 4L 2,0 litres turbo + surcomp. |
| Puissance / Couple | 313 ch / 295 lb-pi |
| Tr. base (opt) / Rouage base (opt) | A8 / Int |
| 0-100 / 80-120 / V. max | 4,9 s (c) / n.d. / 180 km/h (c) |
| 100-0 km/h | 35,0 m (c) |
| Type / ville / route / $CO_2$ | Sup / 8,3 / 7,5 / 99 g/km |
| Puissance combinée | 400 ch |

**MOTEUR ÉLECTRIQUE**

| | |
|---|---|
| Puissance / Couple | 87 ch (65 kW) / 177 lb-pi |
| Type de batterie | Lithium-ion (Li-ion) |
| Énergie | 11,6 kWh |
| Temps de charge (120V / 240V) | n.d. / 3,0 h |
| Autonomie | 34 km |

**Prix :** 39 950 $ à 49 250 $
**Transport et prép. :** 2 015 $
**Catégorie :** VUS sous-comp. luxe
**Garanties :** 4/80, 4/80
**Assemblage :** Belgique

**Ventes**
Québec 2020
**670**
↑ 9 %

Canada 2020
**2 264**
↑ 6 %

| | T4 Momentum | T5 Momentum | T5 Inscription |
|---|---|---|---|
| **PDSF** | 39 950 $ | 42 800 $ | 49 250 $ |
| **Loc.** | 637 $ • 3,90 % | 638 $ • 3,90 % | 751 $ • 3,90 % |
| **Fin.** | 899 $ • 3,90 % | 959 $ • 3,90 % | 1 096 $ • 3,90 % |

Sécurité · Consommation

Appréciation générale · Fiabilité prévue · Agrément de conduite

## Équipement

## Sécurité

## Concurrents

Audi Q3, BMW X1/X2, Buick Encore GX, Cadillac XT4, Jaguar E-PACE, Lexus UX, Mercedes-Benz GLA/GLB

## Nouveau en 2022

Aucun changement majeur annoncé au moment de mettre sous presse.

# Pour la version électrique, voir le C40

Marc-André Gauthier

**A**vec la diversification de la gamme du XC40, il est désormais possible d'opter pour des modèles à essence ou à propulsion électrique, appelés Recharge. Un modèle aux accélérations foudroyantes, fort d'une puissance de 402 chevaux et d'un couple de 486 lb-pi. Si c'est ce dernier qui vous intéresse, consultez notre essai du C40, avec qui il partage beaucoup d'éléments.

Le présent texte parle du XC40 à essence, un VUS sous-compact de luxe moins populaire que les modèles allemands. Disponible en version de base pour près de 40 000 $, il représente la porte d'entrée quand on souhaite s'offrir un véhicule Volvo. Positionné face à de gros joueurs comme l'Audi Q3, les BMW X1/X2 ou le Mercedes-Benz GLA, comment se comporte-t-il face à la concurrence ?

**STYLE VRAIMENT UNIQUE**
On dit souvent que toutes les voitures commencent à se ressembler. Après tout, il est difficile de dévier de la silhouette d'un VUS quand on en dessine un. Cela dit, que ce soit chez Volvo ou face à ses rivaux, le XC40 est plutôt unique et facilement reconnaissable.

*Exit* le biodesign, il rompt avec le style organique typique des produits suédois pour y aller avec des formes qui évoquent un caractère utilitaire, mais assurément raffiné. On apprécie particulièrement la partie avant, notamment son élégante calandre. Disponible avec des couleurs unies, le configurateur de Volvo permet également d'opter pour un modèle bicolore avec le toit contrastant. Un choix qui modifie les lignes du véhicule, et que plusieurs constructeurs ont adopté, y compris pour des modèles moins haut de gamme, comme le Nissan Kicks par exemple.

L'habitacle, dans le plus pur style scandinave, est moins original que l'extérieur, dans la mesure où la disposition ressemble beaucoup à celle des autres VUS de la marque. Il est essentiellement caractérisé par un gros écran rectangulaire qui est monté en position verticale au centre de la planche de bord. Le reste de l'habitacle est vraiment minimaliste, tout l'inverse des modèles de Mercedes-Benz, par exemple. Lorsque l'on opte pour le GLA ou le GLB, les VUS d'entrée de gamme de Mercedes, l'habitacle est plus ostentatoire, avec un style qui se rapproche des produits les plus

dispendieux de la gamme. Dans le cas du Volvo XC40, on préfère jouer la carte du classicisme.

Pour le reste, le véhicule propose un bon espace intérieur. Et que dire des sièges qui, comme dans les autres produits Volvo, soutiennent à merveille!

### T4 ET T5, À QUOI ÇA RIME?

Si vous avez déjà été sur le site web de Volvo, vous aurez remarqué que le constructeur n'annonce pas vraiment de puissance. Par exemple, sur le configurateur en ligne, il y a deux groupes motopropulseurs, l'un appelé T4, et l'autre T5.

Dans les deux cas, il s'agit d'un 4 cylindres de 2 litres turbocompressé. Dans la version T4, sa puissance est de 187 chevaux tandis que le couple s'élève à 221 lb-pi. Du côté du modèle T5, le conducteur dispose de 248 chevaux et de 258 lb-pi sous la pédale de droite.

Pour un peu moins de 3 000$, allez-y pour la version T5 sans hésiter. En plus d'une puissance majorée, vous profiterez du rouage intégral, qui se montre très compétent et pratiquement impossible à prendre en défaut lorsque le véhicule est chaussé de bons pneus d'hiver. Le T5 améliore aussi l'agrément de conduite et les accélérations, avec un 0 à 100 km/h abattu en 7,2 secondes, ce qui est approprié pour un véhicule de luxe.

Côté conduite, le XC40 se débrouille bien. Il démontre assez de dynamisme pour rendre la conduite de tous les jours intéressante, sans devenir inconfortable sur les mauvaises chaussées, comme c'est le cas des variantes AMG de Mercedes-Benz.

Côté options, le XC40 n'est pas bien compliqué. Il y a la mouture de base, vendue un peu moins de 40 000$, livrée de série avec le rouage intégral, et deux déclinaisons mieux équipées, à 50 000$ environ. Le modèle Inscription est présenté comme la version luxueuse, tandis que la variante R-Design affiche un look plus sportif.

Vendu dans une gamme de prix similaire aux autres VUS sous-compacts de luxe, le Volvo XC40 ne démérite pas mais peine à trouver son public face à ces références bien établies. Pour vous donner une idée, Audi, qui domine les ventes de la catégorie, a vendu trois fois plus de Q3 que Volvo de XC40.

| Données principales | |
|---|---|
| Emp. / lon. / lar. / haut. | 2 702 / 4 425 / 2 034 / 1 658 mm |
| Coffre / réservoir | 413 à 1 337 litres / 54 litres |
| Nombre de passagers | 5 |
| Suspension av. / arr. | ind., jambes force / ind., multibras |
| Pneus avant / arrière | P235/55R18 / P235/55R18 |
| Poids / Capacité de remorquage | T4 - T5 - 2 150 kg / 1 800 kg (3 968 lb) |

| Composantes mécaniques | |
|---|---|
| **T4** | |
| Cylindrée, alim. | 4L 2,0 litres turbo |
| Puissance / Couple | 187 ch / 221 lb-pi |
| Tr. base (opt) / Rouage base (opt) | A8 / Int |
| 0-100 / 80-120 / V. max | 8,1 s (c) / n.d. / 180 km/h (c) |
| 100-0 km/h | 36,0 m (c) |
| Type / ville / route / $CO_2$ | Sup / 10,7 / 7,6 / 217 g/km |
| **T5** | |
| Cylindrée, alim. | 4L 2,0 litres turbo |
| Puissance / Couple | 248 ch / 258 lb-pi |
| Tr. base (opt) / Rouage base (opt) | A8 / Int |
| 0-100 / 80-120 / V. max | 7,2 s (m) / 6,1 s (m) / 180 km/h (c) |
| 100-0 km/h | 43,1 m (m) |
| Type / ville / route / $CO_2$ | Sup / 10,7 / 7,7 / 219 g/km |

+ Habitacle confortable •
Version T5 performante •
Commandes ergonomiques

− Version T4 trop lente pour le prix • Système d'infodivertissemment complexe par moments

Photos : Volvo

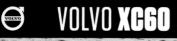

# VOLVO XC60

HYBRIDE

**Prix:** 48 500 $ à 89 150 $ (2021)
**Transport et prép.:** 2 015 $
**Catégorie:** VUS compacts luxe
**Garanties:** 4/80, 4/80
**Assemblage:** Suède

**Ventes**
Québec 2020
925
⬆ 15 %

Canada 2020
3 147
⬆ 3 %

| | T5 Momentum | T6 R-Design | XC60 Polestar |
|---|---|---|---|
| **PDSF** | 48 500 $ | 59 300 $ | 89 150 $ |
| **Loc.** | 734 $ • 3,90 % | 913 $ • 3,90 % | 1 247 $ • 3,90 % |
| **Fin.** | 1 053 $ • 2,90 % | 1 276 $ • 2,90 % | 1 891 $ • 2,90 % |

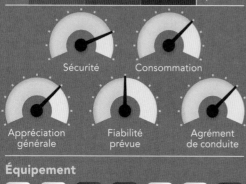

Sécurité    Consommation

Appréciation générale    Fiabilité prévue    Agrément de conduite

**Équipement**

**Sécurité**

**Concurrents**
Acura RDX, Audi Q5, BMW X3/X4, Buick Envision, Cadillac XT5, Genesis GV70, Infiniti QX50, Jaguar F-PACE, Land Rover Range Rover Evoque/Velar, Lexus NX, Lincoln Corsair, Mercedes-Benz GLC, Porsche Macan

**Nouveau en 2022**
Nouveau système multimédia basé sur Android, légères retouches extérieures.

# Toujours intéressant

Charles Jolicœur

Le Volvo XC60 commence à prendre de l'âge sous sa forme actuelle, lui qui a été redessiné en 2017. Volvo aime cependant étirer la sauce avec ses modèles. On n'a qu'à penser au premier XC90 introduit en 2002, qui a dû attendre plus de 12 ans avant d'être revu. Le XC60 n'est plus tout jeune, mais il demeure un choix intéressant pour les consommateurs en quête de confort et de raffinement.

Volvo avait un excellent produit sous la main lors de l'introduction du XC60 et c'est ce qui permet au modèle de demeurer compétitif aujourd'hui face à une concurrence rajeunie. Le tableau de bord, par exemple, n'a pris aucune ride en cinq ans. Le style extérieur est toujours au goût du jour. De légères améliorations apportées en 2022 comme une calandre modifiée, un pare-chocs avant retouché et de nouvelles jantes ne changent pas l'allure générale du XC60, mais elles contribuent à prolonger sa vie en attendant la prochaine génération.

### DES MOTEURS POUR TOUS LES GOÛTS

Il y a quatre motorisations au sein de la gamme, à commencer par le T5 de 250 chevaux et 258 lb-pi de couple. Un 4 cylindres turbo plus performant que bien des concurrents sur papier. Sur la route, il n'est pas aussi réactif que les motorisations de base des BMW X3 ou Audi Q5, mais il se montre malgré tout suffisamment puissant pour combler les attentes de la majorité des propriétaires.

Vient ensuite le T6 qui combine un turbo et un surcompresseur pour une puissance totale de 316 chevaux. Cette motorisation, unique sur le marché, ne donne pas toujours l'impression d'avoir plus de 300 chevaux, mais elle est très souple et silencieuse. Le T6 brille aussi par son économie d'essence, qui est impressionnante pour un moteur si puissant.

Parlant d'économie d'essence, le XC60 est aussi livrable avec un moteur hybride enfichable, le Recharge de 400 chevaux. Ce moteur promet 27 km d'autonomie, ce qui est peu comparativement à ce qu'on peut trouver ailleurs. Et à moins de vouloir absolument une motorisation hybride dans son Volvo XC60, il vaut mieux s'en tenir au T6. Ses 400 chevaux se font discrets sur la route et l'autonomie n'est pas très élevée. Quant au modèle Polestar Engineered qui frise les 90 000 $, le style réussi laisse présager

des performances beaucoup plus relevées que ce que les 415 chevaux proposent en réalité. De plus, les jantes de 21 pouces et sa suspension sport viennent nuire au confort sans créer une sensation de conduite réellement sportive. Bref, le XC60 est plus intéressant sans l'électrification.

## CONFORT ET RAFFINEMENT

Si le confort est une priorité, le XC60 fait mieux que plusieurs modèles dans le segment incluant les trois VUS d'origine allemande. Les sièges, point fort de Volvo depuis longtemps, font honneur à la réputation de la marque. Ils maintiennent parfaitement en place tout en étant juste assez fermes. Il y a une certaine opulence dans l'habitacle du XC60. Les matériaux sont de qualité, les surfaces sont agréables au toucher et le style épuré rappelle les origines scandinaves du modèle. Les boiseries sont subtiles et contribuent à créer un environnement apaisant dans l'habitacle. Passer de longues heures sur la route dans le XC60 est toujours une expérience agréable. Le silence est supérieur à la moyenne du segment et la suspension s'accommode très bien à nos innombrables nids-de-poule. Un conseil, cependant, évitez les jantes de 21 pouces. Elles viennent réduire le confort du XC60. En matière d'espace, le véhicule est un peu plus petit que ses rivaux allemands dans le coffre, mais il demeure polyvalent malgré tout.

Le système multimédia demande un certain temps d'adaptation et se contrôle essentiellement comme une tablette. Certaines commandes comme celles de la climatisation et les ajustements à la température sont inutilement complexes, mais au moins il est facile de trouver les fonctions qu'on recherche. Assurez-vous malgré tout d'être à l'aise avec ce système lors de l'essai routier.

Pour 2022, Volvo prévoit remplacer le système Sensus par l'interface basée sur Google Android déjà montée dans le Volvo XC40 Recharge. Ce système, plus intuitif qu'avant, offre des applications connues des usagers d'Android incluant, entres autres, Maps pour la navigation et des commandes vocales efficaces.

Le Volvo XC60 n'est plus un jeunot, mais il tire toujours son épingle du jeu en raison de son style moderne et de son confort. La retraite approche, cependant, et la prochaine génération aura assurément des modèles électrifiés plus intéressants incluant une version 100 % électrique. On ne sait pas quand cette nouvelle génération fera son entrée, par contre. Entre temps, le moteur T6 demeure l'option la plus intéressante, suivie du T5. Les moteurs hybrides sont pour leur part trop dispendieux.

| + | − |
|---|---|
| Excellent confort • Habitacle luxueux et raffiné • Conduite apaisante | Moteurs hybrides peu intéressants • Moins d'espace que la moyenne • Modèle vieillissant |

### Données principales

| | |
|---|---|
| Emp. / lon. / lar. / haut. | 2 865 / 4 688 / 2 117 / 1 653 mm |
| Coffre / réservoir | **T5 - T6 -** 613 à 1 410 litres / 71 litres |
| | **Recharge -** 598 à 1 395 litres / 70 litres |
| Nombre de passagers | 5 |
| Suspension av. / arr. | ind., bras inégaux / ind., multibras |
| Pneus avant / arrière | P235/60R18 / P235/60R18 |
| Poids / Capacité de remorquage | 2 154 kg / 1 588 kg (3 500 lb) |

### Composantes mécaniques

**T5**

| | |
|---|---|
| Cylindrée, alim. | 4L 2,0 litres turbo |
| Puissance / Couple | 250 ch / 258 lb-pi |
| Tr. base (opt) / Rouage base (opt) | A8 / Int |
| 0-100 / 80-120 / V. max | 6,9 s (c) / n.d. / 210 km/h (c) |
| 100-0 km/h | 36,0 m (c) |
| Type / ville / route / $CO_2$ | Sup / 11,2 / 8,3 / 232 g/km |

**T6**

| | |
|---|---|
| Cylindrée, alim. | 4L 2,0 litres turbo + surcomp. |
| Puissance / Couple | 316 ch / 295 lb-pi |
| Tr. base (opt) / Rouage base (opt) | A8 / Int |
| 0-100 / 80-120 / V. max | 5,9 s (c) / n.d. / 210 km/h (c) |
| 100-0 km/h | 36,0 m (c) |
| Type / ville / route / $CO_2$ | Sup / 11,7 / 8,6 / 240 g/km |

**RECHARGE**

| | |
|---|---|
| Cylindrée, alim. | 4L 2,0 litres turbo + surcomp. |
| Puissance / Couple | 313 ch / 295 lb-pi |
| Tr. base (opt) / Rouage base (opt) | A8 / Int |
| 0-100 / 80-120 / V. max | 5,5 s (c) / n.d. / 210 km/h (c) |
| 100-0 km/h | 36,0 m (c) |
| Type / ville / route / $CO_2$ | Sup / 9,5 / 8,7 / 128 g/km |
| Puissance combinée | 400 ch |

**MOTEUR ÉLECTRIQUE**

| | |
|---|---|
| Puissance / Couple | 87 ch (65 kW) / 177 lb-pi |
| Type de batterie | Lithium-ion (Li-ion) |
| Énergie | 11,6 kWh |
| Temps de charge (120V / 240V) | n.d. / 3,0 h |
| Autonomie | 27 km |

**POLESTAR ENGINEERED**

4L 2,0 L - 328 ch/317 lb-pi - Électrique - 87 ch (65 kW)/177 lb-pi - A8 - 0-100 : 5,4 s (c) - 9,5/8,7 L/100 km - 4,2 Le/100 km

Photos : Volvo

**Prix :** 64 750 $ à 88 050 $ (2021)
**Transport et prép. :** 2 015 $
**Catégorie :** VUS interm. de luxe
**Garanties :** 4/80, 4/80
**Assemblage :** Suède

**Ventes**
Québec 2020
**582**
2 %

Canada 2020
**2 385**
12 %

|  | T5 Momentum | T6 R-Design | Recharge Inscr. |
|---|---|---|---|
| **PDSF** | 64 750 $ | 73 400 $ | 88 050 $ |
| **Loc.** | 1 048 $ • 3,90 % | 1 114 $ • 3,90 % | 1 247 $ • 3,90 % |
| **Fin.** | 1 388 $ • 2,90 % | 1 567 $ • 2,90 % | 1 868 $ • 2,90 % |

Sécurité    Consommation

Appréciation générale    Fiabilité prévue    Agrément de conduite

**Équipement**

**Sécurité**

**Concurrents**
Acura MDX, Audi Q7, BMW X5, Buick Enclave, Cadillac XT6, Genesis GV80, Infin. QX60, Land Rover Discovery/Range Rover Sport, Lexus GX/ RX, Lincoln Aviator/Nautilus, Maserati Levante, Mercedes GLE, Pors. Cayenne, Tesla Model X

**Nouveau en 2022**
Aucun changement majeur annoncé au moment de mettre sous presse.

# Un choix princier

Luc Gagné

**F**in 2002, un nouveau type de véhicule fait son apparition chez les concessionnaires Volvo : le XC90, leur premier camion léger. Ils en livrent alors 67, mais l'année suivante, cette nouveauté séduit 2 383 Canadiens. Volvo souhaite accaparer une part du créneau naissant des VUS de luxe. Ça semble prometteur.

Il faut se souvenir que depuis 1997, Mercedes engrange des ventes avec son ML, vedette du *Parc jurassique*. C'est sans compter Lexus et BMW qui lancent, l'année suivante, les RX et X5, sans oublier Porsche, qui livre ses premiers Cayenne en 2003, au grand dam des puristes de la marque. Le VUS est devenu omnipotent.

Dans cette mouvance, il faut tout de même attendre le 13 juin 2015 pour voir le XC90 recevoir ses lettres de noblesse. Ce jour-là, une trentaine de ces utilitaires servent au mariage du Prince Carl Philip Bernadotte de la famille royale suédoise. Le petit village champêtre, où l'union est célébrée, devient le décor idéal pour éclipser la somptueuse berline S90 et faire de l'utilitaire le nouveau porte-étendard de Volvo.

### EN ATTENDANT UNE NOUVEAUTÉ
Aujourd'hui, le XC90 de seconde génération poursuit sur sa lancée. Il se maintient dans son créneau, mais des rumeurs annoncent un remplacement imminent. Quand ? Une source chez Volvo Canada nous a répondu de manière laconique : « Le directeur de produit m'apprend que le XC90 2022 ne sera pas *tout nouveau*. Je crois que cela signifie que le modèle 2023 le sera, mais, évidemment, je ne peux rien confirmer ! »

Voilà qui explique le statu quo de cette année. La carrosserie ne change pas. Une mise à jour de mi-parcours, en 2020, lui avait donné une calandre concave, des brancards intégrés au toit, de même qu'une série de nouvelles roues en alliage de 18 à 22 pouces. Mais l'allure classique du véhicule était demeurée intacte, tout comme les DEL diurnes modelées à la façon du marteau de Thor, un design inédit de Volvo.

L'habitacle aussi avait conservé l'aménagement sobre et moderne qu'il avait lors de son dévoilement initial. À l'époque, l'écran de 12,3 pouces affichant les cadrans derrière le volant paraissait cool et l'écran tactile vertical de 9 pouces, au centre du tableau de bord, semblait géant. Mais rapidement,

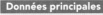

le premier est devenu commun dans ce créneau, alors que le second paraît désormais tout petit à côté de ceux que l'on trouve dans certains modèles rivaux.

L'intérieur à 6 ou 7 places se démarque toujours par sa finition impeccable et par la qualité des matériaux employés pour habiller les sièges et garnir le tableau de bord (noyer, bois cendré, fibre de carbone, etc.). Dans la version Recharge Inscription, la plus cossue du lot, le pommeau du levier de vitesse en Orrefors (du cristal de Suède) impressionne à coup sûr. Par contre, le mode de fonctionnement séquentiel de la boîte automatique ne fait pas l'unanimité, contrairement au confort des sièges baquets et au côté pratique du vaste habitacle.

### TROIS MOTEURS, TROIS NIVEAUX DE PERFORMANCE

Trois moteurs à 4 cylindres de 2 litres figurent au catalogue. Tous suralimentés, ils offrent autant de niveaux différents de puissance. Le T5 turbo d'entrée de gamme se contente de 250 chevaux, alors que le T6 à compresseur et turbocompresseur en livre 66 de plus aux versions de gamme moyenne et haut de gamme. Ils représentent le choix d'environ 75 % des acheteurs. Les autres optent pour celui que l'on surnommait T8. On parle désormais du Recharge. Il s'agit de l'appellation des véhicules électrifiés de la marque, qu'ils soient électriques ou hybrides. C'est comme mélanger les pommes et les oranges, mais bon...

Le XC90 Recharge jumelle une variante du T6 à des moteurs électriques alimentés par une batterie de 11,6 kWh pour obtenir une puissance nette de 400 chevaux. À cela s'ajoutent une boîte automatique à 8 rapports et une transmission intégrale, comme pour tous les autres XC90. Le Recharge est naturellement le moins gourmand, du moins si l'on se fie à la consommation moyenne de 8,8 L/100 km attribuée par Ressources naturelles Canada. Il accomplit aussi le 0 à 100 km/h le plus rapide, en 6,0 secondes, et peut atteindre 125 km/h en propulsion 100 % électrique. Des performances louables pour un mastodonte de deux tonnes.

Évidemment, à 125 km/h, cet utilitaire aura tôt fait d'épuiser la charge de sa petite batterie qui, avec plus de retenue, lui permettrait de parcourir 29 km, selon le constructeur. C'est mieux qu'un Cayenne E-Hybrid (27 km), mais moins attrayant qu'un X5 xDrive45 e (50 km) ou qu'un Aviator Grand Touring (34 km). La prochaine génération du XC90 fera sûrement mieux. Certaines rumeurs évoquent même une version électrique. Mais, cela non plus, notre source n'a pas pu le confirmer !

**+** Performances stimulantes (T6 et Recharge) • Comportement routier homogène • Finition impeccable • Excellents sièges baquets

**—** Autonomie électrique limitée (Recharge) • Mode séquentiel de la boîte automatique difficile à maîtriser • Ergonomie de certaines commandes à revoir

### Données principales

| | |
|---|---|
| Emp. / lon. / lar. / haut. | 2 984 / 4 953 / 2 140 / 1 776 mm |
| Coffre / réservoir | T5 - T6 - 356 à 1 856 litres / 71 litres |
| | Recharge - 316 à 1 816 litres / 70 litres |
| Nombre de passagers | 6 à 7 |
| Suspension av. / arr. | ind., bras inégaux / ind., multibras |
| Pneus avant / arrière | P245/45R18 / P245/45R18 |
| Poids / Capacité de remorquage | 2 315 kg / 2 250 kg (4 960 lb) |

### Composantes mécaniques

**T5**

| | |
|---|---|
| Cylindrée, alim. | 4L 2,0 litres turbo |
| Puissance / Couple | 250 ch / 258 lb-pi |
| Tr. base (opt) / Rouage base (opt) | A8 / Int |
| 0-100 / 80-120 / V. max | 7,9 s (c) / n.d. / 180 km/h (c) |
| 100-0 km/h | 36,0 m (c) |
| Type / ville / route / $CO_2$ | Sup / 11,5 / 8,4 / 236 g/km |

**T6**

| | |
|---|---|
| Cylindrée, alim. | 4L 2,0 litres turbo + surcomp. |
| Puissance / Couple | 316 ch / 295 lb-pi |
| Tr. base (opt) / Rouage base (opt) | A8 / Int |
| 0-100 / 80-120 / V. max | 6,9 s (m) / 5,5 s (m) / 180 km/h (c) |
| 100-0 km/h | 38,8 m (m) |
| Type / ville / route / $CO_2$ | Sup / 12,1 / 10,5 / 245 g/km |

**RECHARGE**

| | |
|---|---|
| Cylindrée, alim. | 4L 2,0 litres turbo + surcomp. |
| Puissance / Couple | 313 ch / 295 lb-pi |
| Tr. base (opt) / Rouage base (opt) | A8 / Int |
| 0-100 / 80-120 / V. max | 6,0 s (m) / 4,6 s (m) / 180 km/h (c) |
| 100-0 km/h | 42,0 m (m) |
| Type / ville / route / $CO_2$ | Sup / 9,1 / 8,4 / 120 g/km |
| Puissance combinée | 400 ch |

**MOTEUR ÉLECTRIQUE**

| | |
|---|---|
| Puissance / Couple | 87 ch (65 kW) / 177 lb-pi |
| Type de batterie | Lithium-ion (Li-ion) |
| Énergie | 11,6 kWh |
| Temps de charge (120V / 240V) | n.d. / 3,0 h |
| Autonomie | 29 km |

Photos : Volvo

LISTE DE

PRIX

LISTE **DE PRIX**

## ACURA

| | | |
|---|---|---|
| ILX | 30 805 $ | x |
| ILX Premium | 33 305 $ | x |
| ILX Premium A-Spec | 34 805 $ | x |
| ILX Tech A-Spec | 36 205 $ | x |
| MDX | 56 405 $ | |
| MDX Tech | 60 405 $ | |
| MDX A-Spec | 63 405 $ | |
| MDX Platinum Elte | 67 405 $ | |
| NSX | 189 900 $ | x |
| RDX | 44 505 $ | x |
| RDX Tech | 47 805 $ | x |
| RDX Elite | 51 005 $ | x |
| RDX A-Spec | 51 305 $ | x |
| RDX Platinum Elite | 55 505 $ | x |
| TLX | 44 105 $ | x |
| TLX Tech | 46 505 $ | x |
| TLX A-Spec | 49 405 $ | x |
| TLX Platinum Elite | 51 805 $ | x |
| TLX Type S | 59 500 $ | |

## ALFA ROMEO

| | | |
|---|---|---|
| Giulia Sprint | 53 190 $ | x |
| Giulia Ti | 57 690 $ | x |
| Giulia Ti Sport | 59 395 $ | x |
| Giulia Quadrifoglio | 94 090 $ | x |
| Stelvio | 55 290 $ | x |
| Stelvio Ti | 59 790 $ | x |
| Stelvio Ti Sport | 62 990 $ | x |
| Stelvio Quadrifoglio | 99 690 $ | x |

## ASTON MARTIN

| | | |
|---|---|---|
| DB11 V8 | 236 400 $ | x |
| DB11 V8 Volante | 255 000 $ | (est) |
| DB11 AMR | 285 000 $ | (est) |
| DBS Superleggera | 388 000 $ | (est) |
| DBS Superleggera Volante | 410 000 $ | (est) |
| DBX | 203 500 $ | |
| Vantage Coupé | 175 945 $ | |
| Vantage Roadster | 183 000 $ | (est) |
| Vantage AMR | 222 000 $ | (est) |

## AUDI

| | | |
|---|---|---|
| A3 40 TFSI quattro | 36 500 $ | (est) |
| A3 S3 | 50 000 $ | (est) |
| A4 40 TFSI quattro Komfort | 43 100 $ | x |
| A4 45 TFSI quattro Komfort | 46 500 $ | x |
| A4 45 TFSI quattro Progressiv | 50 200 $ | x |
| A4 45 TFSI quattro Technik | 53 600 $ | x |
| A4 allroad 45 TFSI quattro Komfort | 50 500 $ | x |
| A4 allroad 45 TFSI quattro Progressiv | 54 800 $ | x |
| A4 allroad 45 TFSI quattro Technik | 58 200 $ | x |
| A4 S4 Progressiv | 60 600 $ | x |
| A4 S4 Technik | 64 100 $ | x |
| A5 45 TFSI quattro Komfort Coupé | 50 700 $ | x |
| A5 45 TFSI quattro Progressiv Coupé | 54 500 $ | x |
| A5 45 TFSI quattro Technik Coupé | 58 000 $ | x |
| A5 Sportback 45 TFSI quattro Komfort | 51 500 $ | x |
| A5 Sportback 45 TFSI quattro Progressiv | 55 300 $ | x |
| A5 Sportback 45 TFSI quattro Technik | 58 800 $ | x |
| A5 45 TFSI quattro Progressiv Cabriolet | 65 500 $ | x |
| A5 45 TFSI quattro Technik Cabriolet | 69 000 $ | x |
| A5 S5 Progressiv Coupé | 64 800 $ | x |
| A5 S5 Technik Coupé | 68 400 $ | x |
| A5 S5 Sportback Progressiv | 65 600 $ | x |
| A5 S5 Sportback Technik | 69 200 $ | x |
| A5 S5 Progressiv Cabriolet | 76 100 $ | x |
| A5 S5 Technik Cabriolet | 79 700 $ | x |
| A5 RS 5 Coupé | 86 550 $ | x |
| A5 RS 5 Sportback | 87 400 $ | x |
| A6 45 TFSI quattro Progressiv | 63 200 $ | x |
| A6 55 TFSI quattro Progressiv | 70 200 $ | x |
| A6 45 TFSI quattro Technik | 70 600 $ | x |
| A6 55 TFSI quattro Technik | 77 600 $ | x |
| A6 allroad 55 TFSI quattro Progressiv | 76 100 $ | x |
| A6 allroad 55 TFSI quattro Technik | 83 400 $ | x |
| A6 S6 | 92 500 $ | x |
| A6 RS 6 Avant | 120 400 $ | x |
| A7 Sportback 55 TFSI quattro Progressiv | 79 500 $ | x |
| A7 Sportback 55 TFSI quattro Technik | 86 900 $ | x |
| A7 Sportback 50 TFSI e quattro | 89 300 $ | x |
| A7 S7 Sportback | 101 800 $ | x |
| A7 RS 7 Sportback | 126 400 $ | x |
| A8 L 55 TFSI quattro | 99 900 $ | x |
| A8 L 60 TFSI e quattro | 122 150 $ | x |
| A8 L 60 TFSI quattro | 124 900 $ | x |
| A8 L S8 | 153 200 $ | x |
| e-tron 55 quattro Progressiv | 85 600 $ | x |
| e-tron 55 quattro Technik | 93 250 $ | x |
| e-tron Sportback 55 quattro Progressiv | 88 850 $ | x |
| e-tron Sportback 55 quattro Technik | 96 500 $ | x |
| e-tron GT quattro | 129 900 $ | x |
| RS e-tron GT quattro | 179 900 $ | x |
| Q3 40 TFSI Komfort | 37 250 $ | x |
| Q3 45 TFSI Komfort | 39 250 $ | x |
| Q3 40 TFSI Progressiv | 40 250 $ | x |
| Q3 45 TFSI Progressiv | 42 750 $ | x |
| Q3 45 TFSI Technik | 46 350 $ | x |
| Q4 e-tron quattro | 50 000 $ | (est) |
| Q4 Sportback e-tron quattro | 53 000 $ | (est) |
| Q5 45 TFSI quattro Komfort | 46 550 $ | x |
| Q5 45 TFSI quattro Progressiv | 53 150 $ | x |
| Q5 45 TFSI quattro Technik | 56 900 $ | x |
| Q5 55 TFSI e quattro Progressiv | 70 400 $ | x |
| Q5 55 TFSI e quattro Technik | 73 100 $ | x |
| Q5 SQ5 Progressiv | 64 500 $ | x |
| Q5 SQ5 Technik | 68 700 $ | x |
| Q5 Sportback 45 TFSI quattro Progressiv | 55 400 $ | x |
| Q5 Sportback 45 TFSI quattro Technik | 59 150 $ | x |
| Q5 Sportback SQ5 Progressiv | 66 750 $ | x |
| Q5 Sportback SQ5 Technik | 70 950 $ | x |
| Q7 45 TFSI quattro Komfort | 67 950 $ | x |
| Q7 55 TFSI quattro Komfort | 72 450 $ | x |
| Q7 45 TFSI quattro Progressiv | 72 550 $ | x |
| Q7 55 TFSI quattro Progressiv | 77 050 $ | x |
| Q7 55 TFSI quattro Technik | 83 550 $ | x |
| Q7 SQ7 | 104 750 $ | x |
| Q8 55 TFSI quattro Progressiv | 82 550 $ | x |
| Q8 55 TFSI quattro Technik | 91 200 $ | x |
| Q8 SQ8 | 111 100 $ | x |
| Q8 RS Q8 | 126 500 $ | x |
| R8 RWD Coupé | 167 800 $ | x |
| R8 Coupé | 192 800 $ | x |
| R8 performance Coupé | 223 500 $ | x |
| R8 RWD Spyder | 180 800 $ | x |
| R8 Spyder | 205 800 $ | x |
| R8 performance Spyder | 236 500 $ | x |
| TT 45 TFSI quattro Coupé | 57 800 $ | x |
| TT 45 TFSI quattro Roadster | 61 800 $ | x |
| TTS | 68 950 $ | x |
| TT RS | 78 200 $ | x |

## BENTLEY

| | | |
|---|---|---|
| Bentayga V8 | 227 000 $ | |
| Bentayga S | 266 000 $ | |
| Bentayga Speed | 308 300 $ | |
| Continental GT V8 Coupé | 263 600 $ | |
| Continental GT V8 Mulliner Coupé | 332 200 $ | |
| Continental GT Speed Coupé | 332 600 $ | |
| Continental GT V8 Décapotable | 289 900 $ | |
| Continental GT V8 Mulliner Décapotable | 357 700 $ | |
| Continental GT Speed Décapotable | 365 900 $ | |
| Flying Spur V8 | 239 700 $ | |
| Flying Spur W12 | 271 400 $ | |

## BMW

| | | |
|---|---|---|
| i4 eDrive40 | 54 990 $ | |
| i4 M50 | 72 990 $ | |
| iX xDrive50 | 89 990 $ | |
| Série 2 230i xDrive Coupé | 43 750 $ | x |
| Série 2 M240i xDrive Coupé | 56 950 $ | |
| Série 2 230i xDrive Cabriolet | 49 500 $ | x |
| Série 2 M240i xDrive Cabriolet | 59 700 $ | x |
| Série 2 228i Gran Coupé | 38 990 $ | x |
| Série 2 228i xDrive Gran Coupé | 42 800 $ | x |
| Série 2 M235i xDrive Gran Coupé | 51 400 $ | x |
| Série 2 M2 Competition | 72 200 $ | x |
| Série 3 330e | 44 950 $ | x |
| Série 3 330i xDrive | 49 350 $ | x |
| Série 3 330e xDrive | 54 000 $ | x |
| Série 3 M340i xDrive | 62 900 $ | x |
| Série 3 M3 | 84 300 $ | x |
| Série 3 M3 Competition | 88 300 $ | x |
| Série 4 430i xDrive Gran Coupé | 53 650 $ | x |
| Série 4 M440i xDrive Gran Coupé | 64 950 $ | x |
| Série 4 430i xDrive Coupé | 53 650 $ | x |
| Série 4 M440i xDrive Coupé | 64 950 $ | x |
| Série 4 M4 Coupé | 85 100 $ | x |
| Série 4 M4 Competition Coupé | 89 100 $ | x |
| Série 4 430i xDrive Cabriolet | 62 100 $ | x |
| Série 4 M440i Cabriolet | 72 750 $ | x |
| Série 4 M4 Cabriolet | 99 000 $ | (est) |
| Série 4 M4 Competition Cabriolet | 103 000 $ | (est) |
| Série 5 530i xDrive | 63 500 $ | x |
| Série 5 530e xDrive | 68 000 $ | x |
| Série 5 540i xDrive | 72 950 $ | x |
| Série 5 M550i xDrive | 87 300 $ | x |
| Série 5 M5 Competition | 122 000 $ | x |
| Série 5 M5 CS | 165 900 $ | |
| Série 7 750i xDrive | 120 800 $ | |
| Série 7 745Le xDrive | 123 300 $ | |
| Série 7 750Li xDrive | 127 400 $ | |
| Série 7 M760Li xDrive | 171 900 $ | |
| Série 7 ALPINA B7 | 171 900 $ | |
| Série 8 M850i xDrive Coupé | 119 900 $ | |
| Série 8 M8 Competition Coupé | 158 100 $ | |
| Série 8 M850i xDrive Cabriolet | 128 900 $ | |
| Série 8 M8 Competition Cabriolet | 167 600 $ | |
| Série 8 M850i xDrive Gran Coupé | 117 900 $ | |
| Série 8 M8 Competition Gran Coupé | 154 500 $ | |
| X1 xDrive28i Essential | 39 900 $ | x |
| X1 xDrive28i | 42 425 $ | x |
| X2 xDrive28i | 44 950 $ | |
| X2 M35i | 52 500 $ | |
| X3 xDrive30i Essential | 49 900 $ | x |
| X3 xDrive30i | 52 550 $ | x |
| X3 xDrive30e | 59 990 $ | x |
| X3 M40i | 66 250 $ | x |
| X3 M | 83 700 $ | x |
| X3 M Competition | 94 000 $ | x |
| X4 xDrive30i | 56 300 $ | x |
| X4 M40i | 69 500 $ | x |
| X4 M | 85 300 $ | x |
| X4 M Competition | 95 600 $ | x |
| X5 xDrive40i | 77 500 $ | x |
| X5 xDrive45e | 83 500 $ | x |
| X5 M50i | 93 000 $ | x |
| X5 M Competition | 130 000 $ | x |
| X6 xDrive40i | 83 500 $ | x |
| X6 M50i | 96 000 $ | x |
| X6 M Competition | 133 000 $ | x |
| X7 xDrive40i | 102 900 $ | x |
| X7 M50i | 127 400 $ | x |
| X7 ALPINA XB7 | 165 900 $ | x |
| Z4 sDrive30i | 63 200 $ | x |
| Z4 M40i | 76 650 $ | x |

## BUGATTI

| | | |
|---|---|---|
| Chiron | 3 612 500 $ | (est) |
| Chiron Sport | 3 987 125 $ | (est) |
| Chiron Pur Sport | 4 349 600 $ | (est) |
| Chiron Super Sport 300+ | 4 712 000 $ | (est) |

## BUICK

| | | |
|---|---|---|
| Enclave Essence | 48 398 $ | x |
| Enclave Essence TI | 51 398 $ | x |
| Enclave Privilège TI | 56 298 $ | x |
| Enclave Avenir TI | 62 298 $ | x |
| Encore Privilégié | 24 998 $ | x |
| Encore Privilégié TI | 26 998 $ | x |
| Encore GX Privilégié | 26 098 $ | x |
| Encore GX Privilégié Sport Tourisme | 27 543 $ | x |
| Encore GX Privilégié TI | 28 098 $ | x |
| Encore GX Privilégié Sport Tourisme TI | 29 543 $ | x |
| Encore GX Sélect TI | 30 098 $ | x |
| Encore GX Sélect Sport Tourisme TI | 31 343 $ | x |
| Encore GX Essence TI | 32 598 $ | x |
| Encore GX Essence Sport Tourisme TI | 33 843 $ | x |
| Envision Privilégié | 35 998 $ | x |
| Envision Privilégié TI | 38 398 $ | x |
| Envision Privilégié Sport Tourisme TI | 39 693 $ | x |
| Envision Essence TI | 39 698 $ | x |
| Envision Essence Sport Tourisme TI | 40 993 $ | x |
| Envision Avenir TI | 44 698 $ | x |

## CADILLAC

| | | |
|---|---|---|
| CT4 Luxe | 36 198 $ | x |
| CT4 Luxe TI | 38 398 $ | x |
| CT4 Luxe haut de gamme | 39 198 $ | x |
| CT4 Luxe haut de gamme TI | 41 398 $ | x |
| CT4 Sport | 39 198 $ | x |
| CT4 Sport TI | 41 398 $ | x |
| CT4-V | 45 798 $ | x |
| CT4-V TI | 46 373 $ | x |
| CT4-V Blackwing | 67 198 $ | x |
| CT5 Luxe | 40 098 $ | x |
| CT5 Luxe TI | 42 298 $ | x |
| CT5 Luxe haut de gamme | 43 098 $ | x |
| CT5 Luxe haut de gamme TI | 45 298 $ | x |
| CT5 Sport | 43 098 $ | x |
| CT5 Sport TI | 45 298 $ | x |
| CT5-V | 50 098 $ | x |
| CT5-V TI | 52 298 $ | x |
| CT5-V Blackwing | 89 898 $ | x |
| Escalade Luxe | 90 398 $ | x |
| Escalade Luxe haut de gamme | 99 898 $ | x |
| Escalade Sport | 99 898 $ | x |
| Escalade Platinum Luxe haut de gamme | 118 398 $ | x |
| Escalade Platinum Sport | 118 398 $ | x |
| Escalade ESV Luxe | 93 898 $ | x |
| Escalade ESV Luxe haut de gamme | 103 398 $ | x |
| Escalade ESV Sport | 103 398 $ | x |
| Escalade ESV Platinum Haut de gamme | 121 898 $ | x |
| Escalade ESV Platinum Sport | 121 898 $ | x |
| XT4 Luxe | 36 098 $ | x |
| XT4 Luxe TI | 39 498 $ | x |
| XT4 Luxe haut de gamme TI | 43 798 $ | x |
| XT4 Sport TI | 43 798 $ | x |
| XT5 Luxe | 44 298 $ | x |
| XT5 Luxe TI | 46 798 $ | x |
| XT5 Luxe haut de gamme TI | 51 398 $ | x |
| XT5 Sport TI | 56 398 $ | x |
| XT6 Luxe TI | 57 998 $ | x |
| XT6 Luxe haut de gamme TI | 62 698 $ | x |
| XT6 Sport TI | 62 698 $ | x |

## CAMPAGNA MOTORS

| | | |
|---|---|---|
| T-Rex RR | 65 999 $ | x |

## CHEVROLET

| | | |
|---|---|---|
| Blazer LT | 37 498 $ | x |
| Blazer LT TI | 39 898 $ | x |
| Blazer Édition grande expédition TI | 42 898 $ | x |
| Blazer RS TI | 46 998 $ | x |
| Blazer Premier TI | 49 398 $ | x |
| Bolt EV LT | 38 198 $ | |
| Bolt EUV LT | 40 198 $ | |
| Bolt EUV Premier | 43 698 $ | |
| Bolt EUV Premier édition de lancement | 49 193 $ | |
| Camaro 1LS Coupé | 29 598 $ | x |
| Camaro 1LT Coupé | 30 298 $ | x |
| Camaro 2LT Coupé | 32 798 $ | x |
| Camaro 3LT Coupé | 38 198 $ | x |
| Camaro LT1 Coupé | 41 698 $ | x |
| Camaro 1SS Coupé | 45 198 $ | x |
| Camaro 2SS Coupé | 50 198 $ | x |
| Camaro ZL1 Coupé | 71 998 $ | x |
| Camaro 1LT Décapotable | 37 298 $ | x |
| Camaro 2LT Décapotable | 39 798 $ | x |
| Camaro 3LT Décapotable | 45 198 $ | x |
| Camaro LT1 Décapotable | 48 698 $ | x |
| Camaro 1SS Décapotable | 52 198 $ | x |
| Camaro 2SS Décapotable | 57 198 $ | x |
| Camaro ZL1 Décapotable | 78 998 $ | x |
| Colorado WT cab. allongée 2RM | 27 948 $ | x |
| Colorado WT cab. allongée 4RM | 32 048 $ | x |
| Colorado WT cab. multi. c. crte 2RM | 29 648 $ | x |
| Colorado WT cab. multi. c. crte 4RM | 34 948 $ | x |
| Colorado WT cab. multi. c. long. 2RM | 32 148 $ | x |
| Colorado WT cab. multi. c. long. 4RM | 36 048 $ | x |
| Colorado LT cab. allongée 2RM | 31 048 $ | x |
| Colorado LT cab. allongée 4RM | 35 348 $ | x |
| Colorado LT cab. multi. c. crte 2RM | 32 648 $ | x |
| Colorado LT cab. multi. c. crte 4RM | 38 248 $ | x |
| Colorado LT cab. multi. c. long. 2RM | 35 148 $ | x |
| Colorado LT cab. multi. c. long. 4RM | 39 248 $ | x |
| Colorado Z71 cab. allongée 4RM | 39 448 $ | x |
| Colorado Z71 cab. multi. c. crte 2RM | 36 948 $ | x |
| Colorado Z71 cab. multi. c. crte 4RM | 41 048 $ | x |
| Colorado Z71 cab. multi. c. long. 4RM | 41 648 $ | x |
| Colorado ZR2 cab. allongée 4RM | 46 848 $ | x |
| Colorado ZR2 cab. multi. c. crte 4RM | 48 348 $ | x |
| Corvette Stingray 1LT Coupé | 69 398 $ | x |
| Corvette Stingray 2LT Coupé | 79 298 $ | x |
| Corvette Stingray 3LT Coupé | 84 898 $ | x |
| Corvette Stingray 1LT Décapotable | 78 398 $ | x |
| Corvette Stingray 2LT Décapotable | 88 298 $ | x |
| Corvette Stingray 3LT Décapotable | 93 898 $ | x |
| Equinox LS | 27 198 $ | x |
| Equinox LS TI | 29 598 $ | x |
| Equinox LT | 29 398 $ | x |
| Equinox LT TI | 31 798 $ | x |
| Equinox Premier TI | 35 398 $ | x |
| Express Cargo 2500 WT | 39 598 $ | x |
| Express Cargo 3500 WT | 40 198 $ | x |
| Express Tourisme 2500 LS | 46 448 $ | x |
| Express Tourisme 3500 LS | 46 848 $ | x |
| Express Tourisme 3500 LS allongé | 47 648 $ | x |
| Express Tourisme 2500 LT | 48 248 $ | x |
| Express Tourisme 3500 LT | 48 448 $ | x |
| Express Tourisme 3500 LT allongé | 49 548 $ | x |
| Malibu LS | 25 598 $ | x |
| Malibu RS | 26 498 $ | x |
| Malibu LT | 28 098 $ | x |
| Malibu Premier | 38 198 $ | x |
| Silverado 1500 WT cab. simple 2RM | 32 048 $ | x |
| Silverado 1500 WT cab. simple 4RM | 36 248 $ | x |
| Silverado 1500 WT cab. double 2RM | 36 848 $ | x |
| Silverado 1500 WT cab. double 4RM | 40 648 $ | x |
| Silverado 1500 WT cab. multi. c. crte 2RM | 39 348 $ | x |
| Silverado 1500 WT cab. multi. c. crte 4RM | 43 148 $ | x |
| Silverado 1500 WT cab. multi. c. long. 2RM | 39 648 $ | x |
| Silverado 1500 WT cab. multi. c. long. 4RM | 43 448 $ | x |
| Silverado 1500 Custom cab. double 2RM | 40 948 $ | x |
| Silverado 1500 Custom cab. double 4RM | 44 748 $ | x |
| Silverado 1500 Custom cab. multi. c. crte 2RM | 43 448 $ | x |
| Silverado 1500 Custom cab. multi. c. crte 4RM | 47 248 $ | x |

**NOTE :** les prix identifiés par un X sont les PDSF des modèles 2021. Ces prix étaient valides en juillet 2021. Il ne s'agit pas d'une liste exhaustive. Pour plus de renseignements, veuillez contacter le concessionnaire.

| | | |
|---|---|---|
| Silverado 1500 Custom cab. multi. c. long. 4RM | 47 548 $ | x |
| Silverado 1500 Custom Trail Boss cab. double 4RM | 46 148 $ | x |
| Silverado 1500 Custom Trail Boss cab. multi. c. crte 4RM | 48 648 $ | x |
| Silverado 1500 Custom Trail Boss cab. multi. c. long. 4RM | 48 948 $ | x |
| Silverado 1500 LT cab. double 2RM | 45 548 $ | x |
| Silverado 1500 LT cab. double 4RM | 49 348 $ | x |
| Silverado 1500 LT cab. multi. c. crte 2RM | 47 248 $ | x |
| Silverado 1500 LT cab. multi. c. crte 4RM | 51 048 $ | x |
| Silverado 1500 LT cab. multi. c. long. 2RM | 47 548 $ | x |
| Silverado 1500 LT cab. multi. c. long. 4RM | 51 348 $ | x |
| Silverado 1500 RST cab. double 4RM | 51 748 $ | x |
| Silverado 1500 RST cab. multi. c. crte 2RM | 49 648 $ | x |
| Silverado 1500 RST cab. multi. c. crte 4RM | 53 448 $ | x |
| Silverado 1500 RST cab. multi. c. long. 4RM | 53 748 $ | x |
| Silverado 1500 LT Trail Boss cab. multi. c. crte 4RM | 58 748 $ | x |
| Silverado 1500 LT Trail Boss cab. multi. c. long. 4RM | 59 048 $ | x |
| Silverado 1500 LTZ cab. multi. c. crte 2RM | 58 748 $ | x |
| Silverado 1500 LTZ cab. multi. c. crte 4RM | 62 548 $ | x |
| Silverado 1500 LTZ cab. multi. c. long. 4RM | 62 848 $ | x |
| Silverado 1500 High Country cab. multi. c. crte 4RM | 67 848 $ | x |
| Silverado 1500 High Country cab. multi. c. long. 4RM | 68 148 $ | x |
| Silverado 2500HD WT cab. simple 2RM | 45 048 $ | x |
| Silverado 2500HD WT cab. simple 4RM | 48 548 $ | x |
| Silverado 2500HD WT cab. double c. crte 2RM | 48 148 $ | x |
| Silverado 2500HD WT cab. double c. crte 4RM | 51 648 $ | x |
| Silverado 2500HD WT cab. double c. long. 2RM | 48 448 $ | x |
| Silverado 2500HD WT cab. double c. long. 4RM | 51 948 $ | x |
| Silverado 2500HD WT cab. multi. c. crte 2RM | 49 948 $ | x |
| Silverado 2500HD WT cab. multi. c. crte 4RM | 53 448 $ | x |
| Silverado 2500HD WT cab. multi. c. long. 2RM | 50 248 $ | x |
| Silverado 2500HD WT cab. multi. c. long. 4RM | 53 748 $ | x |
| Silverado 2500HD High Country cab. multi. c. crte 4RM | 76 048 $ | x |
| Silverado 2500HD High Country cab. multi. c. long. 4RM | 76 348 $ | x |
| Silverado 3500HD WT cab. simple 2RM | 47 048 $ | x |
| Silverado 3500HD WT cab. simple 4RM | 50 548 $ | x |
| Silverado 3500HD WT cab. double 2RM | 50 448 $ | x |
| Silverado 3500HD WT cab. double 4RM | 53 948 $ | x |
| Silverado 3500HD WT cab. multi. c. crte 2RM | 51 948 $ | x |
| Silverado 3500HD WT cab. multi. c. crte 4RM | 55 448 $ | x |
| Silverado 3500HD WT cab. multi. c. long. 2RM | 52 248 $ | x |
| Silverado 3500HD WT cab. multi. c. long. 4RM | 55 748 $ | x |
| Silverado 3500HD High Country cab. multi. c. crte 4RM | 78 048 $ | x |
| Silverado 3500HD High Country cab. multi. c. long. 4RM | 78 348 $ | x |
| Spark LS (man) | 10 398 $ | x |
| Spark LS (auto) | 14 698 $ | x |
| Spark 1LT (man) | 15 098 $ | x |
| Spark 1LT (auto) | 16 298 $ | x |
| Spark 2LT | 19 498 $ | x |
| Suburban LS | 60 048 $ | x |
| Suburban LS 4RM | 63 348 $ | x |
| Suburban LT | 64 948 $ | x |
| Suburban LT 4RM | 68 248 $ | x |
| Suburban Z71 4RM | 72 248 $ | x |
| Suburban RST 4RM | 72 948 $ | x |
| Suburban Premier 4RM | 79 548 $ | x |
| Suburban High Country 4RM | 84 448 $ | x |
| Tahoe LS | 57 048 $ | x |
| Tahoe LS 4RM | 60 348 $ | x |
| Tahoe LT | 61 948 $ | x |
| Tahoe LT 4RM | 65 248 $ | x |
| Tahoe Z71 4RM | 69 248 $ | x |
| Tahoe RST 4RM | 69 948 $ | x |
| Tahoe Premier 4RM | 76 548 $ | x |
| Tahoe High Country 4RM | 81 448 $ | x |
| Trailblazer LS | 23 898 $ | x |
| Trailblazer LS TI | 25 898 $ | x |
| Trailblazer LT | 26 098 $ | x |
| Trailblazer LT TI | 28 098 $ | x |
| Trailblazer Activ TI | 30 598 $ | x |
| Trailblazer RS TI | 30 598 $ | x |
| Traverse LS | 36 498 $ | x |
| Traverse LS TI | 39 498 $ | x |
| Traverse LT | 40 798 $ | x |
| Traverse LT TI | 43 798 $ | x |
| Traverse RS TI | 49 598 $ | x |
| Traverse Grande expédition TI | 49 698 $ | x |
| Traverse Premier TI | 54 698 $ | x |
| Traverse High Country TI | 60 298 $ | x |
| Trax LS | 22 098 $ | |
| Trax LS TI | 24 098 $ | |
| Trax LT | 24 498 $ | |
| Trax LT TI | 26 498 $ | |

**CHRYSLER**

| | | |
|---|---|---|
| 300 Touring | 44 565 $ | x |
| 300 Touring TI | 47 065 $ | x |
| 300 Touring-L | 47 265 $ | x |
| 300 S | 47 965 $ | x |
| 300 Touring-L TI | 49 765 $ | x |
| 300 S TI | 50 465 $ | x |
| Grand Caravan SE | 38 690 $ | x |
| Grand Caravan SXT | 40 690 $ | x |
| Pacifica Touring | 45 865 $ | x |
| Pacifica Touring TI | 49 365 $ | x |
| Pacifica Touring-L | 48 865 $ | x |
| Pacifica Touring-L TI | 52 365 $ | x |
| Pacifica Touring-L Plus | 51 365 $ | x |
| Pacifica Touring-L Plus TI | 54 865 $ | x |
| Pacifica Limited | 57 365 $ | x |
| Pacifica Limited TI | 60 865 $ | x |
| Pacifica Pinnacle | 63 365 $ | x |
| Pacifica Pinnable TI | 66 865 $ | x |
| Pacifica Hybrid Touring | 54 095 $ | x |
| Pacifica Hybrid Touring-L Plus | 55 095 $ | x |
| Pacifica Hybrid Limited | 58 095 $ | x |
| Pacifica Hybrid Pinnacle | 60 095 $ | x |

**DODGE**

| | | |
|---|---|---|
| Challenger SXT | 36 365 $ | x |
| Challenger SXT TI | 39 765 $ | x |
| Challenger GT | 38 765 $ | x |
| Challenger GT TI | 41 965 $ | x |
| Challenger R/T | 42 260 $ | x |
| Challenger Scat Pack 392 | 54 565 $ | x |
| Challenger Scat Pack 392 Widebody | 62 565 $ | x |
| Challenger SRT Hellcat | 80 315 $ | x |
| Challenger SRT Hellcat Widebody | 88 315 $ | x |
| Challenger SRT Hellcat Redeye | 98 315 $ | x |
| Challenger SRT Hellcat Redeye Widebody | 106 315 $ | x |
| Charger SXT | 39 865 $ | x |
| Charger SXT TI | 45 265 $ | x |
| Charger GT | 42 965 $ | x |
| Charger GT TI | 46 165 $ | x |
| Charger R/T | 45 865 $ | x |
| Charger Scat Pack 392 | 55 065 $ | x |
| Charger Scat Pack 392 Widebody | 63 065 $ | x |
| Charger SRT Hellcat Redeye Widebody | 106 615 $ | x |
| Durango SXT | 48 965 $ | x |
| Durango GT | 53 965 $ | x |
| Durango Citadel | 61 965 $ | x |
| Durango R/T | 62 865 $ | x |
| Durango Citadel Anodized Platinum | 63 960 $ | x |
| Durango SRT 392 | 78 365 $ | x |

**FERRARI**

| | | |
|---|---|---|
| 296 GTB | 330 000 $ | (est) |
| 812 Superfast | 452 523 $ | |
| 812 GTS | 469 318 $ | |
| F8 Tributo | 322 562 $ | |
| F8 Spider | 356 989 $ | |
| Portofino M | 264 670 $ | |
| Roma | 251 665 $ | |
| SF90 Stradale | 599 341 $ | |
| SF90 Spider | 660 000 $ | (est) |

**FIAT**

| | | |
|---|---|---|
| 500X Pop | 32 345 $ | x |
| 500X Trekking | 33 345 $ | x |
| 500X Sport | 33 845 $ | x |
| 500X Trekking Plus | 34 345 $ | x |

**FORD**

| | | |
|---|---|---|
| Bronco 2 portes | 40 499 $ | x |
| Bronco 2 portes Big Bend | 41 999 $ | x |
| Bronco 2 portes Black Diamond | 46 499 $ | x |
| Bronco 2 portes Outer Banks | 46 999 $ | x |
| Bronco 2 portes Badlands | 52 994 $ | x |
| Bronco 2 portes Wildtrak | 56 494 $ | x |
| Bronco 4 portes | 45 749 $ | x |
| Bronco 4 portes Big Bend | 45 499 $ | x |
| Bronco 4 portes Black Diamond | 49 999 $ | x |
| Bronco 4 portes Outer Banks | 50 499 $ | x |
| Bronco 4 portes Badlands | 56 494 $ | x |
| Bronco 4 portes Wildtrak | 59 994 $ | x |
| Bronco Sport | 32 299 $ | x |
| Bronco Sport Big Bend | 34 299 $ | x |
| Bronco Sport Outer Banks | 37 799 $ | x |
| Bronco Sport Badlands | 40 299 $ | x |
| EcoSport S TI | 25 399 $ | x |
| EcoSport SE | 25 999 $ | x |
| EcoSport SE TI | 28 499 $ | x |
| EcoSport SES TI | 30 569 $ | x |
| EcoSport Titanium TI | 31 899 $ | x |
| Edge SE TI | 36 399 $ | x |
| Edge SEL | 38 399 $ | x |
| Edge SEL TI | 40 399 $ | x |
| Edge ST-Line | 40 899 $ | x |
| Edge ST-Line TI | 42 899 $ | x |
| Edge Titanium TI | 43 799 $ | x |
| Edge ST | 49 499 $ | x |
| Escape S | 28 649 $ | x |
| Escape S TI | 30 149 $ | x |
| Escape SE | 30 649 $ | x |
| Escape SE TI | 32 149 $ | x |
| Escape SE hybride | 32 849 $ | x |
| Escape SE hybride TI | 34 349 $ | x |
| Escape SE hybride rechargeable | 37 649 $ | x |
| Escape SEL | 33 649 $ | x |
| Escape SEL TI | 35 149 $ | x |
| Escape SEL hybride | 35 349 $ | x |
| Escape SEL hybride TI | 36 849 $ | x |
| Escape SEL hybride rechargeable | 40 649 $ | x |
| Escape Titanium hybride | 37 749 $ | x |
| Escape Titanium hybride TI | 39 249 $ | x |
| Escape Titanium TI | 40 249 $ | x |
| Escape Titanium hybride rechargeable | 43 749 $ | x |
| Expedition XLT | 63 110 $ | x |
| Expedition Limited | 76 420 $ | x |
| Expedition King Ranch | 81 150 $ | x |
| Expedition Platinum | 83 125 $ | x |
| Expedition Limited MAX | 79 420 $ | x |
| Expedition King Ranch MAX | 82 700 $ | x |
| Expedition Platinum MAX | 86 125 $ | x |
| Explorer XLT | 45 549 $ | x |
| Explorer Limited | 50 799 $ | x |
| Explorer Limited hybride | 53 799 $ | x |
| Explorer ST | 59 399 $ | x |
| Explorer Platinum | 65 649 $ | x |
| F-150 XL cab. simple c. crte 2RM | 34 079 $ | x |
| F-150 XL cab. simple c. crte 4RM | 38 579 $ | x |
| F-150 XL cab. simple c. long. 2RM | 34 379 $ | x |
| F-150 XL cab. simple c. long. 4RM | 38 879 $ | x |
| F-150 XL SuperCab c. crte 2RM | 40 259 $ | x |
| F-150 XL SuperCab c. crte 4RM | 44 759 $ | x |
| F-150 XL SuperCab c. long. 2RM | 41 859 $ | x |
| F-150 XL SuperCab c. long. 4RM | 48 309 $ | x |
| F-150 XL SuperCrew c. crte 2RM | 43 439 $ | x |
| F-150 XL SuperCrew c. crte 4RM | 46 589 $ | x |
| F-150 XL SuperCrew hybride c. crte 4RM | 52 339 $ | x |
| F-150 XL SuperCrew c. long. 2RM | 44 139 $ | x |
| F-150 XL SuperCrew c. long. 4RM | 49 639 $ | x |
| F-150 XL SuperCrew hybride c. long. 4RM | 51 839 $ | x |
| F-150 Lariat SuperCab c. crte 2RM | 55 795 $ | x |
| F-150 Lariat SuperCab c. crte 4RM | 60 195 $ | x |
| F-150 Lariat SuperCab c. long. 4RM | 55 795 $ | x |
| F-150 Lariat SuperCab c. long. 4RM | 62 545 $ | x |
| F-150 Lariat SuperCrew c. crte 2RM | 57 295 $ | x |
| F-150 Lariat SuperCrew c. crte 4RM | 62 495 $ | x |
| F-150 Lariat SuperCrew hybride c. crte 4RM | 67 345 $ | x |
| F-150 Lariat SuperCrew c. long. 2RM | 57 295 $ | x |
| F-150 Lariat SuperCrew c. long. 4RM | 64 845 $ | x |
| F-150 Lariat SuperCrew hybride c. long. 4RM | 67 045 $ | x |
| F-150 Tremor SuperCrew c. crte 4RM | 57 329 $ | x |
| F-150 King Ranch SuperCrew c. crte 4RM | 77 155 $ | x |
| F-150 King Ranch SuperCrew hybride c. crte 4RM | 79 355 $ | x |
| F-150 King Ranch SuperCrew c. long. 4RM | 77 155 $ | x |
| F-150 King Ranch SuperCrew hybride c. long. 4RM | 79 355 $ | x |
| F-150 Platinum SuperCrew c. crte 4RM | 81 305 $ | x |
| F-150 Platinum SuperCrew hybride c. crte 4RM | 83 505 $ | x |
| F-150 Platinum SuperCrew c. long. 4RM | 81 305 $ | x |
| F-150 Platinum SuperCrew hybride c. long. 4RM | 83 505 $ | x |
| F-150 Raptor SuperCrew 4RM | 86 349 $ | x |
| F-150 Raptor R SuperCrew 4RM | 95 000 $ | (est) |
| F-150 Limited SuperCrew c. crte 4RM | 92 025 $ | x |
| F-150 Limited SuperCrew hybride c. crte 4RM | 94 525 $ | x |
| F-150 Lightning Commercial | 58 000 $ | |
| F-150 Lightning XLT | 68 000 $ | |
| GT | 614 700 $ | |
| Maverick XL | 25 900 $ | |
| Maverick XL TI | 28 400 $ | |
| Maverick XLT | 28 500 $ | |
| Maverick XLT TI | 31 000 $ | |
| Maverick Lariat TI | 34 450 $ | |
| Maverick Lariat First Edition TI | 42 600 $ | |
| Mustang EcoBoost Coupé | 31 895 $ | x |
| Mustang EcoBoost Premium Coupé | 38 195 $ | x |
| Mustang GT Coupé | 41 780 $ | x |
| Mustang GT Premium Coupé | 49 015 $ | x |
| Mustang EcoBoost Décapotable | 36 895 $ | x |
| Mustang EcoBoost Premium Décapotable | 43 520 $ | x |
| Mustang GT Premium Décapotable | 54 795 $ | x |
| Mustang Mach 1 | 66 055 $ | x |
| Mustang Mach 1 Premium | 68 055 $ | x |
| Mustang Shelby GT500 | 96 480 $ | x |
| Mustang Mach-E | 50 495 $ | x |
| Mustang Mach-E TI | 53 995 $ | x |
| Mustang Mach-E Premium | 59 495 $ | x |
| Mustang Mach-E Premium TI | 62 995 $ | x |
| Mustang Mach-E California Route 1 | 64 495 $ | x |
| Mustang Mach-E Premium grande autonomie | 66 495 $ | x |
| Mustang Mach-E P remium grande autonomie TI | 69 995 $ | x |
| Mustang Mach-E GT Performance | 82 995 $ | x |
| Ranger XL SuperCab | 34 923 $ | x |
| Ranger XLT SuperCab | 36 858 $ | x |
| Ranger XLT SuperCrew | 38 658 $ | x |
| Ranger Lariat SuperCrew | 43 038 $ | x |
| Super Duty F-250 XL cab. simple 2RM | 42 119 $ | x |
| Super Duty F-250 XL cab. simple 4RM | 45 619 $ | x |
| Super Duty F-250 XL SuperCab c. crte 2RM | 45 219 $ | x |
| Super Duty F-250 XL SuperCab c. crte 4RM | 48 719 $ | x |
| Super Duty F-250 XL SuperCab c. long. 2RM | 45 819 $ | x |
| Super Duty F-250 XL SuperCab c. long. 4RM | 49 319 $ | x |
| Super Duty F-250 XL Crew Cab c. crte 2RM | 47 019 $ | x |
| Super Duty F-250 XL Crew Cab c. crte 4RM | 50 519 $ | x |
| Super Duty F-250 XL Crew Cab c. long. 2RM | 47 619 $ | x |
| Super Duty F-250 XL Crew Cab c. long. 4RM | 51 119 $ | x |
| Super Duty F-250 King Ranch Crew Cab c. crte 2RM | 74 379 $ | x |
| Super Duty F-250 King Ranch Crew Cab c. crte 4RM | 75 979 $ | x |
| Super Duty F-250 King Ranch Crew Cab c. long. 2RM | 74 979 $ | x |
| Super Duty F-250 King Ranch Crew Cab c. long. 4RM | 76 579 $ | x |
| Super Duty F-250 Platinum Crew Cab c. crte 4RM | 78 119 $ | x |
| Super Duty F-250 Platinum Crew Cab c. long. 4RM | 78 719 $ | x |
| Super Duty F-250 Limited Crew Cab c. crte 4RM | 97 309 $ | x |
| Super Duty F-250 Limited Crew Cab c. long. 4RM | 97 909 $ | x |
| Super Duty F-350 XL cab. simple 2RM | 44 749 $ | x |
| Super Duty F-350 XL cab. simple 4RM | 48 249 $ | x |
| Super Duty F-350 XL cab. simple RAJ 2RM | 45 999 $ | x |
| Super Duty F-350 XL cab. simple RAJ 4RM | 49 499 $ | x |
| Super Duty F-350 XL SuperCab c. crte 2RM | 47 849 $ | x |
| Super Duty F-350 XL SuperCab c. crte 4RM | 51 349 $ | x |
| Super Duty F-350 XL SuperCab c. long. 2RM | 48 449 $ | x |
| Super Duty F-350 XL SuperCab c. long. 4RM | 51 949 $ | x |
| Super Duty F-350 XL SuperCab c. long. RAJ 2RM | 49 699 $ | x |
| Super Duty F-350 XL SuperCab c. long. RAJ 4RM | 53 199 $ | x |
| Super Duty F-350 XL Crew Cab c. crte 2RM | 49 649 $ | x |
| Super Duty F-350 XL Crew Cab c. crte 4RM | 53 149 $ | x |
| Super Duty F-350 XL Crew Cab c. long. 2RM | 50 249 $ | x |
| Super Duty F-350 XL Crew Cab c. long. 4RM | 53 749 $ | x |
| Super Duty F-350 XL Crew Cab c. long. RAJ 2RM | 51 499 $ | x |
| Super Duty F-350 XL Crew Cab c. long. RAJ 4RM | 54 999 $ | x |
| Super Duty F-350 Lariat SuperCab c. crte 2RM | 64 119 $ | x |
| Super Duty F-350 Lariat Crew Cab c. crte 2RM | 65 919 $ | x |
| Super Duty F-350 King Ranch Crew Cab c. crte 2RM | 76 379 $ | x |
| Super Duty F-350 King Ranch Crew Cab c. crte 4RM | 77 979 $ | x |
| Super Duty F-350 King Ranch Crew Cab c. long. 2RM | 76 979 $ | x |
| Super Duty F-350 King Ranch Crew Cab c. long. 4RM | 78 579 $ | x |
| Super Duty F-350 King Ranch Crew Cab c. long. RAJ 2RM | 78 029 $ | x |
| Super Duty F-350 King Ranch Crew Cab c. long. RAJ 4RM | 79 829 $ | x |
| Super Duty F-350 Platinum Crew Cab c. crte 4RM | 80 119 $ | x |
| Super Duty F-350 Platinum Crew Cab c. long. 4RM | 80 719 $ | x |
| Super Duty F-350 Platinum Crew Cab c. long. RAJ 4RM | 81 969 $ | x |
| Super Duty F-350 Limited Crew Cab c. crte 4RM | 99 309 $ | x |
| Super Duty F-350 Limited Crew Cab c. long. 4RM | 99 909 $ | x |
| Super Duty F-350 Limited Crew Cab c. long. RAJ 4RM | 101 159 $ | x |
| Super Duty F-450 XL cab. simple 2RM | 60 289 $ | x |
| Super Duty F-450 XL cab. simple 4RM | 63 789 $ | x |
| Super Duty F-450 XL cab. multi. 2RM | 65 789 $ | x |
| Super Duty F-450 XL cab. multi. 4RM | 69 289 $ | x |

| | | |
|---|---|---|
| Super Duty F-450 XLT cab. simple 4RM | 71 349 $ | x |
| Super Duty F-450 King Ranch cab. multi. 4RM | 94 109 $ | x |
| Super Duty F-450 Platinum cab. multi. 4RM | 96 249 $ | x |
| Super Duty F-450 Limited cab. multi. 4RM | 104 709 $ | x |
| Transit tourisme XL | 50 939 $ | x |
| Transit tourisme XL TI | 55 939 $ | x |
| Transit tourisme XLT | 55 399 $ | x |
| Transit tourisme XLT TI | 60 399 $ | x |
| Transit tourisme XL toit surélevé allongé | 56 399 $ | x |
| Transit tourisme XL toit surélevé allongé TI | 63 399 $ | x |
| Transit tourisme XLT toit surélevé allongé | 60 859 $ | x |
| Transit tourisme XLT toit surélevé allongé TI | 67 859 $ | x |
| Transit utilitaire toit bas 130 po | 40 619 $ | x |
| Transit utilitaire toit bas 130 po TI | 45 619 $ | x |
| Transit utilitaire toit bas 148 po | 41 619 $ | x |
| Transit utilitaire toit bas 148 po TI | 46 619 $ | x |
| Transit utilitaire toit surélevé allongé | 47 569 $ | x |
| Transit utilitaire toit surélevé allongé TI | 52 569 $ | x |
| Transit équipe toit bas 130 po | 43 939 $ | x |
| Transit équipe toit bas 130 po TI | 48 939 $ | x |
| Transit équipe toit bas 148 po | 44 939 $ | x |
| Transit équipe toit bas 148 po TI | 49 939 $ | x |
| Transit équipe toit surélevé allongé | 53 399 $ | x |
| Transit équipe toit surélevé allongé TI | 58 399 $ | x |
| Transit Connect Tourisme XL | 33 415 $ | x |
| Transit Connect Tourisme XLT | 35 585 $ | x |
| Transit Connect Tourisme Titanium | 39 385 $ | x |
| Transit Connect Utilitaire XL | 30 835 $ | x |
| Transit Connect Utilitaire XLT | 33 285 $ | x |

### GENESIS

| | | |
|---|---|---|
| G70 2.0T Select TI | 45 000 $ | |
| G70 2.0T Advanced TI | 48 500 $ | |
| G70 2.0T Prestige TI | 53 500 $ | |
| G70 3.3T Advanced TI | 54 500 $ | |
| G70 3.3T Sport TI | 59 000 $ | |
| G80 2.5T Advanced TI | 66 000 $ | x |
| G80 3.5T Prestige TI | 76 000 $ | x |
| G90 5.0 Prestige TI | 89 750 $ | x |
| GV70 2.5T Select TI | 49 000 $ | |
| GV70 2.5T Advanced TI | 55 000 $ | |
| GV70 2.5T Advanced Plus TI | 59 000 $ | |
| GV70 2.5T Prestige TI | 63 000 $ | |
| GV70 3.5T Sport TI | 68 500 $ | |
| GV70 3.5T Sport Plus TI | 75 500 $ | |
| GV80 2.5T Select TI | 64 500 $ | x |
| GV80 2.5T Advanced TI | 70 000 $ | x |
| GV80 3.5T Advanced TI | 80 000 $ | x |
| GV80 3.5T Prestige TI | 85 000 $ | x |

### GMC

| | | |
|---|---|---|
| Acadia SLE | 37 498 $ | x |
| Acadia SLE TI | 41 398 $ | x |
| Acadia SLT TI | 46 698 $ | x |
| Acadia AT4 TI | 48 698 $ | x |
| Acadia Denali TI | 54 298 $ | x |
| Canyon Elevation base cab. allongée 2RM | 28 648 $ | x |
| Canyon Elevation base cab. allongée 4RM | 34 548 $ | x |
| Canyon Elevation base cab. multi. c. crte 2RM | 30 348 $ | x |
| Canyon Elevation cab. allongée 2RM | 33 348 $ | x |
| Canyon Elevation cab. multi. c. crte 2RM | 35 048 $ | x |
| Canyon Elevation cab. multi. c. crte 4RM | 40 948 $ | x |
| Canyon Elevation cab. multi. c. long. 4RM | 41 648 $ | x |
| Canyon AT4 Tissu cab. multi. c. crte 4RM | 42 248 $ | x |
| Canyon AT4 Tissu cab. multi. c. long. 4RM | 42 848 $ | x |
| Canyon AT4 Cuir cab. multi. c. crte 4RM | 44 448 $ | x |
| Canyon AT4 Cuir cab. multi. c. long. 4RM | 45 048 $ | x |
| Canyon Denali cab. multi. c. crte 4RM | 49 448 $ | x |
| Canyon Denali cab. multi. c. long. 4RM | 49 748 $ | x |
| Hummer EV2 (2023) | 89 000 $ | (est) |
| Hummer EV2X (2023) | 105 000 $ | (est) |
| Hummer EV3X (2023) | 120 000 $ | (est) |
| Savana 2500 LS | 46 448 $ | x |
| Savana 3500 LS | 46 848 $ | x |
| Savana 2500 LT | 48 248 $ | x |
| Savana 3500 LS allongé | 47 648 $ | x |
| Savana 3500 LT | 48 448 $ | x |
| Savana 3500 LT allongé | 49 548 $ | x |
| Savana Cargo 2500 | 40 648 $ | x |
| Savana Cargo 3500 | 41 248 $ | x |
| Savana Cargo 2500 allongé | 41 948 $ | x |
| Savana Cargo 3500 alliongé | 42 348 $ | x |
| Sierra 1500 cab. simple 2RM | 33 248 $ | x |
| Sierra 1500 cab. simple 4RM | 37 448 $ | x |
| Sierra 1500 cab. double 2RM | 38 048 $ | x |
| Sierra 1500 cab. double 4RM | 41 848 $ | x |
| Sierra 1500 cab. multi. c. crte 2RM | 40 548 $ | x |
| Sierra 1500 cab. multi. c. crte 4RM | 44 348 $ | x |
| Sierra 1500 cab. multi. c. long. 4RM | 44 648 $ | x |
| Sierra 1500 SLE cab. double 2RM | 46 948 $ | x |
| Sierra 1500 SLE cab. double 4RM | 50 748 $ | x |
| Sierra 1500 SLE cab. multi. c. crte 2RM | 48 648 $ | x |
| Sierra 1500 SLE cab. multi. c. crte 4RM | 52 448 $ | x |
| Sierra 1500 SLE cab. multi. c. long. 4RM | 52 748 $ | x |
| Sierra 1500 Elevation cab. double 2RM | 50 248 $ | x |
| Sierra 1500 Elevation cab. double 4RM | 54 048 $ | x |
| Sierra 1500 Elevation cab. multi. c. crte 2RM | 51 948 $ | x |
| Sierra 1500 Elevation cab. multi. c. crte 4RM | 55 748 $ | x |
| Sierra 1500 Elevation cab. multi. c. long. 4RM | 56 048 $ | x |
| Sierra 1500 SLT cab. multi. c. crte 2RM | 56 348 $ | x |
| Sierra 1500 SLT cab. multi. c. crte 4RM | 60 148 $ | x |
| Sierra 1500 SLT cab. multi. c. long. 4RM | 60 448 $ | x |
| Sierra 1500 AT4 cab. multi. c. crte 4RM | 63 848 $ | x |
| Sierra 1500 AT4 cab. multi. c. long. 4RM | 67 348 $ | x |
| Sierra 1500 Denali cab. multi. c. crte 4RM | 70 048 $ | x |
| Sierra 1500 Denali cab. multi. c. long. 4RM | 70 348 $ | x |
| Sierra 2500HD cab. simple 2RM | 46 448 $ | x |
| Sierra 2500HD cab. simple 4RM | 49 948 $ | x |
| Sierra 2500HD cab. double c. crte 2RM | 49 548 $ | x |
| Sierra 2500HD cab. double c. crte 4RM | 53 048 $ | x |
| Sierra 2500HD cab. double c. long. 2RM | 49 848 $ | x |
| Sierra 2500HD cab. double c. long. 4RM | 53 348 $ | x |
| Sierra 2500HD cab. multi. c. crte 2RM | 51 348 $ | x |
| Sierra 2500HD cab. multi. c. crte 4RM | 54 848 $ | x |
| Sierra 2500HD cab. multi. c. long. 2RM | 51 648 $ | x |
| Sierra 2500HD cab. multi. c. long. 4RM | 55 148 $ | x |
| Sierra 2500HD SLE cab. simple 2RM | 51 748 $ | x |
| Sierra 2500HD SLE cab. simple 4RM | 55 248 $ | x |
| Sierra 2500HD SLE cab. double c. crte 2RM | 54 848 $ | x |
| Sierra 2500HD SLE cab. double c. crte 4RM | 58 348 $ | x |
| Sierra 2500HD SLE cab. double c. long. 2RM | 55 148 $ | x |
| Sierra 2500HD SLE cab. double c. long. 4RM | 58 648 $ | x |
| Sierra 2500HD SLE cab. multi. c. crte 2RM | 56 648 $ | x |
| Sierra 2500HD SLE cab. multi. c. crte 4RM | 60 148 $ | x |
| Sierra 2500HD SLE cab. multi. c. long. 2RM | 56 948 $ | x |
| Sierra 2500HD SLE cab. multi. c. long. 4RM | 60 448 $ | x |
| Sierra 2500HD SLT cab. double c. crte 2RM | 63 748 $ | x |
| Sierra 2500HD SLT cab. double c. crte 4RM | 67 248 $ | x |
| Sierra 2500HD SLT cab. double c. long. 2RM | 64 048 $ | x |
| Sierra 2500HD SLT cab. double c. long. 4RM | 67 548 $ | x |
| Sierra 2500HD SLT cab. multi. c. crte 2RM | 65 548 $ | x |
| Sierra 2500HD SLT cab. multi. c. crte 4RM | 69 048 $ | x |
| Sierra 2500HD SLT cab. multi. c. long. 2RM | 65 848 $ | x |
| Sierra 2500HD SLT cab. multi. c. long. 4RM | 69 348 $ | x |
| Sierra 2500HD AT4 cab. multi. c. crte 4RM | 71 348 $ | x |
| Sierra 2500HD AT4 cab. multi. c. long. 4RM | 71 648 $ | x |
| Sierra 2500HD Denali cab. multi. c. crte 4RM | 78 248 $ | x |
| Sierra 2500HD Denali cab. multi. c. long. 4RM | 78 548 $ | x |
| Sierra 3500HD cab. simple 2RM | 48 448 $ | x |
| Sierra 3500HD cab. simple 4RM | 51 948 $ | x |
| Sierra 3500HD cab. double 2RM | 51 848 $ | x |
| Sierra 3500HD cab. double 4RM | 55 348 $ | x |
| Sierra 3500HD cab. multi. c. crte 2RM | 53 348 $ | x |
| Sierra 3500HD cab. multi. c. crte 4RM | 56 848 $ | x |
| Sierra 3500HD cab. multi. c. long. 2RM | 53 648 $ | x |
| Sierra 3500HD cab. multi. c. long. 4RM | 57 148 $ | x |
| Sierra 3500HD SLE cab. simple 2RM | 53 748 $ | x |
| Sierra 3500HD SLE cab. simple 4RM | 57 248 $ | x |
| Sierra 3500HD SLE cab. double 2RM | 57 148 $ | x |
| Sierra 3500HD SLE cab. double 4RM | 60 648 $ | x |
| Sierra 3500HD SLE cab. multi. c. crte 2RM | 58 648 $ | x |
| Sierra 3500HD SLE cab. multi. c. crte 4RM | 62 148 $ | x |
| Sierra 3500HD SLE cab. multi. c. long. 2RM | 58 948 $ | x |
| Sierra 3500HD SLE cab. multi. c. long. 4RM | 62 448 $ | x |
| Sierra 3500HD SLT cab. multi. c. crte 2RM | 67 548 $ | x |
| Sierra 3500HD SLT cab. multi. c. crte 4RM | 71 048 $ | x |
| Sierra 3500HD SLT cab. multi. c. long. 2RM | 67 848 $ | x |
| Sierra 3500HD SLT cab. multi. c. long. 4RM | 71 348 $ | x |
| Sierra 3500HD AT4 cab. multi. c. crte 4RM | 73 348 $ | x |
| Sierra 3500HD AT4 cab. multi. c. long. 4RM | 73 648 $ | x |
| Sierra 3500HD Denali cab. multi. c. crte 4RM | 80 248 $ | x |
| Sierra 3500HD Denali cab. multi. c. long. 4RM | 80 548 $ | x |
| Terrain SLE | 31 198 $ | x |
| Terrain SLE TI | 33 598 $ | x |
| Terrain SLT TI | 36 398 $ | x |
| Terrain Denali TI | 40 598 $ | x |
| Yukon SLE | 58 548 $ | x |
| Yukon SLE 4RM | 61 848 $ | x |
| Yukon SLT | 66 648 $ | x |
| Yukon SLT 4RM | 69 948 $ | x |
| Yukon AT4 4RM | 75 248 $ | x |
| Yukon Denali 4RM | 80 348 $ | x |
| Yukon XL SLE | 61 548 $ | x |
| Yukon XL SLE 4RM | 64 848 $ | x |
| Yukon XL SLT | 69 648 $ | x |
| Yukon XL SLT 4RM | 72 948 $ | x |
| Yukon XL AT4 4RM | 78 248 $ | x |
| Yukon XL Denali 4RM | 83 348 $ | x |

### HONDA

| | | |
|---|---|---|
| Accord SE | 32 570 $ | x |
| Accord Sport | 33 870 $ | x |
| Accord EX-L | 35 470 $ | x |
| Accord Sport 2.0 | 37 070 $ | x |
| Accord Touring | 38 770 $ | x |
| Accord Touring 2.0 | 41 770 $ | x |
| Accord Hybrid | 35 805 $ | x |
| Accord Hybrid Touring | 42 505 $ | x |
| Civic LX Berline | 24 465 $ | |
| Civic EX Berline | 26 765 $ | |
| Civic Sport Berline | 27 865 $ | |
| Civic Touring Berline | 30 265 $ | |
| CR-V LX | 29 970 $ | x |
| CR-V LX TI | 32 770 $ | x |
| CR-V Sport TI | 36 670 $ | x |
| CR-V EX-L TI | 38 470 $ | x |
| CR-V Touring TI | 42 070 $ | x |
| CR-V Black Edition TI | 43 570 $ | x |
| HR-V LX | 25 200 $ | x |
| HR-V LX TI | 27 500 $ | x |
| HR-V Sport TI | 30 500 $ | x |
| HR-V Touring TI | 33 700 $ | x |
| Insight | 28 490 $ | x |
| Insight Touring | 32 190 $ | x |
| Odyssey EX-RES | 43 105 $ | |
| Odyssey EX-L NAVI | 47 805 $ | |
| Odyssey EX-L RES | 48 105 $ | |
| Odyssey Touring | 54 305 $ | |
| Passport Sport | 43 670 $ | x |
| Passport EX-L | 47 270 $ | x |
| Passport Touring | 50 670 $ | x |
| Pilot LX | 42 905 $ | x |
| Pilot EX | 44 905 $ | x |
| Pilot EX-L NAVI | 48 805 $ | x |
| Pilot Touring 8P | 54 605 $ | x |
| Pilot Touring 7P | 55 005 $ | x |
| Pilot Black Edition | 56 805 $ | x |
| Ridgeline Sport | 45 535 $ | |
| Ridgeline EX-L | 48 535 $ | |
| Ridgeline Touring | 52 735 $ | |
| Ridgeline Black Edition | 54 535 $ | |

### HYUNDAI

| | | |
|---|---|---|
| Elantra Essential (man) | 17 899 $ | x |
| Elantra Essential (auto) | 19 799 $ | x |
| Elantra Preferred | 21 899 $ | x |
| Elantra Preferred ensemble soleil et technologie | 23 399 $ | x |
| Elantra Ultimate | 25 599 $ | x |
| Elantra N Line DCT | 27 599 $ | x |
| Elantra N | 33 000 $ | (est) |
| Elantra hybride Preferred | 24 699 $ | x |
| Elantra hybride Ultimate | 26 999 $ | x |
| Elantra Ultimate ensemble tech | 28 299 $ | x |
| IONIQ Essential hybride | 25 649 $ | x |
| IONIQ Preferred hybride | 28 799 $ | x |
| IONIQ Ultimate hybride | 33 049 $ | x |
| IONIQ Essential hybride rechargeable | 32 649 $ | x |
| IONIQ Preferred hybride rechargeable | 35 149 $ | x |
| IONIQ Ultimate hybride rechargeable | 38 249 $ | x |
| IONIQ 5 Essential autonomie standard | 45 000 $ | (est) |
| IONIQ 5 Preferred autonomie standard | 47 500 $ | (est) |
| IONIQ 5 Preferred autonomie prolongée | 50 000 $ | (est) |
| IONIQ 5 Preferred autonomie prolongée TI | 52 000 $ | (est) |
| IONIQ 5 Preferred ensemble Ultimate aut. prol. TI | 54 000 $ | (est) |
| Kona Essential | 21 999 $ | |
| Kona Essential TI | 23 999 $ | |
| Kona Preferred | 23 999 $ | |
| Kona Preferred TI | 25 999 $ | |
| Kona N Line TI | 28 299 $ | |
| Kona N Line ensemble Ultimate TI | 33 899 $ | |
| Kona N | 40 000 $ | (est) |
| Kona électrique Essential | 45 199 $ | x |
| Kona électrique Preferred | 46 149 $ | x |
| Kona électrique Ultimate | 53 149 $ | x |
| Nexo Preferred | 71 000 $ | x |
| Nexo Ultimate | 73 500 $ | x |
| Palisade Essential | 39 199 $ | x |
| Palisade Essential TI | 41 199 $ | x |
| Palisade Preferred TI | 46 149 $ | x |
| Palisade Luxury TI 8P | 50 399 $ | x |
| Palisade Luxury TI 7P | 50 899 $ | x |
| Palisade Calligraphy TI | 54 699 $ | x |
| Santa Cruz Preferred TI | 38 000 $ | (est) |
| Santa Cruz Preferred ensemble Trend TI | 40 000 $ | (est) |
| Santa Cruz Ultimate TI | 43 000 $ | (est) |
| Santa Fe Essential | 31 399 $ | x |
| Santa Fe Essential TI | 33 399 $ | x |
| Santa Fe Preferred TI | 36 399 $ | x |
| Santa Fe Preferred ensemble Trend TI | 38 499 $ | x |
| Santa Fe Calligraphy TI | 47 499 $ | x |
| Santa Fe hybride Preferred TI | 41 399 $ | x |
| Santa Fe hybride Luxury TI | 43 799 $ | x |
| Sonata Preferred | 27 149 $ | x |
| Sonata Sport | 31 649 $ | x |
| Sonata Luxury | 36 149 $ | x |
| Sonata N Line | 37 999 $ | x |
| Sonata Ultimate | 38 749 $ | x |
| Sonata hybride Ultimate | 40 199 $ | x |
| Tucson Essential | 27 699 $ | |
| Tucson Essential TI | 29 699 $ | |
| Tucson Preferred | 30 099 $ | |
| Tucson Preferred TI | 32 099 $ | |
| Tucson N Line TI | 36 999 $ | |
| Tucson hybride Luxury TI | 38 799 $ | |
| Tucson hybride Ultimate TI | 41 499 $ | |
| Tucson hybride rechargeable Luxury TI | 41 000 $ | (est) |
| Tucson hybride rechargeable Ultimate TI | 43 700 $ | (est) |
| Veloster N (man) | 37 799 $ | |
| Veloster DCT (auto) | 39 399 $ | |
| Venue Essential (man) | 17 599 $ | x |
| Venue Essential (auto) | 18 899 $ | x |
| Venue Preferred | 21 599 $ | x |
| Venue Trend | 22 699 $ | x |
| Venue Trend ensemble Urban Edition | 23 199 $ | x |
| Venue Ultimate | 24 999 $ | x |

### INFINITI

| | | |
|---|---|---|
| Q50 Pure | 43 995 $ | x |
| Q50 Luxe | 47 995 $ | x |
| Q50 Essential Tech | 50 995 $ | x |
| Q50 Sport Tech | 55 995 $ | x |
| Q50 Red Sport I-Line | 58 995 $ | x |
| Q50 Red Sport I-Line ProACTIVE | 61 995 $ | x |
| Q60 Pure | 50 995 $ | x |
| Q60 Luxe | 57 400 $ | x |
| Q60 Red Sport I-Line | 65 995 $ | x |
| Q60 Red Sport I-Line ProACTIVE | 68 495 $ | x |
| QX50 Pure | 45 495 $ | x |
| QX50 Luxe | 48 495 $ | x |
| QX50 Essential | 51 495 $ | x |
| QX50 Essential Tech | 53 595 $ | x |
| QX50 Sensory | 57 648 $ | x |
| QX50 Autograph | 59 948 $ | x |
| QX55 Luxe | 51 995 $ | |
| QX55 Essential ProASSIST | 56 998 $ | |
| QX55 Sensory | 60 998 $ | |
| QX60 Pure | 54 995 $ | |
| QX60 Luxe | 59 495 $ | |
| QX60 Sensory | 64 995 $ | |
| QX60 Autograph | 67 995 $ | |
| QX80 Luxe 7 places | 79 998 $ | x |
| QX80 ProACTIVE 8 places | 87 498 $ | x |
| QX80 ProACTIVE 7 places | 87 998 $ | x |

### JAGUAR

| | | |
|---|---|---|
| E-PACE SE P250 | 51 700 $ | x |
| E-PACE 300 Sport P300 | 59 100 $ | x |
| F-PACE S P250 | 60 350 $ | x |
| F-PACE S P340 | 67 450 $ | x |
| F-PACE R-Dynamic S P400 | 73 650 $ | x |
| F-PACE SVR | 96 250 $ | x |
| F-TYPE P450 Coupé | 85 500 $ | |
| F-TYPE R-Dynamic TI P450 Coupé | 95 500 $ | |
| F-TYPE R TI P575 Coupé | 119 000 $ | |
| F-TYPE P450 Décapotable | 88 500 $ | |
| F-TYPE R-Dynamic TI P450 Décapotable | 98 500 $ | |
| F-TYPE R TI P575 Décapotable | 121 500 $ | |
| I-PACE S EV400 | 91 000 $ | x |
| I-PACE SE EV400 | 95 800 $ | x |
| I-PACE HSE EV400 | 101 100 $ | x |
| XF R-Dynamic SE P300 | 60 570 $ | x |

Présenté par

**Desjardins**
Assurances

# Nous aussi on s'est ennuyé.

21 - 30
janvier
2022

Palais des
congrès de
Montréal

**SALON**
**DE L'AUTO**

salonautomontreal.com

### JEEP

| | | |
|---|---|---|
| Cherokee Sport | 32 965 $ | x |
| Cherokee Sport 4x4 | 35 465 $ | x |
| Cherokee North 4x4 | 39 465 $ | x |
| Cherokee 80e Anniversaire 4x4 | 42 160 $ | x |
| Cherokee Altitude 4x4 | 42 665 $ | x |
| Cherokee Trailhawk 4x4 | 42 965 $ | x |
| Cherokee Limited 4x4 | 43 715 $ | x |
| Cherokee Trailhawk Elite 4x4 | 45 260 $ | x |
| Cherokee High Altitude 4x4 | 45 910 $ | x |
| Compass Sport | 28 695 $ | |
| Compass Sport 4x4 | 31 195 $ | |
| Compass North 4x4 | 34 095 $ | |
| Compass Altitude 4x4 | 37 595 $ | |
| Compass Trailhawk 4x4 | 38 195 $ | |
| Compass Limited 4x4 | 39 095 $ | |
| Gladiator Sport S | 49 315 $ | x |
| Gladiator Willys | 52 215 $ | x |
| Gladiator Overland | 53 315 $ | x |
| Gladiator 80e Anniversaire | 54 105 $ | x |
| Gladiator Rubicon | 56 315 $ | x |
| Gladiator Mojave | 56 315 $ | x |
| Gladiator High Altitude | 64 105 $ | x |
| Grand Cherokee Laredo | 49 665 $ | x |
| Grand Cherokee Altitude | 53 965 $ | x |
| Grand Cherokee Limited | 57 665 $ | x |
| Grand Cherokee 80e Anniversaire | 61 160 $ | x |
| Grand Cherokee Trailhawk | 61 665 $ | x |
| Grand Cherokee Limited X | 64 665 $ | x |
| Grand Cherokee Overland | 65 665 $ | x |
| Grand Cherokee High Altitude | 68 165 $ | x |
| Grand Cherokee Summit | 70 665 $ | x |
| Grand Cherokee SRT | 81 265 $ | x |
| Grand Cherokee Trackhawk | 120 615 $ | x |
| Grand Cherokee L Limited | 60 095 $ | x |
| Grand Cherokee L Overland | 69 095 $ | x |
| Grand Cherokee L Summit | 74 595 $ | x |
| Grand Cherokee L Summit Reserve | 78 590 $ | x |
| Grand Wagoneer Series I | 101 695 $ | |
| Grand Wagoneer Series II | 107 695 $ | |
| Grand Wagoneer Obsidian | 114 695 $ | |
| Grand Wagoneer Series III | 121 695 $ | |
| Renegade Sport | 27 695 $ | x |
| Renegade Jeepster | 29 690 $ | x |
| Renegade Sport 4x4 | 29 695 $ | x |
| Renegade Jeepster 4x4 | 31 690 $ | x |
| Renegade North 4x4 | 31 745 $ | x |
| Renegade 80e Anniversaire 4x4 | 33 440 $ | x |
| Renegade Islander 4x4 | 34 240 $ | x |
| Renegade Altitude 4x4 | 34 745 $ | x |
| Renegade Trailhawk 4x4 | 34 845 $ | x |
| Renegade Trailhawk Elite 4x4 | 38 840 $ | x |
| Wagoneer Series II | 80 695 $ | |
| Wagoneer Series III | 86 695 $ | |
| Wrangler Sport | 37 665 $ | x |
| Wrangler Willys Sport | 39 660 $ | x |
| Wrangler Sport S | 42 710 $ | x |
| Wrangler Islander | 44 310 $ | x |
| Wrangler Willys | 45 610 $ | x |
| Wrangler 80e Anniversaire | 46 305 $ | x |
| Wrangler Rubicon | 51 115 $ | x |
| Wrangler Unlimited Sport S | 44 570 $ | x |
| Wrangler Unlimited Islander | 48 160 $ | x |
| Wrangler Unlimited Sport Altitude | 49 055 $ | x |
| Wrangler Unlimited Willys | 49 460 $ | x |
| Wrangler Unlimited Sahara | 49 565 $ | x |
| Wrangler Unlimited Sport 80e Anniversaire | 50 155 $ | x |
| Wrangler Unlimited Sahara Altitude | 52 560 $ | x |
| Wrangler Unlimited Rubicon | 53 515 $ | x |
| Wrangler Unlimited Sahara High Altitude | 60 155 $ | x |
| Wrangler Unlimited Rubicon 392 | 90 000 $ | (est) |
| Wrangler 4xe Unlimited Sahara | 55 095 $ | x |
| Wrangler 4xe Unlimited Sahara High Altitude | 60 090 $ | x |
| Wrangler 4xe Unlimited Rubicon | 60 095 $ | x |

### KARMA

| | | |
|---|---|---|
| GS-6 Luxury | 116 000 $ | (est) |
| GS-6 Sport | 121 000 $ | (est) |
| GSe-6 | 96 600 $ | (est) |

### KIA

| | | |
|---|---|---|
| Carnival LX | 34 795 $ | |
| Carnival LX+ | 38 295 $ | |
| Carnival EX | 42 295 $ | |
| Carnival EX+ | 45 595 $ | |
| Carnival SX | 48 595 $ | |
| EV6 GT-Line | 44 995 $ | (est) |
| EV6 GT-Line TI | 46 995 $ | (est) |
| EV6 autonomie prolongée | 50 995 $ | (est) |
| EV6 TI autonomie prolongée | 52 995 $ | (est) |
| EV6 GT TI autonomie prolongée | 54 995 $ | (est) |
| Forte LX (man) | 17 895 $ | x |
| Forte LX (auto) | 19 495 $ | x |
| Forte EX | 21 195 $ | x |
| Forte EX+ | 22 795 $ | x |
| Forte EX Premium | 24 595 $ | x |
| Forte GT | 26 595 $ | x |
| Forte GT Limitée | 28 995 $ | x |
| Forte5 EX | 22 295 $ | x |
| Forte5 GT (man) | 25 895 $ | x |
| Forte5 GT (auto) | 27 595 $ | x |
| Forte5 GT Limitée | 29 995 $ | x |
| K5 LX | 29 595 $ | x |
| K5 EX | 32 595 $ | x |
| K5 GT-Line | 35 995 $ | x |
| K5 GT | 39 995 $ | x |
| Niro L | 26 995 $ | x |
| Niro EX | 30 195 $ | x |
| Niro SX Tourisme | 36 495 $ | x |
| Niro PHEV EX | 34 495 $ | x |
| Niro PHEV EX Premium | 36 495 $ | x |
| Niro PHEV SX Tourisme | 38 995 $ | x |
| Niro EV EX | 44 995 $ | x |
| Niro EV EX+ | 50 695 $ | x |
| Niro EV SX Tourisme | 54 695 $ | x |
| Rio LX+ (man) | 17 295 $ | x |
| Rio LX+ (auto) | 18 495 $ | x |
| Rio LX Premium | 19 995 $ | x |
| Rio EX Premium | 22 495 $ | x |
| Seltos LX | 23 395 $ | x |
| Seltos LX TI | 25 395 $ | x |
| Seltos EX TI | 27 995 $ | x |
| Seltos EX Premium TI | 30 995 $ | x |
| Seltos SX Turbo | 32 995 $ | x |
| Sorento LX+ | 33 995 $ | x |
| Sorento LX Premium | 36 495 $ | x |
| Sorento X-Line | 39 495 $ | x |
| Sorento EX | 40 995 $ | x |
| Sorento EX+ | 43 995 $ | x |
| Sorento SX | 47 495 $ | x |
| Soul LX | 21 195 $ | |
| Soul EX | 22 995 $ | |
| Soul EX+ | 24 995 $ | |
| Soul EX Premium | 26 995 $ | |
| Soul GT-Line Limitée | 29 295 $ | |
| Soul EV Premium | 42 995 $ | |
| Soul EV Limitée | 51 995 $ | |
| Sportage LX | 25 795 $ | |
| Sportage LX TI | 27 795 $ | |
| Sportage LX S TI | 29 295 $ | |
| Sportage EX S TI | 32 695 $ | |
| Sportage EX Premium S TI | 35 595 $ | |
| Sportage SX TI | 39 995 $ | |
| Stinger GT Limitée | 50 495 $ | |
| Stinger GT Elite | 52 995 $ | |
| Stinger GT Elite ensemble suède | 53 295 $ | |
| Telluride EX | 46 195 $ | |
| Telluride SX | 51 195 $ | |
| Telluride SX Limité | 54 695 $ | |
| Telluride SX Limité édition Nocturne | 55 695 $ | |

### LAMBORGHINI

| | | |
|---|---|---|
| Aventador S | 464 009 $ | x |
| Aventador S Roadster | 506 982 $ | x |
| Aventador SVJ | 637 997 $ | x |
| Aventador SVJ Roadster | 700 238 $ | x |
| Huracán EVO RWD | 245 245 $ | |
| Huracán EVO RWD Spyder | 269 648 $ | |
| Huracán EVO | 305 914 $ | |
| Huracán EVO Spyder | 336 481 $ | |
| Huracán EVO Fluo Capsule | 332 012 $ | |
| Huracán STO | 394 217 $ | |
| Sián FKP 37 | 3 250 000 $ | (est) |
| Sián Roadster | 4 000 000 $ | (est) |
| Urus | 256 986 $ | |
| Urus Graphite Capsule | 285 325 $ | |
| Urus Pearl Capsule | 281 784 $ | |

### LAND ROVER

| | | |
|---|---|---|
| Defender 90 S P300 | 62 800 $ | |
| Defender 90 X-Dynamic S P400 | 72 400 $ | |
| Defender 90 X-Dynamic SE P400 | 78 200 $ | |
| Defender 90 V8 P525 | 116 800 $ | |
| Defender 110 S P300 | 65 500 $ | |
| Defender 110 SE P400 | 78 600 $ | |
| Defender 110 XS Edition P400 | 85 800 $ | |
| Defender 110 X-Dynamic P400 | 81 700 $ | |
| Defender 110 X P400 | 99 900 $ | |
| Defender 110 V8 P525 | 119 600 $ | |
| Discovery S P300 | 68 600 $ | |
| Discovery R-Dynamic S P300 | 71 100 $ | |
| Discovery S P360 | 73 700 $ | |
| Discovery R-Dynamic S P360 | 76 100 $ | |
| Discovery R-Dynamic HSE P360 | 85 400 $ | |
| Discovery Sport R-Dynamic S P250 | 51 100 $ | x |
| Discovery Sport SE P250 | 51 600 $ | x |
| Discovery Sport R-Dynamic SE P250 | 53 300 $ | x |
| Discovery Sport R-Dynamic HSE P250 | 56 700 $ | x |
| Range Rover Westminster P400 MHEV | 123 100 $ | |
| Range Rover Westminster P525 | 130 600 $ | |
| Range Rover Westminster P525 emp. allongé | 134 600 $ | |
| Range Rover Autobiography P525 | 161 300 $ | |
| Range Rover Autobiography P525 emp. allongé | 167 300 $ | |
| Range Rover SVAutobiography Dynamic P565 | 204 000 $ | |
| Range Rover SVAutobiography Dynamic Black P565 | 208 500 $ | |
| Range Rover SVAutobiography P565 emp. allongé | 237 000 $ | |
| Range Rover Evoque S P250 | 49 950 $ | x |
| Range Rover Evoque SE P250 | 54 150 $ | x |
| Range Rover Evoque R-Dynamic SE P250 | 55 550 $ | x |
| Range Rover Sport SE P360 | 82 200 $ | |
| Range Rover Sport HSE Silver P360 | 93 700 $ | |
| Range Rover Sport HST P400 | 98 100 $ | |
| Range Rover Sport HSE Dynamic Supercharged | 105 500 $ | |
| Range Rover Sport Autobiography Dynamic Supercharged | 116 600 $ | |
| Range Rover Sport SVR | 135 700 $ | |
| Range Rover Sport SVR Carbon Edition | 155 500 $ | |
| Range Rover Velar S P250 | 63 500 $ | x |
| Range Rover Velar S P340 | 71 100 $ | x |
| Range Rover Velar R-Dynamic S P340 | 73 200 $ | x |
| Range Rover Velar R-Dynamic HSE P400 | 83 300 $ | x |

### LEXUS

| | | |
|---|---|---|
| ES 250 TI | 45 250 $ | x |
| ES 350 | 49 450 $ | x |
| ES 300h | 51 450 $ | x |
| GX 460 | 77 050 $ | x |
| IS 300 | 42 950 $ | x |
| IS 300 AWD | 43 400 $ | x |
| IS 350 AWD | 53 300 $ | x |
| IS 500 F Sport Performance | 75 000 $ | (est) |
| LC 500 coupé | 103 550 $ | x |
| LC 500h coupé | 119 400 $ | x |
| LC 500 décapotable | 122 500 $ | x |
| LS 500 | 104 750 $ | x |
| LS 500h | 133 900 $ | x |
| LX 570 | 112 900 $ | x |
| NX 250 | 44 000 $ | (est) |
| NX 350 | 47 000 $ | (est) |
| NX 350h | 50 000 $ | (est) |
| NX 450h+ | 53 000 $ | (est) |
| RC 300 AWD | 49 650 $ | x |
| RC 350 AWD | 62 800 $ | x |
| RC F | 85 450 $ | x |
| RX 350 | 56 650 $ | x |
| RX 450h | 59 400 $ | x |
| RX 350L | 59 700 $ | x |
| RX 450hL | 76 700 $ | x |
| UX 200 | 38 450 $ | x |
| UX 250h | 40 250 $ | x |

### LINCOLN

| | | |
|---|---|---|
| Aviator Ultra | 69 500 $ | x |
| Aviator Grand Touring | 81 500 $ | x |
| Corsair | 45 200 $ | x |
| Corsair Ultra | 50 500 $ | x |
| Corsair Grand Touring | 58 500 $ | x |
| Nautilus Ultra | 56 000 $ | x |
| Navigator Ultra | 96 500 $ | x |
| Navigator Ultra L | 99 750 $ | x |

### LOTUS

| | | |
|---|---|---|
| Evija | 2 850 000 $ | (est) |

### MASERATI

| | | |
|---|---|---|
| Ghibli S Q4 | 99 830 $ | x |
| Ghibli Trofeo | 131 380 $ | x |
| Levante | 97 690 $ | x |
| Levante S | 107 690 $ | x |
| Levante GTS | 146 690 $ | x |
| Levante Trofeo | 172 440 $ | x |
| MC20 | 255 000 $ | (est) |
| Quattroporte S Q4 | 138 315 $ | x |
| Quattroporte GTS | 170 265 $ | x |

### MAZDA

| | | |
|---|---|---|
| CX-3 GX (man) | 21 450 $ | x |
| CX-3 GX (auto) | 22 750 $ | x |
| CX-3 GS | 23 800 $ | x |
| CX-3 GS TI | 25 800 $ | x |
| CX-3 GT TI | 31 250 $ | x |
| CX-5 GX | 28 950 $ | x |
| CX-5 GX TI | 30 450 $ | x |
| CX-5 GS | 32 150 $ | x |
| CX-5 GS TI | 33 650 $ | x |
| CX-5 Édition Kuro | 36 950 $ | x |
| CX-5 GT TI | 38 350 $ | x |
| CX-5 Signature TI | 42 750 $ | x |
| CX-9 GS | 40 300 $ | x |
| CX-9 GS-L | 44 050 $ | x |
| CX-9 GT | 49 300 $ | x |
| CX-9 Édition Kuro | 50 600 $ | x |
| CX-9 Signature | 52 300 $ | x |
| CX-30 GX | 24 700 $ | x |
| CX-30 GX TI | 26 200 $ | x |
| CX-30 GS | 27 500 $ | x |
| CX-30 GS TI | 29 000 $ | x |
| CX-30 GT TI | 34 000 $ | x |
| Mazda3 GX (man) | 20 600 $ | x |
| Mazda3 GX (auto) | 21 900 $ | x |
| Mazda3 GS (man) | 23 000 $ | x |
| Mazda3 GS (auto) | 24 600 $ | x |
| Mazda3 GS TI | 26 600 $ | x |
| Mazda3 GT | 28 600 $ | x |
| Mazda3 GT Premium | 30 300 $ | x |
| Mazda3 GT Premium TI | 32 300 $ | x |
| Mazda3 GT Turbo TI | 33 000 $ | x |
| Mazda3 GT Turbo Premium TI | 34 700 $ | x |
| Mazda3 Sport GX (man) | 21 600 $ | x |
| Mazda3 Sport GX (auto) | 22 900 $ | x |
| Mazda3 Sport GS (man) | 24 300 $ | x |
| Mazda3 Sport GS (auto) | 25 600 $ | x |
| Mazda3 Sport GS TI | 27 600 $ | x |
| Mazda3 Sport GT | 29 600 $ | x |
| Mazda3 Sport GT Premium (man) | 30 000 $ | x |
| Mazda3 Sport GT Premium (auto) | 31 300 $ | x |
| Mazda3 Sport GT Premium TI | 33 300 $ | x |
| Mazda3 Sport GT Turbo TI | 34 000 $ | x |
| Mazda3 Sport GT Turbo Premium TI | 35 700 $ | x |
| MX-5 GS | 33 200 $ | x |
| MX-5 GS-P | 37 200 $ | x |
| MX-5 GT | 40 300 $ | x |
| MX-5 RF GS-P | 40 200 $ | x |
| MX-5 RF GT | 43 300 $ | x |
| MX-30 | 40 000 $ | (est) |
| MX-30 avec prolongateur d'autonomie | 43 000 $ | (est) |

### McLAREN

| | | |
|---|---|---|
| 720S | 339 146 $ | x |
| 720S Spider | 364 146 $ | x |
| Artura | 280 000 $ | |
| GT | 244 271 $ | x |

### MERCEDES-BENZ

| | | |
|---|---|---|
| A 220 4MATIC Berline | 37 800 $ | x |
| AMG A 35 4MATIC Berline | 49 800 $ | x |
| A 250 4MATIC Hayon | 39 900 $ | x |
| AMG A 35 4MATIC Hayon | 49 800 $ | x |
| C 300 4MATIC Berline | 55 000 $ | x |
| AMG C 43 4MATIC Berline | 71 600 $ | x |
| AMG C 63 Berline | 89 700 $ | x |
| AMG C 63 S Berline | 97 700 $ | x |
| C 300 4MATIC Cabriolet | 59 900 $ | x |
| AMG C 43 4MATIC Cabriolet | 73 900 $ | x |
| AMG C 63 S Cabriolet | 95 500 $ | x |
| C 300 4MATIC Coupé | 51 900 $ | x |
| AMG C 43 4MATIC Coupé | 64 600 $ | x |
| AMG C 63 S Coupé | 87 900 $ | x |
| C 300 4MATIC Familiale | 57 100 $ | x |
| AMG C 43 4MATIC Familiale | 73 100 $ | x |
| CLA 250 4MATIC | 43 600 $ | x |
| AMG CLA 35 4MATIC | 51 700 $ | x |
| AMG CLA 45 4MATIC | 59 700 $ | x |
| CLS 450 4MATIC | 84 100 $ | x |
| AMG CLS 53 4MATIC+ | 93 900 $ | x |
| E 350 4MATIC Berline | 64 900 $ | x |
| E 450 4MATIC Berline | 74 900 $ | x |
| AMG E 53 4MATIC+ Berline | 86 900 $ | x |
| AMG E 63 S 4MATIC+ Berline | 124 900 $ | x |
| E 450 4MATIC Cabriolet | 88 900 $ | x |
| AMG E 53 4MATIC+ Cabriolet | 99 900 $ | x |
| E 450 4MATIC Coupé | 81 900 $ | x |
| AMG E 53 4MATIC+ Coupé | 90 900 $ | x |
| E 450 4MATIC All-Terrain Familiale | 80 900 $ | x |
| AMG E 53 4MATIC+ Familiale | 88 900 $ | x |
| AMG E 63 S 4MATIC+ Familiale | 127 900 $ | x |
| EQS 580 4MATIC | 200 000 $ | (est) |
| G 550 | 154 900 $ | x |
| AMG G 63 | 211 900 $ | x |
| GLA 250 4MATIC | 42 400 $ | x |
| AMG GLA 35 4MATIC | 52 900 $ | x |
| AMG GLA 45 4MATIC | 60 500 $ | x |
| GLB 250 4MATIC | 46 500 $ | x |
| AMG GLB 35 4MATIC | 57 500 $ | x |
| GLC 300 4MATIC | 49 900 $ | x |
| AMG GLC 43 4MATIC | 65 500 $ | x |
| AMG GLC 63 S 4MATIC+ | 94 900 $ | x |
| GLC 300 4MATIC Coupé | 53 900 $ | x |
| AMG GLC 43 4MATIC Coupé | 67 500 $ | x |
| AMG GLC 63 S 4MATIC+ Coupé | 96 900 $ | x |
| GLE 350 4MATIC | 69 900 $ | x |
| GLE 450 4MATIC | 77 500 $ | x |
| AMG GLE 53 4MATIC+ | 92 500 $ | x |

Voici le tout nouveau Outlander 2022.

ANS D'EXCELLENCE

Mitsubishi Motors, la plus ancienne marque automobile du Japon, a toujours été connue pour son ingénierie supérieure, sa transmission quatre roues motrices et sa qualité. Dès le premier jour, la marque a impressionné les conducteurs québécois qui continuent d'apprécier ses performances audacieuses et son esprit indépendant.

Nous célébrons deux décennies de qualité, de valeur et d'exploration aventureuse pour les Québécois. Notre garantie renommée a soutenu les propriétaires à chaque kilomètre.

C'est l'année de la découverte de notre nouvelle gamme de véhicules, dont l'Outlander de nouvelle génération, le Mitsubishi le mieux équipé jamais construit, l'Eclipse Cross restylé et notre Outlander PHEV amélioré.

En associant nos traditions à un présent inspirant, Mitsubishi Motors se tourne vers un avenir brillant.

**MITSUBISHI MOTORS**
Réalisez vos Ambitions

| | | |
|---|---|---|
| AMG GLE 63 S 4MATIC+ | 133 300 $ | x |
| AMG GLE 53 4MATIC+ Coupé | 94 500 $ | x |
| AMG GLE 63 S 4MATIC+ Coupé | 135 300 $ | x |
| GLS 450 4MATIC | 101 900 $ | x |
| GLS 580 4MATIC | 125 900 $ | x |
| GLS 63 S 4MATIC+ | 160 900 $ | x |
| Metris Fourgon 126 po | 39 170 $ | x |
| Metris Fourgon 135 po | 40 790 $ | x |
| Metris Combi | 47 570 $ | x |
| S 500 4MATIC Empattement Court Berline | 123 500 $ | x |
| S 580 4MATIC Empattement Long Berline | 139 900 $ | x |
| AMG S 63 4MATIC+ Berline | 175 000 $ | (est) |
| AMG Coupé 4 portes GT 53 4MATIC+ | 119 800 $ | x |
| AMG Coupé 4 portes GT 63 4MATIC+ | 163 300 $ | x |
| AMG Coupé 4 portes GT 63 S 4MATIC+ | 184 400 $ | x |
| Maybach GLS 560 4MATIC | 199 400 $ | x |
| Maybach S 580 4MATIC Berline | 229 900 $ | x |
| Sprinter Combi 2500 toit surélevé emp. 144 po | 65 120 $ | x |
| Sprinter Combi 2500 toit surélevé emp. 170 po | 70 400 $ | x |
| Sprinter Combi 2500 toit surélevé emp. 144 po 4x4 | 76 200 $ | x |
| Sprinter Équipage 2500 toit surélevé emp. 144 po | 57 210 $ | x |
| Sprinter Équipage 2500 toit surélevé emp. 170 po | 58 830 $ | x |
| Sprinter Équipage 3500 toit surélevé emp. 144 po | 59 340 $ | x |
| Sprinter Équipage 3500 toit surélevé emp. 170 po | 62 690 $ | x |
| Sprinter Équipage 3500XD toit surélevé emp. 144 po | 60 450 $ | x |
| Sprinter Équipage 3500XD toit surélevé emp. 170 po | 63 700 $ | x |
| Sprinter Équipage 4500 toit surélevé emp. 144 po | 61 470 $ | x |
| Sprinter Équipage 4500 toit surélevé emp. 170 po | 64 720 $ | x |
| Sprinter Équipage 2500 toit surélevé emp. 144 po 4x4 | 68 400 $ | x |
| Sprinter Équipage 2500 toit surélevé emp. 170 po 4x4 | 71 600 $ | x |
| Sprinter Équipage 3500XD toit surélevé emp. 144 po 4x4 | 71 600 $ | x |
| Sprinter Équipage 3500XD toit surélevé emp. 170 po 4x4 | 74 800 $ | x |
| Sprinter Fourgon 2500 empattement de 144 po | 48 270 $ | x |
| Sprinter Fourgon 2500 toit surélevé emp. 170 po | 52 840 $ | x |
| Sprinter Fourgon 2500 toit surélevé emp. 170 po allongé | 57 810 $ | x |
| Sprinter Fourgon 3500 toit surélevé emp. 144 po | 53 350 $ | x |
| Sprinter Fourgon 3500 toit surélevé emp. 170 po | 56 600 $ | x |
| Sprinter Fourgon 3500 toit surélevé emp. 170 po allongé | 60 050 $ | x |
| Sprinter Fourgon 3500XD toit surélevé emp. 144 po | 51 620 $ | x |
| Sprinter Fourgon 3500XD toit surélevé emp. 170 po | 57 710 $ | x |
| Sprinter Fourgon 3500XD toit surélevé emp. 170 po allongé | 61 060 $ | x |
| Sprinter Fourgon 4500 emp. 144 po | 52 640 $ | x |
| Sprinter Fourgon 4500 toit surélevé emp. 170 po | 58 730 $ | x |
| Sprinter Fourgon 4500 toit surélevé emp. 170 po allongé | 62 180 $ | x |
| Sprinter Fourgon 2500 emp. 144 po 4x4 | 59 600 $ | x |
| Sprinter Fourgon 2500 toit surélevé emp. 170 po 4x4 | 65 700 $ | x |
| Sprinter Fourgon 2500 toit surélevé emp. 170 po allongé 4x4 | 69 000 $ | x |
| Sprinter Fourgon 3500XD emp. 144 po 4x4 | 62 900 $ | x |
| Sprinter Fourgon 3500XD toit surélevé emp. 170 po 4x4 | 68 900 $ | x |
| Sprinter Fourgon 3500XD toit surélevé emp. 170 po allongé 4x4 | 72 200 $ | x |

### MINI

| | | |
|---|---|---|
| 3 portes Cooper | 24 490 $ | |
| 3 portes Cooper S | 28 790 $ | |
| John Cooper Works 3 portes | 35 940 $ | |
| 3 portes Cooper SE | 40 990 $ | |
| 5 portes Cooper | 25 790 $ | |
| 5 portes Cooper S | 30 090 $ | |
| Cabriolet Cooper | 31 090 $ | |
| Cabriolet Cooper S | 35 390 $ | |
| Cabriolet John Cooper Works | 43 640 $ | |
| Clubman Cooper S ALL4 | 33 990 $ | |
| John Cooper Works Clubman ALL4 | 41 590 $ | |
| Countryman Cooper ALL4 | 33 490 $ | |
| Countryman Cooper S ALL4 | 36 490 $ | |
| John Cooper Works Countryman ALL4 | 43 590 $ | |
| Countryman Cooper SE ALL4 | 44 990 $ | |

### MITSUBISHI

| | | |
|---|---|---|
| Eclipse Cross ES S-AWC | 28 598 $ | |
| Eclipse Cross SE S-AWC | 31 218 $ | |
| Eclipse Cross SEL S-AWC | 34 218 $ | |
| Eclipse Cross GT S-AWC | 36 998 $ | |
| Mirage ES (man) | 13 858 $ | x |
| Mirage ES (auto) | 15 058 $ | x |
| Mirage SE | 17 158 $ | x |
| Mirage GT | 20 158 $ | x |
| Outlander ES S-AWC | 31 998 $ | |
| Outlander SE S-AWC | 34 648 $ | |
| Outlander LE S-AWC | 37 738 $ | |
| Outlander LE Premium S-AWC | 38 238 $ | |
| Outlander SEL S-AWC | 40 208 $ | |
| Outlander GT S-AWC | 41 678 $ | |
| Outlander GT Premium S-AWC | 42 178 $ | |
| Outlander PHEV SE S-AWC | 44 198 $ | x |
| Outlander PHEV LE S-AWC | 45 698 $ | x |
| Outlander PHEV SEL S-AWC | 47 698 $ | x |
| Outlander PHEV GT S-AWC | 52 198 $ | x |
| RVR ES | 23 195 $ | x |
| RVR SE | 25 498 $ | x |
| RVR ES AWC | 25 698 $ | x |
| RVR SE AWC | 28 198 $ | x |
| RVR SEL AWC | 29 998 $ | x |
| RVR LE AWC | 30 998 $ | x |
| RVR GT AWC | 34 198 $ | x |

### NISSAN

| | | |
|---|---|---|
| Altima SE | 29 498 $ | x |
| Altima SR | 31 998 $ | x |
| Altima Platine | 35 498 $ | x |
| Ariya | 45 000 $ | (est) |
| Armada SL | 68 498 $ | x |
| Armada Platine | 75 998 $ | x |
| Armada Platine avec sièges capitaines | 76 998 $ | x |
| Frontier S King Cab | 30 000 $ | (est) |
| Frontier SV King Cab | 32 000 $ | (est) |
| Frontier SV cab. multi.place | 33 500 $ | (est) |
| Frontier PRO-4X King Cab | 35 000 $ | (est) |
| Frontier PRO-4X cab. multi.place | 36 500 $ | (est) |
| GT-R Haut de Gamme | 130 498 $ | x |
| GT-R Intérieur Haut de gamme | 135 798 $ | x |
| GT-R Édition Piste | 167 498 $ | x |
| Kicks S | 19 898 $ | x |
| Kicks SV | 22 898 $ | x |
| Kicks SR | 24 098 $ | x |
| Kicks SR Privilège | 24 998 $ | x |
| LEAF SV | 44 298 $ | x |
| LEAF S PLUS | 46 898 $ | x |
| LEAF SV PLUS | 49 898 $ | x |
| LEAF SL PLUS | 52 898 $ | x |
| Maxima SL | 41 440 $ | x |
| Maxima SR | 44 490 $ | x |
| Maxima Platine | 46 100 $ | x |
| Murano S | 34 098 $ | x |
| Murano SV TI | 40 098 $ | x |
| Murano SL TI | 43 898 $ | x |
| Murano Édition Minuit TI | 45 098 $ | x |
| Murano Platine TI | 46 898 $ | x |
| Pathfinder S | 43 798 $ | |
| Pathfinder SV | 46 798 $ | |
| Pathfinder SL | 50 398 $ | |
| Pathfinder SL Premium | 52 198 $ | |
| Pathfinder Platine | 54 398 $ | |
| Qashqai S (man) | 21 998 $ | x |
| Qashqai S (auto) | 24 498 $ | x |
| Qashqai S TI | 25 998 $ | x |
| Qashqai SV | 26 998 $ | x |
| Qashqai SV TI | 28 998 $ | x |
| Qashqai SL TI | 31 998 $ | x |
| Qashqai SL Platine TI | 33 998 $ | x |
| Rogue S | 28 798 $ | x |
| Rogue S TI | 31 098 $ | x |
| Rogue SV | 32 298 $ | x |
| Rogue SV TI | 34 598 $ | x |
| Rogue Platine TI | 40 798 $ | x |
| Sentra S | 19 198 $ | x |
| Sentra S Plus | 20 898 $ | x |
| Sentra SV | 22 298 $ | x |
| Sentra SV avec toit ouvrant | 23 198 $ | x |
| Sentra SR (man) | 23 198 $ | x |
| Sentra SR (auto) | 24 498 $ | x |
| Sentra SR Prime | 26 598 $ | x |
| Versa S (man) | 16 498 $ | x |
| Versa S (auto) | 17 998 $ | x |
| Versa SV | 19 498 $ | x |
| Versa SR | 20 998 $ | x |
| Z | 40 000 $ | (est) |

### PAGANI

| | | |
|---|---|---|
| Huayra Roadster | 3 500 000 $ | (est) |

### POLESTAR

| | | |
|---|---|---|
| 1 | 197 000 $ | x |
| 2 | 69 900 $ | x |
| 2 Performance | 75 900 $ | x |

### PORSCHE

| | | |
|---|---|---|
| 718 Boxster | 69 500 $ | x |
| 718 Boxster T | 80 300 $ | x |
| 718 Boxster S | 84 000 $ | x |
| 718 Boxster GTS 4.0 | 97 600 $ | x |
| 718 Boxster 25 Years | 108 000 $ | x |
| 718 Boxster Spyder | 112 900 $ | x |
| 718 Cayman | 67 100 $ | x |
| 718 Cayman T | 77 900 $ | x |
| 718 Cayman S | 81 600 $ | x |
| 718 Cayman GTS 4.0 | 95 200 $ | x |
| 718 Cayman GT4 | 116 000 $ | x |
| 911 Carrera | 115 000 $ | x |
| 911 Carrera Cabriolet | 129 600 $ | x |
| 911 Carrera S | 133 100 $ | x |
| 911 Carrera S Cabriolet | 147 700 $ | x |
| 911 Carrera 4 | 123 400 $ | x |
| 911 Carrera 4 Cabriolet | 138 000 $ | x |
| 911 Carrera 4S | 141 500 $ | x |
| 911 Carrera 4S Cabriolet | 156 100 $ | x |
| 911 Targa 4 | 138 000 $ | x |
| 911 Targa 4S | 156 100 $ | x |
| 911 Turbo | 198 400 $ | x |
| 911 Turbo Cabriolet | 213 000 $ | x |
| 911 Turbo S | 235 600 $ | x |
| 911 Turbo S Cabriolet | 250 200 $ | x |
| 911 GT3 | 180 300 $ | x |
| Cayenne | 79 200 $ | x |
| Cayenne Coupé | 88 900 $ | x |
| Cayenne E-Hybrid | 95 500 $ | x |
| Cayenne E-Hybrid Coupé | 101 600 $ | x |
| Cayenne S | 96 800 $ | x |
| Cayenne S Coupé | 104 300 $ | x |
| Cayenne GTS | 122 200 $ | x |
| Cayenne GTS Coupé | 127 800 $ | x |
| Cayenne Turbo | 147 500 $ | x |
| Cayenne Turbo Coupé | 153 800 $ | x |
| Cayenne Turbo S E-Hybrid | 188 000 $ | x |
| Cayenne Turbo S E-Hybrid Coupé | 193 100 $ | x |
| Cayenne Turbo GT Coupé | 200 700 $ | |
| Macan | 57 800 $ | x |
| Macan S | 65 600 $ | x |
| Macan GTS | 79 200 $ | x |
| Macan Turbo | 96 500 $ | x |
| Panamera | 100 600 $ | x |
| Panamera 4 | 105 900 $ | x |
| Panamera 4 Executive | 113 500 $ | x |
| Panamera 4 Sport Turismo | 113 000 $ | x |
| Panamera 4 E-Hybrid | 119 000 $ | x |
| Panamera 4 E-Hybrid Executive | 124 100 $ | x |
| Panamera 4 E-Hybrid Sport Turismo | 124 100 $ | x |
| Panamera 4S | 121 100 $ | x |
| Panamera 4S Executive | 133 700 $ | x |
| Panamera 4S Sport Turismo | 126 700 $ | x |
| Panamera 4S E-Hybrid | 129 900 $ | x |
| Panamera 4S E-Hybrid Executive | 142 800 $ | x |
| Panamera 4S E-Hybrid Sport Turismo | 135 000 $ | x |
| Panamera GTS | 148 900 $ | x |
| Panamera GTS Sport Turismo | 155 900 $ | x |
| Panamera Turbo S | 204 800 $ | x |
| Panamera Turbo S Executive | 216 600 $ | x |
| Panamera Turbo S Sport Turismo | 211 000 $ | x |
| Panamera Turbo S E-Hybrid | 217 000 $ | x |
| Panamera Turbo S E-Hybrid Executive | 228 900 $ | x |
| Panamera Turbo S E-Hybrid Sport Turismo | 223 900 $ | x |
| Taycan 4 Cross Turismo | 119 900 $ | x |
| Taycan 4S | 120 500 $ | x |
| Taycan 4S Cross Turismo | 126 800 $ | x |
| Taycan Turbo | 175 000 $ | x |
| Taycan Turbo Cross Turismo | 178 000 $ | x |
| Taycan Turbo S | 215 000 $ | x |
| Taycan Turbo S Cross Turismo | 218 000 $ | x |

### RAM

| | | |
|---|---|---|
| 1500 Tradesman cab. quad 2RM | 46 015 $ | x |
| 1500 Tradesman cab. quad 4RM | 50 015 $ | x |
| 1500 Tradesman cab. multi. c. crte 2RM | 47 715 $ | x |
| 1500 Tradesman cab. multi. c. crte 4RM | 51 715 $ | x |
| 1500 Tradesman cab. multi. c. long. 2RM | 48 115 $ | x |
| 1500 Tradesman cab. multi. c. long. 4RM | 52 115 $ | x |
| 1500 Big Horn cab. quad 2RM | 49 515 $ | x |
| 1500 Big Horn cab. quad 4RM | 53 515 $ | x |
| 1500 Big Horn cab. multi. c. crte 2RM | 51 215 $ | x |
| 1500 Big Horn cab. multi. c. crte 4RM | 55 215 $ | x |
| 1500 Big Horn cab. multi. c. long. 2RM | 51 615 $ | x |
| 1500 Big Horn cab. multi. c. long. 4RM | 55 615 $ | x |
| 1500 Sport cab. quad 2RM | 56 815 $ | x |
| 1500 Sport cab. quad 4RM | 60 815 $ | x |
| 1500 Sport cab. multi. c. crte 2RM | 58 515 $ | x |
| 1500 Sport cab. multi. c. crte 4RM | 62 515 $ | x |
| 1500 Sport cab. multi. c. long. 2RM | 58 915 $ | x |
| 1500 Sport cab. multi. c. long. 4RM | 62 915 $ | x |
| 1500 Rebel cab. quad 4RM | 62 815 $ | x |
| 1500 Rebel cab. multi. c. crte 4RM | 64 515 $ | x |
| 1500 Laramie cab. quad 4RM | 66 815 $ | x |
| 1500 Laramie cab. multi. c. crte 4RM | 68 515 $ | x |
| 1500 Laramie cab. multi. c. long. 4RM | 68 915 $ | x |
| 1500 Limited Longhorn cab. multi. c. crte 4RM | 74 015 $ | x |
| 1500 Limited Longhorn cab. multi. c. long. 4RM | 74 415 $ | x |
| 1500 Limited cab. multi. c. crte 4RM | 78 415 $ | x |
| 1500 Limited cab. multi. c. long. 4RM | 78 815 $ | x |
| 1500 Limited 10e anniversaire cab. multi. c. crte 4RM | 83 385 $ | |
| 1500 Limited 10e anniversaire cab. multi. c. long. 4RM | 83 785 $ | |
| 1500 TRX | 97 965 $ | x |
| 1500 Classic Tradesman cab. simple c. crte 2RM | 36 990 $ | x |
| 1500 Classic Tradesman cab. simple c. crte 4RM | 43 990 $ | x |
| 1500 Classic Tradesman cab. simple c. long. 2RM | 40 990 $ | x |
| 1500 Classic Tradesman cab. simple c. long. 4RM | 44 390 $ | x |
| 1500 Classic Tradesman cab. quad 2RM | 44 990 $ | x |
| 1500 Classic Tradesman cab. quad 4RM | 47 990 $ | x |
| 1500 Classic Tradesman cab. multi. c. crte 2RM | 46 690 $ | x |
| 1500 Classic Tradesman cab. multi. c. crte 4RM | 50 690 $ | x |
| 1500 Classic Tradesman cab. multi. c. long. 2RM | 48 690 $ | x |
| 1500 Classic Tradesman cab. multi. c. long. 4RM | 49 490 $ | x |
| 1500 Classic Express cab. simple c. long. 2RM | 37 990 $ | x |
| 1500 Classic Express cab. simple c. long. 4RM | 44 990 $ | x |
| 1500 Classic Express cab. quad 2RM | 45 990 $ | x |
| 1500 Classic Express cab. quad 4RM | 48 990 $ | x |
| 1500 Classic Express cab. multi. c. crte 2RM | 47 690 $ | x |
| 1500 Classic Express cab. multi. c. crte 4RM | 51 690 $ | x |
| 1500 Classic Night Edition cab. quad 4RM | 51 280 $ | x |
| 1500 Classic Night Edition cab. multi. 4RM | 53 980 $ | x |
| 1500 Classic SLT cab. quad 4RM | 51 590 $ | x |
| 1500 Classic SLT cab. multi. 4RM | 53 290 $ | x |
| 1500 Classic Warlock cab. quad 4RM | 54 585 $ | x |
| 1500 Classic Warlock cab. multi. 4RM | 56 285 $ | x |
| 2500 Tradesman cab. simple 2RM | 53 265 $ | x |
| 2500 Tradesman cab. simple 4RM | 56 765 $ | x |
| 2500 Tradesman cab. multi. c. crte 2RM | 57 265 $ | x |
| 2500 Tradesman cab. multi. c. crte 4RM | 60 765 $ | x |
| 2500 Tradesman cab. multi. c. long. 2RM | 58 265 $ | x |
| 2500 Tradesman cab. multi. c. long. 4RM | 61 765 $ | x |
| 2500 Big Horn cab. simple 2RM | 55 765 $ | x |
| 2500 Big Horn cab. simple 4RM | 59 265 $ | x |
| 2500 Big Horn cab. multi. c. crte 2RM | 59 765 $ | x |
| 2500 Big Horn cab. multi. c. crte 4RM | 63 265 $ | x |
| 2500 Big Horn cab. multi. c. long. 2RM | 60 765 $ | x |
| 2500 Big Horn cab. multi. c. long. 4RM | 64 265 $ | x |
| 2500 Big Horn cab. mega 4RM | 65 265 $ | x |
| 2500 Power Wagon | 66 765 $ | x |
| 2500 Laramie cab. multi. c. crte 2RM | 70 765 $ | x |
| 2500 Laramie cab. multi. c. crte 4RM | 74 265 $ | x |
| 2500 Laramie cab. multi. c. long. 2RM | 71 765 $ | x |
| 2500 Laramie cab. multi. c. long. 4RM | 75 265 $ | x |
| 2500 Laramie cab. mega 4RM | 76 265 $ | x |
| 2500 Limited Longhorn cab. multi. c. crte 2RM | 76 265 $ | x |
| 2500 Limited Longhorn cab. multi. c. crte 4RM | 79 765 $ | x |
| 2500 Limited Longhorn cab. multi. c. long. 2RM | 77 265 $ | x |
| 2500 Limited Longhorn cab. multi. c. long. 4RM | 80 765 $ | x |
| 2500 Limited Longhorn cab. mega 4RM | 81 765 $ | x |
| 2500 Limited cab. multi. c. long. 4RM | 84 065 $ | x |

ON RÉCUPÈRE, ON RÉPARE, ON DONNE.

EN DIFFUSION SUR

Propulsé par

| Modèle | Prix | |
|---|---|---|
| 2500 Limited cab. mega 4RM | 86 265 $ | x |
| 3500 Tradesman cab. simple 2RM | 54 265 $ | x |
| 3500 Tradesman cab. simple 4RM | 57 765 $ | x |
| 3500 Tradesman cab. multi. c. crte 2RM | 58 265 $ | x |
| 3500 Tradesman cab. multi. c. crte 4RM | 61 765 $ | x |
| 3500 Tradesman cab. multi. c. long. 2RM | 59 265 $ | x |
| 3500 Tradesman cab. multi. c. long. 4RM | 62 765 $ | x |
| 3500 Big Horn cab. simple 2RM | 56 765 $ | x |
| 3500 Big Horn cab. simple 4RM | 60 265 $ | x |
| 3500 Big Horn cab. multi. c. crte 2RM | 60 765 $ | x |
| 3500 Big Horn cab. multi. c. crte 4RM | 64 265 $ | x |
| 3500 Big Horn cab. multi. c. long. 2RM | 61 765 $ | x |
| 3500 Big Horn cab. multi. c. long. 4RM | 65 265 $ | x |
| 3500 Big Horn cab. quad 4RM | 66 265 $ | x |
| 3500 Laramie cab. multi. c. crte 2RM | 71 765 $ | x |
| 3500 Laramie cab. multi. c. crte 4RM | 75 265 $ | x |
| 3500 Laramie cab. multi. c. long. 2RM | 72 765 $ | x |
| 3500 Laramie cab. multi. c. long. 4RM | 76 265 $ | x |
| 3500 Laramie cab. mega 4RM | 77 265 $ | x |
| 3500 Limited Longhorn cab. multi. c. crte 2RM | 78 265 $ | x |
| 3500 Limited Longhorn cab. multi. c. crte 4RM | 81 765 $ | x |
| 3500 Limited Longhorn cab. multi. c. long. 2RM | 79 265 $ | x |
| 3500 Limited Longhorn cab. multi. c. long. 4RM | 82 765 $ | x |
| 3500 Limited Longhorn cab. mega 4RM | 83 765 $ | x |
| 3500 Limited cab. multi. c. long. 4RM | 86 065 $ | x |
| 3500 Limited cab. mega 4RM | 88 265 $ | x |
| ProMaster 1500 utilitaire empattement court | 40 740 $ | x |
| ProMaster 1500 utilitaire empattement long | 41 740 $ | x |
| ProMaster 1500 utilitaire toit surélevé empattement long | 43 740 $ | x |
| ProMaster 2500 utilitaire | 42 740 $ | x |
| ProMaster 2500 utilitaire toit surélevé empattement court | 44 740 $ | x |
| ProMaster 2500 utilitaire toit surélevé empattement long | 45 740 $ | x |
| ProMaster 2500 fourgon vitré toit surélevé | 46 740 $ | x |
| ProMaster 3500 utilitaire | 44 040 $ | x |
| ProMaster 3500 utilitaire toit élevé empattement court | 46 340 $ | x |
| ProMaster 3500 utilitaire toit surélevé empattement long | 46 740 $ | x |
| ProMaster 3500 utilitaire allongé toit surélevé | 47 740 $ | x |
| ProMaster 3500 fourgon vitré allongé toit surélevé | 48 740 $ | x |
| ProMaster City ST utilitaire | 34 440 $ | x |
| ProMaster City ST minibus | 35 440 $ | x |
| ProMaster City SLT utilitaire | 35 440 $ | x |
| ProMaster City SLT minibus | 36 440 $ | x |

**ROLLS-ROYCE**

| Modèle | Prix | |
|---|---|---|
| Cullinan | 408 000 $ (est) | |
| Ghost | 410 000 $ (est) | |
| Phantom | 563 000 $ (est) | |

**SUBARU**

| Modèle | Prix | |
|---|---|---|
| Ascent Commodité | 36 995 $ | x |
| Ascent Tourisme | 42 495 $ | x |
| Ascent Tourisme avec sièges capitaine | 43 095 $ | x |
| Ascent Limited | 47 995 $ | x |
| Ascent Limited avec sièges capitaine | 48 595 $ | x |
| Ascent Premier | 51 495 $ | x |
| BRZ | 29 000 $ (est) | |
| BRZ Sport-tech | 32 500 $ (est) | |
| Crosstrek Commodité | 23 795 $ | x |
| Crosstrek Commodité avec EyeSight | 25 795 $ | x |
| Crosstrek Tourisme | 26 195 $ | x |
| Crosstrek Tourisme avec EyeSight | 28 195 $ | x |
| Crosstrek Outdoor avec EyeSight | 29 995 $ | x |
| Crosstrek Sport | 28 795 $ | x |
| Crosstrek Sport avec EyeSight | 31 395 $ | x |
| Crosstrek Limited | 34 495 $ | x |
| Crosstrek Limited avec EyeSight hybride rechargeable | 42 595 $ | x |
| Forester | 28 995 $ | x |
| Forester Commodité | 32 595 $ | x |
| Forester Tourisme | 34 395 $ | x |
| Forester Sport | 35 795 $ | x |
| Forester Limited | 38 795 $ | x |
| Forester Premier | 40 095 $ | x |
| Impreza Commodité 4 portes | 19 995 $ | x |
| Impreza Commodité 4 portes avec EyeSight | 21 995 $ | x |
| Impreza Tourisme 4 portes | 22 795 $ | x |
| Impreza Tourisme 4 portes avec EyeSight | 24 795 $ | x |
| Impreza Sport 4 portes | 25 395 $ | x |
| Impreza Sport 4 portes avec EyeSight | 27 995 $ | x |
| Impreza Sport-tech 4 portes avec EyeSight | 30 795 $ | x |
| Impreza Commodité 5 portes | 20 995 $ | x |
| Impreza Commodité 5 portes avec EyeSight | 22 995 $ | x |
| Impreza Tourisme 5 portes | 23 795 $ | x |
| Impreza Tourisme 5 portes avec EyeSight | 25 795 $ | x |
| Impreza Sport 5 portes | 26 395 $ | x |
| Impreza Sport 5 portes avec EyeSight | 28 995 $ | x |
| Impreza Sport-tech 5 portes | 31 795 $ | x |
| Legacy Commodité | 26 795 $ | |
| Legacy Tourisme | 30 895 $ | |
| Legacy Limited | 34 895 $ | |
| Legacy Limited GT | 37 795 $ | |
| Legacy Premier GT | 39 595 $ | |
| Outback Commodité | 31 195 $ | |
| Outback Tourisme | 35 395 $ | |
| Outback Limited | 35 595 $ | |
| Outback Premier | 41 395 $ | |
| Outback Wilderness | 41 995 $ | |
| Outback Limited XT | 42 395 $ | |
| Outback Premier XT | 44 195 $ | |
| WRX | 29 995 $ | x |
| WRX Sport | 33 795 $ | x |
| WRX Sport avec EyeSight | 36 095 $ | x |
| WRX Sport-tech | 37 495 $ | x |
| WRX Sport-tech avec EyeSight | 39 495 $ | x |
| WRX STI | 40 395 $ | x |
| WRX STI Sport | 42 895 $ | x |
| WRX STI Sport-tech | 47 895 $ | x |

**TESLA**

| Modèle | Prix | |
|---|---|---|
| Cybertruck moteur unique, propulsion | 50 000 $ (est) | |
| Cybertruck double moteur, transmission intégrale | 60 000 $ (est) | |
| Cybertruck triple moteur, transmission intégrale | 85 000 $ (est) | |
| Model 3 Autonomie standard | 44 999 $ | |
| Model 3 Autonomie standard plus | 51 710 $ | |
| Model 3 Longue autonomie TI | 63 710 $ | |
| Model 3 Performance TI | 73 710 $ | |
| Model S Longue autonomie | 113 710 $ | |
| Model S Plaid | 168 710 $ | |
| Model X Longue autonomie | 123 710 $ | |
| Model X Plaid | 158 710 $ | |
| Model Y Longue autonomie | 68 710 $ | |
| Model Y Performance | 82 710 $ | |
| Roadster | 255 720 $ | |
| Roadster Founders Edition | 320 720 $ | |

**TOYOTA**

| Modèle | Prix | |
|---|---|---|
| 4Runner Trail | 46 200 $ | x |
| 4Runner SR5 | 48 910 $ | x |
| 4Runner TRD Sport | 52 000 $ (est) | |
| 4Runner TRD Hors Route | 52 380 $ | x |
| 4Runner Limited 7 passagers | 55 810 $ | x |
| 4Runner Venture | 57 030 $ | x |
| 4Runner Nightshade 7 passagers | 58 380 $ | x |
| 4Runner TRD Pro | 62 430 $ | x |
| C-HR LE | 23 950 $ | x |
| C-HR XLE Premium | 26 550 $ | x |
| C-HR Nightshade | 27 400 $ | x |
| C-HR Limited | 29 150 $ | x |
| Camry LE Base | 27 250 $ | x |
| Camry LE | 28 790 $ | x |
| Camry SE | 29 250 $ | x |
| Camry LE TI | 30 590 $ | x |
| Camry LE Amélioré | 31 050 $ | x |
| Camry SE TI | 31 050 $ | x |
| Camry SE Amélioré | 32 050 $ | x |
| Camry SE Amélioré TI | 33 850 $ | x |
| Camry XSE | 35 390 $ | x |
| Camry Nightshade | 36 250 $ | x |
| Camry TRD | 36 540 $ | x |
| Camry XLE | 36 850 $ | x |
| Camry XSE TI | 37 190 $ | x |
| Camry XLE TI | 38 650 $ | x |
| Camry XSE V6 | 40 890 $ | x |
| Camry XLE V6 | 41 990 $ | x |
| Camry Hybrid LE | 30 790 $ | x |
| Camry Hybrid SE | 34 050 $ | x |
| Camry Hybrid XSE | 37 390 $ | x |
| Camry Hybrid XLE | 39 690 $ | x |
| Corolla L (man) | 19 350 $ | x |
| Corolla L (auto) | 21 150 $ | x |
| Corolla LE | 22 090 $ | x |
| Corolla SE (man) | 22 590 $ | x |
| Corolla SE (auto) | 23 590 $ | x |
| Corolla LE Amélioré | 24 090 $ | x |
| Corolla SE Amélioré (man) | 25 570 $ | x |
| Corolla SE Amélioré (auto) | 26 570 $ | x |
| Corolla APEX (man) | 26 900 $ | x |
| Corolla Nightshade | 27 350 $ | x |
| Corolla XLE | 27 450 $ | x |
| Corolla APEX (auto) | 27 900 $ | x |
| Corolla XSE | 28 950 $ | x |
| Corolla Hybrid | 25 090 $ | x |
| Corolla Hybrid Premium | 27 090 $ | x |
| Corolla Cross L | 25 000 $ (est) | |
| Corolla Cross L TI | 27 000 $ (est) | |
| Corolla Cross LE | 28 000 $ (est) | |
| Corolla Cross LE TI | 30 000 $ (est) | |
| Corolla Cross XLE TI | 32 000 $ (est) | |
| Corolla Hatchback (man) | 21 390 $ | x |
| Corolla Hatchback (auto) | 22 390 $ | x |
| Corolla Hatchback SE (man) | 23 500 $ | x |
| Corolla Hatchback SE (auto) | 24 500 $ | x |
| Corolla Hatchback SE Amélioré (man) | 25 300 $ | x |
| Corolla Hatchback SE Amélioré (auto) | 26 300 $ | x |
| Corolla Hatchback Nightshade | 26 830 $ | x |
| Corolla Hatchback XSE (man) | 27 540 $ | x |
| Corolla Hatchback XSE (auto) | 28 540 $ | x |
| GR 86 | 29 500 $ (est) | |
| GR 86 Premium | 33 000 $ (est) | |
| GR Supra 2.0 | 56 390 $ | x |
| GR Supra 3.0 | 67 690 $ | x |
| Highlander L | 40 450 $ | x |
| Highlander LE TI | 43 950 $ | x |
| Highlander XLE TI | 46 450 $ | x |
| Highlander XSE TI | 48 750 $ | x |
| Highlander Limited TI | 52 150 $ | x |
| Highlander Platinum TI | 54 450 $ | x |
| Highlander Hybrid LE TI | 45 950 $ | x |
| Highlander Hybrid XLE TI | 48 450 $ | x |
| Highlander Hybrid Limited TI | 54 150 $ | x |
| Highlander Hybrid Platinum TI | 56 450 $ | x |
| Mirai | 62 500 $ (est) | |
| Prius | 29 150 $ | |
| Prius AWD-e | 30 150 $ | |
| Prius Technologie AWD-e | 32 490 $ | |
| Prius Technologie | 33 690 $ | |
| Prius Technologie de pointe AWD-e | 35 760 $ | |
| Prius Prime | 33 550 $ | |
| Prius Prime Amélioré | 36 350 $ | |
| Prius Prime Technologie | 38 700 $ | |
| RAV4 LE | 28 590 $ | x |
| RAV4 LE TI | 30 690 $ | x |
| RAV4 XLE | 32 190 $ | x |
| RAV4 XLE TI | 34 290 $ | x |
| RAV4 XLE Premium TI | 37 090 $ | x |
| RAV4 Trail TI | 39 390 $ | x |
| RAV4 Limited TI | 41 690 $ | x |
| RAV4 TRD Hors Route TI | 42 910 $ | x |
| RAV4 Hybrid LE TI | 32 950 $ | x |
| RAV4 Hybrid XLE TI | 35 950 $ | x |
| RAV4 Hybrid XSE TI | 39 340 $ | x |
| RAV4 Hybrid XSE Technologie TI | 42 170 $ | x |
| RAV4 Hybrid Limited TI | 43 350 $ | x |
| RAV4 Prime SE | 44 990 $ | x |
| RAV4 Prime XSE | 51 590 $ | x |
| RAV4 Prime XSE Technologie | 57 245 $ | x |
| Sequoia Limited | 70 150 $ | x |
| Sequoia Platinum | 79 090 $ | x |
| Sequoia TRD Pro | 79 300 $ | x |
| Sienna LE | 39 990 $ | x |
| Sienna LE TI | 41 990 $ | x |
| Sienna XLE | 42 990 $ | x |
| Sienna XLE TI | 45 390 $ | x |
| Sienna XSE | 45 690 $ | x |
| Sienna XSE TI | 47 690 $ | x |
| Sienna XSE Technologie | 51 190 $ | x |
| Sienna XSE Technologie TI | 53 190 $ | x |
| Sienna Limited | 56 190 $ | x |
| Sienna Limited TI | 58 190 $ | x |
| Tacoma cab. accès (auto) | 38 350 $ | x |
| Tacoma cab. double (auto) | 39 350 $ | x |
| Tacoma cab. double (man) | 45 340 $ | x |
| Tacoma SR5 cab. accès | 40 760 $ | x |
| Tacoma SR5 cab. double | 41 760 $ | x |
| Tacoma Trail cab. double c. crte | 44 110 $ | x |
| Tacoma TRD Sport cab. double | 44 430 $ | x |
| Tacoma TRD Sport Premium cab. double | 46 930 $ | x |
| Tacoma TRD Hors Route cab. accès (man) | 41 990 $ | x |
| Tacoma TRD Hors Route cab. accès (auto) | 43 430 $ | x |
| Tacoma TRD Hors Route cab. double c. crte | 44 410 $ | x |
| Tacoma TRD Hors Route Premium cab. double c. crte | 47 410 $ | x |
| Tacoma Nightshade cab. double c. crte | 52 490 $ | x |
| Tacoma TRD Pro cab. double c. crte (man) | 52 760 $ | x |
| Tacoma TRD Pro cab. double c. crte (auto) | 56 830 $ | x |
| Venza LE | 38 490 $ | x |
| Venza XLE | 44 490 $ | x |
| Venza Limited | 47 690 $ | x |

**VOLKSWAGEN**

| Modèle | Prix | |
|---|---|---|
| Atlas Trendline | 40 095 $ | x |
| Atlas Comfortline | 44 695 $ | x |
| Atlas Comfortline V6 | 46 895 $ | x |
| Atlas Highline | 48 995 $ | x |
| Atlas Highline V6 | 51 195 $ | x |
| Atlas Execline | 55 595 $ | x |
| Atlas Cross Sport Trendline | 38 995 $ | x |
| Atlas Cross Sport Comfortline | 43 495 $ | x |
| Atlas Cross Sport Comfortline V6 | 45 695 $ | x |
| Atlas Cross Sport Highline | 48 095 $ | x |
| Atlas Cross Sport Highline V6 | 50 295 $ | x |
| Atlas Cross Sport Execline | 52 095 $ | x |
| Atlas Cross Sport Execline V6 | 54 295 $ | x |
| Golf GTI | 31 495 $ | |
| Golf GTI Autobahn | 34 995 $ | |
| Golf GTI Performance | 38 995 $ | |
| Golf R | 44 995 $ | |
| ID.4 Pro | 44 995 $ | |
| ID.4 Pro TI | 49 995 $ | x |
| Jetta Comfortline (man) | 21 595 $ | x |
| Jetta Comfortline (auto) | 22 995 $ | x |
| Jetta Highline (man) | 25 495 $ | x |
| Jetta Highline (auto) | 25 645 $ | x |
| Jetta Execline | 28 995 $ | x |
| Jetta GLI (man) | 30 995 $ | x |
| Jetta GLI (auto) | 32 395 $ | x |
| Passat Comfortline | 27 145 $ | x |
| Passat Highline | 30 945 $ | x |
| Passat Execline | 36 495 $ | x |
| Taos Trendline | 26 695 $ | x |
| Taos Trendline 4MOTION | 29 195 $ | x |
| Taos Comfortline | 29 895 $ | x |
| Taos Comfortline 4MOTION | 32 395 $ | x |
| Taos Highline 4MOTION | 36 695 $ | x |
| Tiguan Trendline | 29 795 $ | x |
| Tiguan Trendline 4MOTION | 31 995 $ | x |
| Tiguan Comfortline 4MOTION | 35 145 $ | x |
| Tiguan United Edition 4MOTION | 37 145 $ | x |
| Tiguan Highline 4MOTION | 40 195 $ | x |

**VOLVO**

| Modèle | Prix | |
|---|---|---|
| C40 P8 Recharge | 66 000 $ (est) | |
| S60 T5 Momentum | 45 250 $ | x |
| S60 T5 Momentum TI | 47 600 $ | x |
| S60 T5 R-Design TI | 49 245 $ | x |
| S60 T6 Momentum TI | 49 250 $ | x |
| S60 T5 Inscription TI | 53 900 $ | x |
| S60 T6 R-Design TI | 54 000 $ | x |
| S60 T6 Inscription TI | 55 550 $ | x |
| S60 T8 eAWD R-Design TI | 68 200 $ | x |
| S60 T8 eAWD Polestar Engineered TI | 81 900 $ | x |
| S90 T6 Inscription | 69 100 $ | x |
| S90 T8 eAWD Inscription | 76 050 $ | x |
| V60 T5 Momentum | 46 900 $ | x |
| V60 T6 Momentum TI | 50 900 $ | x |
| V60 T5 Cross Country TI | 50 900 $ | x |
| V60 T6 R-Design TI | 55 550 $ | x |
| V60 T6 Inscription TI | 57 100 $ | x |
| V60 T8 eAWD Inscription TI | 71 100 $ | x |
| V60 T8 eAWD Polestar Engineered TI | 83 200 $ | x |
| XC40 T4 Momentum | 39 950 $ | x |
| XC40 T5 Momentum | 42 800 $ | x |
| XC40 T5 R-Design | 48 250 $ | x |
| XC40 T5 Inscription | 49 250 $ | x |
| XC40 P8 Recharge | 64 950 $ | x |
| XC60 T5 Momentum | 48 500 $ | x |
| XC60 T6 Momentum | 52 000 $ | x |
| XC60 T6 R-Design | 59 300 $ | x |
| XC60 T6 Inscription | 61 050 $ | x |
| XC60 T8 eAWD Inscription Expression | 66 650 $ | x |
| XC60 T8 eAWD R-Design | 73 950 $ | x |
| XC60 T8 eAWD Inscription | 75 700 $ | x |
| XC60 T8 eAWD Polestar Engineered | 89 150 $ | x |
| XC90 T5 Momentum 7 places | 64 750 $ | x |
| XC90 T6 Momentum 7 places | 68 100 $ | x |
| XC90 T6 Momentum 6 places | 68 700 $ | x |
| XC90 T6 R-Design 7 places | 73 400 $ | x |
| XC90 T6 Inscription 7 places | 75 100 $ | x |
| XC90 T6 Inscription 6 places | 75 600 $ | x |
| XC90 T8 eAWD Inscription Expression 7 places | 77 600 $ | x |
| XC90 T8 eAWD R-Design 7 places | 86 300 $ | x |
| XC90 T8 eAWD Inscription 7 places | 88 050 $ | x |